CALCUL DIFFÉRENTIEL ET INTÉGRAL

LE PROJET
HARVARD

Fonctions d'une variable

Deborah Hughes-Hallett, *Harvard University* – Andrew M. Gleason, *Harvard University*

Daniel E. Flath, *University of South Alabama* – Patti Frazer Lock, *St. Lawrence University*

Sheldon P. Gordon, *Suffolk County Community College* – David O. Lomen, *University of Arizona*

David Lovelock, *University of Arizona* – William G. McCallum, *University of Arizona*

Douglas Quinney, *University of Keele* – Brad G. Osgood, *Stanford University*

Andrew Pasquale, *Chelmsford High School* – Jeff Tecosky-Feldman, *Haverford College*

Joe B. Thrash, *University of Southern Mississippi* – Karen R. Thrash, *University of Southern Mississippi*

Thomas W. Tucker, *Colgate University* – Avec la collaboration de Otto K. Bretscher, *Harvard University*

Supervision de l'édition française
Michel Beaudin
École de technologie supérieure

Traduit de l'américain par
Suzanne Geoffrion et Louise Durocher

Chenelière/McGraw-Hill
MONTRÉAL • TORONTO

Fonctions d'une variable

Deborah Hughes-Hallett, Andrew M. Gleason, *et al.*

Traduction de : *Calculus : Single Variable*, Second edition,
de Hughes-Hallett, Gleason, *et al.*
(ISBN 0-471-16443-7)
© 1998 John Wiley & Sons, Inc.

© 1999 Les Éditions de la Chenelière inc.

Éditeur : Michel Poulin
Coordination : Denis Fallu
Révision linguistique : Ginette Laliberté
Correction d'épreuves : Lara Langlais
Infographie : Claude Bergeron
Couverture : Norman Lavoie

Données de catalogage avant publication (Canada)

Vedette principale au titre :

Fonctions d'une variable

Traduction de la 2ᵉ éd. de : Calculus : single variable.

Comprend un index.

ISBN 2-89461-246-X

1. Calcul différentiel. 2. Calcul intégral. 3. Fonctions de
variables réelles. I. Hughes-Hallett, Deborah.

QA 303.C27514 1999   515'.83   C98-941635-6

Chenelière/McGraw-Hill
7001, boul. Saint-Laurent
Montréal (Québec)
Canada H2S 3E3
Téléphone : (514) 273-1066
Télécopieur : (514) 276-0324
chene@dlcmcgrawhill.ca

ISBN 2-89461-246-X

Dépôt légal : 1ᵉʳ trimestre 1999
Bibliothèque nationale du Québec
Bibliothèque nationale du Canada

Imprimé au Canada par Webcom ltée
1 2 3 4 5   03 02 01 00 99

Nous reconnaissons l'aide financière du gouvernement du Canada
par l'entremise du Programme d'Aide au Développement de
l'Industrie de l'Édition pour nos activités d'édition.

PRÉFACE

On croit souvent que tous les manuels de calcul différentiel et intégral sont semblables. Puisque les résultats sont classiques, on devrait trouver la même matière d'un livre à l'autre. Évidemment, rien n'est plus faux, car chaque auteur organise son contenu selon une logique qui lui est propre. Dans le cas de *Fonctions d'une variable*, les particularités sont très importantes et se situent sur trois plans: le contenu, l'approche et les exercices.

Le contenu

En ce qui touche le contenu, un seul coup d'œil à la table des matières nous donne de nombreuses raisons de nous réjouir.

- Le chapitre 1 est consacré aux fonctions. Ce premier chapitre entre de plain-pied dans l'étude des fonctions de base, celles qui seront utilisées dans le reste de l'ouvrage. Ce chapitre est moins un rappel qu'une réaffirmation des propriétés fondamentales des grandes classes de fonctions : les situations qu'elles permettent de modéliser, leurs graphiques, etc. L'étudiant apprendra notamment à les distinguer, à les manipuler, à les composer. On remarquera également que la traditionnelle distinction entre fonction algébrique et fonction transcendante n'existe plus. Fervents de théorie, notez que l'axiome de complétude des nombres réels, primordial pour la suite, est exposé à la section « Gros plan sur la théorie ».

- Le chapitre 2 est consacré au concept de **dérivée** ; les techniques de différentiation ne seront vues qu'au chapitre suivant. On trouvera énormément d'applications de la résolution de problèmes, un aspect fort riche mais souvent négligé dans les ouvrages « traditionnels ». On remarquera que la notion de limite n'est abordée qu'à la fin du chapitre.

- Le chapitre 5 est consacré au concept d'**intégrale définie**. En tant que somme, elle est présentée à partir d'exemples concrets. De plus, la construction de primitives d'un point de vue graphique est largement explorée. Sachant fort bien que l'usage de calculateurs symboliques est de plus en plus répandu, les auteurs n'ont pas jugé pertinent de présenter toutes les techniques classiques d'intégration. On trouvera cependant suffisamment de matériel pour occuper les étudiants.

- Au chapitre 9, on verra que grâce aux séries, on peut évaluer des fonctions et faire des approximations. Le lecteur aura l'agréable surprise de voir que les séries de Taylor sont abordées bien avant les tests de convergence ! Mais puisque la convergence des séries numériques doit être étudiée avec soin, la fin du chapitre s'y attarde, donnant les principaux résultats.

- Les annexes, quant à elles, portent sur des sujets que chaque professeur verra à utiliser selon ses besoins : par exemple, les méthodes de Newton et de la bissection, qui peuvent aider à comprendre comment fonctionne la commande « solve » des calculateurs ; les courbes paramétriques planes, qui ne sont pas souvent traitées à l'intérieur d'un cours de calcul à une variable ; les nombres complexes et la représentation polaire, qui ne sont trop souvent vus... nulle part !

L'approche

Ce qui distingue également beaucoup cet ouvrage, c'est son approche. Page après page, vous trouverez ce souci de présenter chaque sujet en langage courant, puis de manière algébrique (bien sûr), graphique et numérique, et ce, à l'aide d'exemples réels et très pertinents. Cette façon de faire ne peut que renforcer la compréhension des étudiants parce qu'elle leur offre plus d'un point de vue sur chaque notion et parce qu'elle leur montre l'utilité réelle de toutes ces notions.

Les exercices

Finalement, c'est probablement en parcourant les exercices de cet ouvrage qu'on se rendra vraiment compte de toute sa richesse. Jamais aura-t-on vu comparable collection de problèmes dans un seul ouvrage : de nombreux exercices de routine qui vérifient la maîtrise des définitions et des techniques mais aussi, et surtout, beaucoup d'exercices qui demanderont à l'étudiant de modéliser des situations et d'appliquer en contexte réel les notions assimilées.

L'enseignement des mathématiques traverse une étape importante. L'avènement des calculatrices à affichage graphique (comme la TI-92) et des logiciels de calcul symbolique (tels Derive, Mathematica, Maple, Mathcad, etc.) nous oblige à nous questionner sur le contenu des cours de calcul différentiel et intégral. En effet, lorsque l'on pense que beaucoup de problèmes mathématiques qui demandaient des heures de travail technique sont, grâce à ces outils, résolus en quelques secondes aujourd'hui, on doit se demander quoi enseigner et comment le faire. Or, en élaborant un manuel centré sur le développement du raisonnement mathématique que requiert la résolution de problèmes, les auteurs ont tracé une voie qui intéressera tous ceux qui croient en la nécessité d'une solide formation en mathématiques.

Michel Beaudin
École de technologie supérieure
Montréal, décembre 1998

AVANT-PROPOS

Le calcul différentiel et intégral est l'une des plus grandes réalisations de l'intellect humain. Inspirés des problèmes d'astronomie, Newton et Leibniz jetèrent les bases du calcul différentiel et intégral il y a 300 ans. Depuis ce temps, le calcul différentiel et intégral ne cesse de répondre à quantité de questions en mathématiques, en sciences physiques, en ingénierie, en sciences humaines et en biologie.

Le grand succès du calcul différentiel et intégral est attribuable à sa capacité exceptionnelle de ramener les problèmes complexes à des applications de règles et de procédures simples. C'est d'ailleurs là que réside le danger de son enseignement : si on se limite à appliquer des règles et des procédures, on perd de vue les mathématiques mêmes et leur valeur pratique. Ce manuel de calcul différentiel et intégral vient mettre l'accent sur l'enseignement des concepts autant que sur les procédures.

Une perspective bien orientée : la compréhension conceptuelle

Notre objectif est d'aider les étudiants à bien comprendre les notions de calcul différentiel et intégral dans le but d'acquérir une base solide pour les cours subséquents en mathématiques et dans d'autres disciplines. Ce cours a été conçu sur une base nouvelle. De nouveaux sujets ont été ajoutés, alors que d'autres sujets plus traditionnels ont été retirés parce que nous les jugeons moins pertinents. Ces décisions ont été prises après avoir consulté des mathématiciens, des ingénieurs, des physiciens, des chimistes, des biologistes et des économistes. Nous nous sommes concentrés sur un petit nombre de notions clés, en mettant l'accent sur la qualité dc la compréhension plutôt que sur l'ampleur des sujets couverts.

Le présent manuel a été l'œuvre d'un consortium de onze établissements, généreusement appuyés par la National Science Foundation. Il représente le produit d'un premier consensus entre un groupe très varié de mathématiciens, de chercheurs et de professeurs ; ce consensus a abouti à l'élaboration d'un texte de calcul différentiel et intégral adapté à une grande variété d'étudiants.

Les principes directeurs

En général, comme les étudiants apprennent davantage lorsqu'ils sont actifs, nous estimons que les exercices dans les textes revêtent une importance primordiale. Nous avons aussi réalisé que les représentations multiples encourageaient les étudiants à réfléchir sur la signification de la matière. Par conséquent, nous nous sommes laissés guider par les principes suivants :

- Les problèmes sont variés et plusieurs demandent aux étudiants d'être réellement créatifs. La plupart ne peuvent être effectués en suivant un modèle présenté dans le texte.
- La règle des quatre représentations est respectée : les notions doivent être présentées sous forme graphique, numérique, algébrique et en langage courant, chaque fois que c'est possible.

L'élaboration de la pensée mathématique

La première étape de l'élaboration de la pensée mathématique consiste à acquérir une image mentale claire et intuitive des notions de base. Ensuite, l'étudiant apprend à raisonner à partir des notions intuitives et à expliquer clairement son raisonnement en langage courant. Lorsque ces bases sont bien établies, on peut choisir l'orientation : les étudiants qui se spécialisent en mathématiques préféreront une approche plus théorique, tandis que ceux qui se spécialisent en sciences et en ingénierie par exemple opteront pour la modélisation. Les rubriques « Gros plan sur la théorie » et « Gros plan sur la modélisation » fournissent le matériel nécessaire aux étudiants de l'une ou l'autre de ces orientations.

Gros plan sur la théorie

Le calcul différentiel et intégral, en tant que structure logique de théorèmes et de démonstrations, est un chef-d'œuvre des mathématiques. Toutefois, sa beauté n'est pas que superficielle. C'est pourquoi, dans les rubriques « Gros plan sur la théorie », nous avons choisi quelques sujets que les professeurs pourront traiter en profondeur. Nous démontrons comment les axiomes, les définitions et les théorèmes sont formulés, et la façon dont les démonstrations sont construites. Selon nous, pour comprendre ce contenu et pour l'apprécier, les étudiants doivent travailler par eux-mêmes. Nous avons donc inclus des exercices stimulants qui les aideront à élaborer des définitions et des preuves.

Gros plan sur la modélisation

Le calcul différentiel et intégral est un puissant outil d'analyse du monde réel. Les étudiants acquièrent une compréhension de la puissance du calcul différentiel et intégral en se concentrant sur son application à des problèmes complexes. Les rubriques « Gros plan sur la modélisation » explorent en profondeur des applications sélectionnées du calcul différentiel et intégral.

Le développement des habiletés en mathématiques

Pour utiliser le calcul différentiel et intégral avec efficacité, les étudiants doivent posséder des habiletés à la fois dans la manipulation des symboles et dans l'usage de la technologie. Les proportions exactes de chacune d'elles peuvent varier considérablement selon la préparation de l'étudiant et les souhaits des professeurs. Le manuel peut s'adapter à un grand nombre de combinaisons.

Gros plan sur la pratique

Ces rubriques accroissent les habiletés des étudiants sur les mécaniques de différentiation et d'intégration.

La technologie

Le manuel n'exige pas l'usage de logiciels précis ou de technologies particulières. Il a été utilisé avec des calculatrices à affichage graphique, des logiciels graphiques et des logiciels de calcul symbolique. Toute technologie permettant de tracer des fonctions et d'effectuer une intégration numérique suffira. Les étudiants devront user de discernement pour déterminer à quel moment le recours à de tels outils leur sera utile.

Nos expériences

En élaborant les notions présentées dans ce manuel, nous savions que nous devions mettre ce matériel à l'essai dans une grande variété d'établissements servant divers types de clientèle. Avant de produire la première édition, les membres du consortium et des collègues de plus d'une centaine d'écoles américaines ont fait l'essai en classe des versions préliminaires du manuel. Nous avons sollicité les commentaires d'un grand nombre de mathématiciens. Nous avons continué à encourager nos collègues des disciplines connexes à nous aider à cerner les besoins mathématiques de leurs étudiants. Cette démarche a notamment compris une étude attentive, effectuée par un groupe de professeurs d'ingénierie issus de programmes d'ingénierie très respectés en Amérique du Nord. Nous avons pu recueillir de précieuses recommandations que nous avons incorporées dans ce manuel, tout en respectant notre engagement initial : nous concentrer sur un nombre limité de sujets.

À l'intention des étudiants : comment apprendre avec ce manuel

- Voici de quelle manière ce manuel se différencie de bon nombre d'ouvrages de mathématiques que vous connaissez. À chaque étape, ce manuel met l'accent sur la *significa-tion* (sous une forme pratique, graphique et numérique) des symboles employés. Contrairement à la pratique habituelle, nous mettons beaucoup moins l'accent sur l'application laborieuse de recettes et de formules ; nous nous concentrons davantage sur la compréhension de ces formules. On vous demandera souvent d'expliquer vos idées avec des mots ou d'expliquer une réponse à l'aide d'un graphe.

- Ce manuel contient les principales notions du calcul différentiel et intégral qui sont expliquées en langage courant. Pour bien utiliser le présent manuel, vous devrez lire attentivement les notions présentées, vous interroger à leur sujet et y réfléchir. Il vous sera utile de lire le texte en détail et non seulement de vous concentrer sur les exemples.

- Peu d'exemples dans le texte sont identiques aux exercices ; il est donc inutile d'effectuer les exercices en recherchant des exemples similaires. Pour réussir les exercices, vous devrez saisir les notions du calcul différentiel et intégral.

- Bon nombre des problèmes dans ce manuel sont des questions ouvertes. Cela signifie qu'il existe plus d'une approche et plus d'une solution exacte. Parfois, la résolution d'un problème est une question de bon sens, lequel n'est pas explicitement énoncé dans le problème.

- Dans le présent manuel, nous supposons que vous avez accès à une calculatrice ou à un ordinateur capable de tracer des fonctions, de trouver (approximativement) les racines des équations et de calculer des intégrales numériquement. Dans bon nombre de situations, vous ne pourrez trouver la solution exacte à un problème, mais vous pourrez utiliser une calculatrice ou un ordinateur pour avoir une approximation raisonnable. La réponse ainsi obtenue est généralement aussi utile qu'une réponse exacte. Cependant, dans l'énoncé d'un problème, nous ne mentionnons pas toujours la nécessité d'utiliser une calculatrice ; vous devez donc user de discernement.

Si vous ne faites pas confiance à la technologie, lisez ce qu'une étudiante nous a confié :

« Les ordinateurs sont étranges mais, chose surprenante, ils sont très utiles et, d'après moi, c'est grâce à eux que j'ai réussi à passer ce cours. J'ai de la difficulté à visualiser les graphes et c'est ce qui a toujours entraîné mon échec en calcul différentiel et intégral. Avec l'aide de l'ordinateur, cette pression a disparu et j'ai finalement pu me concentrer sur les notions à l'origine des formes des graphes. Puisque ces notions se clarifiaient graduellement, je pouvais de plus en plus visualiser les graphes. C'est comme lorsqu'on ne peut trouver un emploi sans avoir d'expérience, et qu'on ne peut acquérir de l'expérience sans avoir un emploi. En me fiant sur l'ordinateur pour tracer des graphes, j'ai pu me concentrer sur leur signification plutôt que sur leur dessin ; d'ailleurs, ce que les graphes symbolisent constitue la base de ce cours. En étant capable de voir ce que je tentais de décrire et d'apprendre à partir de cela, j'ai pu approfondir les notions, car je pouvais changer les conditions et voir les résultats. Pour la première fois, j'ai pu constater comment tout était relié… »

Tels sont les commentaires d'une étudiante de l'Université de l'Arizona qui a suivi le cours de calcul différentiel et intégral à l'automne 1990, c'est-à-dire la première fois que nous avons utilisé ce manuel. Elle avait une peur excessive du calcul différentiel et intégral et avait obtenu un C à son premier examen. Toutefois, elle a terminé avec un A à la fin du cours.

- Dans le présent manuel, nous tentons d'accorder une importance égale aux trois méthodes de description des fonctions : graphique (une image), numérique (une table des valeurs) et algébrique (une formule). Parfois, il est plus facile de traduire un problème donné dans une forme plutôt que dans une autre. Par exemple, vous pourriez remplacer le graphe d'une parabole par son équation ou tracer une table des valeurs pour vérifier son comportement. Vous devez demeurer souple dans le choix de votre approche : si une manière d'observer un problème ne fonctionne pas, essayez-en une autre.

- Les étudiants qui ont utilisé ce manuel ont trouvé qu'il était utile d'avoir des discussions en petits groupes. De nombreux problèmes de ce manuel ne sont pas résolus ; il pourrait donc être intéressant de les aborder dans des perspectives différentes provenant de vos camarades de classe. Si le travail de groupe n'est pas possible, informez-vous auprès de votre professeur s'il peut organiser une session de discussion au cours de laquelle vous pourrez travailler sur d'autres problèmes.

- Vous vous demandez sans doute ce que ce manuel vous apprendra. En fait, si vous investissez suffisamment d'efforts, vous acquerrez une compréhension réelle de l'une des plus importantes réalisations du millénaire — le calcul différentiel et intégral — et vous aurez une idée précise du rôle des mathématiques à l'ère de la technologie.

Deborah Hughes-Hallett	David O. Lomen	Douglas Quinney
Andrew M. Gleason	David Lovelock	Jeff Tecosky-Feldman
Daniel E. Flath	William G. McCallum	Joe B. Thrash
Patti Frazer Lock	Brad G. Osgood	Karen R. Thrash
Sheldon P. Gordon	Andrew Pasquale	Thomas W. Tucker

TABLE DES MATIÈRES

CHAPITRE UN

LES FONCTIONS

Les fonctions sont fondamentales en mathématiques. Dans le langage courant, on dit que « le prix d'un billet est fonction de la place où on est assis » ou « le carburant nécessaire pour lancer une fusée est fonction de sa charge utile ». Dans chaque cas, le mot *fonction* exprime la notion selon laquelle la connaissance d'un fait indique un autre fait. En mathématiques, les principales fonctions sont celles où un nombre permet d'en connaître un autre. Si on connaît la longueur du côté d'un carré, cela signifie que l'on connaît son aire. Si on sait quelle est la circonférence d'un cercle, cela signifie qu'on sait quel est son rayon.

Le calcul différentiel et intégral débute par l'étude des fonctions. Dans le présent chapitre, on jette les bases du calcul différentiel et intégral en examinant le comportement de la plupart des fonctions courantes, notamment les puissances, les exposants, les logarithmes et les fonctions trigonométriques. On explore également des méthodes qui permettent de manipuler des graphes, des tables et des formules qui représentent ces fonctions.

1.1   QU'EST-CE QU'UNE FONCTION ?

En mathématiques, une *fonction* sert à exprimer un lien de dépendance entre une quantité et une autre quantité.

Par exemple, durant l'été de 1990, les températures en Arizona ont atteint des niveaux records (elles étaient si élevées que certaines compagnies aériennes ont décidé de ne pas y faire atterrir leurs avions par mesure de sécurité). Le tableau 1.1 présente les températures quotidiennes maximales à Phoenix du 19 au 29 juin.

TABLEAU 1.1   *Températures quotidiennes maximales à Phoenix, en Arizona, du 19 au 29 juin 1990*

Date t (juin 1990)	19	20	21	22	23	24	25	26	27	28	29
Température T (°F)	109	113	114	113	113	113	120	122	118	118	108

Bien qu'on ne pense sans doute pas qu'une chose aussi imprévisible que la température puisse constituer une fonction, la température *est effectivement* fonction de la date, puisque chaque jour donne lieu à une et à une seule température maximale. Il n'existe pas de formule pour la température (sinon la météo ne serait pas nécessaire) ; néanmoins, la température satisfait à la définition d'une fonction : chaque date d'entrée t a une température de sortie unique T qui lui est associée.

On définit une fonction comme suit :

> Une **fonction** est une règle de correspondance qui assigne à chaque nombre d'entrée exactement un nombre de sortie. L'ensemble de tous les nombres d'entrée s'appelle le **domaine** de la fonction, et l'ensemble des nombres de sortie résultant s'appelle l'**image** de la fonction.

L'entrée s'appelle la *variable indépendante* et la sortie, la *variable dépendante*. Dans l'exemple concernant la température, le domaine est l'ensemble des dates $t = \{19, 20, 21, 22, 23, 24, 25, 26, 27, 28, 29\}$, et l'image est l'ensemble des températures $T = \{109, 113, 114, 120, 122, 118, 108\}$. On remarque qu'une fonction peut avoir des sorties identiques pour différentes entrées (les 22, 23 et 24 juin, par exemple).

Certaines quantités comme la date sont *discrètes*, ce qui signifie qu'elles ne prennent que certaines valeurs isolées (les dates doivent être des entiers). D'autres quantités comme les longueurs sont *continues* puisqu'elles peuvent être n'importe quel nombre. Pour une variable continue, les domaines et les images se notent souvent sous forme d'intervalle :

$$a \leq t \leq b \text{ s'écrit } [a, b],$$
$$a < t < b \text{ s'écrit } (a, b).$$

La représentation des fonctions : les tables, les graphes, les formules et les mots

On peut représenter les fonctions à l'aide de tables, de graphes, de formules et de mots. Par exemple, la fonction qui donne les températures quotidiennes maximales à Phoenix en Arizona en fonction du temps peut être représentée par chacun des graphes de la figure 1.1 ainsi que par le tableau 1.1.

D'autres fonctions se présentent naturellement sous forme de graphes. La figure 1.2 présente les tracés des électrocardiogrammes (ECG) de deux patients, l'un normal et l'autre anormal. Bien qu'il soit possible de créer une formule pour représenter approximativement une fonction d'électrocardiogramme, cela se fait rarement. Le spécialiste doit connaître les ECG, et il peut les lire beaucoup plus facilement à l'aide d'un graphique que d'une formule.

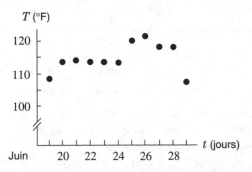
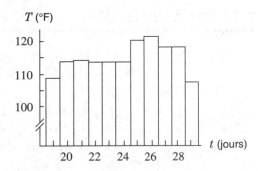

Figure 1.1 : Températures à Phoenix en juin 1990

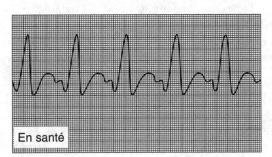
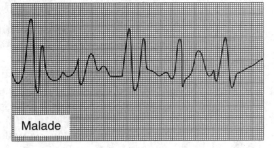

Figure 1.2 : Lectures des électrocardiogrammes de deux patients

Cependant, chaque électrocardiogramme correspond à une fonction qui présente l'activité électrique en fonction du temps.

Voici un autre exemple de fonction qui s'applique aux criquets. Chose surprenante, tous les criquets stridulent au même taux s'ils se trouvent dans un endroit où la température est la même. Cela signifie que le taux de stridulation est fonction de la température. En d'autres mots, si on connaît la température, on peut déterminer le taux de stridulation. Chose encore plus surprenante, le taux de stridulation C (en stridulations par minute) augmente de manière stable avec la température T (en degrés Fahrenheit) et peut être calculé à l'aide de la formule

$$C = 4T - 160$$

avec un degré de précision relativement juste. On écrit $C = f(T)$ pour exprimer le fait que l'on considère que C est fonction de T. La figure 1.3 présente le graphe de cette fonction.

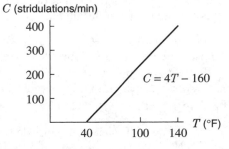

Figure 1.3 : Taux de stridulation du criquet par rapport à la température

Le domaine et l'image : exemples

Si le domaine d'une fonction n'est pas donné, on considère généralement qu'il est le plus grand ensemble de nombres réels pour lequel cette fonction est bien définie. Par exemple, on considère communément que le domaine de la fonction $f(x) = x^2$ est l'ensemble des nombres réels. Cependant, le domaine de la fonction $g(x) = 1/x$ est l'ensemble des nombres réels sauf zéro, puisqu'on ne peut diviser par zéro.

Exemple 1   Trouvez le domaine et l'image de la fonction $y = f(x) = 1/(x-3)^2$.

Solution   Puisque la formule est bien définie pour toutes les valeurs de x sauf 3, le domaine correspond à toutes les valeurs de x où $x \neq 3$. L'image de f est l'ensemble des valeurs y positives.

On définit parfois le domaine d'une fonction par un sous-ensemble du plus grand ensemble possible de nombres réels. On dit alors qu'on restreint le domaine. Par exemple, si on utilise la fonction $f(x) = x^2$ pour représenter l'aire d'un carré de côté x, on ne considère que les valeurs non négatives de x et on restreint le domaine aux nombres non négatifs.

Exemple 2   Considérez la fonction $C = f(T)$ en donnant le taux de stridulation en fonction de la température. On restreint cette fonction à des températures pour lesquelles le taux de stridulation prévu est positif et jusqu'à la température la plus élevée jamais enregistrée dans une station météorologique, notamment 136 °F. Quel est le domaine de cette fonction f ?

Solution   En considérant l'équation

$$C = 4T - 160$$

en tant que simple relation mathématique entre deux variables C et T, toute valeur de T est possible. Cependant, si on la considère comme une relation entre les stridulations d'un criquet et la température, alors C ne peut être inférieur à zéro. Puisque $C = 0$, on a $0 = 4T - 160$ et, par conséquent, $T = 40$ °F. On constate que T ne peut être inférieur à 40 °F (voir la figure 1.3). De plus, on sait que la fonction n'est pas définie pour les températures supérieures à 136 °F. Ainsi, pour la fonction $C = f(T)$, on obtient

Domaine = Toutes les valeurs de T comprises entre 40 °F et 136 °F

= Toutes les valeurs de T où $40 \leq T \leq 136$

= [40, 136].

Ainsi, on dit que la fonction $C = f(T)$ est représentée par la formule

$$C = f(T) = 4T - 160 \text{ dans le domaine } 40 \leq T \leq 136.$$

Exemple 3   Trouvez l'image d'une fonction f, étant donné le domaine de l'exemple 2. En d'autres mots, trouvez toutes les valeurs possibles du taux de stridulation C dans l'équation $C = f(T)$.

Solution   Encore une fois, si on considère $C = 4T - 160$ comme une simple relation mathématique, son image est l'ensemble des valeurs réelles de C. Cependant, lorsqu'on réfléchit à la signification de $C = f(T)$ pour les criquets, on constate que la fonction permettra de prédire que les stridulations de criquet par minute se situent entre 0 (lorsque $T = 40$ °F) et 384 (lorsque $T = 136$ °F). Ainsi,

Image = Toutes les valeurs de C comprises entre 0 et 384

= Toutes les valeurs de C où $0 \leq C \leq 384$

= [0, 384].

Jusqu'à maintenant, on a utilisé la température pour prédire le taux de stridulation et on a considéré la température comme une *variable indépendante* et le taux de stridulation comme une *variable dépendante*. Cependant, on pourrait effectuer ce calcul à l'envers et ainsi déterminer la température à partir du taux de stridulation. De ce point de vue, la température est dépendante du taux de stridulation. Ainsi, pour déterminer la variable dépendante et la variable indépendante, on devrait procéder selon son propre point de vue.

En considérant la température en fonction du taux de stridulation, on peut (en théorie du moins) utiliser le taux de stridulation pour mesurer la température. Cependant, une autre fonction sert à mesurer véritablement la température : il s'agit de la relation entre la hauteur de la colonne de mercure dans un thermomètre et la température. Bien que la hauteur de la colonne de mercure soit sans doute fonction de la température, on utilise toujours cette relation mais de manière inverse, et on détermine la température en fonction de la hauteur de la colonne de mercure.

La proportionnalité

On obtient une relation fonctionnelle courante lorsqu'une quantité est *proportionnelle* à une autre. Par exemple, si les pommes se vendent 60 cents par livre, on dit que le prix payé, soit p cents, est proportionnel au poids acheté, soit w livres, car

$$p = f(w) = 60w.$$

Maintenant, on considère l'exemple où l'aire A d'un cercle est proportionnelle au carré du rayon r :

$$A = f(r) = \pi r^2.$$

On dit que y est (directement) **proportionnel** à x s'il existe une constante k telle que

$$y = kx.$$

Ce k s'appelle la constante de proportionnalité.

On dit également qu'une quantité est *inversement proportionnelle* à une autre si une quantité est proportionnelle à la réciproque de l'autre. Par exemple, la vitesse v à laquelle on effectue un trajet de 50 mi est inversement proportionnelle au temps t qu'on met à le faire, car v est proportionnel à $1/t$:

$$v = 50\left(\frac{1}{t}\right) = \frac{50}{t}.$$

On remarque que si y est directement proportionnel à x, alors l'ampleur d'une variable augmente (diminue) lorsque l'ampleur de l'autre augmente (diminue). Cependant, si y est inversement proportionnel à x, alors l'ampleur d'une variable augmente lorsque la valeur de l'autre diminue.

Problèmes de la section 1.1

1. Parmi les graphes de la figure 1.4 (page suivante), lequel correspond le mieux à chacun des trois énoncés suivants ?[1] Rédigez un énoncé qui pourrait correspondre au graphe restant.

   a) Je venais de quitter la maison lorsque je me suis rendu compte que j'avais oublié mes livres, alors j'y suis retourné pour les prendre.
   b) Tout allait bien jusqu'à ce que le pneu de ma voiture crève.
   c) J'ai commencé à marcher lentement, mais j'ai accéléré lorsque j'ai réalisé que j'allais être en retard.

---

1. Adapté de TERWEL, Jan, « Real Math in Cooperative Groups in Secondary Education », *Cooperative Learning in Mathematics*, éd. Neal Davidson (Reading : Addison Wesley), 1990.

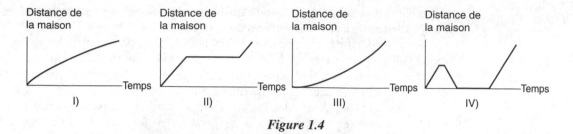

Figure 1.4

2. Parmi les graphes de la figure 1.5, lequel correspond le mieux à chacun des énoncés suivants. Rédigez un énoncé qui pourrait correspondre au graphe restant.

    a) Pendant le trajet, le pneu de ma voiture a crevé. Après avoir réparé la crevaison, j'ai dû rouler plus vite pour ne pas être en retard.

    b) Ma voiture est tombée en panne, et je l'ai laissée au bord de la route.

    c) Aussitôt après avoir déposé le colis, j'ai fait demi-tour et je suis revenu à la maison en voiture.

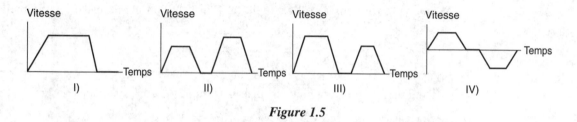

Figure 1.5

3. La population d'une ville P (en millions) est fonction de t, le nombre d'années depuis 1950. On a $P = f(t)$. Expliquez la signification de l'énoncé $P(35) = 12$ en fonction de la population de cette ville.

Pour les problèmes 4 à 7, écrivez une formule représentant la fonction décrite.

4. L'énergie cinétique K est proportionnelle au carré de la vitesse v.

5. La force de gravitation F entre deux corps est inversement proportionnelle au carré de la distance d qui les sépare.

6. La vitesse moyenne v d'un trajet sur une distance donnée est inversement proportionnelle à la durée de ce trajet.

7. Le volume d'une sphère est proportionnel au cube de son rayon r.

8. La température s'est réchauffée durant la matinée et elle s'est soudain refroidie vers midi, lorsqu'une tempête a éclaté. Après la tempête, la température s'est réchauffée avant de se refroidir au coucher du soleil. Tracez un graphe de la température de cette journée en fonction du temps.

9. Un médecin voyage à bicyclette de la maison à la clinique, soit un parcours d'une dizaine de milles. Il pédale à une vitesse constante pendant 4 mi, jusqu'à ce qu'il arrive à la grande côte. En montant la côte de 1 mi, il ralentit jusqu'à ce qu'il arrive au sommet. Il se déplace très lentement jusqu'à ce qu'il atteigne le sommet, puis il s'arrête quelques instants pour reprendre son souffle. Il descend ensuite la côte (relativement vite puisque la pente est abrupte) sur une distance de 2 mi. Les trois derniers milles à parcourir sont sur un terrain plat. Tracez le graphique qui montre la *vitesse* en fonction de la *distance* jusqu'à la maison.

10. Lorsque l'influx nerveux atteint l'extrémité d'un neurone, un neurotransmetteur est libéré, ce qui déclenche un influx nerveux dans le prochain neurone. Le neurotransmetteur est ensuite dégradé par des enzymes. Tracez un graphe présentant la concentration de neurotransmetteur entre les neurones en fonction du temps.

11. Un vol partant de l'aéroport de Dulles (à Washington, DC) à destination de LaGuardia (à New York) doit tourner autour de LaGuardia plusieurs fois avant d'obtenir la permission d'atterrir. Tracez un graphe de la distance qui sépare l'avion de Washington par rapport au temps, du décollage à l'atterrissage.

12. En vous référant au problème 11, tracez un graphe de la distance qui sépare l'avion de LaGuardia en fonction du temps, du décollage à l'atterrissage.

13. Par une froide journée, on met un objet à l'extérieur et sa température T (en degrés Celsius) est fonction du temps t (en minutes). La figure 1.6 présente un graphe de la fonction $T = f(t)$.

   a) Qu'est-ce que l'énoncé $f(30) = 10$ signifie en fonction de la température ? Incluez des unités de mesure pour 30 et pour 10 dans votre réponse.

   b) Expliquez ce que l'intersection verticale a et l'intersection horizontale b représentent en fonction de la température de l'objet et du temps à l'extérieur.

Les problèmes 14 et 15 concernent les courbes de l'offre et de la demande. Les économistes s'intéressent à la manière dont la quantité q d'un article fabriqué et vendu est fonction de son prix p par unité. Ils considèrent que la quantité est fonction du prix. Cependant, pour des raisons historiques[2], les économistes mettent le prix (la variable indépendante) sur l'axe vertical et la quantité (la variable dépendante) sur l'axe horizontal. Puisque les fabricants et les clients réagissent différemment aux variations de prix, deux fonctions relient p et q. La *courbe de l'offre* représente comment la quantité d'un article que les fabricants sont prêts à offrir est fonction du prix auquel cet article peut se vendre. La *courbe de la demande* indique comment la quantité d'un article demandé par les consommateurs varie en fonction de son prix.

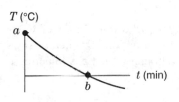

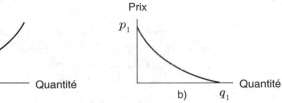

Figure 1.6

Figure 1.7 : Courbes de l'offre et de la demande

14. L'un des graphes de la figure 1.7 est une courbe de l'offre et l'autre, une courbe de la demande. Lequel représente la demande et lequel représente l'offre ? Pourquoi ?

15. Le prix p_0 à la figure 1.7 a) représente le prix au-dessous duquel les fabricants ne souhaitent produire aucun article. Que représentent le prix p_1 et la quantité q_1 dans la figure 1.7 b) du point de vue économique ?

Pour les problèmes 16 à 18, donnez le domaine et l'image approximatifs de chaque fonction. Supposez que le graphe est présenté en entier.

16.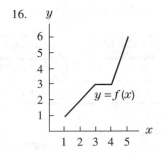

17.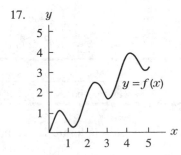

18.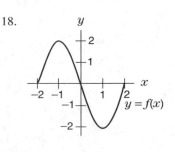

---

2. Au départ, les économistes considéraient le prix comme une variable dépendante et le mettaient sur l'axe vertical. Malheureusement, lorsque leur point de vue a changé, ils n'ont pas interverti les axes.

Trouvez le domaine et l'image des fonctions pour les problèmes 19 à 21.

19. $y = x^2 + 2$ 20. $y = \dfrac{1}{x-2}$ 21. $y = \dfrac{1}{x^2 + 2}$

22. Si $f(t) = \sqrt{t^2 - 16}$, trouvez toutes les valeurs de t pour lesquelles $f(t)$ est un nombre réel. Résolvez $f(t) = 3$.

23. Si $g(x) = (4 - x^2)/(x^2 + x)$, trouvez le domaine de $g(x)$. Résolvez $g(x) = 0$.

24. Lorsque Galilée a formulé les lois du mouvement, il a analysé le mouvement d'un corps initialement au repos qui chute sous l'effet de la gravité. Il croyait au départ que la vitesse d'un corps en chute était proportionnelle à la distance de sa chute. Que vous révèlent les données expérimentales du tableau 1.2 au sujet de l'hypothèse de Galilée ? Quelle autre hypothèse vous suggèrent les deux ensembles de données des tableaux 1.2 et 1.3 ?

TABLEAU 1.2

Distance (pi)	0	1	2	3	4
Vitesse (pi/s)	0	8	11,3	13,9	16

TABLEAU 1.3

Temps (s)	0	1	2	3	4
Vitesse (pi/s)	0	32	64	96	128

1.2   LES FONCTIONS LINÉAIRES

Les fonctions les plus couramment utilisées sont sans doute les *fonctions linéaires*. Ces fonctions ont un taux d'augmentation ou de diminution constant. Une fonction est linéaire si sa pente ou son taux de variation est le même partout. Pour une fonction qui n'est pas linéaire, le taux de variation fluctue d'un point à l'autre.

Le saut à la perche olympique

Au cours des premières années des Jeux olympiques modernes, la hauteur record du saut à la perche augmentait d'environ 8 po tous les quatre ans. Dans le tableau 1.4, on peut constater que le premier record de hauteur était de 130 po en 1900 et qu'il a augmenté par la suite de 2 po par année. Donc, de 1900 à 1912, la hauteur a été fonction du temps de manière linéaire. Si y est la hauteur décisive (en pouces) et t le nombre d'années depuis 1900, on peut écrire

$$y = f(t) = 130 + 2t.$$

Puisque $y = f(t)$ augmente avec t, on dit que f est une *fonction croissante*. Le coefficient 2 indique le taux (en pouces par année) auquel la hauteur augmente. Ce taux est la *pente* de la droite $f(t) = 130 + 2t$.

TABLEAU 1.4   *Records de saut à la perche olympique (approximatifs)*

Année	1900	1904	1908	1912
Hauteur (po)	130	138	146	154

On peut visualiser la pente à la figure 1.8 comme le rapport

$$\text{Pente} = \frac{\text{Variation de la hauteur}}{\text{Variation du temps}} = \frac{138 - 130}{1904 - 1900} = \frac{8}{4} = 2 \text{ po/année}.$$

Le calcul de la pente (variation de la hauteur/variation du temps) à l'aide de n'importe lequel des deux autres points sur la droite donne la même valeur.

Qu'en est-il de la constante 130 ? Celle-ci représente la hauteur initiale en 1900, lorsque $t = 0$. Géométriquement, 130 est l'*intersection* avec l'axe vertical.

On peut se demander si cette tendance linéaire se poursuit après 1912. Évidemment, ce n'est pas tout à fait le cas. La formule $y = 130 + 2t$ prédit que la hauteur record des Jeux olympiques de 1996 serait de 322 po (ou 26 pi et 10 po), laquelle est considérablement plus élevée que la valeur effective de 19 pi et 5,25 po. En effet, l'*extrapolation* sur une trop longue période à partir des données fournies est hasardeuse. On doit également noter que les données du tableau 1.4 sont *discrètes*, car elles ne concernent que des périodes précises (tous les quatre ans). Cependant, on a traité la variable t comme si elle était *continue*, car la fonction $y = 130 + 2t$ est définie pour toutes les valeurs de t. Le graphe de la figure 1.8 est celui de la fonction continue puisqu'il représente une droite solide, plutôt que quatre points distincts représentant les années durant lesquelles les Jeux olympiques se sont déroulés.

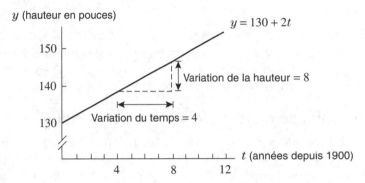

Figure 1.8 : Records du saut à la perche olympique

Les fonctions linéaires en général

> Une **fonction linéaire** a la forme
>
> $$y = f(x) = b + mx.$$
>
> Son graphe est une droite telle que
> - m est la **pente** ou le taux de variation de y par rapport à x ;
> - b est l'**intersection verticale** ou la valeur de y lorsque x est zéro ou l'ordonnée à l'origine.

On remarque que si la pente m est zéro, on obtient $y = b$, une droite horizontale.

> Pour savoir si une table des valeurs x et y provient d'une fonction linéaire $y = b + mx$, on recherche des différences dans les valeurs y qui sont constantes pour des différences équivalentes de x.

Le taux moyen de variation et la représentation delta

On utilise le symbole Δ (la lettre grecque delta majuscule) pour signifier *variation en*. Donc, Δx signifie *variation en x* et Δy *variation en y*.

On peut calculer la pente d'une fonction linéaire $y = f(x)$ à partir des valeurs de la fonction en deux points, qui sont donnés par x_1 et x_2, en utilisant la formule

$$m = \frac{\text{Variation en } y}{\text{Variation en } x} = \frac{\Delta y}{\Delta x} = \frac{f(x_2) - f(x_1)}{x_2 - x_1}.$$

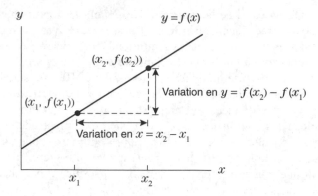

Figure 1.9 : Taux moyen de variation $= \dfrac{f(x_2) - f(x_1)}{x_2 - x_1}$

La quantité $(f(x_2) - f(x_1))/(x_2 - x_1)$ s'appelle un *taux moyen de variation*, puisqu'il s'agit du quotient de deux différences (voir la figure 1.9). Dans le chapitre 2, on verra que les taux moyens de variation jouent un rôle important dans le calcul différentiel et intégral.

Le succès des équipes de recherches et de sauvetage

On considère maintenant le problème des équipes de recherches et de sauvetage qui s'efforcent de trouver des excursionnistes perdus dans des régions éloignées. Pour rechercher une personne, les membres de l'équipe se séparent et se déplacent en parallèle dans la région déterminée. L'expérience démontre que les chances de trouver une personne perdue sont fonction de la distance d qui sépare les membres de l'équipe. Pour un type particulier de terrain, le tableau 1.5 présente le pourcentage de personnes trouvées[3] pour différentes distances entre les membres de l'équipe.

TABLEAU 1.5   *Taux de réussite par rapport à la distance entre les membres de l'équipe de recherches et de sauvetage*

Distance d (pi)	Pourcentage approximatif de personnes trouvées P
20	90
40	80
60	70
80	60
100	50

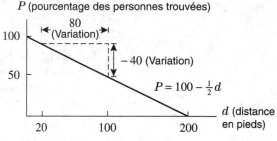

Figure 1.10 : Taux de réussite par rapport à la distance entre les membres de l'équipe de recherches et de sauvetage

Tel qu'il a été prévu, les données du tableau révèlent que plus la distance entre les membres de l'équipe diminue, plus le pourcentage du nombre d'excursionnistes trouvés augmente. Puisque $P = f(d)$ diminue à mesure que d augmente, on dit que P est une *fonction décroissante* de d. De plus, les données montrent que chaque fois que la distance entre les membres de l'équipe augmente de 20 pi, le pourcentage de personnes trouvées diminue de 10. Cela indique que le graphe de P par rapport à d est une droite (voir la figure 1.10). On remarque que la pente correspond à $-40/80 = -1/2$. Le signe négatif montre que P diminue au

---

3. Tiré de WARTES, J., *An Experimental Analysis of Grid Sweep Searching*, Explorer Search and Rescue, Western Region, 1974.

fur et à mesure que d augmente. L'ampleur de la pente correspond au taux auquel P diminue et d augmente.

Qu'en est-il de l'intersection avec l'axe vertical ? Si $d = 0$, les membres de l'équipe marchent côte à côte et on s'attend à ce que toutes les personnes perdues soient trouvées. Donc, $P = 100$. C'est exactement ce qui se produit si la droite se poursuit jusqu'à l'axe vertical (une diminution de 20 en d provoque une augmentation de 10 en P). Par conséquent, l'équation de la droite est

$$P = f(d) = 100 - \frac{1}{2}d.$$

Qu'en est-il de l'intersection avec l'axe horizontal ? Lorsque $P = 0$ ou $0 = 100 - \frac{1}{2}d$, alors $d = 200$. La valeur $d = 200$ représente la distance entre les membres de l'équipe pour laquelle, selon le modèle, personne n'est trouvé. C'est illogique, car même si les membres de l'équipe sont très éloignés les uns des autres, la recherche peut tout de même être fructueuse. Cela laisse supposer qu'à un point quelconque la relation linéaire cesse de s'appliquer. Tout comme pour l'exemple du saut à la perche, l'extrapolation effectuée trop au-delà des données fournies peut fausser les résultats.

Les fonctions croissantes et les fonctions décroissantes

Les termes *croissant* et *décroissant* peuvent s'appliquer à des fonctions autres que les fonctions linéaires (voir la figure 1.11). En général,

> Une fonction f est **croissante** si les valeurs de $f(x)$ augmentent à mesure que x augmente.
>
> Une fonction f est **décroissante** si les valeurs de $f(x)$ diminuent à mesure que x augmente.
>
> Le graphe d'une fonction *croissante monte* au fur et à mesure qu'on se déplace de la gauche vers la droite.
>
> Le graphe d'une fonction *décroissante descend* au fur et à mesure qu'on se déplace de la gauche vers la droite.

Croissante   Décroissante

Figure 1.11 : Fonction croissante et fonction décroissante

Les familles de fonctions linéaires

On dit que des formules telle $f(x) = b + mx$, où les constantes m et b peuvent avoir différentes valeurs, définissent une *famille de fonctions*. Toutes les fonctions dans une famille partagent certaines propriétés — dans le cas présent, tous les graphes sont des droites. Chacune des fonctions dans la présente section appartient à la famille linéaire $f(x) = b + mx$. Les constantes m et b sont appelées des *paramètres* ; leur signification est présentée aux figures 1.12 et 1.13 (page suivante). On remarque que plus l'ampleur de m est importante, plus la droite est abrupte.

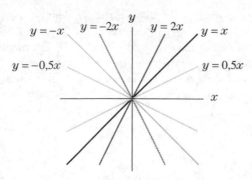

Figure 1.12 : Famille $y = mx$ (où $b = 0$)

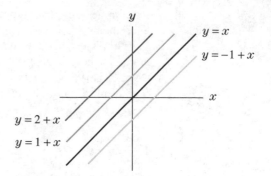

Figure 1.13 : Famille $y = b + x$ (où $m = 1$)

Problèmes de la section 1.2

Pour les problèmes 1 à 3, déterminez la pente et l'ordonnée à l'origine de la droite pour laquelle l'équation est donnée.

1. $7y + 12x - 2 = 0$
2. $-4y + 2x + 8 = 0$
3. $12x = 6y + 4$

Pour les problèmes 4 à 6, trouvez l'équation de la droite qui passe par les points donnés.

4. $(0, 0)$ et $(1, 1)$
5. $(0, 2)$ et $(2, 3)$
6. $(-2, 1)$ et $(2, 3)$

Pour les problèmes 7 à 9, considérez le fait que les droites parallèles ont des pentes égales et que les pentes des droites perpendiculaires sont des réciproques négatives l'une de l'autre.

7. Trouvez l'équation de la droite passant par le point $(2, 1)$ qui est perpendiculaire à la droite $y = 5x - 3$.

8. Trouvez les équations des droites qui passent par le point $(1, 5)$ qui sont parallèles et perpendiculaires à la droite dont l'équation est $y + 4x = 7$.

9. Trouvez les équations des droites passant par le point (a, b) qui sont parallèles et perpendiculaires à la droite $y = mx + c$, en supposant que $m \neq 0$.

10. Faites correspondre les graphes de la figure 1.14 aux équations ci-dessous. (Notez que les échelles des axes des x et des y peuvent être différentes.)

    a) $y = x - 5$
    b) $-3x + 4 = y$
    c) $5 = y$
    d) $y = -4x - 5$
    e) $y = x + 6$
    f) $y = x/2$

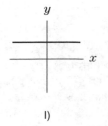
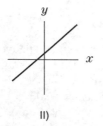
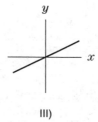
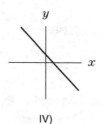
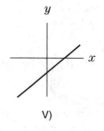
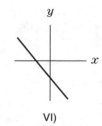

I)   II)   III)   IV)   V)   VI)

Figure 1.14

11. Faites correspondre les graphes de la figure 1.15 aux équations ci-dessous. (Notez que les échelles des axes des x et des y peuvent être différentes.)

    a) $y = -2{,}72x$

    b) $y = 0{,}01 + 0{,}001x$

    c) $y = 27{,}9 - 0{,}1x$

    d) $y = 0{,}1x - 27{,}9$

    e) $y = -5{,}7 - 200x$

    f) $y = x/3{,}14$

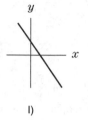
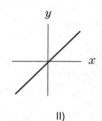
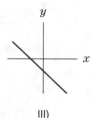
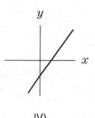
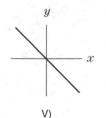
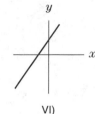

I)   II)   III)   IV)   V)   VI)

Figure 1.15

12. L'équation d'une droite est $3x + 4y = -12$. Trouvez la longueur de la portion de cette droite située entre les deux points d'intersection avec les axes.

13. Le tableau ci-dessous donne les valeurs d'une fonction linéaire. Trouvez une formule pour W en fonction de R.

R	6	9	12	15	18
W	20	25	30	35	40

14. Supposez que vous conduisez votre voiture de Chicago à Détroit à une vitesse constante et que vous couvrez une distance de 275 mi. À environ 120 mi de Chicago, vous passez par Kalamazoo, au Michigan. Tracez un graphe de votre distance depuis Kalamazoo en fonction du temps.

15. Les habitants de la ville de Maple Grove qui sont approvisionnés en eau se voient facturés annuellement pour un montant fixe en plus des frais pour chaque pied cube d'eau utilisé. Un ménage qui utilise 1000 pi^3 d'eau a été facturé 90 \$, alors qu'un ménage qui utilise 1600 pi^3 d'eau a été facturé 105 \$.

    a) Quel est le coût par pied cube d'eau ?

    b) Écrivez une équation pour le coût qu'un résidant doit payer en fonction du nombre de pieds cubes d'eau utilisés.

    c) Combien de pieds cubes d'eau utilisés représente une facture de 130 \$?

16. Vous tricotez un foulard de largeur constante. Soit $s(y) = b + ay$ une fonction qui donne la longueur du foulard $s(y)$ [en pieds], après avoir utilisé y balles de laine. Ici a et b sont des constantes.

    a) Quelle est la valeur de b ? Pourquoi ?

    b) La constante a est-elle positive, négative ou nulle ?

    c) Votre amie tricote également un foulard en alternant des mailles et des jours. Votre foulard n'a pas de jours. La formule de la longueur du foulard de votre amie est $p(y) = cy$, où c est une constante. Quelle constante est la plus grande, a ou c ?

17. Le graphe de la température en degrés Fahrenheit en fonction de la température en degrés Celsius est une droite. Vous savez que 212 °F et 100 °C représentent tous les deux le point d'ébullition de l'eau. De même, 32 °F et 0 °C représentent tous les deux le point de congélation de l'eau.

    a) Quelle est la pente du graphe ?

    b) Quelle est l'équation de la droite ?

    c) Utilisez l'équation pour trouver quelle température (en degrés Fahrenheit) correspond à 20 °C.

    d) Quelle température a le même nombre de degrés en degrés Celsius et en degrés Fahrenheit ?

18. Soit p le prix de vente (en dollars) d'un jouet et q le nombre de jouets (en milliers) qui se vendent à ce prix. Des recherches en marketing révèlent la relation suivante entre p et q :

p	1	2	3	4
q	950	900	850	800

    a) Donnez une formule pour trouver q sous forme de fonction linéaire de p.

    b) Donnez une formule pour trouver p sous forme de fonction linéaire de q.

    c) Selon ce modèle, si on distribue gratuitement des jouets, quelle quantité sera vendue ?

19. Lorsqu'une matière solide est soumise à de petites charges (des forces de tension ou de compression), la tension résultante (la variation fractionnelle en longueur) est proportionnelle à la charge. L'élasticité du matériel est représentée par la constante E, appelée le module de Young, où

$$E = \frac{\text{Charge}}{\text{Tension}}.$$

La figure 1.16 montre la courbe de charge (en newton par mètre carrés) et de tension pour un os. Estimez le module de Young pour l'os.

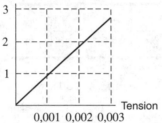

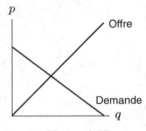

Figure 1.16   **Figure 1.17**

20. Les courbes d'offre et de demande linéaires[4] sont présentées à la figure 1.17 ; le prix est échelonné sur l'axe vertical. Le point d'équilibre se trouve au point d'intersection des courbes d'offre et de demande.

    a) Situez le prix d'équilibre p^* et la quantité d'équilibre q^* sur les axes.

    b) Expliquez l'effet sur le prix et sur la quantité d'équilibre si la pente de la courbe d'offre augmente. Illustrez votre réponse à l'aide d'un graphe.

    c) Expliquez quel sera l'effet sur le prix et la quantité d'équilibre si la pente de la courbe de demande augmente négativement, l'ordonnée à l'origine étant maintenue constante. Illustrez votre réponse à l'aide d'un graphe.

21. Depuis la colonisation de l'Ouest, la population américaine se déplace de plus en plus dans cette direction. Pour observer ce phénomène, on analyse le « centre de la population » des États-Unis, qui représente le point où le pays serait en équilibre s'il était un plateau plat (sans poids) et si tous les habitants pesaient le même poids. En 1790, le centre de la population se situait à l'est de Baltimore, au Maryland. Depuis, il se déplace vers l'ouest, et en 1990 il a traversé le Mississippi jusqu'à Steelville, au Missouri (au sud-ouest de St-Louis). Au cours de la deuxième moitié du 20e siècle, le centre de la population s'est déplacé d'environ 50 mi vers l'ouest tous les 10 ans.

    a) Mesurez la position à l'ouest depuis Steelville le long de la droite qui passe par Baltimore. Exprimez la position approximative du centre de la population en fonction du temps, mesuré en années à partir de 1990.

---

4. Pour une discussion sur les courbes d'offre et de demande, voir les problèmes 14 et 15 de la section 1.1.

b) La distance entre Baltimore et Steelville est d'un peu plus de 700 mi. Pouvez-vous affirmer que le centre de la population se déplace environ au même taux depuis les deux derniers siècles ?

c) La fonction de la partie a) pourrait-elle s'appliquer aux trois prochains siècles ? Pourquoi ? [Conseil : On vous suggère d'étudier une carte. Notez que les distances sont données en milles aériens et non pas en milles terrestres.]

22. Pour de faibles variations de température, la formule pour la dilatation d'une barre de métal sous l'effet d'une variation de température est

$$l - l_0 = al_0(t - t_0),$$

où l est la longueur de l'objet à la température t, l_0 la longueur initiale de l'objet à la température t_0 et a une constante qui dépend du type de métal.

a) Exprimez l sous forme de fonction linéaire de t. Trouvez la pente et l'ordonnée à l'origine. [Conseil : Traitez les autres quantités comme des constantes.]

b) Supposez que la barre mesure au départ 100 cm de longueur à 60 °F et qu'elle est faite d'un métal où a est égal à 10^{-5}. Trouvez une équation donnant la longueur de cette barre à la température t.

c) Que vous indique le signe de la pente du graphe sur la dilatation d'un métal sous l'effet d'une variation de température ?

23. Lorsqu'on met une pomme de terre au four, sa température augmente. Le taux R (en degrés par minute) auquel la température de la pomme de terre augmente est régi par la loi du réchauffement de Newton, selon laquelle le taux est proportionnel à la différence de température de la pomme de terre et du four. Supposez que la température du four est de 350 °F et que la température de la pomme de terre est de T °F.

a) Écrivez une formule donnant R en fonction de T.

b) Tracez le graphe de R par rapport à T.

24. Un corps de masse m chute à une vitesse v. La deuxième loi du mouvement de Newton, soit $F = ma$, énonce que la force nette vers le bas F exercée sur le corps est proportionnelle à son accélération vers le bas a. La force nette F est constituée de la force causée par la gravité F_g qui agit vers le bas, moins la résistance de l'air F_r qui agit vers le haut. La force causée par la gravité est mg, où g est une constante. Supposez que la résistance de l'air est proportionnelle à la vitesse du corps.

a) Écrivez une expression pour la force nette F en fonction de la vitesse v.

b) Écrivez une formule donnant a en fonction de v.

c) Tracez le graphe de a par rapport à v.

1.3 LES FONCTIONS EXPONENTIELLES

La croissance de la population

On considère les données présentées au tableau 1.6 (page suivante) sur la population du Mexique au début des années 1980. Pour comprendre comment la population augmente, on pourrait observer la croissance démographique d'une année à l'autre, comme le montre la troisième colonne du tableau. Si la population augmentait de manière linéaire, tous les chiffres de la troisième colonne seraient les mêmes. Cependant, les populations augmentent générale-ment plus vite au fur et à mesure qu'elles deviennent plus importantes, parce qu'un plus grand nombre d'habitants ont des enfants. Il ne faut donc pas s'étonner si les chiffres dans la troisième colonne augmentent.

TABLEAU 1.6   *Population (approximative) du Mexique,*
1980 – 1986

Année	Population (en millions)	Variation démographique (en millions)
1980	67,38	1,75
1981	69,13	1,80
1982	70,93	1,84
1983	72,77	1,89
1984	74,66	1,94
1985	76,60	1,99
1986	78,59	

Si on divise la population annuelle par la population de l'année précédente, on obtient approximativement

$$\frac{\text{Population en 1981}}{\text{Population en 1980}} = \frac{69,13 \text{ millions}}{67,38 \text{ millions}} = 1,026,$$

$$\frac{\text{Population en 1982}}{\text{Population en 1981}} = \frac{70,93 \text{ millions}}{69,13 \text{ millions}} = 1,026.$$

Le fait que les deux calculs donnent 1,026 montre que la population s'est accrue d'environ 2,6 % de 1980 à 1981 et de 1981 à 1982. En effectuant des calculs semblables pour d'autres années, on découvre que la population a augmenté d'un facteur d'environ 1,026 (ou 2,6 %) par année. Chaque fois que le facteur de croissance est constant (ici 1,026), on a une *croissance exponentielle*. Si t est le nombre d'années depuis 1980,

- lorsque $t = 0$, la population $= 67,38 = 67,38(1,026)^0$;
- lorsque $t = 1$, la population $= 69,13 = 67,38(1,026)^1$;
- lorsque $t = 2$, la population $= 70,93 = 69,13(1,026) = 67,38(1,026)^2$;
- lorsque $t = 3$, la population $= 72,77 = 70,93(1,026) = 67,38(1,026)^3$.

Donc, la population, t années après 1980, est donnée de façon générale par

$$P = 67,38(1,026)^t.$$

Il s'agit d'une *fonction exponentielle* de base 1,026. On dit qu'elle est exponentielle parce que la variable indépendante t se trouve dans l'exposant. La base représente le facteur par lequel la population augmente chaque année. Si on suppose que la même formule s'appliquera aux 50 prochaines années, le graphe de la population aura la forme présentée à la figure 1.18. Puisque la population s'accroît, la fonction est croissante. On remarque aussi que la population augmente de plus en plus rapidement dans le temps. Ce comportement est typique d'une fonction exponentielle. Comparez ce comportement à celui d'une fonction linéaire, qui monte au même taux partout et dont le graphe est une droite. Puisque le graphe d'une fonction exponentielle est recourbé vers le haut, on dit qu'il est *concave vers le haut*. Même les fonctions exponentielles qui montent lentement au départ, comme celle-ci, finissent par augmenter très rapidement. C'est pourquoi la croissance démographique exponentielle est considérée par certains comme une menace mondiale.

Même s'il représente des données fiables, le graphe régulier de la figure 1.18 ne constitue qu'une approximation du graphe véritable de la population du Mexique. Puisqu'il ne peut y avoir de fractions d'individus, le graphe devrait en réalité être irrégulier, se déplaçant vers le haut ou vers le bas chaque fois qu'une personne naît ou meurt. Cependant, avec une population qui compte plusieurs millions d'habitants, les hausses et les baisses sont trop petites pour qu'elles soient perceptibles à l'échelle utilisée. Ainsi, le graphe régulier constitue une très bonne approximation.

Exemple 1 Faites une prédiction de la population du Mexique en l'an

a) 2007 (lorsque $t = 27$). b) 2034 (lorsque $t = 54$). c) 2061 (lorsque $t = 81$).

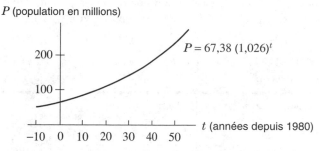

Figure 1.18 : Population (approximative) du Mexique : croissance exponentielle

Solution Le fait d'extrapoler trop loin dans le futur comporte des risques, car on suppose que la population continue d'augmenter de manière exponentielle avec le même facteur de croissance constant. (Il pourrait y avoir, par exemple, une découverte médicale qui ferait augmenter le facteur de croissance, ou une épidémie qui le ferait diminuer.) En écrivant le symbole $\approx$ pour signifier *environ égal à*, le modèle utilisé permet de prédire les populations ci-après.

a) $P = 67,38(1,026)^{27} \approx 67,38(2) = 134,76$ millions.

b) $P = 67,38(1,026)^{54} \approx 67,38(4) = 269,52$ millions.

c) $P = 67,38(1,026)^{81} \approx 67,38(8) = 539,04$ millions.

Si on examine les réponses de l'exemple 1, on découvre que 27 années plus tard, la population a doublé ; 27 années plus tard (pour $t = 54$), elle a doublé de nouveau ; encore 27 années plus tard (lorsque $t = 81$), la population a doublé de nouveau. Par conséquent, on peut dire que le *temps de doublement* de la population du Mexique est de 27 années. Chaque population qui augmente de manière exponentielle a un temps de doublement fixe.

La concavité

On a utilisé l'expression concave vers le haut pour décrire le graphe de la figure 1.18. La figure 1.22 présente un graphe concave vers le bas[5]. En termes concrets,

> Le graphe d'une fonction est **concave vers le haut** s'il est recourbé vers le haut lorsqu'on se déplace de la gauche vers la droite ; il est **concave vers le bas** s'il est recourbé vers le bas (voir la figure 1.19). Une droite n'est ni concave vers le haut ni concave vers le bas.

Figure 1.19 : Concavité d'un graphe

---

5. Dans le chapitre 3, la concavité sera examinée plus en profondeur.

Le ton musical

Le ton d'une note de musique est déterminé par la fréquence de la vibration qui la cause. Le do du milieu du piano (do central), par exemple, correspond à une vibration de 263 Hz (oscillations par seconde). Une note d'une octave supérieure au do central vibre à 526 Hz, et une note de deux octaves supérieures au do central vibre à 1052 Hz (voir le tableau 1.7).

TABLEAU 1.7 *Ton de notes supérieures au do central*

Nombre n d'octaves supérieures au do central	Nombre de hertz $V = f(n)$
0	263
1	526
2	1052
3	2104
4	4208

TABLEAU 1.8 *Ton des notes inférieures au do central*

n	$V = 263 \cdot 2^n$
−3	$263 \cdot 2^{-3} = 263(1/2^3) = 32{,}875$
−2	$263 \cdot 2^{-2} = 263(1/2^2) = 65{,}75$
−1	$263 \cdot 2^{-1} = 263(1/2) = 131{,}5$
0	$263 \cdot 2^0 = 263$

On note que les rapports des valeurs successives de V sont

$$\frac{526}{263} = 2 \quad \text{et} \quad \frac{1052}{526} = 2 \quad \text{et} \quad \frac{2104}{1052} = 2,$$

et ainsi de suite. En d'autres mots, chaque valeur de V correspond au double de la valeur précédente. Donc,

$$f(1) = 526 = 263 \cdot 2 = 263 \cdot 2^1$$
$$f(2) = 1052 = 526 \cdot 2 = 263 \cdot 2^2$$
$$f(3) = 2104 = 1052 \cdot 2 = 263 \cdot 2^3.$$

En général,

$$V = f(n) = 263 \cdot 2^n,$$

où n est le nombre d'octaves supérieures au do central. La base 2 représente le fait que lorsqu'on monte d'une octave, la fréquence des vibrations double. En effet, nos oreilles entendent une note d'une octave supérieure à une autre, précisément parce qu'elle vibre deux fois plus rapidement. Pour les valeurs négatives de n dans le tableau 1.8, cette fonction représente les octaves inférieures au do central. Les notes sur un piano sont représentées par les valeurs de n comprises entre −3 et 4, et l'oreille de l'homme entend les valeurs de n comprises entre −4 et 7.

Bien que $V = f(n) = 263 \cdot 2^n$ ait un sens, pour ce qui est de la musique, uniquement pour certaines valeurs de n, on peut calculer les valeurs de la fonction $f(x) = 263 \cdot 2^x$ pour tout x réel. Le graphe de $f(x)$ a une forme exponentielle typique, comme on peut le voir à la figure 1.20. Il est croissant et concave vers le haut, montant de plus en plus rapidement à mesure que x augmente.

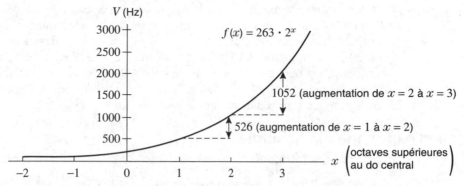

Figure 1.20 : Ton en fonction du nombre d'octaves supérieures au do central

L'élimination des polluants du kérosène

On considère maintenant un exemple dans lequel une quantité est décroissante plutôt que croissante. Avant de pouvoir utiliser le kérosène comme carburant pour les avions à réaction, la réglementation américaine exige que les polluants soient éliminés en faisant passer le kérosène dans de l'argile. On suppose que l'argile se trouve dans un tuyau et que, à chaque pied du tuyau, 20 % des polluants qui y pénètrent sont éliminés. Ainsi, après avoir franchi 1 pi, le kérosène contient encore 80 % des polluants. Si P_0 est la quantité initiale de polluants et $P = f(n)$ la quantité de polluants qui reste après avoir franchi n pi de tuyau, alors

$$f(0) = P_0$$
$$f(1) = (0,8)P_0$$
$$f(2) = (0,8)(0,8)P_0 = (0,8)^2 P_0$$
$$f(3) = (0,8)(0,8)^2 P_0 = (0,8)^3 P_0.$$

Ainsi, après n pi,

$$P = f(n) = P_0(0,8)^n.$$

Dans cet exemple, n doit être non négatif. Cependant, la *fonction de décroissance exponentielle*

$$P = f(x) = P_0(0,8)^x$$

est définie pour tout x réel. On la trace avec $P_0 = 1$ dans la figure 1.21 ; certaines valeurs de la fonction sont présentées au tableau 1.9.

TABLEAU 1.9
Valeurs de la fonction de décroissance

x	$P = (0,8)^x$
−2	1,56
−1	1,25
0	1
1	0,8
2	0,64
3	0,51
4	0,41

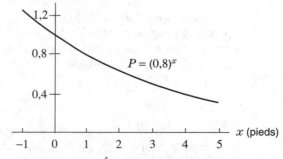

Figure 1.21 : Élimination des polluants : décroissance exponentielle

On remarque la manière dont la fonction de la figure 1.21 est décroissante. Chaque pied additionnel d'argile entraîne l'élimination d'une plus petite quantité de polluants qu'au pied précédent. Cette situation s'explique du fait que, au fur et à mesure que le kérosène se purifie, il y a moins de polluants à éliminer. Donc, chaque pied d'argile retire moins de polluants que le précédent. On peut comparer cette situation à la croissance exponentielle des figures 1.18 et 1.20, où chaque pas vers le haut est plus grand que le précédent. Cependant, on remarque que les trois graphes sont concaves vers le haut.

La fonction exponentielle générale

> On dit que P est une **fonction exponentielle** de t en base a si
>
> $$P = P_0 a^t,$$
>
> où P_0 est la quantité initiale (lorsque $t = 0$) et a est le facteur par lequel P varie lorsque t augmente de 1. Si $a > 1$, on a une croissance exponentielle ; si $0 < a < 1$, on a une décroissance exponentielle.

Le plus grand domaine possible pour la fonction exponentielle est l'ensemble de tous les nombres réels si $a > 0$. La raison pour laquelle $a > 0$ est que, par exemple, on ne peut définir $a^{1/2}$ si $a \leq 0$. De plus, normalement a n'est pas égal à 1, puisque $P = P_0 a^t = P_0 1^t = P_0$ est une fonction constante.

> Pour reconnaître qu'une table de valeurs de t et de P provient d'une fonction exponentielle $P = P_0 a^t$, on recherche des rapports de valeurs de P qui sont constants pour des valeurs de distances égales de t.

La décroissance radioactive

Les substances radioactives, tel l'uranium, perdent un certain pourcentage de leur masse durant une période donnée. La manière la plus commune d'exprimer ce taux de décroissance consiste à donner la période nécessaire pour que la moitié de la masse se désintègre. Cette période s'appelle la *demi-vie* de la substance.

L'une des substances radioactives les plus connues est le carbone radioactif ou carbone 14, qui sert à déterminer l'âge des objets organiques. Par exemple, un morceau de bois ou d'os qui fait partie d'un organisme vivant accumule de petites quantités de carbone 14 radioactif. Quand cet organisme meurt, il n'absorbe plus de carbone 14, car il n'interagit plus avec son environnement (par exemple, au moyen de la respiration). En mesurant la proportion de carbone 14 dans l'objet et en la comparant à la proportion dans un organisme vivant, on peut estimer la quantité décomposée du carbone 14 initial.

La demi-vie du carbone 14 est d'environ 5370 années. On peut écrire une fonction exponentielle pour la quantité de carbone 14 restante après une période de t années. Si $T = t/5730$ est le nombre de demi-vies qui se sont écoulées et C_0 la quantité initiale de carbone 14, alors la quantité C de carbone 14 restante est donnée par

$$C = C_0 \left(\frac{1}{2}\right)^T = C_0 \left(\frac{1}{2}\right)^{(t/5730)}.$$

On suppose qu'en général une substance a une demi-vie de h années (ou minutes ou secondes). Alors, si Q_0 est la quantité initiale de la substance, la quantité Q de la substance restante après un temps t est donnée par

$$Q = Q_0 \left(\frac{1}{2}\right)^{(t/h)}.$$

En résumé, on utilise les définitions suivantes :

> Le **temps de doublement** d'une population qui croît de manière exponentielle est le temps requis pour que la population double.
>
> La **demi-vie** d'une quantité qui décroît de manière exponentielle est le temps requis pour que la quantité soit réduite par un facteur d'une demie.

L'accumulation de drogues

On suppose qu'on veut modeler la quantité d'une drogue donnée dans le corps humain. On présume qu'au départ, il n'y en a aucune trace, mais que la quantité commence à augmenter lentement au moyen d'une injection intraveineuse continue. Au fur et à mesure qu'augmente la quantité de la drogue dans le corps, le taux auquel le corps excrète cette drogue augmente aussi. La quantité finit donc par atteindre un niveau de saturation S. Le graphe de la quantité par rapport au temps ressemblera à celui de la figure 1.22.

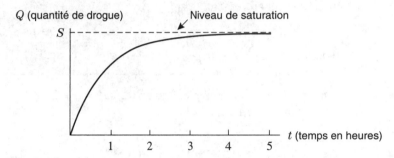

Figure 1.22 : Accumulation de drogue dans le corps

On suppose qu'on veut construire un modèle mathématique pour décrire ce phénomène. Autrement dit, on désire trouver une formule donnant la quantité Q par rapport au temps t. Pour construire un modèle mathématique, il faut observer le graphe et décider quel type de fonction présente cette forme. Le graphe de la figure 1.22 ressemble à une fonction de décroissance exponentielle mais inversée. La décroissance véritable correspond à la différence entre le niveau de saturation S et la quantité Q dans le sang. On suppose que la différence entre le niveau de saturation et la quantité dans le corps est donnée par la formule

$$\text{Différence} = (\text{Différence initiale}) \cdot (0{,}3)^t,$$

où t est en heures. Puisque la différence est $S - Q$ et que la valeur initiale de cette différence est $S - 0 = S$, on obtient

$$S - Q = S \cdot (0{,}3)^t.$$

En résolvant Q comme fonction de t, on obtient

$$Q = S - S \cdot (0{,}3)^t$$
$$Q = f(t) = S \cdot (1 - (0{,}3)^t).$$

Le graphe de cette fonction ressemble à une décroissance exponentielle mais inversée. On remarque que la quantité Q commence à zéro et augmente pour atteindre S. Puisque le taux d'augmentation de la quantité de drogue ralentit au fur et à mesure que cette quantité se rapproche de S, ce graphe est recourbé vers le bas. Ainsi, le graphe est croissant et *concave vers le bas*. Il s'agit d'un exemple d'une fonction de la forme

$$\boxed{Q = S(1 - a^t), \quad \text{où} \quad 0 < a < 1.}$$

Les asymptotes

On dit que la droite qui représente le niveau de saturation est une asymptote horizontale, car le graphe se rapproche de celle-ci au fur et à mesure que le temps augmente. À mesure que t augmente, $(0,3)^t$ diminue, donc Q se rapproche de S. En utilisant le symbole $\to$ pour signifier *tend vers*, on peut écrire $(0,3)^t \to 0$ quand $t \to \infty$. Donc,

$$Q = S(1 - (0,3)^t) \to S(1 - 0) = S \quad \text{quand} \quad t \to \infty.$$

Ainsi, le graphe de $Q = S(1 - (0,3)^t)$ a une asymptote horizontale à $Q = S$.

> Si le graphe de $y = f(x)$ s'approche d'une droite horizontale $y = L$ quand $x \to \infty$ ou $x \to -\infty$, alors la droite $y = L$ s'appelle une **asymptote horizontale**[6]. Cela se produit lorsque
>
> $$f(x) \to L \quad \text{quand} \quad x \to \infty \quad \text{ou} \quad f(x) \to L \quad \text{quand} \quad x \to -\infty.$$
>
> Si le graphe de $y = f(x)$ s'approche d'une droite verticale $x = K$ quand $x \to K$ d'un côté ou de l'autre, autrement dit si
>
> $$y \to \infty \quad \text{ou} \quad y \to -\infty \quad \text{quand} \quad x \to K,$$
>
> alors la droite $x = K$ s'appelle une **asymptote verticale**.

On considère, par exemple, le graphe $f(x) = 2 + 1/(x - 3)$ qui a une asymptote verticale à $x = 3$ (voir la figure 1.23).

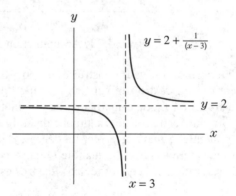

Figure 1.23 : Graphe ayant une asymptote verticale et une asymptote horizontale

La famille des fonctions exponentielles

La formule $P = P_0 a^t$ donne une famille de fonctions exponentielles avec les paramètres P_0 (la quantité initiale) et a (la base ou le facteur de croissance/décroissance). La base indique si une fonction est croissante ($a > 1$) ou décroissante ($0 < a < 1$). Puisque a est le facteur par lequel P varie quand T augmente de 1, les valeurs plus grandes de a laissent supposer une croissance rapide ; les valeurs de a qui tendent vers zéro signifient qu'il y a décroissance rapide (voir les figures 1.24 et 1.25). Tous les membres de la famille $P = P_0 a^t$ sont concaves vers le haut.

Une autre formulation pour la fonction exponentielle

La croissance exponentielle est souvent décrite en fonction des taux de croissance en pourcentage. Par exemple, la population du Mexique augmente de 2,6 % par année ; en d'autres termes, le facteur de croissance est $a = 1 + 0,026 = 1,026$. De même, chaque pied

---

6. On suppose que $f(x)$ se rapproche arbitrairement de L quand $x \to \infty$.

d'argile permet d'éliminer 20 % des polluants du kérosène ; donc, le facteur de décroissance est $a = 1 - 0,20 = 0,8$. En général, la formule suivante s'applique.

Si r est le taux de croissance, alors $a = 1 + r$ et
$$P = P_0 a^t = P_0 (1 + r)^t.$$

Si r est le taux de décroissance, alors $a = 1 - r$ et
$$P = P_0 a^t = P_0 (1 - r)^t.$$

On note, par exemple, que $r = 0,05$ lorsque le taux de croissance est de 5 %.

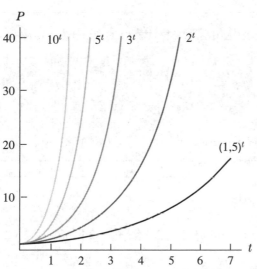

Figure 1.24 : Croissance exponentielle : $P = a^t$ pour $a > 1$

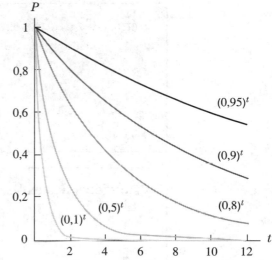

Figure 1.25 : Décroissance exponentielle : $P = a^t$ pour $0 < a < 1$

Exemple 2 Supposez que $Q = f(t)$ est une fonction exponentielle de t, $f(20) = 88,2$ et $f(23) = 91,4$.

a) Trouvez la base.   b) Trouvez le taux de croissance.   c) Évaluez $f(25)$.

Solution a) Soit
$$Q = Q_0 a^t.$$

En substituant $t = 20$, $Q = 88,2$ et $t = 23$, $Q = 91,4$, on obtient deux équations pour Q_0 et a :
$$88,2 = Q_0 a^{20} \qquad \text{et} \qquad 91,4 = Q_0 a^{23}.$$

En divisant les deux équations, on élimine Q_0 :
$$a = \left(\frac{91,4}{88,2}\right) = \frac{Q_0 a^{23}}{Q_0 a^{20}} = a^3.$$

En résolvant le problème pour la base a, on obtient
$$a = \left(\frac{91,4}{88,2}\right)^{1/3} \approx 1,012.$$

b) Puisque $a \approx 1,012$, le taux de croissance est $r \approx 0,012 = 1,2 \%$.

c) On veut évaluer $f(25) = Q_0 a^{25} = Q_0(1,012)^{25}$. Tout d'abord, on trouve Q_0 à partir de l'équation

$$88,2 = Q_0(1,012)^{20}.$$

En résolvant le problème, on obtient $Q_0 \approx 69,48$. Ainsi,

$$f(25) = 69,48(1,012)^{25} = 93,62.$$

Révision : les définitions et les propriétés des exposants

Ci-dessous, on dresse la liste des définitions et des propriétés utilisées pour manipuler les exposants.

Définition des exposants nuls, négatifs et fractionnaires

$$a^0 = 1, \quad a^{-1} = \frac{1}{a}, \quad \text{et, en général, } a^{-x} = \frac{1}{a^x}.$$

$$a^{1/2} = \sqrt{a}, \quad a^{1/3} = \sqrt[3]{a}, \quad \text{et, en général, } a^{1/n} = \sqrt[n]{a}.$$

De plus, $a^{m/n} = \sqrt[n]{a^m} = \left(\sqrt[n]{a}\right)^m$.

Propriétés des exposants

1. $a^x \cdot a^t = a^{x+t}$ Par exemple, $2^4 \cdot 2^3 = (2 \cdot 2 \cdot 2 \cdot 2) \cdot (2 \cdot 2 \cdot 2) = 2^7$.

2. $\dfrac{a^x}{a^t} = a^{x-t}$ Par exemple, $\dfrac{2^4}{2^3} = \dfrac{2 \cdot 2 \cdot 2 \cdot 2}{2 \cdot 2 \cdot 2} = 2^1$.

3. $(a^x)^t = a^{xt}$ Par exemple, $(2^3)^2 = 2^3 \cdot 2^3 = 2^6$.

Problèmes de la section 1.3

Pour les problèmes 1 à 4, déterminez si chaque graphe est concave vers le haut, concave vers le bas ou ni l'un ni l'autre.

Pour les problèmes 5 à 6, expliquez si la fonction donnée représente une croissance exponentielle ou une décroissance exponentielle.

5. $p = 100(7)^t$ 6. $p = 75(0,25)^t$

Pour les problèmes 7 à 9, précisez si l'ensemble de données semble présenter une croissance exponentielle, une décroissance exponentielle ou ni l'une ni l'autre. S'il a un comportement exponentiel, donnez une formule pour la fonction.

7. **TABLEAU 1.10**

t	$g(t)$
0	1
1	2
2	4
3	8
4	16

8. **TABLEAU 1.11**

t	$f(t)$
2	9
3	18
4	81
5	243
6	486

9. **TABLEAU 1.12**

t	$h(t)$
3	2096
4	1048
5	524
6	262
7	131

10. Si vous mettez une pomme de terre au four, la température de celle-ci augmente rapidement au départ puis de plus en plus lentement. Tracez un graphe de la température de la pomme de terre par rapport au temps.

11. Chaque année, la consommation mondiale annuelle d'électricité augmente. De plus, chaque année, la hausse de la consommation annuelle augmente. Tracez un graphe de la consommation mondiale annuelle d'électricité par rapport au temps.

12. Une drogue est injectée dans le sang d'un patient pendant cinq minutes. Durant cette période, la quantité de drogue dans le sang augmente de manière linéaire. Après cinq minutes, on cesse d'injecter la drogue et la quantité dans le sang décroît alors exponentiellement. Tracez un graphe de la quantité par rapport au temps.

13. Le nombre de cellules cancéreuses dans une tumeur s'accroît lentement au départ, puis il augmente de plus en plus vite. Dessinez un graphe du nombre de cellules cancéreuses par rapport au temps.

Déterminez si chacune des fonctions des problèmes 14 à 17 a une asymptote horizontale. Si c'est le cas, donnez son équation.

14. $y = 5(0,8)^x$ 15. $P = 5(1 - (0,8)^t)$ 16. $Q = 2^t + 2^{-t}$ 17. $Z = 3 + (0,1)^t$

Pour les problèmes 18 et 19, supposez que $f(t) = Q_0 a^t = Q_0(1 + r)^t$. Étant donné deux valeurs de f :

a) Trouvez la base a.
b) Trouvez le taux de croissance en pourcentage r.

18. $f(5) = 75,94$ et $f(7) = 170,86$.

19. $f(0,02) = 25,02$ et $f(0,05) = 25,06$.

Donnez une formule pour chacune des fonctions illustrées dans les problèmes 20 à 23.

20.
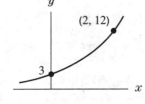

21.
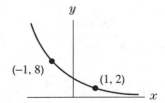

22.
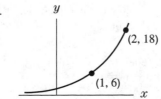

23.
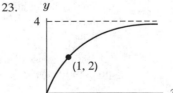

24. Chacune des fonctions du tableau 1.13 est croissante, mais augmente d'une manière différente. Lequel des graphes de la figure 1.26 ci-dessous concorde le mieux avec chaque fonction ?

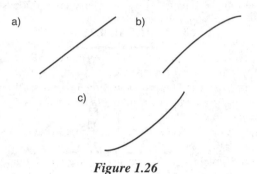

Figure 1.26

TABLEAU 1.13

t	$g(t)$	$h(t)$	$k(t)$
1	23	10	2,2
2	24	20	2,5
3	26	29	2,8
4	29	37	3,1
5	33	44	3,4
6	38	50	3,7

25. Faites concorder les fonctions $h(s)$, $f(s)$ et $g(s)$ dont les valeurs se trouvent dans le tableau 1.14 avec les formules

$$y = a(1,1)^s, \qquad y = b(1,05)^s, \qquad y = c(1,03)^s,$$

en supposant que a, b et c sont des constantes. Notez que les valeurs de la fonction ont été arrondies à deux décimales.

TABLEAU 1.14

s	$h(s)$	s	$f(s)$	s	$g(s)$
2	1,06	1	2,20	3	3,47
3	1,09	2	2,42	4	3,65
4	1,13	3	2,66	5	3,83
5	1,16	4	2,93	6	4,02
6	1,19	5	3,22	7	4,22

26. Une région donnée a une population de 10 000 000 d'habitants et un taux de croissance annuelle de 2 %. Estimez le temps de doublement par tâtonnement et par vérification.

27. a) La demi-vie du radium 226 est de 1620 années. Trouvez une formule pour la quantité Q de radium qui reste après t années, si la quantité initiale est de Q_0.
    b) Quel pourcentage d'une quantité initiale de radium reste-t-il après 500 ans ?

28. Au début des années 1960, du strontium 90 radioactif a été libéré durant les essais atmosphériques d'armes nucléaires et a pénétré dans les os des habitants. Si la demi-vie du strontium 90 est de 29 ans, quelle fraction du strontium 90 absorbé dans les années 1960 restait dans les os des habitants en 1990 ?

29. Au cours des Jeux olympiques de Mexico en 1968, on a longuement discuté des effets possibles de la haute altitude (7340 pi) sur les athlètes. On suppose que la pression d'air décroît exponentiellement de 0,4 % tous les 100 pi. De quel pourcentage la pression d'air diminue-t-elle si on se déplace du niveau de la mer vers Mexico ?

30. a) En 1996, la population américaine a augmenté de 0,9 % pour atteindre 266,5 millions. Si on suppose que la population continue de croître au même taux, quel sera le nombre d'habitants au début de l'an 2000 ?
    b) Quel a été le taux de croissance annuel (en pourcentage) de la population américaine durant la période allant du début de 1990 — lorsque la population se chiffrait à 248,7 millions d'habitants — à la fin de 1996 ?

31. En 1988, le taux d'inflation au Nicaragua se chiffrait en moyenne à 1,3 % par jour. Cela signifie qu'en moyenne les prix augmentaient de 1,3 % par jour.

a) De quel pourcentage les prix au Nicaragua ont-ils augmenté en juin 1988 ?

b) Quel était le taux d'inflation annuel du Nicaragua en 1988 ?

32. Supposez que le prix moyen P d'une maison a augmenté et qu'il a passé de 50 000 $ en 1970 à 100 000 $ en 1990. Soit t le nombre d'années depuis 1970.

a) Supposez que l'augmentation du prix des maisons a été linéaire. Donnez une équation pour la droite représentant le prix P par rapport à t. Utilisez cette équation pour remplir la colonne a) du tableau 1.15. Utilisez le prix en unité de 1000 $.

b) Au contraire, si le prix des maisons augmente exponentiellement, déterminez une équation de la forme $P = P_0 a^t$ qui représenterait la variation du prix des maisons de 1970 à 1990, et remplissez la colonne b) du tableau 1.15.

c) Sur le même ensemble d'axes, tracez les fonctions représentées dans la colonne a) et dans la colonne b) du tableau 1.15.

d) Lequel des modèles d'augmentation des prix considérez-vous comme étant le plus réaliste ?

TABLEAU 1.15

t	a) Augmentation linéaire des prix par unité de 1000 $	b) Augmentation exponentielle des prix par unité de 1000 $
0	50	50
10	75	70,7
20	100	100
30	125	141,4
40	150	200

1.4   LES FONCTIONS PUISSANCES

Une *fonction puissance* est une fonction dans laquelle la variable dépendante est proportionnelle à une puissance de la variable indépendante. Par exemple, l'aire A d'un carré de côté s est donnée par

$$A = f(s) = s^2.$$

Le volume V d'une sphère de rayon r est donné par

$$V = g(r) = \frac{4}{3}\pi r^3.$$

Ces deux fonctions sont des *fonctions puissances*. La fonction qui décrit comment la force de gravitation de la Terre varie avec la distance est un autre exemple de cette fonction. Si F est la force de gravitation d'une masse à une distance r de la Terre, la loi de Newton sur la gravitation universelle détermine une force en inverse carré

$$F = \frac{k}{r^2} \qquad \text{ou} \qquad F = kr^{-2},$$

où k est une constante positive.

> Une **fonction puissance** a la forme
> $$f(x) = kx^p,$$
> où k et p sont des constantes.

Dans la présente section, on compare les différentes fonctions puissances entre elles et avec les fonctions exponentielles.

Les puissances entières positives : $y = x$, $y = x^2$, $y = x^3$, ...

Tout d'abord, on examine les fonctions de la forme $f(x) = x^n$, où n est un entier positif. Les figures 1.27 et 1.28 montrent que les graphes de ces fonctions se divisent en deux groupes : les puissances impaires et les puissances paires. Toutes les puissances impaires (x, x^3, x^5 et ainsi de suite) sont croissantes partout et leurs graphes sont symétriques par rapport à l'origine. Toutes les puissances impaires supérieures à $n = 1$ ont la base de leur « siège » à l'origine. Par ailleurs, les puissances paires sont d'abord décroissantes et ensuite croissantes, ce qui leur donne une forme en ∪ avec une symétrie par rapport à l'axe des y. Les puissances paires sont concaves vers le haut partout, alors que celles qui ont des puissances impaires supérieures à 1 sont concaves vers le bas pour les x négatifs et concaves vers le haut pour les x positifs. Pour les grands x, plus la puissance de x est élevée, plus la fonction monte rapidement (voir la figure 1.29). Pour les grandes valeurs de x (en fait pour tous les $x > 1$), $y = x^5$ est supérieur à $y = x^4$, qui est supérieur à $y = x^3$, et ainsi de suite. Les puissances plus élevées sont plus grandes et *beaucoup* plus grandes parce que si $x = 100$, par exemple, 100^5 est 100 fois plus élevé que 100^4 qui est 100 fois plus élevé que 100^3. Au fur et à mesure que x augmente (ce qui s'écrit $x \to \infty$), toute puissance positive de x *submerge* complètement toutes les puissances inférieures de x. Quand $x \to \infty$, on dit que les puissances plus élevées de x *dominent* les puissances inférieures.

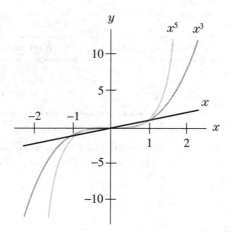

Figure 1.27 : Puissances impaires de x en forme de « siège » pour $n > 1$

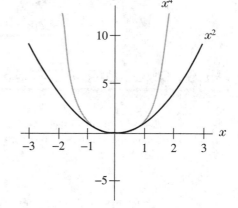

Figure 1.28 : Puissances paires de x en forme de ∪

Quand $x \to 0$, la situation change complètement (voir la figure 1.30, laquelle constitue un gros plan de l'origine). Pour x entre 0 et 1, x^3 est plus grand que x^4, qui est plus grand que x^5. (On peut essayer avec $x = 0,1$ pour confirmer ce fait.) En ce qui concerne les valeurs de x près de zéro, les puissances plus petites dominent.

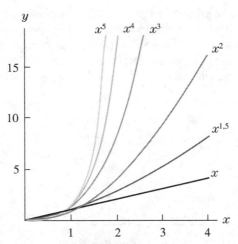

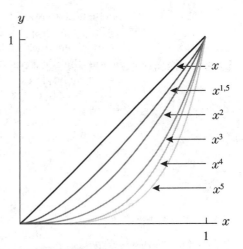

Figure 1.29 : Pour les grandes valeurs x, les puissances plus élevées de x dominent

Figure 1.30 : Pour $0 \le x \le 1$, les puissances plus petites de x dominent

Le zéro et les puissances entières négatives : $y = x^0$, $y = x^{-1}$, $y = x^{-2}$, ...

La fonction $y = x^0 = 1$ a un graphe qui est une droite horizontale. Pour les puissances négatives, on peut réécrire

$$y = x^{-1} = \frac{1}{x} \qquad \text{et} \qquad y = x^{-2} = \frac{1}{x^2}$$

pour clarifier qu'au fur et à mesure que $x > 0$ augmente, les dénominateurs augmentent et les fonctions diminuent. Les graphes de $y = x^{-1}$ et de $y = x^{-2}$ ont tous les deux les axes des x et des y comme asymptotes (voir la figure 1.31).

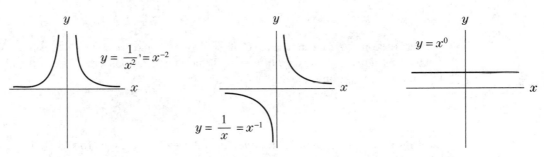

Figure 1.31 : Comparaison entre la puissance zéro et les puissances négatives de x

Exemple 1 Tracez le graphe de la pression par rapport au volume pour une quantité donnée de gaz à une température constante. Considérez le fait que la pression est inversement proportionnelle au volume.

Solution On songe à une quantité fixe d'air — par exemple, à l'intérieur du cylindre du moteur d'une voiture. Si le volume V de l'air diminue (car on déplace les pistons), la pression P d'air augmente. Inversement, si le volume augmente, la pression diminue. Pour un gaz parfait, la loi de Boyle donne la relation exacte entre la pression et le volume, pourvu que la température soit constante. Elle énonce que P est inversement proportionnelle à V. Donc,

$$P = \frac{k}{V} = kV^{-1}, \text{ où } k \text{ est une constante positive.}$$

Les deux axes sont des asymptotes du graphe de la figure 1.32, car lorsque le volume tend vers l'infini, la pression tend vers zéro, et inversement. La forme est connue sous le nom d'*hyperbole*. La fonction puissance $P = k/V = kV^{-1}$ diffère de la décroissance exponentielle puisqu'elle n'est pas définie pour $V = 0$. Donc, ce graphe ne croise pas l'axe vertical. De plus, il s'approche de l'axe horizontal plus lentement que la fonction exponentielle.

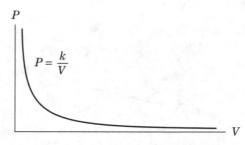

Figure 1.32 : Graphe de pression P par rapport au volume V pour la loi de Boyle

Exemple 2

La mécanique quantique prédit que la force entre deux molécules de gaz a deux composantes : une force d'attraction qui est proportionnelle à r^{-7} (où r est la distance entre les molécules) et une force répulsive qui est proportionnelle à r^{-13}. Comment la force nette varie-t-elle avec r ?

Solution

On considère généralement la force répulsive comme positive et la force d'attraction comme négative. On obtient donc

$$F = -ar^{-7} + br^{-13} = -\frac{a}{r^7} + \frac{b}{r^{13}}, \quad \text{où } a \text{ et } b \text{ sont des constantes positives.}$$

Si r est très petit, $1/r^{13}$ est beaucoup plus grand que $1/r^7$. Donc,

$$F \approx \frac{b}{r^{13}}$$

et la force nette est répulsive. (Cela se produit lorsque les molécules sont si rapprochées les unes des autres que les protons dans le noyau se repoussent.) Pour un très grand r, $1/r^7$ est beaucoup plus grand que $1/r^{13}$. Donc,

$$F \approx -\frac{a}{r^7}$$

ce qui rend la force nette attractive. Quand $r \to \infty$, toutes les forces deviennent nulles.

Les puissances fractionnaires positives : $y = x^{1/2}, y = x^{1/3}, y = x^{3/2}, \ldots$

La fonction donnant le côté d'un carré s en fonction de son aire A fait intervenir une racine ou une puissance fractionnaire :

$$s = \sqrt{A} = A^{1/2}.$$

De même, l'équation donnant le nombre moyen d'espèces sur une île par rapport à sa superficie A est d'environ

$$N = k\sqrt[3]{A} = kA^{1/3},$$

où k est une constante qui dépend de la région du monde où se trouve l'île[7].

---

7. *Scientific American*, septembre 1989, p. 112.

On examine maintenant les fonctions de la forme $y = x^{m/n} = \sqrt[n]{x^m}$. Puisque certaines puissances fractionnaires telle $x^{1/2}$ font intervenir des racines et sont définies uniquement pour x positif et $x = 0$, on limite le domaine de ces fonctions à $x \geq 0$.

La figure 1.33 montre que pour un grand x (en fait, tout $x > 1$), le graphe de $y = x^{1/2}$ est au-dessous du graphe de $y = x$ et $y = x^{1/3}$ est au-dessous de $y = x^{1/2}$. Cela est raisonnable puisque, pour $x > 1$, la mise au carré de x le rend plus grand et la mise au cube le rend toujours plus grand. Ainsi, en prenant la racine carrée de x, il sera plus petit et en prenant sa racine cubique, il sera également plus petit. Entre $x = 0$ et $x = 1$, la situation est inversée et $y = x^{1/3}$ se trouve au-dessus. (Pourquoi ?) De toute évidence, $y = x^{3/2}$ se situe entre $y = x$ et $y = x^2$ pour tout x.

L'autre caractéristique importante à remarquer à propos des graphes de $y = x^{1/2}$ et de $y = x^{1/3}$ est qu'ils se recourbent dans des directions opposées à celles des graphes de $y = x^2$ et de $y = x^3$. Par exemple, le graphe de $y = x^2$ est concave vers le haut. Par ailleurs, les graphes de $y = x^{1/2}$ et de $y = x^{1/3}$ sont concaves vers le bas. En dépit de cela, toutes ces fonctions deviennent infiniment plus grandes au fur et à mesure que x augmente. On remarque également que toutes ces fonctions passent par le point $(1, 1)$.

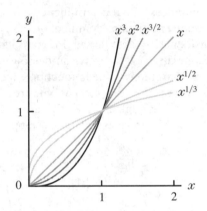

Figure 1.33 : Comparaison de certaines puissances fractionnaires de x

Quel effet les coefficients ont-ils ?

On sait que $x^2 < x^3$ pour tout $x > 1$. Cependant, lequel est le plus grand, $50x^2$ ou x^3 ? Pour les valeurs moyennes de x, comme $x = 10$, on obtient $50x^2 > x^3$. Cependant, à un moment donné, $50x^2 < x^3$. En fait, $50x^2 < x^3$ pour tout $x > 50$. Les graphes de $y = x^2$ et de $y = x^3$ se croisent en $x = 1$, alors que les graphes de $y = 50x^2$ et de $y = x^3$ se croisent en $x = 50$ (voir la figure 1.34, page suivante). Ainsi, le facteur de 50 a pour effet de changer le point où les graphes se croisent. Cependant, x^3 se retrouve au-dessus dans les deux cas. Étant donné que les coefficients sont positifs, quand $x \to \infty$, la puissance la plus élevée finit toujours par être plus grande.

Exemple 3   Entre $y = 100x^2$ et $y = 0{,}1x^3$, laquelle est plus grande quand $x \to \infty$?

Solution   Puisque $x \to \infty$, on examine de grandes valeurs positives de x, où la puissance la plus élevée finira par être plus élevée ou va dominer. Cela permet de suggérer que $y = 0{,}1x^3$ sera plus grande. En fait, $0{,}1x^3 > 100x^2$ quand $x > 1000$ (voir la figure 1.35, page suivante).

Les fonctions exponentielles ou les fonctions puissances : lesquelles dominent ?

Dans le langage courant, le terme *exponentiel* sert souvent à indiquer une croissance très rapide. Mais les fonctions exponentielles augmentent-elles toujours plus rapidement que les

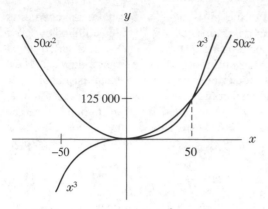

Figure 1.34 : Graphe de $y = x^3$ qui se trouve au-dessus du graphe de $y = 50x^2$ pour des x positifs suffisamment grands

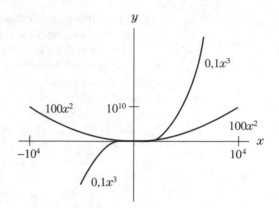

Figure 1.35 : Pour des x positifs suffisamment grands, $y = 0{,}1x^3$ domine $y = 100x^2$

fonctions puissances ? Pour déterminer ce qui se produit à « long terme », on doit généralement déterminer quelles fonctions dominent quand $x \to \infty$.

On considère $y = 2^x$ et $y = x^3$. Le gros plan de la figure 1.36 a) montre qu'entre $x = 2$ et $x = 4$, le graphe de $y = 2^x$ se trouve au-dessous du graphe de $y = x^3$. Cependant, la vue éloignée de la figure 1.36 b) montre que la fonction exponentielle $y = 2^x$ finit par surpasser $y = x^3$. Et la figure 1.36 c), laquelle présente une vue très éloignée, montre que, pour un grand x, x^3 est négligeable si on le compare à 2^x. En effet, 2^x augmente tellement plus vite que x^3 que le graphe de 2^x semble presque vertical par rapport à la croissance plus lente de x^3.

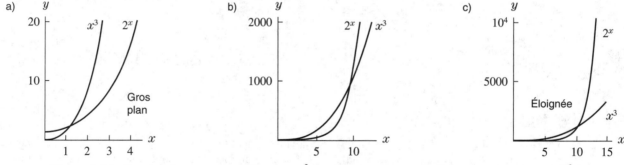

Figure 1.36 : Comparaison entre $y = 2^x$ et $y = x^3$: on remarque que $y = 2^x$ finit par dominer $y = x^3$

En fait, *toute* fonction de croissance exponentielle domine *toute* fonction puissance. Même si une fonction exponentielle peut se trouver au-dessous d'une fonction puissance pour certaines valeurs de x, si on observe des valeurs de x suffisamment grandes, a^x (avec $a > 1$) finira par dominer x^n, peu importe la valeur de n. La figure 1.37 et le tableau 1.16 présentent deux exemples supplémentaires.

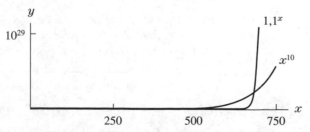

Figure 1.37 : La fonction exponentielle finit par dominer la fonction puissance

TABLEAU 1.16 *Comparaison entre x^{100} et $1{,}01^x$*

x	x^{100}	$1{,}01^x$
10^4	10^{400}	$1{,}6 \cdot 10^{43}$
10^5	10^{500}	$1{,}4 \cdot 10^{432}$
10^6	10^{600}	$2{,}4 \cdot 10^{4321}$

Peut-on deviner ce qui se produit dans le cas des puissances négatives et des exposants négatifs ? Par exemple, on considère $y = 2^{-x}$ et $y = x^{-2}$. Puisque $y = 2^{-x} = 1/2^x$ et $y = x^{-2} = 1/x^2$, le fait de savoir que 2^x finira par être plus grand que x^2 indique que $y = 2^{-x}$ finira par être plus petit que $y = x^{-2}$. Ainsi, $y = 2^{-x}$ finit par être plus petit que $y = x^{-2}$ (voir la figure 1.38). Ce comportement est également typique : chaque fonction de décroissance exponentielle finira par se rapprocher de zéro plus rapidement que toute fonction puissance ayant un exposant négatif.

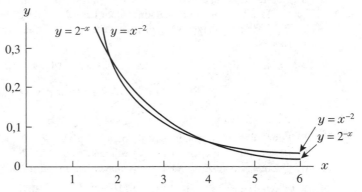

Figure 1.38 : Comparaison entre $y = 2^{-x}$ et $y = x^{-2}$: les fonctions exponentielles deviennent nulles plus rapidement à long terme

Problèmes de la section 1.4

Pour les problèmes 1 à 8, simplifiez l'expression donnée.

1. $8^{4/3}$
2. $27^{1/3}$
3. $10\,000^{5/4}$
4. $16^{1/4}$

5. $27^{-1/3}$
6. $16^{-0,25}$
7. $8^{-2/3}$
8. $4^{-3/2}$

Pour les problèmes 9 à 11, déterminez quelle fonction domine quand $x \to \infty$.

9. $10 \cdot 2^x$ ou $72\,000x^{12}$
10. $0,1x^2$ ou $10^{10}x$
11. $0,25\sqrt{x}$ ou $25\,000x^{-3}$

Pour les problèmes 12 à 14, déterminez ce qu'il advient de la valeur de la fonction quand $x \to \infty$ et $x \to -\infty$.

12. $y = x^6$
13. $y = 0,25x^3 + 3$
14. $y = 2 \cdot 10^{4x}$

15. À l'aide d'une calculatrice graphique ou d'un ordinateur, tracez les graphes des fonctions suivantes, d'abord pour $-5 \le x \le 5$, $-100 \le y \le 100$ et ensuite pour $-1,2 \le x \le 1,2$, $-2 \le y \le 2$.

   a) $y = x$, $y = x^3$, $y = x^6$, $y = x^9$
   b) $y = x$, $y = x^4$, $y = x^7$, $y = x^{10}$

   Observez la forme générale de ces fonctions : les puissances impaires ont-elles la même forme générale ? Qu'en est-il des puissances paires ? Quelle fonction est la plus grande en ampleur pour un grand x ? Pour x près de zéro ? Est-ce ce à quoi vous vous attendiez ?

16. a) À l'aide d'une calculatrice graphique ou d'un ordinateur, tracez les graphes de $y = x^3$, de $y = x^4$ et de $y = x^5$ dans l'intervalle $-0,1 \le x \le 0,1$. Déterminez une image appropriée pour y afin que toutes les puissances soient discernables dans le rectangle de visualisation.
   b) Tracez les mêmes graphes pour $-100 \le x \le 100$ et déterminez une image appropriée pour y.

17. À la main, tracez les graphes globaux de $f(x) = x^3$ et de $g(x) = 20x^2$ sur les mêmes axes. Quelle fonction a des valeurs plus grandes quand $x \to \infty$?

18. À la main, tracez les graphes de $f(x) = x^5$, de $g(x) = -x^3$ et de $h(x) = 5x^2$ sur les mêmes axes. Quelle fonction a les valeurs positives les plus grandes quand $x \to \infty$? Quand $x \to -\infty$?

19. En physiologie, la formule de DuBois indique la surface d'une personne s (en mètres carrés) par rapport à son poids w (en kilogrammes) et sa taille h (en centimètres) par

$$s = 0,01w^{0,25}h^{0,75}.$$

   a) Quelle est la surface d'une personne qui pèse 65 kg et mesure 160 cm ?
   b) Quel est le poids d'une personne dont la taille est de 180 cm et dont la surface est de 1,5 m² ?
   c) Pour des personnes ayant un poids fixe de 70 kg, résolvez h en fonction de s. Simplifiez votre réponse.

20. Supposez qu'une force entre deux atomes séparés par une distance r est donnée par

$$F = \frac{A}{r^3} - \frac{B}{r^2}, \qquad \text{où } A \text{ et } B \text{ sont des constantes positives.}$$

   a) Pour r positif et petit, F est-il positif ou négatif ?
   b) Pour r positif et grand, F est-il positif ou négatif ?
   c) Pour quelles valeurs de r, le cas échéant, F est-il nul ?
   d) Quelles sont les asymptotes verticale et horizontale de F ?

21. Selon l'édition du mois d'avril 1991 de *Car and Driver*, une Alfa Romeo roulant à 70 mi/h a besoin de 177 pi pour s'arrêter. En supposant que cette distance d'arrêt est proportionnelle au carré de la vitesse, trouvez les distances d'arrêt exigées par une Alfa Romeo roulant à 35 mi/h et à 140 mi/h (sa vitesse maximale).

22. La loi de Poiseuille donne le débit moyen R du gaz dans un tuyau cylindrique en fonction du rayon du tuyau r pour une pression déterminée. Supposez que la pression est constante pour le reste de ce problème.

   a) Déterminez une formule pour la loi de Poiseuille, étant donné que le débit moyen est proportionnel à la quatrième puissance du rayon.
   b) Si $R = 400$ cm³/s dans un tuyau ayant un rayon de 3 cm pour un gaz donné, déterminez une formule explicite pour le débit moyen de ce gaz dans un tuyau dont le rayon est de r cm.
   c) Quel est le débit moyen du même gaz dans un tuyau ayant un rayon de 5 cm ?

23. Les valeurs de trois fonctions sont données au tableau 1.17 et sont arrondies à deux décimales. Une fonction a la forme $y = ab^t$, une deuxième a la forme $y = ct^2$ et une troisième a la forme $y = kt^3$. Identifiez chaque fonction.

TABLEAU 1.17

t	$f(t)$	t	$g(t)$	t	$h(t)$
2,0	4,40	1,0	3,00	0,0	2,04
2,2	5,32	1,2	5,18	1,0	3,06
2,4	6,34	1,4	8,23	2,0	4,59
2,6	7,44	1,6	12,29	3,0	6,89
2,8	8,62	1,8	17,50	4,0	10,33
3,0	9,90	2,0	24,00	5,0	15,49

TABLEAU 1.18

x	$f(x)$	x	$g(x)$	x	$k(x)$
8,4	5,93	5,0	3,12	0,6	3,24
9,0	7,29	5,5	3,74	1,0	9,01
9,6	8,85	6,0	4,49	1,4	17,66
10,2	10,61	6,5	5,39	1,8	29,19
10,8	12,60	7,0	6,47	2,2	43,61
11,4	14,82	7,5	7,76	2,6	60,91

24. Les valeurs de trois fonctions sont contenues dans le tableau 1.18. (Les nombres ont été arrondis à deux décimales.) Il y a deux fonctions de puissance et une fonction exponentielle. L'une des fonctions puissances est quadratique et l'autre cubique. Laquelle est exponentielle ? Laquelle est quadratique ? Laquelle est cubique ?

25. À l'aide d'une calculatrice graphique ou d'un ordinateur, tracez le graphe $y = x^4$ et $y = 3^x$. Déterminez les domaines et les images approximatifs qui forment chacun des graphes de la figure 1.39.

a)
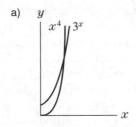

b)
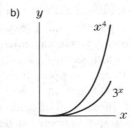

c)
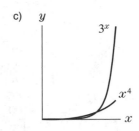

Figure 1.39

1.5   QUELQUES COMMENTAIRES SUR LES FONCTIONS INVERSES

De la distance au temps et inversement

Le 18 août 1989, le coureur mexicain Arturo Barrios a établi un record mondial pour le 10 000 m. Ses temps (en secondes), à des intervalles de 2000 m, sont notés au tableau 1.19, où $f(d)$ est le nombre de secondes qu'Arturo Barrios a mis pour terminer les premiers d m de la course. Par exemple, Arturo Barrios a couru les 4000 premiers mètres en 650,1 s, donc $f(4000) = 650,1$. Cette fonction f est utile pour les athlètes qui ont l'intention de battre le record d'Arturo Barrios.

On considère maintenant la situation d'un autre point de vue et on analyse les distances plutôt que les temps. Si on veut savoir quelle distance Arturo Barrios a couru durant les premières 650,1 s de sa course, de toute évidence la réponse est 4000 m. En reculant ainsi du nombre de secondes au nombre de mètres, on obtient une fonction appelée la *fonction inverse* de f, notée f^{-1}. Ainsi, $f^{-1}(t)$ est le nombre de mètres qu'Arturo Barrios a couru durant les premières t secondes de la course. Pour trouver les valeurs de f^{-1}, on peut soit lire le tableau 1.19 à l'envers ou utiliser le tableau 1.20 qui contient les valeurs de f^{-1}.

Les deux fonctions f et f^{-1} donnent les mêmes renseignements, mais elles les expriment différemment. Par exemple, on peut écrire qu'Arturo Barrios a couru les 6000 premiers mètres de la course en 975,5 s avec f ou f^{-1} :

$$f(6000) = 975,5 \qquad \text{ou} \qquad f^{-1}(975,5) = 6000.$$

La variable indépendante de f est la variable dépendante de f^{-1}, et inversement. Les domaines et les images de f et de f^{-1} sont également intervertis. Le domaine de f est l'ensemble de toutes les distances d tel que $0 \leq d \leq 10\,000$, qui est l'image de f^{-1}. L'image de f est l'ensemble de tous les temps t, tel que $0 \leq t \leq 1628,23$, qui est le domaine de f^{-1}.

TABLEAU 1.19   *Temps de course d'Arturo Barrios*

d (m)	$f(d)$ (s)
0	0,00
2000	325,90
4000	650,10
6000	975,50
8000	1307,00
10 000	1628,23

TABLEAU 1.20   *Distance courue par Arturo Barrios*

t (s)	$f^{-1}(t)$ (m)
0,00	0
325,90	2000
650,10	4000
975,50	6000
1307,00	8000
1628,23	10 000

Quelles fonctions ont des inverses ?

Si une fonction a un inverse, on dit qu'elle est *inversible*. On examine d'abord une fonction qui n'est pas inversible.

On considère Freedom 7, l'engin spatial à destination de Mercure, qui a transporté Alan Shepard Jr dans l'espace en mai 1961. Cet astronaute a été le premier Américain à faire un voyage dans l'espace. Après le lancement, son engin spatial a atteint 116 mi d'altitude, puis il est revenu amerrir. La fonction $f(t)$ qui donne l'altitude (en milles) t min après le lancement, n'a pas d'inverse. Pour savoir pourquoi, on tente de déterminer une valeur pour $f^{-1}(100)$. De toute évidence, $f^{-1}(100)$ devrait être le moment où l'engin spatial a atteint une altitude de 100 mi. Cependant, il existe aussi deux moments de ce type, soit lorsque l'engin spatial a fait une ascension et lorsqu'il a effectué sa descente (voir la figure 1.40).

La fonction d'altitude n'a pas d'inverse parce que l'altitude augmente au départ pour ensuite diminuer. La fonction des temps d'Arturo Barrios avait un inverse parce qu'elle augmentait constamment. Chaque temps de course t correspond à une distance unique d.

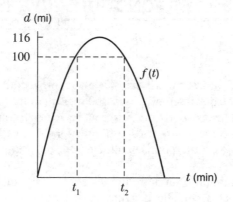

Figure 1.40 : Deux temps, t_1 et t_2, où l'altitude de l'engin spatial atteint une altitude de 100 mi

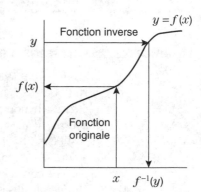

Figure 1.41 : Une fonction croissante a un inverse

Une fonction n'a pas à être croissante à tout moment pour avoir un inverse. La figure 1.41 présente un exemple de fonction avec inverse. La fonction originale f passe de la valeur x à la valeur y, comme le montre la figure 1.41. Puisque le fait d'avoir un inverse signifie qu'une fonction passe de la valeur y à la valeur x, il reste à savoir si on peut revenir à x. En d'autres mots, on se demande si chaque valeur y correspond à une valeur x unique. Le cas échéant, il existe un inverse ; sinon, il n'en existe pas. On peut énoncer ce principe géométriquement comme suit :

Une fonction a un inverse si (et seulement si) son graphe croise une droite horizontale une fois au plus.

Par exemple, la fonction $f(x) = x^2$ n'a pas d'inverse, car plusieurs droites horizontales croisent la parabole deux fois.

Une fonction inverse : définition

Si la fonction f est inversible, son inverse se définit comme suit :

$$f^{-1}(t) = d \quad \text{signifie} \quad f(d) = t.$$

La notation f^{-1} pour une fonction inverse peut être trompeuse puisqu'il est facile de la confondre avec une réciproque, ce que n'est pas la fonction inverse. Cependant, il n'est pas possible de modifier une notation si bien établie !

Exemple 1   Le point d'ébullition de l'eau diminue au fur et à mesure que l'altitude augmente, phénomène que les cuisiniers connaissent. Soit $f(h)$ le point d'ébullition de l'eau (en degrés Celsius) à une altitude de h m au-dessus du niveau de la mer dans des conditions atmosphériques normales. Sur le plan pratique, quelle est la signification de $f^{-1}(90)$ et de $f^{-1}(90) = 3000$? Évaluez $f^{-1}(100)$.

Solution   La fonction f passe de l'altitude à la température, donc f^{-1} passe de la température à l'altitude. L'expression $f^{-1}(90)$ représente l'altitude (en mètres) où le point d'ébullition de l'eau est de 90 °C. L'équation $f^{-1}(90) = 3000$ signifie que le point d'ébullition de l'eau est de 90 °C à une altitude de 3000 m. L'équation $f(3000) = 90$ a la même signification. Puisque le point d'ébullition de l'eau est de 100 °C au niveau de la mer (où l'altitude est de 0 m), on doit avoir $f^{-1}(100) = 0$.

Les formules pour les fonctions inverses

Quand une fonction est définie par une formule, il est parfois possible de trouver une formule pour la fonction inverse. Dans la section 1.1, on a étudié l'exemple du criquet, dont le taux de stridulation C (en stridulations par minute) est donné approximativement par la formule

$$C = f(T) = 4T - 160,$$

où T est la température (en degrés Fahrenheit). Jusqu'à maintenant, on a utilisé cette formule pour prédire le taux de stridulation à partir de la température. Mais il est également possible d'utiliser cette formule à l'inverse pour calculer la température à partir du taux de stridulation.

Exemple 2   Trouvez la formule pour la fonction qui donne la température en fonction du nombre de stridulations d'un criquet par minute ; autrement dit, trouvez la fonction inverse f^{-1}, de manière telle que

$$T = f^{-1}(C).$$

Solution   Puisque C est une fonction croissante, f est inversible. On sait que $C = 4T - 160$. On résout pour T, ce qui donne

$$T = \frac{C}{4} + 40.$$

Ainsi,

$$f^{-1}(C) = \frac{C}{4} + 40.$$

Les graphes des fonctions inverses

La fonction $f(x) = x^3$ est croissante en tout point et a donc un inverse. Pour trouver l'inverse, on résout

$$y = x^3$$

pour x, ce qui donne

$$x = y^{1/3}.$$

La fonction inverse est

$$f^{-1}(y) = y^{1/3}$$

ou, si on veut utiliser la variable x,

$$f^{-1}(x) = x^{1/3}.$$

La figure 1.42 présente les graphes de $y = x^3$ et de $y = x^{1/3}$. On remarque que ces graphes sont les réflexions l'un de l'autre par rapport à la droite $y = x$. Par exemple, (8, 2) se trouve sur le graphe de $y = x^{1/3}$, car $2 = 8^{1/3}$ et (2, 8) est sur le graphe de $y = x^3$, car $8 = 2^3$. Les points (8, 2) et (2, 8) sont des réflexions les uns des autres par rapport à la droite $y = x$. En général, si les axes des x et des y ont les mêmes échelles :

> Le graphe de f^{-1} est la réflexion du graphe de f par rapport à la droite $y = x$.

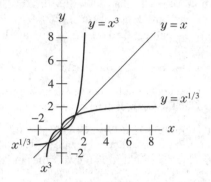

Figure 1.42 : Les graphes des fonctions inverses $y = x^3$ et $y = x^{1/3}$ sont des réflexions par rapport à la droite $y = x$

Problèmes de la section 1.5

1. Soit p le prix d'un article et q le nombre d'articles vendus à ce prix. On suppose que $q = f(p)$. Expliquez ce que les quantités suivantes signifient en fonction des prix et des quantités vendues.

   a) $f(25)$

   b) $f^{-1}(30)$

2. Supposez que $C = f(A)$, où C est le coût (en dollars) de la construction d'une boutique d'une surface A (en pieds carrés). Expliquez en fonction du coût et des pieds carrés ce que les quantités suivantes représentent.

   a) $f(10\ 000)$

   b) $f^{-1}(20\ 000)$

3. Soit $f(x)$ la température (en degrés Fahrenheit) lorsque la colonne de mercure d'un thermomètre particulier a x po de hauteur. Quelle est la signification de $f^{-1}(75)$ en termes simples ?

Pour les problèmes 4 à 7, déterminez si la fonction f est inversible.

4. La fonction $f(t)$ est égale au nombre de clients qui se trouvent dans le magasin Macy's à midi et t min le 18 décembre 1993.

5. La fonction $f(n)$ est le nombre d'étudiants dans votre cours de calcul différentiel et intégral nés le n-ième jour de l'année.

6. La fonction $f(x)$ est le volume (en litres) de x kilogrammes d'eau à 4 °C.

7. La fonction $f(w)$ est le coût (en cents) de l'envoi par la poste d'une lettre pesant w g.

Pour les problèmes 8 à 11, déterminez si les fonctions $y = f(x)$ sont inversibles.

8. 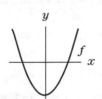   9.   10. 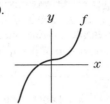   11.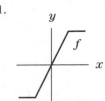

12. Tracez le graphe de chaque fonction ci-dessous et déterminez si elle a un inverse. Le cas échéant, arrondissez l'inverse à $x = 20$.

    a) $f(x) = x^2 + 3^x$ b) $g(x) = x^3 + 3^x$

13. Le coût de la production de q articles est donné par la fonction $C = f(q) = 100 + 2q$.

    a) Trouvez une formule pour la fonction inverse.
    b) Expliquez en termes simples ce que vous indique la fonction inverse.

14. L'équivalent de 1 kg est d'environ 2,2 lb.

    a) Écrivez une formule pour la fonction f qui donne la masse k (en kilogrammes) d'un objet, en fonction de son poids p (en livres).
    b) Trouvez une formule pour la fonction inverse de f. Que signifie cette fonction inverse en termes simples ?

15. Une fonction $y = t(x)$ est toujours croissante. Elle a pour domaine l'ensemble de tous les nombres réels et pour image $0 < t(x) < 4$. Tracez un graphe de $t^{-1}(x)$.

16. Déterminez si l'énoncé suivant est vrai ou faux et expliquez votre réponse. Si f est une fonction croissante, alors f^{-1} est une fonction croissante.

17. Considérez la fonction $y = f(x)$ dont le graphe est donné à la figure 1.43.

    a) Estimez $f^{-1}(2)$.
    b) Tracez le graphe de f^{-1} sur les mêmes axes.

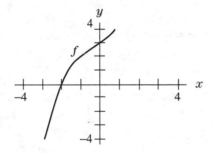

Figure 1.43

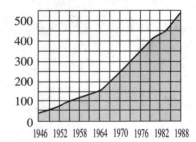

Figure 1.44

18. La figure 1.44 est le graphe[8] de la fonction f, où $f(t)$ est le nombre (en millions) de véhicules motorisés enregistrés dans le monde durant l'année t. (En 1988, le tiers des véhicules enregistrés dans le monde se trouvait aux États-Unis.)

    a) La fonction f est-elle inversible ? Expliquez.
    b) Quelle est la signification de $f^{-1}(400)$ en termes simples ? Évaluez $f^{-1}(400)$.
    c) Tracez le graphe de f^{-1}.

---

8. Tiré de BLERICS, D. et P. WALZER, « Energy for Motor Vehicles », *Scientific American*, septembre 1990.

1.6   LES LOGARITHMES

Dans la section 1.3, on a déterminé la fonction suivante, qui donnait la population approximative du Mexique (en millions d'habitants) :

$$P = f(t) = 67,38 \ (1,026)^t,$$

où t est le nombre d'années depuis 1980. La fonction ainsi écrite indique que la population est établie en fonction du temps, qu'elle se chiffre à 67,38 millions d'habitants en 1980 et qu'elle augmente de 2,6 % par année.

Plutôt que de calculer la population, on suppose à présent qu'on veut trouver l'année où elle atteindra 200 millions d'habitants. Cela signifie qu'on cherche à trouver la valeur de t pour laquelle

$$200 = f(t) = 67,38(1,026)^t.$$

Puisque la fonction exponentielle est toujours croissante et finit par atteindre plus de 200 millions, il y a exactement une valeur de t qui donne $P = 200$. Comment peut-on la trouver ? Pour commencer, on procède par tâtonnements. En prenant $t = 40$ et $t = 50$, on obtient

$$P = f(40) = 67,38(1,026)^{40} = 188,115\ldots \text{ (donc, } t = 40 \text{ est trop petit),}$$
$$P = f(50) = 67,38(1,026)^{50} = 243,163\ldots \text{ (donc, } t = 50 \text{ est trop grand).}$$

Par conséquent, en effectuant d'autres essais, on obtient

$$P = f(42) = 67,38(1,026)^{42} \approx 198,0,$$
$$P = f(43) = 67,38(1,026)^{43} \approx 203,2.$$

Donc, t se situe entre 42 et 43. En d'autres mots, la population devrait atteindre 200 millions en l'an 2022.

Bien qu'il soit toujours possible de résoudre approximativement t par tâtonnements, il serait nettement préférable de trouver une formule qui donne t en fonction de P. La *fonction logarithmique* permet de le faire.

La définition et les propriétés des logarithmes en base 10

On définit la fonction *logarithmique* $\log_{10} x$ comme étant l'inverse de la fonction exponentielle 10^x. On appelle 10 la *base*. Donc,

> Le **logarithme** en base 10 de x, qui s'écrit $\log_{10} x$, est la puissance de 10 nécessaire pour obtenir x. En d'autres mots,
>
> $$\log_{10} x = c \qquad \text{signifie} \qquad 10^c = x.$$
>
> On écrit souvent $\log x$ à la place de $\log_{10} x$.

Par exemple, $\log 1000 = \log 10^3 = 3$ puisque 3 est la puissance de 10 nécessaire pour obtenir 1000. De même, $\log(0,1) = -1$, car $0,1 = 1/10 = 10^{-1}$. Cependant, si on tente de trouver $\log(-7)$ à l'aide d'une calculatrice, on obtient un message d'erreur, car 10 élevé à n'importe quelle puissance n'est jamais négatif (ou égal à zéro). En général,

> $\log x$ n'est pas défini si x est négatif ou égal à zéro.

En travaillant avec des logarithmes, on a besoin des propriétés suivantes :

Propriétés des logarithmes

1. $\log(AB) = \log A + \log B$
2. $\log\left(\frac{A}{B}\right) = \log A - \log B$
3. $\log(A^p) = p \log A$
4. $\log(10^x) = x$
5. $10^{\log x} = x$

De plus, $\log 1 = 0$ parce que $10^0 = 1$.

Le fait que $\log x$ soit la puissance de 10 qui donne x justifie la règle 5.

La résolution d'équations à l'aide de logarithmes

Les logarithmes sont utiles pour trouver des exposants inconnus, comme dans l'exemple 1.

Exemple 1 Trouvez t tel que $2^t = 7$.

Solution Tout d'abord, on s'attend à ce que t se situe entre 2 et 3 (car $2^2 = 4$ et $2^3 = 8$). Pour calculer t, on prend les logarithmes en base 10 :

$$\log(2^t) = \log 7.$$

Ensuite, on utilise la troisième propriété des logarithmes, laquelle énonce que $\log(2^t) = t \log 2$, et on obtient

$$t \log 2 = \log 7.$$

En utilisant une calculatrice pour trouver les logarithmes, on obtient

$$t = \frac{\log 7}{\log 2} \approx 2{,}81 .$$

Exemple 2 Référez-vous à la question qui consiste à savoir quand la population du Mexique atteindra 200 millions d'habitants. Pour obtenir une réponse, résolvez $200 = 67{,}38(1{,}026)^t$ pour t en utilisant des logarithmes.

Solution En divisant les deux côtés de l'équation par 67,38, on obtient

$$\frac{200}{67{,}38} = (1{,}026)^t.$$

À présent, on prend des logarithmes des deux côtés :

$$\log\left(\frac{200}{67{,}38}\right) = \log(1{,}026)^t.$$

En considérant le fait que $\log(A^t) = t \log A$, on obtient

$$\log\left(\frac{200}{67{,}38}\right) = t \log(1{,}026).$$

En résolvant l'équation à l'aide d'une calculatrice pour trouver les logarithmes, on obtient

$$t = \frac{\log(200/63{,}78)}{\log(1{,}026)} \approx 42{,}4 \text{ années},$$

qui se situe entre $t = 42$ et $t = 43$, comme on l'a trouvé au début de la présente section. Cette valeur de t correspond à l'an 2022.

Exemple 3   Donnez une formule pour l'inverse de la fonction suivante (autrement dit, résolvez t en fonction de P) :

$$P = f(t) = 67{,}38(1{,}026)^t.$$

Solution   On veut obtenir une formule exprimant t en fonction de P. On prend les logarithmes

$$\log P = \log(67{,}38(1{,}026)^t).$$

Puisque $\log(AB) = \log A + \log B$, on obtient

$$\log P = \log 67{,}38 + \log((1{,}026)^t).$$

À présent, on utilise $\log(A^t) = t \log A$:

$$\log P = \log 67{,}38 + t \log 1{,}026.$$

On trouve t en deux étapes, en utilisant une calculatrice à l'étape finale :

$$t \log 1{,}026 = \log P - \log 67{,}38$$

$$t = \frac{\log P}{\log 1{,}026} - \frac{\log 67{,}38}{\log 1{,}026} \approx 89{,}7 \log P - 164{,}0.$$

Ainsi,

$$f^{-1}(P) = 89{,}7 \log P - 164{,}0.$$

On note que

$$f^{-1}(200) = 89{,}7(\log 200) - 164{,}0 \approx (89{,}7)(2{,}301) - 164{,}0 \approx 42{,}4,$$

ce qui concorde avec le résultat de l'exemple 2.

Exemple 4   Trouvez la demi-vie de l'exponentielle décroissante $P = P_0(0{,}8)^x$ qu'on a utilisée pour modéliser l'élimination des polluants du kérosène à la section 1.3. Que signifie votre réponse en termes simples ?

Solution   On recherche la valeur de x, de manière telle que

$$P = \frac{1}{2}P_0.$$

On doit donc résoudre l'équation

$$P_0(0{,}8)^x = \frac{1}{2}P_0.$$

En divisant les deux côtés par P_0, il reste

$$(0{,}8)^x = \frac{1}{2}.$$

En prenant les logarithmes des deux côtés, on obtient

$$\log(0{,}8)^x = \log\left(\frac{1}{2}\right)$$

$$x(\log 0{,}8) = \log\left(\frac{1}{2}\right)$$

$$x = \frac{\log(1/2)}{\log 0{,}8}$$

$$x \approx 3{,}1 \text{ pi.}$$

En termes simples, on constate qu'en faisant passer le kérosène dans 3,1 pi de tuyau d'argile, on parviendra à éliminer la moitié des impuretés.

Le graphe de log x

Exemple 5   Tracez le graphe de $f(x) = \log x$ et comparez-le au graphe de $g(x) = 10^x$.

Solution   Les valeurs de $\log x$ dans le tableau 1.21 ont été trouvées à l'aide d'une calculatrice. Puisque aucune puissance de 10 ne donne zéro, $\log 0$ est indéfini (voir la figure 1.45). Le domaine de $y = \log x$ comporte des valeurs positives de x ; l'image est constituée de toutes les valeurs de y. En contraste, $y = 10^x$ a pour domaine toutes les valeurs de x et pour image toutes les valeurs positives de y. Le graphe de $y = \log x$ a une asymptote verticale en $x = 0$, alors que $y = 10^x$ a une asymptote horizontale en $y = 0$.

L'une des principales différences entre $g(x) = 10^x$ et $f(x) = \log x$ est que la fonction exponentielle s'accroît rapidement tandis que la fonction logarithmique augmente très lentement. Cependant, la fonction logarithmique se poursuit à l'infini, bien que lentement, au fur et à mesure que x augmente.

TABLEAU 1.21   *Valeurs de* $\log x$ *et de* 10^x

x	$\log x$	x	10^x
0	indéfini	0	1
1	0	1	10
2	0,3	2	100
3	0,5	3	10^3
4	0,6	4	10^4
⋮	⋮	⋮	⋮
10	1	10	10^{10}

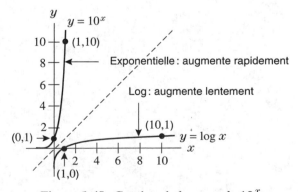

Figure 1.45 : Graphes de $\log x$ et de 10^x

Puisque $f(x) = \log x$ et $g(x) = 10^x$ sont des fonctions inverses, les graphes des deux fonctions sont des réflexions l'un de l'autre par rapport à la droite $y = x$, à la condition que les échelles le long des axes des x et des y soient égales (voir la figure 1.45).

La comparaison entre les logarithmes et les fonctions puissances : $A \log x$ et x^p

Bien qu'il y ait une ressemblance superficielle entre les graphes $y = x^{1/3}$ et $y = \log x$ présentés à la figure 1.46, il existe des différences importantes. Le graphe de $x^{1/3}$ comprend l'origine $(0, 0)$, alors que le graphe de $\log x$ n'atteint jamais l'axe vertical $x = 0$, qui est une asymptote. L'autre différence est le taux de croissance des deux fonctions pour les grands x. Le fait que $\log(1\ 000\ 000) = 6$ et $\log(10\ 000\ 000) = 7$ démontre à quel point le logarithme monte lentement lorsque x est grand. En effet, le logarithme augmente plus lentement que toute puissance positive de x.

Dans la figure 1.47, les fonctions $x^{1/3}$ et $100 \log x$ sont comparées ; le tableau 1.22 compare $x^{0,001}$ et $1000 \log x$. Dans les deux cas, la fonction logarithmique finit par être inférieure à la fonction puissance. En fait, x^p domine $A \log x$ pour un grand x, peu importe les valeurs de $p > 0$ et de $A > 0$. Cela découle du fait que 10^x domine Bx^q pour un grand x pour tout $q > 0$ et $B > 0$.

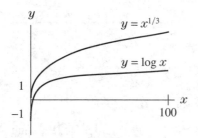

Figure 1.46 : Comparaison entre $y = \log x$ et $y = x^{1/3}$

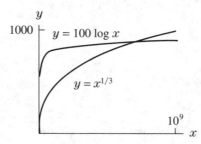

Figure 1.47 : Comparaison entre $y = x^{1/3}$ et $y = 100 \log x$

TABLEAU 1.22   *Comparaison entre $x^{0,001}$ et $1000 \log x$*

x	$x^{0,001}$	$1000 \log x$
10^{5000}	10^5	$5 \cdot 10^6$
10^{6000}	10^6	$6 \cdot 10^6$
10^{7000}	10^7	$7 \cdot 10^6$

Problèmes de la section 1.6

1. Créez une table des valeurs pour comparer les valeurs de $f(x) = \log x$ et de $g(x) = \sqrt{x}$ pour $x = 1, 2, \ldots, 10$. Arrondissez à deux décimales. Utilisez ces valeurs pour tracer le graphe des deux fonctions.

Pour les problèmes 2 à 8, résolvez pour x en utilisant des logarithmes. (Vous pouvez vérifier votre réponse à l'aide d'une calculatrice graphique ou d'un ordinateur.)

2. $3^x = 11$ 3. $17^x = 2$ 4. $10 = 4^x$ 5. $20 = 50(1,04)^x$

6. $25 = 2(5)^x$ 7. $2 \cdot 5^x = 11 \cdot 7^x$ 8. $4 \cdot 3^x = 7 \cdot 5^x$

Pour les problèmes 9 à 12, résolvez pour t.

9. $a = b^t$ 10. $P = P_0 a^t$ 11. $Q = Q_0 a^{nt}$ 12. $P_0 a^t = Q_0 b^t$

Pour les problèmes 13 à 17, simplifiez l'expression autant que possible.

13. $\log A^3 - \log B^{2/3} + \log A^{1/3} + \log B^{5/3}$ 14. $\dfrac{\log(ABC)}{\log\left(\frac{1}{ABC}\right)}$

15. $\dfrac{\log A^2 - 2\log B}{\log A^2 + \log\left(\frac{1}{AB}\right)}$ 16. $10^{\log(AB)}$

17. $100^{(\log A - \log B)}$

Tracez le graphe des fonctions des problèmes 18 et 19 à l'aide d'une calculatrice ou d'un ordinateur. Expliquez le résultat obtenu.

18. $y = \log(10^x)$ 19. $y = 10^{\log x}$

Pour les problèmes 20 à 21, déterminez quelle fonction a des valeurs plus grandes quand $x \to \infty$.

20. $x^{1/3}$ ou $75\,000 \log x$ 21. $\log x$ ou $10^{-0.01x}$

22. Trouvez l'équation de la droite l dans la figure 1.48.

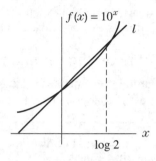

Figure 1.48

23. Quel est le temps de doublement des prix qui augmentent de 5 % par année ?

24. La population d'une région augmente exponentiellement. S'il y avait 40 000 000 d'habitants en 1980 ($t = 0$) et 56 000 000 d'habitants en 1990, trouvez une expression pour la population en tout temps t (en années). Que prédiriez-vous pour l'an 2000 ? Quel est le temps de doublement ?

25. En 1980, il y avait environ 170 millions de véhicules (voitures et camions) et environ 227 millions d'habitants aux États-Unis. Si le nombre de véhicules augmente de 4 % par année et que la population augmente de 1 % par année, en quelle année y aura-t-il, en moyenne, un véhicule par personne ?

26. Grâce à un programme de santé publique rural innovateur, la mortalité infantile au Sénégal, en Afrique de l'Ouest, a diminué à un taux de 10 % par année. Combien d'années seront nécessaires pour que le taux de mortalité infantile diminue de 50 % ?

27. La demi-vie d'une substance radioactive est de 12 jours. Supposez qu'il y a, au départ, 10,32 g de cette substance.

    a) Trouvez une équation pour déterminer la quantité A de la substance en fonction du temps.
    b) Quand la substance sera-t-elle réduite à 1 g ?

28. a) Trouvez le temps de doublement D pour les taux de croissance annuels de i %, de 2 %, de 3 %, de 4 % et de 5 %.
    b) Puisque D diminue lorsque i augmente, on peut supposer que D est inversement proportionnel à i, c'est-à-dire que $D = k/i$. Utilisez vos réponses de la partie a) pour confirmer que, approximativement, $D = 70/i$. Il s'agit de la « règle du 70 » que les banquiers utilisent. Pour estimer le temps de doublement d'un investissement, le banquier divise 70 par le taux d'intérêt annuel.

29. Trouvez la fonction inverse de $p(t) = (1,04)^t$.

1.7   LE NOMBRE *e* ET LES LOGARITHMES NATURELS

Les calculs de la section précédente ont été effectués avec des *logarithmes communs*, c'est-à-dire des logarithmes en base 10. Cependant, la base la plus couramment utilisée est le bien connu nombre $e = 2{,}718\,28\ldots$ En fait, on utilise cette base si souvent que le logarithme en base e s'appelle *logarithme naturel* et il est noté ln. On trouve une touche ln sur la plupart des calculatrices scientifiques ainsi qu'une touche e^x; cela montre l'importance de la base e. Au premier abord, tout cela peut sembler mystérieux. Que peut-il y avoir de naturel dans l'utilisation de logarithmes en base $2{,}718\,28\ldots$? Pour répondre à cette question, il faut patienter jusqu'au chapitre 3, où on montrera que bon nombre de formules du calcul différentiel et intégral sont plus claires lorsqu'on utilise e comme base plutôt que toute autre base.

La définition et les propriétés du logarithme naturel

Le logarithme naturel de x, qui s'écrit $\ln x$, se définit comme le logarithme en base e de x. Cela signifie que $\ln x$ est la fonction inverse de e^x. Donc,

> Le **logarithme naturel** de x, qui s'écrit $\ln x$, est la puissance de e nécessaire pour obtenir x. En d'autres mots,
>
> $$\ln x = c \quad \text{signifie} \quad e^c = x.$$

Les règles de manipulation des logarithmes naturels sont les mêmes que celles des logarithmes en base 10, et $\ln x$ n'est pas défini lorsque x est négatif ou égal à zéro.

Propriétés des logarithmes naturels

1. $\ln (AB) = \ln A + \ln B$

2. $\ln \left(\dfrac{A}{B} \right) = \ln A - \ln B$

3. $\ln (A^p) = p \ln A$

4. $\ln e^x = x$

5. $e^{\ln x} = x$

De plus, $\ln 1 = 0$, car $e^0 = 1$.

En utilisant la touche $\boxed{\text{LN}}$ d'une calculatrice pour tracer le graphe de $f(x) = \ln x$ pour $0 < x \le 10$, on obtient la figure 1.49. On note que le graphe de $y = \ln x$, comme le graphe de $y = \log x$, monte très lentement au fur et à mesure que x augmente. De plus, on remarque que l'intersection avec l'axe des x est $x = 1$, puisque $\ln 1 = 0$.

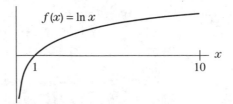

Figure 1.49 : Graphe du logarithme naturel

L'utilisation des fonctions exponentielles en base *e*

On peut démontrer que toute fonction exponentielle peut s'écrire en utilisant *e*.

Toute fonction de **croissance exponentielle** peut s'écrire sous la forme

$$P = P_0 e^{kt}$$

et toute fonction de **décroissance exponentielle** peut s'écrire

$$Q = Q_0 e^{-kt},$$

où P_0 et Q_0 sont les quantités initiales et k est une constante positive.

On dit que P et Q sont croissantes ou décroissantes à un *taux continu* de k. (Par exemple, $k = 0,02$ correspond à un taux continu de 2 %.)

Exemple 1   Tracez les graphes de $P = e^{0,5t}$ et de $Q = e^{-0,2t}$.

Solution

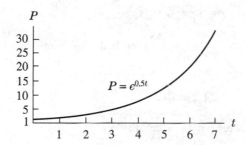

Figure 1.50 : Fonction de croissance exponentielle

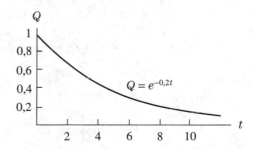

Figure 1.51 : Fonction de décroissance exponentielle

Le graphe de $P = e^{0,5t}$ se trouve dans la figure 1.50. On remarque que le graphe a la même forme que les courbes de croissance exponentielle précédentes : il est croissant et concave vers le haut. En effet, les familles a^t, $a > 1$ et e^{kt}, $k > 0$ sont identiques. Le graphe $Q = e^{-0,2t}$ se trouve dans la figure 1.51 ; il a la même forme que d'autres fonctions de décroissance exponentielle. Les familles a^t, $0 < a < 1$ et e^{kt}, $k < 0$ sont les mêmes.

Exemple 2   Les chlorofluorocarbones (CFC) utilisés dans les climatiseurs et, dans une proportion moindre, dans les aérosols (laque pour cheveux, crème à raser, etc.) détruisent la couche d'ozone de l'atmosphère quand ils sont libérés. À l'heure actuelle, la quantité d'ozone Q décroît exponentiellement à un taux continu de 0,25 % par année. Quelle est la demi-vie de l'ozone ? En d'autres termes, à ce taux, combien d'années seront nécessaires pour que la moitié de la couche d'ozone disparaisse ?

Solution   Si Q_0 est la quantité initiale d'ozone, alors

$$Q = Q_0 e^{-0,0025t}.$$

On veut trouver T, la valeur de t qui donne $Q = Q_0/2$. Donc,

$$Q_0 e^{-0,0025T} = \frac{Q_0}{2}.$$

En divisant par Q_0 et en prenant les logarithmes naturels, on obtient

$$\ln(e^{-0,0025T}) = -0,0025T = \ln\left(\frac{1}{2}\right) \approx -0,6931.$$

Donc,

$$T \approx 277 \text{ années.}$$

Dans l'exemple 2, le taux de décroissance était donné. Cependant, dans bon nombre de situations où on s'attend à trouver la croissance ou la décroissance exponentielles, le taux n'est pas donné. Pour le trouver, on doit connaître la quantité à deux moments différents, puis on doit résoudre le taux de croissance ou de décroissance, comme on le fait dans l'exemple 3.

Exemple 3   La population du Kenya se chiffrait à 19,5 millions d'habitants en 1984 et à 21,2 millions d'habitants en 1986. En supposant qu'elle augmente exponentiellement, trouvez une formule pour la population du Kenya en fonction du temps.

Solution   Si on mesure la population P en millions et en temps t par année depuis 1984, on peut dire que

$$P = P_0 e^{kt} = 19,5 e^{kt},$$

où $P_0 = 19,5$ est la valeur initiale de P. On trouve k en utilisant le fait que $P = 21,2$ lorsque $t = 2$. Donc,

$$21,2 = 19,5 e^{k \cdot 2}.$$

Pour trouver k, on divise les deux côtés par 19,5, ce qui donne

$$\frac{21,2}{19,5} = 1,087 = e^{2k}.$$

À présent, on prend les logarithmes naturels des deux côtés :

$$\ln(1,087) = \ln(e^{2k}).$$

En utilisant une calculatrice et en considérant le fait que $\ln(e^{2k}) = 2k$, on obtient

$$0,0834 = 2k.$$

Donc,

$$k \approx 0,042$$

et ainsi,

$$P = 19,5 e^{0,042t}.$$

Puisque $k = 0,042 = 4,2 \%$, on dit que la population du Kenya augmentait à un taux continu de 4,2 % par année.

Dans l'exemple 3, on choisit d'utiliser e comme base de la fonction exponentielle représentant la population du Kenya, ce qui clarifie le fait que le taux de croissance annuel se chiffrait à 4,2 %. Toutefois, si on veut mettre l'accent sur le taux de croissance annuel, on peut exprimer la fonction exponentielle sous la forme

$$P = P_0 a^t.$$

On montre maintenant que, dans l'exemple 4, le taux de croissance annuel est d'environ 4,3 %, ce qui est légèrement supérieur au taux de croissance continu de 4,2 % de l'exemple 3.

Exemple 4   Exprimez la population du Kenya sous la forme

$$P = P_0 a^t.$$

Solution   Puisque la population s'est accrue, passant de 19,5 à 21,2 millions en 2 ans, on sait que

$$21,2 = 19,5 a^2.$$

Donc,

$$a = \left(\frac{21,2}{19,5}\right)^{1/2} \approx 1,043 ,$$

ce qui donne

$$P = P_0 (1,043)^t.$$

La relation entre a^t et e^{kt}

En général, une fonction exponentielle de la forme $P_0 e^{kt}$ peut toujours s'écrire sous la forme $P_0 a^t$. La raison étant que

$$P_0 e^{kt} = P_0 (e^k) t,$$

on suggère de prendre

$$a = e^k. \quad \text{Donc,} \quad k = \ln a.$$

Les deux formules différentes, soit $P = P_0 e^{kt}$ et $P = P_0 a^t$, ont le même graphe et représentent la même fonction.

La croissance ou la décroissance exponentielle peut toujours s'écrire de deux manières, soit

$$P = P_0 a^t \qquad \text{ou} \qquad P = P_0 e^{kt}.$$

Ici a est le facteur de croissance annuelle, $a - 1$ est le *taux de croissance annuel* et k le taux de croissance continu. Alors,

$$a = e^k. \qquad \text{Donc,} \qquad k = \ln a.$$

On note que $k > 0$ donne la croissance exponentielle et que $k < 0$ donne la décroissance.

Si a provient d'un taux de croissance en pourcentage r, c'est-à-dire $a = 1 + r$, alors le taux de croissance continu $k = \ln(1 + r)$ sera légèrement inférieur à r, mais très près de celui-ci si r est petit.

Les constantes temporelles et les demi-vies

Les ingénieurs mesurent la vitesse à laquelle une quantité décroissante exponentiellement diminue à l'aide d'une *constante temporelle*. Il s'agit du temps que prend la quantité à diminuer à $1/e$ fois sa valeur initiale.

Exemple 5   Trouvez la constante temporelle d'un circuit dans lequel la charge Q est donnée par

$$Q = Q_0 e^{-t/(RC)}.$$

Ici Q_0 est la charge initiale, t est le temps et R et C sont des constantes qui dépendent du circuit.

Solution   Si T est la constante temporelle, alors $Q = Q_0/e$ au temps T. Donc,

$$\frac{Q_0}{e} = Q_0 e^{-T/(RC)}.$$

En simplifiant Q_0, on obtient

$$e^{-T/(RC)} = \frac{1}{e} = e^{-1}.$$

En prenant les logarithmes naturels, on a

$$-\frac{T}{RC} = -1.$$

Donc,

$$T = RC.$$

Puisque $1/2 > 1/e$, il y a une plus grande décroissance durant une constante temporelle que durant une demi-vie. Donc, la constante temporelle est plus longue que la demi-vie (voir la figure 1.52).

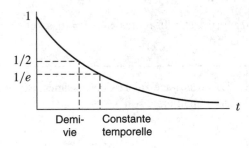

Figure 1.52 : Comparaison d'une demi-vie et d'une constante temporelle

---

Problèmes de la section 1.7

1. Créez une table de valeurs afin de comparer $f(x) = \log x$ et $g(x) = \ln x$ pour $x = 1, 2, \ldots, 10$. Arrondissez à deux décimales. Utilisez ces valeurs pour tracer le graphe des deux fonctions.

Trouvez x pour les problèmes 2 à 7.

2. $2^x = e^{x+1}$

3. $2e^{3x} = 4e^{5x}$

4. $7^{x+2} = e^{17x}$

5. $10^{x+3} = 5e^{7-x}$

6. $2x - 1 = e^{\ln x^2}$

7. $9^x = 2e^{x^2}$

Pour les problèmes 8 à 10, résolvez pour t. Supposez que a et b sont des constantes positives et que k est non nul.

8. $a = be^t$

9. $P = P_0 e^{kt}$

10. $ae^{kt} = e^{bt}$, où $k \neq b$

Simplifiez complètement les expressions des problèmes 11 à 17.

11. $e^{\ln(1/2)}$

12. $5e^{\ln(A^2)}$

13. $\ln(e^{2AB})$

14. $\ln e^{\sqrt{A}}$

15. $\ln\left(\dfrac{1}{e}\right) + \ln AB$

16. $2\ln(e^A) + 3\ln B^e$

17. $2\ln(AB) - \ln\left(\dfrac{B}{A}\right)$

Convertissez les fonctions des problèmes 18 à 23 sous la forme $P = P_0 a^t$. Lesquelles représentent la croissance exponentielle et lesquelles représentent la décroissance exponentielle ?

18. $P = 15e^{0,25t}$

19. $P = 2e^{-0,5t}$

20. $P = 10e^{0,917t}$

21. $P = 79e^{-2,5t}$

22. $P = P_0 e^{0,2t}$

23. $P = 7e^{-\pi t}$

Convertissez les fonctions des problèmes 24 à 27 sous la forme $P = P_0 e^{kt}$.

24. $P = 15(1,5)^t$

25. $P = 10(1,7)^t$

26. $P = 174(0,9)^t$

27. $P = 4(0,55)^t$

28. a) Évaluez la quantité $(\ln x)/(\log x)$ pour différentes valeurs de x (soit $x = 0,5, 5, 10, 100$). Que remarquez-vous ?

   b) Tracez le graphe de $y = (\ln x)/(\log x)$ à l'aide d'un ordinateur ou d'une calculatrice. Que voyez-vous ? Comment cela correspond-il à vos résultats de la partie a) ?

   c) Prenez les logarithmes naturels des deux côtés de l'équation $x = 10^{\log x}$ pour démontrer que $\dfrac{\ln x}{\log x} = \ln 10$.

29. Trouvez la fonction inverse de $f(t) = 50e^{0,1t}$.

30. Trouvez la fonction inverse de $f(t) = 1 + \ln t$.

31. Définissez $g(x) = \dfrac{2}{e^x + 5}$.

   a) g est-elle croissante ou décroissante ?

   b) Expliquez pourquoi g est inversible et trouvez une formule pour g^{-1}.

32. Définissez $f(x) = \dfrac{1}{1 + e^{-x}}$.

   a) La fonction f est-elle croissante ou décroissante ?

   b) Expliquez pourquoi f est inversible et trouvez une formule pour $f^{-1}(x)$.

   c) Quel est le domaine de f^{-1} ?

   d) Tracez les graphes de f et de f^{-1} sur les mêmes axes et expliquez leur relation.

33. a) Une population augmente selon l'équation $P = P_0 e^{kt}$ (avec les constantes P_0, k). Trouvez la population en fonction du temps t si elle augmente à un taux continu de 2 % par année et commence à 1 million d'habitants.

   b) Tracez le graphe de la population que vous avez trouvée dans la partie a) par rapport au temps.

34. L'air dans une usine est filtré de telle sorte que la quantité d'un polluant P (mesuré en milligrammes par litre) est décroissante selon l'équation $P = P_0 e^{-kt}$, où t représente le temps (en heures). Supposez qu'on parvient à éliminer 10 % des polluants dans les cinq premières heures.

   a) Quel pourcentage des polluants reste-t-il après 10 h ?

   b) Combien de temps sera nécessaire pour que les polluants soient réduits de 50 % ?

   c) Tracez le graphe des polluants par rapport au temps. Présentez les résultats de vos calculs sur le graphe.

   d) Expliquez pourquoi la quantité de polluants peut diminuer ainsi.

35. La pression atmosphérique P diminue exponentiellement avec la hauteur au-dessus de la surface de la Terre, h :

$$P = P_0 e^{-0,000\,12h},$$

où P_0 est la pression atmosphérique au niveau de la mer et h est la hauteur (en mètres).

a) Si vous vous rendez au sommet du mont McKinley, soit à une hauteur de 6198 m (environ 20 320 pi), quelle est la pression atmosphérique par rapport au pourcentage de la pression au niveau de la mer ?

b) L'altitude maximale d'un avion à réaction commercial standard est d'environ 12 000 m (environ 40 000 pi). À cette hauteur, quelle est la pression atmosphérique en fonction du pourcentage de la valeur au niveau de la mer ?

36. Dans certaines circonstances, la vitesse V de la chute d'une goutte de pluie est donnée par $V = V_0(1 - e^{-t})$, où t est le temps et V_0 une constante positive.

a) Tracez un graphe approximatif de V par rapport à t, pour $t \geq 0$.

b) Que représente V_0 ?

37. La population des États-Unis se chiffrait à 226,5 millions d'habitants en 1980 et à 248,7 millions d'habitants en 1990. En quelle année la population dépassera-t-elle 300 millions d'habitants ?

38. La demi-vie du strontium radioactif est de 29 ans. En 1960, on a libéré du strontium 90 dans l'atmosphère au cours d'une série d'essais d'armes nucléaires et le strontium s'est infiltré dans les os des habitants. Combien d'années seront nécessaires avant qu'il ne reste que 10 % de la quantité initiale absorbée ?

39. Si la taille d'une colonie de bactéries double en 5 h, combien de temps sera nécessaire pour que le nombre de bactéries triple ?

40. Prédisez la population terrestre en l'an 2000. Selon un almanach, la population en 1980 se chiffrait à 4,478 milliards d'habitants et en 1994, à 5,642 milliards d'habitants. Quel est le temps de doublement de la population mondiale ?

41. Supposez qu'une substance radioactive a une demi-vie de 5 ans. Au départ, un objet contient 20 kg de cette matière radioactive.

a) Quelle quantité de cette matière radioactive restera-t-il après 10 ans ?

b) On peut déplacer l'objet en toute sécurité lorsque la quantité de la matière radioactive est de 0,1 kg ou moins. Combien de temps doit-il s'écouler avant qu'on puisse déplacer l'objet en question ?

42. L'un des principaux contaminants d'un accident nucléaire, comme celui de Tchernobyl, est le strontium 90, qui se décompose exponentiellement à un taux continu d'environ 2,47 % par année. Des estimations préliminaires effectuées après le désastre suggèrent qu'environ 100 ans seront nécessaires avant que la région puisse être de nouveau habitée par l'homme. Quel sera le pourcentage du strontium 90 initial encore présent à ce moment ?

43. La population P (en millions d'habitants) du Nicaragua se chiffrait à 3,6 millions en 1990 et augmentait à un taux annuel de 3,4 %. Soit t le temps (en années) depuis 1990.

a) Exprimez P avec une fonction de la forme $P = P_0 a^t$.

b) Exprimez P sous forme de fonction exponentielle dans la base e.

c) Comparez les taux de croissance annuel et continu.

44. La datation géologique des roches se fait à l'aide du potassium 40 plutôt que du carbone 14, car le potassium a une demi-vie plus longue. Le potassium se décompose en argon, lequel demeure dans les roches et peut se mesurer. Ainsi, il est possible de calculer la quantité initiale de potassium. La demi-vie du potassium 40 est de $1,28 \cdot 10^9$ années. Trouvez une formule donnant la quantité P de potassium restante en fonction du temps (en années), en supposant que la quantité initiale est P_0.

a) Utilisez la base $1/2$.

b) Utilisez la base e.

45. Un tableau soi-disant peint par Vermeer (1632–1675) contient 99,5 % de sa quantité initiale de carbone 14 (demi-vie de 5730 années). À partir de cette information, déterminez si le tableau est faux. Expliquez votre raisonnement.

46. Supposez que la quantité de la charge électrique d'un condensateur est une fonction décroissante exponentiellement dans le temps :

$$Q = Q_0 e^{-t/k}.$$

a) Quelle est la constante temporelle ?

b) Montrez que, après une période de 3 constantes temporelles, le condensateur a perdu plus de 95 % de la charge initiale.

c) Montrez que, après 5 constantes temporelles, moins de 1 % de la charge est restée.

1.8 COMMENT CRÉER DE NOUVELLES FONCTIONS

Les translations et les dilatations

Le graphe d'un multiple constant d'une fonction donnée est facile à visualiser ; chaque valeur de y est allongée ou rétrécie (dilatée) par ce multiple. Par exemple, on considère la fonction $f(x)$ et ses multiples $y = 3f(x)$ et $y = -2f(x)$. Leurs graphes sont présentés à la figure 1.53. Le facteur 3 de la fonction $y = 3f(x)$ allonge chaque valeur $f(x)$ en la multipliant par 3 ; le facteur -2 de la fonction $y = -2f(x)$ allonge $f(x)$ en le multipliant par 2 et le réfléchit sur l'axe des x. On peut considérer les multiples d'une fonction donnée comme une famille de fonctions.

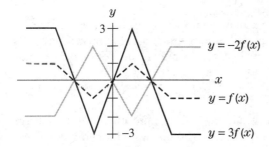

Figure 1.53 : Multiples de la fonction $f(x)$

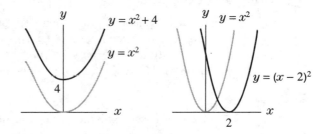

Figure 1.54 : Graphes de $y = x^2$ avec $y = x^2 + 4$ et $y = (x - 2)^2$

Il est également facile de créer des familles de fonctions en décalant les graphes. Par exemple, le graphe de $y - 4 = x^2$ est le même que celui de $y = x^2 + 4$, qui est le graphe de $y = x^2$ translaté (décalé) vers le haut de 4. De même, le graphe de $y = (x - 2)^2$ est le même que celui de $y = x^2$ translaté vers la droite de 2 (voir la figure 1.54).

- La multiplication d'une fonction par une constante c a pour effet d'allonger le graphe verticalement (si $c > 1$) ou de le rétrécir verticalement (si $0 < c < 1$). Un signe négatif (si $c < 0$) réfléchit le graphe sur l'axe des x, outre qu'il le rétrécit ou l'allonge.

- La substitution de y par $(y - k)$ a pour effet de déplacer le graphe vers le haut par k (vers le bas si k est négatif).

- La substitution de x par $(x - h)$ a pour effet de déplacer le graphe vers la droite par h (vers la gauche si h est négatif).

On peut tracer le graphe de la somme de deux fonctions en imaginant les valeurs de y des deux graphes empilées les unes sur les autres.

Exemple 1	Tracez le graphe de la fonction $y = 2x^2 + 1/x$ pour $x > 0$.
Solution	On trace d'abord le graphe des fonctions $y = 2x^2$ et $y = 1/x$ séparément. On imagine à présent les valeurs de y correspondantes empilées les unes sur les autres, et on obtient le graphe de $y = 2x^2 + 1/x$ (voir la figure 1.55).

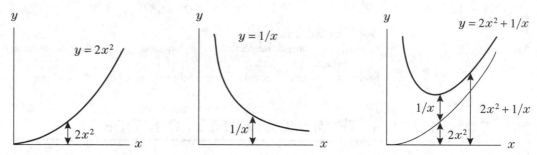

Figure 1.55 : Résumé de deux fonctions à partir de leurs graphes

On remarque que, pour x près de zéro, le graphe de $y = 2x^2 + 1/x$ ressemble beaucoup au graphe de $y = 1/x$ (parce que $1/x$ est beaucoup plus grand que $2x^2$). Pour un grand x, le graphe de $y = 2x^2 + 1/x$ ressemble au graphe de $y = 2x^2$.

Les fonctions composées

Si la cargaison d'huile d'un pétrolier se déverse dans la mer, l'aire de la nappe de pétrole augmentera avec le temps. On suppose que la nappe d'huile forme toujours un cercle parfait. (En pratique, cela ne se produit pas à cause des vents, des marées et de l'emplacement du littoral.) L'aire de la nappe d'huile est fonction de son rayon. Cette fonction est

$$A = f(r) = \pi r^2.$$

Le rayon est également fonction du temps, car il augmente à mesure que le déversement d'huile s'accroît. Ainsi, l'aire, qui est fonction du rayon, est également fonction du temps. Si, par exemple, le rayon est donné par

$$r = g(t) = 1 + t,$$

alors l'aire est donnée en fonction du temps par substitution :

$$A = \pi r^2 = \pi(1 + t)^2.$$

On dit que A est une *fonction composée* ou la *fonction d'une fonction*, ce qui s'écrit

$$A = \underbrace{f(g(t))}_{\substack{\text{Fonction composée ;} \\ f \text{ est à l'extérieur de la fonction,} \\ g \text{ est à l'intérieur de la fonction.}}} = \pi(g(t))^2 = \pi(1 + t)^2.$$

On examine l'exemple 2 et on se demande comment calculer A en utilisant la formule $\pi(1 + t)^2$. Pour tout t donné, le première étape consiste à trouver $1 + t$ et la deuxième à l'élever au carré et à le multiplier par π. La première étape correspond donc à la fonction intérieure $g(t) = 1 + t$ et la deuxième étape, à la fonction extérieure $f(r) = \pi r^2$.

Exemple 2	Si $f(x) = x^2$ et $g(x) = x + 1$, trouvez les fonctions ci-après.
	a) $f(g(2))$ b) $g(f(2))$ c) $f(g(x))$ d) $g(f(x))$

Solution   a)   Puisque $g(2) = 3$, on obtient $f(g(2)) = f(3) = 9$.

        b)   Puisque $f(2) = 4$, on obtient $g(f(2)) = g(4) = 5$. On remarque que $f(g(2)) \neq g(f(2))$.

        c) $f(g(x)) = f(x + 1) = (x + 1)^2$.

        d) $g(f(x)) = g(x^2) = x^2 + 1$. Encore une fois, on note que $f(g(x)) \neq g(f(x))$.

Exemple 3   Exprimez chacune des fonctions suivantes sous forme de composition.

        a) $h(t) = (1 + t^3)^{27}$ b) $k(x) = \log(x^2)$ c) $l(x) = (\log x)^2$ d) $n(y) = e^{-y^2}$

Solution   Dans chaque cas, on réfléchit à la manière dont on pourrait calculer une valeur de la fonction. La première étape du calcul donnera la fonction intérieure et la deuxième étape, la fonction extérieure.

        a)   Pour $(1 + t^3)^{27}$, la première étape consiste à élever au cube et à additionner 1. Donc, la fonction intérieure est $g(t) = 1 + t^3$.

           À la deuxième étape, on doit élever à la 27-ième puissance. Donc, la fonction extérieure est $f(y) = y^{27}$. Par conséquent,

$$f(g(t)) = f(1 + t^3) = (1 + t^3)^{27}.$$

           En fait, il existe plusieurs réponses différentes ; $g(t) = t^3$ et $f(y) = (1 + y)^{27}$ est une autre possibilité.

        b)   Pour évaluer cette fonction, il faut d'abord élever x au carré et ensuite utiliser le logarithme. Donc, si $g(x) = x^2$ est la fonction intérieure et $f(y) = \log y$ est la fonction extérieure, alors

$$f(g(x)) = \log(x^2).$$

        c)   Pour cette fonction, il faut d'abord élever le logarithme au carré. On utilise les mêmes définitions de f et de g de la partie b), notamment $f(x) = \log x$ et $g(t) = t^2$. La composition est

$$g(f(x)) = (\log x)^2.$$

           En évaluant les fonctions dans les parties b) et c) pour $x = 2$, par exemple en ayant $\log(2^2) = 0{,}602$ et $\log^2(2) = 0{,}091$, on constatera que l'ordre dans lequel les deux fonctions sont composées peut avoir de l'importance.

        d)   Pour calculer e^{-y^2}, on doit élever y au carré, prendre sa valeur négative et puis élever e à cette puissance. Donc, si on définit $g(y) = -y^2$ et $f(z) = e^z$, on peut alors écrire

$$f(g(y)) = e^{-y^2}.$$

           Inversement, on pourrait prendre $g(y) = y^2$ et $f(z) = e^{-z}$.

La symétrie des fonctions paires et impaires

Une certaine symétrie est apparente dans les graphes de $f(x) = x^2$ et de $g(x) = x^3$ (voir la figure 1.56, page suivante). Pour chaque point (x, x^2) qui appartient au graphe de f, le point $(-x, x^2)$ appartient aussi au graphe ; pour chaque point (x, x^3) appartenant au graphe de g, le point $(-x, -x^3)$ appartient aussi au graphe. Le graphe de $f(x) = x^2$ est symétrique par rapport à l'axe des y, alors que le graphe de $g(x) = x^3$ est symétrique par rapport à l'origine. Le graphe de tout polynôme comprenant des puissances paires est symétrique par rapport à l'axe des y, tandis que les polynômes ayant uniquement des puissances impaires sont symétriques par rapport à l'origine. Par conséquent, toute fonction ayant ces propriétés symétriques est dite *paire* ou *impaire*.

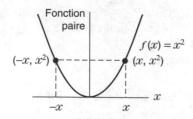

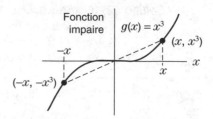

Figure 1.56 : Symétrie des fonctions paires et impaires

> Pour toute fonction f,
> f est une fonction **paire** si $f(-x) = f(x)$ pour tout x ;
> f est une fonction **impaire** si $f(-x) = -f(x)$ pour tout x.

Par exemple, $g(x) = e^{x^2}$ est paire et $h(x) = x^{1/3}$ est impaire. Cependant, on note que plusieurs fonctions n'ont aucune symétrie et ne sont ni paire ni impaire.

Problèmes de la section 1.8

1. Le graphe de $y = f(x)$ est présenté à la figure 1.57. Tracez les graphes de chacune des fonctions suivantes. Étiquetez toute intersection avec les axes ou toute asymptote que vous pouvez déterminer.

   a) $y = f(x) + 3$
   b) $y = 2f(x)$
   c) $y = f(x + 4)$
   d) $y = 4 - f(x)$

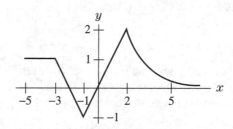

Figure 1.57

2. a) Écrivez une équation pour le graphe obtenu en allongeant verticalement le graphe de $y = x^2$ d'un facteur de 2, suivi d'un décalage vertical vers le haut de 1 unité. Tracez le graphe.
   b) Quelle est l'équation si l'ordre des transformations (l'allongement et le décalage) de la partie a) est inversé ?
   c) Les deux graphes sont-ils identiques ? Expliquez l'effet de l'inversion de l'ordre des transformations.

Pour les problèmes 3 à 11, soit $f(x) = 2x + 1$, $g(x) = \ln(x + 3)$ et $h(x) = e^{4x + 7}$. Trouvez les fonctions ci-après.

3. $f(g(x))$
4. $g(f(x))$
5. $f(h(x))$

6. $h(f(x))$
7. $g(h(x))$
8. $h(g(x))$

9. $g(h(x) - 3)$
10. $f(g(h(x)))$
11. $h(g(f(x)))$

Pour les problèmes 12 à 15, le graphe suggère-t-il que la fonction est paire, impaire ou ni l'un ni l'autre ?

12.   13.   14.   15.

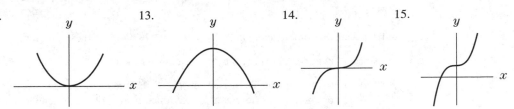

Les fonctions des problèmes 16 et 17 sont-elles paires, impaires ou ni l'un ni l'autre ?

16. $f(x) = x^6 + x^3 + 1$ 17. $f(x) = x^3 + x^2 + x$

Pour les problèmes 18 à 21, déterminez les fonctions f et g, de sorte que $h(x) = f(g(x))$. [Remarque : Il existe plus d'une bonne réponse. Ne choisissez pas $f(x) = x$ ou $g(x) = x$.]

18. $h(x) = (x+1)^3$ 19. $h(x) = x^3 + 1$ 20. $h(x) = \ln(x^3)$ 21. $h(x) = (\ln x)^3$

Pour les problèmes 22 à 25, $m(z) = z^2$. Trouvez et simplifiez les quantités ci-après.

22. $m(z+1) - m(z)$ 23. $m(z+h) - m(z)$

24. $m(z) - m(z-h)$ 25. $m(z+h) - m(z-h)$

26. À l'aide d'une calculatrice graphique, trouvez les intervalles en x et en y pour que le graphe de $f(x) = 9x^2 + 5$ soit identique au graphe de $g(x) = x^2$ lorsque $-3 < x < 3$, $-1 < y < 9$.

27. À l'aide d'une calculatrice graphique, trouvez les intervalles en x et en y pour que le graphe de $f(x) = 10x^2 + 1000x$ soit identique au graphe de $g(x) = x^2$ lorsque $-10 < x < 10$, $-10 < y < 100$. [Conseil : Utilisez la complétion du carré.]

28. Tracez le graphe de $f(x) = 3^x$ lorsque $0 < x < 3$, $0 < y < 27$. Ensuite, tracez le graphe de $g(x) = 2(3^{x/2})$ lorsque $0 < x < 6$, $0 < y < 54$. Expliquez pourquoi les deux graphes ont une forme identique.

29.   a) On vous donne la table des valeurs suivante pour la fonction f. Pour quelles valeurs de x pouvez-vous évaluer $g(x) = f(x/2)$ de manière précise ?

x	0	1	2	3	4	5	6
$f(x)$	0	2	6	12	20	30	42

  b) Créez une table de valeurs pour $g(x) = f(x/2)$.
  c) En quoi le graphe de g différera-t-il du graphe de f ?

Pour les problèmes 30 à 35, supposez que f et g sont donnés par les graphes de la figure 1.58.

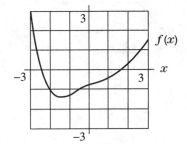
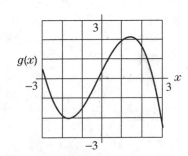

Figure 1.58

30. Estimez $f(g(1))$.

31. Estimez $g(f(2))$.

32. Estimez $f(f(1))$.

33. Tracez un graphe de $f(g(x))$.

34. Tracez un graphe de $g(f(x))$.

35. Tracez un graphe de $f(f(x))$.

36. Soit $h(x)$ et $j(x)$ les fonctions tracées dans les figures 1.59 et 1.60.

    a) Tracez les graphes de $h(j(x))$ et $j(h(x))$. Étiquetez toutes les intersections avec les axes.

    b) Si possible, tracez un graphe d'une fonction $k(x)$ de manière telle que $j(k(x)) = k(j(x)) = x$. Si cela n'est pas possible, expliquez pourquoi.

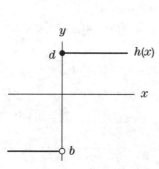

Figure 1.59

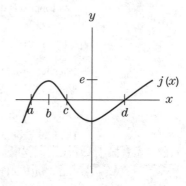

Figure 1.60

37. La fonction échelon unité de Heaviside H est tracée à la figure 1.61. Tracez les graphes des fonctions ci-après.

    a) $2H(x)$

    b) $H(x) + 1$

    c) $H(x + 1)$

    d) $-H(x)$

    e) $H(-x)$

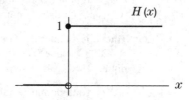

Figure 1.61

Pour les problèmes 38 à 40, utilisez le graphe de $y = f(x)$ de la figure 1.62 pour tracer le graphe des fonctions indiquées.

38. $y = 2f(x)$

39. $y = 2 - f(x)$

40. $y = 1/f(x)$

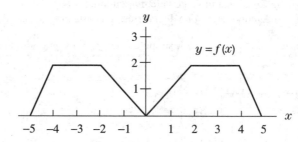

Figure 1.62

41. Remplissez le tableau 1.23 pour montrer les valeurs des fonctions f, g et h, étant donné les conditions ci-après.

a) f est symétrique par rapport à l'axe des y.
b) g est symétrique par rapport à l'origine.
c) h est la composition de g avec f. Autrement dit, $h(x) = g(f(x))$.

TABLEAU 1.23

x	$f(x)$	$g(x)$	$h(x)$
−3	0	0	
−2	2	2	
−1	2	2	
0	0	0	
1			
2			
3			

1.9   LES FONCTIONS TRIGONOMÉTRIQUES

La trigonométrie tire ses origines de l'étude des triangles. En effet, le mot *trigonométrie* (de trigone et -métrie) signifie la mesure des figures à trois coins. Ainsi, les premières définitions des fonctions trigonométriques étaient données à partir des triangles. Cependant, les fonctions trigonométriques peuvent également se définir à partir du cercle unité (cercle de rayon 1), une définition qui les rend périodiques ou répétitives. Bon nombre de processus qui se produisent naturellement sont aussi périodiques. Le niveau d'eau d'un bassin de marée, la pression sanguine du cœur, le courant alternatif et la position des molécules d'air qui transmettent une note musicale fluctuent tous de manière régulière. On peut représenter de tels phénomènes à l'aide des fonctions trigonométriques.

On n'utilisera que les trois fonctions trigonométriques qu'on trouve sur la calculatrice : le sinus, le cosinus et la tangente.

Les radians

Il existe deux manières courantes de représenter l'entrée des fonctions trigonométriques : les radians et les degrés. Les formules du calcul différentiel et intégral, comme on le verra, sont plus claires en radians qu'en degrés.

> Un angle de 1 **radian** est défini comme l'angle qui intercepte depuis le centre d'un cercle unité, un arc de longueur 1, mesuré dans le sens contraire des aiguilles d'une montre (voir la figure 1.63 a)).

Un angle de 2 rad intercepte un arc de longueur 2 sur un cercle unité. Un angle négatif, comme −1/2 rad, intercepte un arc de longueur 1/2, mesuré dans le sens des aiguilles d'une montre (voir la figure 1.63 b), page suivante).

Il est utile de considérer les angles comme des rotations puisqu'on peut alors comprendre les angles de plus de 360°. Puisqu'une rotation complète de 360° intercepte un arc de longueur 2π, soit la circonférence d'un cercle unité, il s'ensuit que

$$360° = 2\pi \text{ rad.} \quad \text{Donc,} \quad 180° = \pi \text{ rad.}$$

En d'autres mots, $1 \text{ rad} = 180°/\pi$; un radian mesure donc environ 60°. On omet souvent le mot *radian*. Par conséquent, si un angle ou une rotation est mentionné sans unité, il est sous-entendu que celle-ci est en radians.

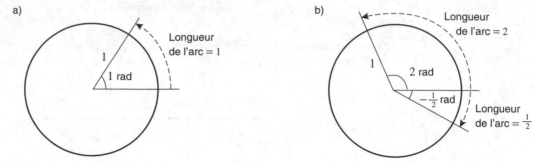

Figure 1.63 : Radians définis à l'aide d'un cercle unité

La longueur de l'arc

Les radians sont également utiles pour calculer la longueur de l'arc d'un cercle de rayon différent de 1. Si le cercle a un rayon r et que l'arc intercepte un angle θ (voir la figure 1.64), alors on a la relation ci-après.

$$\text{Longueur d'arc} = s = r\theta.$$

Figure 1.64 : Longueur de l'arc du secteur d'un cercle

Le sinus et le cosinus

Les deux fonctions trigonométriques fondamentales — le sinus et le cosinus — sont définies à l'aide d'un cercle unité. À la figure 1.65, un angle de t rad est mesuré dans le sens contraire des aiguilles d'une montre autour du cercle à partir du point $(1, 0)$. Si P a les coordonnées (x, y), on définit

$$\cos t = x \quad \text{et} \quad \sin t = y.$$

On suppose que les angles sont *toujours* donnés en radians, à moins d'indication contraire.

Puisque l'équation du cercle unité est $x^2 + y^2 = 1$, on obtient l'identité fondamentale suivante :

$$\cos^2 t + \sin^2 t = 1.$$

Au fur et à mesure que t augmente et que P se déplace autour du cercle, les valeurs de $\sin t$ et de $\cos t$ oscillent entre 1 et -1, et finissent par se répéter alors que P passe par les points qu'il a déjà parcourus. Si t est négatif, l'angle est mesuré dans le sens des aiguilles d'une montre autour du cercle.

L'amplitude, la période et la phase

Les graphes des sinus et des cosinus sont présentés à la figure 1.66. On remarque que le sinus est une fonction impaire et que le cosinus est une fonction paire. Les valeurs maximale et minimale des sinus et des cosinus sont $+1$ et -1, car ce sont les valeurs maximale et minimale de y et de x sur le cercle unité. Lorsque le point P s'est déplacé une fois autour du cercle complet, les valeurs de $\cos t$ et de $\sin t$ commencent à se répéter ; on dit alors que les fonctions sont *périodiques*.

Pour toute fonction périodique du temps,

- l'**amplitude** représente la moitié de la distance entre les valeurs maximale et minimale (le cas échéant) ;

- la **période** est le temps nécessaire pour que la fonction exécute un cycle complet.

L'amplitude de $\cos t$ et de $\sin t$ est 1 et la période est 2π. Pourquoi 2π ? Parce qu'il s'agit de la valeur de t lorsque le point P a fait le tour exactement une fois du cercle. (Il ne faut pas oublier que $360° = 2\pi$ rad.)

En observant la figure 1.66, on peut constater que les graphes du sinus et du cosinus ont exactement la même forme, sauf qu'ils sont translatés horizontalement. Puisque le cosinus est le sinus translaté de $\pi/2$ vers la gauche,

$$\cos t = \sin(t + \pi/2).$$

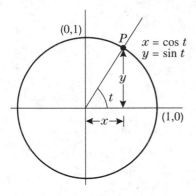

Figure 1.65 : Définitions de $\sin t$ et de $\cos t$

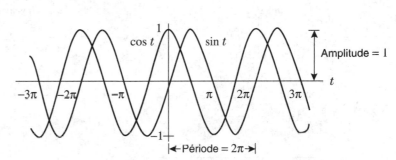

Figure 1.66 : Graphes de $\cos t$ et de $\sin t$

Cela signifie que le cosinus de tout nombre est le même que le sinus du nombre qui est $\pi/2$ plus à droite — ce qui illustre précisément le graphe. De même, le sinus est le cosinus translaté de $\pi/2$ vers la droite, soit

$$\sin t = \cos (t - \pi/2).$$

On dit que la *différence de phase* entre $\sin t$ et $\cos t$ est $\pi/2$.

Les fonctions dont les graphes ont la forme d'une courbe de sinus ou de cosinus sont appelées des fonctions *sinusoïdales*.

Pour décrire arbitrairement les amplitudes et les périodes des fonctions sinusoïdales, on utilise les fonctions de la forme

$$f(t) = A \sin (Bt) \quad \text{et} \quad g(t) = A \cos (Bt),$$

où $|A|$ est l'amplitude et $2\pi/|B|$ est la période.

Pour représenter arbitrairement les différences de phase, on translate horizontalement un graphe dont l'amplitude et la période sont correctes en remplaçant t par $t - h$ ou $t + h$.

Exemple 1   Trouvez l'amplitude et la période des fonctions, puis tracez-en le graphe.

   a) $y = 5 \sin (2t)$ b) $y = -5 \sin\left(\dfrac{t}{2}\right)$ c) $y = 1 + 2 \sin t$

Solution   a)   À partir de la figure 1.67, on peut voir que l'amplitude de $y = 5 \sin(2t)$ est 5 parce que le facteur de 5 allonge les oscillations jusqu'à 5 vers le haut et jusqu'à -5 vers le bas. La période de $y = \sin(2t)$ est π, parce que lorsque t varie de 0 à π, la quantité $2t$ varie de 0 à 2π et la fonction sinus aura donc terminé une oscillation.

   b)   La figure 1.68 montre que l'amplitude de $y = -5 \sin (t/2)$ est de nouveau 5 parce que le signe négatif reflète les oscillations sur l'axe des t, mais ne fait pas varier la distance de variation vers le haut ou vers le bas. La période de $y = -5 \sin (t/2)$ est 4π, car lorsque t varie de 0 à 4π, la quantité $t/2$ varie de 0 à 2π et la fonction sinus complète donc une oscillation.

   c)   Le 1 fait décaler le graphe $y = 2 \sin t$ vers le haut de 1. Puisque $y = 2 \sin t$ a une amplitude de 2 et une période de 2π, le graphe de $y = 1 + 2 \sin t$ monte à 3 et descend à -1 et il a une période de 2π (voir la figure 1.69). Ainsi, $y = 1 + 2 \sin t$ a également une amplitude de 2.

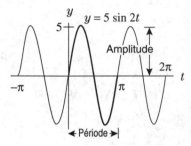

Figure 1.67 : Amplitude = 5, période = π

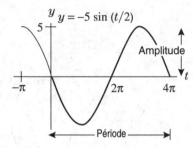

Figure 1.68 : Amplitude = 5, période = 4π

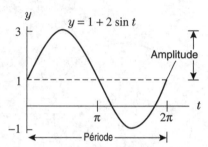

Figure 1.69 : Amplitude = 2, période = 2π

Exemple 2   Trouvez les formules pour les fonctions décrivant les oscillations des figures 1.70 à 1.72.

a)
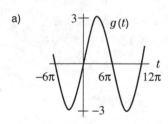

Figure 1.70

b)
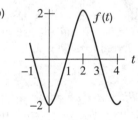

Figure 1.71

c)
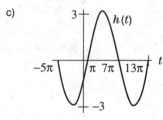

Figure 1.72

Solution   a)   La fonction de la figure 1.70 ressemble à une fonction sinus d'amplitude 3. Donc, $g(t) = 3 \sin(Bt)$. Puisque la fonction exécute une oscillation complète entre $t = 0$ et $t = 12\pi$, lorsque t varie de 12π, la quantité Bt varie de 2π. Cela signifie que $B \cdot 12\pi = 2\pi$. Donc, $B = 1/6$. Ainsi, $g(t) = 3 \sin (t/6)$ correspond au graphe illustré ci-dessus.

   b)   La fonction de la figure 1.71 ressemble à une fonction cosinus inversée d'amplitude 2. Donc, $f(t) = -2 \cos(Bt)$. La fonction effectue une oscillation entre $t = 0$ et $t = 4$. Ainsi, lorsque t varie de 4, la quantité Bt varie de 2π. Donc, $B \cdot 4 = 2\pi$ ou $B = \pi/2$. Ainsi, $f(t) = -2 \cos(\pi t/2)$ correspond au graphe illustré.

   c)   La fonction de la figure 1.72 ressemble à la fonction $g(t)$ de la figure 1.70, mais translatée d'une distance de π vers la droite. Puisque $g(t) = 3 \sin(t/6)$, on remplace t par $(t - \pi)$ pour obtenir $h(t) = 3 \sin[(t - \pi)/6]$.

Il existe bon nombre d'équations possibles pour ces graphes ; il est sans doute possible d'en trouver d'autres.

Exemple 3   Le 10 février 1990, la marée haute à Boston était à minuit. Le niveau de l'eau à la marée haute atteignait 9,9 pi ; plus tard, à la marée basse, il était de 0,1 pi. En supposant que la prochaine marée haute est exactement à midi et que la hauteur de l'eau est donnée par une courbe de sinus ou de cosinus, trouvez une formule pour le niveau d'eau à Boston en fonction du temps.

Solution   Soit y le niveau d'eau (en pieds) et t le temps mesuré (en heures) à partir de minuit. Les oscillations doivent avoir une amplitude de 4,9 pi (= (9,9 − 0,1)/2) et une période de 12. Donc, $12\,B = 2\pi$ et $B = \pi/6$. Puisque l'eau est à son plus haut niveau à minuit, lorsque $t = 0$ les oscillations sont mieux représentées par un cosinus, car le cosinus est à son maximum au début du cycle (voir la figure 1.73). On peut dire

$$\text{Hauteur au-dessus de la moyenne} = 4,9 \cos\left(\frac{\pi}{6}t\right).$$

Puisque le niveau moyen de l'eau était de 5 pi (= (9,9 + 0,1)/2), il faut translater la courbe de cosinus vers le haut de 5. On obtient cette translation en ajoutant 5 :

$$y = 5 + 4,9 \cos\left(\frac{\pi}{6}t\right).$$

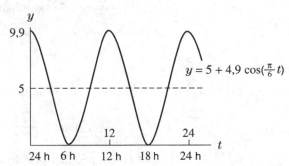

Figure 1.73 : Fonction donnant une approximation
de la marée à Boston le 10 février 1990

Exemple 4   Bien sûr, l'hypothèse de l'exemple 3 est inexacte, car elle suppose que la prochaine marée haute sera à midi juste. Le cas échéant, la marée haute serait toujours à midi ou à minuit, plutôt que de progresser lentement au cours de la journée, comme c'est le cas. L'intervalle entre les marées hautes successives équivaut en moyenne à 12 h 24 min. À l'aide de ces données, donnez une formule plus précise pour calculer la hauteur de l'eau en fonction du temps.

Solution   La période est de 12 h 24 min = 12,4 h. Donc, $B = 2\pi/12,4$, ce qui donne

$$y = 5 + 4,9 \cos\left(\frac{2\pi}{12,4}t\right) = 5 + 4,9 \cos(0,507t).$$

Exemple 5   Utilisez les données de l'exemple 3 pour trouver une formule pour le niveau d'eau à Boston lorsque la marée haute est à 14 h.

Solution   Lorsque la marée haute est à minuit

$$y = 5 + 4,9 \cos(0,507t).$$

Puisque 14 h signifie 14 heures après minuit, on remplace t par $(t - 14)$. Ainsi, lorsque la marée haute est à 14 h,

$$y = 5 + 4,9 \cos(0,507(t - 14)).$$

Exemple 6   Expliquez pourquoi la fonction suivante représente une oscillation qui s'éclipse, ce qu'on appelle une *oscillation amortie* :

$$f(x) = (0,9)^x \sin x.$$

Solution   On considère $f(x)$ comme une fonction sinus ayant une amplitude de $(0,9)^x$, qui diminue à mesure que x augmente (voir la figure 1.74). Il s'agit du type de mouvement prévu lorsqu'on place un poids sur un ressort et que les oscillations sont amorties à cause de la friction.

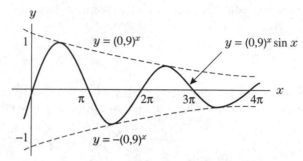

Figure 1.74 : Oscillation amortie

La fonction tangente

Si t représente tout nombre avec $\cos t \neq 0$, on définit la fonction tangente par

$$\tan t = \frac{\sin t}{\cos t}.$$

La figure 1.65 montre la signification géométrique de la fonction tangente : $\tan t$ est la pente de la droite passant par l'origine $(0, 0)$ et le point P $(\cos t, \sin t)$ sur le cercle unité.

La fonction tangente est indéfinie lorsque $\cos t = 0$, notamment à $t = \pm\pi/2, \pm3\pi/2, \ldots$, et elle a une asymptote verticale à chacun de ces points. À présent, on considère les endroits où $\tan t$ sera positive et où elle sera négative. Elle sera positive là où $\sin t$ et $\cos t$ ont le même signe. La figure 1.75 présente le graphe de la tangente.

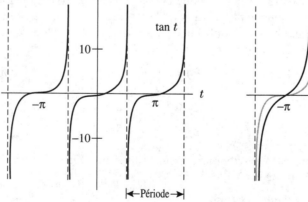
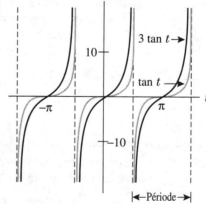

Figure 1.75 : Fonction tangente   **Figure 1.76 :** Multiple de tangente

On note que la fonction tangente a la période π, car elle se répète à chaque π unités. Est-il logique de parler de l'amplitude de la fonction tangente ? Non, si on considère l'amplitude comme une mesure de la taille de l'oscillation, car la tangente devient infiniment grande à proximité de chaque asymptote verticale. On peut quand même multiplier la tangente par une constante, mais celle-ci, dorénavant, ne représente plus une amplitude (voir la figure 1.76).

Les fonctions trigonométriques inverses

Parfois, il est nécessaire de trouver un nombre à l'aide d'un sinus donné, par exemple pour trouver x tel que

$$\sin x = 0$$

ou tel que

$$\sin x = 0{,}3.$$

On peut résoudre la première de ces deux équations en effectuant une vérification ; les solutions sont $x = 0, \pm\pi, \pm 2\pi, \dots$ Pour résoudre la deuxième équation, il faut utiliser une calculatrice, qui donne également un nombre infini de solutions qui sont

$$x \approx 0{,}305,\ 2{,}84,\ 0{,}305 \pm 2\pi,\ 2{,}84 \pm 2\pi,\ \dots$$

Pour chaque équation, on opte pour une seule solution, soit $-\pi/2$ ou $\pi/2$. Par exemple, la solution de $\sin x = 0$ est $x = 0$, et la solution de $\sin x = 0{,}3$ est $x = 0{,}305$. On définit le sinus inverse, qui s'écrit « arcsin » ou « $\sin^{-1}$ », comme la fonction qui permet d'obtenir la solution choisie.

> Pour $-1 \le y \le 1$,
>
> $$\operatorname{arcsin} y = x$$
>
> signifie que
>
> $$\sin x = y \qquad \text{avec} \qquad -\frac{\pi}{2} \le x \le \frac{\pi}{2}.$$

Ainsi, l'arcsin est la fonction inverse de la fonction sinus ayant le domaine restreint $[-\pi/2, \pi/2]$ (voir le tableau 1.24 et la figure 1.77). Sur une calculatrice, la fonction arcsinus[9] est généralement notée $\boxed{\sin^{-1}}$.

TABLEAU 1.24 *Valeurs de $\sin x$ et de $\sin^{-1} x$*

x	$\sin x$	x	$\sin^{-1} x$
$-\frac{\pi}{2}$	$-1{,}000$	$-1{,}000$	$-\frac{\pi}{2}$
$-1{,}0$	$-0{,}841$	$-0{,}841$	$-1{,}0$
$-0{,}5$	$-0{,}479$	$-0{,}479$	$-0{,}5$
$0{,}0$	$0{,}000$	$0{,}000$	$0{,}0$
$0{,}5$	$0{,}479$	$0{,}479$	$0{,}5$
$1{,}0$	$0{,}841$	$0{,}841$	$1{,}0$
$\frac{\pi}{2}$	$1{,}000$	$1{,}000$	$\frac{\pi}{2}$

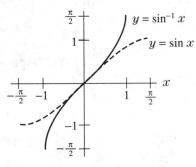

Figure 1.77 : Fonction arcsinus

La tangente inverse, qui s'écrit arctan ou $\tan^{-1}$, est la fonction inverse de la fonction tangente ayant le domaine restreint $-\pi/2 < x < \pi/2$. Sur une calculatrice, la tangente inverse est normalement notée $\boxed{\tan^{-1}}$. La figure 1.79 (page suivante) présente le graphe de l'arctangente.

---

9. À noter que $\sin^{-1} x = \operatorname{arcsin} x$ est différent de $(\sin x)^{-1} = 1/\sin x$.

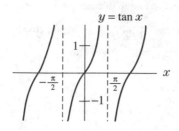

Figure 1.78 : Fonction tangente

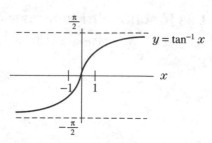

Figure 1.79 : Fonction arctangente

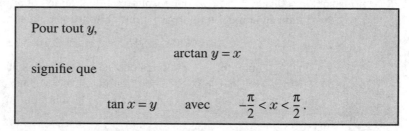

Pour tout y,

$$\arctan y = x$$

signifie que

$$\tan x = y \qquad \text{avec} \qquad -\frac{\pi}{2} < x < \frac{\pi}{2}.$$

La fonction cosinus inverse, qui s'écrit arccos ou $\cos^{-1}$, est abordée au problème 34.

Problèmes de la section 1.9

Pour les problèmes 1 à 9, dessinez l'angle en utilisant un rayon qui passe par l'origine, puis déterminez si le sinus, le cosinus ou la tangente de cet angle sont positifs, négatifs, nuls ou indéfinis.

1. $\frac{3\pi}{2}$ 2. 2π 3. $\frac{\pi}{4}$ 4. 3π 5. $\frac{\pi}{6}$

6. $\frac{4\pi}{3}$ 7. $\frac{-4\pi}{3}$ 8. 4 9. -1

Étant donné que $\sin(\pi/12) = 0,259$ et $\cos(\pi/5) = 0,809$, calculez (sans utiliser les fonctions trigonométriques de votre calculatrice) les quantités pour les problèmes 10 à 13. Vous pourriez dessiner les angles qui y interviennent et ensuite vérifier vos réponses à l'aide d'une calculatrice.

10. $\cos(-\frac{\pi}{5})$ 11. $\sin\frac{11\pi}{12}$ 12. $\sin\frac{\pi}{5}$ 13. $\cos\frac{\pi}{12}$

14. Utilisez la solution de l'exemple 3 pour estimer le niveau d'eau dans le port de Boston à 3 h, à 4 h et à 17 h le 10 février 1990.

15. Un disque compact tourne à une vitesse de 200 à 500 révolutions par minute. Quelles sont les vitesses équivalentes en radians par seconde ?

16. Lorsque le moteur d'une voiture effectue moins de 200 révolutions par minute environ, il cale. Quelle est la période de la rotation du moteur lorsqu'il est sur le point de caler ?

17. Quelle est la différence entre $\sin x^2$, $\sin^2 x$ et $\sin(\sin x)$? Exprimez chacune de ces trois expressions sous la forme d'une composition. [Remarque : $\sin^2 x = (\sin x)^2$.]

18. Considérez la fonction $y = 5 + \cos(3x)$.
    a) Quelle est son amplitude ?   b) Quelle est sa période ?   c) Tracez son graphe.

19. Faites concorder les fonctions ci-dessous avec les graphes de la figure 1.80.
    a) $y = 2\cos(t - \pi/2)$ b) $y = 2\cos t$ c) $y = 2\cos(t + \pi/2)$

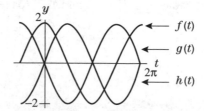

Figure 1.80

Pour les problèmes 20 à 28, trouvez une formule pour chaque graphe.

20.

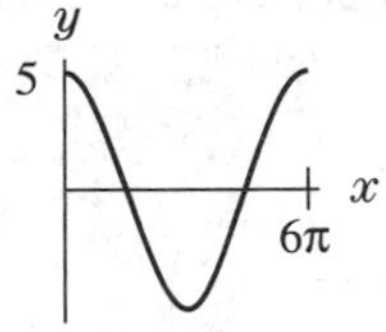

21.

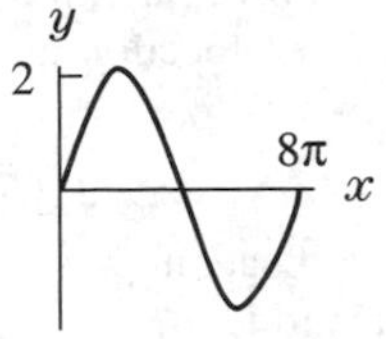

22.

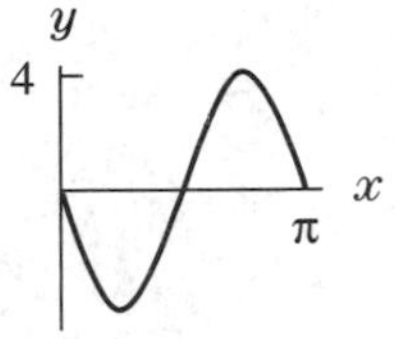

23.

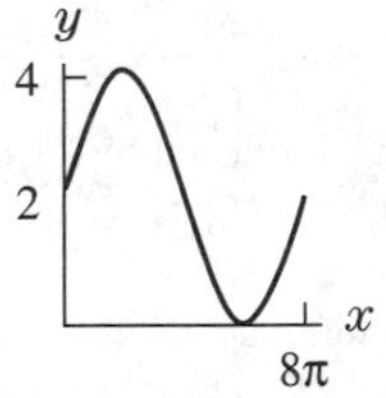

24.

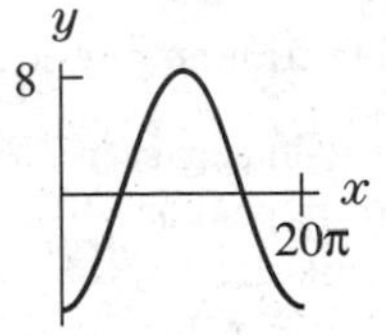

25.

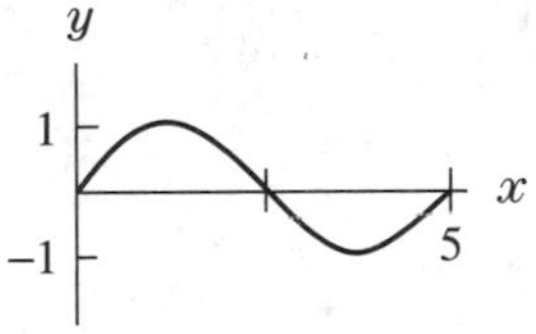

26.

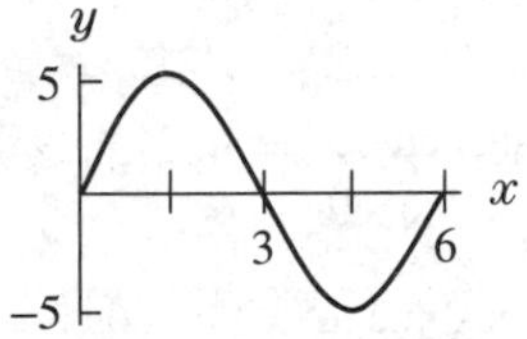

27.

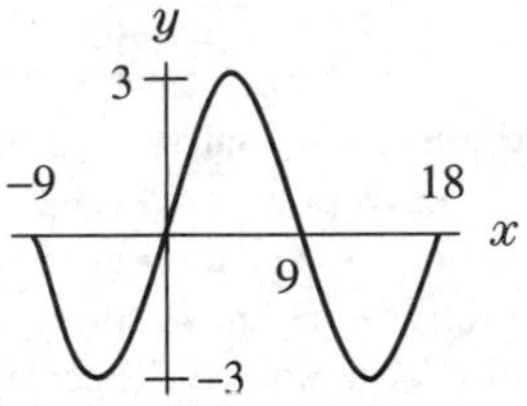

28.

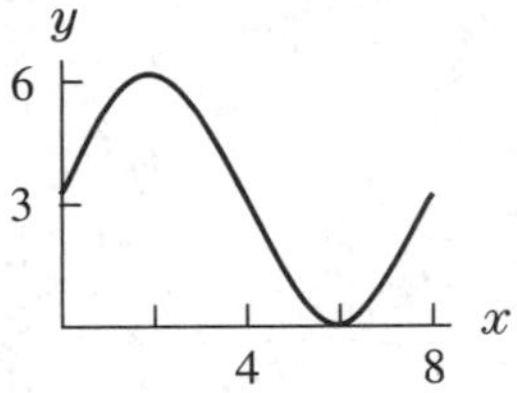

29. La tension V d'une prise électrique dans une maison est donnée en fonction du temps t (en secondes) par $V = V_0 \cos(120\pi t)$.

   a) Quelle est la période de l'oscillation ?
   b) Que représente V_0 ?
   c) Tracez le graphe de V par rapport à t. Identifiez les axes.

30. Une population animale oscille de manière sinusoïdale entre son plus bas niveau de 700, le 1er janvier, et son plus haut niveau de 900, le 1er juillet.

   a) Tracez le graphe de la population par rapport au temps.
   b) Trouvez une formule pour la population en fonction du temps t mesuré (en mois) depuis le début de l'année.

31. Le guide de voyage de la ville de Saint Petersburg, en Floride, contient le tableau présenté à la figure 1.81 destiné à promouvoir le climat idéal dont elle jouit. Trouvez une fonction trigonométrique approximative en fonction des données. La variable indépendante doit être le temps (en mois). Pour ce faire, vous devrez estimer l'amplitude et la période des données et déterminer quand survient le maximum. (Il y a plusieurs réponses possibles pour ce problème, selon la manière dont vous lisez le graphe.)

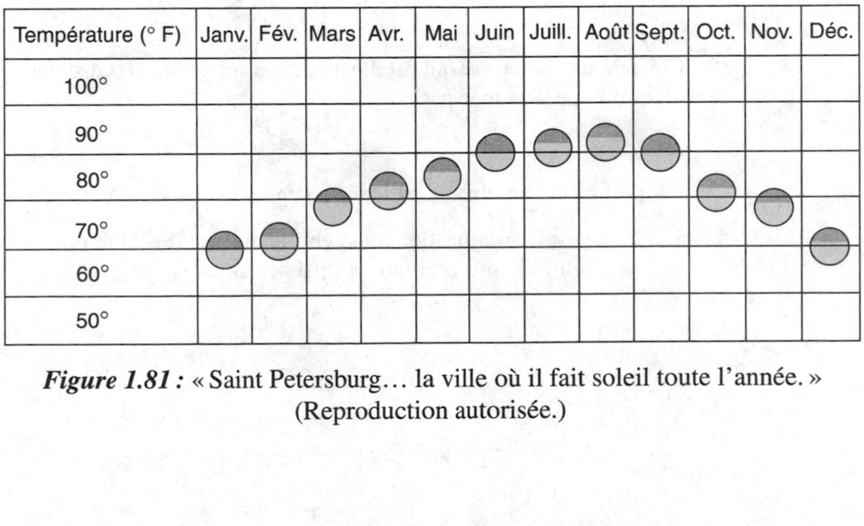

Figure 1.81 : « Saint Petersburg… la ville où il fait soleil toute l'année. »
(Reproduction autorisée.)

32. La baie de Fundy, au Canada, est réputée pour sa marée haute, que l'on considère comme la plus haute au monde. La différence entre les niveaux d'eau les plus élevés et les plus bas est de 15 m (presque 50 pi). Supposez qu'en un point particulier de la baie de Fundy, la profondeur de l'eau, soit y m, est donnée en fonction du temps t (en heures) à partir de minuit le 1er janvier 1997, par

$$y = D + A \cos (B(t - C)).$$

   a) Quelle est la signification physique de D ?
   b) Quelle est la valeur de A ?
   c) Quelle est la valeur de B ? Supposez que le temps entre les marées hautes successives est de 12,4 h.
   d) Quelle est la signification physique de C ?

33. a) À l'aide d'une calculatrice réglée en radians, créez une table de valeurs, à deux décimales, de $f(x) = \arcsin x$, pour $x = -1, -0{,}8, -0{,}6, ..., 0, ..., 0{,}8, 1$. (L'arcsinus est noté $\boxed{\sin^{-1}}$ sur la plupart des calculatrices).
   b) Tracez $f(x) = \arcsin x$. Inscrivez le domaine et l'image de f sur le graphe.

34. Ce problème présente la fonction arccosinus, ou cosinus inverse, notée $\boxed{\cos^{-1}}$ sur la plupart des calculatrices.

   a) À l'aide d'une calculatrice réglée en radians, créez une table de valeurs, à deux décimales, de $g(x) = \arccos x$, pour $x = -1, -0{,}8, -0{,}6, ..., 0, ..., 0{,}8, 1$.
   b) Tracez le graphe de $g(x) = \arccos x$.
   c) Selon votre graphe, quels sont le domaine et l'image de l'arccosinus ?
   d) Pourquoi le domaine de l'arccosinus est-il le même que le domaine de l'arcsinus ?
   e) Pourquoi l'image de l'arcsinus n'est-elle pas la même que l'image de l'arccosinus ? Pour répondre à cette question, observez la manière dont le domaine de la fonction sinus originale a été restreint pour construire l'arcsinus. Pourquoi le domaine du cosinus ne peut-il être restreint de la même manière pour construire l'arccosinus ? Comment le domaine du cosinus doit-il être restreint ?

35. À l'aide d'une calculatrice, estimez tous les points d'intersection des graphes de $f(x) = x + \sin x$ et $g(x) = x^3$. Comment pouvez-vous être sûr de les avoir tous trouvés ?

36. a) Utilisez une calculatrice graphique ou un ordinateur pour estimer la période de $2 \sin\theta + 3 \cos(2\theta)$.
   b) Expliquez votre réponse, étant donné que la période de $\sin \theta$ est 2π et que la période de $\cos(2\theta)$ est π.

37. Une balle de baseball frappée à un angle de θ à l'horizontale à une vitesse initiale de v_0 a une image horizontale R donnée par

$$R = \frac{v_0^2}{g} \sin(2\theta).$$

   Ici g est une constante qui représente l'accélération causée par la gravité. Tracez R en fonction de θ pour $0 \le \theta \le \pi/2$. Quel est l'angle qui permet d'obtenir la portée maximale ? Quelle est la portée maximale ?

38. Considérez une masse qui oscille au bout d'un ressort. La distance y de la masse depuis sa position d'équilibre est donnée par

$$y = y_0 \cos(2\pi\omega t).$$

   Ici y est en centimètres, t est le temps en secondes, y_0 et ω sont des constantes positives.

   a) Quelle est la signification de y_0 en fonction de l'oscillation ?
   b) Combien y a-t-il d'oscillations en 1 seconde ?

1.10 LES POLYNÔMES ET LES FONCTIONS RATIONNELLES

Les polynômes

Certaines des fonctions les plus connues pour lesquelles il existe des formules sont les polynômes tel

$$y = p(x) = a_n x^n + a_{n-1} x^{n-1} + \cdots + a_1 x + a_0.$$

Ici n est un entier positif appelé le *degré* du polynôme, et a_n, a_{n-1}, ..., a_1, a_0 sont des constantes avec le coefficient dominant $a_n \neq 0$. Un exemple de polynôme de degré $n = 3$ est

$$y = p(x) = 2x^3 - x^2 - 5x - 7.$$

Dans ce cas, $a_3 = 2$, $a_2 = -1$, $a_1 = -5$ et $a_0 = -7$. La forme du graphe d'un polynôme est fonction de son degré ; des graphes typiques sont présentés à la figure 1.82. Ces graphes correspondent à un coefficient positif pour x^n ; un coefficient négatif inverse le graphe. On remarque que le graphe du quadratique « change de direction » une fois, le cubique « change de direction » deux fois et le quartique (quatrième degré) « change de direction » trois fois. Un polynôme de degré n « change de direction » au plus $n - 1$ fois (où n est un entier positif), mais il peut y avoir moins de changements de direction.

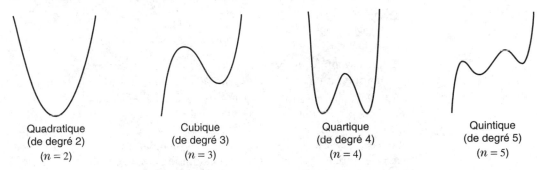

Quadratique
(de degré 2)
($n = 2$)

Cubique
(de degré 3)
($n = 3$)

Quartique
(de degré 4)
($n = 4$)

Quintique
(de degré 5)
($n = 5$)

Figure 1.82 : Graphes de polynômes typiques de degré n

Exemple 1   Trouvez des formules pour les polynômes dont les graphes se trouvent dans la figure 1.83.

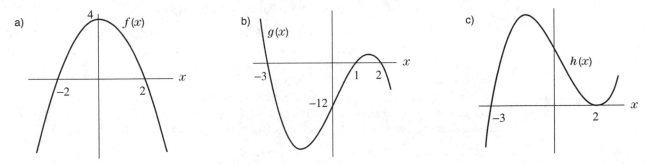

Figure 1.83 : Graphes des polynômes

Solution   a)   Ce graphe semble être une parabole, renversée et translatée vers le haut de 4. Donc,

$$f(x) = -x^2 + 4.$$

Le signe négatif inverse la parabole et le +4 la déplace vers le haut de 4 unités. On remarque que cette formule donne l'intersection exacte avec l'axe des x, puisque $0 = -x^2 + 4$ a les solutions $x = \pm 2$. Ces valeurs de x s'appellent les *zéros* de f.

On peut également résoudre ce problème en observant d'abord les intersections avec l'axe des x, lesquelles indiquent que $f(x)$ a des facteurs de $(x+2)$ et $(x-2)$. Donc,

$$f(x) = k(x+2)(x-2).$$

Pour trouver k, on considère le fait que le graphe a une intersection de 4 avec l'axe des y. Donc, $f(0) = 4$, ce qui donne

$$4 = k(0+2)(0-2)$$

ou $k = -1$. Par conséquent, $f(x) = -(x+2)(x-2)$, ce qui donne, après multiplication, $-x^2 + 4$. À noter que

$$f(x) = 4 - \frac{x^4}{4}$$

satisfait également aux exigences, mais sa courbe a une forme plus « large » entre ses racines. Il existe plusieurs réponses à ces questions.

b) Cela ressemble à un cubique avec les facteurs $(x+3)$, $(x-1)$ et $(x-2)$, un pour chaque intersection avec les axes. On a

$$g(x) = k(x+3)(x-1)(x-2).$$

Puisque l'intersection avec l'axe des y est -12,

$$-12 = k(0+3)(0-1)(0-2).$$

Donc, $k = -2$, et

$$g(x) = -2(x+3)(x-1)(x-2).$$

c) Cela ressemble également à un cubique avec des racines en $x = 2$ et en $x = -3$. On remarque qu'en $x = 2$, le graphe de $h(x)$ touche l'axe des x mais ne le croise pas, alors qu'en $x = -3$, le graphe croise l'axe des x. On dit que $x = 2$ est une *racine double*, mais que $x = -3$ est une racine simple.

Pour trouver une formule pour $h(x)$, on imagine d'abord le graphe de $h(x)$ légèrement plus bas, de façon que le graphe ait une intersection avec l'axe des x près de $x = -3$ et deux près de $x = 2$, par exemple en $x = 1,9$ et en $x = 2,1$. Alors la formule serait

$$h(x) \approx k(x+3)(x-1,9)(x-2,1).$$

À présent, on replace le graphe à sa position initiale. Les racines en $x = 1,9$ et en $x = 2,1$ se déplacent vers $x = 2$, ce qui donne

$$h(x) = k(x+3)(x-2)(x-2) = k(x+3)(x-2)^2.$$

La racine double entraîne un facteur répété, soit $(x-2)^2$. À noter que lorsque $x > 2$, le facteur $(x-2)^2$ est positif et lorsque $x < 2$, le facteur $(x-2)^2$ est encore positif. Cela reflète le fait que $h(x)$ ne change pas de signe près de $x = 2$. On peut comparer ce comportement à celui près de la racine unique en $x = -3$, où h change de signe.

On ne peut trouver k puisque aucune coordonnée n'est donnée pour les points sur l'axe des x. En insérant une valeur positive de k, le graphe sera allongé verticalement, mais les racines ne seront pas modifiées. Donc, tout k positif s'applique.

Exemple 2 En utilisant une calculatrice ou un ordinateur, tracez les graphes de $y = x^4$ et de $y = x^4 - 15x^2 - 15x$ pour $-4 \le x \le 4$ et $-20 \le x \le 20$. Établissez l'image de y à $-100 \le y \le 100$ pour le premier domaine et à $-100 \le y \le 200\ 000$ pour le deuxième. Que remarquez-vous ?

Solution À partir des graphes de la figure 1.84, si on regarde de près, on peut constater (pour $-4 \le x \le 4$) que les graphes ont une forme différente. De loin, cependant, ils sont presque indiscernables parce que les termes dominants (ceux qui ont les puissances de x les plus élevées) sont les mêmes, notamment x^4, et pour les valeurs plus grandes de x, le terme le plus élevé domine l'autre terme.

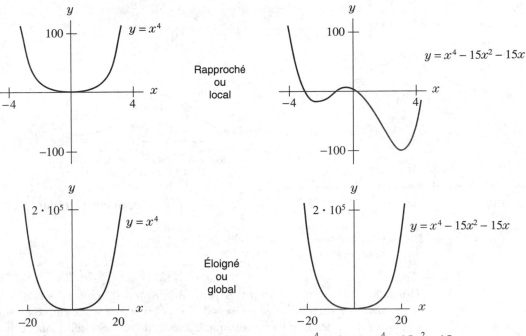

Figure 1.84 : Plans locaux ou globaux de $y = x^4$ et de $y = x^4 - 15x^2 - 15x$

Lorsque $x = \pm 20$, les différences des valeurs des deux fonctions, bien qu'elles soient importantes, sont petites en comparaison avec l'échelle verticale (-100 à $200\,000$) [voir le tableau 1.25]. Donc, il est impossible d'apercevoir ces différences sur le graphe.

TABLEAU 1.25   *Valeurs numériques de $y = x^4$ et de $y = x^4 - 15x^2 - 15x$*

x	$y = x^4$	$y = x^4 - 15x^2 - 15x$	Différence
-20	160 000	154 300	5700
-15	50 625	47 475	3150
15	50 625	47 025	3600
20	160 000	153 700	6300

Les fonctions rationnelles

Les fonctions rationnelles ont la forme

$$f(x) = \frac{p(x)}{q(x)},$$

où p et q sont des polynômes. Leurs graphes ont souvent des asymptotes verticales où le dénominateur est zéro. Si le dénominateur n'est nulle part égal à zéro, il n'y a pas d'asymptote verticale. Les fonctions rationnelles peuvent également comporter des asymptotes horizontales ; celles-ci surviennent si $f(x)$ s'approche d'un nombre fini lorsque $x \to \infty$ ou $x \to -\infty$. On appelle ce comportement d'une fonction lorsque $x \to \pm\infty$, son *comportement à l'infini*.

Exemple 3   Tracez le graphe de $y = \dfrac{1}{x^2 + 4}$ et discutez son comportement à l'infini.

Solution   Ce graphe n'a aucune asymptote verticale puisque le dénominateur n'est jamais égal à zéro. Le graphe est symétrique par rapport à l'axe des y et l'axe des x est une asymptote horizontale

puisque

$$y \to 0 \qquad \text{quand} \qquad x \to \pm\infty.$$

(Voir la figure 1.85.)

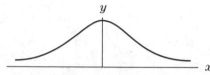

Figure 1.85 : Graphe de $y = \frac{1}{x^2 + 4}$

Exemple 4   Tracez le graphe de $y = \frac{x^2 - 4}{x^2 - 1}$, y compris le comportement à l'infini, et décrivez-le.

Solution   La factorisation donne

$$y = \frac{x^2 - 4}{x^2 - 1} = \frac{(x + 2)(x - 2)}{(x + 1)(x - 1)}.$$

Donc, $x = \pm1$ sont des asymptotes verticales. Si $y = 0$, alors $(x + 2)(x - 2) = 0$ ou $x = \pm2$; il s'agit des intersections avec les axes des x. À noter que les asymptotes verticales proviennent des zéros du dénominateur, tandis que les zéros du numérateur donnent lieu à des intersections avec l'axe des x. En remplaçant $x = 0$, on obtient $y = 4$; il s'agit de l'intersection avec l'axe des y. On remarque que dans cet exemple les x positifs et négatifs donnent la même valeur de y. Donc, le graphe est symétrique sur l'axe des y, ce qui provient de $(-x)^2 = x^2$.

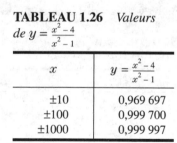

TABLEAU 1.26   *Valeurs de* $y = \frac{x^2 - 4}{x^2 - 1}$

x	$y = \frac{x^2 - 4}{x^2 - 1}$
±10	0,969 697
±100	0,999 700
±1000	0,999 997

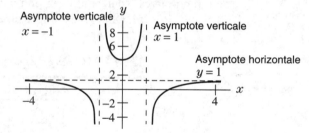

Figure 1.86 : Graphe de la fonction $y = \frac{x^2 - 4}{x^2 - 1}$

Pour voir ce qui se produit quand $x \to \pm\infty$, on observe les valeurs de y dans le tableau 1.26. De toute évidence, y se rapproche de 1 quand x augmente dans le sens positif ou négatif. On peut également constater cet effet quand on s'aperçoit que lorsque $x \to \pm\infty$, seules les puissances les plus élevées de x importent véritablement. Pour un grand x, le 4 et le 1 sont sans importance en comparaison avec x^2. Donc,

$$y = \frac{x^2 - 4}{x^2 - 1} \approx \frac{x^2}{x^2} = 1 \qquad \text{pour un grand } x.$$

Par conséquent, $y \to 1$ quand $x \to \pm\infty$ et l'asymptote horizontale est $y = 1$. Puisque, pour $x > 1$, le dénominateur est positif et le numérateur est inférieur au dénominateur, le graphe se trouve *au-dessous* de son asymptote. (Pourquoi le graphe ne se trouve-t-il pas au-dessous de $y = 1$ lorsque $-1 < x < 1$ (voir la figure 1.86) ?

Problèmes de la section 1.10

1. Déterminez le comportement à l'infini de chacune des fonctions ci-dessous.

   a) $f(x) = x^7$

   b) $f(x) = 5 + 24x + 78x^3 - 12x^4$

   c) $f(x) = x^{-4}$

   d) $f(x) = (6x^3 - 5x^2 + 12)/(x^3 - 8)$

2. Supposez que chacun des graphes de la figure 1.87 est celui d'un polynôme.

   a) Pour chaque graphe, quel est le degré minimal possible du polynôme ?

   b) Pour chaque graphe, le *coefficient dominant* du polynôme est-il positif ou négatif ? (Vous pouvez supposer que les graphes se trouvent dans des fenêtres suffisamment larges pour apercevoir leur comportement global.)

I) 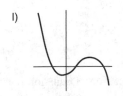 II) 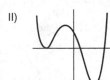 III) 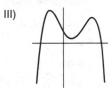 IV) 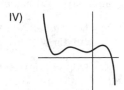 V)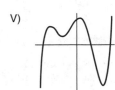

Figure 1.87

Pour les problèmes 3 à 6, tracez les graphes des polynômes à la main. Vérifiez votre travail à l'aide d'une calculatrice ou d'un ordinateur.

3. $f(x) = (x - 3)(x - 4)(x - 5)$

4. $f(x) = (x + 3)(x + 4)(x + 1)(x + 2)$

5. $f(x) = 5(x^2 - 4)(x^2 - 25)$

6. $f(x) = -5(x^2 - 4)(25 - x^2)$

7. Tracez le graphe de chacun des polynômes suivants à l'aide d'une calculatrice graphique ou d'un ordinateur et utilisez les graphes pour déterminer lesquels sont des fonctions impaires, paires ou ni l'une ni l'autre.

   a) $a(x) = x^2$

   b) $b(x) = x^3$

   c) $c(x) = x^4$

   d) $d(x) = -10x^5$

   e) $e(x) = x^3 + 3x^2$

   f) $f(x) = x^4 - x^2$

   g) $g(x) = x^5 - 2x^3$

   h) $h(x) = 2x^4 + 5$

   i) $i(x) = 7x + 5$

8. À l'aide de vos réponses au problème 7, comment pouvez-vous déterminer si un polynôme est une fonction paire ou impaire simplement en analysant sa formule ?

Pour chacune des fonctions rationnelles des problèmes 9 à 11, trouvez des asymptotes, le comportement de la fonction quand $x \to \pm\infty$ et le comportement de la fonction près de toute asymptote verticale. Ensuite, utilisez ces données pour tracer un graphe à la main. Vérifiez votre travail en utilisant un ordinateur ou une calculatrice graphique.

9. $y = \dfrac{1 - x^2}{x - 2}$

10. $y = \dfrac{1 - 4x}{2x + 2}$

11. $y = \dfrac{x^2 + 2x + 1}{x^2 - 4}$

12. Lesquelles des fonctions I à III concordent avec les descriptions suivantes ? Plusieurs fonctions (ou aucune d'elles) peuvent satisfaire chacune des descriptions.

   a) Asymptote horizontale à $y = 1$.

   b) L'axe des x est une asymptote horizontale.

   c) La fonction est symétrique par rapport à l'axe des y.

   d) La fonction est impaire.

   e) Les asymptotes verticales à $x = \pm 1$.

   I) $y = \dfrac{x - 1}{x^2 + 1}$

   II) $y = \dfrac{x^2 - 1}{x^2 + 1}$

   III) $y = \dfrac{x^2 + 1}{x^2 - 1}$

13. La hauteur d'un objet au-dessus du sol au moment t est donnée par

$$s = v_0 t - \frac{g}{2} t^2,$$

où v_0 représente la vitesse initiale et g est une constante appelée l'accélération causée par la gravité.

a) À quelle hauteur se trouve l'objet au départ ?
b) Pendant combien de temps l'objet reste-t-il dans les airs avant qu'il ne touche le sol ?
c) À quel moment l'objet atteindra-t-il sa hauteur maximale ?
d) Quelle est cette hauteur maximale ?

14. Une grenade est projetée dans les airs depuis le sol au temps $t = 0$ et à une vitesse de 64 pi/s. Sa hauteur au temps t est de $f(t) = -16t^2 + 64t$. À quel moment touchera-t-elle le sol et à quel moment atteindra-t-elle son plus haut point dans les airs ? Quelle est sa hauteur maximale ?

15. Si $f(x) = ax^2 + bx + c$, que pouvez-vous dire au sujet des valeurs de a, de b et de c dans les situations ci-après ?

a) $(1, 1)$ se trouve sur le graphe de $f(x)$.
b) $(1, 1)$ est le sommet du graphe de $f(x)$. (Vous pourriez considérer le fait que l'équation pour l'axe de symétrie de la parabole $y = ax^2 + bx + c$ est $x = -b/2a$.)
c) L'intersection du graphe avec l'axe des y est $(0, 6)$.
d) Trouvez une fonction quadratique qui satisfait les trois conditions précédentes.

Déterminez les polynômes cubiques qui représentent chacun des graphes des problèmes 16 et 17.

16.

17.

Pour les problèmes 18 à 21 :

a) Trouvez une formule pour le graphe.
b) Pour chaque graphe, faites la lecture des intervalles sur lesquels la fonction est croissante et sur lesquels elle est décroissante.

18.

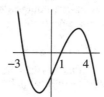

19.

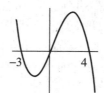

20.

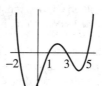

21.

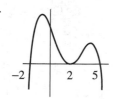

22. Le graphe d'une fonction rationnelle $y = f(x)$ est donné à la figure 1.88. Si $f(x) = g(x)/h(x)$ avec $g(x)$ et $h(x)$ qui sont toutes deux des fonctions quadratiques, donnez des formules possibles pour $g(x)$ et $h(x)$. (Il existe plusieurs réponses acceptables.)

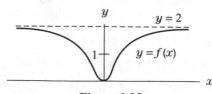

Figure 1.88

23. Faites concorder les fonctions suivantes avec les graphes de la figure 1.89. Supposez que $0 < b < a$.

a) $y = \dfrac{a}{x} - x$

b) $y = \dfrac{(x-a)(x+a)}{x}$

c) $y = \dfrac{(x-a)(x^2+a)}{x^2}$

d) $y = \dfrac{(x-a)(x+a)}{(x-b)(x+b)}$

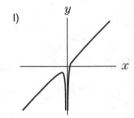 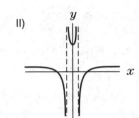 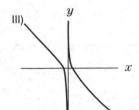 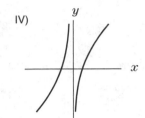

Figure 1.89

24. Le taux R auquel la population augmente dans un espace confiné est proportionnel au produit de la population actuelle P et à la différence entre la *capacité* L et la population actuelle. (La capacité est la population maximale que l'environnement peut supporter.)

a) Écrivez R en fonction de P.

b) Tracez R en fonction de P.

25. La deuxième loi du mouvement de Newton, soit $F = ma$, indique que la force nette F sur un train de masse m est proportionnelle à son accélération a. Supposez que les seules forces sont celles du moteur, lesquelles exercent une force constante F_E dans la direction du mouvement, et la résistance du vent qui exerce une force proportionnelle au carré de la vitesse du train v, mais dans la direction opposée.

a) Trouvez une formule qui donne a en fonction de v.

b) Tracez le graphe de a par rapport à v.

26. Imaginez un colis en forme de boîte ayant des coins carrés. Le service postal accepte de tels colis si la somme de la longueur et du périmètre de la section transversale carrée, qui est perpendiculaire à la longueur, est inférieure à 108 po. Trouvez une formule pour le volume V d'un colis qui répond aux critères du service postal en fonction de s, la longueur du côté de l'extrémité carrée. Tracez un graphe de V par rapport à s.

27. Une boîte cylindrique de volume fixe V a des extrémités fermées et un rayon r pour $r > 0$.

a) Trouvez l'aire de la surface S en fonction de r.

b) Qu'advient-il de la valeur de S quand $r \to \infty$?

c) Tracez le graphe de S par rapport à r en supposant que $V = 10$ cm^3.

28. Après avoir couru une distance de 3 mi à une vitesse de x mi/h, un homme marche les 6 mi suivants à une vitesse inférieure de 2 mi/h. Exprimez la durée du trajet en fonction de x. Quelles asymptotes verticales et horizontales le graphe de cette fonction comporte-t-il ?

29. Considérez le point P à l'intersection du cercle $x^2 + y^2 = 2a^2$, et la parabole $y = x^2/a$ de la figure 1.90. Si a augmente, le point P tracera une courbe. Trouvez l'équation de cette courbe.

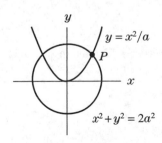

Figure 1.90

30. Supposez que c est la vitesse de la lumière. Un objet de masse m se déplaçant à une vitesse v, qui est petite si on la compare à c, a une énergie donnée approximativement par

$$E \approx \frac{1}{2}mv^2.$$

Si v est comparable en taille à c, alors l'énergie doit être calculée par la formule exacte

$$E = mc^2\left(\frac{1}{\sqrt{1 - v^2/c^2}} - 1\right).$$

a) Tracez un graphe des deux formules pour E par rapport à v pour $0 \leq v \leq 5 \cdot 10^8$ et $0 \leq E \leq 5 \cdot 10^{17}$. Prenez $m = 1$ kg et $c = 3 \cdot 10^8$ m/s. Expliquez comment vous pouvez prédire la position de l'asymptote verticale à partir de la formule exacte.

b) Que vous indiquent les graphes au sujet de l'approximation ? Pour quelles valeurs de v la première formule donne-t-elle une bonne approximation par rapport à E ?

1.11   LA CONTINUITÉ : INTRODUCTION

Dans cette section, on présente la notion de *continuité* d'un point de vue graphique et numérique. La section sur la continuité et les limites présentées au chapitre 2 traite plus en détail de cette notion.

La continuité d'une fonction sur un intervalle

En général, on dit qu'une fonction est *continue* sur un intervalle si son graphe n'a pas d'interruptions, de sauts ou de trous dans cet intervalle. La continuité est importante puisque, comme on le verra ultérieurement, les fonctions qui ont cette propriété possèdent de nombreuses autres propriétés désirables.

Par exemple, pour repérer les zéros d'une fonction, on recherche souvent des intervalles où la fonction change de signe. Dans le cas de la fonction $f(x) = 3x^3 - x^2 + 2x - 1$, par exemple, on s'attend[10] à trouver un zéro entre 0 et 1 parce que $f(0) = -1$ et $f(1) = 3$ (voir la figure 1.91). Pour s'assurer que $f(x)$ a un zéro, on doit s'assurer que le graphe de la fonction n'a aucune interruption ou aucun saut. Sinon, le graphe pourrait sauter par-dessus l'axe des x, en changeant de signe mais sans créer de zéro. Par exemple, $f(x) = 1/x$ a des signes opposés à $x = -1$ et à $x = 1$, mais n'a aucun zéro à cause de l'interruption en $x = 0$ (voir la figure 1.92). Pour s'assurer qu'une fonction a un zéro dans un intervalle sur lequel elle change de signe, on doit savoir si cette fonction est définie et continue.

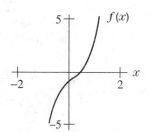

Figure 1.91 : Graphe de $f(x) = 3x^3 - x^2 + 2x - 1$

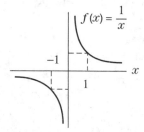

Figure 1.92 : Aucun zéro, bien que $f(-1)$ et $f(1)$ aient des signes opposés

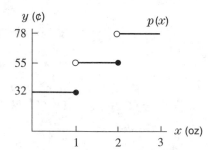

Figure 1.93 : Coût de l'envoi d'une lettre

---

10. À cause du théorème de la valeur intermédiaire, dont on discutera à la fin du chapitre.

Que signifie la continuité d'un point de vue graphique ?

Une fonction est continue si elle a un graphe qu'on peut tracer sans soulever le crayon.

Exemple : La fonction $f(x) = 3x^3 - x^2 + 2x - 1$ est continue sur tout intervalle (voir la figure 1.91).

Exemple : La fonction $f(x) = 1/x$ n'est pas définie à $x = 0$. Elle est continue sur tout intervalle ne contenant pas l'origine (voir la figure 1.92).

Exemple : On suppose que $p(x)$ est le prix de l'envoi en première classe d'une lettre pesant x oz. Le coût est de 32 ¢ pour 1 oz ou moins, de 55 ¢ si le poids se situe entre la première et la deuxième once et ainsi de suite. Donc, le graphe de la figure 1.93 représente une série d'étapes. Cette fonction n'est pas continue sur tout intervalle contenant un entier positif, car le graphe saute à ces points.

Que signifie la continuité d'un point de vue numérique ?

Une fonction est continue si les valeurs à proximité de la variable indépendante donnent des valeurs à proximité de la fonction. En pratique, la continuité est importante, car elle signifie que de petites erreurs dans la variable indépendante entraînent de petites erreurs dans la valeur de la fonction.

Exemple : On suppose que $f(x) = x^2$ et qu'on veut calculer $f(\pi)$. Sachant que f est continue, on sait qu'en prenant $x = 3,14$ on devrait obtenir une bonne approximation de $f(\pi)$, et qu'on peut obtenir une meilleure approximation de $f(\pi)$ en utilisant plus de décimales de π.

Exemple : Si $p(x)$ est le coût de l'envoi d'une lettre pesant x oz, alors $p(0,99) = p(1) = 32$ ¢, alors que $p(1,01) = 55$ ¢, car aussitôt qu'on dépasse 1 oz, le prix monte à 55 ¢. On constate qu'une faible différence dans le poids d'une lettre peut entraîner une différence considérable du prix d'envoi. Ainsi, p n'est pas continu.

Quelles fonctions sont continues ?

La continuité d'une fonction sur un intervalle est fréquente puisque toute fonction dont le graphe a une courbe non interrompue sur l'intervalle est continue. Par exemple, les fonctions exponentielles, les polynômes et les sinus et cosinus sont continus sur chaque intervalle. Les fonctions rationnelles sont continues sur tout intervalle dans lequel leurs dénominateurs ne sont pas nuls. Les fonctions créées par l'addition, la multiplication ou la composition de fonctions continues sont également continues.

Exemple 1 Que vous indique les valeurs du tableau 1.27 au sujet des zéros de $f(x) = \cos x - 2x^2$?

TABLEAU 1.27

x	$f(x)$
0	1,00
0,2	0,90
0,4	0,60
0,6	0,11
0,8	−0,58
1,0	−1,46

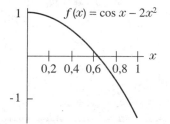

Figure 1.94 : Les zéros surviennent là où le graphe d'une fonction continue croise l'axe horizontal

Solution Puisque $f(x)$ est la différence entre les deux fonctions continues, elle est continue. On peut conclure que $f(x)$ a au moins un zéro sur l'intervalle $0,6 < x < 0,8$, puisque $f(x)$ passe du positif au négatif sur cet intervalle. Le graphe de $f(x)$ de la figure 1.94 suggère qu'il n'y a qu'un zéro sur l'intervalle $0 \leq x \leq 1$, mais on ne peut s'en assurer qu'en se fiant uniquement au graphe ou à la table des valeurs.

Problèmes de la section 1.11

Les fonctions des problèmes 1 à 8 sont-elles continues sur les intervalles donnés ?

1. $\dfrac{1}{x-2}$ sur $[0, 3]$

2. $\dfrac{1}{x-2}$ sur $[-1, 1]$

3. $\dfrac{x}{x^2 + 2}$ sur $[-2, 2]$

4. $\dfrac{1}{\sqrt{2x - 5}}$ sur $[3, 4]$

5. $\dfrac{1}{\sin x}$ sur $\left[-\frac{\pi}{2}, \frac{\pi}{2}\right]$

6. $\dfrac{1}{\cos x}$ sur $[0, \pi]$

7. $\dfrac{e^{\sin \theta}}{\cos \theta}$ sur $\left[-\frac{\pi}{4}, \frac{\pi}{4}\right]$

8. $\dfrac{e^x}{e^x - 1}$ sur $[-1, 1]$

9. Discutez de la continuité de la fonction g tracée à la figure 1.95 et définie comme suit :

$$g(\theta) = \begin{cases} \dfrac{\sin \theta}{\theta} & \text{pour } \theta \neq 0 \\ 1/2 & \text{pour } \theta = 0. \end{cases}$$

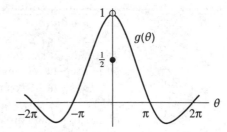

Figure 1.95

10. Tracez les graphes de trois fonctions différentes qui sont continues sur $0 \leq x \leq 1$ et qui ont les valeurs données au tableau. La première fonction doit contenir exactement un zéro sur l'intervalle $[0, 1]$, la deuxième doit contenir au moins deux zéros dans l'intervalle $[0,6, 0,8]$, et la troisième doit contenir au moins deux zéros dans l'intervalle $[0, 0,6]$.

x	0	0,2	0,4	0,6	0,8	1,0
$f(x)$	1,00	0,90	0,60	0,11	−0,58	−1,46

11. Utilisez un ordinateur ou une calculatrice pour tracer les fonctions $y(x) = \sin x$ et $z_k(x) = ke^{-x}$ pour $k = 1, 2, 4, 6, 8, 10$. Dans chaque cas, trouvez la solution positive la plus petite pour l'équation $y(x) = z_k(x)$. À présent, définissez une nouvelle fonction f par

$$f(k) = \{\text{La plus petite solution positive de } y(x) = z_k(x)\}.$$

Expliquez pourquoi la fonction $f(k)$ n'est pas continue sur l'intervalle $0 \leq k \leq 10$.

SOMMAIRE DU CHAPITRE

- **Terminologie des fonctions**
  Domaine/image, croissante/décroissante, concavité, zéros (racines), paire/impaire, comportement à l'infini, asymptotes.

- **Fonctions linéaires**
  Pente, intersection avec l'axe des y. Croissance par quantités égales en temps égaux.

- **Fonctions exponentielles**
  La croissance et la décroissance exponentielles, le taux de croissance, le taux de croissance continu, le temps de doublement, la demi-vie. Croissance par pourcentages égaux en temps égaux.

- **Fonctions puissances**
  Puissances fractionnaires, puissances négatives.

- **Fonctions logarithmiques**
  Logarithme en base 10, logarithme naturel.

- **Fonctions trigonométriques**
  Sinus, cosinus, tangente, amplitude, période, arcsinus, arctangente.
- **Fonctions polynomiales et rationnelles**
- **Nouvelles fonctions à partir d'anciennes**
  Fonctions inverses, composition des fonctions, translation (décalage), allongement, rétrécissement, inversion.
- **Travailler avec les fonctions**
  Trouver une formule pour les fonctions linéaires, exponentielles, puissances, logarithmiques ou tri-

gonométriques, étant donné le graphe, la table des valeurs ou la description verbale. Faire concorder les fonctions avec les données. Trouver les racines, les asymptotes verticales ou horizontales.

- **Comparaisons entre les fonctions**
  Les fonctions exponentielles dominent les fonctions puissances et les fonctions linéaires, les puissances plus élevées dominent les puissances plus faibles, les fonctions puissances et les fonctions linéaires dominent les fonctions logarithmiques.
- **Continuité**

PROBLÈMES DE RÉVISION DU CHAPITRE UN

1. Tout le graphe de $y = f(x)$ est présenté à la figure 1.96.

   a) Quel est le domaine de $f(x)$?
   b) Quelle est l'image de $f(x)$?
   c) Énumérez les racines de $f(x)$.
   d) Énumérez tous les intervalles sur lesquels $f(x)$ est décroissante.
   e) La fonction $f(x)$ est-elle concave vers le haut ou vers le bas à $x = 6$?
   f) Qu'est-ce que $f(4)$?
   g) Cette fonction est-elle inversible ? Expliquez.

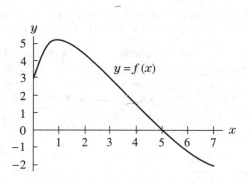

Figure 1.96

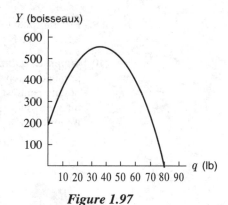

Figure 1.97

2. Le graphe de la production Y d'un verger (en boisseaux) par rapport à la quantité q de fertilisants (en livres) utilisée dans le verger est présenté à la figure 1.97.

   a) Décrivez l'effet de la quantité de fertilisants sur la production du verger.
   b) Quelle est l'intersection verticale ? Expliquez ce que cela signifie pour ce qui est des pommes et des fertilisants.
   c) Quelle est l'intersection horizontale ? Expliquez ce que cela signifie pour ce qui est des pommes et des fertilisants.
   d) Quelle est l'image de la fonction pour $0 \le q \le 80$?
   e) La fonction est-elle croissante ou décroissante à $q = 60$?
   f) La fonction est-elle concave vers le haut ou concave vers le bas à $q = 40$?

3. Lorsqu'un nouveau produit est annoncé, plus de consommateurs en font l'essai. Cependant, le taux auquel de nouveaux consommateurs essaient le produit diminue avec le temps.

a) Tracez le graphe du nombre de consommateurs qui ont essayé un nouveau produit par rapport au temps.
b) Que savez-vous de la concavité du graphe ?

4. Une voiture démarre lentement, puis accélère jusqu'à ce que l'un de ses pneus crève. Tracez un graphe de la distance que la voiture a parcourue en fonction du temps.

5. Tracez des graphes raisonnables pour les propositions suivantes. Portez une attention particulière à la concavité des graphes et expliquez votre raisonnement.

a) Les revenus réalisés par une entreprise de location de voitures, tracés par rapport à la quantité d'argent dépensée en publicité.
b) La température d'une tasse de chocolat chaud dans une pièce, tracée en fonction du temps.

6. Dans chaque paire ci-dessous, quelle fonction finira par être plus grande quand x tend vers l'infini ?

a) $2x^5$ ou $200x^4$
b) $10x^3$ ou e^x
c) x^{-2} ou x^{-5}
d) $x^{1/2}$ ou $\ln x$

Trouvez une équation possible faisant intervenir une exponentielle pour le graphe donné aux problèmes 7 et 8.

7.
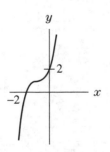

8.
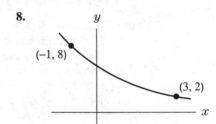

9. En translatant le graphe de $y = x^3$, trouvez un polynôme cubique à l'aide du graphe de la figure 1.98.

10. Supposez qu'une population augmente exponentiellement. Estimez le temps de doublement de la population représentée par le graphe de la figure 1.99 et vérifiez graphiquement que le temps de doublement est indépendant de l'endroit où vous commencez sur le graphe. Démontrez algébriquement que si $P = P_0 a^t$ double entre le temps t et le temps $t + d$, alors d est le même nombre, peu importe la valeur de t.

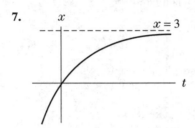

Figure 1.98

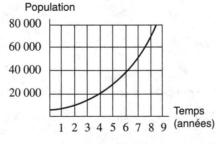

Figure 1.99

TABLEAU 1.28

x	$f(x)$	$g(x)$	$h(x)$
-2	12	16	37
-1	17	24	34
0	20	36	31
1	21	54	28
2	18	81	25

11. Le tableau 1.28 contient des valeurs pour trois différentes fonctions.

a) Parmi ces fonctions, lesquelles (s'il y en a) sont linéaires ? Pour les fonctions linéaires, trouvez la formule.
b) Parmi ces fonctions, lesquelles (s'il y en a) sont exponentielles ? Pour les fonctions exponentielles, trouvez la formule.

12. Tracez le graphe d'une fonction $f(x)$ satisfaisant aux conditions ci-après :

- Quand $x \to \infty$, $f(x) \to 0$.
- Quand $x \to -\infty$, $f(x) \to +\infty$.
- Les racines de $f(x)$ sont -3, 1 et 2.

13. Un avion consomme une quantité fixe de carburant pour le décollage, une quantité fixe (différente) pour l'atterrissage ainsi qu'une troisième quantité fixe pour le vol. En quoi la quantité totale de carburant exigée dépend-elle de la durée du vol ? Trouvez une formule pour exprimer la fonction en question. Expliquez la signification des constantes dans votre formule.

14. À des fins d'impôt, on suppose que vous deviez mentionner la valeur de vos actifs, tels que la voiture ou le réfrigérateur. La valeur que vous mentionnerez dans votre déclaration se déprécie ou diminue dans le temps. En fait, la voiture que vous avez payée 10 000 $ au départ peut ne valoir que 5000 $ quelques années plus tard. La manière la plus simple de calculer la valeur de vos actifs consiste à utiliser la « méthode de l'amortissement linéaire », laquelle suppose que la valeur est fonction du temps de manière linéaire. Si un réfrigérateur de 950 $ se déprécie complètement en 7 ans, trouvez une formule exprimant sa valeur en fonction du temps.

15. Pour $g(x) = x^2 + 2x + 3$, trouvez et simplifiez les expressions ci-après.

    a) $g(2 + h)$ b) $g(2)$ c) $g(2 + h) - g(2)$

16. Si $f(x) = x^2 + 1$, trouvez et simplifiez les expressions ci-après.

    a) $f(t + 1)$ b) $f(t^2 + 1)$ c) $f(2)$ d) $2f(t)$ e) $[f(t)]^2 + 1$

17. Pour $f(n) = 3n^2 - 2$ et $g(n) = n + 1$, trouvez et simplifiez les expressions ci-après.

    a) $f(n) + g(n)$ d) $f(g(n))$

    b) $f(n)g(n)$ e) $g(f(n))$

    c) Le domaine de $f(n)/g(n)$

Précisez si les fonctions des problèmes 18 à 21 sont continues sur l'intervalle $[-1, 1]$.

18. $f(x) = |x|$ **19.** $g(x) = \dfrac{|x|}{x}$ **20.** $h(\theta) = \theta \sin \theta$ **21.** $f(t) = \dfrac{\sin t}{t^2}$

Convertissez les fonctions des problèmes 22 à 23 sous la forme $P = P_0 a^t$.

22. $P = 2{,}91e^{0,55t}$ **23.** $P = (5 \cdot 10^{-3})e^{-1,9 \cdot 10^{-2}t}$

24. Certains types d'un même élément (appelés différents *isotopes*) peuvent avoir des demi-vies différentes. La décroissance du plutonium 240 est décrite par la formule

$$Q = Q_0 e^{-0,000\,11t},$$

tandis que la décroissance du plutonium 242 est décrite par

$$Q = Q_0 e^{-0,000\,001\,8t}.$$

Trouvez les demi-vies du plutonium 240 et du plutonium 242.

25. a) Utilisez les données du tableau 1.29 pour déterminer la formule de la forme

$$Q = Q_0 e^{rt}$$

    qui donnerait le nombre de lapins Q au temps t (en mois).

    b) Quel est le temps de doublement approximatif pour cette population de lapins ?

    c) Utilisez votre équation pour prédire le moment où la population de lapins atteindra 1000.

TABLEAU 1.29

t	0	1	2	3	4	5
Q	25	43	75	130	226	391

26. Au départ, une culture contient 500 bactéries. Après deux heures, elle en contient 1500. En supposant qu'il y a croissance exponentielle, combien y aura-t-il de bactéries après 6 h ?

27. Une culture de 100 bactéries double au bout de 2 h. Combien de temps (en heures) sera nécessaire pour que le nombre de bactéries atteigne 3200 ?

28. Cent kilogrammes d'une substance radioactive donnée se décomposent pour atteindre 40 kg 10 ans plus tard. Combien en restera-t-il dans 20 ans ?

29. Trouvez la demi-vie d'une substance radioactive réduite de 30 % en 20 h.

30. Une substance radioactive a une durée de vie de 8 ans. S'il y a en 200 g au départ, combien en restera-t-il dans 12 ans ? Combien de temps sera nécessaire pour que 90 % de la quantité initiale se soit décomposée ?

31. Supposez que les prix augmentent de 0,1 % par jour.

    a) De quel pourcentage les prix augmentent-ils par année ?
    b) À l'aide de votre réponse de la partie a), trouvez le temps de doublement approximatif des prix s'ils augmentent à ce taux. Vérifiez votre réponse.

32. Au début des années 1920, l'Allemagne enregistrait un taux d'inflation très élevé, appelé hyper-inflation. Sur des photographies de l'époque, on peut voir des gens qui se rendent au magasin avec des brouettes remplies d'argent. Si un pain coûtait 1/4 DM en 1919 et 2 400 000 DM en 1922, quel était le taux d'inflation annuel moyen entre 1919 et 1922 ?

33. Chaque planète se déplace autour du Soleil pour effectuer une orbite elliptique. La période orbitale T d'une planète est le temps qu'elle prend pour faire le tour du Soleil une fois. Le demi-grand axe de l'orbite de chaque planète est la moyenne des distances les plus grandes et les plus courtes entre la planète et le Soleil. Johannes Kepler (1571–1630) a découvert que la période d'une planète est proportionnelle à la puissance $\frac{3}{2}$ de son demi-grand axe. Quelle est la période orbitale (en jours) de Mercure, la planète la plus proche du Soleil, avec un demi-grand axe de 58 millions de kilomètres ? Quelle est la période (en années) de Pluton, la planète la plus éloignée, avec un demi-grand axe de 6000 millions de kilomètres ? Le demi-grand axe de la Terre est de 150 millions de kilomètres. [Indice : Quelle est la période de la Terre ?]

34. a) Considérez les fonctions tracées à la figure 1.100 a). Trouvez les coordonnées de C.
    b) Considérez les fonctions de la figure 1.100 b). Trouvez les coordonnées de C en fonction de b.

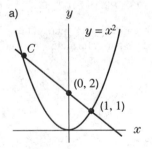
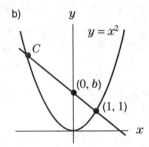

Figure 1.100

Trouvez des formules pour les graphes des problèmes 35 à 37.

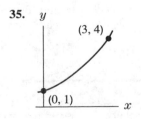
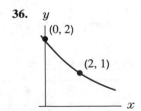
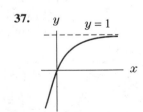

Trouvez des formules pour les graphes des problèmes 38 à 53.

38.

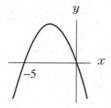

39.

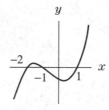

40.

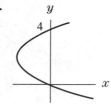

41.

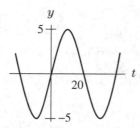

42.

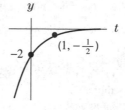

43.

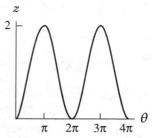

44. La profondeur de l'eau (en pieds) dans un réservoir oscille de manière sinusoïdale une fois toutes les 6 h. Si la profondeur la plus petite est de 5,5 pi et la profondeur la plus grande est de 8,5 pi, trouvez une formule pour calculer la profondeur en fonction du temps (en heures). (Il existe plusieurs réponses possibles.)

45. Soit le graphe de $y = h(x)$ de la figure 1.101.

a) Tracez le graphe de
   i) $y = h^{-1}(x)$

   ii) $y = \dfrac{1}{h(x)}$

b) Qu'advient-il de l'asymptote lorsque vous tracez la fonction inverse ?

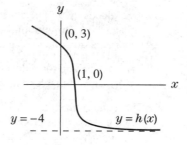

Figure 1.101

46. Chacune des fonctions décrites par les données du tableau 1.30 est croissante dans son domaine mais de manière différente. Parmi les graphes de la figure 1.102 (page suivante), lequel concorde le mieux avec chaque fonction ?

TABLEAU 1.30

x	$f(x)$	x	$g(x)$	x	$h(x)$
1	1	3,0	1	10	1
2	2	3,2	2	20	2
4	3	3,4	3	28	3
7	4	3,6	4	34	4
11	5	3,8	5	39	5
16	6	4,0	6	43	6
22	7	4,2	7	46,5	7
29	8	4,4	8	49	8
37	9	4,6	9	51	9
47	10	4,8	10	52	10

a)   b)   c)

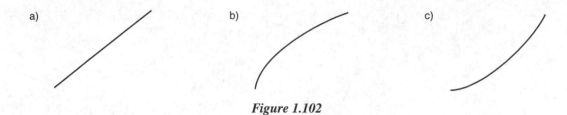

Figure 1.102

47. La figure 1.103 est un graphe de la fonction $f(t)$. Ici $f(t)$ est la profondeur (en mètres) au-dessous du fond de l'océan Atlantique où on peut trouver des roches de t millions d'années[11].

a) Évaluez $f(15)$ et dites ce que cela signifie en termes simples.
b) f est-elle inversible ? Expliquez.
c) Évaluez $f^{-1}(120)$ et dites ce que cela signifie en termes simples.
d) Tracez le graphe de f^{-1}.

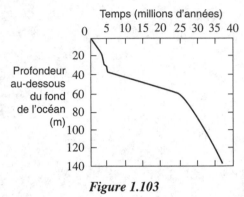

Figure 1.103

48. Une population de poissons se reproduit à un taux annuel équivalant à 5 % de la population actuelle P. Entre-temps, les pêcheurs attrapent des poissons à un taux constant T (mesuré en poissons par année).

a) Écrivez une formule pour le taux R auquel la population de poissons augmente en fonction de P.
b) Tracez le graphe de R par rapport à P.

49. Du glucose est injecté à un taux constant k dans le sang d'un patient. Une fois dans le sang, le glucose est éliminé à un taux proportionnel à la quantité de glucose présent. Soit R le taux net auquel la quantité G du glucose dans le sang augmente.

a) Écrivez une formule donnant R en fonction de G.
b) Tracez un graphe de R par rapport à G.

50. Le *catalyseur* d'une réaction chimique est une substance qui accélère la réaction mais qui ne change pas. Si le produit d'une réaction est en lui-même un catalyseur, on dit que la réaction est *autocatalytique*. Supposez que le taux r d'une réaction autocatalytique particulière est proportionnel au produit de la quantité de la matière initiale restante et de la quantité du produit p résultant. Soit A la quantité initiale de la matière originale et $A - p$ la quantité qui reste.

a) Exprimez r en fonction de p.
b) Quelle est la valeur de p lorsque la réaction se produit plus rapidement ?

51. Quel domaine et quelle image approximatifs entraînent une ressemblance entre les graphes de $y = x^2$ et de $y = 0{,}01e^{0{,}01x}$ et les graphes de la figure 1.104 ?

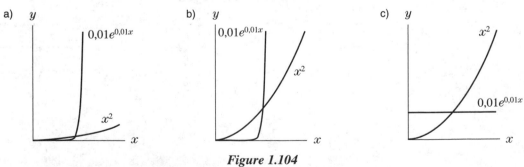

Figure 1.104

---

11. Données du Dr Murlene Clark basées sur des échantillons centraux forés à partir du bateau de recherche *Glomar Challenger*, tirées de *Initial Reports of the Deep Sea Drilling Project*.

GROS PLAN SUR LA THÉORIE

LES FONDEMENTS DU CALCUL DIFFÉRENTIEL ET INTÉGRAL

Sous leur forme appliquée, les mathématiques existent depuis un temps immémorial. L'arithmétique commerciale ainsi que la géométrie de l'arpentage et de l'architecture étaient déjà en usage aux alentours de 1500 av. J.-C. Graduellement, les gens se rendirent compte que de simples faits mathématiques pouvaient être interreliés de manière non évidente, et que ces interrelations valaient la peine d'être étudiées. On dit que Thalès (640–546 av. J.-C.) aurait *prouvé* que la somme des angles d'un triangle était égale à deux fois l'angle droit. Il s'agit là de l'indication la plus ancienne qu'on possède sur la notion de preuve en géométrie. Dans la prochaine section, on analysera un exemple de preuve.

Au cours des siècles suivants, les gens commencèrent à considérer la géométrie comme bien plus que de simples dessins à la craie constitués de points, de droites et de cercles. Il s'agissait plutôt d'une science formée d'entités abstraites : des points plus petits que le plus petit atome, des droites parfaitement droites et des cercles parfaitement ronds. En d'autres mots, ce qu'on dessine au tableau ou qu'on sculpte dans la pierre est simplement un modèle imparfait de la réalité abstraite. Platon (427–347 av. J.-C.) approfondit ces notions. Il croyait que l'ensemble des connaissances était une ombre imparfaite des réalités véritables. Cependant, on ne peut pas raisonner sur des entités abstraites sans tenir pour certaines quelques-unes de leurs propriétés. En mathématiques, ces hypothèses s'appellent des *axiomes* ou des *postulats*.

Autour de 300 ans av. J.-C., Euclide écrivit un traité intitulé *Les éléments*, qui couvrait un grand nombre des notions géométriques, certaines théories des nombres ainsi qu'une première approche des nombres irrationnels. Il s'agissait et il s'agit toujours de l'écrit le plus célèbre. (Il est d'ailleurs encore imprimé.) Euclide commença son traité de géométrie en énonçant plusieurs axiomes sur les droites et les cercles. Par exemple :

Si A et B sont deux points, il existe un cercle qui a un centre A et qui passe par B.

Il s'agit sans aucun doute d'une propriété raisonnable qu'on peut attribuer aux points et aux cercles abstraits. Euclide démontra ensuite bon nombre de faits concernant les figures dans le plan et dans l'espace, y compris le très célèbre théorème de Pythagore : dans un triangle rectangle, le carré de l'hypoténuse est égal à la somme des carrés de deux autres côtés.

Pendant de nombreuses années, *Les éléments* fut considéré comme la fine pointe du raisonnement logique. Effectivement, il s'agit bel et bien d'un chef-d'œuvre, mais on ne considère dorénavant plus son raisonnement comme rigoureusement exact. En fait, il y a une erreur (selon les normes modernes) dans la preuve de la toute première proposition. Voici l'argument.

En partant de deux points A et B, on considère le cercle ayant le centre A et qui passe par B et le cercle ayant le centre B et qui passe par A (voir la figure 1.105). Ces cercles se coupent l'un et l'autre en C...

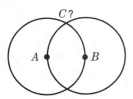

Figure 1.105

Mais pourquoi doit-il y avoir un point d'intersection de ces deux cercles ? On voit clairement sur la figure qu'ils se croisent, mais cette figure est tracée dans le monde réel et non dans celui de l'abstraction géométrique pure. En remplaçant les cercles qu'on a tracés par leurs représentations abstraites, il est possible qu'il n'y ait aucun point d'intersection C. Ici et à d'autres endroits, Euclide semble s'être fié uniquement à une figure. Peut-être ne savait-il pas comment décrire clairement les propriétés des dessins qu'il croyait transposer à la géométrie abstraite et qu'ainsi il garantissait l'existence du point C, laissant au lecteur la tâche de décider si C existe ou non dans le monde idéal. Même si ces lacunes furent constatées à l'époque classique, *Les éléments* a conservé son statut d'exemple ultime de rigueur mathématique jusqu'au 19e siècle. Finalement, après plusieurs siècles d'études effectuées par plusieurs mathématiciens, Hilbert (1863–1943) a énoncé ce qui est considéré à l'heure actuelle comme le traitement définitif de la géométrie d'Euclide. Il est important de réaliser que de façon générale personne n'a démontré l'inexactitude des théorèmes énoncés par Euclide ; les difficultés reposent uniquement sur le fait que les axiomes d'Euclide sont énoncés de manière incomplète.

Le calcul différentiel et intégral appartient à une branche des mathématiques qui est différente de la géométrie. Au lieu de droites, de cercles et d'angles, le calcul différentiel et intégral étudie le comportement de fonctions numériques, plus précisément de fonctions qui représentent un taux de variation. Le calcul différentiel et intégral propose également un langage qui permet d'exprimer les lois de la nature qui régissent tout, et ce du comportement du noyau nucléaire aux cycles de la vie des étoiles.

On peut entrevoir certaines anticipations du calcul différentiel et intégral dans les écrits d'Euclide et d'autres auteurs classiques, mais la plupart de ces notions sont d'abord nées au 17e siècle. C'est à Newton (1642–1727) et à Leibniz (1646–1716) qu'on accorde généralement l'élaboration d'une théorie cohérente. L'œuvre la plus célèbre de Newton, *Philosophiae Naturalis Principia Mathematica* (en trois volumes) a vu le jour en 1686–1687. Son résultat le plus célèbre est que les lois du mouvement planétaire, lesquelles furent énoncées par Kepler (1571–1630) en se basant sur des preuves purement empiriques, peuvent être déduites à partir de lois universelles plus simples, comme la loi de la gravité. De plus, la théorie de Newton expliquait d'autres phénomènes astronomiques, tels que les irrégularités du mouvement de la Lune ainsi que des phénomènes terrestres comme les marées. La signification réelle de *Principia* repose sur la démonstration que des systèmes physiques très complexes peuvent être modélisés au moyen de mathématiques pures. Bien que *Principia* se sert d'arguments géométriques et non du calcul différentiel et intégral, les notions qui s'y trouvent furent, pour employer les mots de Newton lui-même, produites à l'aide du calcul différentiel et intégral.

Après sa naissance au 17e siècle, le calcul différentiel et intégral a été utilisé pendant plus d'un siècle sans fondements axiomatiques appropriés. Newton a écrit qu'il pouvait être fondé rigoureusement sur la notion de *limites*, mais il n'a jamais détaillé cette idée. Une limite est, de façon générale, la valeur vers laquelle tend une fonction à proximité d'un point donné. Au cours du 18e siècle, plusieurs mathématiciens ont fondé leurs travaux sur les limites, mais leur définition de limite n'était pas claire. En 1784, Lagrange (1736–1813), de l'Académie de Berlin, promit un prix à qui trouverait les fondements axiomatiques justes du calcul différentiel et intégral. Lui-même ainsi que d'autres mathématiciens désiraient être aussi certains de la cohérence interne du calcul différentiel et intégral qu'ils l'étaient de l'algèbre et de la géométrie. Personne ne réussit à relever le défi. C'est Cauchy (1789–1857) qui a démontré, autour de 1820, que les limites pouvaient être définies rigoureusement au moyen des inégalités. La définition moderne de la limite, donnée dans le chapitre 2, a essentiellement été énoncée par Cauchy[12].

Cette définition rigoureuse de la limite a constitué l'étape nécessaire pour entreprendre l'élaboration des fondements axiomatiques du calcul différentiel et intégral, où chaque résultat est soigneusement prouvé par des axiomes ou des théorèmes précédemment démontrés. Les cours d'*analyse* respectent cette chaîne de raisonnement logique.

---

12. GRABINER, Judith V., « Who Gave You the Epsilon ? Gauchy and the Origins of Rigorous Calculus », *American Mathematical Monthly*, n° 90, 1983, p. 185-194.

Dans le présent manuel, nous nous appliquerons à développer une compréhension intuitive solide dont dépend cette approche rigoureuse. Nous mettrons l'accent sur des arguments plausibles et non sur des preuves, mais donnerons des aperçus des fondements théoriques du calcul différentiel et intégral dans les sections « Gros plan sur la théorie ». Nous espérons que ces brèves incursions dans un monde plus théorique vous encourageront à aller plus loin dans votre recherche.

LE THÉORÈME BINOMIAL

Dans la vie de tous les jours, on se contente souvent de croire des choses simplement en les observant. En mathématiques, cependant, ce sont les arguments logiques qui permettent de décider de ce qui est vrai. Les mathématiciens tentent d'éliminer toutes sources possibles de désaccord en énonçant attentivement les *axiomes* (les hypothèses) et les *définitions*, en formulant des *théorèmes* précis (les énoncés à prouver), et en utilisant des règles de logique strictes. Dans la présente section, nous illustrons la manière dont les théorèmes sont formulés et prouvés en étudiant l'exemple du théorème binomial. Dans la section suivante, on verra comment et pourquoi un axiome est introduit à l'aide d'un exemple sur la complétude des nombres réels.

Voici d'abord les formules algébriques pour l'élévation au carré et au cube de $x + y$:

$$(x + y)^2 = x^2 + 2xy + y^2,$$
$$(x + y)^3 = x^3 + 3x^2y + 3xy^2 + y^3.$$

On trouve une formule générale pour $(x + y)^n$ pour tout entier positif n. Trois étapes sont nécessaires pour trouver cette formule :

- trouver un modèle ;
- formuler un énoncé, appelé *conjecture*, qui décrit le modèle ;
- prouver la conjecture.

Une fois l'énoncé prouvé, il devient un *théorème*.

La recherche d'un modèle

En premier lieu, on examine des exemples supplémentaires. Si on développe $(x + y)^n$ pour $n = 4$, 5 ou 6, on obtient

$$(x + y)^4 = x^4 + 4x^3y + 6x^2y^2 + 4xy^3 + y^4,$$
$$(x + y)^5 = x^5 + 5x^4y + 10x^3y^2 + 10x^2y^3 + 5xy^4 + y^5,$$
$$(x + y)^6 = x^6 + 6x^5y + 15x^4y^2 + 20x^3y^3 + 15x^2y^4 + 6xy^5 + y^6.$$

On remarque que la somme des exposants de x et de y dans chaque terme à droite équivaut toujours à n, car dans l'expansion de

$$(x + y)^n = \underbrace{(x + y)(x + y) \cdots (x + y)}_{n \text{ fois}},$$

chaque terme provient du fait qu'on choisit des x à partir de certains facteurs et des y à partir d'autres facteurs. Le nombre total de x et de y choisis correspond au nombre total de $(x + y)$, qui est n. Par exemple, dans l'expansion de $(x + y)^3$, si on choisit x à partir de l'un des facteurs et y à partir des deux autres, on obtient un terme xy^2. Il existe trois manières différentes de faire cela (selon le facteur à partir duquel le x est choisi) ; il y a donc trois termes de cette forme, ce qui donne $3xy^2$.

On dispose les coefficients dans l'expansion de $(x + y)^n$ en un triangle appelé le triangle de Pascal en l'honneur du mathématicien français Blaise Pascal.

$$
\begin{array}{ccccccccccccc}
& & & & & 1 & & 1 & & & & & \\
& & & & 1 & & 2 & & 1 & & & & \\
& & & 1 & & 3 & & 3 & & 1 & & & \\
& & 1 & & 4 & & 6 & & 4 & & 1 & & \\
& 1 & & 5 & & 10 & & 10 & & 5 & & 1 & \\
1 & & 6 & & 15 & & 20 & & 15 & & 6 & & 1
\end{array}
$$

La deuxième rangée de ce triangle donne les coefficients de l'expansion $(x + y)^2 = x^2 + 2xy + y^2$, notamment 1, 2 et 1. La rangée suivante donne les coefficients pour $(x + y)^3$ et ainsi de suite. La rangée du haut donne les coefficients pour l'expansion $(x + y)^1 = x + y$.

Ce triangle semble comporter un modèle : les entrées extérieures sont toutes des 1, et chaque entrée intérieure est égale à la somme des entrées immédiatement à sa gauche et à sa droite dans la rangée supérieure. Par exemple, pour chaque 10 de la quatrième rangée, il y a un 4 et un 6 immédiatement au-dessus, et $10 = 4 + 6$.

La formulation du théorème

On souhaite prouver que, pour tout n, les coefficients de l'expansion de $(x + y)^n$ satisfont un modèle qu'on a observé pour $n = 1, \dots, 6$. Le cas général est simplifié en écrivant C_k^n pour le coefficient de $x^{n-k}y^k$ dans l'expansion de $(x + y)^n$. Donc,

$$(x + y)^n = C_0^n x^n + C_1^n x^{n-1}y + C_2^n x^{n-2}y^2 + \cdots + C_{n-1}^n xy^{n-1} + C_n^n y^n.$$

Ainsi, par exemple, $C_3^5 = 10$, car le terme x^2y^3 de l'expansion de $(x + y)^5$ est $10x^2y^3$.

À présent,

$$C_0^n \quad C_1^n \quad C_2^n \quad \cdots \quad C_{n-1}^n \quad C_n^n$$

est la n-ième rangée du triangle de Pascal. Deux règles décrivent le modèle qu'on vient d'observer. Premièrement, les entrées extérieures sont toutes des 1 ; deuxièmement, chaque entrée intérieure correspond à la somme des deux termes au-dessus de cette dernière. Ainsi, on doit d'abord démontrer que $C_0^n = 1$ et $C_n^n = 1$ pour tout n et ensuite que

$$C_k^n = C_{k-1}^{n-1} + C_k^{n-1}, \quad 0 < k < n.$$

On remarque que si $0 < k < n$, alors C_k^n est une entrée intérieure dans le triangle, et C_{k-1}^{n-1} et C_k^{n-1} sont les entrées immédiatement au-dessus de cette dernière. On peut maintenant énoncer le théorème qu'on veut prouver de la manière décrite ci-après.

Le théorème binomial

Si n est un entier positif et qu'on écrit

$$(x + y)^n = C_0^n x^n + C_1^n x^{n-1}y + C_2^n x^{n-2}y^2 + \cdots + C_{n-1}^n xy^{n-1} + C_n^n y^n,$$

alors

$$C_0^n = C_n^n = 1 \quad \text{pour } n \geq 1$$

et

$$C_k^n = C_{k-1}^{n-1} + C_k^{n-1} \quad \text{pour} \quad n \geq 2 \quad \text{et} \quad 0 < k < n.$$

Preuve   Dans l'expansion de

$$(x + y)^n = \underbrace{(x + y)(x + y) \cdots (x + y)}_{n \text{ fois}},$$

il n'y a qu'une manière d'obtenir le terme x^n, et c'est en choisissant un x de chaque facteur. Ainsi, le coefficient de x^n est 1. Selon le même argument, le coefficient de y^n est également 1. Donc,

$$C_0^n = C_n^n = 1.$$

Pour prouver $C_k^n = C_{k-1}^{n-1} + C_k^{n-1}$, on écrit

$$(x + y)^n = C_0^n x^n + C_1^n x^{n-1}y + C_2^n x^{n-2}y^2 + \cdots + C_{n-1}^n xy^{n-1} + C_n^n y^n$$

et

$$(x + y)^{n-1} = C_0^{n-1}x^{n-1} + C_1^{n-1}x^{n-2}y + C_2^{n-1}x^{n-3}y^2 + \cdots + C_{n-2}^{n-1}xy^{n-2} + C_{n-1}^{n-1}y^{n-1}.$$

À présent, on considère le fait que

$$(x + y)^n = (x + y)(x + y)^{n-1}.$$

En substituant $(x + y)^{n-1}$ et $(x + y)^n$, on obtient

$$C_0^n x^n + C_1^n x^{n-1}y + \quad \cdots \quad + C_{n-1}^n xy^{n-1} + C_n^n y^n$$

$$= (x + y)\left(C_0^{n-1}x^{n-1} + C_1^{n-1}x^{n-2}y + \quad \cdots \quad + C_{n-2}^{n-1}xy^{n-2} + C_{n-1}^{n-1}y^{n-1}\right)$$

$$= x\left(C_0^{n-1}x^{n-1} + C_1^{n-1}x^{n-2}y + \quad \cdots \quad + C_{n-2}^{n-1}xy^{n-2} + C_{n-1}^{n-1}y^{n-1}\right)$$

$$+ y\left(C_0^{n-1}x^{n-1} + C_1^{n-1}x^{n-2}y + \quad \cdots \quad + C_{n-2}^{n-1}xy^{n-2} + C_{n-1}^{n-1}y^{n-1}\right)$$

$$= C_0^{n-1}x^n + \left(C_1^{n-1} + C_0^{n-1}\right)x^{n-1}y + \cdots + \left(C_{n-1}^{n-1} + C_{n-2}^{n-1}\right)xy^{n-1} + C_{n-1}^{n-1}y^n.$$

Les termes intérieurs dans cette expression ont la forme $\left(C_k^{n-1} + C_{k-1}^{n-1}\right)x^{n-k}y^k$ pour $k = 1, \ldots, n-1$. Le terme correspondant dans l'expansion de $(x + y)^n$ est $C_k^n x^{n-k}y^k$. Puisque les expressions sont égales, les coefficients des termes identiques doivent être égaux. Donc,

$$C_k^n = C_k^{n-1} + C_{k-1}^{n-1} = C_{k-1}^{n-1} + C_k^{n-1},$$

soit le résultat qu'on voulait démontrer.

La formule pour les coefficients binomiaux

Les nombres C_k^n sont appelés des *coefficients binomiaux*. On les calcule normalement à l'aide de la formule suivante plutôt que d'écrire le triangle de Pascal. (À noter que $k! = k(k-1) \cdots 3 \cdot 2 \cdot 1$.)

$$\boxed{C_k^n = \frac{n!}{k!(n-k)!} = \frac{n(n-1) \cdots (n-k+1)}{k!}}$$

Cette formule s'applique pour $k = 0$ et $k = n$ si on adopte la convention voulant que $0! = 1$:

$$C_0^n = \frac{n!}{0!(n-0)!} = \frac{n!}{n!} = 1 \qquad \text{et} \qquad C_n^n = \frac{n!}{n!(n-n)!} = \frac{n!}{n!} = 1.$$

Pour prouver la formule en général, on utilise une technique importante appelée l'*induction* qui comporte deux étapes :

- prouver la formule dans le cas où $n = 1$;
- prouver que si la formule s'applique pour un entier positif précis n, alors elle s'applique pour $n + 1$.

La deuxième étape, appelée l'étape d'induction, permet de déduire que la formule est vraie pour tout n. Puisque selon la première étape on sait qu'elle est vraie pour $n = 1$, selon l'étape d'induction elle est vraie pour $n = 2$. Puis, toujours selon l'étape d'induction, elle est vraie pour $n = 3$ et ainsi de suite.

Preuve On a déjà prouvé que la formule s'applique pour $n = 1$ puisque les seuls coefficients binomiaux dans ce cas sont C_0^1 et C_1^1.

On démontre maintenant l'étape d'induction. On suppose que la formule est vraie pour n. Autrement dit, on suppose que

$$C_k^n = \frac{n!}{k!(n-k)!}, \qquad 0 \le k \le n.$$

On veut déduire la formule pour $n + 1$. Autrement dit, on veut montrer que

$$C_k^{n+1} = \frac{(n+1)!}{k!(n+1-k)!}, \qquad 0 \le k \le n + 1.$$

On sait déjà que cela est vrai si $k = 0$ ou $k = n + 1$. Si $0 < k < n + 1$, alors, en utilisant le théorème binomial,

$$C_k^{n+1} = C_k^n + C_{k-1}^n = \frac{n!}{k!(n-k)!} + \frac{n!}{(k-1)!(n-k+1)!}$$

$$= \frac{n!}{k(k-1)!(n-k)!} + \frac{n!}{(k-1)!(n-k+1)(n-k)!}$$

$$= \frac{n!}{(k-1)!(n-k)!}\left(\frac{1}{k} + \frac{1}{n-k+1}\right)$$

$$= \frac{n!}{(k-1)!(n-k)!}\left(\frac{n-k+1+k}{k(n-k+1)}\right)$$

$$= \frac{n!}{(k-1)!(n-k)!}\frac{(n+1)}{k(n-k+1)} = \frac{(n+1)!}{k!(n-k+1)!},$$

ce qu'il fallait démontrer.

Problèmes sur le théorème binomial

1. La formule pour les coefficients binomiaux donne C_k^n comme rapport des entiers. C_k^n est-il nécessairement un entier ? C_k^n pourrait-il être une fraction ? Justifiez votre réponse.

2. Observez les termes dans les premières rangées du triangle de Pascal illustré précédemment. Vous devriez constater un modèle de symétrie.

a) Décrivez ce modèle avec des mots.
b) Formulez une conjecture sur les coefficients binomiaux C_k^n qui décrit mathématiquement le modèle.
c) Prouvez votre conjecture.

3. Ajoutez les termes sur les rangées du triangle de Pascal pour les six premières rangées. Vous devriez trouver un modèle dans la suite de nombres que vous obtenez.

a) Formulez une conjecture générale qui décrit ce modèle.
b) Prouvez votre conjecture.

LA COMPLÉTUDE DES NOMBRES RÉELS

Si deux personnes se disputent suffisamment longtemps, elles pourraient finir par révéler les hypothèses cachées qui sont à la source de la dispute. De la même manière, les mathématiciens arrivent à formuler des axiomes par un procédé semblable à une dispute avec eux-mêmes. En tentant de comprendre une chose, ils s'interrogent sur chaque énoncé apparemment évident, espérant finalement trouver des axiomes fondamentaux.

On applique cette méthode au processus de la recherche de la racine d'un polynôme en se concentrant sur son graphe. Ce processus permet de découvrir une propriété subtile des nombres réels appelée *complétude*. Bon nombre de preuves faisant appel aux limites dépendent de cette propriété.

Les racines d'un polynôme : étude de cas

On considère le polynôme $f(x) = 3x^3 - x^2 + 2x - 1$ sur l'intervalle [0, 1]. Puisque $f(0) = -1$ et $f(1) = 3$, on s'attend à ce que le graphe de f croise l'axe des x à un point donné $x = r$ entre $x = 0$ et $x = 1$. Comme les coordonnées de ce point sont $(r, 0)$, on a $f(r) = 0$. On estime cette racine en traçant le graphe d'un polynôme à l'aide d'une calculatrice ou d'un ordinateur et en faisant un gros plan sur celui-ci. On sait au départ que

$$0 \leq r \leq 1.$$

Grâce au gros plan, on trouve $f(0{,}4) < 0$ et $f(0{,}5) > 0$. Donc, r est emprisonné dans un plus petit intervalle

$$0{,}4 \leq r \leq 0{,}5.$$

Des gros plans successifs montrent que

$$0{,}45 \leq r \leq 0{,}46,$$
$$0{,}459 \leq r \leq 0{,}460,$$
$$0{,}4598 \leq r \leq 0{,}4599.$$

À chaque étape, on divise les intervalles en dixièmes et on choisit l'un de ceux-ci pour lequel f est négatif à l'extrémité gauche et positif à l'extrémité droite. (Si f est égal à zéro à l'une des extrémités, on a trouvé r et on peut arrêter.) En continuant ainsi, on obtient une suite d'intervalles, où chacun a une longueur égale au dixième de la longueur du précédent et contient r (voir la figure 1.106, page suivante). Bien qu'une calculatrice ne donne qu'un nombre fini de chiffres, on pourrait en principe continuer éternellement ; on obtiendrait alors une suite infinie d'intervalles.

Ce processus semble conduire à un nombre r tel que $f(r) = 0$. Cependant, on peut soulever deux questions :

• Comment sait-on[13] que ce procédé de gros plan permet véritablement de se rapprocher d'un nombre r particulier ?
• Comment sait-on que $f(r) = 0$?

---

13. Cela est relié à la question posée précédemment (voir la figure 1.105) sur l'existence d'un point d'intersection C entre deux cercles.

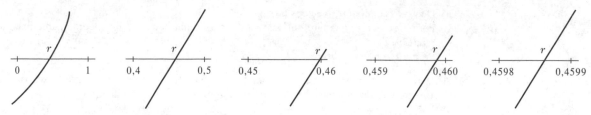

Figure 1.106 : Gros plan sur un zéro de $f(x) = 3x^3 - x^2 + 2x - 1$

L'axiome de complétude

On considère la première question ci-dessus (la réponse à la deuxième question est trouvée au problème 26 dans le chapitre 2). Les extrémités gauches des intervalles emboîtés forment une suite toujours croissante de nombres décimaux. De toute évidence, le nombre r qu'on recherche est le nombre le plus petit qui est plus grand que tous ces nombres décimaux. Selon l'axiome de complétude, étant donné un ensemble non vide de nombres réels, s'il y a un nombre plus grand que ou égal à tous les nombres de l'ensemble, alors il existe un tel plus petit nombre[14]. Un nombre qui est plus grand que ou égal à tous les nombres dans un ensemble s'appelle un *majorant*[15] de l'ensemble et le plus petit majorant s'appelle le supremum. L'axiome de complétude est défini ci-après.

Axiome de complétude

Un ensemble non vide de nombres réels qui a un majorant a un *supremum*.

Exemple 1   Dites si chacun des ensembles suivants a un majorant. Le cas échéant, donnez le supremum.

    a)   L'ensemble des x tel que $-2 < x < 3$.
    b)   L'ensemble des x tel que $-2 \leq x \leq 3$.
    c)   L'ensemble de tous les entiers.
    d)   La suite 0,9, 0,99, 0,999, …

Solution   a)   Les nombres 3, 4 et π sont tous des majorants ; 3 est le supremum.

    b)   Les nombres 3, 4 et π sont tous des majorants ; le majorant d'un ensemble peut se trouver dans l'ensemble, puisqu'il ne doit être que plus grand que *ou égal à* chaque nombre dans l'ensemble. Le nombre 3 est le supremum.

    c)   Il n'y a pas de majorant pour cet ensemble ; aussi grand soit le nombre choisi pour le majorant, il y aura toujours un entier plus grand que celui-ci.

    d)   Tous les nombres sont plus petits que 1, et 1 est le plus petit nombre ayant cette propriété. Ainsi, cette suite a un supremum de 1.

Dans l'exemple 1, on pouvait tout de suite remarquer quels étaient les supremums, ce qui n'est pas toujours le cas. L'axiome de complétude garantit l'existence du supremum mais n'aide pas à le trouver.

---

14. Il est possible de donner une définition des nombres réels dans laquelle l'axiome de complétude devient un théorème.
15. Le terme « majorant » est la traduction de *upper bound*, qu'il ne faut pas traduire de manière littérale par « borne supérieure ». Par ailleurs, « supremum » est la traduction de *least upper bound*, qu'on traduit aussi parfois par « borne supérieure ».

Le théorème des intervalles emboîtés

Voici maintenant comment l'axiome de complétude permet de s'assurer que les gros plans se font effectivement sur un nombre spécifique.

> ### Le théorème des intervalles emboîtés
>
> Étant donné une suite infinie d'intervalles fermés, $[a_n, b_n]$, chacun étant contenu dans le précédent, alors il y a au moins un nombre dans tous les intervalles.

Preuve Puisque chaque intervalle $[a_n, b_n]$ est contenu dans le précédent, chaque a_n doit au moins être aussi grand que le précédent. Donc,

$$a_1 \leq a_2 \leq a_3 \leq \cdots \leq a_n \leq \cdots.$$

De même, chaque b_n n'est pas plus grand que son prédécesseur. Ainsi,

$$\cdots \leq b_n \leq \cdots \leq b_3 \leq b_2 \leq b_1.$$

Tous les a_n sont majorés par b_1 et, en fait, par chaque b_n. Ainsi, selon l'axiome de complétude, on sait que a_n a un supremum qu'on appelle r. Puisque r est un majorant, $r \geq a_n$ pour tout n. Puisque r est le supremum, r doit être inférieur ou égal à chacun des majorants b_n. Ainsi, r se trouve dans les intervalles.

À noter que dans l'énoncé de la propriété d'intervalle emboîté, on ne supposait pas que les longueurs des intervalles s'approchaient de zéro. Donc, en général, il peut y avoir plus qu'un nombre r dans les intervalles. Cependant, lorsque les longueurs s'approchent de zéro, comme dans le cas de la recherche d'une racine par gros plans, il y a un nombre r *unique* (voir le problème 2 un peu plus loin).

Le théorème de la valeur intermédiaire

Lorsque l'on considère le polynôme $3x^3 - x^2 + 2x - 1$, on suppose qu'il doit y avoir une racine entre $x = 0$ et $x = 1$, car il était négatif à $x = 0$ et positif à $x = 1$. Plus généralement, la notion intuitive de la continuité indique que, lorsqu'on suit le graphe d'une fonction continue f à partir d'un point $(a, f(a))$ jusqu'à un autre point $(b, f(b))$, alors f doit prendre des valeurs intermédiaires entre $f(a)$ et $f(b)$ [voir la figure 1.107]. Il s'agit du théorème de la valeur intermédiaire.

> ### Théorème de la valeur intermédiaire
>
> On suppose que f est continue sur un intervalle fermé $[a, b]$. Si k est un nombre compris entre $f(a)$ et $f(b)$, alors il y a au moins un nombre c sur $[a, b]$ tel que $f(c) = k$.

Les problèmes 26 et 27 suggèrent une manière de prouver le théorème de la valeur intermédiaire à l'aide du théorème des intervalles emboîtés.

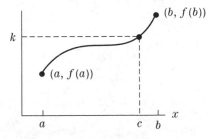

Figure 1.107 : Théorème de la valeur intermédiaire

Problèmes sur la complétude des nombres réels

1. a) À l'aide des définitions données dans la présente section, définissez les termes ci-après.
    i) Le minorant d'un ensemble de nombres.
    ii) L'infimum d'un ensemble de nombres.

    b) Énoncez l'axiome de complétude en fonction des minorants.

2. Soit r un nombre contenu dans chacune des suites d'intervalles emboîtés $[a_n, b_n]$. Supposez que la largeur des intervalles $|b_n - a_n|$ tende vers zéro quand $n \to \infty$. Prouvez que r est unique. [Conseil : Supposez qu'il y a deux nombres tels que r et présentez un argument contradictoire.]

3. Dans ce problème, on utilise l'axiome de complétude pour montrer qu'une expansion décimale infinie définit véritablement un nombre réel et que les n premiers chiffres de l'expansion donnent le nombre à n décimales exactes. Soit x_n le nombre défini par les n premiers chiffres de l'expansion ; on appelle x_n la n-ième troncature de l'expansion.

    a) Pour tout n, montrez que $x_n + (1/10)^n$ est un majorant pour l'ensemble de toutes les troncatures.

    b) Démonrez qu'il y a un nombre réel c tel que $x_n \leq c \leq x_n + (1/10)^n$ pour tout n. Ainsi, x_n représente c à n décimales exactes. Il est donc raisonnable de dire que c est le nombre représenté par l'expansion décimale infinie.

CHAPITRE DEUX

UN CONCEPT CLÉ : LA DÉRIVÉE

On commence ce chapitre en examinant le problème de la vitesse. Comment peut-on mesurer la vitesse d'un objet en mouvement à un instant donné ? Plus fondamentalement, que signifie le terme *vitesse* ? On aboutira à une définition de la vitesse qui permet de nombreuses applications, non seulement en ce qui concerne la vitesse mais aussi les taux de variation de toute quantité. À la fin de ce chapitre, on abordera le concept clé de *dérivée*, qui est le fondement de l'étude du calcul différentiel et intégral.

La dérivée peut être interprétée géométriquement comme la pente d'une courbe et physiquement comme un taux de variation. On constate que l'application des dérivées s'applique à toutes les sciences. Les dérivées peuvent représenter toute forme de fluctuation, depuis les taux d'intérêts jusqu'aux variations en nombre des faunes aquatiques ou des mouvements des molécules de gaz.

2.1   COMMENT MESURER LA VITESSE ?

Aussi surprenant que cela puisse paraître, il est difficile à définir de façon précise la vitesse d'un objet à un instant donné. On considère l'énoncé « Au moment où le cheval a franchi la ligne d'arrivée, sa vitesse était de 42 mi/h ». Comment peut-on appuyer une telle déclaration ? Une photographie prise à cet instant montrera un cheval immobile et ne sera d'aucune utilité. Il y a donc un certain paradoxe à essayer d'étudier le mouvement du cheval à un instant donné puisque, en se concentrant sur cet instant précis, on fige complètement le mouvement !

Le problème du mouvement fut au centre des préoccupations de Zénon et d'autres philosophes à une époque aussi lointaine que le 5e siècle avant J.-C. L'approche moderne, établie grâce à Newton, consiste à analyser la notion de vitesse dans de petits intervalles qui contiennent cet instant plutôt qu'à un instant donné. Cette méthode contourne le problème philosophique déjà mentionné, mais elle introduit de ce fait de nouvelles questions.

Les idées présentées ci-dessus sont illustrées par un exemple tiré du monde idéal qu'on peut appeler une expérimentation théorique. Le cas est idéalisé en ce sens qu'on présume pouvoir prendre des mesures de la distance et du temps d'une manière aussi précise qu'on le veut.

Une expérimentation théorique : la vitesse moyenne et instantanée

On observe la vitesse d'un petit objet (par exemple un pamplemousse) qui serait lancé verticalement en l'air à l'instant $t = 0$ s. Le pamplemousse quitte la main de celui qui l'a lancé à une très grande vitesse, ensuite il ralentit au fur et à mesure qu'il atteint sa hauteur maximale, puis il réaccélère de nouveau tandis qu'il tombe et, finalement c'est l'impact ! (voir la figure 2.1).

On suppose qu'on veut être plus précis dans la détermination de la vitesse, par exemple pour l'instant $t = 1$ s. On émet l'hypothèse qu'on peut mesurer la hauteur du pamplemousse au-dessus du sol à tout instant t. On pense que la hauteur y est donc une fonction du temps (voir le tableau 2.1). L'impact survient après environ 6 ou 7 s. Les chiffres illustrent le comportement décrit ci-dessus : pendant la première seconde, le pamplemousse se déplace de $90 - 6$ $= 84$ pi et, durant la deuxième seconde, il se déplace de seulement $142 - 90 = 52$ pi. Donc, le pamplemousse se déplace plus vite pendant le premier intervalle $0 \leq t \leq 1$ que pendant le deuxième intervalle $1 \leq t \leq 2$.

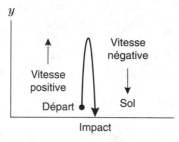

Figure 2.1 : Parcours vertical du pamplemousse vers le haut et vers le bas

TABLEAU 2.1 *Hauteur du pamplemousse par rapport au sol*

t (s)	0	1	2	3	4	5	6
y (pi)	6	90	142	162	150	106	30

La vitesse et la norme de la vitesse

À partir de maintenant, on distinguera la vitesse et la grandeur de la vitesse. On suppose qu'un objet se déplace le long d'une droite. On détermine une direction comme étant positive et on dit que la *vitesse* est positive si l'objet se déplace dans cette direction et négative si l'objet se déplace dans la direction opposée. Pour le pamplemousse, le mouvement vers le haut est positif et le mouvement vers le bas est négatif (voir la figure 2.1). La *norme*, quant à elle, représente la grandeur (en valeur absolue) de cette vitesse et elle est donc toujours positive ou nulle.

> Si $s(t)$ est la position d'un objet à l'instant t, alors la **vitesse moyenne** de cet objet sur l'intervalle $a \leq t \leq b$ est égale à
>
> $$\text{Vitesse moyenne} = \frac{\text{Variation de la position}}{\text{Variation de temps}} = \frac{s(b) - s(a)}{b - a}.$$
>
> En d'autres mots, la **vitesse moyenne** d'un objet sur un intervalle est la variation nette de position durant cet intervalle divisée par la variation du temps.

Exemple 1   Calculez la vitesse moyenne du pamplemousse pendant l'intervalle $4 \leq t \leq 5$. Quelle est la signification du signe de votre réponse ?

Solution   Durant cet intervalle, le pamplemousse se déplace de $(106 - 150) = -44$ pi. Ensuite, la vitesse moyenne est de -44 pi/s. Le signe moins signifie que la hauteur est décroissante et donc que le pamplemousse est en train de tomber.

Exemple 2   Calculez la vitesse moyenne du pamplemousse pendant l'intervalle $1 \leq t \leq 3$.

Solution   La vitesse moyenne est $(162 - 90)/(3 - 1) = 72/2 = 36$ pi/s.

La vitesse moyenne est un concept utile puisqu'elle donne une idée approximative du comportement du pamplemousse. Si deux pamplemousses sont lancés en l'air et que l'un a une vitesse moyenne de 10 pi/s pendant l'intervalle $0 \leq t \leq 1$ alors que le second a une vitesse moyenne de 100 pi/s pendant le même intervalle, il est clair que le second pamplemousse est plus rapide que le premier.

Néanmoins, le calcul de la vitesse moyenne au cours d'un intervalle ne résout pas le problème qui consiste à mesurer la vitesse du pamplemousse à exactement $t = 1$ s. Pour se rapprocher de la réponse, on doit analyser en détail le comportement de l'objet au moment où il s'approche de plus en plus de $t = 1$. Les données[1] de la figure 2.2 illustrent la vitesse moyenne pour de très petits intervalles de chaque côté de $t = 1$.

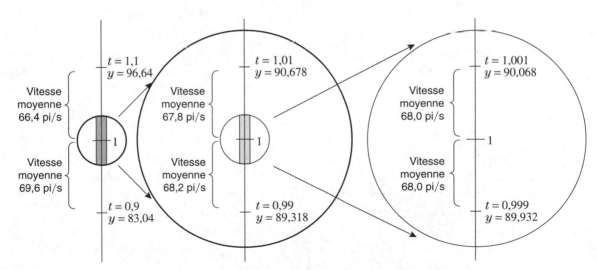

Figure 2.2 : Vitesses moyennes au cours des intervalles de chaque côté de $t = 1$: en rétrécissant de plus en plus ces intervalles

1.   Ce résultat est obtenu à partir de la formule $y = 6 + 100t - 16t^2$.

À noter que la vitesse moyenne avant $t = 1$ est légèrement plus grande que la vitesse moyenne après $t = 1$. Par suite, la vitesse à $t = 1$ se situera entre ces deux vitesses moyennes avant et après. Plus les intervalles se rétréciront, plus les valeurs de vitesse avant $t = 1$ et après $t = 1$ se rapprochent. Dans le plus petit intervalle de la figure 2.2, les deux vitesses sont de 68,0 pi/s (en ne gardant qu'une décimale), de telle sorte qu'on peut définir la vitesse à $t = 1$ comme étant égale à 68,0 pi/s.

Bien entendu, plus on ajoutera de décimales exactes, plus les vitesses moyennes avant et après $t = 1$ s'éloigneront. Pour calculer la vitesse à $t = 1$ avec précision, on devra alors choisir des intervalles de plus en plus petits de chaque côté de $t = 1$ jusqu'à ce que les vitesses moyennes concordent avec la précision (le nombre de décimales exactes) qu'on désire. De cette manière, on peut calculer la vitesse $t = 1$ avec la précision désirée.

La définition de la vitesse instantanée au moyen de la notation de limite

Lorsqu'on prend des intervalles de plus en plus petits, il s'ensuit que les vitesses moyennes se situent toujours juste au-dessus ou juste en dessous de 68 pi/s. Il semble alors naturel de définir la vitesse au temps $t = 1$ comme étant de 68 pi/s. Ce résultat est appelé la *vitesse instantanée* en ce point. Sa définition dépend de la conviction voulant que des intervalles de plus en plus petits fournissent arbitrairement des vitesses moyennes de plus en plus proches de 68. Ce procédé est appelé *passage à la limite*.

On remarque qu'on a substitué à la difficulté originale de calculer la vitesse en un point donné la recherche d'une argumentation prouvant que les vitesses moyennes se rapprochent mutuellement d'un nombre fixe au fur et à mesure que les intervalles diminuent en longueur. D'une certaine manière, on a échangé une question difficile pour une autre, puisqu'on n'a toujours aucune idée de la manière de certifier de quel nombre ces vitesses moyennes vont se rapprocher. Dans l'expérimentation théorique qu'on a faite, ce nombre semble être exactement 68. Mais qu'en serait-il s'il était 68,000 001 ? Comment peut-on s'assurer qu'on a pris des intervalles suffisamment étroits ? En fait, démontrer que la limite est d'exactement 68 exige une connaissance plus exacte du processus même de détermination de la limite.

On définit maintenant la vitesse instantanée en un point arbitraire $t = a$. On utilise la même méthode que pour $t = 1$: on considère des intervalles de plus en plus petits de taille h autour de $t = a$. Puis, sur l'intervalle $a \leq t \leq a + h$,

$$\text{Vitesse moyenne} = \frac{s(a + h) - s(a)}{h}.$$

La même formule s'applique quand $h < 0$. La vitesse instantanée est le nombre dont vont se rapprocher les vitesses moyennes au fur et à mesure que les intervalles décroissent en longueur, c'est-à-dire au fur et à mesure que h devient de plus en plus petit. Ainsi, on définit

$$\text{Vitesse instantanée} = \text{Limite, quand } h \text{ tend vers zéro, de } \frac{s(a + h) - s(a)}{h}.$$

On peut écrire cette expression de manière plus condensée en utilisant la notation de limite, comme suit :

Soit $s(t)$ la position à l'instant t. Alors, la **vitesse instantanée** au temps $t = a$ est

$$\frac{\text{Vitesse instantanée}}{\text{à } t = a} = \lim_{h \to 0} \frac{s(a + h) - s(a)}{h}$$

En d'autres termes, la **vitesse instantanée** d'un objet au temps $t = a$ est obtenue par la limite de la vitesse moyenne sur un intervalle au fur et à mesure que cet intervalle se rétrécit autour de a.

Cette expression constitue le fondement du reste du calcul différentiel et intégral. Il faut s'assurer de bien comprendre cette notation et de la reconnaître pour ce qu'elle est : le nombre dont les vitesses moyennes se rapprochent au fur et à mesure que les intervalles diminuent en longueur. Pour calculer cette limite, on observe des intervalles de plus en plus petits mais qui ne sont jamais zéro.

La représentation de la vitesse : la pente d'une courbe

On étudie maintenant comment représenter visuellement la vitesse en utilisant un graphe des hauteurs. Pour ce faire, on reprend l'exemple du pamplemousse. On suppose que la figure 2.3 illustre la hauteur à laquelle se trouve le pamplemousse dans le temps. (On note que ce graphe n'illustre pas l'image du parcours du pamplemousse, car ce dernier est une parfaite verticale.)

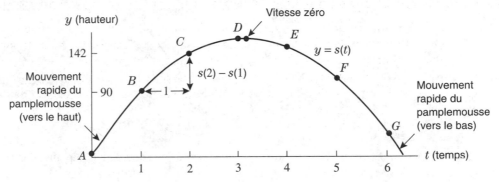

Figure 2.3 : Hauteur y d'un pamplemousse au temps t

Comment peut-on visualiser la vitesse moyenne sur ce graphe ? On suppose que $y = s(t)$. On considère l'intervalle $1 \leq t \leq 2$ et l'expression

$$\text{Vitesse moyenne} = \frac{\text{Variation de position}}{\text{Variation de temps}} = \frac{s(2) - s(1)}{2 - 1} = \frac{142 - 90}{1} = 52 \, \text{pi/s}.$$

On suppose maintenant que $s(2) - s(1)$ représente la variation de la position sur l'intervalle ; cette variation est illustrée verticalement sur la figure 2.3. La valeur 1 en dénominateur représente le temps écoulé, et elle est illustrée horizontalement sur la figure 2.3. Par conséquent,

$$\text{Vitesse moyenne} = \frac{\text{Variation de position}}{\text{Variation de temps}} = \text{Pente de la droite joignant } B \text{ et } C.$$

(Voir la figure 2.3.) Une démonstration similaire aboutit à l'énoncé suivant :

> La **vitesse moyenne** sur tout intervalle $a \leq t \leq b$ est représentée par la pente de la droite qui joint les points du graphe $s(t)$ correspondant à $t = a$ et à $t = b$.

La question suivante consiste à trouver comment visualiser la vitesse instantanée. On reprend la méthode avec laquelle on a trouvé la vitesse instantanée. On a pris des vitesses moyennes dans des intervalles de temps de plus en plus petits en commençant en $t = 1$. On représente des vitesses de ce type par les pentes des droites sur la figure 2.4 (page suivante). Au fur et à mesure que l'intervalle se réduit, la pente de la droite se rapproche de plus en plus de la pente de la courbe en $t = 1$.

L'argumentation repose sur le fait qu'à l'intérieur d'une échelle très petite, la plupart des fonctions ressembleront presque à des lignes droites. Si on observe le graphe d'une fonction près d'un point et qu'on fait un gros plan de cette image (voir la figure 2.5, page suivante), on s'aperçoit que plus on grossit l'image, plus la courbe ressemble à une droite. En d'autres termes, si on ne cesse de grossir l'image d'une section de courbe, en se concentrant sur un point quelconque,

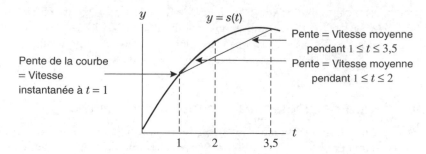

Figure 2.4 : Vitesses moyennes sur de petits intervalles

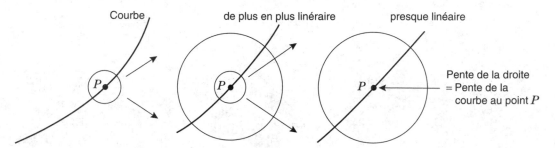

Figure 2.5 : Estimation de la pente de la courbe en un point si on fait un gros plan

la section de cette courbe ressemblera à une droite. On appelle la pente de cette droite la *pente de la courbe* en ce point. Par suite, la pente de cette droite considérablement grossie représente la vitesse instantanée et on peut dire que

> La **vitesse instantanée** est égale à la pente de la courbe en un point donné.

On retourne au graphe de la hauteur du pamplemousse en fonction du temps à la figure 2.3. Si on imagine la vitesse à n'importe quel point comme étant la pente de la courbe en ce point, on peut constater comment la vitesse du pamplemousse varie au cours de son parcours. Aux points A et B, la courbe a une grande pente positive, ce qui indique que le pamplemousse se déplace rapidement vers le haut. Le point D est presque au sommet : le pamplemousse ralentit énormément. Tout en haut, la pente de la courbe est à zéro : le pample-mousse a atteint la vitesse zéro pendant un bref instant avant de chuter vers le sol. Au point E, la courbe a une petite pente négative qui indique une petite vitesse de descente. Finalement, la pente de la courbe au point G est grande et négative, ce qui indique une grande vitesse de descente qui provoquera l'impact du fruit au sol.

L'idée de limite

Afin de définir la vitesse instantanée, on a observé des vitesses moyennes sur des intervalles qui se réduisent de plus en plus à proximité d'un point. C'est ainsi qu'on a pu introduire la notion de limite. On examine maintenant cette notion qui sera étudiée en détail dans la section « Gros plan sur la théorie ». On abordera la *limite* de la fonction au point c.

> On écrit $\lim_{x \to c} f(x)$ pour représenter le nombre L dont se rapproche $f(x)$ quand x tend vers c.

Exemple 3   Calculez $\lim\limits_{x \to 2} x^2$.

Solution   À noter qu'on peut rendre x^2 aussi proche de 4 qu'on le veut en choisissant x suffisamment proche de 2. (On considère les valeurs $1,9^2$, $1,99^2$, $1,999^2$ et $2,1^2$, $2,01^2$, $2,001^2$. Toutes ces valeurs semblent se rapprocher de 4 [voir le tableau 2.2].)
On écrit donc

$$\lim_{x \to 2} x^2 = 4,$$

ce qui se lit « la limite, quand x tend vers 2, de x^2 est 4 ». On note que la limite ne répond pas à la question « qu'arrive-t-il quand $x = 2$? » Par suite, il ne suffit pas de substituer 2 dans l'équation pour trouver la réponse. La limite décrit le comportement d'une fonction *à proximité* d'un point mais non *au* point lui-même.

TABLEAU 2.2   *Valeurs de x^2*

x	1,9	1,99	1,999	2,001	2,01	2,1
x^2	3,61	3,96	3,996	4,004	4,04	4,41

Exemple 4   Au moyen d'un graphe, calculez $\lim\limits_{\theta \to 0} \dfrac{\sin \theta}{\theta}$. (Utilisez les radians.)

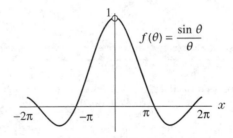

Figure 2.6 : Trouver la limite quand $\theta \to 0$

Solution   La figure 2.6 montre qu'au fur et à mesure que θ tend vers zéro par la gauche ou la droite, la valeur de $\dfrac{\sin \theta}{\theta}$ semble tendre vers 1, ce qui suggère que $\lim\limits_{\theta \to 0} \dfrac{\sin \theta}{\theta} = 1$. Si on fait un gros plan du graphe aux alentours de $\theta = 0$, on obtient une preuve supplémentaire à l'appui de cette conclusion. À noter que l'expression $\dfrac{\sin \theta}{\theta}$ est indéfinie pour $\theta = 0$.

Exemple 5   Calculez $\lim\limits_{h \to 0} \dfrac{(3 + h)^2 - 9}{h}$ de façon numérique.

Solution   La limite est la valeur vers laquelle tend cette expression quand h tend vers zéro. Les valeurs du tableau 2.3 (page suivante) semblent converger vers 6 au fur et à mesure que $h \to 0$. Ainsi, il est raisonnable de supposer que

$$\lim_{h \to 0} \frac{(3 + h)^2 - 9}{h} = 6.$$

Il est cependant impossible d'être sûr que la limite est *exactement* 6 simplement en observant le tableau. Pour calculer la limite exacte, il faut recourir à l'algèbre.

TABLEAU 2.3   *Valeurs de* $((3 + h)^2 - 9)/h$

h	$-0,1$	$-0,01$	$-0,001$	$0,001$	$0,01$	$0,1$
$((3 + h)^2 - 9)/h$	5,9	5,99	5,999	6,001	6,01	6,1

Exemple 6   Utilisez l'algèbre pour trouver $\lim\limits_{h \to 0} \dfrac{(3 + h)^2 - 9}{h}$.

Solution   L'expansion du numérateur donne

$$\frac{(3 + h)^2 - 9}{h} = \frac{9 + 6h + h^2 - 9}{h} = \frac{6h + h^2}{h}.$$

Puisque le fait de prendre la limite quand $h \to 0$ signifie observer les valeurs de h proches mais non égales à zéro, on peut simplifier h, ce qui donne

$$\lim_{h \to 0} \frac{(3 + h)^2 - 9}{h} = \lim_{h \to 0} (6 + h).$$

Quand $h \to 0$, les valeurs de $(6 + h)$ tendent vers 6. Donc,

$$\lim_{h \to 0} \frac{(3 + h)^2 - 9}{h} = \lim_{h \to 0} (6 + h) = 6.$$

Problèmes de la section 2.1

1. Supposez qu'une voiture est conduite à une vitesse constante. Tracez un graphe de la distance parcourue par la voiture en fonction du temps.

2. Supposez qu'une voiture est conduite à une vitesse croissante. Tracez un graphe de la distance parcourue par la voiture en fonction du temps.

3. Une voiture démarre à grande vitesse, puis elle décélère. Tracez un graphe de la distance parcourue par la voiture en fonction du temps.

4. Pour la fonction montrée à la figure 2.7, indiquez en quels points la pente du graphe est positive ? est négative ? En quel point du graphe la pente est-elle la plus grande (c'est-à-dire la plus positive) ? En quel point est-elle la plus petite (c'est-à-dire négative avec la plus grande valeur) ?

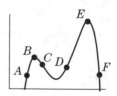

Figure 2.7

5. Faites correspondre le point indiqué sur la courbe de la figure 2.8 avec les pentes suivantes :

Pente	Point
-3	
-1	
0	
$1/2$	
1	
2	

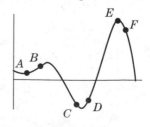

Figure 2.8

6. Pour le graphe $y = f(x)$ illustré à la figure 2.9, placez les nombres suivants en ordre ascendant (du plus petit au plus grand) :

   • La pente du graphe au point A

   • La pente du graphe au point B

   • La pente du graphe au point C

   • La pente du segment AB

   • Le nombre 0

   • Le nombre 1

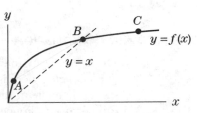

Figure 2.9

7. Le graphe de $f(t)$ de la figure 2.10 montre la position d'une particule au temps t. Placez les caractéristiques suivantes en ordre croissant (de la plus petite à la plus grande) :

   • A, la vitesse moyenne entre $t = 1$ et $t = 3$

   • B, la vitesse moyenne entre $t = 5$ et $t = 6$

   • C, la vitesse instantanée à $t = 1$

   • D, la vitesse instantanée à $t = 3$

   • E, la vitesse instantanée à $t = 5$

   • F, la vitesse instantanée à $t = 6$

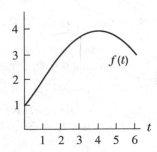

Figure 2.10

8. On observe une particule qui se déplace à une vitesse variable le long d'une ligne droite et on suppose que $s = f(t)$ représente la distance de la particule à partir d'un point en fonction du temps t. Tracez un graphe possible pour f si la vitesse moyenne de la particule entre $t = 2$ et $t = 6$ est la même que la vitesse instantanée à $t = 5$.

Évaluez les limites pour chacun des problèmes 9 à 12 en substituant des valeurs de plus en plus petites de h. Donnez des réponses avec une précision de une décimale.

9. $\displaystyle\lim_{h \to 0} \frac{(3 + h)^3 - 27}{h}$ 10. $\displaystyle\lim_{h \to 0} \frac{\cos h - 1}{h}$ 11. $\displaystyle\lim_{h \to 0} \frac{7^h - 1}{h}$ 12. $\displaystyle\lim_{h \to 0} \frac{e^{1 + h} - e}{h}$

Pour chacune des fonctions des problèmes 13 à 22, effectuez les quatre opérations suivantes :

   a) Concevez une table de valeurs de $f(x)$ pour $x = 0{,}1$, $0{,}01$, $0{,}001$, $0{,}0001$, $-0{,}1$, $-0{,}01$, $-0{,}001$, $-0{,}0001$.

   b) Que diriez-vous de la valeur de $\displaystyle\lim_{x \to 0} f(x)$?

   c) Tracez la fonction pour vérifier la cohérence avec les réponses des parties a) et b).

   d) Trouvez un intervalle pour x autour de zéro de telle sorte que la différence entre votre estimation de limite et la valeur de la fonction soit moins que 0,01. (En d'autres termes, trouvez une fenêtre de hauteur 0,02 de telle sorte que le graphe déborde des deux côtés, mais sans dépasser ni en haut ni en bas.)

13. $f(x) = 3x + 1$ 14. $f(x) = x^2 - 1$

15. $f(x) = \sin 2x$ 16. $f(x) = \sin 3x$

17. $f(x) = \dfrac{\sin 2x}{x}$ 18. $f(x) = \dfrac{\sin 3x}{x}$

19. $f(x) = \dfrac{e^x - 1}{x}$ 20. $f(x) = \dfrac{e^{2x} - 1}{x}$

21. $f(x) = \dfrac{\cos 2x - 1 + 2x^2}{x^3}$ 22. $f(x) = \dfrac{\cos 3x - 1 + 4{,}5x^2}{x^3}$

2.2   LA DÉRIVÉE EN UN POINT

Le taux moyen de variation

On applique maintenant les résultats de l'analyse effectuée à la section 2.1 à une fonction $y = f(x)$ en généralisant la représentation de la hauteur comme une fonction du temps. Dans le cas de la hauteur, on observera la variation des hauteurs divisée par la variation de temps, ce qui permet d'énoncer que

$$\text{le taux moyen de variation de hauteur en fonction du temps} = \frac{s(a + h) - s(a)}{h}.$$

Ce ratio est appelé un *quotient d'accroissements*. Pour toute fonction f, on peut énoncer que

$$\text{Le taux moyen de variation de } f \text{ sur l'intervalle de } a \text{ à } a + h = \frac{f(a + h) - f(a)}{h}.$$

Le numérateur $f(a + h) - f(a)$ mesure la variation des valeurs de f sur l'intervalle de a à $a + h$. Par suite, le taux moyen de variation est la variation de f divisée par la variation de x (voir la figure 2.11).

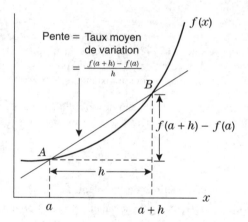

Figure 2.11 : Représentation du taux moyen de variation de f

Quoique l'intervalle dont on discute n'est plus nécessairement un intervalle de temps, on continuera à parler de *taux moyen de variation* de f sur un intervalle. Si on veut insister sur le fait qu'il s'agit d'une variable indépendante, on énoncera qu'il s'agit du taux moyen de variation de f *en fonction de x*.

Le taux moyen de variation et la variation totale

Le taux moyen de variation d'une fonction sur un intervalle n'est pas le même que la variation totale. Celle-ci représente simplement la différence des valeurs de f aux deux extrémités de l'intervalle. Autrement dit,

$$f(a + h) - f(a).$$

Le taux moyen de variation est, quant à lui, la variation totale divisée par la taille de l'intervalle

$$\frac{f(a + h) - f(a)}{h}.$$

Le taux moyen de variation indique donc comment (à quelle vitesse) la fonction varie d'une extrémité à l'autre de l'intervalle, en fonction de la taille de cet intervalle. À noter qu'il est plus souvent significatif de connaître le taux de variation que la variation totale. Par exemple, si quelqu'un vous offre un revenu de 150 $ pour un investissement de 100 $, vous désirez certainement savoir combien de temps cela vous prendra pour obtenir cette somme. Savoir simplement que la variation totale de vos gains est de 50 $ n'est pas suffisant ; par contre, connaître le taux de variation (c'est-à-dire la somme de 50 $ divisée par le temps pour l'obtenir) vous permettra de décider si vous voulez ou non faire cet investissement.

Le gonflement d'un ballon

On considère la fonction qui calcule le rayon d'une sphère par rapport à son volume. Par exemple, si on examine le gonflement d'un ballon, on remarque certainement que le ballon semble se gonfler plus vite au début, puis qu'il semble gonfler plus lentement au fur et à mesure que l'on continue à souffler. On observe là une variation du taux de changement du rayon en fonction du volume.

Exemple 1   Le volume V d'une sphère est donné par $V = 4\pi r^3/3$. En résolvant cette expression pour r en termes de V, on obtient

$$r = f(V) = \left(\frac{3V}{4\pi}\right)^{1/3}.$$

Calculez le taux moyen de variation de r en fonction de V sur les intervalles $0{,}5 \leq V \leq 1$ et $1 \leq V \leq 1{,}5$.

Solution   En appliquant la formule pour calculer le taux moyen de variation, on obtient

$$\begin{array}{l}\text{Taux moyen de variation}\\ \text{du rayon pour } 0{,}5 \leq V \leq 1\end{array} = \frac{f(1)-f(0{,}5)}{0{,}5} = 2\left(\left(\frac{3}{4\pi}\right)^{1/3} - \left(\frac{1{,}5}{4\pi}\right)^{1/3}\right) \approx 0{,}26$$

$$\begin{array}{l}\text{Taux moyen de variation}\\ \text{du rayon pour } 1 \leq V \leq 1{,}5\end{array} = \frac{f(1{,}5)-f(1)}{0{,}5} = 2\left(\left(\frac{4{,}5}{4\pi}\right)^{1/3} - \left(\frac{3}{4\pi}\right)^{1/3}\right) \approx 0{,}18.$$

Ainsi on constate que ce taux décroît au fur et à mesure que le volume augmente.

Le taux de variation instantané : la dérivée

On peut également définir le *taux de variation instantané* d'une fonction en un point de la même façon qu'on a défini une vitesse instantanée : on observe le taux moyen de variation sur des intervalles de plus en plus petits. Ce taux de variation instantané est tellement important qu'on lui a donné son propre nom, la *dérivée de f en a*, représentée par $f'(a)$. On définit la dérivée comme suit :

> La **dérivée de f en a**, représentée par $f'(a)$, est définie comme étant
>
> $$\begin{array}{l}\text{le taux de variation}\\ \text{de } f \text{ en } a\end{array} = f'(a) = \lim_{h \to 0}\frac{f(a+h)-f(a)}{h}.$$
>
> Si la limite existe, alors f est dite différentiable au point a.

Afin d'insister sur le fait que $f'(a)$ est le taux de variation de $f(x)$ au fur et à mesure que la variable x varie, on appelle $f'(a)$ la dérivée de f *par rapport à x* en $x = a$. Ainsi, si la fonction $y = s(t)$ représente la position d'un objet, sa dérivée $s'(t)$ représente sa vitesse.

Exemple 2   En choisissant des petites valeurs pour h, calculez le taux de variation instantané du rayon d'une sphère en fonction de sa variation de volume pour $V = 1$.

Solution   Avec $h = 0,01$ et $h = -0,01$, on obtient les quotients

$$\frac{f(1,01) - f(1)}{0,01} \approx 0,2061 \quad \text{et} \quad \frac{f(0,99) - f(1)}{-0,01} \approx 0,2075 \,.$$

Avec $h = 0,001$ et $h = -0,001$,

$$\frac{f(1,001) - f(1)}{0,001} \approx 0,2067 \quad \text{et} \quad \frac{f(0,999) - f(1)}{-0,001} \approx 0,2069 \,.$$

Les valeurs de ces taux moyens de variation suggèrent que la limite se situe entre 0,2067 et 0,2069. On peut conclure que la valeur est d'environ 0,207. Ce résultat se confirme si on prend des valeurs plus petites de h. Donc, on peut dire que

$$f'(1) = \begin{array}{c} \text{Taux de variation instantané} \\ \text{du rayon en fonction} \\ \text{du volume pour } V = 1 \end{array} \approx 0,207.$$

Dans cet exemple, on trouve une approximation du taux de variation instantané, soit la dérivée, en substituant des valeurs de h de plus en plus petites. On étudie maintenant la manière de représenter graphiquement la dérivée.

La représentation de la dérivée : la pente d'une courbe et la pente de la tangente

Comme dans le cas de la vitesse, on peut se représenter la dérivée $f'(a)$ comme étant la pente du graphe de f au point $x = a$. Il existe une autre façon de se représenter la dérivée $f'(a)$. On considère le quotient $(f(a + h) - f(a))/h$. Le numérateur, $f(a + h) - f(a)$, est la distance verticale illustrée à la figure 2.12, et h est la distance horizontale. On a

$$\text{Taux moyen de variation de } f = \frac{f(a + h) - f(a)}{h} = \text{Pente de la droite } AB.$$

Au fur et à mesure que h diminue, la droite AB se rapproche de la droite tangente à la courbe au point A (voir la figure 2.13). On a

$$\begin{array}{c} \text{Taux de variation} \\ \text{instantané de } f \\ \text{en } a \end{array} = \lim_{h \to 0} \frac{f(a + h) - f(a)}{h} = \text{Pente de la tangente au point } A.$$

> La dérivée au point A peut donc être interprétée comme étant :
>
> - La pente de la courbe au point A.
> - La pente de la tangente à la courbe au point A.

Dans de nombreux cas, l'interprétation pour ce qui est de la pente permet d'obtenir une première approximation de la dérivée, comme le montrent les trois prochains exemples.

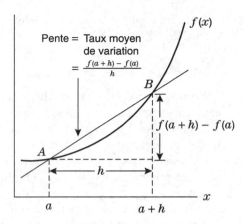

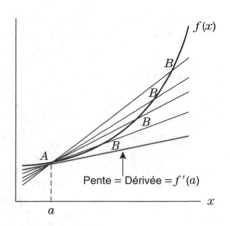

Figure 2.12   Représentation du taux
moyen de variation de f

Figure 2.13   Visualisation du taux
de variation instantané de f

Exemple 3   La dérivée de $\sin x$ en $x = \pi$ est-elle positive ou négative ?

Solution   En observant le graphe de $\sin x$ de la figure 2.14 (il faut se souvenir que x est en radians), on constate que la tangente tracée en $x = \pi$ a une pente négative. On peut en conclure que la dérivée en ce point sera négative.

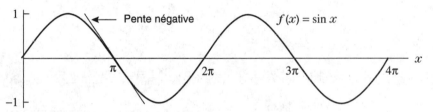

Figure 2.14 : Droite tangente à la fonction $\sin x$ à $x = \pi$

On se rappelle que si on grossit le graphe d'une fonction $y = f(x)$ au point $x = a$, on trouve généralement que le graphe ressemble de plus en plus à une droite dont la pente est $f'(a)$.

Exemple 4   En grossissant le graphe de la fonction sinus au point $(0, 0)$, estimez la valeur de la dérivée de $\sin x$ en $x = 0$, x étant exprimé en radians.

Solution   La figure 2.15 présente des graphes successifs de $\sin x$ avec des échelles de plus en plus petites. Sur l'intervalle $-0,1 \leq x \leq 0,1$, le graphe ressemble à une droite de pente 1. Par conséquent, la dérivée de $\sin x$ en $x = 0$ est d'environ 1.

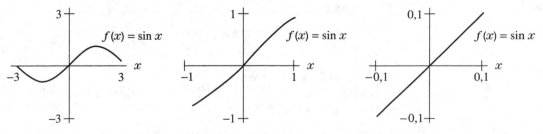

Figure 2.15 :   Grossissement du graphe de $\sin x$ à proximité de $x = 0$

On démontrera plus tard que la dérivée de sin x en $x = 0$ est exactement égale à 1. À partir de maintenant, on supposera qu'il en est ainsi.

Exemple 5 Utilisez la droite tangente en $x = 0$ afin d'estimer les valeurs de sin x à proximité de $x = 0$.

Solution Dans l'exemple précédent, on voit qu'à proximité de $x = 0$, le graphe de $y = \sin x$ ressemble au graphe d'une droite $y = x$. On peut utiliser cette droite pour calculer les valeurs de sin x quand x est proche de zéro. Par exemple, le point sur la droite $y = x$ ayant la coordonnée $x = 0{,}32$ est $(0{,}32 ; 0{,}32)$. Puisque la droite est proche de la courbe $y = \sin x$, on estime que $\sin 0{,}32 \approx 0{,}32$ (voir la figure 2.16). Si on vérifie avec une calculatrice, on trouve que $\sin 0{,}32 \approx 0{,}3146$ de telle sorte que l'évaluation effectuée est assez proche. À noter que le graphe suggère que la valeur réelle de $\sin 0{,}32$ est un peu moins que 0,32.

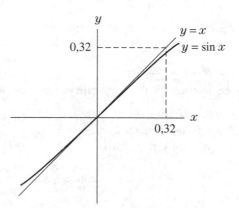

Figure 2.16 : Approximation de $y = \sin x$ avec $y = x$

Pourquoi utiliser des radians et non des degrés ?

Après l'exemple 4, on a dit que la dérivée de sin x à $x = 0$ est égale à 1 si x est en radians. Telle est la raison pour laquelle on utilise des radians. Si on avait effectué l'exemple 4 avec des degrés, la dérivée de sin x aurait été un nombre bien plus compliqué (voir le problème 25).

L'estimation de la dérivée d'une fonction exponentielle

Exemple 6 Estimez la valeur de la dérivée de $f(x) = 2^x$ en $x = 0$ graphiquement et numériquement.

Solution Graphiquement : La figure 2.17 montre que le graphe est concave (vers le haut). En se fondant sur cette constatation, la pente au point A se situe entre la pente de la droite BA et la pente de la droite AC. Puisque

$$\text{Pente de la droite } BA = \frac{(2^0 - 2^{-1})}{(0 - (-1))} = \frac{1}{2} \quad \text{et} \quad \text{Pente de la droite } AC = \frac{(2^1 - 2^0)}{(1 - 0)} = 1,$$

on en déduit que la dérivée se situe entre 1/2 et 1.

Numériquement : Pour calculer la dérivée en $x = 0$, on a besoin d'observer les valeurs du rapport (le taux moyen de variation)

$$\frac{f(0 + h) - f(0)}{h} = \frac{2^h - 2^0}{h} = \frac{2^h - 1}{h}$$

pour des petites valeurs de h. Le tableau 2.4 montre quelques valeurs de 2^h ainsi que les valeurs des taux moyens de variation (voir le problème 33, qui illustre les comportements pour les très petites valeurs de h).

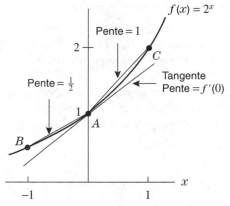

Figure 2.17 : Graphe de $y = 2^x$ montrant la dérivée à $x = 0$

TABLEAU 2.4   *Valeurs numériques des taux moyens de variation de 2^x au point $x = 0$*

h	2^h	Taux moyen de variation : $\frac{2^h - 1}{h}$
−0,0003	0,999 792 078	0,693 075
−0,0002	0,999 861 380	0,693 099
−0,0001	0,999 930 688	0,693 123
0	1	
0,0001	1,000 069 32	0,693 171
0,0002	1,000 138 64	0,693 195
0,0003	1,000 207 97	0,693 219

L'hypothèse de concavité de la courbe permet de conclure que les taux moyens de variation calculés avec des valeurs négatives de h sont plus petits que la dérivée, tandis que ceux qui sont calculés avec des valeurs positives de h sont plus grands que la dérivée. En se référant au tableau 2.4, on voit que la dérivée se situe entre 0,693 123 et 0,693 171. Avec trois décimales exactes, $f'(0) = 0,693$.

Exemple 7   Trouvez une équation approximative pour la droite tangente à $f(x) = 2^x$ en $x = 0$.

Solution   Dans l'exemple 6, on a vu que la pente de la tangente est d'environ 0,693. Puisqu'on sait qu'elle coupe l'axe y au point 1, l'équation devient

$$y = 0,693x + 1.$$

Le calcul de la dérivée de x^2

Dans les exemples précédents, on a obtenu une approximation de la dérivée en utilisant des valeurs de plus en plus petites de h. On recherche maintenant la dérivée exacte de x^2.

Exemple 8   Trouvez la dérivée de la fonction $f(x) = x^2$ au point $x = 1$.

Solution   On recourt à la définition

$$f'(1) = \lim_{h \to 0} \frac{f(1 + h) - f(1)}{h},$$

qui est la même que

$$\lim_{h \to 0} \frac{(1 + h)^2 - 1^2}{h} = \lim_{h \to 0} \frac{(1 + 2h + h^2) - 1}{h} = \lim_{h \to 0} \frac{2h + h^2}{h}.$$

Puisque la limite ne tient compte que des valeurs proches de h mais non égales à zéro, on peut diviser par h les expressions $(2h + h^2)/h$. On obtient

$$\lim_{h \to 0} \frac{h(2 + h)}{h} = \lim_{h \to 0} (2 + h).$$

La limite est 2 ; donc, $f'(1) = 2$. Par conséquent, en $x = 1$ le taux de variation de x^2 est égal à 2.

Puisque la dérivée est le taux de variation, $f'(1) = 2$ signifie que pour de petites variations de x proches de $x = 1$, la variation de $f(x) = x^2$ est d'environ deux fois la variation de x. Par exemple, si x varie de 1 à 1,1, soit une variation nette de 0,1, alors $f(x)$ varie d'environ 0,2. La figure 2.18 illustre ce fait de manière géométrique.

Le tableau 2.5 montre la dérivée de $f(x) = x^2$ de manière numérique. On remarque qu'à proximité de $x = 1$, chaque fois que la valeur de x croît de 0,001, la valeur de x^2 croît d'environ 0,002. À proximité de $x = 1$, la fonction est approximativement linéaire avec une pente de $0,002/0,001 = 2$.

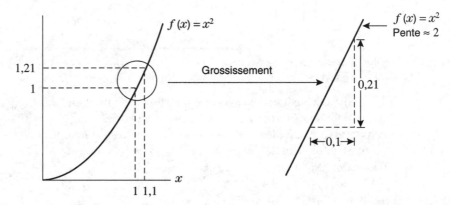

Figure 2.18 : Le graphe de $f(x) = x^2$ à proximité de $x = 1$ a une pente de ≈ 2

TABLEAU 2.5 *Valeurs de $f(x) = x^2$ à proximité de $x = 1$*

x	x^2	Différence des valeurs successives de x^2
0,998	0,996 004	
		0,001 997
0,999	0,998 001	
		0,001 999
1,000	1,000 000	
		0,002 001
1,001	1,002 001	
		0,002 003
1,002	1,004 004	
↑		↑
x incréments de 0,001		Écart approximatif de 0,002

Problèmes de la section 2.2

1. Tracez un graphe approximatif de $f(x) = \sin x$. En observant ce graphe, déterminez si la dérivée de $f(x)$ en $x = 3\pi$ est positive ou négative. Justifiez votre réponse.

2. a) Dressez un tableau des valeurs arrondies à deux décimales de la fonction $f(x) = e^x$ pour $x = 1$, 1,5, 2, 2,5 et 3. À l'aide de ce tableau, répondez aux parties b) et c).
   b) Trouvez le taux moyen de variation de $f(x)$ entre $x = 1$ et $x = 3$.
   c) Utilisez les taux moyens de variation pour estimer le taux de variation instantané de $f(x)$ en $x = 2$.

3. Placez les points A, B, C, D, E et F sur le graphe de $y = f(x)$ de la figure 2.19.

a) Le point A est le point de la courbe où la dérivée est négative.
b) Le point B est le point de la courbe où la valeur de la fonction est négative.
c) Le point C est le point de la courbe où la dérivée est la plus grande.
d) Le point D est le point de la courbe où la dérivée est zéro.
e) Les points E et F sont des points de la courbe où la dérivée est approximativement la même.

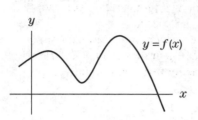

Figure 2.19

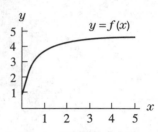

Figure 2.20

4. Considérez le graphe de $y = f(x)$ illustré à la figure 2.20. Quelle est la valeur la plus grande dans chacune des deux options suivantes ?

a) Taux moyen de variation entre $x = 1$ et $x = 3$ ou entre $x = 3$ et $x = 5$?
b) $f(2)$ ou $f(5)$?
c) $f'(1)$ ou $f'(4)$?

5. À partir d'une reproduction de la figure 2.21, marquez les longueurs qui représentent les quantités des parties a) à d). (Choisissez n'importe quelle valeur de x et supposez que $h > 0$.)

a) $f(x)$ b) $f(x + h)$ c) $f(x + h) - f(x)$ d) h

e) À l'aide des réponses aux parties a) à d), montrez comment la quantité $\dfrac{f(x + h) - f(x)}{h}$ peut être représentée comme la pente d'une droite sur le graphe.

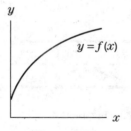

Figure 2.21

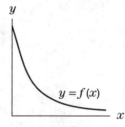

Figure 2.22

6. À partir d'une reproduction de la figure 2.22, marquez les longueurs qui représentent les quantités des parties a) à d). (Choisissez n'importe quelle valeur de x et supposez que $h > 0$.)

a) $f(x)$ b) $f(x + h)$ c) $f(x + h) - f(x)$ d) h

e) À l'aide des réponses aux parties a) à d), montrez comment la quantité $\dfrac{f(x + h) - f(x)}{h}$ peut être représentée comme la pente d'une droite sur le graphe.

7. À partir une reproduction de la figure 2.23 (page suivante), démontrez comment vous pouvez représenter les valeurs ci-après.

a) $f(4)$ b) $f(4) - f(2)$ c) $\dfrac{f(5) - f(2)}{5 - 2}$ d) $f'(3)$

8. Considérez la fonction $y = f(x)$ illustrée à la figure 2.23 (page suivante). Quelle est la valeur la plus grande dans chacune des deux options suivantes ? Justifiez votre réponse.

a) $f(3)$ ou $f(4)$?   b) $f(3) - f(2)$ ou $f(2) - f(1)$?
c) $\dfrac{f(2) - f(1)}{2 - 1}$ ou $\dfrac{f(3) - f(1)}{3 - 1}$?   d) $f'(1)$ ou $f'(4)$?

9. Sur la fonction f donnée à la figure 2.23, placez les quantités suivantes en ordre ascendant :

$$0, \quad 1, \quad f'(2), \quad f'(3), \quad f(3) - f(2)$$

10. Supposez que $y = f(x)$ (voir la figure 2.23) représente le coût pour produire x kg d'un produit chimique. Dans ce cas, $f(x)/x$ représente le coût moyen pour produire 1 kg quand on produit x kg. Ce problème exige que vous représentiez ces moyennes graphiquement.

   a) Montrez comment représenter $f(4)/4$ comme la pente d'une droite.
   b) Quelle est la valeur la plus grande, $f(3)/3$ ou $f(4)/4$?

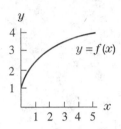

Figure 2.23

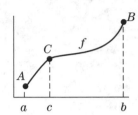

Figure 2.24

11. Considérez la fonction illustrée à la figure 2.24.

   a) Écrivez une expression faisant intervenir f pour représenter la pente de la droite joignant A et B.
   b) Tracez la droite tangente au point C. Comparez la pente de cette tangente à la pente de la droite de la partie a).
   c) Y a-t-il d'autres points sur la courbe pour lesquels la pente de la tangente est la même que la pente de la tangente au point C ? Si oui, indiquez-les sur le graphe. Sinon, expliquez pourquoi.

12. Le tableau 2.6 montre les valeurs de $f(x) = x^3$ à proximité de $x = 2$ (avec trois décimales exactes). Utilisez ce tableau pour calculer $f'(2)$.

TABLEAU 2.6

x	1,998	1,999	2,000	2,001	2,002
x^3	7,976	7,988	8,000	8,012	8,024

Trouvez les dérivées pour les problèmes 13 à 18 de manière algébrique.

13. $g(t) = 3t^2 + 5t$ en $t = -1$ 14. $f(x) = 5x^2$ en $x = 10$ 15. $f(x) = x^3$ en $x = -2$

16. $f(x) = x^3 + 5$ en $x = 1$ 17. $g(x) = 1/x$ en $x = 2$ 18. $g(z) = z^{-2}$, trouvez $g'(2)$

Dans les problèmes 19 à 22, trouvez l'équation de la droite tangente à chacune des fonctions au point indiqué.

19. $f(x) = x^3$ en $x = -2$ 20. $f(x) = 5x^2$ en $x = 10$

21. $f(x) = x$ en $x = 20$ 22. $f(x) = 1/x^2$ en $(1, 1)$

23. Trouvez la valeur de la dérivée de $f(x) = x^2 + 1$ en $x = 3$ de manière algébrique. Trouvez l'équation de la droite tangente de f en $x = 3$.

24. Trouvez l'équation de la droite tangente de $f(x) = x^2 + x$ en $x = 3$. Tracez le graphe de la fonction et de sa droite tangente.

25. a) Estimez $f'(0)$ si $f(x) = \sin x$ avec x exprimé en degrés.
   b) À l'exemple 4, on a trouvé que la dérivée de $\sin x$ en $x = 0$ était égale à 1. Pourquoi obtenez-vous un résultat différent ici ? (Ce problème démontre pourquoi le radian est généralement privilégié comme unité dans le calcul différentiel et intégral.)

26. Estimez la dérivée de $f(x) = x^x$ en $x = 2$.

27. Pour $y = f(x) = 3x^{3/2} - x$, utilisez une calculatrice pour construire le graphe de $y = f(x)$ pour $0 \le x \le 2$. À partir de ce graphe, estimez $f'(0)$ et $f'(1)$.

28. Soit $f(x) = \ln(\cos x)$. Utilisez une calculatrice pour estimer le taux de variation instantané de f au point $x = 1$. Répétez l'opération pour $x = \pi/4$. [Conseil : Assurez-vous que la calculatrice est réglée en radians.]

29. Il existe une fonction appelée la fonction d'erreur, $y = \text{erf}(x)$. Supposez que la calculatrice a un bouton pour $\text{erf}(x)$ qui vous donne les valeurs suivantes :

    $$\text{erf}(0) = 0 \quad \text{erf}(1) = 0,842\,700\,79 \quad \text{erf}(0,1) = 0,112\,462\,92 \quad \text{erf}(0,01) = 0,011\,283\,42.$$

    a) Servez-vous de ces valeurs pour déterminer la meilleure évaluation de $\text{erf}'(0)$. (Ne donnez que les chiffres dont vous êtes raisonnablement certains.)
    b) Supposez que vous trouviez que $\text{erf}(0,001) = 0,001\,128\,38$. Comment cette information supplémentaire changerait-elle la réponse à la partie a) ?

30. a) À l'aide d'une calculatrice, évaluez la dérivée de la fonction sinus hyperbolique (qui s'écrit $\sinh x$) aux points 0, 0,3, 0,7 et 1.
    b) Pouvez-vous trouver une relation entre les valeurs de cette dérivée et les valeurs du cosinus hyperbolique (qui s'écrit $\cosh x$) ?

31. La population P de la Chine (en milliards de personnes) peut être représentée par la fonction

    $$P = 1,15(1,014)^t,$$

    où t est le nombre d'années depuis le début de 1993. À l'aide de ce modèle, calculez le taux de croissance de la population au début de 1993 et au début de 1995. Exprimez votre réponse en millions de personnes par année.

32. a) Tracez les graphes des fonctions $f(x) = \frac{1}{2}x^2$ et $g(x) = f(x) + 3$ sur le même ensemble d'axes. Que pouvez-vous dire des pentes des tangentes à ces deux graphes au point $x = 0$? au point $x = 2$? en tout point $x = x_0$?
    b) Expliquez pourquoi, si vous ajoutez une valeur constante C à chacune des fonctions, cet ajout ne changera pas la valeur de la pente du graphe en quelque point que ce soit. [Conseil : Soit $g(x) = f(x) + C$; calculez les taux moyens de variation pour f et g.]

33. Supposez que le tableau 2.4 est prolongé avec des valeurs très petites de h. Une calculatrice quelconque donne les résultats du tableau 2.7. (Votre calculatrice pourrait donner des résultats sensiblement différents.) Expliquez les valeurs des taux moyens de variation indiqués au tableau 2.7. En particulier, pourquoi la dernière valeur de $(2^h - 1)/h$ est-elle égale à zéro ? À quelle valeur vous attendez-vous pour $(2^h - 1)/h$ quand $h = 10^{-20}$?

TABLEAU 2.7 *Valeurs à vérifier des taux moyens de variation de 2^x à proximité de $x = 0$*

h	Taux moyen de variation : $(2^h - 1)/h$
10^{-4}	0,693 171 2
10^{-6}	0,693 147
10^{-8}	0,693 1
10^{-10}	0,69
10^{-12}	0

2.3 LA FONCTION DÉRIVÉE

Dans la section précédente, on a étudié la dérivée d'une fonction en un point fixe. On considère maintenant la dérivée en une variété de points. Puisque celle-ci prend généralement des valeurs différentes en des points différents, elle devient elle-même une fonction.

D'abord, il faut se souvenir que la dérivée d'une fonction en un point représente le taux de variation de la valeur de la fonction en ce point. Géométriquement, si on grossit un point du graphe jusqu'à ce qu'il ressemble à une droite, la pente de cette droite est la dérivée en ce point. De manière équivalente, on peut considérer la dérivée comme la pente de la droite tangente en ce point, puisque lorsqu'on grossit le visionnement, plus la courbe et la droite tangente se confondent.

Exemple 1   Estimez la dérivée de la fonction $f(x)$ tracée à la figure 2.25 au point $x = -2, -1, 0, 1, 2, 3, 4, 5$.

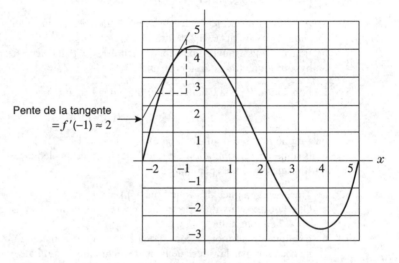

Figure 2.25 : Approximation de la dérivée comme étant la pente de la droite tangente

Solution   À partir de ce graphe, on estime que la dérivée en tout point peut être obtenue en plaçant une règle de telle sorte qu'elle forme une tangente en ce point, puis en calculant la pente de la règle à l'aide de la grille. Par exemple, la tangente en $x = -1$ est illustrée à la figure 2.25 et elle a une pente d'environ 2, de telle sorte que $f'(-1) \approx 2$. À noter que la pente en $x = -2$ est positive et relativement grande. La pente en $x = -1$ est positive mais plus faible. En $x = 0$, la pente est négative et en $x = 1$, elle est encore plus négative, etc. On trouvera un certain nombre d'approximations de la dérivée au tableau 2.8. Si on examine ces valeurs, peut-on dire qu'elles sont raisonnables ? La dérivée est-elle positive aux points prévus ? Est-elle négative ?

TABLEAU 2.8   *Estimations de la dérivée de la fonction de la figure 2.25*

x	-2	-1	0	1	2	3	4	5
$f'(x)$	6	2	-1	-2	-2	-1	1	4

Il est important de noter que pour toute valeur de x, il existe une valeur correspondante de la dérivée. Par suite, la dérivée est elle-même une fonction de x.

> Pour toute fonction f, on définit la **fonction dérivée** f' par
>
> $$f'(x) = \text{Taux de variation de } f \text{ en } x = \lim_{h \to 0} \frac{f(x + h) - f(x)}{h}.$$

Pour toutes les valeurs de x pour lesquelles cette limite existe, on dit que f est *dérivable en* cette valeur de x. Si la limite existe pour toutes les valeurs x du domaine de f, on dit que f est *dérivable partout*. Les fonctions avec lesquelles on travaillera par la suite sont toutes dérivables en tous points du domaine, excepté peut-être en quelques points isolés.

La fonction dérivée : le modèle graphique

Exemple 2   Tracez le graphe de la dérivée de la fonction illustrée à la figure 2.25.

Solution   On place sur la courbe les valeurs de la dérivée obtenue au tableau 2.8. On obtient la figure 2.26 qui montre un graphe de la dérivée (f') ainsi que la fonction originale (f).

On vérifie par soi-même que ce graphe de f' est raisonnable. Les valeurs de f' sont positives quand f croît ($x < -0,3$ ou $x > 3,8$) et sont négatives quand f décroît. À noter qu'au point où f a la plus grande pente positive, comme $x = -2$, le graphe de la dérivée est bien au-dessus de l'axe des x, comme on doit s'y attendre puisque la valeur de la dérivée est très grande. Par ailleurs, aux points où la courbe a une pente douce telle qu'en $x = -1$, le graphe de f' est beaucoup plus proche de l'axe des x puisque la dérivée est petite.

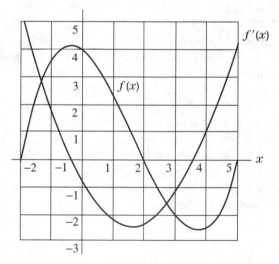

Figure 2.26 : Fonction originale (f) et sa dérivée (f') extraites de l'exemple 1

Quelle est la signification du modèle graphique de la dérivée ?

Quand f' est positive, la droite tangente à f a une pente croissante ; quand f' est négative, la droite tangente à f a une pente décroissante. Si $f' = 0$ en tous points, alors la droite tangente à f est horizontale partout et f demeure constante. Autrement dit, le signe de f' permet de savoir si la fonction f est croissante ou décroissante.

> Si $f' > 0$ sur un intervalle, alors f est *croissante* sur cet intervalle.
> Si $f' < 0$ sur un intervalle, alors f est *décroissante* sur cet intervalle.

De plus, l'amplitude de la dérivée indique l'amplitude du taux de variation. Ainsi, si f' est grande (positive ou négative), alors le graphe de f est très abrupt (vers le haut ou vers le bas), tandis que si f' est petite, le graphe de f est adouci. En gardant ces constatations en mémoire, on peut en déduire quantité d'informations à propos du comportement d'une fonction à partir de celui de sa dérivée.

La fonction dérivée : le modèle numérique

On considère la table des valeurs d'une fonction au lieu du graphe de cette fonction. On peut estimer les valeurs de la dérivée de la manière suivante.

Exemple 3

Le tableau 2.9 indique les valeurs de $c(t)$, qui représente la concentration (en microgrammes par centimètre cube) d'une solution dans le système sanguin au temps t (en minutes). Construisez une table des valeurs estimées pour $c'(t)$, soit le taux de variation de $c(t)$ en fonction du temps.

TABLEAU 2.9 *Concentration comme fonction du temps*

t (min)	0	0,1	0,2	0,3	0,4	0,5	0,6	0,7	0,8	0,9	1,0
$c(t)$ (μg/cm^3)	0,84	0,89	0,94	0,98	1,00	1,00	0,97	0,90	0,79	0,63	0,41

Solution

On cherche à estimer les valeurs de c' en utilisant les valeurs du tableau. Pour ce faire, on suppose que les points donnés sont suffisamment proches les uns des autres pour que la concentration ne varie pas de manière significative entre ces points. À partir du tableau, on constate que la concentration croît entre $t = 0$ et $t = 0,4$, de telle sorte qu'on s'attend à une dérivée positive sur cet intervalle. Cependant, l'accroissement étant plus lent, on doit donc avoir une dérivée faible. La concentration ne change pas entre 0,4 et 0,5. On obtient alors une dérivée proche de zéro sur cet intervalle. De $t = 0,5$ à $t = 1,0$, la concentration commence à décroître et le taux de décroissance devient de plus en plus fort, de telle sorte qu'on aura une dérivée négative d'amplitude de plus en plus grande.

À partir des données du tableau, on peut donc estimer la dérivée en utilisant le taux moyen de variation

$$c'(t) \approx \frac{c(t + h) - c(t)}{h}.$$

Puisque les mesures sont prises à des intervalles de 0,1 de part et d'autre, on prend $h = 0,1$ et, ainsi, on estime que

$$c'(0) \approx \frac{c(0,1) - c(0)}{0,1} = \frac{0,89 - 0,84}{0,1} = 0,5 \ \mu\text{g/cm}^3/\text{min}$$

$$c'(0,1) \approx \frac{c(0,2) - c(0,1)}{0,1} = \frac{0,94 - 0,89}{0,1} = 0,5 \ \mu\text{g/cm}^3/\text{min}$$

$$c'(0,2) \approx \frac{c(0,3) - c(0,2)}{0,1} = \frac{0,98 - 0,94}{0,1} = 0,4 \ \mu\text{g/cm}^3/\text{min}$$

$$c'(0,3) \approx \frac{c(0,4) - c(0,3)}{0,1} = \frac{1,00 - 0,98}{0,1} = 0,2 \ \mu\text{g/cm}^3/\text{min}$$

$$c'(0,4) \approx \frac{c(0,5) - c(0,4)}{0,1} = \frac{1,00 - 1,00}{0,1} = 0,0 \ \mu\text{g/cm}^3/\text{min, etc.}$$

On retrouve ces valeurs dans le tableau 2.10. À noter que la dérivée est positive et faible jusqu'à $t = 0,4$ où elle est proche de zéro ; puis elle devient de plus en plus négative comme on s'y attendait. Les pentes sont indiquées sur le graphique de $c(t)$ à la figure 2.27.

TABLEAU 2.10
Estimation de la dérivée
des concentrations

t	$c'(t)$
0	0,5
0,1	0,5
0,2	0,4
0,3	0,2
0,4	0,0
0,5	−0,3
0,6	−0,7
0,7	−1,1
0,8	−1,6
0,9	−2,2

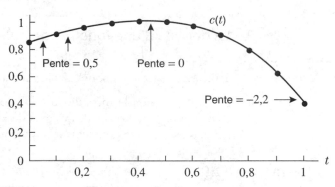

Figure 2.27 : Graphe des concentrations en fonction du temps

L'amélioration de l'estimation numérique de la dérivée

Dans l'exemple 3, on a estimé la dérivée en $t = 0,2$ en utilisant un intervalle qui partait de 0,2 et allait vers la droite. On a trouvé le taux moyen de variation entre $t = 0,2$ et $t = 0,3$. Cependant, on peut aussi faire ce même calcul en allant vers la gauche et prendre le taux de variation entre $t = 0,1$ et $t = 0,2$ afin de se rapprocher de la dérivée en 0,2. Pour un résultat plus précis, on peut faire la moyenne de ces pentes et dire que

$$c'(0,2) \approx \frac{1}{2}\left(\begin{array}{c}\text{Pente à la gauche} \\ \text{de } 0,2\end{array} + \begin{array}{c}\text{Pente à la droite} \\ \text{de } 0,2\end{array}\right) = \frac{0,5 + 0,4}{2} = 0,45 .$$

En général, la moyenne des pentes permet d'obtenir une réponse plus précise.

La fonction dérivée : à partir d'une formule

Si on a une formule pour f, est-il possible de trouver une formule pour f' ? Le plus souvent oui, comme le montre l'exemple 4. En fait, la puissance du calcul différentiel dépend principalement de la capacité de trouver des formules pour les dérivées de toutes les fonctions qu'on a décrites précédemment. Cette méthode sera expliquée de manière systématique au chapitre 4.

La dérivée d'une fonction constante

Le graphe d'une fonction constante $f(x) = k$ est une droite horizontale de pente zéro partout. Par suite, sa dérivée est zéro partout (voir la figure 2.28).

$$\boxed{\text{Si } f(x) = k, \text{ alors } f'(x) = 0.}$$

Figure 2.28 : Fonction constante

La dérivée d'une fonction linéaire

Nous savons également que la pente d'une droite est une constante. Par conséquent, la dérivée d'une fonction linéaire sera constante.

$$\text{Si } f(x) = b + mx, \text{ alors } f'(x) = \text{pente} = m.$$

La dérivée d'une fonction de puissance

Exemple 4   Trouvez une formule pour calculer la dérivée de $f(x) = x^2$.

Solution   Avant de calculer la formule de $f'(x)$ de manière algébrique, on essaie de deviner la formule en examinant un modèle des valeurs de $f'(x)$. Le tableau 2.11 présente les valeurs de $f(x) = x^2$ (arrondies à trois décimales), ce qui permettra d'estimer la valeur de $f'(1)$, de $f'(2)$ et de $f'(3)$.

TABLEAU 2.11   *Valeurs de $f(x) = x^2$ à proximité de $x = 1$, de $x = 2$ et de $x = 3$ (arrondies à trois décimales)*

x	x^2	x	x^2	x	x^2
0,999	0,998	1,999	3,996	2,999	8,994
1,000	1,000	2,000	4,000	3,000	9,000
1,001	1,002	2,001	4,004	3,001	9,006
1,002	1,004	2,002	4,008	3,002	9,012

À proximité de $x = 1$, la valeur de x^2 croît d'environ 0,002 chaque fois que x croît de 0,001. Donc,

$$f'(1) \approx \frac{0,002}{0,001} = 2.$$

De la même façon, à proximité de $x = 2$ et de $x = 3$, les valeurs de x^2 croissent respectivement d'environ 0,004 et 0,006, lorsque x croît de 0,001. Donc,

$$f'(2) \approx \frac{0,004}{0,001} = 4 \quad \text{et} \quad f'(3) \approx \frac{0,006}{0,001} = 6.$$

La connaissance des valeurs de f' à des points spécifiques ne peut donner la formule exacte pour f' ; en revanche, cela permet certainement de la définir. Par exemple, si on sait que $f'(1) \approx 2, f'(2) \approx 4, f'(3) \approx 6$, cela suggère que $f'(x) = 2x$.

La dérivée est calculée en formant le quotient de la variation de f et de la variation de x et en prenant la limite pour h tendant vers zéro. Le taux moyen de variation est

$$\frac{f(x + h) - f(x)}{h} = \frac{(x + h)^2 - x^2}{h} = \frac{x^2 + 2xh + h^2 - x^2}{h} = \frac{2xh + h^2}{h}.$$

Puisque h n'atteint jamais zéro, on peut diviser l'expression finale de manière à obtenir $2x + h$. La limite de cette expression quand h tend vers zéro est $2x$, de telle sorte que

$$f'(x) = \lim_{h \to 0} (2x + h) = 2x.$$

Exemple 5   Calculez $f'(x)$ si $f(x) = x^3$.

Solution   On observe le taux moyen de variation

$$\frac{f(x + h) - f(x)}{h} = \frac{(x + h)^3 - x^3}{h}.$$

Après expansion, on obtient $(x+h)^3 = x^3 + 3x^2h + 3xh^2 + h^3$, de telle sorte que

$$f'(x) = \lim_{h \to 0} \frac{x^3 + 3x^2h + 3xh^2 + h^3 - x^3}{h} = \lim_{h \to 0} \frac{3x^2h + 3xh^2 + h^3}{h}.$$

Puisqu'en prenant la limite pour $h \to 0$, on considère les valeurs de h proches mais non égales à zéro, on peut diviser par h, ce qui donne

$$f'(x) = \lim_{h \to 0} \frac{3x^2h + 3xh^2 + h^3}{h} = \lim_{h \to 0} (3x^2 + 3xh + h^2).$$

Tandis que $h \to 0$, la valeur de $(3xh + h^2) \to 0$ de telle sorte que

$$f'(x) = \lim_{h \to 0} (3x^2 + 3xh + h^2) = 3x^2.$$

Les exemples 4 et 5 montrent comment calculer les dérivées des fonctions de puissance de la forme $f(x) = x^n$ quand n est égal à 2 ou à 3. On peut utiliser le théorème du binôme (tiré de la section « Gros plan sur la théorie » du présent chapitre) de manière à démontrer que pour tout n entier positif,

$$\boxed{\text{Si } f(x) = x^n, \text{ alors } f'(x) = nx^{n-1}.}$$

Ce résultat est un fait établi valable pour toute valeur réelle de n.

Problèmes de la section 2.3

Pour les problèmes 1 à 9, tracez un graphe de la fonction dérivée de chacune des fonctions ci-après.

1.

2.
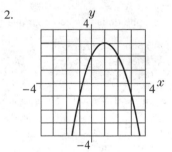

3.
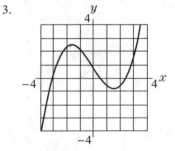

4.
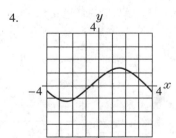

5.
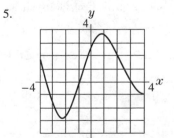

6.
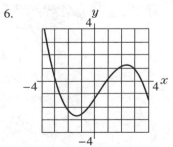

7. 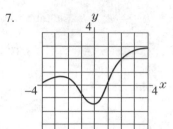   8. 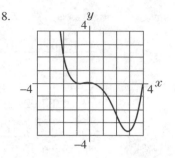   9.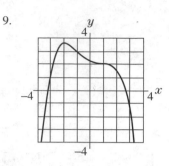

10. a) Tracez une courbe de pente douce qui sera toujours positive et qui croîtra graduellement.
    b) Tracez une courbe de pente douce qui sera toujours positive et qui décroîtra graduellement.
    c) Tracez une courbe de pente douce qui sera toujours négative et qui croîtra graduellement (c'est-à-dire qui deviendra de moins en moins négative).
    d) Tracez une courbe de pente douce qui sera toujours négative et qui décroîtra graduellement (c'est-à-dire qui deviendra de plus en plus négative).

11. En considérant les valeurs numériques montrées ci-dessous, trouvez les valeurs approximatives de la dérivée de $f(x)$ pour chacune des valeurs x données. À quel moment le taux de variation de $f(x)$ devient-il positif ? devient-il négatif ? semble-t-il être le plus grand ?

x	0	1	2	3	4	5	6	7	8
$f(x)$	18	13	10	9	9	11	15	21	30

12. Les valeurs de x et leurs valeurs correspondantes $g(x)$ sont présentées dans le tableau ci-dessous. Pour quelle valeur de x, la valeur correspondante $g'(x)$ sera-t-elle la plus proche de 3 ?

x	2,7	3,2	3,7	4,2	4,7	5,2	5,7	6,2
$g(x)$	3,4	4,4	5,0	5,4	6,0	7,4	9,0	11,0

Trouvez une formule algébrique pour les dérivées des fonctions des problèmes 13 à 16.

13. $g(x) = 2x^2 - 3$ 14. $k(x) = 1/x$ 15. $l(x) = 1/x^2$ 16. $m(x) = 1/(x+1)$

17. Tracez le graphe de la fonction continue $y = f(x)$ qui satisfait les trois conditions suivantes :

- $f'(x) > 0$ pour $x < -2$,
- $f'(x) < 0$ pour $-2 < x < 2$,
- $f'(x) = 0$ pour $x > 2$.

18. Tracez le graphe d'une fonction continue $y = f(x)$ qui satisfait les trois conditions suivantes :

- $f'(x) > 0$ pour $-\frac{\pi}{2} < x < \frac{\pi}{2}$,
- $f'(x) < 0$ pour $-\pi < x < -\frac{\pi}{2}$ et $\frac{\pi}{2} < x < \pi$,
- $f'(x) = 0$ à $x = -\frac{\pi}{2}$ et $x = \frac{\pi}{2}$.

Pour les problèmes 19 à 22, tracez le graphe de $f(x)$ et utilisez-le pour tracer le graphe de $f'(x)$.

19. $f(x) = x^2$ 20. $f(x) = x(x-1)$ 21. $f(x) = \cos x$ 22. $f(x) = \log x$

Pour les problèmes 23 à 28, tracez le graphe de $y = f'(x)$ pour les fonctions illustrées ci-dessous.

23. 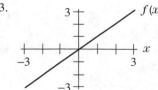   24.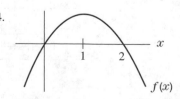

25.

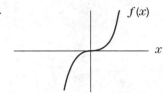

26.

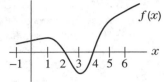

27.

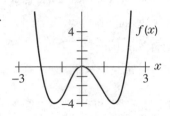

28.

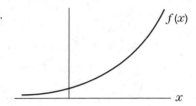

29. Sur le graphe de f de la figure 2.29, pour quelle valeur de x trouvez-vous :

   a) $f(x)$ le plus grand ?   b) $f(x)$ le plus petit ?
   c) $f'(x)$ le plus grand ?   d) $f'(x)$ le plus petit ?

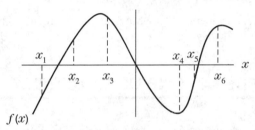

Figure 2.29

30. Considérez un véhicule qui se déplace sur une route rectiligne. Supposez que $f(t)$ exprime la distance du véhicule à partir de son point de départ au temps t. Quel est le graphe de la figure 2.30 qui pourrait représenter $f'(t)$ pour les scénarios suivants ? (On supposera que les échelles sur les axes verticaux sont toutes les mêmes.)

   a) Un autobus est sur sa route normale et il n'y a pas de trafic.
   b) Une voiture circule dans une zone sans trafic, et tous les feux de circulation sont verts.
   c) Une voiture est prise dans un trafic dense.

i)

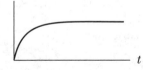

ii)

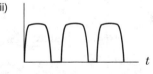

iii)

Figure 2.30

31. Un enfant gonfle un ballon, le regarde un instant, puis laisse l'air s'en échapper à un taux constant. Si $V(t)$ est le volume du ballon au temps t, alors la figure 2.31 représente $V'(t)$ en fonction de t.

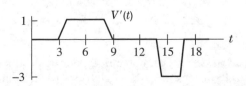

Figure 2.31

Dites à quel moment l'enfant :
a) commence à souffler le ballon.
b) finit de souffler le ballon.
c) commence à laisser l'air s'en échapper.
d) À quoi ressemblerait le graphe $V'(t)$ si l'enfant alternait entre pincer et relâcher l'embouchure du ballon au lieu de laisser l'air s'échapper à un taux constant ?

32. L'évolution de la population d'un troupeau de chevreuils est modélisée par la fonction suivante :

$$P(t) = 4000 + 500 \sin\left(2\pi t - \frac{\pi}{2}\right),$$

où t indique le nombre d'années depuis le 1er janvier.

a) Quelle est la variation de cette population dans le temps ? Tracez un graphe de $P(t)$ pour une année.
b) Utilisez ce graphe pour décider si au cours d'une année le troupeau atteint sa population maximale. Quel est ce maximum ? Y a-t-il un minimum ? Si oui, quand ?
c) À l'aide de ce graphe, décidez à quel moment la population croît le plus rapidement et décroît le plus rapidement.
d) Évaluez approximativement à quel taux cette population varie le 1er juillet.

33. En considérant un graphe, expliquez pourquoi si $f(x)$ est une fonction paire, alors $f'(x)$ est une fonction impaire.

34. En examinant un graphe, expliquez pourquoi si $g(x)$ est une fonction impaire, alors $g'(x)$ est une fonction paire.

2.4   DES INTERPRÉTATIONS DE LA DÉRIVÉE

On a déjà démontré que la dérivée peut être interprétée comme une pente ou comme un taux de variation. Dans cette section, on considérera des exemples d'autres interprétations. Le but n'est pas de dresser un catalogue des interprétations possibles, mais d'illustrer le processus qui permet de les obtenir.

Une autre notation pour la dérivée

Jusqu'à présent, on a utilisé la notation f' pour représenter la dérivée d'une fonction f. Une autre notation pour les dérivées a été proposée par le mathématicien allemand Wilhelm Gottfried Leibniz (1646-1716) lorsque le calcul différentiel et intégral a été développé la toute première fois. Si la variable y dépend de la variable x, alors

$$y = f(x)\,;$$

on représente alors par dy/dx la dérivée, de telle sorte que

$$\frac{dy}{dx} = f'(x).$$

La notation de Leibniz est assez suggestive, en particulier si on interprète la lettre d dans dy/dx comme étant la « petite différence dans... » La notation dy/dx rappelle que la dérivée est une limite du ratio de la forme

$$\frac{\text{Différence des valeurs de } y}{\text{Différence des valeurs de } x}.$$

La notation dy/dx est commode pour déterminer les unités de la dérivée. En effet, les unités de dy/dx sont les unités de y divisées par les unités de x. Les deux entités distinctes dy et dx n'ont aucune signification indépendante. Elles font toutes deux partie d'une seule et même notation. En fait, une bonne manière formelle d'envisager la notation dy/dx est de l'imaginer sous la forme d/dx d'un symbole unique qui signifie « la dérivée en fonction de x... ». Ainsi, dy/dx peut être interprété comme

$$\frac{d}{dx}(y), \quad \text{qui signifie « la dérivée de } y \text{ par rapport à } x \text{ ».}$$

D'un autre point de vue, plusieurs scientifiques et mathématiciens considèrent dy et dx comme deux entités distinctes représentant des différences infinitésimalement petites de y et de x, même s'il est difficile de comprendre exactement ce que le mot *infinitésimal* veut dire. Bien que cette formulation ne soit pas absolument correcte, elle peut être très utile pour comprendre intuitivement dy/dx sous la forme d'une variation infiniment petite de y divisée par une variation infiniment petite de x.

Par exemple, on se rappelle que si $s = f(t)$ représente la position d'un objet mobile au temps t, alors $v = f'(t)$ est la vitesse de ce même objet au temps t. En écrivant

$$v = \frac{ds}{dt}$$

on se rappelle que v est la vitesse, puisque la notation suggère une distance ds parcourue sur un intervalle dt, et on sait que la distance par rapport au temps représente la vitesse. De la même façon, on reconnaît que

$$\frac{dy}{dx} = f'(x)$$

est la pente du graphe de $y = f(x)$ en se souvenant que la pente est l'accroissement vertical dy sur l'accroissement horizontal dx.

Le désavantage de la notation de Leibniz est qu'elle est compliquée lorsqu'il s'agit de représenter les valeurs de x pour lesquelles on évalue la dérivée. Par exemple, pour représenter $f'(2)$, on devrait écrire

$$\left. \frac{dy}{dx} \right|_{x=2}.$$

L'utilité des unités d'interprétation de la dérivée

Les exemples suivants démontrent l'utilité des unités lorsqu'il s'agit d'interpréter la dérivée.

Par exemple, on suppose que $s = f(t)$ exprime la distance (en mètres) d'un objet à partir d'un point fixe en fonction du temps t (en secondes). Alors, en sachant que

$$\left. \frac{ds}{dt} \right|_{t=2} = f'(2) = 10 \text{ m/s}$$

on constate que lorsque $t = 2$ s, alors le corps se déplace à une vitesse instantanée de 10 m/s. Ce résultat signifie que si l'objet continue à se déplacer à la même vitesse pendant une autre seconde complète, il parcourra 10 m de plus. En réalité, la vitesse de l'objet pourrait changer et donc ne pas rester à la vitesse de 10 m/s pour bien longtemps. À noter que les unités de vitesse instantanée et de vitesse moyenne sont les mêmes. De fait, les unités du taux moyen de variation et du taux de variation instantané sont *toujours* les mêmes.

Exemple 1 Le coût C (en dollars) de construction d'un bâtiment ayant une surface A (en pieds carrés) est donné par la fonction $C = f(A)$. Quelle est l'interprétation pratique de la fonction $f'(A)$?

Solution On prend la notation

$$f'(A) = \frac{dC}{dA}.$$

Celle-ci représente le coût divisé par la surface et mesure (en dollars) le prix du pied carré. On peut en déduire que dC est le coût supplémentaire pour construire un espace dA supplémentaire et que dC/dA est le coût additionnel par pied carré. Ainsi, si on prévoit construire un bâtiment d'une surface d'environ A pi^2, $f'(A)$ sera le coût par pied carré de construction d'une surface *additionnelle* et sera appelé le *coût marginal*. Le coût marginal est probablement plus petit que le coût moyen par pied carré pour le bâtiment complet, puisqu'une fois qu'on a convenu de construire le bâtiment principal, le coût d'agrandissement par pied carré est normalement beaucoup plus bas.

Exemple 2   Le coût d'extraction de T tonnes de minerai de cuivre est égal à $C = f(T)$ \$. Que signifie l'expression $f'(2000) = 100$?

Solution   On utilise la nouvelle notation

$$f'(2000) = \left.\frac{dC}{dT}\right|_{T=2000} = 100 \, .$$

Puisque C est mesuré en dollars et T en tonnes, dC/dT doit être mesuré en dollars par tonne. Par suite, l'expression $f'(2000) = 100$ signifie que lorsqu'on a déjà extrait 2000 tonnes de minerai, le coût pour extraire 1 tonne de plus est d'approximativement 100 \$.

Exemple 3   Si $q = f(p)$ indique le nombre de livres de sucre produit quand le prix unitaire est de p \$, quelles sont les unités et la signification de

$$f'(3) = 50 \, ?$$

Solution   Puisque $f'(3)$ est la limite quand $h \to 0$ de

$$\frac{f(3+h) - f(3)}{h}$$

et que $f(3+h) - f(3)$ représente des livres et h des dollars, les unités du dernier quotient sont des livres par dollar. Puisque $f'(3)$ est la limite du quotient précédent, ses unités sont également des livres par dollar. L'énoncé

$$f'(3) = 50 \text{ lb/\$}$$

signifie que le taux de variation de q respectivement à p est de 50 quand $p = 3$. En reformulant cette expression, on peut dire que lorsque le prix est de 3 \$, la quantité produite croît de 50 lb par dollar supplémentaire. Il s'agit d'un taux de variation instantané, ce qui signifie que si le taux demeure à 50 lb/\$ et si le prix augmente de 1 \$ entier, la quantité produite augmentera approximativement de 50 lb. En fait, le taux ne restera sans doute pas constant et, par conséquent, la quantité produite ne sera probablement pas d'exactement 50 lb. On remarque que les unités de la dérivée et du taux moyen de variation sont encore les mêmes.

Exemple 4   Une conduite d'eau a un débit constant de 10 pi^3/s. Interprétez ce taux comme la dérivée d'une autre fonction.

Solution   D'abord, on considère que l'énoncé a un rapport avec la vitesse de l'eau. Cependant, un débit de 10 pi^3/s peut être obtenu soit par un écoulement très lent au travers d'un gros tuyau, soit par un écoulement très rapide au travers d'un tuyau étroit. Si on tient compte des unités, qui sont en pieds cubes par seconde, on s'aperçoit qu'elles représentent un taux de variation de la quantité en pieds cubes. Le pied cube étant une mesure de volume, le taux de variation concernera le volume. On peut, par exemple, imaginer que l'eau s'écoule au travers du tuyau pour aboutir dans un réservoir. Soit $V(t)$ le volume de l'eau dans le réservoir au temps t. Dans ce cas, le taux de variation de $V(t)$ est égal à 10 ou

$$V'(t) = \frac{dV}{dt} = 10 \, .$$

Exemple 5 Supposez que $P = f(t)$ est la population du Mexique exprimée en millions de personnes et t le nombre d'années depuis 1980. Expliquez la signification des énoncés ci-après.

a) $f'(6) = 2$ b) $f^{-1}(95,5) = 16$ c) $(f^{-1})'(95,5) = 0,46$

Solution a)   Les unités de P sont des millions de personnes, les unités de t sont des années, donc les unités de $f'(t)$ sont des millions de personnes par année. Par conséquent, l'énoncé $f'(6) = 2$ indique qu'à $t = 6$ (c'est-à-dire en 1986), la population du Mexique était en croissance avec un taux de 2 millions de personnes par année.

b) $f^{-1}(95,5) = 16$ indique que l'année où la population était de 95,5 millions de personnes est $t = 16$ (c'est-à-dire l'année 1996).

c)   Les unités de la dérivée $(f^{-1})'(P)$ sont des années par million de population. L'énoncé $(f^{-1})'(95,5) = 0,46$ indique que l'année où la population était de 95,5 millions de personnes, il fallait à peu près 0,46 année pour que la population s'accroisse de 1 million.

Problèmes de la section 2.4

1. Soit $f(x)$ la hauteur (en pieds) du Mississipi à x mi de sa source. Quelles sont les unités de $f'(x)$? Que pouvez-vous dire du signe de $f'(x)$?

2. La température T (en degrés Fahrenheit) d'un plat froid dans un four très chaud est obtenue par $T = f(t)$, où t est le temps (en minutes) depuis que le plat a été placé dans le four.

   a) Quel est le signe de $f'(t)$? Et pourquoi ?
   b) Quelles sont les unités de $f'(20)$? Quelle est la signification pratique de l'énoncé $f'(20) = 2$?

3. Supposez que $P(t)$ est le versement mensuel (en dollars) d'une hypothèque sur t années. Quelles sont les unités de $P'(t)$? Quelle est la signification pratique de $P'(t)$? Quel est son signe ?

4. Supposez que $C(r)$ est le coût total d'une voiture louée à un taux annuel de r %. Quelles sont les unités de $C'(r)$? Quelle est la signification pratique de $C'(r)$? Quel est son signe ?

5. Après avoir investi 1000 \$ à un taux d'intérêt annuel de 7 % composé continuellement pendant t années, votre avoir sera de B \$, où $B = f(t)$. Quelles sont les unités de dB/dt ? Quelle est l'interprétation financière de dB/dt ?

6. Si vous investissez 1000 \$ à un taux d'intérêt annuel de r % composé continuellement pendant 10 ans, votre avoir sera de B \$, où $B = g(r)$. Quelle est l'interprétation financière des énoncés ci-après ?

   a) $g(5) \approx 1649$
   b) $g'(5) \approx 165$. Quelles sont les unités de $g'(5)$?

7. Un fabricant de crème glacée sait que le coût C (en dollars) pour produire une quantité g (en litres) de crème glacée est une fonction de g telle que $C = f(g)$.

   a) Si $f(200) = 70$, quelles sont les unités du nombre 200 ? Quelles sont les unités du nombre 70 ? Expliquez clairement ce que cette égalité vous apprend.
   b) Si $f'(200) = 3$, quelles sont les unités du nombre 200 ? Quelles sont les unités du nombre 3 ? Expliquez clairement ce que cette égalité vous apprend.

8. Un économiste s'intéresse à la manière dont le prix de certains articles influe sur les ventes. Supposez qu'une quantité q est vendue pour le prix de p \$. Si $q = f(p)$, expliquez la signification de chacun des énoncés ci-après.

   a) $f(150) = 2000$ b) $f'(150) = -25$

9. Soit $p(h)$ la pression (en dynes par centimètre carré) exercée sur une foreuse à une profondeur de h m sous la surface de l'océan. Que signifie chacune des quantités suivantes en ce qui concerne la foreuse ? Donnez les unités de ces quantités.

   a) $p(100)$

   b) h tel que $p(h) = 1,2 \cdot 10^6$

   c) $p(h) + 20$

   d) $p(h + 20)$

   e) $p'(100)$

   f) h tel que $p'(h) = 20$

10. Soit $f(t)$ le nombre de centimètres de pluie tombée depuis minuit, où t est le temps (en heures). Interprétez les expressions suivantes de manière pratique en donnant les unités.

    a) $f(10) = 3,1$
    b) $f^{-1}(10) = 16$
    c) $f'(8) = 0,4$
    d) $(f^{-1})'(5) = 2$

11. Soit W la quantité d'eau (en gallons) dans une baignoire au temps t (en minutes).

    a) Quelle est la signification et quelles sont les unités de dW/dt ?
    b) Supposez que la baignoire est remplie au temps t_0 de telle sorte que $W(t_0) > 0$. Puis, au temps $t_p > t_0$, on retire le bouchon. Est-ce que dW/dt est positif, négatif ou zéro dans les situations suivantes :

       i)   pour $t_0 < t < t_p$?
       ii) après qu'on a retiré le bouchon ?
       iii) quand toute l'eau s'est vidée de la baignoire ?

12. Supposez que w est le poids d'une quantité de papier dans un bac ouvert et que t représente le temps. On lance une allumette allumée dans le bac de papier au temps $t = 0$.

    a) Quel est le signe de dw/dt pour t durant la période pendant laquelle le papier est en train de brûler ?
    b) Quel est le comportement de dw/dt qui indique que le feu est éteint ?
    c) Si le feu est d'abord circonscrit, mais qu'il prenne de l'ampleur durant un certain intervalle de temps, alors est-ce que dw/dt sera croissant ou décroissant sur cet intervalle ? Que diriez-vous de $|dw/dt|$?

13. Si $g(v)$ est la consommation d'essence (en milles par gallon) d'une voiture allant à la vitesse v (en milles par heure), quelles sont les unités de $g'(55)$? Quelle est la signification pratique de l'énoncé $g'(55) = -0,54$?

14. a) Si vous sautez d'un avion sans parachute, vous tomberez de plus en plus vite jusqu'à ce que la résistance du vent vous freine pour approcher une vitesse stable appelée vitesse *terminale*. Tracez un graphe de la vitesse en fonction du temps.
    b) Expliquez la concavité du graphe obtenu.
    c) Supposez que la résistance du vent est négligeable à $t = 0$. Quel phénomène naturel est représenté par la pente du graphe en $t = 0$?

15. Les revenus d'un concessionnaire de voitures C (en milliers de dollars) est une fonction de ses dépenses de publicité a également mesurées en milliers de dollars. Supposez que $C = f(a)$.

    a) Comment pouvez-vous représenter les espoirs de la société au moyen du signe de f' ?
    b) Que signifie l'énoncé $f'(100) = 2$ en termes pratiques ? Que signifie $f'(100) = 0,5$?
    c) Supposez que le budget de publicité de la société est d'environ 100 000 $. Si $f'(100) = 2$, est-ce que la société doit dépenser plus ou moins que 100 000 $ en publicité ? Que se passerait-il si $f'(100) = 0,5$?

16. Soit $P(x)$ le nombre d'Américains dont la grandeur est $\leq x$ po. Quelle est la signification de $P'(66)$? Quelles sont les unités ? Évaluez $P'(66)$ (avec bon sens). $P'(x)$ est-il toujours négatif ? [Conseil : Vous devriez essayer d'estimer $P'(66)$ par le taux de variation avec $h = 1$. Vous pouvez également supposer que la population des États-Unis est d'environ 250 millions d'individus et que 66 po = 5 pi 6 po.]

2.5 LA DÉRIVÉE SECONDE

Puisque la dérivée est elle-même une fonction, on peut considérer sa propre dérivée. Pour une fonction f, la dérivée de la dérivée est appelée la *dérivée seconde* et s'écrit f'' (lire f seconde).

Si $y = f(x)$, la dérivée seconde peut également s'écrire $\dfrac{d^2 y}{dx^2}$, ce qui signifie $\dfrac{d}{dx}\left(\dfrac{dy}{dx}\right)$, soit la dérivée de $\dfrac{dy}{dx}$.

Que signifient les dérivées ?

Il faut se rappeler que les dérivées d'une fonction indiquent si la fonction est croissante ou décroissante :

- si $f' > 0$ sur un intervalle, alors f est *croissante* sur cet intervalle ;
- si $f' < 0$ sur un intervalle, alors f est *décroissante* sur cet intervalle.

Puisque f'' est la dérivée de f',

- si $f'' > 0$ sur un intervalle, alors f' est *croissante* sur cet intervalle ;
- si $f'' < 0$ sur un intervalle, alors f' est *décroissante* sur cet intervalle.

Que signifie que f' soit croissante ou décroissante ? Un exemple de f' croissante est illustré à la figure 2.32. On remarque que la courbe est incurvée vers le haut (ou concave vers le haut). Dans l'exemple illustré à la figure 2.33, f' est décroissante et on remarque que le graphe est incurvé vers le bas (ou concave vers le bas). Ces figures permettent d'énoncer :

Si $f'' > 0$ sur un intervalle, alors f' est croissante sur cet intervalle, et le graphe de f est donc concave vers le haut.

Si $f'' < 0$ sur un intervalle, alors f' est décroissante sur cet intervalle, et le graphe de f est donc concave vers le bas.

Figure 2.32 : Signification de f'' : la pente croît de la gauche vers la droite ; f'' est positive et f est concave vers le haut

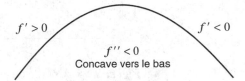

Figure 2.33 : Signification de f'' : la pente décroît de la gauche vers la droite ; f'' est négative et f est concave vers le bas

---

Exemple 1 Pour les fonctions dont le graphe est illustré à la figure 2.34 (page suivante), on dira dans quel cas la dérivée seconde est positive et dans quel cas elle est négative.

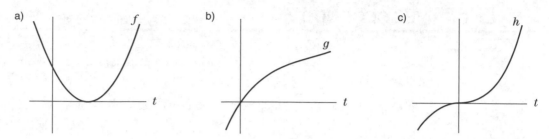

Figure 2.34 : Quels sont les signes des dérivées secondes ?

Solution   À partir de ces graphes, il apparaît que :
   a) $f'' > 0$ partout, parce que le graphe de f est concave vers le haut partout.
   b) $g'' < 0$ partout, parce que le graphe est concave vers le bas partout.
   c) $h'' < 0$ pour $t < 0$, parce que le graphe est concave vers le bas sur cet intervalle ; $h'' > 0$ pour $t > 0$, parce que le graphe de h est concave vers le haut sur cet intervalle.

L'interprétation de la dérivée seconde comme taux de variation

Si on considère que la dérivée représente un taux de variation, alors la dérivée seconde représente le taux de variation d'un taux de variation. Si la dérivée seconde est positive, le taux de variation de f est croissant ; si la dérivée seconde est négative, le taux de variation de f est décroissant.

La dérivée seconde est parfois au cœur de la réflexion. En 1985, un journal titrait que le Congrès avait réduit le budget du Secrétariat de la Défense. En réponse à cette accusation, les opposants firent remarquer que le Congrès n'avait fait que réduire le taux de croissance du budget de la Défense[2]. En d'autres termes, la dérivée du budget de la Défense était toujours positive (le budget continuait à croître), mais la dérivée seconde était négative (le taux d'accroissement du budget était ralenti).

Exemple 2   Une population P dans un environnement fermé progresse souvent selon une courbe de croissance *logistique* comme celle qui est illustrée à la figure 2.35. Utilisez d^2P/dt^2 pour décrire à quel taux la population croît dans le temps. Quelles sont les interprétations pratiques de t_0 et de L ?

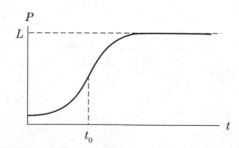

Figure 2.35 : Courbe de croissance logistique

Solution   À l'origine, la population croît à un taux croissant. Ainsi, à l'origine, dP/dt est croissant et $d^2P/dt^2 > 0$. À t_0, le taux auquel la population croît est maximal. En d'autres termes, à t_0 la population a une croissance plus rapide. Après t_0, le taux de croissance de la population ralentit

---

2.   Dans le *Boston Globe* du 13 mars 1985, on a rapporté que le représentant William Gray (D-PA.) a dit : « Le peuple américain est dérouté lorsqu'on lui laisse entendre que le Congrès compromet la sécurité nationale lorsqu'il fait des réductions alors que, en réalité, c'est de réduction du taux de croissance dont il est question. »

et ainsi $d^2P/dt^2 < 0$. À t_0, la courbe qui était concave vers le haut devient concave vers le bas, et $d^2P/dt^2 = 0$ en ce point.

La quantité L représente la valeur limite de la population quand $t \to \infty$. Les biologistes appellent L la *capacité limite* d'un environnement.

Exemple 3   Des tests effectués sur la Corvette Chevy C5 donnent les résultats[3] illustrés au tableau 2.12.
  a)   Évaluez dv/dt pour les intervalles illustrés.
  b)   Que pouvez-vous dire du signe de d^2v/dt^2 pendant la période indiquée ?

TABLEAU 2.12   *Vitesse de la Corvette Chevy C5*

Temps t (s)	0	3	6	9	12
Vitesse v (m/s)	0	20	33	43	51

Solution   a)   Sur chacun des intervalles, on doit calculer le taux moyen de variation de la vitesse. Par exemple, de $t = 0$ à $t = 3$, on a

$$\frac{dv}{dt} \approx \text{Taux moyen de variation de } v = \frac{20 - 0}{3 - 0} = 6{,}67 \ \frac{\text{m/s}}{\text{s}}$$

Le tableau 2.13 présente les estimations de dv/dt.
  b)   Puisque les valeurs de dv/dt sont décroissantes, $d^2v/dt^2 < 0$. Le graphe de v par rapport à t de la figure 2.36 confirme cette affirmation car il est concave vers le bas. Le signe de $dv/dt > 0$ indique que la voiture accélère.
  Le signe de $d^2v/dt^2 < 0$ indique que le taux de variation décroît pendant cette période.

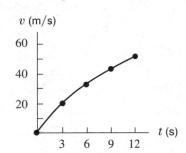

Figure 2.36 : Vitesse de la Corvette Chevy C5

TABLEAU 2.13   *Estimations de dv/dt [(m/s)/s]*

Intervalle (s)	0 − 3	3 − 6	6 − 9	9 − 12
Taux moyen de variation (dv/dt)	6,67	4,33	3,33	2,67

La vitesse et l'accélération

La voiture de l'exemple 3 a une vitesse croissante ; on dit qu'elle accélère. On définit donc l'*accélération* comme le taux de variation de la vitesse en fonction du temps. Si $v(t)$ est la vitesse d'un objet au temps t, on a

$$\text{Accélération moyenne de } t \text{ à } t + h = \frac{v(t + h) - v(t)}{h}.$$

---

3.   Adapté du rapport tiré de *Car and Driver*, février 1997.

$$\text{Accélération instantanée} = v'(t) = \lim_{h \to 0} \frac{v(t + h) - v(t)}{h}$$

Si le terme *vitesse* (ou accélération) est utilisé seul, on supposera que la vitesse est instantanée. Puisque la vitesse est la dérivée de la position, l'accélération est la dérivée seconde de la position. En résumé,

Si $y = s(t)$ est la position d'un objet au temps t, alors

- Vitesse : $v(t) = \dfrac{dy}{dt} = s'(t)$.

- Accélération : $a(t) = \dfrac{d^2 y}{dt^2} = s''(t) = v'(t)$.

Exemple 4

Une particule se déplace le long d'une ligne droite. Si sa distance s à droite d'un point fixe est donnée par la figure 2.37, évaluez

    a)   à quel moment la particule se déplace vers la droite et à quel moment elle se déplace vers la gauche ;

    b)   à quel moment la particule a une accélération positive et à quel moment elle a une accélération négative.

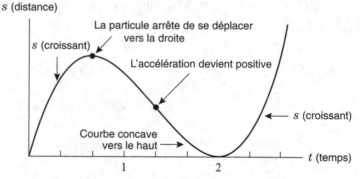

Figure 2.37 : Distance d'une particule qui se déplace
vers la droite par rapport à un point fixe

Solution

    a)   La particule se déplace vers la droite chaque fois que s est croissant. En examinant le graphe, on constate que ce phénomène apparaît pour $0 < t < \frac{2}{3}$ et $t > 2$. Pour $\frac{2}{3} < t < 2$, la valeur de s est décroissante et la particule se déplace donc vers la gauche.

    b)   La particule a une accélération positive chaque fois que la courbe est concave vers le haut, ce qui apparaît pour $t > \frac{4}{3}$. La particule a une accélération négative quand la courbe est concave vers le bas, c'est-à-dire pour $t < \frac{4}{3}$.

Problèmes de la section 2.5

Pour les problèmes 1 à 6, donnez les signes des dérivées première et seconde pour chacune des fonctions ci-après.

1.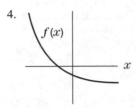

2.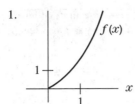

3.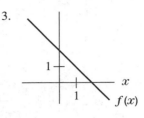

4.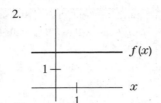

5.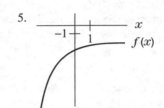

6.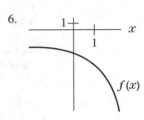

7. Une voiture sport passe de 0 mi/h à 60 mi/h en 5 s. Sa vitesse est donnée dans le tableau 2.14, qui convertit les milles par heure en pieds par seconde afin que les mesures soient exprimées en secondes. (Remarque : 1 mi/h est égal à 22/15 pi/s.) Trouvez l'accélération moyenne de la voiture au cours des deux premières secondes.

TABLEAU 2.14

Temps t (s)	0	1	2	3	4	5
Vitesse $v(t)$ (pi/s)	0	30	52	68	80	88

8. Soit $P(t)$ le prix de l'action d'une corporation au temps t. Que signifient les énoncés suivants en ce qui concerne les signes des dérivées première et seconde de $P(t)$?

   a) « Le prix de l'action croît de plus en plus vite. »
   b) « Le prix de l'action a *presque atteint son cours le plus bas.* »

9. « Vaincre la pauvreté » a été décrit de manière cynique comme ralentir le taux auquel la population tombe en dessous du seuil de pauvreté. Supposez que cet énoncé est vrai.

   a) Tracez le graphe du nombre total de personnes qui vivent en dessous du seuil de pauvreté en fonction du temps.
   b) Si N est le nombre de personnes vivant en dessous du seuil de pauvreté au temps t, quels sont les signes de dN/dt et de d^2N/dt^2 ?

10. En économie, l'*utilité totale* représente le taux de satisfaction maximale à propos d'un produit. Selon l'économiste Samuelson[4] :

    Au fur et à mesure qu'un même produit est consommé, l'utilité (psychologique) totale croît. Cependant, ...au fur et à mesure qu'apparaissent de nouveaux produits, l'utilité totale connaîtra une croissance de plus en plus lente en raison de la tendance naturelle à apprécier davantage des produits concurrents.

    a) Illustrez l'utilité totale comme une fonction du nombre d'unités consommées.
    b) Comment pouvez-vous représenter en termes de dérivées l'affirmation de Samuelson ?

11. En avril 1991, le journal *The Economist* publiait un article[5] qui disait :

    Soudainement, partout, ce n'est plus le taux de variation des choses qui importe, mais le taux de variation du taux de variation. Plus personne ne se soucie de l'inflation ; on se soucie simplement de savoir si elle augmente ou diminue. Ou plutôt, si elle accélère ou ralentit. « L'inflation

4. SAMUELSON, Paul A., *Economics*, 11ᵉ éd., New York, McGraw-Hill, 1981.

5. Extrait de « The Tyranny of Differential Calculus : $d^2P/dt^2 > 0$ = misery », *The Economist*, Londres, 6 avril 1991.

chute de deux points » s'écrie la Bourse, ce qui peut signifier que les prix continuent de croître, mais moins vite qu'auparavant, bien que cela ne soit pas aussi lentement que tout le monde l'espérait.

La dernière phrase de cet article contient trois énoncés concernant les prix. Rédigez ces énoncés sous forme de dérivées.

12. Au Pérou, IBM se sert des dérivées secondes pour évaluer le succès relatif de leurs diverses campagnes de publicité. Les dirigeants estiment que toutes les campagnes produisent un certain accroissement des ventes. Si un graphe des ventes en fonction du temps montre une dérivée seconde positive durant une nouvelle campagne de publicité, que doivent en déduire les dirigeants d'IBM ? Pourquoi ? Quelle signification aurait une dérivée seconde négative pendant une campagne de publicité ?

13. Une industrie est accusée par l'Agence de protection de l'environnement d'avoir déversé un degré inacceptable de polluants toxiques dans un lac. Sur une période de sept mois, une firme d'experts-conseils effectue des mesures quotidiennes pour connaître le taux de déversement des polluants dans le lac.

Supposez que la firme produise un graphe similaire à celui de la figure 2.38 a) ou à celui de la figure 2.38 b). Imaginez dans chaque cas l'argumentation que l'Agence de protection de l'environnement devrait présenter à la Cour contre cette industrie et quelle serait la défense de cette dernière.

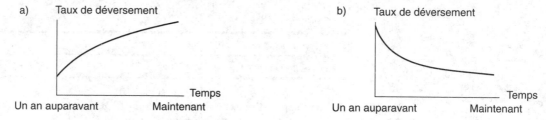

Figure 2.38 : Déversements toxiques

14. En tenant compte des données suivantes :

x	0	0,2	0,4	0,6	0,8	1,0
$f(x)$	3,7	3,5	3,5	3,9	4,0	3,9

a) Estimez $f'(0,6)$ et $f'(0,5)$.

b) Estimez $f''(0,6)$.

c) Où croyez-vous que les valeurs maximale et minimale de f sont atteintes sur l'intervalle $0 \leq x \leq 1$?

15. Le graphe de la fonction $f(x)$ est illustré à la figure 2.39. Sur une copie du tableau ci-dessous, indiquez le signe de f, de f' et de f'' pour chaque point indiqué (positif, négatif ou zéro).

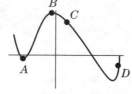

Figure 2.39

Point	f	f'	f''
A			
B			
C			
D			

16. Le graphe de f' (et non de f) est illustré à la figure 2.40. Pour quelle valeur de x trouvez-vous :

a) $f(x)$ le plus grand ?   b) $f(x)$ le plus petit ?   c) $f'(x)$ le plus grand ?

d) $f'(x)$ le plus petit ?   e) $f''(x)$ le plus grand ?   f) f'' le plus petit ?

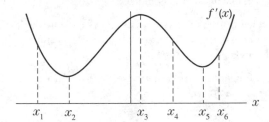

Figure 2.40 : Remarquez que ce graphe est celui de f'

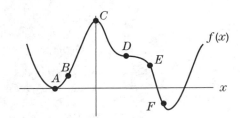

Figure 2.41

17. Quels sont les points du graphe illustré à la figure 2.41 qui ont :

a) f' et f'' différents de zéro et du même signe ?
b) au moins deux des valeurs f, f' ou f'' égales à zéro ?

18. La distance d'une voiture à partir de sa position initiale t minutes après son départ est donnée par l'équation $s(t) = 5t^2 + 3$ km. Quelles sont la vitesse et l'accélération de la voiture au temps t ? Précisez les unités.

SOMMAIRE DU CHAPITRE

- **Taux de variation**
  Moyen, instantané.

- **Définition de la dérivée**
  Taux moyen de variation, limite.

- **Évaluation et calcul des dérivées**
  Évaluer les dérivées à partir d'un graphe, d'un tableau de valeurs ou de formules. Utiliser la définition pour trouver les dérivées des fonctions simples de manière algébrique. Connaître les dérivées d'une fonction constante, d'une fonction linéaire et d'une fonction de puissance.

- **Interprétation des dérivées**
  Taux de variation, vitesse instantanée, pente, utilisation des unités.

- **Dérivée seconde**
  Concavité de la courbe, accélération.

- **Utilisation des dérivées**
  Compréhension de la relation entre le signe de f' et la croissance de la fonction f. Tracé du graphe de f' à partir du graphe de f.

PROBLÈMES DE RÉVISION DU CHAPITRE DEUX

1. Un cycliste pédale à une allure constante et alterne avec des parcours en roues libres à intervalles constants. Dessinez le graphe de la distance parcourue par ce cycliste en fonction du temps.

2. Quand vous quittez votre domicile, vous commencez par aller très vite, puis vous ralentissez et vous accélérez de nouveau. Tracez un graphe de la distance parcourue depuis votre domicile en fonction du temps.

3. a) Construisez un tableau des valeurs (arrondies à deux décimales) pour $f(x) = \log x$ (soit log en base 10) avec $x = 1$, 1,5, 2, 2,5 et 3. Puis, utilisez ce tableau pour répondre aux parties b) et c).
   b) Trouvez le taux moyen de variation de $f(x)$ entre $x = 1$ et $x = 3$.
   c) Utilisez les taux moyens de variation pour calculer approximativement le taux de variation instantané de $f(x)$ au point $x = 2$.

4. Pour la fonction $f(x) = \log x$, évaluez $f'(1)$. À partir du graphe de $f(x)$, vous attendriez-vous à ce que votre estimation soit plus grande ou moins grande que $f'(1)$?

5. Pour $f(x) = \ln x$, construisez les tableaux (de valeurs arrondies à quatre décimales) à proximité de $x = 1$, de $x = 2$, de $x = 5$ et de $x = 10$. Utilisez ces tableaux pour estimer $f'(1)$, $f'(2)$, $f'(5)$ et $f'(10)$. Puis, proposez une formule générale pour $f'(x)$.

6. En fonction des valeurs de la fonction de Bessel $J_0(x)$ du tableau 2.15, quelle est votre meilleure estimation pour la dérivée de $J_0(x)$ en $x = 0,5$?

TABLEAU 2.15

x	0	0,1	0,2	0,3	0,4	0,5
$J_0(x)$	1,0	0,9975	0,9900	0,9776	0,9604	0,9385

x	0,6	0,7	0,8	0,9	1,0	
$J_0(x)$	0,9120	0,8812	0,8463	0,8075	0,7652	

Tracez les graphes des dérivées des fonctions illustrées aux problèmes 7 à 12. Assurez-vous que vos tracés respectent les caractéristiques principales des fonctions originales.

7.
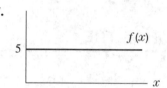

8.
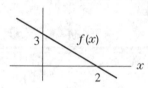

9.
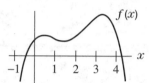

10.
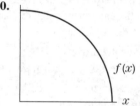

11.
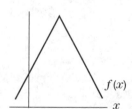

12.
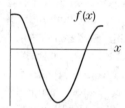

Trouvez une formule algébrique pour calculer les dérivées des fonctions des problèmes 13 et 14.

13. $f(x) = 5x^2 + x$

14. $n(x) = \dfrac{1}{x} + 1$.

15. a) Sur le même ensemble d'axes, tracez $f(x) = \sin x$ et $g(x) = \sin 2x$ à partir de $x = 0$ jusqu'à $x = 2\pi$.
   b) Sur un deuxième ensemble d'axes, tracez les graphes de $f'(x)$ et $g'(x)$ et comparez-les. (Faites attention en comparant les pentes de $f(x)$ et de $g(x)$ à chacun des points.)

16. Les valeurs du tableau 2.16 pour la fonction $y = k(x)$ permettent-elles de dire que la fonction $k(x)$ est concave vers le haut ou concave vers le bas pour $1 \leq x \leq 3,3$? Justifiez votre réponse.

TABLEAU 2.16

x	1,0	1,2	1,5	1,9	2,5	3,3
$k(x)$	4,0	3,8	3,6	3,4	3,2	3,0

17. Une pomme de terre vient d'être sortie du four et est en train de refroidir avant d'être consommée. La température T de la pomme de terre (en degrés Fahrenheit) est fonction du temps qu'elle a passé dans le four ; t est le temps (en minutes). Par conséquent, on a $T = f(t)$.

a) $f'(t)$ est-elle positive ou négative ? Pourquoi ?
b) Quelles sont les unités pour $f'(t)$?

18. Un économiste s'intéresse aux effets du prix sur la vente d'un certain produit. Supposez qu'à un prix p \$, une quantité q de ce produit est vendue. Si $q = f(p)$, expliquez en termes économiques la signification des énoncés $f(10) = 240\,000$ et $f'(10) = -29\,000$.

19. On demande à des étudiants d'estimer $f'(4)$ à partir du tableau ci-dessous qui montre les valeurs de la fonction f.

x	1	2	3	4	5	6
$f(x)$	4,2	4,1	4,2	4,5	5,0	5,7

- L'étudiant A estime que la dérivée est $f'(4) \approx \dfrac{f(5)-f(4)}{5-4} = 0,5$.

- L'étudiant B estime que la dérivée est $f'(4) \approx \dfrac{f(4)-f(3)}{4-3} = 0,3$.

- L'étudiant C suggère qu'on devrait séparer la différence et calculer la moyenne de ces deux résultats, c'est-à-dire $f'(4) \approx \frac{1}{2}(0,5 + 0,3) = 0,4$.

a) Tracez le graphe de f et indiquez comment ces trois estimations sont représentées sur le graphe.

b) Expliquez quelle réponse est, selon vous, la meilleure.

c) En vous servant de la méthode de l'étudiant C, trouvez une formule algébrique qui s'approche de $f'(x)$ en utilisant des incréments de taille h.

20. Chacun des graphes de la figure 2.42 montre la position d'une particule en mouvement le long de l'axe des x en fonction du temps $0 \le t \le 5$. Les échelles verticales du graphe sont les mêmes. Durant cet intervalle, quelle particule a :

a) une vitesse constante ? b) la vitesse initiale la plus grande ?

c) la vitesse moyenne la plus grande ? d) la vitesse moyenne nulle ?

e) l'accélération nulle ? f) une accélération positive partout ?

I) 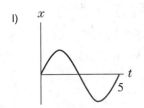 II) 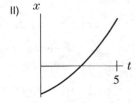 III) 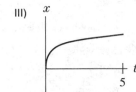 IV)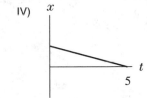

Figure 2.42

21. Une personne atteinte d'une maladie du foie commence par démontrer des concentrations de plus en plus grandes de certaines enzymes [appelées SGOT (sérum glutama oxaloacétique transaminase) et SGPT (sérum glutama pyruvique transaminase)] dans le sang. Plus le mal progresse, plus la concentration des enzymes décroît, d'abord au niveau qui précédait la maladie et même jusqu'à zéro (lorsque presque toutes les cellules du foie sont mortes). La surveillance de la présence de ces enzymes permet aux médecins de suivre l'état du patient. Soit $C = f(t)$, qui représente la concentration des enzymes dans le sang en fonction du temps.

a) Tracez le graphe possible de $C = f(t)$.

b) Marquez sur le graphe les intervalles où $f' > 0$ et où $f' < 0$.

c) Que représente $f'(t)$ en termes simples ?

22. La population d'un troupeau de chevreuils est modélisée par

$$P(t) = 4000 + 400 \sin\left(\frac{\pi}{6}t\right) + 180 \sin\left(\frac{\pi}{3}t\right)$$

où t représente les mois écoulés depuis le 1er avril.

a) À l'aide d'une calculatrice ou d'un ordinateur, tracez le graphe de la variation de ce troupeau en fonction du temps.

En vous référant au graphe de la partie a), répondez aux questions suivantes :

b) À quel moment le troupeau est-il le plus nombreux ? Combien y a-t-il de chevreuils à ce moment-là ?

c) À quel moment le troupeau est-il le moins nombreux ? Combien y a-t-il de chevreuils à ce moment-là ?

d) À quel moment le troupeau croît-il le plus rapidement ? À quel moment décroît-il le plus rapidement ?

e) Avec quelle rapidité le troupeau est-il en croissance le 1er avril ?

23. Soit $g(x) = \sqrt{x}$ et $f(x) = kx^2$, où k est une constante.

a) Trouvez la pente de la droite tangente au graphe de g au point $(4, 2)$.

b) Trouvez l'équation de cette tangente.

c) Si le graphe de f passe par le point $(4, 2)$, trouvez k.

d) À quel point le graphe de f coupe-t-il la tangente ?

24. L'équation d'un cercle dont le centre est à l'origine des axes et dont le rayon est de longueur $\sqrt{19}$ est $x^2 + y^2 = 19$. Tracez ce cercle.

a) Seulement par observation du graphe, que pouvez-vous dire à propos de la pente de la droite tangente à ce cercle au point $(0, \sqrt{19})$? Que pouvez-vous dire de la pente de la tangente au point $(\sqrt{19}, 0)$?

b) Estimez la pente de la tangente à ce cercle au point $(2, -\sqrt{15})$ en traçant avec précaution la tangente en ce point.

c) Utilisez le résultat de la partie b) et la propriété de symétrie du cercle pour trouver les pentes des tangentes tracées à ce cercle aux points $(-2, \sqrt{15})$, $(-2, -\sqrt{15})$ et $(2, \sqrt{15})$.

25. Une fonction continue, définie pour toutes les valeurs de x, a les propriétés suivantes :

- f est croissante.   • f est concave vers le bas.   • $f(5) = 2$.   • $f'(5) = \frac{1}{2}$.

a) Tracez un graphe possible pour f.   b) Combien de zéros f contient-il ?

c) Que pouvez-vous dire sur la localisation de ces zéros ?   d) Quelle est la valeur de $\lim\limits_{x \to -\infty} f(x)$?

e) Est-il possible que $f'(1) = 1$?   f) Est-il possible que $f'(1) = \frac{1}{4}$?

26. Le nombre d'heures H d'ensoleillement à Madrid est une fonction de t, qui est le nombre de jours depuis le début de l'année. La figure 2.43 illustre une période d'un mois du graphe de H.

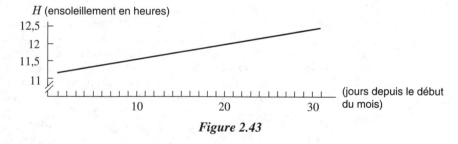

Figure 2.43

a) Que pensez-vous de la forme de ce graphe ? Pourquoi ressemble-t-il à une droite ?

b) Quel est le mois qui est illustré par ce graphe ? Comment le savez-vous ?

c) Quelle est la pente approximative de cette droite ? Que signifie-t-elle en termes simples ?

27. Supposez que vous placez une pomme de terre dans un four très chaud que vous maintenez à une température constante de 200 °C. La température de la pomme de terre s'accroît progressivement[6].

---

6. TAYLOR, Peter D., *Calculus : The Analysis of Functions*, Toronto, Wall & Emerson, Inc., 1992.

a) Tracez un graphe possible de la température T de la pomme de terre en fonction du temps t (en minutes) depuis qu'elle a été mise dans le four. Expliquez les caractéristiques intéressantes de ce graphe et, en particulier, expliquez sa concavité.

b) Supposez qu'à $t = 30$, la température T de la pomme de terre soit de 120 °C et qu'elle croisse à un taux (instantané) de 2 °C/min. En utilisant cette information et ce que vous savez de la forme du graphe de T, évaluez la température au temps $t = 40$.

c) Supposez de plus qu'à $t = 60$, la température de la pomme de terre est de 165 °C. Pouvez-vous améliorer votre première estimation de la température à $t = 40$?

d) Sur la base de toutes les informations précédentes, estimez le moment où la pomme de terre sera à la température de 150 °C.

GROS PLAN SUR LA THÉORIE

LES LIMITES ET LA CONTINUITÉ

Dans cette section, on donnera des exemples de limites et de continuité qui illustreront la manière dont les définitions formelles sont issues d'idées intuitives.

La définition de la limite

Au début du 19e siècle, le calcul différentiel et intégral démontra sa valeur, et il n'y avait aucun doute en ce qui concerne l'exactitude de ses réponses. Cependant, il a fallu attendre les travaux du mathématicien français Augustin Cauchy (1789-1857) pour obtenir une définition formelle de la limite qui est semblable à la définition suivante :

> Soit une fonction f définie sur un intervalle autour de c, mais non au point $x = c$. On définit la **limite** de la fonction $f(x)$ quand x tend vers c, ce qui s'écrit $\lim_{x \to c} f(x)$, comme étant un nombre L (s'il existe) de telle sorte que $f(x)$ puisse être rendue aussi proche que possible de L chaque fois que x est suffisamment proche de c (mais $x \neq c$). Si L existe, on écrit
>
> $$\lim_{x \to c} f(x) = L\,.$$

En bref, on dira que « aussi proche que possible » et « suffisamment proche » donnent une signification précise quand on utilise des inégalités. Tout d'abord, on étudie $\lim_{\theta \to 0} (\sin \theta / \theta)$ plus en détail (voir l'exemple 4 de la section 2.1).

Exemple 1   En traçant le graphe $y = (\sin \theta)/\theta$ dans une fenêtre appropriée, trouvez à quelle proximité θ doit se trouver de zéro pour que $(\sin \theta)/\theta$ soit à une distance 0,01 de 1.

Solution   Puisqu'on veut que $(\sin \theta)/\theta$ soit à une distance 0,01 de 1, on définit l'intervalle y de la fenêtre graphique entre 0,99 et 1,01. Le premier essai avec $-0,5 \leq \theta \leq 0,5$ conduit à tracer le graphe de la figure 2.44. Puisqu'on veut les valeurs de y à l'intérieur des limites $0,99 < y < 1,01$, il ne faut pas que le graphe déborde de la fenêtre en haut ou en bas. Par approximations successives, on trouve qu'en changeant les limites de θ pour $-0,2 \leq \theta \leq 0,2$, on obtient le graphe de la figure 2.45. Ce graphe permet de penser que $(\sin\theta)/\theta$ sera à une distance de 0,01 de 1 chaque fois que θ est à une distance de 0,2 de 0. La preuve exige une argumentation analytique et non simplement des graphes tracés à l'aide d'une calculatrice.

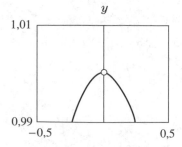

Figure 2.44 : $(\sin\theta)/\theta$
avec $-0,5 \leq \theta \leq 0,5$

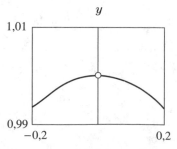

Figure 2.45 : $(\sin\theta)/\theta$
avec $-0,2 \leq \theta \leq 0,2$

Lorsqu'on dit que « $f(x)$ est aussi proche que possible de L », cela signifie qu'on peut spécifier une distance maximale entre $f(x)$ et L. On exprimera cette distance au moyen de valeurs absolues :

$$|f(x) - L| = \text{Distance entre } f(x) \text{ et } L.$$

En utilisant la lettre grecque ϵ (epsilon) pour représenter cette distance, on peut écrire

$$|f(x) - L| < \epsilon$$

afin d'indiquer que la distance maximale entre $f(x)$ et L est moins que ϵ. Dans l'exemple 1, on peut utiliser $\epsilon = 0,01$. D'une manière similaire, on pose que « x est suffisamment proche de c » en spécifiant une distance maximale entre x et c, soit

$$|x - c| < \delta,$$

où δ (lettre grecque delta) indique la proximité de x par rapport à c. Dans l'exemple 1, on trouve $\delta = 0,2$.

Si $\lim\limits_{x \to c} f(x) = L$, quelle que soit l'étroitesse de l'intervalle défini par ϵ à la figure 2.46, il existe toujours une valeur de δ qui permettra que le graphe soit à l'intérieur de l'intervalle pour $c - \delta < x < c + \delta$.

Ainsi, on obtient une nouvelle définition de la limite au moyen de symboles.

Définition de la limite

On définit $\lim\limits_{x \to c} f(x)$ comme étant le nombre L (s'il existe) tel que pour toute valeur $\epsilon > 0$ (aussi petite qu'on le veut), il existe une valeur $\delta > 0$ (suffisamment petite) telle que si $|x - c| < \delta$ et $x \neq c$, alors $|f(x) - L| < \epsilon$.

On réalise que l'essentiel de cette définition réside dans le fait que pour toute valeur ϵ qu'on donne, on doit être capable de déterminer une valeur correspondante δ. Une manière de le faire est de donner une expression explicite pour δ en termes de ϵ.

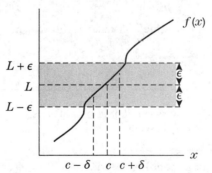

Figure 2.46 : Signification pratique de la définition d'une limite

---

Exemple 2   À l'aide de l'algèbre, trouvez une distance maximale entre x et 2 qui vérifiera que x^2 est à une distance 0,1 de 4. Utilisez une argumentation similaire pour démontrer $\lim\limits_{x \to 2} x^2 = 4$.

Solution   On écrit $x = 2 + h$. On désire trouver les valeurs de h qui rendent $|x^2 - 4| < 0,1$. On sait que

$$x^2 = (2 + h)^2 = 4 + 4h + h^2,$$

tel que x^2 diffère de 4 par $4h + h^2$. Puisqu'on veut $|x^2 - 4| < 0,1$, il faut que

$$|x^2 - 4| = |4h + h^2| = |h| \cdot |4 + h| < 0,1.$$

En supposant que $0 < |h| < 1$, on sait que $|4 + h| < 5$. Donc, il faut que

$$|x^2 - 4| < 5|h| < 0,1.$$

Ainsi, si on choisit h tel que $0 < |h| < 0,1/5 = 0,02$, alors x^2 est à une distance inférieure à 0,1 de 4.

Une argumentation analogue qui utiliserait le tout petit ϵ plutôt que 0,1 démontrerait que si on prend $\delta = \epsilon/5$, alors

$$|x^2 - 4| < \epsilon \quad \text{pour toute valeur de } x \text{ tel que} \quad |x - 2| < \epsilon/5.$$

On a donc utilisé la définition pour démontrer que

$$\lim_{x \to 2} x^2 = 4.$$

Il est important de comprendre que la définition utilisant les ϵ, δ ne simplifie pas le calcul des limites. L'avantage de cette définition est qu'elle donne la possibilité de fonder le calcul différentiel sur des bases rigoureuses. À partir de celles-ci, on peut démontrer les propriétés suivantes (voir les problèmes 13 à 16).

Théorème : Propriétés des limites

Supposez que toutes les limites du membre de droite existent.

1. Si b est une constante, alors $\lim\limits_{x \to c} \big(bf(x)\big) = b\left(\lim\limits_{x \to c} f(x)\right)$.

2. $\lim\limits_{x \to c} \big(f(x) + g(x)\big) = \lim\limits_{x \to c} f(x) + \lim\limits_{x \to c} g(x)$.

3. $\lim\limits_{x \to c} \big(f(x)g(x)\big) = \left(\lim\limits_{x \to c} f(x)\right)\left(\lim\limits_{x \to c} g(x)\right)$.

4. $\lim\limits_{x \to c} \dfrac{f(x)}{g(x)} = \dfrac{\lim_{x \to c} f(x)}{\lim_{x \to c} g(x)}$ en considérant que $\lim\limits_{x \to c} g(x) \neq 0$.

5. Pour toute constante k, $\lim\limits_{x \to c} k = k$.

6. $\lim\limits_{x \to c} x = c$.

Ces propriétés sous-tendent la plupart des calculs de limites et, par conséquent, on s'y référera souvent explicitement.

Exemple 3   Expliquez comment les propriétés de limite servent dans le calcul suivant :

$$\lim_{x \to 3} \frac{x^2 + 5x}{x + 9} = \frac{3^2 + (5)(3)}{3 + 9} = 2.$$

Solution   On calcule cette limite par étapes en utilisant les propriétés des limites pour justifier chacune des étapes :

$$\lim_{x \to 3} \frac{x^2 + 5x}{x + 9} = \frac{\lim\limits_{x \to 3} (x^2 + 5x)}{\lim\limits_{x \to 3} (x + 9)} \qquad \text{Propriété 4 (puisque } \lim_{x \to 3} (x + 9) \neq 0)$$

$$= \frac{\lim\limits_{x \to 3} (x^2) + \lim\limits_{x \to 3} (5x)}{\lim\limits_{x \to 3} x + \lim\limits_{x \to 3} 9} \qquad \text{Propriété 2}$$

$$= \frac{\left(\lim_{x \to 3} x\right)^2 + 5\left(\lim_{x \to 3} x\right)}{\lim_{x \to 3} x + \lim_{x \to 3} 9} \quad \text{Propriétés 1 et 3}$$

$$= \frac{3^2 + (5)(3)}{3 + 9} = 2 . \quad \text{Propriétés 5 et 6}$$

Les limites unilatérales et bilatérales

Quand on écrit

$$\lim_{x \to 2} f(x) ,$$

on désigne le nombre vers lequel tend $f(x)$ au fur et à mesure que x se rapproche de 2 par les *deux côtés*. On examine les valeurs de $f(x)$ au fur et à mesure que x se rapproche de 2 en se servant des valeurs plus grandes que 2 (telles que 2,1, 2,01 ou 2,003) et des valeurs plus petites que 2 (telles que 1,9, 1,99 ou 1,994). Si on veut que x se rapproche de 2 par des valeurs plus grandes que 2, on écrit

$$\lim_{x \to 2^+} f(x)$$

pour désigner la valeur vers laquelle tend $f(x)$ [en supposant qu'elle existe]. De la même façon,

$$\lim_{x \to 2^-} f(x)$$

représente la valeur (si elle existe) obtenue en faisant se rapprocher x de 2 par des valeurs plus petites que 2. On appelle $\lim_{x \to 2^+} f(x)$ la *limite à droite* et $\lim_{x \to 2^-} f(x)$ la *limite à gauche*.

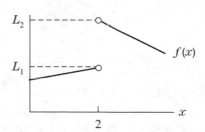

Figure 2.47 : Limites à droite et à gauche de $x = 2$

Pour la fonction de la figure 2.47, on obtient

$$\lim_{x \to 2^-} f(x) = L_1 \qquad \lim_{x \to 2^+} f(x) = L_2 .$$

Si les limites à droite et à gauche sont égales, c'est-à-dire si $L_1 = L_2$, alors il est facile de démontrer que $\lim_{x \to 2} f(x)$ existe et que $\lim_{x \to 2} f(x) = L_1 = L_2$. Puisque, sur la figure 2.47, on constate que $L_1 \neq L_2$, alors $\lim_{x \to 2} f(x)$ n'existe pas dans ce cas.

Le cas des limites inexistantes

Chaque fois qu'il n'existe pas de nombre L tel que $\lim_{x \to c} f(x) = L$, on dit que $\lim_{x \to c} f(x)$ n'existe pas. En dehors des cas pour lesquels les limites à droite et à gauche sont inégales, il existe aussi d'autres cas pour lesquels les limites n'existent pas (voir les exemples 4, 5 et 6).

Exemple 4   Pourquoi $\lim\limits_{x \to 2} \dfrac{|x-2|}{x-2}$ n'existe-t-elle pas ?

Solution   La figure 2.48 illustre le problème. La limite à droite et la limite à gauche sont différentes. Pour $x > 2$, on obtient $|x-2| = x-2$, de telle sorte que lorsque x se rapproche de 2 par la droite,

$$\lim_{x \to 2^+} \frac{|x-2|}{x-2} = \lim_{x \to 2^+} \frac{x-2}{x-2} = \lim_{x \to 2^+} 1 = 1.$$

De la même façon, si $x < 2$, alors $|x-2| = 2-x$ de telle sorte que

$$\lim_{x \to 2^-} \frac{|x-2|}{x-2} = \lim_{x \to 2^-} \frac{2-x}{x-2} = \lim_{x \to 2^-} (-1) = -1.$$

Ainsi, si $\lim\limits_{x \to 2} \dfrac{|x-2|}{x-2} = L$, alors L serait égal à la fois à 1 et à -1. Comme L ne peut avoir deux valeurs différentes, cette limite n'existe pas.

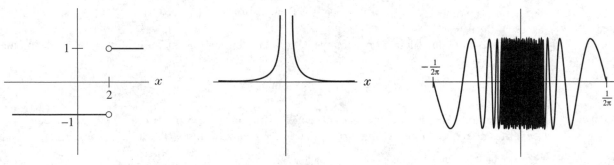

Figure 2.48 : Graphe de $\frac{|x-2|}{x-2}$ **Figure 2.49 :** Graphe de $\frac{1}{x^2}$ **Figure 2.50 :** Graphe de $\sin\left(\frac{1}{x}\right)$

Exemple 5   Pourquoi $\lim\limits_{x \to 0} \dfrac{1}{x^2}$ n'existe-t-elle pas ?

Solution   Plus x se rapproche de zéro, plus la fonction $1/x^2$ devient arbitrairement très grande, de sorte qu'elle ne tend vers aucun nombre fini L (voir la figure 2.49). Par conséquent, on dit que $1/x^2$ n'a pas de limite quand $x \to 0$.

Exemple 6   Pourquoi $\lim\limits_{x \to 0} \sin\left(\dfrac{1}{x}\right)$ n'existe-t-elle pas ?

Solution   On sait que la fonction sinus se situe entre -1 et 1. Le graphe de la figure 2.50 oscille de plus en plus rapidement quand $x \to 0$. Il y a autant de valeurs x proches de zéro qu'on le désire quand $\sin(1/x) = 0$. Il y a aussi autant de valeurs x proches de zéro qu'on le désire quand $\sin(1/x) = 1$. Pour que la limite existe, il faudrait donc qu'elle soit à la fois 0 et 1. Par conséquent, cette limite n'existe pas.

Les limites infinies

On désire parfois connaître le comportement de $f(x)$ quand x devient très grand, autrement dit le comportement à l'infini de f.

Si $f(x)$ se rapproche d'un nombre L quand x devient suffisamment grand, alors on écrit

$$\lim_{x \to \infty} f(x) = L.$$

De la même façon, si $f(x)$ se rapproche de L au fur et à mesure que x devient de plus en plus négatif, alors on écrit

$$\lim_{x \to -\infty} f(x) = L.$$

Le symbole ∞ ne représente pas un nombre. Quand on écrit $x \to \infty$, cela signifie qu'on prend des valeurs arbitraires très grandes de x. Si la limite de $f(x)$ quand $x \to \infty$ ou quand $x \to -\infty$ est L, on dit que le graphe de f a une *asymptote horizontale $y = L$*.

Exemple 7   Analysez $\lim\limits_{x \to \infty} \dfrac{1}{x}$ et $\lim\limits_{x \to -\infty} \dfrac{1}{x}$.

Solution   Un graphe de $f(x) = \frac{1}{x}$ dans une grande fenêtre permet de démontrer que $1/x$ tend vers zéro quand x croît dans une direction positive ou dans une direction négative (voir la figure 2.51). Cette constatation est conforme à ce à quoi on s'attendait puisqu'en divisant 1 par des nombres de plus en plus grands, on obtient des résultats de plus en plus petits. Cela suggère que

$$\lim_{x \to \infty} \frac{1}{x} = \lim_{x \to -\infty} \frac{1}{x} = 0,$$

et que $f(x) = 1/x$ a $y = 0$ comme asymptote horizontale au fur et à mesure que $x \to \pm\infty$.

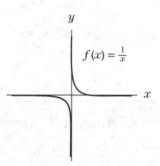

Figure 2.51 : Comportement à l'infini de $f(x) = \frac{1}{x}$

La définition de la continuité

On peut maintenant définir la continuité. Il faut se rappeler que l'idée de continuité interdit les sauts, les ruptures et les trous en exigeant que le comportement d'une fonction à proximité d'un point soit cohérent avec son comportement *en* ce point même.

La fonction f est dite **continue** en $x = c$ si f est définie en $x = c$ et que

$$\lim_{x \to c} f(x) = f(c).$$

En d'autres mots, $f(x)$ peut être aussi près qu'on le veut de $f(c)$ si x est assez proche de c. La fonction est **continue sur l'intervalle** $[a, b]$ si elle est continue en tous points de cet intervalle[7].

---

7. Si c est l'une des extrémités de l'intervalle, on définit la continuité en $x = c$ en utilisant les limites unilatérales au point c.

Les fonctions constantes et $f(x) = x$ sont continues (voir le problème 16). En utilisant la continuité des sommes et des produits, on peut démontrer que tout polynôme est continu. Prouver que $\sin x$, $\cos x$ et e^x sont continus est une opération plus difficile. Le théorème suivant, fondé sur les propriétés des limites déjà énoncées, permet de décider si une fonction donnée est continue.

Théorème : Continuité des sommes, des produits et des quotients de fonctions

On suppose que f et g sont continues sur un intervalle et que b est une constante. Alors, sur le même intervalle,

1. $bf(x)$ est continue ;
2. $f(x) + g(x)$ est continue ;
3. $f(x)g(x)$ est continue ;
4. $f(x)/g(x)$ est continue en supposant que $g(x) \neq 0$ sur cet intervalle.

On démontre la première de ces propriétés.

Preuve   Pour démontrer que $bf(x)$ est continue, on prend un point c quelconque sur l'intervalle. Il faut démontrer que $\lim\limits_{x \to c} bf(x) = bf(c)$. Puisque $f(x)$ est continue, on sait déjà que $\lim\limits_{x \to c} f(x) = f(c)$. Ainsi, la première propriété des limites est

$$\lim_{x \to c} (bf(x)) = b\left(\lim_{x \to c} f(x)\right) = bf(c).$$

Puisque c a été choisie arbitrairement, on a démontré que $bf(x)$ est continue partout sur cet intervalle.

Théorème : Continuité des fonctions composées

Si f *et* g sont continues et si la fonction composée $f(g(x))$ est définie sur un intervalle, alors $f(g(x))$ est continue sur cet intervalle.

Comme on a supposé la continuité de $\sin x$ et de e^x, ce résultat démontre par exemple que $\sin(e^x)$ et $e^{\sin x}$ sont toutes deux des fonctions continues. La preuve de la continuité des fonctions composées est demandée au problème 17.

Problèmes sur les limites et la continuité ━━━━━━━

1. Considérez la fonction $(\sin\theta)/\theta$. Évaluez la proximité à laquelle θ doit être de zéro de façon que $(\sin\theta)/\theta$ soit à une distance 0,001 de 1.

2. La fonction $g(\theta) = (\sin\theta)/\theta$ n'est pas définie en $\theta = 0$. Est-il possible de définir $g(0)$ de telle façon que g soit continue en $\theta = 0$? Justifiez votre réponse.

À l'aide d'un graphe, estimez chacune des limites dans les problèmes 3 à 6.

3. $\lim\limits_{\theta \to 0} \dfrac{\sin(2\theta)}{\theta}$ (utilisez des radians)   4. $\lim\limits_{\theta \to 0} \dfrac{\cos\theta - 1}{\theta}$ (utilisez des radians)

5. $\lim\limits_{\theta \to 0} \dfrac{\sin\theta}{\theta}$ (utilisez des degrés)   6. $\lim\limits_{\theta \to 0} \dfrac{\theta}{\tan(3\theta)}$ (utilisez des radians)

7. Considérez la limite

$$\lim_{x \to 0^+} x^x.$$

Estimez cette limite en considérant x^x pour des valeurs positives de plus en plus petites de x (par exemple $x = 0,1,\ 0,01,\ 0,001,\ ...$) ou en grossissant le graphe de $y = x^x$ à proximité de $x = 0$.

8. a) Donnez un exemple d'une fonction qui satisfait $\lim\limits_{x \to 2} f(x) = \infty$.

   b) Donnez un exemple d'une fonction qui satisfait $\lim\limits_{x \to 2} f(x) = -\infty$.

9. Considérez la fonction $f(x) = \sin(1/x)$.

   a) Trouvez une suite de valeurs x qui s'approchent de zéro de telle sorte que $\sin(1/x) = 0$.
      [Conseil : Considérez le fait que $\sin(\pi) = \sin(2\pi) = \sin(3\pi) = ... = \sin(n\pi) = 0$.]
   b) Trouvez une suite de valeurs x qui s'approchent de zéro de telle sorte que $\sin(1/x) = 1$.
      [Conseil : Considérez le fait que $\sin(n\pi/2) = 1$ si $n = 1, 5, 9, ...$]
   c) Trouvez une suite de valeurs x qui s'approchent de zéro de telle sorte que $\sin(1/x) = -1$.
   d) Expliquez pourquoi les réponses que vous donnez à chacune des parties a) à c) démontrent que $\lim\limits_{x \to 0} \sin(1/x)$ n'existe pas.

10. Rédigez une définition de l'énoncé suivant à la fois en langage courant et en langage symbolique :

$$\lim_{h \to a} g(h) = K.$$

11. Pour chacune des fonctions qui suivent, effectuez les opérations ci-après.

   i)   Trouvez une table de valeurs de $f(x)$ pour $x = a + 0,1,\ a + 0,01,\ a + 0,001,\ a + 0,0001$, $a - 0,1,\ a - 0,01,\ a - 0,001$ et $a - 0,0001$.

   ii) Faites une supposition à propos de la valeur de $\lim\limits_{x \to a} f(x)$.

   iii) Tracez la fonction pour vérifier si elle est cohérente avec les réponses aux parties i) et ii).

   iv) Trouvez un intervalle pour x qui contient a, de telle sorte que la différence entre la limite supposée et la valeur de la fonction soit inférieure à 0,01 sur cet intervalle. (En d'autres mots, trouvez une fenêtre de hauteur 0,02 telle que le graphe déborde des deux côtés de la fenêtre, mais ne dépasse ni en haut ni en bas.)

   a) $f(x) = \dfrac{x^2 - 4}{x - 2}, \quad a = 2$ b) $f(x) = \dfrac{x^2 - 9}{x - 3}, \quad a = 3$

   c) $f(x) = \dfrac{\sin x - 1}{x - \pi/2}, \quad a = \dfrac{\pi}{2}$ d) $f(x) = \dfrac{\sin 5x - 1}{x - \pi/2}, \quad a = \dfrac{\pi}{2}$

   e) $f(x) = \dfrac{e^{2x - 2} - 1}{x - 1}, \quad a = 1$ f) $f(x) = \dfrac{e^{0,5x - 1} - 1}{x - 2}, \quad a = 2$

12. En supposant que les limites quand $x \to \infty$ ont les propriétés énoncées précédemment quand $x \to c$, effectuez une manipulation algébrique pour évaluer $\lim\limits_{x \to \infty}$ dans les cas des fonctions ci-après.

   a) $f(x) = \dfrac{x + 3}{2 - x}$ b) $f(x) = \dfrac{x^2 + 2x - 1}{3 + 3x^2}$

   c) $f(x) = \dfrac{x^2 + 4}{x + 3}$ d) $f(x) = \dfrac{2x^3 - 16x^2}{4x^2 + 3x^3}$

   e) $f(x) = \dfrac{x^4 + 3x}{x^4 + 2x^5}$ f) $f(x) = \dfrac{3e^x + 2}{2e^x + 3}$

   g) $f(x) = \dfrac{2e^{-x} + 3}{3e^{-x} + 2}$

13. Ce problème permet de démontrer la première propriété des limites énoncée précédemment :
$\lim\limits_{x \to c} bf(x) = b \lim\limits_{x \to c} f(x)$.

a) Premièrement, démontrez la propriété dans le cas où $b = 0$.

b) Supposez que $b \neq 0$. Soit $\epsilon > 0$. Démontrez que si $|f(x) - L| < \epsilon/|b|$, alors $|bf(x) - bL| < \epsilon$.

c) Finalement, démontrez que si $\lim\limits_{x \to c} f(x) = L$ alors $\lim\limits_{x \to c} bf(x) = bL$. [Conseil : Choisissez δ de telle sorte que si $|x - c| < \delta$, alors $|f(x) - L| < \epsilon/|b|$.]

14. Démontrez la deuxième propriété des limites : $\lim\limits_{x \to c} \big(f(x) + g(x)\big) = \lim\limits_{x \to c} f(x) + \lim\limits_{x \to c} g(x)$. Supposez que les limites à droite existent.

15. Ce problème permet de démontrer la troisième propriété des limites, qui est

$$\lim_{x \to c} \big(f(x)g(x)\big) = \Big(\lim_{x \to c} f(x)\Big)\Big(\lim_{x \to c} g(x)\Big).$$

(Supposez que les limites à droite existent. Soit $L_1 = \lim_{x \to c} f(x)$ et $L_2 = \lim_{x \to c} g(x)$.

a) Premièrement, démontrez que si $\lim\limits_{x \to c} f(x) = \lim\limits_{x \to c} g(x) = 0$, alors $\lim\limits_{x \to c} \big(f(x)g(x)\big) = 0$.

b) Démontrez de manière algébrique que $f(x)g(x) = \big(f(x) - L_1\big)\big(g(x) - L_2\big) + L_1 g(x) + L_2 f(x) - L_1 L_2$.

c) Au moyen de la deuxième propriété des limites (voir le problème 14), expliquez pourquoi

$$\lim_{x \to c} \big(f(x) - L_1\big) = \lim_{x \to c} \big(g(x) - L_2\big) = 0.$$

d) À partir des résultats des parties a) et c), expliquez pourquoi $\lim\limits_{x \to c} \big(f(x) - L_1\big)\big(g(x) - L_2\big) = 0$.

e) Finalement, utilisez les réponses des parties b) et d), ainsi que la première et la deuxième propriété des limites pour démontrer que $\lim\limits_{x \to c} \big(f(x)g(x)\big) = \Big(\lim\limits_{x \to c} f(x)\Big)\Big(\lim\limits_{x \to c} g(x)\Big)$.

16. Démontrez que les fonctions suivantes sont toutes les deux continues partout.

a) $f(x) = k$ (une constante)   b) $g(x) = x$

17. Ce problème permet de démontrer le théorème de la continuité des fonctions composées, citées précédemment. Si f et g sont continues et que la fonction composée $f\big(g(x)\big)$ est définie sur un intervalle, alors $f\big(g(x)\big)$ est continue sur cet intervalle.

Soit c un point à l'intérieur de l'intervalle, où $f\big(g(x)\big)$ est définie. Il faut démontrer que $\lim\limits_{x \to c} f\big(g(x)\big) = f\big(g(c)\big)$. Soit $d = g(c)$. Alors la continuité de f en d signifie que $\lim\limits_{y \to d} f(y) = f(d)$. Par conséquent, pour une valeur $\epsilon > 0$, vous pouvez choisir $\delta > 0$ de sorte que $|y - d| < \delta$ implique $|f(y) - f(d)| < \epsilon$.

Prenez maintenant $y = g(x)$ et démontrez que la continuité de g signifie que vous pouvez trouver une valeur $\delta_1 > 0$ telle que si $|x - c| < \delta_1$, alors $|g(x) - d| < \delta$. Expliquez comment cette affirmation établit la continuité de $f\big(g(x)\big)$ en $x = c$.

Pour chaque valeur de ϵ dans les problèmes 18 et 19, trouvez une valeur positive de δ telle que le graphe de la fonction déborde de la fenêtre $a - \delta < x < a + \delta$, $b - \epsilon < y < b + \epsilon$, par les côtés, mais ne dépasse ni en haut ni en bas.

18. $f(x) = -2x + 3$; $a = 0$; $b = 3$; $\epsilon = 0{,}2, \ 0{,}1, \ 0{,}02, \ 0{,}01, \ 0{,}002, \ 0{,}001$.

19. $g(x) = -x^3 + 2$; $a = 0$; $b = 2$; $\epsilon = 0{,}1, \ 0{,}01, \ 0{,}001$.

20. Démontrez que $\lim\limits_{x \to 0} (-2x + 3) = 3$. Utilisez le résultat du problème 18.

21. Démontrez que $\lim\limits_{x \to 0} (-x^3 + 2) = 2$. [Conseil : Essayez avec $\delta = \epsilon^{1/3}$.]

Dans les problèmes 22 à 24, modifiez la définition de la limite énoncée précédemment de manière à donner une définition pour chacune des propositions ci-après.

22. Limite à droite.   23. Limite à gauche.   24. $\lim\limits_{x \to \infty} f(x) = L$.

25. Considérez la fonction $f(x) = \begin{cases} x\sin\left(\dfrac{1}{x}\right) & x \neq 0 \\ 0 & x = 0 \end{cases}$.

Démontrez que f est continue partout, mais qu'elle n'est jamais croissante partout ni décroissante partout sur l'intervalle $[0, \epsilon]$ pour toute valeur $\epsilon > 0$, aussi petite soit-elle.

26. Dans le chapitre 1, on a montré comment trouver une suite d'intervalles $[a_n, b_n]$ qui convergent vers une racine r de $f(x) = 3x^3 - x^2 + 2x - 1$. Dans ce problème, on utilise la propriété de la continuité de f pour démontrer que r est en réalité une racine, c'est-à-dire que $f(r) = 0$. Vous pouvez présumer que tous les intervalles ont été choisis de manière que $f(a_n) < 0$ et $f(b_n) > 0$.

a) Supposez $f(r) = L > 0$. Utilisez la définition de la continuité avec toute valeur de ϵ qui satisfait $\epsilon < L$ afin de choisir une valeur δ qui satisfait

$$|f(x) - L| < \epsilon \quad \text{pour toute valeur de } x \text{ tel que} \quad |x - r| < \delta$$

Trouvez une valeur a_n sur l'intervalle $[r - \delta, r + \delta]$ et démontrez que vous arrivez à une contradiction en ce qui concerne $f(a_n)$.

b) Supposez que $f(r) = L < 0$. Faites une démonstration similaire pour aboutir à une contradiction en ce qui concerne b_n.

c) Concluez que $f(r) = 0$.

27. Adaptez l'argument du grossissement décrit au chapitre 1 et l'argument du problème 26 afin de démontrer le théorème de la valeur intermédiaire. Si f est continue sur l'intervalle $[a, b]$ et k est une constante entre $f(a)$ et $f(b)$, il existe un point c de $[a, b]$ pour lequel $f(c) = k$. [Conseil : Considérez $g(x) = f(x) - k$ et recherchez un zéro de g.]

LA DIFFÉRENTIABILITÉ ET L'APPROXIMATION LINÉAIRE

Dans cette section, on étudiera l'approximation de la droite tangente et l'erreur associée. Cette analyse conduira à une autre vision de la différentiabilité. Il faut se rappeler ce qui suit :

> Une fonction f est dite **différentiable ou dérivable en** $x = a$ si $f'(a)$ existe.

La plupart des fonctions traitées ici ont une dérivée en tous points de leur domaine ; ces fonctions sont dites *différentiables partout* (ou dérivable partout).

Comment reconnaître une fonction dérivable ?

Si une fonction possède une dérivée en un point, son graphe doit comporter une droite tangente en ce point. La pente de cette droite tangente est la dérivée. Quand on grossit le graphe de cette fonction, on aperçoit une droite qui n'est pas une droite verticale.

Parfois, on rencontre des fonctions qui ne possèdent pas de dérivée en certains points. Par exemple, une fonction discontinue dont le graphe montre une rupture en un point ne peut avoir de dérivée en ce point. Certains cas où une fonction n'est pas dérivable en un point sont les suivants :

- si la fonction n'est pas continue en ce point ;
- si le graphe démontre un angle en ce point ;
- si le graphe a une droite tangente verticale.

La figure 2.52 illustre une fonction qui semble dérivable en tous points, excepté en $x = a$ et en $x = b$. En effet, il n'existe pas de tangente au point A parce que le graphe démontre un angle en ce point. Plus x se rapproche de a à partir de la gauche, plus la pente de la droite PA converge vers un nombre positif quelconque. Plus x se rapproche de a à partir de la droite, plus la pente de la droite PA converge vers un nombre négatif quelconque. Par conséquent, les pentes tendent vers des valeurs différentes au fur et à mesure qu'on se rapproche du point $x = a$ de l'un ou de l'autre des côtés. En conséquence, la fonction n'est pas dérivable en $x = a$. Le point B n'est pas un angle aigu, mais au fur et à mesure que x se rapproche de b, la pente de la droite BQ ne converge pas et semble grandir de plus en plus. Cette propriété reflète le fait que le graphe possède au point B une tangente verticale. Puisque la pente de cette droite verticale n'est pas définie, la fonction n'est pas dérivable au point $x = b$.

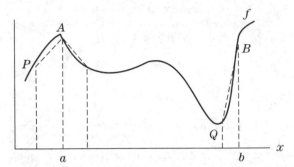

Figure 2.52 : Fonction non dérivable en A ou en B

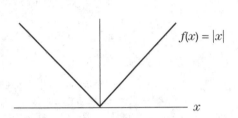

Figure 2.53 : Graphe d'une fonction valeur absolue montrant un point de non-dérivabilité en $x = 0$

Des exemples de fonctions non dérivables

La fonction la plus connue qui présente un angle est la fonction *valeur absolue*. Elle est définie comme suit :

$$f(x) = |x| = \begin{cases} x & \text{si } x \geq 0, \\ -x & \text{si } x < 0. \end{cases}$$

Le graphe de cette fonction est illustré à la figure 2.53. À proximité de $x = 0$, même un grossissement de plus en plus fort du graphe de $f(x)$ montre la même propriété. Il existe donc un angle qui ne peut être aplati par grossissement.

Exemple 8   On essaie de calculer la dérivée de la fonction $f(x) = |x|$ en $x = 0$. Cette fonction est-elle dérivable en ce point ?

Solution   Pour trouver la pente en $x = 0$, on a besoin de considérer

$$\lim_{h \to 0} \frac{f(h) - f(0)}{h} = \lim_{h \to 0} \frac{|h| - 0}{h} = \lim_{h \to 0} \frac{|h|}{h}.$$

On constate qu'au fur et à mesure que h se rapproche de zéro à partir de la droite, h demeure toujours positif de telle sorte que $|h| = h$ et, par conséquent, le ratio est toujours 1. Au fur et à mesure que h se rapproche de zéro à partir de la gauche, h est négatif de telle sorte que $|h| = -h$ et, par conséquent, le ratio est toujours -1. Puisque ces limites sont différentes de part et d'autre de zéro, la limite n'existe pas. Par suite, la fonction valeur absolue n'est pas dérivable en $x = 0$. Les limites de 1 et -1 illustrent, sur le graphique, que la pente du côté droit du graphique est égale à 1 et que la pente du côté gauche du graphique est égale à -1.

Exemple 9   On analyse la dérivabilité de $f(x) = x^{1/3}$ en $x = 0$.

Solution   Cette fonction est une courbe « douce » et ne présente pas d'angle en $x = 0$; en revanche, on peut suspecter une tangente verticale en ce point (voir la figure 2.54). En examinant le taux moyen de variation en $x = 0$, on constate que

$$\lim_{h \to 0} \frac{(0 + h)^{1/3} - 0^{1/3}}{h} = \lim_{h \to 0} \frac{h^{1/3}}{h} = \lim_{h \to 0} \frac{1}{h^{2/3}} \, .$$

Donc, quand $h \to 0$, le dénominateur devient plus petit, de telle sorte que la fraction croît sans limite. Par conséquent, cette fonction n'aura pas de dérivée en $x = 0$.

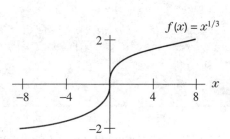

Figure 2.54 : Fonction continue non dérivable en $x = 0$: tangente verticale

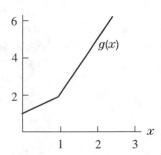

Figure 2.55 : Fonction continue non dérivable en $x = 1$

Exemple 10   Considérez la fonction donnée par les deux formules suivantes :

$$g(x) = \begin{cases} x + 1 & \text{si } x \leq 1 \\ 3x - 1 & \text{si } x > 1. \end{cases}$$

Ce type de fonction est qualifié de *linéaire par morceaux* parce que chaque segment est en soi linéaire. On trace le graphe de g. La fonction g est-elle continue ? Est-elle dérivable en $x = 1$?

Solution   Le graphe de la figure 2.55 ne présente pas de rupture, ce qui prouve que la fonction est continue. Cependant, ce graphe présente un angle en $x = 1$ qu'aucun grossissement ne peut faire disparaître. À gauche de $x = 1$, la pente est égale à 1 ; à droite de $x = 1$, la pente est égale à 3. Par suite, le taux moyen de variation en $x = 1$ n'aura pas une limite. Donc, la fonction g n'est pas dérivable en $x = 1$.

L'étude des courbes qui ne possèdent pas des dérivées *partout* a été l'objet d'un très grand intérêt au cours des dernières années. Ces courbes, connues sous le nom de *fractales*, interviennent dans la modélisation de processus naturels aléatoires ou chaotiques tel un trajet de molécule d'eau dans un récipient. Si cette molécule quitte par hasard son environnement, elle suit alors un tracé en zig-zag comportant de nombreux angles non dérivables. Bien que ce parcours soit doux entre les collisions, la courbe servant à le modéliser n'est dérivable en aucun point. Les lignes côtières du Maine ou de l'État de Washington sont aussi des illustrations de ces courbes. En tous points, elle ne peuvent être adoucies, quel que soit le grossissement qu'on y applique.

La dérivation et l'approximation linéaire

Lorsqu'on grossit le graphe d'une fonction dérivable, le résultat ressemble à une ligne droite. En fait, le graphe n'est pas exactement une ligne droite, mais la déviation de la rectitude est si minime qu'on ne peut la détecter à l'œil nu. Cette observation signifie que la ligne droite qu'on voit quand on grossit le graphe de $f(x)$ en $x = a$ a une pente qui est égale à la dérivée $f'(a)$ de telle sorte que son équation est

$$y = f(a) + f'(a)\,(x - a).$$

Le fait que ce graphe ressemble à une droite signifie que y est une bonne approximation de $f(x)$ (voir la figure 2.56). Cette constatation conduit à la définition suivante :

Approximation par la droite tangente

On suppose que f est dérivable en a. Alors pour les valeurs de x à proximité de a, l'approximation de $f(x)$ par une droite tangente est définie par

$$f(x) \approx f(a) + f'(a)\,(x - a).$$

L'expression $f(a) + f'(a)\,(x - a)$ est appelée la *linéarisation locale* de f à proximité de $x = a$. On considère que a est un point fixe, donc $f(a)$ et $f'(a)$ sont des constantes. L'**erreur** $E(x)$, dans cette approximation, est définie par

$$E(x) = f(x) - f(a) - f'(a)\,(x - a).$$

On peut démontrer que l'approximation par la droite tangente est la meilleure approximation linéaire de f à proximité de a (voir le problème 15).

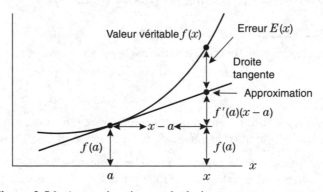

Figure 2.56 : Approximation par la droite tangente et son erreur

---

Exemple 11   Quelle est l'approximation par la droite tangente pour $f(x) = \sin x$ à proximité de $x = 0$? On suppose que $f'(0) = 1$.

Solution   L'approximation par la droite tangente de f à proximité de $x = 0$ est

$$f(x) \approx f(0) + f'(0)\,(x - 0).$$

Si $f(x) = \sin x$, alors $f(0) = \sin 0 = 0$. Du fait que $f'(0) = 1$, l'approximation devient

$$\sin x \approx x.$$

Cela signifie qu'à proximité de $x = 0$, la fonction $f(x) = \sin x$ est suffisamment bien approximée par la fonction $y = x$. Si on grossit les graphes des fonctions $\sin x$ et x à proximité de l'origine, on ne pourra les distinguer l'un de l'autre (voir la figure 2.57, page suivante).

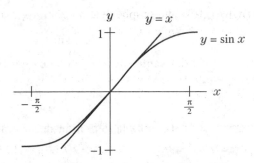

Figure 2.57 : Approximation par la droite tangente de $y = \sin x$

L'estimation de l'erreur de l'approximation

On considère maintenant l'erreur $E(x)$ qui représente la différence entre $f(x)$ et sa linéarisation locale (voir la figure 2.56). Le fait pour le graphe f de ressembler à une droite au fur et à mesure qu'on grossit le visionnement signifie que non seulement l'erreur $E(x)$ est négligeable pour x à proximité de a, mais qu'elle est aussi négligeable par rapport à $(x - a)$. Pour démontrer cette propriété, on établira la preuve du théorème suivant pour $E(x)/(x - a)$.

> ### Théorème : Dérivation et linéarité locale
>
> On suppose que f est dérivable en $x = a$ et que $E(x)$ est l'erreur dans l'approximation par la droite tangente. Cela signifie que
>
> $$E(x) = f(x) - f(a) - f'(a)\,(x - a).$$
>
> Alors,
>
> $$\lim_{x \to a} \frac{E(x)}{x - a} = 0\,.$$

Preuve En utilisant la définition de $E(x)$, on obtient

$$\frac{E(x)}{x - a} = \frac{f(x) - f(a) - f'(a)(x - a)}{x - a} = \frac{f(x) - f(a)}{x - a} - f'(a).$$

En prenant la limite quand $x \to a$ et en appliquant la définition de la dérivée, on constate que

$$\lim_{x \to a} \frac{E(x)}{x - a} = \lim_{x \to a} \left(\frac{f(x) - f(a)}{x - a} - f'(a) \right) = f'(a) - f'(a) = 0.$$

Les effets de la dérivation sur la linéarité d'un graphe

On se servira de l'erreur $E(x)$ pour mieux comprendre pourquoi la dérivation rend un graphe rectiligne lorsqu'on le grossit.

Exemple 12 On considère le graphe de $f(x) = \sin x$ à proximité de $x = 0$ et son approximation linéaire calculée à l'exemple 11. On démontre qu'il existe un intervalle autour de zéro qui a la propriété que la distance de $f(x) = \sin x$ à cette approximation linéaire est inférieure à $0{,}1|x|$ pour toutes les valeurs de x sur cet intervalle.

Solution   L'approximation linéaire de $f(x) = \sin x$ à proximité de zéro est $y = x$. Ainsi, on peut écrire

$$\sin x = x + E(x).$$

Puisque $\sin x$ est dérivable en $x = 0$, à l'aide du théorème on peut dire que

$$\lim_{x \to 0} \frac{E(x)}{x} = 0.$$

En prenant $\epsilon = 1/10$, alors la définition de la limite garantit qu'il y a une valeur $\delta > 0$ qui vérifie que

$$\left| \frac{E(x)}{x} \right| < 0{,}1 \quad \text{pour tout} \quad |x| < \delta.$$

En d'autres termes, pour x sur l'intervalle $(-\delta, \delta)$, on a $|x| < \delta$. Donc,

$$|E(x)| < 0{,}1|x|.$$

(Voir la figure 2.58.)

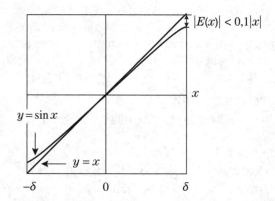

Figure 2.58 : Graphe de $y = \sin x$ et son approximation linéaire $y = x$ à l'intérieur d'une fenêtre où l'amplitude de l'erreur $|E(x)|$ est moins que $0{,}1|x|$ pour toutes les valeurs de x à l'intérieur de la fenêtre

À partir de cet exemple, on peut généraliser et expliquer pourquoi la dérivation rend rectiligne le graphe de f quand on l'examine au travers d'une très petite fenêtre graphique. On suppose que f est dérivable en $x = a$. Alors, on sait que $\lim\limits_{x \to a} \left| \dfrac{E(x)}{x - a} \right| = 0$. Ainsi, pour toute valeur $\epsilon > 0$, on peut trouver une valeur δ assez petite qui vérifie

$$\left| \frac{E(x)}{x - a} \right| < \epsilon, \qquad \text{pour} \qquad a - \delta < x < a + \delta.$$

Ainsi, pour toute valeur de x sur l'intervalle $(a - \delta, a + \delta)$, on a

$$|E(x)| < \epsilon |x - a|.$$

Par conséquent, l'erreur $E(x)$ est plus petite que ϵ fois $|x - a|$, c'est-à-dire la distance entre x et a. Ainsi, plus on grossit ce graphe en choisissant des valeurs de plus en plus petites de ϵ, plus la déviation $|E(x)|$ de f à partir de la droite tangente diminue proportionnellement à l'échelle du graphe. Ainsi, le grossissement rend rectiligne une fonction dérivable.

Dérivabilité et continuité

Le fait qu'une fonction dérivable en un point possède une tangente en ce point permet d'affirmer que la fonction est continue, comme le démontre le théorème suivant.

Théorème : Une fonction dérivable est continue

Si $f(x)$ est dérivable au point $x = a$, alors $f(x)$ est continu en $x = a$.

Preuve   On suppose que $f(x)$ est dérivable en $x = a$. Donc, on sait que

$$f'(a) = \lim_{x \to a} \frac{f(x) - f(a)}{x - a},$$

de telle sorte qu'on a

$$\lim_{x \to a} (f(x) - f(a)) = \lim_{x \to a} \left((x - a) \cdot \frac{f(x) - f(a)}{x - a} \right) = \left(\lim_{x \to a} (x - a) \right) \cdot \left(\lim_{x \to a} \frac{f(x) - f(a)}{x - a} \right).$$

$$= 0 \cdot f'(a) = 0.$$

Alors,

$$\lim_{x \to a} f(x) = f(a),$$

ce qui signifie que $f(x)$ est continue en $x = a$.

Problèmes sur la différentiabilité et l'approximation linéaire

1. Pour chacun des graphes de la figure 2.59, dressez une liste des valeurs de x pour lesquelles la fonction semble être i) non continue et ii) non dérivable.

a)
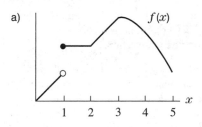

b)
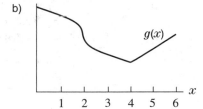

Figure 2.59

2. Observez le graphe de $f(x) = (x^2 + 0{,}0001)^{1/2}$ montré à la figure 2.60, qui semble présenter un angle en $x = 0$. Pensez-vous que f a une dérivée en $x = 0$?

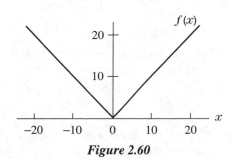

Figure 2.60

Décidez si les fonctions des problèmes 3 à 5 sont dérivables en $x = 0$. Essayez de l'agrandir à l'aide d'une calculatrice graphique ou en calculant la dérivée $f'(0)$ à partir de la définition.

3. $f(x) = (x + |x|)^2 + 1$

4. $f(x) = \begin{cases} x \sin(1/x) + x & \text{pour } x \neq 0 \\ 0 & \text{pour } x = 0 \end{cases}$

5. $f(x) = \begin{cases} x^2 \sin(1/x) & \text{pour } x \neq 0 \\ 0 & \text{pour } x = 0 \end{cases}$

6. La charge électrique Q dans un circuit est donnée par une fonction du temps t qui est la suivante

$$Q = \begin{cases} C & \text{pour } t \leq 0 \\ Ce^{-t/RC} & \text{pour } t > 0, \end{cases}$$

où C et R sont des constantes positives. Le courant électrique I est le taux de variation de la charge tel que

$$I = \frac{dQ}{dt}.$$

a) La charge Q est-elle une fonction continue du temps ?
b) Pensez-vous que le courant I est défini à tous les instants t ? [Conseil : Pour tracer cette fonction, prenez par exemple $C = 1$ et $R = 1$.]

7. Un champ magnétique B est une fonction de la distance r à partir du centre d'un câble, établie comme suit :

$$B = \begin{cases} \dfrac{r}{r_0} B_0 & \text{pour } r \leq r_0 \\ \dfrac{r_0}{r} B_0 & \text{pour } r > r_0 \end{cases}.$$

a) Tracez le graphe de B en fonction de r. Quelle est la signification de la constante B_0 ?
b) B est-il continu en $r = r_0$? Justifiez votre réponse.
c) B est-il dérivable en $r = r_0$? Justifiez votre réponse.

8. Un câble est constitué d'un matériau isolant ayant la forme d'un long cylindre mince de rayon r_0. Sa charge électrique est distribuée de manière égale tout le long du câble. Le champ électrique E à une distance r du centre de ce câble est donné par l'expression

$$E = \begin{cases} kr & \text{pour } r \leq r_0 \\ k\,\dfrac{r_0^2}{r} & \text{pour } r > r_0 \end{cases}.$$

a) E est-il continu en r_0 ?
b) E est-il dérivable en r_0 ?
c) Tracez un graphe de E en fonction de r.

9. Tracez la fonction définie par

$$g(r) = \begin{cases} 1 + \cos(\pi r/2) & \text{pour } -2 \leq r \leq 2 \\ 0 & \text{pour } r < -2 \quad \text{ou} \quad r > 2. \end{cases}$$

a) La fonction g est-elle continue en $r = 2$? Justifiez votre réponse.
b) Pensez-vous que g soit dérivable en $r = 2$? Justifiez votre réponse.

10. Le potentiel ϕ d'une distribution de charge en un point de l'axe des y est donné par

$$\phi = \left\{ \begin{array}{ll} 2\pi\sigma \left(\sqrt{y^2 + a^2} - y \right) & \text{pour } y \geq 0 \\[2mm] 2\pi\sigma \left(\sqrt{y^2 + a^2} + y \right) & \text{pour } y < 0 \end{array} \right.$$

où σ et a sont des constantes positives. [Conseil : Pour tracer cette fonction, prenez par exemple $2\pi\sigma = 1$ et $a = 1$.]

a) ϕ est-il continu en $y = 0$?
b) Pensez-vous que ϕ est dérivable en $y = 0$?

11. Considérez la fonction $f(x) = \sqrt{x}$. Supposez que $f'(4) = 1/4$.

a) Trouvez et tracez $f(x)$ et l'approximation de la droite tangente de $f(x)$ à proximité de $x = 4$.
b) Comparez la valeur véritable de $f(4,1)$ avec la valeur obtenue en utilisant l'approximation par la droite tangente.
c) Comparez les valeurs véritables et approximatives de $f(16)$.
d) Au moyen d'un graphe, expliquez pourquoi l'approximation par la droite tangente est valable quand $x = 4,1$ mais non quand $x = 16$.

12. La linéarisation locale donne des valeurs trop petites pour la fonction x^2 et trop grandes pour la fonction $\sqrt{x}$. Tracez les graphes qui permettent d'expliquer ce fait.

13. Trouvez la linéarisation locale de $f(x) = x^2$ à proximité de $x = 1$.

14. Considérez le graphe $f(x) = x^2$ à proximité de $x = 1$. Trouvez un intervalle autour de $x = 1$ qui a la propriété que sur tout intervalle plus petit, le graphe de $f(x) = x^2$ ne divergera jamais de sa linéarisation locale de plus de $0,1|x - 1|$ pour toutes les valeurs x de cet intervalle.

15. Considérez une fonction f et un point a. Supposez qu'il existe un nombre L tel que la fonction linéaire g, soit

$$g(x) = f(a) + L(x - a)$$

est une bonne approximation de f. Cela signifie que

$$\lim_{x \to a} \frac{E_L(x)}{x - a} = 0 ,$$

où $E_L(x)$ est l'erreur d'approximation définie par

$$f(x) = y(x) + E_L(x) = f(a) + L(x - a) + E_L(x).$$

Démontrez que f est dérivable en $x = a$ et que $f'(a) = L$, donc que l'approximation par la droite tangente est la seule bonne approximation linéaire.

CHAPITRE TROIS

LES TECHNIQUES DE DÉRIVATION

Au chapitre 2, on a défini la fonction dérivée comme étant

$$f'(x) = \lim_{h \to 0} \frac{f(x+h) - f(x)}{h},$$

et on a montré comment la dérivée représente une pente ou un taux de variation. On a appris comment estimer la dérivée d'une fonction soit de manière graphique (en estimant la pente de la tangente en chaque point), soit de manière numérique (en trouvant les taux moyens de variation de la fonction entre des valeurs données). On a calculé les dérivées de x^2 et de x^3 de manière exacte en utilisant la définition.

Dans ce chapitre, on fera l'étude systématique des dérivées des fonctions données au moyen de formules. Au nombre de ces fonctions, on trouve les puissances, les polynômes, les exponentielles, les logarithmes et les fonctions trigonométriques. On présentera également des règles générales telles que la règle du produit, la règle du quotient et la règle de la dérivée en chaîne, qui permettront de dériver des combinaisons de fonctions.

Notation utile : On écrit $\frac{d}{dx}(x^3)$, par exemple, pour représenter la dérivée de x^3 par rapport à x. De la même façon, $\frac{d}{d\theta}(\sin(\theta^2))$ représente la dérivée de $\sin(\theta^2)$ avec θ considéré comme variable.

3.1 LES PUISSANCES ET LES POLYNÔMES

La dérivée d'une fonction multipliée par une constante

À la figure 3.1, on voit le graphe de $y = f(x)$ et trois multiples de cette fonction, soit $y = 3f(x)$, $y = \frac{1}{2} f(x)$ et $y = -2f(x)$. Quelle est la relation entre les dérivées de ces fonctions ? En d'autres termes, pour une valeur particulière de x, comment peut-on comparer les pentes de ces graphes ?

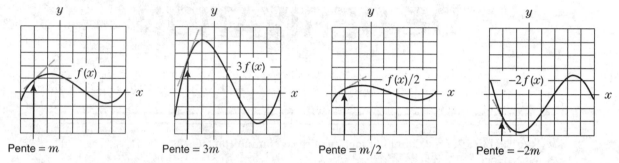

Figure 3.1 : Graphes d'une fonction et de ses multiples : la dérivée d'un multiple est le multiple de la dérivée

En multipliant par une constante, on rétrécit ou on élargit le graphe (et on le réfléchit selon l'axe des x si la constante est négative). Cette manipulation fait varier la pente de la courbe en chaque point. Si le graphe s'est dilaté, les *amplitudes* ont augmenté proportionnellement du même facteur alors que les *parcours* sont demeurés les mêmes. Par suite, les pentes ont toutes été augmentées du même facteur. Par contre, si le graphe a été rétréci, les pentes sont toutes réduites d'un même facteur. Si le graphe a été réfléchi selon l'axe des x, les pentes ont leur signe inversé. En d'autres termes, si une fonction est multipliée par une constante c, il en est de même de sa dérivée.

Dérivée d'un multiple constant d'une fonction

Si f est dérivable et que c est une constante, alors

$$\frac{d}{dx} [cf(x)] = cf'(x).$$

Ce résultat peut aussi être obtenu algébriquement :

$$\frac{d}{dx} [cf(x)] = \lim_{h \to 0} \frac{cf(x+h) - cf(x)}{h} = \lim_{h \to 0} c \frac{f(x+h) - f(x)}{h}$$

$$= c \lim_{h \to 0} \frac{f(x+h) - f(x)}{h} = cf'(x).$$

On pourrait se demander pourquoi c peut être reporté à côté du signe de limite. La raison est que c est une constante. Si la valeur de la fonction se rapproche d'un certain nombre, alors c fois cette fonction se rapproche c fois de ce nombre. La fonction dans ce cas est $[f(x+h) - f(x)]/h$.

Les dérivées des sommes et des différences

Soit deux fonctions $f(x)$ et $g(x)$ avec les valeurs données au tableau 3.1. Ces valeurs de la somme $f(x) + g(x)$ sont données dans le même tableau.

TABLEAU 3.1   *Somme des fonctions*

x	$f(x)$	$g(x)$	$f(x) + g(x)$
0	100	0	100
1	110	0,2	110,2
2	130	0,4	130,4
3	160	0,6	160,6
4	200	0,8	200,8

On voit qu'en additionnant les incréments de $f(x)$ et ceux de $g(x)$, on obtient les incréments de $f(x) + g(x)$. Par exemple, au fur et à mesure que x croît de 0 à 1, $f(x)$ croît par 10 et $g(x)$ croît par 0,2, tandis que $f(x) + g(x)$ croît par $110,2 - 100 = 10,2$. De la même façon, au fur et à mesure que x croît de 3 à 4, $f(x)$ croît par 40 et $g(x)$ par 0,2, tandis que $f(x) + g(x)$ croît par $200,8 - 160,6 = 40,2$.

À partir de cet exemple, on constate que le taux de croissance de $f(x) + g(x)$ est obtenu par la somme des taux de croissance de $f(x)$ et de $g(x)$ respectivement. Le même raisonnement s'applique à la différence $f(x) - g(x)$. On arrive à la conclusion en termes de dérivées :

Dérivée d'une somme et d'une différence

Si f et g sont dérivables, alors

$$\frac{d}{dx}[f(x) + g(x)] = f'(x) + g'(x) \quad \text{et} \quad \frac{d}{dx}[f(x) - g(x)] = f'(x) - g'(x).$$

On peut justifier la règle de la somme en utilisant la définition de la dérivée :

$$\frac{d}{dx}[f(x) + g(x)] = \lim_{h \to 0} \frac{[f(x+h) + g(x+h)] - [f(x) + g(x)]}{h}$$

$$= \lim_{h \to 0} \left[\underbrace{\frac{f(x+h) - f(x)}{h}}_{\substack{\text{La limite de ce membre} \\ \text{est } f'(x)}} + \underbrace{\frac{g(x+h) - g(x)}{h}}_{\substack{\text{La limite de ce membre} \\ \text{est } g'(x)}} \right]$$

$$= f'(x) + g'(x).$$

Les puissances de x

Au chapitre 2, on a démontré que

$$f'(x) = \frac{d}{dx}(x^2) = 2x \quad \text{et de} \quad g'(x) = \frac{d}{dx}(x^3) = 3x^2.$$

Les graphes de $f(x) = x^2$ et de $g(x) = x^3$ et leurs dérivées sont illustrés aux figures 3.2 et 3.3 (page suivante). À noter que $f'(x) = 2x$ a le comportement attendu. La fonction est négative pour $x < 0$ (quand f décroît), elle est zéro pour $x = 0$ et elle est positive pour $x > 0$ (quand f croît). De la même façon, $g'(x) = 3x^2$ est zéro quand $x = 0$, mais elle est positive partout ailleurs en même temps que g est croissant partout ailleurs.

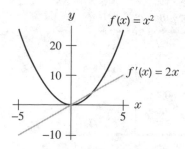

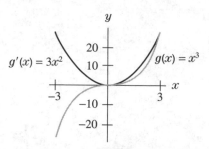

Figure 3.2 : Graphes de $f(x) = x^2$
et de sa dérivée $f'(x) = 2x$

Figure 3.3 : Graphes de $g(x) = x^3$
et de sa dérivée $g'(x) = 3x^2$

Ces exemples sont des cas spéciaux de la règle de puissance qu'on peut généraliser pour toute valeur n positive, comme on le démontrera un peu plus loin.

Règle de puissance

Pour tout nombre réel constant n,

$$\frac{d}{dx}(x^n) = nx^{n-1}.$$

Le problème 52 consistera à démontrer que cette règle se vérifie pour des puissances entières négatives. À la section 3.6, on montrera comment le justifier pour des puissances de la forme $1/n$.

Exemple 1   Utilisez la règle de puissance pour dériver

$$a) \quad \frac{1}{x^3}. \qquad b) \; x^{1/2}. \qquad c) \; \frac{1}{\sqrt[3]{x}}.$$

Solution   a)   Pour $n = -3$: $\dfrac{d}{dx}\left(\dfrac{1}{x^3}\right) = \dfrac{d}{dx}(x^{-3}) = -3x^{-3-1} = -3x^{-4} = -\dfrac{3}{x^4}$.

   b)   Pour $n = 1/2$: $\dfrac{d}{dx}\left(x^{1/2}\right) = \dfrac{1}{2}x^{(1/2)-1} = \dfrac{1}{2}x^{-1/2} = \dfrac{1}{2\sqrt{x}}$.

   c)   Pour $n = -1/3$: $\dfrac{d}{dx}\left(\dfrac{1}{\sqrt[3]{x}}\right) = \dfrac{d}{dx}\left(x^{-1/3}\right) = -\dfrac{1}{3}x^{(-1/3)-1} = -\dfrac{1}{3}x^{-4/3} = -\dfrac{1}{3x^{4/3}}$.

Exemple 2   Utilisez la définition de la dérivée pour justifier la règle de puissance pour $n = -2$. On veut démontrer que $\dfrac{d}{dx}(x^{-2}) = -2x^{-3}$.

Solution   Étant donné $x \neq 0$, on a

$$\frac{d}{dx}\left(x^{-2}\right) = \frac{d}{dx}\left(\frac{1}{x^2}\right) = \lim_{h \to 0}\left(\frac{\frac{1}{(x+h)^2} - \frac{1}{x^2}}{h}\right) = \lim_{h \to 0}\frac{1}{h}\left[\frac{x^2 - (x+h)^2}{(x+h)^2 x^2}\right] \text{\scriptsize (En ramenant les fractions au même dénominateur)}$$

$$= \lim_{h \to 0}\frac{1}{h}\left[\frac{x^2 - (x^2 + 2xh + h^2)}{(x+h)^2 x^2}\right] \text{\scriptsize (En développant au numérateur)}$$

$$= \lim_{h \to 0} \frac{-2xh - h^2}{h(x + h)^2 x^2} \qquad \text{(En simplifiant le numérateur)}$$

$$= \lim_{h \to 0} \frac{-2x - h}{(x + h)^2 x^2} \qquad \text{(En divisant le numérateur et le dénominateur par } h\text{)}$$

$$= \frac{-2x}{x^4} \qquad \text{(En laissant tendre } h \to 0\text{)}$$

$$= -2x^{-3}.$$

Les graphes de x^{-2} et leurs dérivées $-2\,x^{-3}$ sont illustrés à la figure 3.4. Ce graphe de la dérivée a-t-il les caractéristiques attendues ?

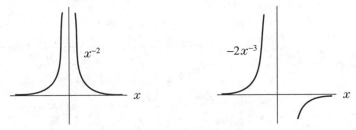

Figure 3.4 : Graphes de x^{-2} et de sa dérivée $-2x^{-3}$

La justification de $\dfrac{d}{dx}\,(x^n) = nx^{n-1}$ pour *n*, un nombre entier positif

Pour calculer les dérivées de x^2 et de x^3, on doit développer $(x + h)^2$ et $(x + h)^3$. Pour calculer la dérivée de x^n, on doit développer $(x + h)^n$. On reprend les expressions précédentes, soit

$$(x + h)^2 = x^2 + 2xh + h^2, \quad (x + h)^3 = x^3 + 3x^2h + 3xh^2 + h^3.$$

En appliquant le théorème du binôme présenté au chapitre 1, on obtient

$$(x + h)^n = x^n + nx^{n-1}h + \underbrace{\cdots + h^n}.$$

$$\text{Termes comprenant } h^2 \text{ et les puissances supérieures de } h$$

On peut maintenant trouver la dérivée

$$\frac{d}{dx}\,(x^n) = \lim_{h \to 0} \frac{(x + h)^n - x^n}{h}$$

$$= \lim_{h \to 0} \frac{(x^n + nx^{n-1}h + \cdots + h^n) - x^n}{h}$$

$$= \lim_{h \to 0} \frac{nx^{n-1}h + \overbrace{\cdots + h^n}^{\text{Termes comprenant } h^2 \text{ et les puissances supérieures de } h}}{h}.$$

Quand on met en facteurs la valeur h à partir des termes comprenant h^2 et les puissances supérieures de h, chaque terme contient encore h. En mettant h en facteurs et en divisant, on obtient

$$\frac{d}{dx}\,(x^n) = \lim_{h \to 0} \frac{h(nx^{n-1} + \cdots + h^{n-1})}{h} = \lim_{h \to 0} (nx^{n-1} + \overbrace{\cdots + h^{n-1}}^{\text{Termes comprenant } h \text{ et les puissances supérieures de } h}).$$

Cependant, quand $h \to 0$, tous les termes contenant la valeur h tendent vers zéro, de telle sorte que

$$\frac{d}{dx}(x^n) = \lim_{h \to 0} (nx^{n-1} + \underbrace{\cdots + h^{n-1}}_{\text{Ces termes tendent vers zéro}}) = nx^{n-1}.$$

Les dérivées des polynômes

Maintenant qu'on sait dériver des puissances, les multiples de constantes et les sommes, on peut dériver n'importe quel polynôme.

Exemple 3   Recherchez les dérivées de   a) $5x^2 + 3x + 2$.   b) $\sqrt{3}x^7 - \dfrac{x^5}{5} + \pi$.

Solution   a) $\dfrac{d}{dx}(5x^2 + 3x + 2) = 5\dfrac{d}{dx}(x^2) + 3\dfrac{d}{dx}(x) + \dfrac{d}{dx}(2)$

$$= 5 \cdot 2x + 3 \cdot 1 + 0 \qquad \text{\small(Puisque la dérivée d'une constante $\frac{d}{dx}$ (2) est zéro)}$$

$$= 10x + 3.$$

b) $\dfrac{d}{dx}\left(\sqrt{3}x^7 - \dfrac{x^5}{5} + \pi\right) = \sqrt{3}\dfrac{d}{dx}(x^7) - \dfrac{1}{5}\dfrac{d}{dx}(x^5) + \dfrac{d}{dx}(\pi)$

$$= \sqrt{3} \cdot 7x^6 - \frac{1}{5} \cdot 5x^4 + 0 \qquad \text{\small(Puisque x est une constante, $d\pi/dx = 0$)}$$

$$= 7\sqrt{3}\,x^6 - x^4.$$

On peut également appliquer les règles déjà étudiées pour dériver des expressions qui ne sont pas des polynômes.

Exemple 4   Calculez la dérivée de   a) $5\sqrt{x} - \dfrac{10}{x^2} + \dfrac{1}{2\sqrt{x}}$.   b) $0{,}1x^3 + 2x^{\sqrt{2}}$.

Solution   a) $\dfrac{d}{dx}\left(5\sqrt{x} - \dfrac{10}{x^2} + \dfrac{1}{2\sqrt{x}}\right) = \dfrac{d}{dx}\left(5x^{1/2} - 10x^{-2} + \dfrac{1}{2}x^{-1/2}\right)$

$$= 5 \cdot \frac{1}{2}x^{-1/2} - 10(-2)x^{-3} + \frac{1}{2}\left(-\frac{1}{2}\right)x^{-3/2}$$

$$= \frac{5}{2\sqrt{x}} + \frac{20}{x^3} - \frac{1}{4x^{3/2}}.$$

b) $\dfrac{d}{dx}(0{,}1x^3 + 2x^{\sqrt{2}}) = 0{,}1\dfrac{d}{dx}(x^3) + 2\dfrac{d}{dx}(x^{\sqrt{2}}) = 0{,}3x^2 + 2\sqrt{2}x^{\sqrt{2}-1}.$

Exemple 5   Recherchez la dérivée seconde et donnez l'interprétation de son signe pour
    a) $f(x) = x^2$.   b) $g(x) = x^3$.   c) $k(x) = x^{1/2}$.

Solution   a)   Si $f(x) = x^2$, alors $f'(x) = 2x$, de telle sorte que $f''(x) = \dfrac{d}{dx}(2x) = 2$. Puisque f'' est toujours positive, le graphe de f est concave vers le haut comme doit l'être une parabole ouverte vers le haut (voir la figure 3.5).

b) Si $g(x) = x^3$, alors $g'(x) = 3x^2$, de telle sorte que $g''(x) = \dfrac{d}{dx}(3x^2) = 3\dfrac{d}{dx}(x^2) = 3 \cdot 2x$

$= 6x$. Cette valeur est positive pour $x > 0$ et elle est négative pour $x < 0$. Cela signifie que x^3 est de forme concave vers le haut pour $x > 0$ et de forme concave vers le bas pour $x < 0$ (voir la figure 3.6).

c) Si $k(x) = x^{1/2}$, alors $k'(x) = \frac{1}{2}x^{(1/2)-1} = \frac{1}{2}x^{-1/2}$, de telle sorte que

$$k''(x) = \frac{d}{dx}\left(\frac{1}{2}x^{-1/2}\right) = \frac{1}{2} \cdot \left(-\frac{1}{2}\right)x^{-(1/2)-1} = -\frac{1}{4}x^{-3/2}.$$

On constate que k' et k'' ne sont définies que pour $x > 0$. Quand $x > 0$ on voit que $k''(x)$ est négative et donc que le graphe de k est une courbe concave vers le bas [voir la figure 3.7].

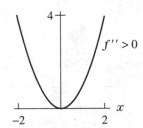

Figure 3.5 : $f(x) = x^2$ et
$f''(x) = 2$

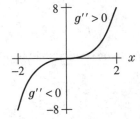

Figure 3.6 : $g(x) = x^3$ et
$g''(x) = 6x$

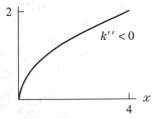

Figure 3.7 : $k(x) = x^{1/2}$ et
$k''(x) = -\frac{1}{4}x^{-3/2}$

Exemple 6   Si la position d'un corps (en mètres) est exprimée en fonction du temps t (en secondes) par l'équation suivante :

$$s = -4{,}9t^2 + 5t + 6,$$

quelle est la vitesse et l'accélération de ce corps au temps t ?

Solution   La vitesse v est la dérivée de la position

$$v = \frac{ds}{dt} = \frac{d}{dt}(-4{,}9t^2 + 5t + 6) = -9{,}8t + 5,$$

et l'accélération a est la dérivée de la vitesse

$$a = \frac{dv}{dt} = \frac{d}{dt}(-9{,}8t + 5) = -9{,}8.$$

On note que v est exprimée en mètres par seconde (m/s) et que a est exprimée en mètres par seconde au carré (m/s^2).

Exemple 7   La figure 3.8 illustre le graphe d'un polynôme cubique. Décrivez graphiquement et algébriquement le comportement de la dérivée de cette cubique.

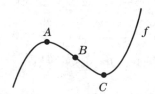

Figure 3.8 : Cubique
de l'exemple 7

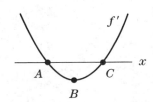

Figure 3.9 : Dérivée de la
cubique de l'exemple 7

Solution **Approche graphique :** On suppose qu'on se déplace le long de la courbe de la gauche vers la droite. À gauche du point A, la pente est positive ; elle démarre très positive et décroît jusqu'à ce que la courbe atteigne A. À ce point, la pente est à zéro. Entre A et C, la pente est négative. Entre A et B, la pente décroît (c'est-à-dire qu'elle devient plus négative) ; au point B, elle est la plus négative possible. Entre B et C, la pente est négative mais elle croît. Au point C, la pente est à zéro. À partir de C vers la droite, la pente est positive et croissante. Le graphe de la dérivée de cette fonction est illustré à la figure 3.9.

Approche algébrique : f est une fonction cubique qui tend vers $+\infty$ au fur et à mesure que $x \to +\infty$, de telle sorte que

$$f(x) = ax^3 + bx^2 + cx + d$$

avec $a > 0$. Donc,

$$f'(x) = 3ax^2 + 2bx + c,$$

dont le graphe est une parabole ouverte vers le haut, comme l'illustre la figure 3.9.

Problèmes de la section 3.1

1. Soit $f(x) = 7$. En utilisant la définition de la dérivée, montrez que $f'(x) = 0$ pour toutes les valeurs de x.

2. Soit $f(x) = -3x + 2$ et $g(x) = 2x + 1$.

   a) Si $k(x) = f(x) + g(x)$, trouvez une formule pour $k(x)$ et vérifiez la règle de la somme en comparant $k'(x)$ avec $f'(x) + g'(x)$.
   b) Si $j(x) = f(x) - g(x)$, trouvez une formule pour $j(x)$ et comparez $j'(x)$ avec $f'(x) - g'(x)$.

3. a) Si $f(x) = 5x - 3$, $g(x) = -2x + 1$, trouvez la dérivée de $f(g(x))$.
   b) Reprenez votre réponse de la partie a) pour estimer la dérivée de la composition de deux fonctions linéaires. Expliquez pourquoi ce que vous affirmez est vrai pour toute paire de fonctions linéaires.

Pour les problèmes 4 à 24, trouvez les dérivées des fonctions ci-après.

4. $y = x^{11}$

5. $y = x^{12}$

6. $y = -x^{-11}$

7. $y = x^{3,2}$

8. $y = x^{-12}$

9. $y = x^{4/3}$

10. $y = x^{3/4}$

11. $y = x^{-3/4}$

12. $f(x) = \dfrac{1}{x^4}$

13. $f(x) = \sqrt[4]{x}$

14. $f(x) = x^e$

15. $y = 4x^{3/2} - 5x^{1/2}$

16. $y = 6x^3 + 4x^2 - 2x$

17. $y = -3x^4 - 4x^3 - 6x + 2$

18. $y = 3t^5 - 5\sqrt{t} + \dfrac{7}{t}$

19. $y = 3t^2 + \dfrac{12}{\sqrt{t}} - \dfrac{1}{t^2}$

20. $y = z^2 + \dfrac{1}{2z}$

21. $y = \dfrac{x^2 + 1}{x}$

22. $g(z) = \dfrac{z^7 + 5z^6 - z^3}{z^2}$

23. $f(t) = \dfrac{t^2 + t^3 - 1}{t^4}$

24. $y = \dfrac{\theta - 1}{\sqrt{\theta}}$

25. Quelles sont les fonctions dans les problèmes 4 à 15 qui ont des dérivées qui n'existent pas en $x = 0$?

Pour les problèmes 26 à 34, déterminez si les règles des dérivées de cette section s'appliquent. Si c'est le cas, trouvez la dérivée. Sinon, justifiez votre réponse.

26. $y = \sqrt{x}$ 27. $y = (x+3)^{1/2}$ 28. $y = 3x^2 + 4$

29. $y = \dfrac{1}{3z^2} + \dfrac{1}{4}$ 30. $y = \dfrac{1}{3x^2 + 4}$ 31. $y = 3^x$

32. $y = \dfrac{1}{3\sqrt{x}} + \dfrac{1}{4}$ 33. $g(x) = 72\sqrt[6]{x} + \dfrac{27}{x^{2/3}}$ 34. $g(x) = x^\pi - x^{-\pi}$

35. Si $f(t) = 2t^3 - 4t^2 + 3t - 1$, trouvez $f'(t)$ et $f''(t)$.

36. Si $f(x) = 4x^3 + 6x^2 - 23x + 7$, trouvez les intervalles sur lesquels $f'(x) \geq 1$.

37. Sur quels intervalles le graphe de $f(x) = x^4 - 4x^3$ est à la fois décroissant et concave vers le haut ?

38. Pour quelles valeurs de x le graphe de $y = x^5 - 5x$ est à la fois croissant et concave vers le haut ?

39. Si $f(x) = 13 - 8x + \sqrt{2}x^2$ et si $f'(r) = 4$, trouvez r.

40. a) Trouvez la dérivée *huitième* de $f(x) = x^7 + 5x^5 - 4x^3 + 6x - 7$. Réfléchissez bien !
       (La dérivée n-ième est obtenue en dérivant n fois la fonction originale.)
    b) Trouvez la dérivée *septième* de $f(x)$.

41. Trouvez l'équation de la droite tangente au graphe de f au point $(1, 1)$, où f est donnée par $f(x) = 2x^3 - 2x^2 + 1$.

42. Démontrez que pour toute puissance de la fonction $f(x) = x^n$, on trouve $f'(1) = n$.

43. Étant donné une fonction puissance de la forme $f(x) = ax^n$ avec $f'(2) = 3$ et $f'(4) = 24$, trouvez n et a.

44. Existe-t-il une valeur de n qui fait de $y = x^n$ une solution de l'équation $13x\dfrac{dy}{dx} = y$? Si c'est le cas, quelle est cette valeur ?

45. En utilisant un graphe pour vous aider, trouvez les équations de toutes les droites qui passent par l'origine et qui sont tangentes à la parabole

$$y = x^2 - 2x + 4.$$

Tracez ces droites sur le graphe.

46. Une balle est lâchée à partir du sommet de l'Empire State Building vers le sol. La hauteur y de la balle au-dessus du sol (en pieds) est donnée par une fonction du temps t (en secondes) par

$$y = 1250 - 16t^2.$$

    a) Trouvez la vitesse de la balle au temps t. Quel est le signe de la vitesse ? Pourquoi le signe était-il prévisible ?
    b) Démontrez que l'accélération de la balle est constante. Quelle est la valeur et le signe de cette constante ?
    c) À quel moment la balle touchera-t-elle le sol et quelle sera sa vitesse à ce moment-là ? Exprimez votre réponse en pieds par seconde et en milles par heure (1 pi/s = 15/22 mi/h).

47. L'attraction gravitationnelle F entre la Terre et un satellite de masse m à une distance r du centre de la Terre est donnée par

$$F = \frac{GMm}{r^2},$$

où M est la masse de la Terre et G est une constante. Trouvez le taux de variation de la force en fonction de la distance.

48. La période T d'un pendule est exprimée en fonction de sa longueur l par

$$T = 2\pi\sqrt{\frac{l}{g}},$$

où g est l'accélération due à la gravité (qui est une constante).

    a) Trouvez $\dfrac{dT}{dl}$.

b) Quel est le signe de $\dfrac{dT}{dl}$? Quelle information en tirez-vous à propos de la période des pendules ?

49. On sait que le graphe d'une droite tangente se confond de plus en plus avec le graphe de la fonction elle-même à proximité du point de tangence. Cependant, plus on s'éloigne du point de tangence, plus la distance entre le graphe de la fonction et la droite tangente s'accroît. On examine cette constatation pour $f(x) = 1/x$. Trouvez la valeur de f en $x = 2$. Trouvez la droite tangente à la courbe en $x = 1$ et utilisez cette valeur pour estimer la valeur de f en $x = 2$. Maintenant, trouvez la tangente à la courbe en $x = 100$ et utilisez cette valeur pour estimer la valeur de f en $x = 2$. Quelles est la droite tangente qui se confond le plus avec la courbe en $x = 2$? Y a-t-il une contradiction avec votre idée initiale ? Justifiez votre réponse.

50. a) Utilisez la formule pour calculer la surface d'un cercle de rayon r, soit $A = \pi r^2$, pour trouver $\dfrac{dA}{dr}$.

   b) La réponse à la partie a) vous sera familière. Que signifie $\dfrac{dA}{dr}$ du point de vue géométrique ? Faites un dessin.

   c) Utilisez le taux moyen de variation pour expliquer l'observation que vous avez faite à la partie b).

51. Quelle est la formule pour $V(r)$, le volume d'une sphère de rayon r ? Trouvez $\dfrac{dV}{dr}$. Quelle est la signification du point de vue géométrique de $\dfrac{dV}{dr}$?

52. En utilisant la définition de la dérivée, justifiez la formule $\dfrac{d}{dx}(x^n) = nx^{n-1}$.

   a) Pour $n = -1$; pour $n = -3$.   b)   Pour tout nombre entier négatif n.

3.2   LA FONCTION EXPONENTIELLE

Quelle forme pourrait avoir un graphe de la dérivée de la fonction exponentielle $f(x) = a^x$? Le graphe de cette fonction exponentielle est illustré à la figure 3.10. La fonction croît doucement pour $x < 0$ et plus rapidement pour $x > 0$. Par suite, les valeurs de f' sont petites pour $x < 0$ et sont plus grandes pour $x > 0$. Puisque la fonction croît pour toutes les valeurs de x, le graphe de la dérivée se situera au-dessus de l'axe des x. En fait, on constate que le graphe de f' doit ressembler au graphe de f lui-même. On verra comment cette observation se confirme pour $f(x) = 2^x$ et $g(x) = 3^x$.

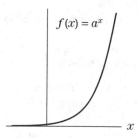

Figure 3.10 : $f(x) = a^x$ pour $a > 1$

Les dérivées de 2^x et de 3^x

Au chapitre 2, on a vu que la dérivée de $f(x) = 2^x$ en $x = 0$ est donnée par

$$f'(0) = \lim_{h \to 0} \frac{2^h - 2^0}{h} = \lim_{h \to 0} \frac{2^h - 1}{h} \approx 0,6931.$$

L'estimation de cette limite est obtenue en évaluant $(2^h - 1)/h$ pour les petites valeurs de h. De la même façon, on peut estimer la dérivée en $x = 1$ et en $x = 2$ de la manière suivante :

$$f'(1) = \lim_{h \to 0} \frac{2^{1+h} - 2^1}{h} \approx 1{,}3863,$$

$$f'(2) = \lim_{h \to 0} \frac{2^{2+h} - 2^2}{h} \approx 2{,}7726.$$

Voyez-vous la relation entre ces valeurs de la dérivée ? Si on remarque que $1{,}3863 \approx 2(0{,}6931)$ et $2{,}7726 \approx 4(0{,}6931)$, on voit que

$$f'(0) \approx 0{,}6931 = 0{,}6931 \cdot 2^0,$$
$$f'(1) \approx 1{,}3863 \approx 0{,}6931 \cdot 2^1,$$
$$f'(2) \approx 2{,}7726 \approx 0{,}6931 \cdot 2^2.$$

Il semble que $f'(x) \approx 0{,}6931 \cdot 2^x$, ce qui est vrai en réalité. Pour vérifier cette affirmation, on calcule la fonction dérivée.

$$f'(x) = \lim_{h \to 0} \left(\frac{2^{x+h} - 2^x}{h} \right) = \lim_{h \to 0} \left(\frac{2^x 2^h - 2^x}{h} \right) = \lim_{h \to 0} 2^x \left(\frac{2^h - 1}{h} \right)$$

$$= 2^x \lim_{h \to 0} \left(\frac{2^h - 1}{h} \right) \qquad \text{(Puisque } x \text{ et } 2^x \text{ sont des valeurs fixes pendant tout le calcul)}$$

$$= f'(0)2^x.$$

On a déjà estimé $f'(0) \approx 0{,}6931$. Ainsi, on obtient

$$\boxed{\frac{d}{dx}(2^x) = f'(x) \approx (0{,}6931)2^x.}$$

Les graphes de $f(x) = 2^x$ et de $f'(x) \approx (0{,}6931)2^x$ sont illustrés à la figure 3.11. À remarquer qu'ils sont très similaires.

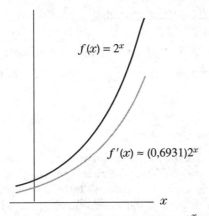

Figure 3.11 : Graphe de $f(x) = 2^x$ et de sa dérivée

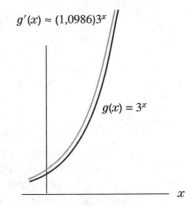

Figure 3.12 : Graphe de $g(x) = 3^x$ et de sa dérivée

Exemple 1 On veut trouver la dérivée de $g(x) = 3^x$ et tracer g et g' sur les mêmes axes.

Solution Comme auparavant,

$$g'(x) = \lim_{h \to 0} \frac{3^{x+h} - 3^x}{h} = \lim_{h \to 0} \frac{3^x 3^h - 3^x}{h} = 3^x \lim_{h \to 0} \left(\frac{3^h - 1}{h} \right).$$

En utilisant une calculatrice, on obtient

$$\lim_{h \to 0} \left(\frac{3^h - 1}{h} \right) \approx 1,0986,$$

de telle sorte que

$$g'(x) \approx (1,0986)3^x.$$

Ces graphes sont illustrés à la figure 3.12 (page précédente).

On remarque que pour $f(x) = 2^x$ et $g(x) = 3^x$, les *dérivées sont proportionnelles aux fonctions originales*. Pour $f(x) = 2^x$, on a $f'(x) \approx (0,6931)2^x$, de telle sorte que la constante de proportionnalité est inférieure à 1 et le graphe de la dérivée est situé sous le graphe de la fonction originale. Pour $g(x) = 3^x$, on obtient $g'(x) \approx (1,0986)3^x$, de telle sorte que la constante de proportionnalité est plus grande que 1 et le graphe de la dérivée est au-dessus de la fonction originale.

Une remarque sur les erreurs d'arrondissement et sur les limites

Si on essaie d'évaluer $(2^h - 1)/h$ à l'aide d'une calculatrice en prenant des valeurs de plus en plus petites de h, les valeurs de $(2^h - 1)/h$ seront d'abord très proches de 0,6931. Cependant, ces valeurs s'écarteront de la valeur exacte 0,6931... à cause de l'*erreur d'arrondissement* (c'est-à-dire les erreurs introduites par la limite d'affichage de la calculatrice à un certain nombre de chiffres).

Au fur et à mesure qu'on essaie des valeurs de plus en plus petites de h, comment peut-on savoir à quel moment arrêter ? Malheureusement, il n'y a pas de règle à ce propos. Une calculatrice ne peut que suggérer la valeur d'une limite, mais elle ne peut jamais confirmer que cette valeur est correcte. Dans le cas précédent, il semble que la limite soit proche de 0,6931 parce que les valeurs de $(2^h - 1)/h$ oscillent autour de 0,6931 pendant un certain temps. Pour s'assurer que ce résultat est correct, on doit trouver la limite par des moyens théoriques.

La dérivée de a^x et la définition de e

Le calcul de la dérivée de $f(x) = a^x$ pour $a > 0$ est similaire à celui de 2^x et de 3^x. On a

$$f'(x) = \lim_{h \to 0} \frac{a^{x+h} - a^x}{h} = a^x \lim_{h \to 0} \frac{a^h - 1}{h}.$$

La quantité $\lim_{h \to 0} (a^h - 1)/h$ ne dépend pas de x et représente une constante pour toute valeur particulière de a. Par suite, la dérivée est de nouveau proportionnelle à la fonction originale avec une constante de proportionnalité

$$\lim_{h \to 0} \frac{a^h - 1}{h}.$$

On ne peut utiliser une calculatrice pour estimer cette limite sans connaître la valeur de a. Cependant, quand $a = 2$, on sait que la limite (0,6931) est plus petite que 1 et que la dérivée est plus petite que la fonction originale. Quand $a = 3$, la limite (1,0986) est plus grande que 1 et la dérivée est plus grande que la fonction originale. Par conséquent, existe-t-il un cas intermédiaire où la dérivée et la fonction se confondent exactement ? En d'autres mots,

Existe-t-il une valeur de a qui rend $\dfrac{d}{dx}(a^x) = a^x$?

Si c'est le cas, on a trouvé une fonction avec cette propriété remarquable qu'elle est égale à sa propre dérivée.

On examine maintenant une telle valeur de a, qui signifie qu'on recherche a de telle sorte que

$$\lim_{h \to 0} \frac{a^h - 1}{h} = 1 \quad \text{ou, pour une petite valeur de } h, \quad \frac{a^h - 1}{h} \approx 1.$$

En résolvant a, on est amené à calculer a de l'une des manières suivantes :

$$a^h - 1 \approx h \quad \text{ou} \quad a^h \approx 1 + h, \quad \text{de telle sorte que} \quad a \approx (1 + h)^{1/h}.$$

En prenant des petites valeurs de h, comme on le montre au tableau 3.2, on peut remarquer que $a \approx 2{,}718\ldots$, ce qui ressemble au nombre e présenté au chapitre 1.

TABLEAU 3.2

h	$(1 + h)^{1/h}$
0,001	2,716 923 9
0,0001	2,718 145 9
0,000 01	2,718 268 2

En fait, on peut démontrer que

$$e = \lim_{h \to 0} (1 + h)^{1/h} = 2{,}718\ldots \quad \text{et} \quad \lim_{h \to 0} \frac{e^h - 1}{h} = 1.$$

Cela signifie que e^x est égal à sa propre dérivée, qui est

$$\boxed{\frac{d}{dx}(e^x) = e^x.}$$

Il s'ensuit que les constantes comprises dans les dérivées de 2^x et de 3^x sont des logarithmes naturels. En fait, puisque $0{,}6931 \approx \ln 2$ et $1{,}0986 \approx \ln 3$, on peut supposer (correctement) que

$$\frac{d}{dx}(2^x) = (\ln 2)2^x \quad \text{et} \quad \frac{d}{dx}(3^x) = (\ln 3)3^x.$$

À la section 3.6, on démontrera qu'en général

$$\boxed{\frac{d}{dx}(a^x) = (\ln a)a^x.}$$

La figure 3.13 (page suivante) illustre le graphe de la dérivée de 2^x au-dessous du graphe de la fonction et le graphe de la dérivée de 3^x au-dessus du graphe de la fonction. Avec $e \approx 2{,}718$, la fonction e^x et sa dérivée sont identiques.

Puisque $\ln a$ est une constante, la dérivée de a^x est proportionnelle à a^x. Il existe plusieurs quantités qui ont des taux de variation proportionnels à elles-mêmes. Par exemple, le modèle le plus simple d'une croissance de population possède cette propriété. Le fait que la constante de proportionnalité est égale à 1 quand $a = e$ fait de e une base fondamentale pour les fonctions exponentielles.

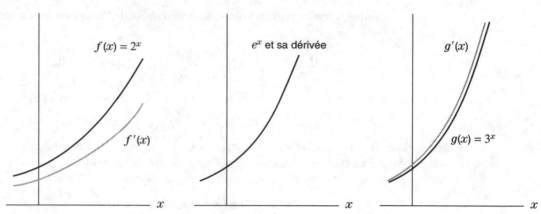

Figure 3.13 : Graphes des fonctions 2^x, e^x et 3^x et leur dérivée

---

Exemple 2   Calculez la dérivée $2 \cdot 3^x + 5e^x$.

   Solution

$$\frac{d}{dx}(2 \cdot 3^x + 5e^x) = 2\frac{d}{dx}(3^x) + 5\frac{d}{dx}(e^x) = 2\ln 3 \cdot 3^x + 5e^x \approx (2{,}1972)3^x + 5e^x.$$

Problèmes de la section 3.2

Trouvez les dérivées des fonctions des problèmes 1 à 21.

1. $f(x) = 2e^x + x^2$

2. $y = 5t^2 + 4e^t$

3. $y = 5^x + 2$

4. $f(x) = 2^x + 2 \cdot 3^x$

5. $y = 5x^2 + 2^x + 3$

6. $f(x) = 12e^x + 11^x$

7. $y = 4 \cdot 10^x - x^3$

8. $y = 3x - 2 \cdot 4^x$

9. $y = \dfrac{3^x}{3} + \dfrac{33}{\sqrt{x}}$

10. $f(x) = e^2 + x^e$

11. $f(x) = e^{1+x}$

12. $f(t) = e^{t+2}$

13. $y = e^{\theta - 1}$

14. $z = (\ln 4)e^x$

15. $z = (\ln 4)4^x$

16. $f(z) = (\ln 3)z^2 + (\ln 4)\, e^z$

17. $f(t) = (\ln 3)^t$

18. $f(x) = x^3 + 3^x$

19. $y = 5 \cdot 5^t + 6 \cdot 6^t$

20. $y = \pi^2 + \pi^x$

21. $f(x) = x^{\pi^2} + (\pi^2)^x$

Parmi les fonctions des problèmes 22 à 30, lesquelles peuvent être dérivées en utilisant les règles qu'on a déterminées jusqu'à maintenant ? Effectuez la dérivation si vous le pouvez. Dans le cas contraire, indiquez pourquoi les règles en question ne s'appliquent pas.

22. $y = x^2 + 2^x$

23. $y = \sqrt{x} - \left(\frac{1}{2}\right)^x$

24. $y = x^2 \cdot 2^x$

25. $y = \dfrac{2^x}{x}$

26. $y = e^{x+5}$

27. $y = e^{5x}$

28. $y = 4^{(x^2)}$

29. $f(z) = (\sqrt{4}\,)^z$

30. $f(\theta) = 4^{\sqrt{\theta}}$

31. Depuis le 1er janvier 1960, la population de la localité de Slim Chance a été décrite par la formule suivante :

$$P = 35,000(0,98)^t,$$

où P est la population de la localité, t années après le début de 1960. À quel taux la population variait-elle le 1er janvier 1983 ?

32. Avec un taux d'inflation annuel de 5 %, les prix sont définis par l'expression

$$P = P_0(1,05)^t,$$

où P_0 est le prix (en dollars) quand $t = 0$, et t est le temps (en années). Supposez que $P_0 = 1$. À quelle vitesse (en cents par année) les prix augmentent-ils quand $t = 10$?

33. Le prix de certaines pièces de mobilier antique ont augmenté très rapidement au cours des années 1970 et 1980. Par exemple, la valeur d'une chaise berçante est estimée correctement par :

$$V = 75(1,35)^t,$$

où V est le prix (en dollars) et t est le temps (en années) depuis 1975. Trouvez le taux de croissance des prix, en dollars par année.

34. La valeur d'une automobile achetée en 1997 est estimée par la fonction $V(t) = 25(0,85)^t$, où t est le temps (en années) à partir de la date d'achat et V est la valeur du véhicule (en milliers de dollars).

   a) Évaluez et interprétez $V(4)$.
   b) Trouvez une expression pour $V'(t)$ et précisez les unités.
   c) Estimez et interprétez $V'(4)$.
   d) Utilisez $V(t)$ et $V'(t)$ et toute autre considération pertinente pour rédiger une argumentation qui permettra d'affirmer ou de contredire l'énoncé suivant : « D'un point de vue strictement monétaire, il est préférable de garder le véhicule aussi longtemps que possible. »

35. a) Trouvez la pente du graphe de $f(x) = 1 - e^x$ au point d'intersection avec l'axe des x.
   b) Trouvez l'équation de la droite tangente à la courbe en ce point.
   c) Trouvez l'équation de la droite perpendiculaire à la droite tangente en ce point. (Cette droite est appelée droite *normale*.)

36. Trouvez la valeur de c à la figure 3.14, où la droite l tangente au graphe de $y = 2^x$ en $(0, 1)$ rencontre l'axe des x.

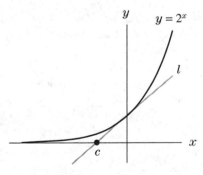

Figure 3.14

37. Trouvez le polynôme quadratique $g(x) = ax^2 + bx + c$ qui représente le mieux la fonction $f(x) = e^x$ en $x = 0$, dans le sens que

$$g(0) = f(0), \quad g'(0) = f'(0) \quad \text{et} \quad g''(0) = f''(0).$$

À l'aide d'un ordinateur ou d'une calculatrice, tracez les graphes de f et de g sur les mêmes axes. Que remarquez-vous ?

38. En utilisant l'équation de la droite tangente au graphe de e^x en $x = 0$, démontrez que

$$e^x \geq 1 + x$$

pour toutes les valeurs de x. Un graphe vous sera utile.

39. Trouvez toutes les solutions de l'équation

$$2^x = 2x.$$

Comment pouvez-vous être certain d'avoir trouvé toutes les solutions ?

3.3   LES RÈGLES DU PRODUIT ET DU QUOTIENT

On sait comment obtenir les dérivées des fonctions de puissance et des fonctions exponentielles ainsi que des sommes de fonctions et des multiples par des constantes. Cette section montre comment trouver les dérivées de produits et de quotients de fonctions.

L'utilisation de la notation Δ

Pour exprimer le taux moyen de variation de fonctions générales, on introduit une nouvelle notation. On l'appelle Δf qui se lit « delta f » pour représenter une petite variation de la valeur de f,

$$\Delta f = f(x + h) - f(x).$$

Dans cette notation, la dérivée est la limite du ratio $\Delta f / h$:

$$f'(x) = \lim_{h \to 0} \frac{\Delta f}{h}.$$

La règle du produit

On suppose que l'on connaît les dérivées de $f(x)$ et de $g(x)$ et qu'on désire calculer la dérivée du produit $f(x)g(x)$. La dérivée du produit s'obtient en prenant la limite, autrement dit

$$\frac{d[f(x)g(x)]}{dx} = \lim_{h \to 0} \frac{f(x + h)g(x + h) - f(x)g(x)}{h}.$$

Pour représenter la quantité $f(x + h)g(x + h) - f(x)g(x)$, on imagine un rectangle ayant les côtés $f(x + h)$ et $g(x + h)$, comme l'illustre la figure 3.15, où $\Delta f = f(x + h) - f(x)$ et $\Delta g = g(x + h) - g(x)$.

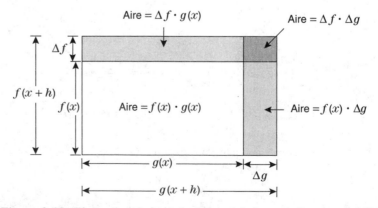

Figure 3.15 : Illustration de la règle du produit (avec Δf et Δg positifs)

Alors,

$$f(x+h)g(x+h) - f(x)g(x) = \text{(Aire du rectangle complet)} - \text{(Aire non ombrée)}$$
$$= \text{Aire des trois rectangles ombrés}$$
$$= \Delta f \cdot g(x) + f(x) \cdot \Delta g + \Delta f \cdot \Delta g.$$

Si on divise maintenant par h, on obtient

$$\frac{f(x+h)g(x+h) - f(x)g(x)}{h} = \frac{\Delta f}{h} \cdot g(x) + f(x) \cdot \frac{\Delta g}{h} + \frac{\Delta f \cdot \Delta g}{h}.$$

Pour évaluer la limite quand $h \to 0$, on examine séparément les trois termes du membre de droite de l'équation. On remarque que

$$\lim_{h \to 0} \frac{\Delta f}{h} \cdot g(x) = f'(x)g(x) \quad \text{et} \quad \lim_{h \to 0} f(x) \cdot \frac{\Delta g}{h} = f(x)g'(x).$$

Dans le troisième terme, on multiplie le dénominateur et le numérateur par h pour obtenir $\frac{\Delta f}{h} \cdot \frac{\Delta g}{h} \cdot h$. Par suite,

$$\lim_{h \to 0} \frac{\Delta f \cdot \Delta g}{h} = \lim_{h \to 0} \frac{\Delta f}{h} \cdot \frac{\Delta g}{h} \cdot h = \lim_{h \to 0} \frac{\Delta f}{h} \cdot \lim_{h \to 0} \frac{\Delta g}{h} \cdot \lim_{h \to 0} h = f'(x) \cdot g'(x) \cdot 0 = 0.$$

On aboutit donc à

$$\lim_{h \to 0} \frac{f(x+h)g(x+h) - f(x)g(x)}{h} = \lim_{h \to 0} \left(\frac{\Delta f}{h} \cdot g(x) + f(x) \cdot \frac{\Delta g}{h} + \frac{\Delta f \cdot \Delta g}{h} \right)$$
$$= \lim_{h \to 0} \frac{\Delta f}{h} \cdot g(x) + \lim_{h \to 0} f(x) \cdot \frac{\Delta g}{h} + \lim_{h \to 0} \frac{\Delta f \cdot \Delta g}{h}$$
$$= f'(x)g(x) + f(x)g'(x).$$

On peut donc en déduire la règle suivante :

Règle du produit

Si $u = f(x)$ et $v = g(x)$ sont dérivables, alors

$$(fg)' = f'g + fg'.$$

La règle du produit peut également s'écrire

$$\frac{d(uv)}{dx} = \frac{du}{dx} \cdot v + u \cdot \frac{dv}{dx}.$$

En d'autres termes, la dérivée d'un produit de deux fonctions est égale à la dérivée de la première fonction multipliée par la seconde fontion, plus la première fonction multipliée par la dérivée de la seconde fonction.

On trouvera une autre justification de la règle du produit dans le problème 23.

Exemple 1   On veut dériver   a) $x^2 e^x$.   b) $(3x^2 + 5x)e^x$.   c) $\dfrac{e^x}{x^2}$.

Solution   a) $\dfrac{d(x^2 e^x)}{dx} = \left(\dfrac{d(x^2)}{dx} \right) e^x + x^2 \dfrac{d(e^x)}{dx} = 2xe^x + x^2 e^x = (2x + x^2)e^x.$

b) $\dfrac{d((3x^2 + 5x)e^x)}{dx} = \left(\dfrac{d(3x^2 + 5x)}{dx}\right)e^x + (3x^2 + 5x)\dfrac{d(e^x)}{dx}$

$$= (6x + 5)e^x + (3x^2 + 5x)e^x = (3x^2 + 11x + 5)e^x.$$

c)   Il faut d'abord écrire $\dfrac{e^x}{x^2}$ comme le produit $x^{-2}e^x$:

$$\dfrac{d}{dx}\left(\dfrac{e^x}{x^2}\right) = \dfrac{d(x^{-2}e^x)}{dx} = \left(\dfrac{d(x^{-2})}{dx}\right)e^x + x^{-2}\dfrac{d(e^x)}{dx}$$

$$= -2x^{-3}e^x + x^{-2}e^x = (-2x^{-3} + x^{-2})e^x.$$

La règle du quotient

On veut dériver une fonction de la forme $Q(x) = f(x)/g(x)$ [bien sûr, en évitant les points où $g(x) = 0$]. On recherche une formule pour Q' en termes de f' et de g'.

On suppose que $Q(x)$ est dérivable[1]. On peut appliquer la règle du produit à $f(x) = Q(x)g(x)$:

$$f'(x) = Q'(x)g(x) + Q(x)g'(x)$$

$$= Q'(x)g(x) + \dfrac{f(x)}{g(x)}g'(x).$$

En résolvant cette équation pour $Q'(x)$, on obtient

$$Q'(x) = \dfrac{f'(x) - \dfrac{f(x)}{g(x)}g'(x)}{g(x)}.$$

En multipliant le numérateur et le dénominateur de cette fonction par $g(x)$, on simplifie et on obtient

$$\left(\dfrac{f(x)}{g(x)}\right)' = \dfrac{f'(x)g(x) - f(x)g'(x)}{(g(x))^2},$$

de telle sorte qu'on aboutit à la règle suivante :

Règle du quotient

Si $u = f(x)$ et si $v = g(x)$ sont des fonctions dérivables, alors

$$\left(\dfrac{f}{g}\right)' = \dfrac{f'g - fg'}{g^2}$$

ou, de manière équivalente,

$$\dfrac{d}{dx}\left(\dfrac{u}{v}\right) = \dfrac{\dfrac{du}{dx}\cdot v - u\cdot\dfrac{dv}{dx}}{v^2}.$$

En d'autres termes, la dérivée d'un quotient de fonctions est égale à la dérivée du numérateur multipliée par le dénominateur, moins le numérateur multiplié par la dérivée du dénominateur, le tout sur le dénominateur au carré.

---

1. On peut se servir de la méthode de l'exemple 6 de la section 3.4 pour expliquer pourquoi $Q(x)$ doit être dérivable.

Exemple 2   Dérivez les quotients des fonctions suivantes : a) $\dfrac{5x^2}{x^3+1}$.   b) $\dfrac{1}{1+e^x}$.   c) $\dfrac{e^x}{x^2}$.

Solution   a) $\dfrac{d}{dx}\left(\dfrac{5x^2}{x^3+1}\right) = \dfrac{\left(\dfrac{d}{dx}(5x^2)\right)(x^3+1) - 5x^2\dfrac{d}{dx}(x^3+1)}{(x^3+1)^2} = \dfrac{10x(x^3+1) - 5x^2(3x^2)}{(x^3+1)^2}.$

$$= \dfrac{5x^4 + 10x}{(x^3+1)^2}.$$

b) $\dfrac{d}{dx}\left(\dfrac{1}{1+e^x}\right) = \dfrac{\left(\dfrac{d}{dx}(1)\right)(1+e^x) - 1\dfrac{d}{dx}(1+e^x)}{(1+e^x)^2} = \dfrac{0(1+e^x) - 1(0+e^x)}{(1+e^x)^2}$

$$= \dfrac{-e^x}{(1+e^x)^2}.$$

c) Cette question est identique à la partie c) de l'exemple 1, mais on appliquera cette fois la règle du quotient. On a

$$\dfrac{d}{dx}\left(\dfrac{e^x}{x^2}\right) = \dfrac{\left(\dfrac{d(e^x)}{dx}\right)x^2 - e^x\left(\dfrac{d(x^2)}{dx}\right)}{(x^2)^2} = \dfrac{e^x x^2 - e^x(2x)}{x^4}$$

$$= e^x\left(\dfrac{x^2 - 2x}{x^4}\right) = e^x\left(\dfrac{x-2}{x^3}\right).$$

En fait, on aboutit à la même réponse qu'auparavant, même si elle semble différente. Est-il possible de démontrer qu'il s'agit de la même ?

Problèmes de la section 3.3

1. Si $f(x) = x^2(x^3 + 5)$, trouvez $f'(x)$ de deux façons : d'abord en appliquant la règle du produit, puis en effectuant la multiplication avant de trouver la dérivée. Obtenez-vous le même résultat les deux fois ? Devriez-vous avoir le même résultat ?

2. Si $f(x) = 2^x \cdot 3^x$, trouvez $f'(x)$ de deux façons : d'abord en appliquant la règle du produit, puis en vous basant sur le fait que $2^x \cdot 3^x = 6^x$. Obtenez-vous le même résultat ?

Dans les problèmes 3 à 23, trouvez la dérivée. Dans certains cas, il sera plus facile de simplifier d'abord.

3. $f(x) = xe^x$ 4. $y = x \cdot 2^x$ 5. $y = \sqrt{x} \cdot 2^x$

6. $f(x) = (x^2 - \sqrt{x})3^x$ 7. $z = (s^2 - \sqrt{s})(s^2 + \sqrt{s})$ 8. $y = (t^2 + 3)e^t$

9. $w = (t^3 + 5t)(t^2 - 7t + 2)$ 10. $y = (t^3 - 7t^2 + 1)e^t$ 11. $f(x) = \dfrac{x}{e^x}$

12. $g(x) = \dfrac{25x^2}{e^x}$ 13. $g(w) = \dfrac{w^{3,2}}{5^w}$ 14. $h(t) = \dfrac{t+4}{t-4}$

15. $z = \dfrac{3t + 1}{5t + 2}$

16. $z = \dfrac{t^2 + 5t + 2}{t + 3}$

17. $f(x) = \dfrac{x^2 + 3}{x}$

18. $w = \dfrac{y^3 - 6y^2 + 7y}{y}$

19. $y = \dfrac{\sqrt{t}}{t^2 + 1}$

20. $f(z) = \dfrac{3z^2}{5z^2 + 7z}$

21. $w(x) = \dfrac{17e^x}{2^x}$

22. $h(p) = \dfrac{1 + p^2}{3 + 2p^2}$

23. $f(x) = \dfrac{1 + x}{2 + 3x + 4x^2}$

24. Si $f(x) = (3x + 8)(2x - 5)$, trouvez $f'(x)$ et $f''(x)$.

25. Pour quels intervalles est-ce que $f(x) = xe^{-x}$ a une forme concave vers le bas ?

26. Pour quels intervalles est-ce que $g(x) = \dfrac{1}{x^2 + 1}$ a une forme concave vers le bas ?

27. Dérivez $f(t) = e^{-t}$ en la représentant par $f(t) = \dfrac{1}{e^t}$.

28. Dérivez $f(x) = e^{2x}$ en la représentant par $f(x) = e^x \cdot e^x$.

29. Dérivez $f(x) = e^{3x}$ en la représentant par $f(x) = e^x \cdot e^{2x}$ et en utilisant le résultat du problème 28.

30. En vous fondant sur les réponses aux problèmes 28 et 29, devinez quelle sera la dérivée de e^{4x}.

31. a) Dérivez $y = \dfrac{e^x}{x}$, $\quad y = \dfrac{e^x}{x^2}$ $\quad$ et $\quad y = \dfrac{e^x}{x^3}$.

    b) Quelle serait, selon vous, la dérivée de $y = \dfrac{e^x}{x^n}$? Confirmez votre hypothèse.

32. En appliquant la règle du produit et en considérant le fait que $\dfrac{d(x)}{dx} = 1$, démontrez que $\dfrac{d(x^2)}{dx} = 2x$ et $\dfrac{d(x^3)}{dx} = 3x^2$.

33. En appliquant la règle du produit, démontrez que $\dfrac{d}{dx}(x^{1/2}) = \dfrac{1}{2x^{1/2}}$. [Conseil : Représentez x par $x = x^{1/2}x^{1/2}$.]

34. Supposez que f et g sont des fonctions dérivables avec les valeurs indiquées dans le tableau suivant. Pour chacune des fonctions suivantes h, trouvez $h'(2)$.

    a) $h(x) = f(x) + g(x)$ $\qquad$ b) $h(x) = f(x)g(x)$ $\qquad$ c) $h(x) = \dfrac{f(x)}{g(x)}$

x	$f(x)$	$g(x)$	$f'(x)$	$g'(x)$
2	3	4	5	−2

35. En considérant $\left\{ \begin{array}{ll} H(3) = 1 & F(3) = 5 \\ H'(3) = 3 & F'(3) = 4 \end{array} \right\}$ trouvez $\left\{ \begin{array}{ll} \text{a)} \; G'(3) & \text{si } G(z) = F(z) \cdot H(z) \\ \text{b)} \; G'(3) & \text{si } G(w) = F(w)/H(w) \end{array} \right\}$.

36. Trouvez une formule possible pour la fonction $y = f(x)$ telle que $f'(x) = 10x^9 e^x + x^{10} e^x$.

37. La quantité de vente q d'une planche à roulettes est fonction du prix de vente p (en dollars) tel qu'on peut écrire $q = f(p)$. On a $f(140) = 15\,000$ et $f'(140) = -100$.

    a) Qu'est-ce que $f(140) = 15\,000$ et $f'(140) = -100$ vous révèlent en ce qui concerne la vente de planches à roulettes ?

    b) Le revenu total R, obtenu grâce à la vente des planches à roulettes, est donné par $R = pq$. Trouvez $\left. \dfrac{dR}{dp} \right|_{p = 140}$.

    c) Quel est le signe de $\left. \dfrac{dR}{dp} \right|_{p = 140}$ si les planches à roulettes sont actuellement vendues 140 $ l'unité. Quel sera l'effet sur le revenu si le prix passe à 141 $?

38. Quand un courant électrique traverse deux résistances de valeur r_1 et r_2 connectées en parallèle, la résistance combinée R peut être calculée à partir de l'équation

$$\frac{1}{R} = \frac{1}{r_1} + \frac{1}{r_2}.$$

Trouvez le taux de variation de la résistance totale en fonction des variations de r_1. Supposez que r_2 demeure constante.

39. Un musée a décidé de vendre l'une de ses toiles et d'en investir le revenu. Si la peinture se vend entre les années 2000 et 2020 et que le revenu de la vente est investi à la banque à un taux annuel d'intérêt composé de 5 % une fois par année, alors $B(t)$, soit le solde du compte en l'an 2020, dépend de l'année t où la peinture a été vendue et de son prix de vente $P(t)$. Si t est mesurée à partir de l'an 2000 de telle sorte que $0 < t < 20$, alors

$$B(t) = P(t)\,(1{,}05)^{20-t}.$$

a) Expliquez pourquoi $B(t)$ est obtenu grâce à cette formule.
b) Démontrez que la formule $B(t)$ est équivalente à

$$B(t) = (1{,}05)^{20}\,\frac{P(t)}{(1{,}05)^{t}}.$$

c) Trouvez $B'(10)$ en considérant que $P(10) = 150\,000$ et $P'(10) = 5000$.

40. Soit $f(v)$ la consommation d'essence (en litres par kilomètre) d'une voiture allant à la vitesse v (en kilomètres par heure). En d'autres termes, $f(v)$ indique le nombre de litres d'essence que le véhicule consomme quand il parcourt 1 km et roule à la vitesse v. On a

$$f(80) = 0{,}05 \text{ et } f'(80) = 0{,}0005.$$

a) Soit $g(v)$ la distance que cette voiture parcourt avec un litre d'essence à la vitesse v. Quelle est la relation entre $f(v)$ et $g(v)$? Trouvez $g(80)$ et $g'(80)$.
b) Soit $h(v)$ la consommation d'essence (en litres par heure). En d'autres termes, $h(v)$ indique combien de litres d'essence la voiture consomme en une heure quand elle roule à la vitesse v. Quelle est la relation entre $h(v)$ et $f(v)$? Trouvez $h(80)$ et $h'(80)$.
c) Comment expliquez-vous la signification pratique des valeurs de ces fonctions et de leurs dérivées à un conducteur qui ne comprend rien au calcul différentiel ?

41. La fonction

$$f(x) = e^x$$

a les propriétés

$$f'(x) = f(x) \text{ et } f(0) = 1.$$

Expliquez pourquoi $f(x)$ est la seule fonction qui a ces deux propriétés à la fois.
[Conseil : Supposez que $g'(x) = g(x)$ et $g(0) = 1$ pour certaines fonctions $g(x)$. Définissez $h(x) = g(x)/e^x$ et calculez $h'(x)$. Puis, considérez le fait qu'une fonction avec une dérivée de zéro doit être une fonction constante.]

42. Trouvez $f'(x)$ pour les fonctions suivantes en appliquant la règle du produit plutôt qu'en les multipliant.

a) $f(x) = (x-1)(x-2)$
b) $f(x) = (x-1)(x-2)(x-3)$
c) $f(x) = (x-1)(x-2)(x-3)(x-4)$

43. Utilisez la réponse du problème 42 pour exprimer $f'(x)$ dans le cas de la fonction suivante :

$$f(x) = (x - r_1)(x - r_2)(x - r_3) \cdots (x - r_n),$$

où $r_1, r_2 \ldots, r_n$ sont des nombres réels quelconques.

44. a) Étant donné une analogie tridimensionnelle de la démonstration géométrique de la formule servant à calculer la dérivée d'un produit (voir la figure 3.15), trouvez maintenant une formule pour la dérivée de $F(x) \cdot G(x) \cdot H(x)$ en observant la figure 3.16.
    b) Vérifiez vos résultats en écrivant $F(x) \cdot G(x) \cdot H(x)$ sous la forme $[F(x) \cdot G(x)] \cdot H(x)$ et utilisez la règle du produit deux fois.
    c) Généralisez vos résultats à n fonctions. Quelle est la dérivée de

$$f_1(x) \cdot f_2(x) \cdot f_3(x) \cdots f_n(x) ?$$

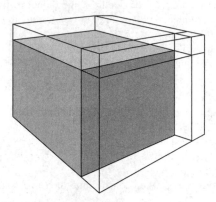

Figure 3.16 : Représentation graphique à trois dimensions de la règle du produit

3.4 LA RÈGLE DE LA DÉRIVÉE EN CHAÎNE

Les fonctions composées telles que $\sin(3t)$ ou e^{-x^2} se retrouvent fréquemment dans la pratique. Dans cette section, on verra comment dériver de telles fonctions.

La dérivée d'une composition de fonctions

On suppose une fonction composée $f(g(x))$ avec f la fonction externe et g la fonction interne. On écrit

$$z = g(x) \quad \text{et} \quad y = f(z). \quad \text{Donc, } y = f(g(x)).$$

Une petite variation de x, appelée Δx, engendre une petite variation appelée z. À son tour, Δz engendre une petite variation de y, appelée Δy. En supposant que Δx et Δz sont différentes de zéro, on peut dire que

$$\frac{\Delta y}{\Delta x} = \frac{\Delta y}{\Delta z} \cdot \frac{\Delta z}{\Delta x}.$$

Puisque $\dfrac{dy}{dx} = \lim\limits_{\Delta x \to 0} \dfrac{\Delta y}{\Delta x}$, cela laisse supposer que dans la limite, lorsque Δx, Δy et Δz diminuent, la règle suivante s'applique :

Règle de la dérivée en chaîne

$$\frac{dy}{dx} = \frac{dy}{dz} \cdot \frac{dz}{dx}.$$

Puisque $\dfrac{dy}{dz} = f'(z)$ et $\dfrac{dz}{dx} = g'(x)$, on peut également écrire

$$\frac{d}{dx} f(g(x)) = f'(z) \cdot g'(x).$$

En substituant $z = g(x)$, cette égalité devient la

Règle de la dérivée en chaîne

$$\frac{d}{dx} f(g(x)) = f'(g(x)) \cdot g'(x).$$

En d'autres termes, la dérivée d'une fonction composée est le produit des dérivées des fonctions externes et internes. La dérivée de la fonction externe doit être évaluée en la fonction interne.

On trouvera une justification de la règle de la dérivée en chaîne dans le problème 24.

Exemple 1 On suppose que la longueur L (en centimètres) d'une barre d'acier dépend de la température de l'air H °C et que H dépend du temps t (en heures). Si la longueur croît de 2 cm pour chaque accroissement de température de 1 °C et que la température croît de 3 °C/h, quel est le taux de croissance de la barre ? Quelles sont les unités de la réponse ?

Solution On s'attend à ce que le taux de croissance soit exprimé en centimètres par heure. On dispose des éléments suivants :

Le taux d'accroissement de la longueur
en fonction de la température $= \dfrac{dL}{dH} = 2$ cm/°C ;

Le taux d'accroissement de la
température en fonction du temps $= \dfrac{dH}{dt} = 3$ °C/h.

On veut calculer le taux de croissance en fonction du temps, soit dL/dt. On exprime L comme une fonction de H et H comme une fonction de t. En appliquant la règle de la dérivée en chaîne, on sait que

$$\frac{dL}{dt} = \frac{dL}{dH} \cdot \frac{dH}{dt} = \left(2\frac{\text{cm}}{\text{°C}}\right) \cdot \left(3\frac{\text{°C}}{\text{h}}\right) = 6 \text{ cm/h}.$$

Donc, la longueur de la barre s'accroît au taux de 6 cm/h.

L'exemple 1 a démontré comment interpréter la règle de la dérivée en chaîne en termes simples. Les exemples suivants montrent comment cette règle permet de calculer les dérivées des fonctions données par des formules.

Exemple 2 On veut trouver la dérivée des fonctions   a) $(4x^2 + 1)^7$.   b) e^{3x}.

Solution a) Ici $z = g(x) = 4x^2 + 1$ est la fonction interne ; $f(z) = z^7$ est la fonction externe. Puisque $g'(x) = 8x$ et $f'(z) = 7z^6$, on a

$$\frac{d}{dx}[(4x^2 + 1)^7] = 7z^6 \cdot 8x = 7(4x^2 + 1)^6 \cdot 8x = 56x(4x^2 + 1)^6.$$

b) Soit $z = g(x) = 3x$ et $f(z) = e^z$. Alors, $g'(x) = 3$ et $f'(z) = e^z$ de telle sorte que

$$\frac{d}{dx}(e^{3x}) = e^z \cdot 3 = 3e^{3x}.$$

Exemple 3 On veut dériver

a) $(x^2 + 1)^{100}$. b) $\sqrt{3x^2 + 5x - 2}$. c) $\dfrac{1}{x^2 + x^4}$. d) $\sqrt{e^x + 1}$. e) e^{x^2}.

Solution

a) Ici $z = g(x) = x^2 + 1$ est la fonction interne et $f(z) = z^{100}$ est la fonction externe. On a donc $g'(x) = 2x$ et $f'(z) = 100z^{99}$ de telle sorte que

$$\frac{d[(x^2 + 1)^{100}]}{dx} = 100z^{99} \cdot 2x = 100(x^2 + 1)^{99} \cdot 2x = 200x\,(x^2 + 1)^{99}.$$

b) Ici $z = g(x) = 3x^2 + 5x - 2$ et $f(z) = \sqrt{z}$ de telle sorte que $g'(x) = 6x + 5$ et $f'(z) = \dfrac{1}{2\sqrt{z}}$. Par suite,

$$\frac{d(\sqrt{3x^2 + 5x - 2})}{dx} = \frac{1}{2\sqrt{z}} \cdot (6x + 5) = \frac{1}{2\sqrt{3x^2 + 5x - 2}} \cdot (6x + 5).$$

c) Soit $z = g(x) = x^2 + x^4$ et $f(z) = 1/z$ de telle sorte que $g'(x) = 2x + 4x^3$ et $f'(z) = -z^{-2} = -\dfrac{1}{z^2}$. Alors,

$$\frac{d}{dx}\left(\frac{1}{x^2 + x^4}\right) = -\frac{1}{z^2}(2x + 4x^3) = -\frac{2x + 4x^3}{(x^2 + x^4)^2}.$$

On aurait pu résoudre ce problème en appliquant la règle du quotient. On utilise cette règle pour vérifier si la réponse est la même.

d) Soit $z = g(x) = e^x + 1$ et $f(z) = \sqrt{z}$. Par suite, $g'(x) = e^x$ et $f'(z) = \dfrac{1}{2\sqrt{z}}$. On obtient

$$\frac{d(\sqrt{e^x + 1})}{dx} = \frac{1}{2\sqrt{z}}e^x = \frac{e^x}{2\sqrt{e^x + 1}}.$$

e) Si on veut déterminer quelle est la fonction interne et quelle est la fonction externe, on note que pour estimer e^{x^2}, on doit d'abord estimer x^2 puis prendre e à cette puissance. Cela indique que la fonction interne est $z = g(x) = x^2$ et que la fonction externe est $f(z) = e^z$. Par suite, $g'(x) = 2x$ et $f'(z) = e^z$, ce qui donne

$$\frac{d(e^{x^2})}{dx} = e^z \cdot 2x = e^{x^2} \cdot 2x = 2xe^{x^2}.$$

Exemple 4 Trouvez la dérivée de e^{2x} en appliquant la règle de la dérivée en chaîne, puis la règle du produit.

Solution **Règle de la dérivée en chaîne :** Soit la fonction interne $z = g(x) = 2x$ et la fonction externe $f(z) = e^z$. Alors,

$$\frac{d(e^{2x})}{dx} = f'(g(x)) \cdot g'(x) = e^{2x} \cdot 2 = 2e^{2x}.$$

Règle du produit : On écrit $e^{2x} = e^x \cdot e^x$. Alors,

$$\frac{d(e^{2x})}{dx} = \frac{d(e^x e^x)}{dx} = \left(\frac{d(e^x)}{dx}\right)e^x + e^x\left(\frac{d(e^x)}{dx}\right) = e^x \cdot e^x + e^x \cdot e^x = 2e^{2x}.$$

La règle de la dérivée en chaîne sert souvent à calculer des taux de variation, comme le démontre l'exemple 5.

Exemple 5   Un déversement de pétrole se répand en nappe circulaire. Si le rayon de la nappe croît de 0,2 km/h quand le rayon est de 3 km, trouvez le taux auquel la surface s'accroît à ce moment-là. Précisez les unités de votre réponse.

Solution   Si A est la surface de la nappe de pétrole (en kilomètres carrés) et que r est le rayon (en kilomètres), alors

$$A = \pi r^2.$$

En dérivant à l'aide de la règle de la chaîne, on obtient

$$\frac{dA}{dt} = \frac{dA}{dr} \cdot \frac{dr}{dt} = 2\pi r \cdot \frac{dr}{dt}.$$

On sait que $dr/dt = 0,2$ km/h quand $r = 3$ km, de telle sorte que

$$\frac{dA}{dt} = (2\pi \cdot 3\text{km})(0,2 \text{ km/h}) = 1,2\pi \approx 3,77 \text{ km}^2/\text{h}.$$

À noter que les unités de dA/dt sont des $(\text{km})(\text{km/h}) = \text{km}^2/\text{h}$, ce qui représente une surface par unité de temps, comme on pouvait s'y attendre.

L'application des règles du produit et de la dérivée en chaîne pour dériver un quotient

Si on préfère, on peut dériver un quotient en appliquant les règles du produit et de la dérivée en chaîne, au lieu de la règle du quotient. Les formules résultantes peuvent paraître différentes, mais elles sont en vérité équivalentes.

Exemple 6   Trouvez $k'(x)$ si $k(x) = \dfrac{x}{x^2 + 1}$.

Solution   Une première façon de procéder est d'appliquer la règle du quotient. On a

$$k'(x) = \frac{1 \cdot (x^2 + 1) - x \cdot (2x)}{(x^2 + 1)^2}$$

$$= \frac{1 - x^2}{(x^2 + 1)^2}.$$

Une autre manière est d'écrire la fonction originale comme un produit, avec

$$k(x) = x\frac{1}{x^2 + 1} = x \cdot (x^2 + 1)^{-1},$$

et d'appliquer la règle du produit. On a alors

$$k'(x) = 1 \cdot (x^2 + 1)^{-1} + x \cdot \frac{d}{dx}\left[(x^2 + 1)^{-1}\right].$$

Enfin, on utilise la règle de la dérivée en chaîne pour dériver $(x^2 + 1)^{-1}$. Soit $z = x^2 + 1$ et $f(z) = z^{-1}$, de telle sorte que

$$\frac{d}{dx}\left[(x^2 + 1)^{-1}\right] = -z^{-2} \cdot 2x = -(x^2 + 1)^{-2} \cdot 2x = \frac{-2x}{(x^2 + 1)^2}.$$

Ce qui donne

$$k'(x) = \frac{1}{x^2 + 1} + x \cdot \frac{-2x}{(x^2 + 1)^2} = \frac{1}{x^2 + 1} - \frac{2x^2}{(x^2 + 1)^2}.$$

Si on réduit ces deux fractions au même dénominateur, on obtient la même réponse qu'avec la règle du quotient.

Problèmes de la section 3.4

Trouvez les dérivées des fonctions des problèmes 1 à 30.

1. $f(x) = (x + 1)^{99}$

2. $f(x) = \sqrt{1 - x^2}$

3. $w = (t^2 + 1)^{100}$

4. $w = (t^3 + 1)^{100}$

5. $w = (\sqrt{t} + 1)^{100}$

6. $f(t) = e^{3t}$

7. $f(x) = 2^{(x + 2)}$

8. $g(x) = 3^{(2x + 7)}$

9. $k(x) = (x^3 + e^x)^4$

10. $z(x) = \sqrt[3]{2^x + 5}$

11. $y = \frac{\sqrt{z}}{2^z}$

12. $w = \sqrt{(x^2 \cdot 5^x)^3}$

13. $y = e^{3w/2}$

14. $y = e^{-4t}$

15. $y = \sqrt{s^3 + 1}$

16. $w = e^{\sqrt{s}}$

17. $y = te^{-t^2}$

18. $f(z) = \sqrt{z}\, e^{-z}$

19. $f(z) = \frac{\sqrt{z}}{e^z}$

20. $z = 2^{5t - 3}$

21. $f(t) = te^{5 - 2t}$

22. $f(z) = \frac{1}{(e^z + 1)^2}$

23. $f(\theta) = \frac{1}{1 + e^{-\theta}}$

24. $f(x) = 6e^{5x} + e^{-x^2}$

25. $f(w) = (5w^2 + 3)e^{w^2}$

26. $w = (t^2 + 3t)(1 - e^{-2t})$

27. $f(y) = \sqrt{10^{(5 - y)}}$

28. $f(x) = e^{-(x - 1)^2}$

29. $f(y) = e^{e^{(y^2)}}$

30. $f(t) = 2 \cdot e^{-2e^{2t}}$

31. Trouvez l'équation de la droite tangente à $y = f(x)$ au point $x = 1$, où $f(x)$ est la fonction du problème 24.

32. Pour quelles valeurs de x le graphe de $y = e^{-x^2}$ est-il concave vers le bas ?

33. Supposez que $f(x) = (2x + 1)^{10}(3x - 1)^7$. Trouvez une formule pour $f'(x)$. Décidez ensuite de la manière raisonnable de simplifier le résultat, puis trouvez une formule pour $f''(x)$.

34. Étant donné
$$\left\{ \begin{array}{ll} F(2) = 1 & G(4) = 2 \\ F(4) = 3 & G(3) = 4 \\ F'(2) = 5 & G'(4) = 6 \\ F'(4) = 7 & G'(3) = 8 \end{array} \right\}$$
trouvez
$$\left\{ \begin{array}{lll} \text{a)} & H(4) & \text{si } H(x) = F(G(x)) \\ \text{b)} & H'(4) & \text{si } H(x) = F(G(x)) \\ \text{c)} & H(4) & \text{si } H(x) = G(F(x)) \\ \text{d)} & H'(4) & \text{si } H(x) = G(F(x)) \\ \text{e)} & H'(4) & \text{si } H(x) = F(x)/G(x) \end{array} \right\}$$

35. Supposez que f et g sont des fonctions dérivables avec les valeurs données dans le tableau ci-dessous. Pour chacune des fonctions suivantes h, trouvez $h'(2)$.

a) $h(x) = f(g(x))$

b) $h(x) = g(f(x))$

c) $h(x) = f(f(x))$

x	$f(x)$	$g(x)$	$f'(x)$	$g'(x)$
2	5	5	e	$\sqrt{2}$
5	2	8	π	7

36. Si la dérivée de $y = k(x)$ est égale à 2 quand $x = 1$, quelle est la dérivée de

    a) $k(2x)$ quand $x = \dfrac{1}{2}$?   b) $k(x + 1)$ quand $x = 0$?   c) $k\left(\dfrac{1}{4}x\right)$ quand $x = 4$?

37. Étant donné $y = f(x)$ avec $f(1) = 4$ et $f'(1) = 3$, trouvez

    a) $g'(1)$ si $g(x) = \sqrt{f(x)}$.   b) $h'(1)$ si $h(x) = f(\sqrt{x})$.

38. La fonction $x = \sqrt[3]{2t + 5}$ est-elle une solution à l'équation $3x^2 \dfrac{dx}{dt} = 2$? Justifiez votre réponse.

39. Trouvez une formule possible pour une fonction $m(x)$, de telle sorte que $m'(x) = x^5 \cdot e^{(x^6)}$.

40. Supposez que la population de moules zébrées dans une certaine zone du fleuve Saint-Laurent est $P(t) = 10e^{0,6t}$, où t représente les mois depuis que les moules zébrées sont arrivées pour la première fois dans cette zone. Calculez les quantités suivantes :

    a) $P(12)$.   b) $P'(12)$.

    Précisez les unités de votre réponse et expliquez ce que chaque quantité représente pour ce qui est du nombres de moules zébrées.

41. Un gramme de carbone 14 radioactif se décompose selon la formule suivante :

    $$Q = e^{-0,000\,121t},$$

    où Q est le nombre de grammes de carbone 14 qui reste après t années.

    a) Trouvez le taux auquel le carbone 14 se décompose (en grammes par année).
    b) Tracez le graphe du taux que vous avez trouvé à la partie a) en fonction du temps.

42. La température H (en degrés Fahrenheit) d'une canette de boisson gazeuse placée dans un réfrigérateur est donnée par la fonction suivante du temps t (en heures) :

    $$H = 40 + 30e^{-2t}.$$

    a) Trouvez le taux de refroidissement de cette canette (en degrés Fahrenheit par heure).

    b) Quel est le signe de $\dfrac{dH}{dt}$? Pourquoi la dérivée doit-elle avoir ce signe ?

    c) À quel instant, pour $t \geq 0$, l'amplitude de $\dfrac{dH}{dt}$ est-elle la plus grande ? Si vous appliquez ce résultat à la canette de boisson gazeuse, qu'est-ce que cela signifie ?

43. Si vous investissez P \$ dans un compte en banque à un taux d'intérêt annuel de r %, après t années vous aurez un revenu de B \$, où

    $$B = P\left(1 + \frac{r}{100}\right)^t.$$

    a) Trouvez dB/dt en supposant que P et r sont des constantes. En termes monétaires, que signifie dB/dt ?

    b) Trouvez dB/dr en supposant que P et t sont des constantes. En termes monétaires, que signifie dB/dr ?

44. Supposez qu'on jette un caillou dans une mare d'eau tranquille. Le caillou provoque des ondes circulaires dont le rayon croît à un taux constant de 10 cm/s. Trouvez une formule qui permet de trouver la surface circonscrite par l'onde en fonction du temps. Quand le rayon est de 20 cm, à quelle vitesse la surface circonscrite par l'onde s'accroît-elle ?

45. La théorie de la relativité prédit qu'un objet dont la masse est m_0, quand il est au repos, semblera plus lourd lorsqu'il se déplace à une vitesse proche de la vitesse de la lumière. Quand cet objet se déplace à la vitesse v, sa masse m est donnée par la formule suivante :

    $$m = \frac{m_0}{\sqrt{1 - (v^2/c^2)}}, \qquad \text{où } c \text{ est la vitesse de la lumière.}$$

    a) Trouvez $\dfrac{dm}{dv}$.   b) En termes physiques, que signifie $\dfrac{dm}{dv}$?

46. La charge Q d'un condensateur qui commence à se décharger au temps $t = 0$ est donnée par

$$Q = \begin{cases} Q_0 & \text{pour } t \leq 0 \\ Q_0 e^{-t/(RC)} & \text{pour } t > 0, \end{cases}$$

où R et C sont des constantes positives dépendantes du circuit et que Q_0 est la charge à $t = 0$ avec $Q_0 \neq 0$. Le courant I qui circule dans le circuit est donné par $I = dQ/dt$.

a) Trouvez le courant I pour $t < 0$ et pour $t > 0$.
b) Est-il possible de définir I à $t = 0$?
c) La fonction Q est-elle dérivable en $t = 0$?

47. Une charge électrique décroît de manière exponentielle selon la formule

$$Q = Q_0 e^{-t/(RC)}.$$

Démontrez que la charge Q et le courant électrique $I = dQ/dt$ ont la même constante de temps. (Cette constante est le temps requis pour que la charge soit rendue à $1/e$ fois la valeur initiale.)

48. Une fonction f est considérée avoir un *zéro de multiplicité* m en $x = a$ si

$$f(x) = (x - a)^m h(x), \quad \text{avec } h(a) \neq 0.$$

Expliquez pourquoi une fonction qui a un zéro de multiplicité m en $x = a$ satisfait à $f^{(p)}(a) = 0$ pour $p = 1, 2, \ldots, m - 1$. Notez que $f^{(p)}(a)$ désigne la dérivée d'ordre p de f en a.

3.5   LES FONCTIONS TRIGONOMÉTRIQUES

Les dérivées du sinus et du cosinus

Puisque les fonctions sinus et cosinus sont périodiques, leurs dérivées doivent également être périodiques. (Pourquoi ?) On considère le graphe de $f(x) = \sin x$ de la figure 3.17 et on estime graphiquement la fonction dérivée.

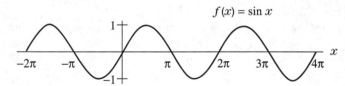

Figure 3.17 : Fonction sinus

Premièrement, on doit se demander en quel point la dérivée est zéro (à $x = \pm\pi/2$, $\pm 3\pi/2$, $\pm 5\pi/2$, etc.). Puis on doit se demander dans quelle région la dérivée est positive et dans quelle région elle est négative (positive pour $-\pi/2 < x < \pi/2$, négative pour $\pi/2 < x < 3\pi/2$, etc.). Puisque les pentes positives les plus grandes sont en $x = 0$, en 2π, etc., et que les pentes négatives les plus grandes sont en $x = \pi$, en 3π, etc., on obtient un graphe similaire à celui de la figure 3.18.

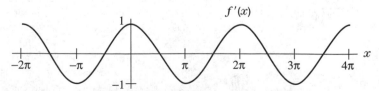

Figure 3.18 : Dérivée de $f(x) = \sin x$

Le graphe de la dérivée de la figure 3.18 ressemble en réalité beaucoup au graphe de la fonction cosinus. Cela conduit à la supposition, certainement correcte, que la dérivée du sinus serait égale au cosinus.

Bien sûr, ce n'est pas seulement à partir de l'observation des graphes qu'on peut le confirmer. Cependant, on présumera pour le moment que la dérivée du sinus est le cosinus en attendant de confirmer ce résultat à la fin de cette section.

La première vérification qu'on peut faire est de mesurer l'amplitude de la fonction de la dérivée de la figure 3.18. On trouve une amplitude de 1, comme on pouvait s'y attendre si elle est égale au cosinus. Cela signifie qu'il faut se convaincre que la dérivée de $f(x) = \sin x$ est 1 quand $x = 0$. L'exemple 1 suggère la preuve de cette affirmation quand x est en radians.

Exemple 1   En utilisant une calculatrice, estimez la dérivée de $f(x) = \sin x$ en $x = 0$, la calculatrice étant réglée en radians.

Solution   Puisque $f(x) = \sin x$,

$$f'(0) = \lim_{h \to 0} \frac{\sin(0 + h) - \sin 0}{h} = \lim_{h \to 0} \frac{\sin h}{h}.$$

Le tableau 3.3 présente les valeurs de $(\sin h)/h$, ce qui laisse penser que cette limite est 1. Ainsi, on estime

$$f'(0) = \lim_{h \to 0} \frac{\sin h}{h} = 1.$$

TABLEAU 3.3

h (rad)	−0,1	−0,01	−0,001	−0,0001	0,0001	0,001	0,01	0,1
$(\sin h)/h$	0,998 33	0,999 98	1,0000	1,0000	1,0000	1,0000	0,999 98	0,998 33

Attention : Il est important de remarquer que dans l'exemple précédent, h est exprimé en radians ; toute conclusion qu'on fera à propos des dérivées de $\sin x$ ne sont correctes que *si x est en radians*.

Exemple 2   Étant donné le graphe de la fonction cosinus, tracez le graphe de sa dérivée.

Solution   Le graphe de $g(x) = \cos x$ est illustré à la figure 3.19 a). Sa dérivée est zéro en $x = 0$, $\pm\pi$, $\pm 2\pi$, etc. Elle est positive pour $-\pi < x < 0$, $\pi < x < 2\pi$, etc. ; et elle est négative pour $0 < x < \pi$, $2\pi < x < 3\pi$, etc. La dérivée est illustrée par la fonction de la figure 3.19 b).

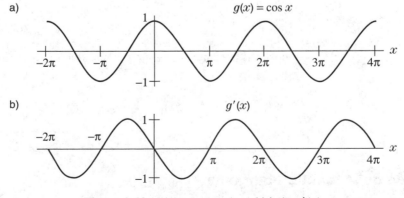

Figure 3.19 : $g(x) = \cos x$ et sa dérivée $g'(x)$

Comme on l'a fait pour le sinus, on utilise ces deux graphes pour établir une supposition. Le graphe de la dérivée du cosinus de la figure 3.19 b) est similaire au graphe du sinus, sauf que la dérivée est réfléchie par rapport à l'axe des x. Mais comment peut-on être sûr que la dérivée est égale à $-\sin x$?

Exemple 3 On utilise la relation $\dfrac{d}{dx}(\sin x) = \cos x$ pour démontrer que $\dfrac{d}{dx}(\cos x) = -\sin x$.

Solution Puisque la fonction cosinus est égale à la fonction sinus décalée vers la gauche de $\pi/2$, on peut s'attendre à ce que la dérivée du cosinus soit égale à la dérivée du sinus décalée également de $\pi/2$ vers la gauche. Puisque

$$\cos x = \sin\left(x + \frac{\pi}{2}\right),$$

on peut appliquer la règle de la dérivée en chaîne. On a

$$\frac{d}{dx}(\cos x) = \frac{d}{dx}\left(\sin\left(x + \frac{\pi}{2}\right)\right) = \cos\left(x + \frac{\pi}{2}\right).$$

Cependant, $\cos(x + \pi/2)$ est le cosinus décalé vers la gauche de $\pi/2$, c'est-à-dire le sinus réfléchi selon l'axe des x. Ainsi, on obtient

$$\frac{d}{dx}(\cos x) = \cos\left(x + \frac{\pi}{2}\right) = -\sin x.$$

> Pour x en radians, $\dfrac{d}{dx}(\sin x) = \cos x$ et $\dfrac{d}{dx}(\cos x) = -\sin x$.

Exemple 4 Calculez la dérivée de   a) $2\sin(3\theta)$.   b) $\cos^2 x$.   c) $\cos(x^2)$.   d) $e^{-\sin t}$.

Solution En utilisant la règle de la dérivée en chaîne, on obtient

a) $\dfrac{d}{d\theta}(2\sin(3\theta)) = 2\dfrac{d}{d\theta}(\sin(3\theta)) = 2(\cos(3\theta))\dfrac{d}{d\theta}(3\theta) = 2(\cos(3\theta))3 = 6\cos(3\theta).$

b) $\dfrac{d}{dx}(\cos^2 x) = \dfrac{d}{dx}((\cos x)^2) = 2(\cos x) \cdot \dfrac{d}{dx}(\cos x) = 2(\cos x)(-\sin x) = -2\cos x \sin x.$

c) $\dfrac{d}{dx}(\cos(x^2)) = -\sin(x^2) \cdot \dfrac{d}{dx}(x^2) = -2x\sin(x^2).$

d) $\dfrac{d}{dt}(e^{-\sin t}) = e^{-\sin t}\dfrac{d}{dt}(-\sin t) = -(\cos t)e^{-\sin t}.$

La dérivée de la fonction tangente

Puisque $\tan x = \sin x/\cos x$, on dérive $\tan x$ en appliquant la règle du quotient. En écrivant $(\sin x)'$ pour $d(\sin x)/dx$, on obtient

$$\frac{d}{dx}(\tan x) = \frac{d}{dx}\left(\frac{\sin x}{\cos x}\right) = \frac{(\sin x)'(\cos x) - (\sin x)(\cos x)'}{\cos^2 x} = \frac{\cos^2 x + \sin^2 x}{\cos^2 x} = \frac{1}{\cos^2 x}.$$

$$\text{Pour } x \text{ (en radians),} \qquad \frac{d}{dx}(\tan x) = \frac{1}{\cos^2 x}.$$

Les graphes de $f(x) = \tan x$ et de $f'(x) = 1/\cos^2 x$ sont illustrés à la figure 3.20. Est-il raisonnable que la fonction f' soit toujours positive ? Les asymptotes de f' sont-elles celles qui sont attendues ?

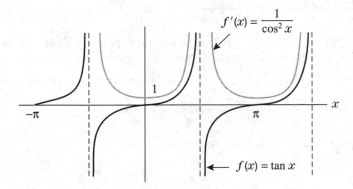

Figure 3.20 : Fonction $\tan x$ et sa dérivée

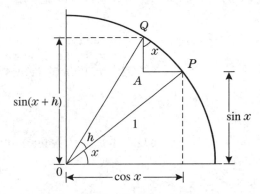

Figure 3.21 : Cercle unité montrant $\sin(x + h)$ et $\sin x$

Exemple 5   Dérivez   a) $2\tan(3t)$.   b) $\tan(1 - \theta)$.   c) $\dfrac{1 + \tan t}{1 - \tan t}$.

Solution   a) En appliquant la règle de la dérivée en chaîne, on a

$$\frac{d}{dt}(2\tan(3t)) = 2\frac{1}{\cos^2(3t)}\frac{d}{dt}(3t) = \frac{6}{\cos^2(3t)}.$$

b) En appliquant la règle de la dérivée en chaîne, on a

$$\frac{d}{d\theta}(\tan(1 - \theta)) = \frac{1}{\cos^2(1 - \theta)} \cdot \frac{d}{d\theta}(1 - \theta) = \frac{-1}{\cos^2(1 - \theta)}.$$

c) En appliquant la règle du quotient, on a

$$\frac{d}{dt}\left(\frac{1 + \tan t}{1 - \tan t}\right) = \frac{\left(\dfrac{d(1 + \tan t)}{dt}\right)(1 - \tan t) - (1 + \tan t)\dfrac{d(1 - \tan t)}{dt}}{(1 - \tan t)^2}$$

$$= \frac{\dfrac{1}{\cos^2 t}(1 - \tan t) - (1 + \tan t)\left(-\dfrac{1}{\cos^2 t}\right)}{(1 - \tan t)^2}$$

$$= \frac{2}{\cos^2 t \cdot (1 - \tan t)^2}.$$

La justification informelle de $\dfrac{d}{dx}(\sin x) = \cos x$

On considère le cercle unité de la figure 3.21 (page précédente). Pour trouver la dérivée de $\sin x$, il faut estimer

$$\frac{\sin(x+h) - \sin x}{h}.$$

À la figure 3.21, la quantité $\sin(x+h) - \sin x$ est représentée par la longueur QA. L'arc QP est de longueur h, de telle sorte que

$$\frac{\sin(x+h) - \sin x}{h} = \frac{QA}{\text{Arc } QP}.$$

Maintenant, si h est petit, QAP est approximativement un triangle rectangle parce que l'arc QP est presque une ligne droite. Par application de la géométrie, on peut démontrer que l'angle $AQP \approx x$. Pour de petites valeurs h, on a

$$\frac{\sin(x+h) - \sin x}{h} = \frac{QA}{\text{Arc } QP} \approx \cos x.$$

Quand $h \to 0$, l'approximation est meilleure, de telle sorte que

$$\frac{d}{dx}(\sin x) = \lim_{h \to 0} \frac{\sin(x+h) - \sin x}{h} = \cos x.$$

On trouvera d'autres démonstrations de ce résultat dans les problèmes 39 et 40.

Problèmes de la section 3.5

1. Construisez une table des valeurs de $\cos x$ pour $x = 0$, 0,1, 0,2, ... 0,6. En utilisant le taux moyen de variation, estimez la dérivée en chacun de ces points (utilisez $h = 0{,}001$) et comparez-la avec $(-\sin x)$.

Trouvez les dérivées des fonctions des problèmes 2 à 29.

2. $r(\theta) = \sin \theta + \cos \theta$

3. $s(\theta) = \cos \theta \sin \theta$

4. $t(\theta) = \dfrac{\cos \theta}{\sin \theta}$

5. $z = \cos(4\theta)$

6. $f(x) = \sin(3x)$

7. $w = \sin(e^t)$

8. $f(x) = x^2 \cos x$

9. $f(x) = e^{\cos x}$

10. $f(y) = e^{\sin y}$

11. $f(x) = \sqrt{1 - \cos x}$

12. $f(x) = \cos(\sin x)$

13. $f(x) = \tan(\sin x)$

14. $k(x) = \sqrt{(\sin(2x))^3}$

15. $h(x) = 2^{\sin x}$

16. $w = 2^{2\sin x + e^x}$

17. $z = \theta e^{\cos \theta}$

18. $f(x) = 2x \sin(3x)$

19. $f(x) = \sin(2x) \cdot \sin(3x)$

20. $y = e^\theta \sin(2\theta)$

21. $f(x) = e^{-2x} \cdot \sin x$

22. $z = \sqrt{\sin t}$

23. $y = \sin^5 \theta$

24. $g(z) = \tan(e^z)$

25. $z = \tan(e^{-3\theta})$

26. $w = e^{-\sin \theta}$

27. $h(t) = t \cos t + \tan t$

28. $f(\alpha) = \cos \alpha + 3 \sin \alpha$

29. $f(\theta) = \theta^2 \sin \theta + 2\theta \cos \theta - 2 \sin \theta$

30. Trouvez la dérivée *cinquantième* de $y = \cos x$.

31. Trouvez une formule possible pour la fonction $q(x)$, de telle sorte que
$$q'(x) = \frac{e^x \cdot \sin x - e^x \cdot \cos x}{(\sin x)^2}.$$

32. Un bateau ancré est agité de haut en bas par le mouvement des vagues. La distance verticale y (en pieds) entre le niveau de la mer et le bateau est une fonction du temps (en minutes) exprimée par

$$y = 15 + \sin(2\pi t).$$

a) Trouvez la vitesse verticale v au temps t.

b) Faites une approximation grossière des graphes de y et de v en fonction de t.

33. Dans l'exemple 3 de la section 1.9 (au chapitre 1), la profondeur y de l'eau dans le port de Boston est donnée par la formule

$$y = 5 + 4{,}9 \cos\left(\frac{\pi}{6}t\right),$$

où t est le nombre d'heures à partir de minuit.

a) Trouvez $\dfrac{dy}{dt}$. Que représente $\dfrac{dy}{dt}$ pour ce qui est du niveau de l'eau ?

b) Pour $0 \le t \le 24$, quand est-ce que $\dfrac{dy}{dt}$ est égal à zéro ? [Conseil : Référez-vous à la figure 1.73]. Expliquez ce que cela signifie (en ce qui concerne le niveau de l'eau) lorsque $\dfrac{dy}{dt}$ est égal à zéro.

34. La tension V (en volts) d'un appareil électrique est donnée par une fonction du temps t (en secondes) par la fonction $V = 156 \cos(120\pi t)$.

a) Donnez une expression permettant de calculer le taux de variation de la tension en fonction du temps.

b) Le taux de variation est-il parfois zéro ? Justifiez votre réponse.

c) Quelle est la valeur maximale du taux de variation ?

35. La fonction $y = A \sin\left(\sqrt{\frac{k}{m}}\, t\right)$ représente les oscillations d'une masse m attachée à l'extrémité d'un ressort. La constante k mesure l'élasticité du ressort.

a) Trouvez le temps auquel la masse est la plus éloignée de sa position d'équilibre. Trouvez le temps où la masse a la plus grande vitesse. Trouvez le temps où la masse a la plus grande accélération.

b) Quelle est la période T de l'oscillation ?

c) Trouvez dT/dm. Que signifie le signe de dT/dm ?

36. Trouvez les équations des droites tangentes au graphe de $f(x) = \sin x$ aux points $x = 0$ et $x = \pi/3$. Utilisez chaque droite tangente pour estimer $\sin(\pi/6)$. Pouvez-vous espérer que ces résultats aient la même précision, puisqu'ils sont pris à une même distance de $x = \pi/6$ mais de part et d'autre ? Si la précision est différente, pouvez-vous compenser cette différence ?

37. Un phare situé à 2 km d'une côte rectiligne est représenté à la figure 3.22. Trouvez le taux de variation de la distance du faisceau lumineux à partir du point O en fonction de l'angle θ.

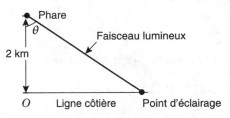

Figure 3.22

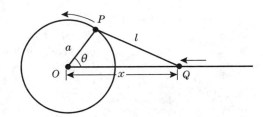

Figure 3.23

38. Une barre de métal de longueur l illustrée à la figure 3.23 a une extrémité fixée au point P d'un cercle de rayon a. L'autre extrémité de la barre, soit le point Q, glisse en avant et en arrière le long de l'axe des x.

a) Trouvez x en tant que fonction de θ.

b) Supposez que les longueurs sont exprimées en centimètres et que la variation de l'angle $(d\theta/dt)$ est de 2 rad/s dans le sens antihoraire. Trouvez la vitesse à laquelle le point Q se déplace lorsque

i) $\theta = \pi/2$.   ii) $\theta = \pi/4$.

39. Utilisez les identités suivantes pour calculer les dérivées de $\sin x$ et de $\cos x$:

$$\sin (a + b) = \sin a \cos b + \sin b \cos a$$
$$\cos (a + b) = \cos a \cos b - \sin a \sin b.$$

a) Utilisez la définition de la dérivée pour démontrer que si $f(x) = \sin x$,

$$f'(x) = \sin x \lim_{h \to 0} \frac{\cos h - 1}{h} + \cos x \lim_{h \to 0} \frac{\sin h}{h}.$$

b) Estimez les limites à la partie a) à l'aide d'une calculatrice pour expliquer pourquoi $f'(x) = \cos x$.

c) Si $g(x) = \cos x$, utilisez la définition de la dérivée pour démontrer que $g'(x) = -\sin x$.

40. Dans ce problème, vous calculerez la dérivée de $\tan \theta$ de manière rigoureuse (sans vous servir des dérivées de $\sin \theta$ ou de $\cos \theta$). Utilisez ensuite vos résultats pour $\tan \theta$ afin de calculer les dérivées de $\sin \theta$ et de $\cos \theta$. La figure 3.24 montre $\tan \theta$ et $\Delta(\tan \theta)$, qui est le taux de variation de $\tan \theta$, c'est-à-dire $\tan (\theta + \Delta\theta) - \tan \theta$.

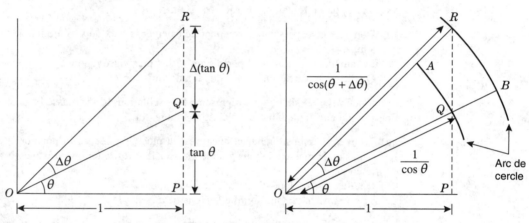

Figure 3.24 : $\tan \theta$ et $\Delta(\tan \theta)$

a) En examinant attentivement les relations entre ces deux figures et en considérant le fait que

Aire du secteur OAQ ≤ Aire du triangle OQR ≤ Aire du secteur OBR,

expliquez pourquoi

$$\frac{\Delta\theta}{2\pi} \cdot \pi \left(\frac{1}{\cos \theta}\right)^2 \leq \frac{1}{2} \cdot 1 \cdot \Delta(\tan \theta) \leq \frac{\Delta\theta}{2\pi} \cdot \pi \left(\frac{1}{\cos (\theta + \Delta\theta)}\right)^2.$$

[Conseil : Un secteur de cercle d'angle α au centre a une surface égale à $\alpha/(2\pi)$ fois l'aire du cercle complet.]

b) Utilisez la réponse de la partie a) pour démontrer que quand $\Delta\theta \to 0$, alors

$$\frac{\Delta \tan \theta}{\Delta\theta} \to \left(\frac{1}{\cos \theta}\right)^2,$$

et que, par conséquent $\dfrac{d(\tan \theta)}{d\theta} = \left(\dfrac{1}{\cos \theta}\right)^2$.

c) Déduisez l'identité $(\tan \theta)^2 + 1 = \left(\dfrac{1}{\cos \theta}\right)^2$. Puis, dérivez les deux membres de cette identité en fonction de θ en utilisant la règle de la dérivée en chaîne et le résultat de la partie b) pour démontrer que $\dfrac{d}{d\theta} (\cos \theta) = -\sin \theta$.

d) Dérivez les deux membres de l'identité $(\sin \theta)^2 + (\cos \theta)^2 = 1$ et servez-vous du résultat à la partie c) pour démontrer que $\dfrac{d}{d\theta} (\sin \theta) = \cos \theta$.

3.6   LES APPLICATIONS DE LA RÈGLE DE LA DÉRIVÉE EN CHAÎNE

Dans cette section, on utilisera la règle de la dérivée en chaîne pour calculer les dérivées des puissances fractionnaires, des logarithmes, des exponentielles et des fonctions trigonométriques inverses[2].

La dérivée d'une fonction inverse : la dérivée de $x^{1/2}$

Auparavant, on a calculé la dérivée de x^n avec n en tant que nombre entier, mais on a aussi utilisé ce résultat pour des valeurs non entières. On voudrait maintenant confirmer que la règle de puissance se vérifie pour $n = 1/2$ en calculant la dérivée de $f(x) = x^{1/2}$. On applique la règle de la dérivée en chaîne. Puisque

$$[f(x)]^2 = x,$$

la dérivée de $[f(x)]^2$ et la dérivée de x doivent être égales, de telle sorte que

$$\frac{d}{dx}[f(x)]^2 = \frac{d}{dx}(x).$$

On peut utiliser la règle de la dérivée en chaîne avec $f(x)$ en tant que fonction interne pour obtenir

$$\frac{d}{dx}[f(x)]^2 = 2f(x) \cdot f'(x) = 1.$$

En résolvant $f'(x)$, on obtient

$$f'(x) = \frac{1}{2f(x)} = \frac{1}{2x^{1/2}},$$

ou bien

$$\frac{d}{dx}(x^{1/2}) = \frac{1}{2x^{1/2}} = \frac{1}{2}x^{-1/2}.$$

Un calcul similaire aurait permis d'obtenir la dérivée de $x^{1/n}$, où n est un nombre entier positif.

La dérivée de $\ln x$

On utilisera la règle de la dérivée en chaîne pour dériver une identité comprenant $\ln x$. Puisque $e^{\ln x} = x$, on a

$$\frac{d}{dx}(e^{\ln x}) = \frac{d}{dx}(x),$$

$$e^{\ln x} \cdot \frac{d}{dx}(\ln x) = 1. \qquad \text{(Puisque e^x est une fonction externe et que ln x est une fonction interne)}$$

En résolvant pour $d(\ln x)/dx$, on obtient

$$\frac{d}{dx}(\ln x) = \frac{1}{e^{\ln x}} = \frac{1}{x},$$

de telle sorte que

$$\boxed{\frac{d}{dx}(\ln x) = \frac{1}{x}.}$$

---

2. Le fait que ces fonctions soient dérivables exige une justification distincte qui n'est pas incluse dans le présent ouvrage.

Exemple 1   On veut dériver   a) $\ln(x^2 + 1)$.   b) $t^2 \ln t$.   c) $\sqrt{1 + \ln(1-y)}$.

Solution   a) En appliquant la règle de la dérivée en chaîne, on obtient

$$\frac{d}{dx}\,(\ln(x^2 + 1)) = \frac{1}{x^2 + 1}\,\frac{d}{dx}\,(x^2 + 1) = \frac{2x}{x^2 + 1}\,.$$

b) En appliquant la règle du produit, on obtient

$$\frac{d}{dt}\,(t^2 \ln t) = \frac{d}{dt}\,(t^2)\cdot \ln t + t^2\frac{d}{dt}\,(\ln t) = 2t\ln t + t^2\cdot\frac{1}{t} = 2t\ln t + t.$$

c) En appliquant de nouveau la règle de la dérivée en chaîne :

$$\frac{d}{dy}\left(\sqrt{1 + \ln(1-y)}\right) = \frac{d}{dy}\,(1 + \ln(1-y))^{1/2}$$

$$= \frac{1}{2}\,(1 + \ln(1-y))^{-1/2}\cdot\frac{d}{dy}\,(1 + \ln(1-y)) \quad \text{\footnotesize (En appliquant la règle de la dérivée en chaîne)}$$

$$= \frac{1}{2\sqrt{1 + \ln(1-y)}}\cdot\frac{1}{1-y}\cdot\frac{d}{dy}\,(1-y) \quad \text{\footnotesize (En appliquant encore la règle de la dérivée en chaîne)}$$

$$= \frac{-1}{2(1-y)\sqrt{1 + \ln(1-y)}}\,.$$

La dérivée de a^x

Auparavant, on a démontré que la dérivée de a^x est proportionnelle à a^x. On veut maintenant démontrer que la constante de proportionnalité est $\ln a$. On utilise l'identité

$$\ln(a^x) = x\ln a.$$

On dérive au moyen de $\dfrac{d}{dx}\,(\ln x) = \dfrac{1}{x}$ et on applique la règle de la dérivée en chaîne (il faut aussi se rappeler que $\ln a$ est une constante). On obtient

$$\frac{d}{dx}\,(\ln a^x) = \frac{1}{a^x}\cdot\frac{d}{dx}\,(a^x) = \ln a.$$

La résolution de cette équation donne le résultat qu'on avait suggéré à la section 3.2, soit

$$\boxed{\frac{d}{dx}\,(a^x) = (\ln a)a^x.}$$

Les dérivées des fonctions trigonométriques inverses

À la section 1.9, on a défini arcsin x comme étant l'angle entre $-\pi/2$ et $\pi/2$ (inclusivement) dont le sinus est x. De la même façon, la fonction arctan x peut être définie comme étant l'angle strict entre $-\pi/2$ et $\pi/2$ dont la tangente est x. Pour trouver $\dfrac{d}{dx}$ (arctan x), on utilise l'identité tan (arctan x) = x. On dérive en appliquant la règle de la dérivée en chaîne et on obtient

$$\frac{1}{\cos^2(\arctan x)} \cdot \frac{d}{dx}(\arctan x) = 1,$$

de telle sorte que

$$\frac{d}{dx}(\arctan x) = \cos^2(\arctan x).$$

En utilisant l'identité $1 + \tan^2 \theta = \dfrac{1}{\cos^2 \theta}$ et en remplaçant θ par arctan x, on obtient l'expression

$$\cos^2(\arctan x) = \frac{1}{1 + \tan^2(\arctan x)} = \frac{1}{1 + x^2}.$$

Par suite, on a

$$\boxed{\frac{d}{dx}(\arctan x) = \frac{1}{1 + x^2}.}$$

De la même façon, on obtiendrait

$$\boxed{\frac{d}{dx}(\arcsin x) = \frac{1}{\sqrt{1 - x^2}}.}$$

Exemple 2   On veut dériver   a) $\arctan(t^2)$.   b) $\arcsin(\tan \theta)$.

Solution   En appliquant la règle de la dérivée en chaîne, on obtient :

a) $\dfrac{d}{dt}(\arctan(t^2)) = \dfrac{1}{1 + (t^2)^2} \cdot \dfrac{d}{dt}(t^2) = \dfrac{2t}{1 + t^4}.$

b) $\dfrac{d}{dt}(\arcsin(\tan \theta)) = \dfrac{1}{\sqrt{1 - (\tan \theta)^2}} \cdot \dfrac{d}{d\theta}(\tan \theta) = \dfrac{1}{\sqrt{1 - \tan^2 \theta}} \cdot \dfrac{1}{\cos^2 \theta}.$

Exemple 3   Un avion vole à 450 km/h à une altitude constante de 5000 m. Il s'approche d'une caméra vidéo placée au sol. Soit θ l'angle d'inclinaison de cette caméra (voir la figure 3.25). Quand $\theta = \pi/3$, à quelle vitesse la caméra doit-elle effectuer une rotation de manière à continuer à fixer l'avion ?

Solution   On suppose que l'avion est à la verticale au point B. Soit x la distance entre B et C. Le fait que l'avion se déplace vers C à une vitesse de 450 km/h signifie que x décroît et que $dx/dt = -450$ km/h. En examinant la figure 3.25, on constate que tan $\theta = 5/x$.

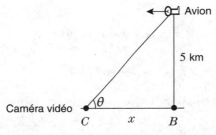

Figure 3.25 : Avion en vol s'approchant de la caméra vidéo placée au point C

En dérivant $\tan \theta = 5/x$ en fonction de t et en appliquant la règle de la dérivée en chaîne, on obtient

$$\frac{1}{\cos^2 \theta} \frac{d\theta}{dt} = -5x^{-2} \frac{dx}{dt}.$$

On désire résoudre cette équation pour $d\theta/dt$ quand $\theta = \pi/3$. À ce moment, $\cos \theta = 1/2$ et $\tan \theta = \sqrt{3}$, de telle sorte que $x = 5/\sqrt{3}$. En faisant les substitutions, on obtient

$$\frac{1}{(1/2)^2} \frac{d\theta}{dt} = -5 \left(\frac{5}{\sqrt{3}} \right)^{-2} \cdot (-450)$$

$$\frac{d\theta}{dt} = 67,5 \text{ rad/h}.$$

Cette réponse indique que la caméra doit effectuer une rotation d'environ 1 rad/min pour continuer à fixer l'avion.

Problèmes de la section 3.6

Pour les problèmes 1 à 22, trouvez la dérivée de la fonction. Dans certains cas, il pourra être préférable de simplifier avant d'effectuer la dérivée.

1. $f(t) = \ln (t^2 + 1)$
2. $f(x) = \ln (1 - x)$
3. $f(x) = \ln (e^{2x})$

4. $f(x) = e^{\ln(e^{2x^2 + 3})}$
5. $f(z) = \dfrac{1}{\ln z}$
6. $f(\theta) = \ln (\cos \theta)$

7. $f(x) = \ln (1 - e^{-x})$
8. $f(\alpha) = \ln (\sin \alpha)$
9. $f(x) = \ln (e^x + 1)$

10. $f(t) = \ln (\ln t) + \ln (\ln 2)$
11. $f(x) = \ln (e^{7x})$
12. $f(x) = e^{(\ln x) + 1}$

13. $f(w) = \ln (\cos (w - 1))$
14. $f(t) = \ln (e^{\ln t})$
15. $f(y) = \arcsin (y^2)$

16. $g(t) = \arctan (3t - 4)$
17. $g(\alpha) = \sin (\arcsin \alpha)$
18. $g(t) = e^{\arctan(3t^2)}$

19. $g(t) = \cos (\ln t)$
20. $h(z) = z^{\ln 2}$
21. $h(w) = w \arcsin w$

22. $f(x) = \cos (\arcsin (x + 1))$

23. Sur quels intervalles la fonction $\ln (x^2 + 1)$ est-elle concave vers le haut ?

24. En appliquant la règle de la dérivée en chaîne, trouvez $\dfrac{d}{dx} (\arcsin x)$.

25. En appliquant la règle de la dérivée en chaîne, trouvez $\dfrac{d}{dx} (\log x)$. [Conseil : Il faut se rappeler que $\log x = \log_{10} x$.]

26. Afin de comparer l'acidité de solutions différentes, les chimistes mesurent leur facteur pH (qui est un nombre unique et non le produit de p et de H). Le pH représente un taux de concentration x d'ions d'hydrogène dans la solution, de telle sorte que

$$\text{pH} = - \log x.$$

Trouvez le taux de variation du pH en fonction de la concentration en ions d'hydrogène quand le pH est égal à 2. [Conseil : Servez-vous du résultat du problème 25.]

27. La Hongrie est l'un des rares pays du monde où la population est en décroissance, au taux actuel de 0,2 % par année. En conséquence, si t représente le nombre d'années depuis 1990, la population P de Hongrois (en millions) peut être représentée par

$$P = 10,8 \, (0,998)^t.$$

a) Quelles conclusions ce modèle permet-il de tirer quant à la population de la Hongrie en l'an 2000 ?

b) À quelle rapidité (en nombre de personnes par année) s'effectuera la décroissance de la population de la Hongrie en l'an 2000 ?

28. Imaginez que vous grossissez le graphe de chacune des fonctions suivantes à proximité de l'origine.

$$y = x \qquad\qquad y = \sqrt{x} \qquad\qquad y = x^2 \qquad\qquad y = \sin x$$

$$y = x \sin x \qquad y = \tan x \qquad y = \sqrt{x/(x+1)} \qquad y = x^3$$

$$y = \ln(x+1) \qquad y = \tfrac{1}{2}\ln(x^2+1) \qquad y = 1 - \cos x \qquad y = \sqrt{2x - x^2}$$

Quelles seront les fonctions qui se ressembleront ? Groupez les fonctions que vous ne pouvez plus distinguer et donnez les équations des droites auxquelles elles s'assimileront.

29. a) Pour $x > 0$, trouvez la dérivée de $f(x) = \arctan x + \arctan(1/x)$ et simplifiez.

b) Que signifie ce résultat à propos de f ?

30. a) Trouvez l'équation de la droite tangente à $y = \ln x$ en $x = 1$.

b) Utilisez ce résultat pour calculer les valeurs approximatives de $\ln(1,1)$ et de $\ln(2)$.

c) Au moyen d'un graphe, expliquez la raison pour laquelle les valeurs approximatives calculées ci-dessus sont plus petites ou plus grandes que les valeurs véritables. Ces résultats seraient-ils encore valables si vous aviez utilisé la droite tangente pour estimer $\ln(0,9)$ et $\ln(0,5)$? Justifiez votre réponse.

31. a) Trouvez l'équation de l'approximation quadratique optimale pour $y = \ln x$ en $x = 1$. L'approximation quadratique optimale a la même dérivée première et la même dérivée seconde que $y = \ln x$ en $x = 1$.

b) À l'aide d'un ordinateur ou d'une calculatrice, tracez l'approximation et $y = \ln x$ sur le même ensemble d'axes. Que remarquez-vous ?

c) Utilisez l'approximation quadratique pour calculer les valeurs approximatives de $\ln(1,1)$ et de $\ln(2)$.

32. La force gravitationnelle F sur une fusée à une distance r du centre de la Terre est donnée par

$$F = \frac{k}{r^2},$$

où $k = 10^{13}$ N $\cdot$ km^2. (Le newton (N) est une unité de force.) Quand la fusée est à 10^4 km du centre de la Terre, elle se déplace à une vitesse de 0,2 km/s. Quel est le taux de variation de la force gravitationnelle à ce moment ? Donnez les unités.

33. Un train se déplace à la vitesse de 0,8 km/min le long d'une voie rectiligne dans la direction illustrée à la figure 3.26. Une caméra vidéo, à 0,5 km de la voie ferrée, fixe le train.

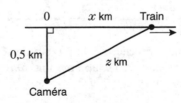

Figure 3.26

a) Exprimez z, la distance entre la caméra vidéo et le train, comme une fonction de x.

b) Quel est le taux de variation de la distance entre la caméra et le train quand le train est à 1 km de la caméra ? Précisez les unités de votre réponse.

c) Quel est le taux de variation de la rotation de la caméra (en radians par minute) au moment où le train est à 1 km de la caméra ?

34. Le rayon d'un ballon sphérique croît à raison de 2 cm/s. À quel taux l'air est-il soufflé à l'intérieur du ballon au moment où le rayon est de 10 cm ? Précisez les unités de votre réponse.

35. Les coroners estiment le temps de décès à partir de la température du corps en utilisant la simple règle empirique qu'un corps se refroidit de 2 °F dans la première heure qui suit le décès et d'environ 1 °F/h ensuite. (La température est mesurée en utilisant une petite sonde insérée dans le foie qui est l'organe vasculaire qui maintient la température du corps le plus longtemps.)

En supposant que la température de l'air extérieur est de 68 °F et que la température d'un corps vivant est de 98,6 °F, la température $T(t)$ [en degrés Fahrenheit] est donnée par

$$T(t) = 68 + 30,6e^{-kt},$$

où $t = 0$ à l'instant de la mort.

a) Pour quelle valeur de k le corps se refroidit-il de 2 °F au cours de la première heure ?
b) En utilisant cette valeur de k, après combien d'heures la température du corps décroît-elle à un taux de 1 °F/h ?
c) En utilisant la valeur de k de la partie a), démontrez que 24 h après la mort, la règle appliquée par les coroners donne approximativement la même température que la formule.

36. Pour le plaisir de leurs hôtes, certains hôtels ont installé des ascenseurs panoramiques à l'extérieur du bâtiment. Supposez qu'un tel hôtel a une hauteur de 300 pi. Vous êtes situé(e) à une fenêtre à 100 pi au-dessus du sol et à 150 pi de distance de l'hôtel, et l'ascenseur descend à une vitesse constante de 30 pi/s. Vous commencez à calculer le temps à $t = 0$, où t est exprimé en secondes. Soit l'angle θ entre la ligne de l'horizon et votre ligne de vision de l'ascenseur (voir figure 3.27).

a) Trouvez une formule pour $h(t)$ qui représente la hauteur de l'ascenseur au-dessus du sol au fur et à mesure qu'il descend à partir du sommet de l'hôtel.
b) En vous servant de cette réponse, exprimez θ comme une fonction du temps t et trouvez le taux de variation de θ en fonction de t.
c) Si le taux de variation de θ mesure la vitesse à laquelle l'ascenseur vous apparaît se déplacer, à quelle hauteur sera l'ascenseur quand il vous semblera se déplacer le plus vite ?

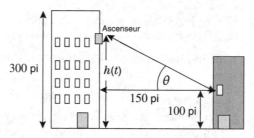

Figure 3.27 : Ascenseur en descente

3.7 LES FONCTIONS IMPLICITES

Dans les chapitres précédents, la plupart des fonctions ont été écrites sous la forme $y = f(x)$. Dans ces cas, y était traitée comme une *fonction explicite* de x. On étudiera maintenant des équations telles

$$x^2 + y^2 = 4,$$

appelées fonctions *implicites* de x. Le graphe d'une telle équation est un cercle, comme l'illustre la figure 3.28. Dans ce cas, il existe des valeurs de x qui correspondent à deux valeurs de y, et y n'est pas une fonction de x sur la totalité du cercle. En résolvant l'équation ci-dessus, on obtient

$$y = \pm\sqrt{4 - x^2},$$

où $y = \sqrt{4 - x^2}$ représente la moitié supérieure du cercle et $y = -\sqrt{4 - x^2}$ la moitié inférieure du cercle. Ainsi, y est une première fonction de x dans la moitié supérieure et y est une deuxième fonction de x (différente) dans la moitié inférieure.

Si on considère le cercle comme un tout, l'équation représente une courbe qui a une droite tangente en chaque point. La pente de cette tangente peut être calculée en dérivant l'équation du cercle en fonction de x de la manière suivante :

$$\frac{d}{dx}(x^2) + \frac{d}{dx}(y^2) = \frac{d}{dx}(4).$$

Si on considère que y est une fonction de x et qu'on applique la règle de la dérivée en chaîne, on obtient

$$2x + 2y\frac{dy}{dx} = 0.$$

La résolution donne

$$\frac{dy}{dx} = -\frac{x}{y}.$$

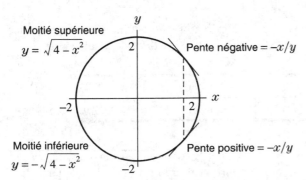

Figure 3.28 : Graphe de $x^2 + y^2 = 4$

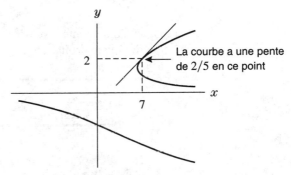

Figure 3.29 : Graphe de $y^3 - xy = -6$ et sa droite tangente au point (7, 2)

La dérivée dépend donc ici à la fois de x et de y (et non simplement de x). Parce que, pour chaque valeur de x (excepté pour $x = \pm2$), il existe deux valeurs de y et la courbe a une pente différente pour chacune d'elles. La figure 3.28 montre que pour x et y tous deux positifs, on est situé dans le quartier droit supérieur de la courbe et la pente est négative (comme la formule le prédisait). Pour x positif et y négatif, on est situé dans le quartier droit inférieur de la courbe et la pente est positive (comme la formule le prédisait). En dérivant l'équation du cercle, on obtient la pente de la courbe en tous points excepté en (2, 0) et en (−2, 0), où la tangente est verticale. En général, ce procédé de *dérivation implicite* conduit à une dérivée toutes les fois que l'expression de la dérivée n'a pas un dénominateur qui s'annule.

Exemple 1 Construisez une table de x et des valeurs approximatives de y pour l'équation $y^3 - xy = -6$ à proximité de $x = 7$ et de $y = 2$. Votre tableau doit inclure les valeurs de x suivantes : 6,8, 6,9, 7,0, 7,1 et 7,2.

Solution On désire résoudre ce problème pour y en termes de x, mais on ne peut isoler y par la mise en facteurs. Il existe une formule pour résoudre les cubes qui ressemble à la formule quadratique, mais qui est trop compliquée dans ce cas. Par contre, $x = 7$ et $y = 2$ satisfont bien cette équation. (Vérifiez-le !) Donc, on trouve dy/dx par dérivation implicite :

$$\frac{d}{dx}(y^3) - \frac{d}{dx}(xy) = \frac{d}{dx}(-6)$$

$$3y^2 \frac{dy}{dx} - 1 \cdot y - x\frac{dy}{dx} = 0 \qquad \text{\small(Dérivation par rapport à } x)$$

$$3y^2 \frac{dy}{dx} - x\frac{dy}{dx} = y$$

$$(3y^2 - x)\frac{dy}{dx} = y \qquad \text{\small(Mise en facteurs de } \frac{dy}{dx})$$

$$\frac{dy}{dx} = \frac{y}{3y^2 - x}.$$

Quand $x = 7$ et $y = 2$, on obtient

$$\frac{dy}{dx} = \frac{2}{12 - 7} = \frac{2}{5}$$

(voir la figure 3.29, page précédente). L'équation de la droite tangente au point (7, 2) est donc

$$y - 2 = \frac{2}{5}(x - 7)$$

ou

$$y = 0{,}4x - 0{,}8.$$

Puisque la tangente est très proche de la courbe à proximité du point (7, 2), on utilise l'équation de la droite tangente pour calculer les valeurs approximatives de y suivantes :

x	6,8	6,9	7,0	7,1	7,2
Valeurs approximatives de y	1,92	1,96	2,00	2,04	2,08

Bien que l'équation $y^3 - xy = -6$ donne une courbe difficile à traiter de manière algébrique, il convient de noter qu'elle ressemble encore localement à une droite.

Exemple 2   Trouvez tous les points où la droite tangente à $y^3 - xy = -6$ est soit horizontale, soit verticale.

Solution   À partir de l'exemple précédent, on a $\dfrac{dy}{dx} = \dfrac{y}{3y^2 - x}$. La tangente est horizontale quand le numérateur de dy/dx est égal à zéro, de telle sorte que $y = 0$. Puisqu'on doit aussi satisfaire la relation $y^3 - xy = -6$, on obtient $0^3 - x \cdot 0 = -6$, ce qui est un résultat impossible. On en conclut qu'il n'existe pas de point sur la courbe où la droite tangente est horizontale.

La tangente est verticale quand le dénominateur de dy/dx est égal à zéro, ce qui donne $3y^2 - x = 0$. Par suite, $x = 3y^2$ en tous les points qui ont une tangente verticale. De nouveau, on doit satisfaire la relation $y^3 - xy = -6$, de telle sorte que

$$y^3 - (3y^2)y = -6$$

$$-2y^3 = -6$$

$$y = \sqrt[3]{3} \approx 1{,}442.$$

On peut alors trouver x en substituant $y = \sqrt[3]{3}$ dans $y^3 - xy = -6$. On obtient $3 - x(\sqrt[3]{3}) = -6$, de telle sorte que $x = 9/(\sqrt[3]{3}) \approx 6{,}240$. Ainsi, la droite tangente est verticale au point (6,240, 1,442).

L'application de la dérivation implicite et de l'expression pour dy/dx afin de localiser les points où la droite tangente est verticale ou horizontale, comme dans l'exemple précédent, constitue une première étape pour obtenir une vision globale de la courbe $y^3 - xy = -6$. Cependant, il sera difficile de compléter le reste du graphe, même de façon grossière, en se servant du signe de dy/dx pour indiquer en quel point la courbe est croissante ou décroissante.

Problèmes de la section 3.7

Pour les problèmes 1 à 12, trouvez dy/dx.

1. $x^2 + y^2 = \sqrt{7}$

2. $x^2 + xy - y^3 = xy^2$

3. $\sqrt{x} = 5\sqrt{y}$

4. $\sqrt{x} + \sqrt{y} = 25$

5. $\ln x + \ln(y^2) = 3$

6. $e^{x^2} + \ln y = 0$

7. $\arctan(x^2 y) = xy^2$

8. $x \ln y + y^3 = \ln x$

9. $\sin(xy) = 2x + 5$

10. $x^{2/3} + y^{2/3} = a^{2/3}$ (a est une constante)

11. $e^{\cos y} = x^3 \arctan y$

12. $\cos^2 y + \sin^2 y = y + 2$

Pour les problèmes 13 à 16, trouvez les équations de droites tangentes aux courbes suivantes aux points indiqués.

13. $xy^2 = 1$ en $(1, -1)$

14. $\ln(xy) = 2x$ en $(1, e^2)$

15. $y^2 = \dfrac{x^2}{xy - 4}$ en $(4, 2)$

16. $x^{2/3} + y^{2/3} = a^{2/3}$ en $(a, 0)$

17. Démontrez que la règle de puissance pour les dérivées s'applique aux puissances rationnelles de la forme $y = x^{m/n}$ en élevant les deux membres de l'équation à la puissance n-ième et en appliquant la dérivation implicite.

18. a) Trouvez les équations des droites tangentes au cercle $x^2 + y^2 = 25$ au point où $x = 4$.
    b) Trouvez les équations des droites normales à ce cercle aux mêmes points. (La droite normale à une courbe en un point est la perpendiculaire à la droite tangente en ce point.)
    c) En quel point les deux droites normales vont-elles se couper ?

19. a) Trouvez la pente de la droite tangente à l'ellipse $\dfrac{x^2}{25} + \dfrac{y^2}{9} = 1$ au point (x, y).
    b) Existe-t-il des points où la pente est indéfinie ?

20. Considérez l'équation $x^3 + y^3 - xy^2 = 5$.
    a) Trouvez dy/dx par dérivation implicite.
    b) Donnez un tableau des approximations de y à proximité de $x = 1$ et de $y = 2$ pour $x = 0,96$, $0,98$, 1, $1,02$ et $1,04$.
    c) Trouvez la valeur de y pour $x = 0,96$ en substituant $x = 0,96$ dans l'équation et en la résolvant pour y à l'aide d'une calculatrice ou d'un ordinateur. Comparez ce résultat avec votre réponse à la partie b).
    d) Trouvez tous les points où la droite tangente est horizontale ou verticale.

21. Trouvez l'équation de la droite tangente à la courbe $y = x^2$ au point $x = 1$. Démontrez que cette droite est également tangente au cercle dont le centre est le point $(8, 0)$ et trouvez l'équation de ce cercle.

22. Tracez les cercles $y^2 + x^2 = 1$ et $y^2 + (x - 3)^2 = 4$. Il existe une droite ayant une pente positive qui est tangente aux deux cercles. Déterminez les points de contact de cette droite tangente avec chacun des cercles.

3.8 LES APPROXIMATIONS LINÉAIRES ET LES LIMITES

L'approximation par la droite tangente

Puisque le graphe d'une fonction et sa droite tangente ont la même pente au point de tangence (nommé point de dérivation), la droite tangente demeure proche du graphe de la fonction à proximité de ce point. Par suite, on peut représenter les valeurs de la fonction par les valeurs de la droite tangente (voir la figure 3.30). Ainsi, la pente de la droite tangente au graphe de $y = f(x)$ au point $x = a$ est $f'(a)$, de telle sorte que l'équation de la droite tangente est

$$y = f(a) + f'(a)(x - a).$$

On peut maintenant estimer la valeur de f par les valeurs de y prises sur la droite tangente, ce qui donne le résultat suivant :

Approximation par la droite tangente

Pour des valeurs de x proches de a,

$$f(x) \approx f(a) + f'(a)(x - a).$$

On considère que a est fixe, de telle sorte que $f(a)$ et $f'(a)$ sont constantes.

L'expression $f(a) + f'(a)(x - a)$ est une fonction linéaire qui donne une approximation juste de $f(x)$ à proximité de a. On l'appelle la *linéarisation locale* de f à proximité de $x = a$.

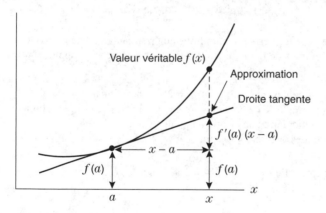

Figure 3.30 : Linéarisation locale : approximation par la droite tangente

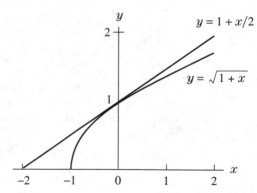

Figure 3.31 : Approximation par la droite tangente de $\sqrt{1 + x}$ à proximité de $x = 0$

Exemple 1   Trouvez l'approximation par la droite tangente de $\sqrt{1 + x}$ à proximité de $x = 0$.

Solution   Avec $f(x) = \sqrt{1 + x}$, la règle de la dérivée en chaîne donne $f'(x) = 1/(2\sqrt{1 + x})$, de telle sorte que $f(0) = 1$ et $f'(0) = 1/2$. Par suite, l'approximation par la droite tangente de f à proximité de $x = 0$ est

$$f(x) \approx f(0) + f'(0)(x - 0),$$

ce qui devient

$$\sqrt{1 + x} \approx 1 + \frac{x}{2}.$$

Cela signifie qu'à proximité de $x = 0$, la fonction $\sqrt{1 + x}$ peut être représentée par sa droite tangente $y = 1 + x/2$ (voir la figure 3.31).

Exemple 2   Trouvez la linéarisation locale de e^{kx} à proximité de $x = 0$.

Solution   Si $f(x) = e^{kx}$, alors $f(0) = 1$. On applique la règle de la dérivée en chaîne et $f'(x) = ke^{kx}$, de telle sorte que $f'(0) = ke^{k \cdot 0} = k$. Ainsi,

$$f(x) \approx f(0) + f'(0)(x - 0),$$

ce qui devient

$$e^{kx} \approx 1 + kx.$$

Cette équation est l'approximation par la droite tangente de e^{kx} à proximité de $x = 0$. En d'autres termes, si on grossit la fonction $f(x) = e^{kx}$ et $y = 1 + kx$ à proximité de l'origine, on sera incapable de les distinguer.

L'utilisation de la linéarité locale pour trouver les limites

On désire calculer la valeur exacte de la limite

$$\lim_{x \to 0} \frac{e^{2x} - 1}{x}.$$

Si on substitue $x = 0$, l'expression devient 0/0, ce qui représente une valeur indéfinie

$$\frac{e^{2(0)} - 1}{0} = \frac{1 - 1}{0} = \frac{0}{0}.$$

En remplaçant les valeurs de x à proximité de zéro, on obtient une approximation de la limite.

Cependant, on peut calculer exactement la limite en utilisant la linéarité locale. On suppose qu'on donne $f(x)$ comme numérateur, de telle sorte que $f(x) = e^{2x} - 1$ et $g(x)$ comme dénominateur, de telle sorte que $g(x) = x$. Alors, $f(0) = 0$ et $f'(x) = 2e^{2x}$ et, ainsi, $f'(0) = 2$. Quand on grossit le graphe de $f(x) = e^{2x} - 1$ à proximité de l'origine, on voit la droite tangente $y = 2x$ illustrée à la figure 3.32. On s'intéresse au ratio $(e^{2x} - 1)/x = f(x)/g(x)$, qui a pour approximation le ratio des valeurs de y de la figure 3.32. Ce ratio de valeurs y est simplement le ratio des pentes des droites de telle sorte que

$$\frac{f(x)}{g(x)} = \frac{e^{2x} - 1}{x} \approx \frac{2}{1} = \frac{f'(0)}{g'(0)}.$$

Au fur et à mesure que $x \to 0$, cette approximation devient de plus en plus proche de la réalité et on a

$$\lim_{x \to 0} \frac{e^{2x} - 1}{x} = 2.$$

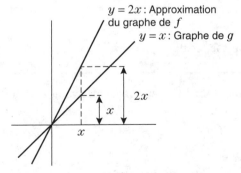

Figure 3.32 : Le ratio de $(e^{2x} - 1)/x$ a pour approximation le ratio des pentes au fur et à mesure qu'on grossit le graphe à proximité de l'origine

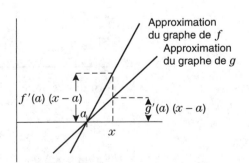

Figure 3.33 : Le ratio de $f(x)/g(x)$ a pour approximation le ratio des pentes $f'(a)/g'(a)$ au fur et à mesure qu'on grossit le graphe à proximité de a

La règle de l'Hospital

Si $f(a) = g(a) = 0$, on peut utiliser la même méthode pour calculer les limites de la forme

$$\lim_{x \to a} \frac{f(x)}{g(x)}.$$

Comme dans le cas précédent, on grossit le graphe de $f(x)$ et de $g(x)$. La figure 3.33 (voir page précédente) montre que ces deux graphes coupent l'axe des x au point $x = a$, ce qui suggérerait que la limite de $f(x)/g(x)$ quand $x \to a$ est le ratio des pentes, ce qui donne le résultat suivant :

Règle de l'Hospital : Si f et g sont dérivables, $f(a) = g(a) = 0$, et $g'(a) \neq 0$. Alors,

$$\lim_{x \to a} \frac{f(x)}{g(x)} = \frac{f'(a)}{g'(a)}$$

Pour justifier ce résultat, on suppose que $g'(a) \neq 0$ et on considère la quantité $f'(a)/g'(a)$. En utilisant la définition de la dérivée et en considérant le fait que $f(a) = g(a) = 0$, on obtient

$$\frac{f'(a)}{g'(a)} = \frac{\displaystyle\lim_{h \to 0} \frac{f(a+h) - f(a)}{h}}{\displaystyle\lim_{h \to 0} \frac{g(a+h) - g(a)}{h}}$$

$$= \frac{\displaystyle\lim_{h \to 0} (f(a+h)/h)}{\displaystyle\lim_{h \to 0} (g(a+h)/h)}$$

$$= \lim_{h \to 0} \frac{f(a+h)}{g(a+h)} = \lim_{x \to a} \frac{f(x)}{g(x)}.$$

À noter que si $f'(a) \neq 0$ et $g'(a) = 0$, la limite de $f(x)/g(x)$ n'existe pas.

Exemple 3   Utilisez la règle de l'Hospital pour confirmer que $\displaystyle\lim_{x \to 0} \frac{\sin x}{x} = 1$.

Solution   Soit $f(x) = \sin x$ et $g(x) = x$. Alors, $f(0) = g(0) = 0$ et $f'(x) = \cos x$ et $g'(x) = 1$. Donc,

$$\lim_{x \to 0} \frac{\sin x}{x} = \frac{\cos 0}{1} = 1.$$

Si on a aussi $f'(a) = g'(a) = 0$, alors on en déduit le résultat suivant :

Formulation plus générale de la **règle de l'Hospital :** Si f et g sont dérivables et si $f(a) = g(a) = 0$, on a alors

$$\lim_{x \to a} \frac{f(x)}{g(x)} = \lim_{x \to a} \frac{f'(x)}{g'(x)}$$

en supposant que la limite de droite existe.

Exemple 4   Calculez $\displaystyle\lim_{t \to 0} \frac{e^t - 1 - t}{t^2}$

Solution   Soit $f(t) = e^t - 1 - t$ et $g(t) = t^2$. Alors, $f(0) = e^0 - 1 - 0 = 0$ et $g(0) = 0$ et $f'(t) = e^t - 1$ et $g'(t) = 2t$, de telle sorte que

$$\lim_{t \to 0} \frac{e^t - 1 - t}{t^2} = \lim_{t \to 0} \frac{e^t - 1}{2t}.$$

Puisque $f'(0) = g'(0) = 0$, le ratio $f'(0)/g'(0)$ n'est pas défini et on utilise donc la règle de l'Hospital de nouveau. On a

$$\lim_{t \to 0} \frac{e^t - 1 - t}{t^2} = \lim_{t \to 0} \frac{e^t - 1}{2t} = \lim_{t \to 0} \frac{e^t}{2} = \frac{1}{2}.$$

Les formulations suivantes de la règle de l'Hospital s'appliquent aux limites comprenant l'infini.

> La règle de l'Hospital s'applique également
> - quand $\lim_{x \to a} f(x) = \pm\infty$ et $\lim_{x \to a} g(x) = \pm\infty$
>
> ou
> - quand $a = \pm\infty$.
>
> On peut démontrer que dans ces circonstances
>
> $$\lim_{x \to a} \frac{f(x)}{g(x)} = \lim_{x \to a} \frac{f'(x)}{g'(x)},$$
>
> (où a peut être $\pm\infty$), en supposant que la limite de droite existe.

À noter qu'on ne peut estimer $f'(x)/g'(x)$ directement quand $a = \pm\infty$. L'exemple 5 montre comment utiliser cette version de la règle de l'Hospital.

Exemple 5   Calculez $\lim_{x \to \infty} \frac{5x + e^{-x}}{7x}$.

Solution   Soit $f(x) = 5x + e^{-x}$ et $g(x) = 7x$. Alors, $\lim_{x \to \infty} f(x) = \lim_{x \to \infty} g(x) = \infty$ et $f'(x) = 5 - e^{-x}$ et $g'(x) = 7$, de telle sorte que

$$\lim_{x \to \infty} \frac{5x + e^{-x}}{7x} = \lim_{x \to \infty} \frac{(5 - e^{-x})}{7} = \frac{5}{7}.$$

La règle de l'Hospital s'applique aussi pour calculer certaines limites de la forme $\lim_{x \to \infty} f(x)g(x)$, ce qui présuppose de les réécrire de manière appropriée.

Exemple 6   Calculez $\lim_{x \to \infty} xe^{-x}$.

Solution   Puisque $\lim_{x \to \infty} x = \infty$ et que $\lim_{x \to \infty} e^{-x} = 0$, on voit que

$$xe^{-x} \to 0 \cdot \infty \qquad \text{quand } x \to \infty.$$

Puisque $0 \cdot \infty$ est une valeur indéfinie, on réécrit la fonction xe^{-x} sous la forme

$$xe^{-x} = \frac{x}{e^x}.$$

On utilise maintenant la règle de l'Hospital. Puisque

$$xe^{-x} = \frac{x}{e^x} \to \frac{\infty}{\infty} \qquad \text{quand } x \to \infty,$$

en prenant $f(x) = x$ et $g(x) = e^x$, on obtient $f'(x) = 1$ et $g'(x) = e^x$, de telle sorte que

$$\lim_{x \to \infty} xe^{-x} = \lim_{x \to \infty} \frac{x}{e^x} = \lim_{x \to \infty} \frac{1}{e^x} = 0.$$

La dominance : les puissances, les polynômes, les exponentielles et les logarithmes

Au chapitre 1, on a vu que certaines fonctions étaient beaucoup plus grandes que d'autres quand $x \to \infty$. On dit que g *domine* f quand $x \to \infty$ si $\lim_{x \to \infty} \dfrac{f(x)}{g(x)} = 0$. La règle de l'Hospital fournit une manière facile de le vérifier.

Exemple 7   Démontrez que $x^{1/2}$ domine $\ln x$ quand $x \to \infty$.

Solution   En appliquant la règle de l'Hospital à $(\ln x)/x^{1/2}$, on obtient

$$\lim_{x \to \infty} \frac{\ln x}{x^{1/2}} = \lim_{x \to \infty} \frac{1/x}{\frac{1}{2}x^{-1/2}}.$$

Pour évaluer cette limite, on simplifie et on obtient

$$\lim_{x \to \infty} \frac{1/x}{\frac{1}{2}x^{-1/2}} = \lim_{x \to \infty} \frac{2x^{1/2}}{x} = \lim_{x \to \infty} \frac{2}{x^{1/2}} = 0.$$

On vient donc de démontrer que

$$\lim_{x \to \infty} \frac{\ln x}{x^{1/2}} = 0,$$

ce qui indique que $x^{1/2}$ domine $\ln x$ quand $x \to \infty$.

Exemple 8   Démontrez que toute fonction exponentielle de la forme e^{kx} (avec $k > 0$) domine toute fonction de puissance de la forme Ax^p (avec A et p positifs) quand $x \to \infty$.

Solution   En appliquant la règle de l'Hospital de façon répétitive à Ax^p/e^{kx}, on obtient

$$\lim_{x \to \infty} \frac{Ax^p}{e^{kx}} = \lim_{x \to \infty} \frac{Apx^{p-1}}{ke^{kx}} = \lim_{x \to \infty} \frac{Ap(p-1)x^{p-2}}{k^2 e^{kx}} = \cdots$$

On continue d'appliquer la règle de l'Hospital jusqu'à ce que la puissance de x ne soit plus positive. Alors, la limite du numérateur doit être un nombre fini tandis que la limite du dénominateur doit être infinie. Par suite, on a

$$\lim_{x \to \infty} \frac{Ax^p}{e^{kx}} = 0,$$

de telle sorte que e^{kx} domine Ax^p.

Problèmes de la section 3.8

1. Quelle est l'approximation de $1/x$ par une droite tangente à proximité de $x = 1$?

2. Démontrez que $1 - x/2$ est l'approximation de $1/\sqrt{1 + x}$ par une droite tangente à proximité de $x = 0$.

3. Démontrez que $e^{-x} \approx 1 - x$ à proximité de $x = 0$.

4. Interprétez l'approximation linéaire $e^{rt} \approx 1 + rt$ sous l'angle des intérêts bancaires si r est le taux d'intérêt annuel continu et t le temps exprimé en années.

5. a) Démontrez que $1 + kx$ est la linéarisation locale de $(1 + x)^k$ à proximité de $x = 0$.
   b) On a calculé que la racine carrée de 1,1 est approximativement 1,05. Sans utiliser une calculatrice, pensez-vous que cette approximation est proche de la valeur exacte ?
   c) Est-ce que la valeur véritable est au-dessus ou en dessous de 1,05 ?

Pour les problèmes 6 à 9, trouvez le signe de $\displaystyle\lim_{x \to a} \frac{f(x)}{g(x)}$ à partir des graphes représentés.

6.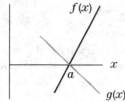

7.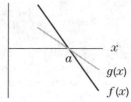

8.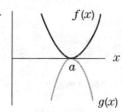

9.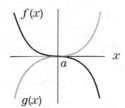

10. Calculez $\displaystyle\lim_{x \to 0^+} x \ln x$. [Conseil : Écrivez $x \ln x = \dfrac{\ln x}{1/x}$.]

11. En vous fondant sur votre connaissance du comportement du numérateur et du dénominateur, prédisez d'abord la valeur des limites suivantes, puis trouvez chacune de ces limites au moyen de la règle de l'Hospital.

   a) $\displaystyle\lim_{x \to 0} \frac{\sin x}{x^2}$ b) $\displaystyle\lim_{x \to 0} \frac{\sin^2 x}{x}$ c) $\displaystyle\lim_{x \to 0} \frac{\sin x}{x^{1/3}}$ d) $\displaystyle\lim_{x \to 0} \frac{(\sin x)^{1/3}}{x}$

12. a) Quelle est la pente de $f(x) = \sin(3x)$ au point $x = 0$?
    b) Quelle est la pente de $g(x) = 5x$ au point $x = 0$?

    c) Utilisez les réponses aux parties a) et b) pour calculer $\displaystyle\lim_{x \to 0} \frac{\sin(3x)}{5x}$.

Dans les problèmes 13 à 16, quelle fonction domine quand $x \to \infty$?

13. x^5 ou $0,1x^7$

14. $0,01x^3$ ou $50x^2$

15. $\ln(x + 3)$ ou $x^{0,2}$

16. x^{10} ou $e^{0,1x}$

17. Les fonctions f et g et leur droite tangente au point $(4, 0)$ sont illustrées à la figure 3.34 (page suivante). Trouvez $\displaystyle\lim_{x \to 4} \frac{f(x)}{g(x)}$.

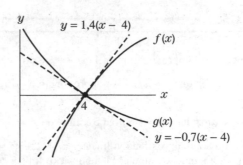

Figure 3.34

18. Expliquez pourquoi la règle de l'Hospital ne peut s'appliquer pour calculer chacune des limites suivantes. Puis, estimez la limite, si elle existe.

   a) $\lim_{x \to 1} \dfrac{\sin(2x)}{x}$

   b) $\lim_{x \to 0} \dfrac{\cos x}{x}$

   c) $\lim_{x \to \infty} \dfrac{e^{-x}}{\sin x}$

19. Trouvez l'asymptote horizontale de $f(x) = \dfrac{2x^3 + 5x^2}{3x^3 - 1}$.

20. Multipliez la linéarisation locale de e^x à proximité de $x = 0$ par elle-même pour obtenir l'approximation de e^{2x}. Comparez ces deux résultats avec la linéarisation locale réelle de e^{2x}. Expliquez pourquoi ces deux approximations sont cohérentes et précisez laquelle est la plus exacte.

21. a) Montrez que $1 - x$ est la linéarisation locale de $\dfrac{1}{1 + x}$ à proximité de $x = 0$.

   b) À partir de votre réponse à la partie a), démontrez qu'à proximité de $x = 0$,

   $$\frac{1}{1 + x^2} \approx 1 - x^2.$$

   c) Sans calculer la dérivée, que pensez-vous de la dérivée de $\dfrac{1}{1 + x^2}$ en $x = 0$?

22. À partir de la linéarisation locale de e^x et de $\sin x$ à proximité de $x = 0$, écrivez la linéarisation locale de la fonction $e^x \sin x$. À partir de ce résultat, écrivez la dérivée de $e^x \sin x$ en $x = 0$. En utilisant cette technique, écrivez la dérivée de $e^x \sin x/(1 + x)$ en $x = 0$.

23. Utilisez la linéarisation locale pour déduire la règle du produit

   $$[f(x)g(x)]' = f'(x)g(x) + f(x)g'(x).$$

   [Conseil : Utilisez la définition de la dérivée et la linéarisation locale $f(x + h) \approx f(x) + f'(x)h$ et $g(x + h) \approx g(x) + g'(x)h$.]

24. Déduisez la règle de la dérivée en chaîne au moyen de la linéarisation locale. [Conseil : En d'autres termes, dérivez $f(g(x))$ en utilisant $g(x + h) \approx g(x) + g'(x)h$ et $f(z + k) \approx f(z) + f'(z)k$.]

SOMMAIRE DU CHAPITRE

- **Dérivées des fonctions élémentaires**
  Puissances, polynômes, fonctions rationnelles, fonctions exponentielles, logarithmes, fonctions trigonométriques, fonctions trigonométriques inverses.

- **Dérivées des sommes, des différences et des multiples constants**

- **Règle du produit et règle du quotient**

- **Règle de la dérivée en chaîne**
  Dérivation des fonctions définies implicitement et des fonctions inverses.

- **Utilisation de la dérivée**
  Approximation par la droite tangente, linéarité locale, règle de l'Hospital.

PROBLÈMES DE RÉVISION DU CHAPITRE TROIS

1. Trouvez la pente de la courbe $x^2 + 3y^2 = 7$ au point $(2, -1)$.

2. Supposez que y est une fonction dérivable de x et que $y + \sin y + x^2 = 9$. Trouvez dy/dx au point $x = 3$, $y = 0$.

3. En vous référant aux données du tableau suivant à propos des fonctions f et g et de leurs dérivées, trouvez les valeurs ci après.

   a) $h(4)$ si $h(x) = f(g(x))$

   b) $h'(4)$ si $h(x) = f(g(x))$

   c) $h(4)$ si $h(x) = g(f(x))$

   d) $h'(4)$ si $h(x) = g(f(x))$

   e) $h'(4)$ si $h(x) = g(x)/f(x)$

   f) $h'(4)$ si $h(x) = f(x)g(x)$

x	1	2	3	4
$f(x)$	3	2	1	4
$f'(x)$	1	4	2	3
$g(x)$	2	1	4	3
$g'(x)$	4	2	3	1

4. Étant donné $r(2) = 4$, $s(2) = 1$, $s(4) = 2$, $r'(2) = -1$, $s'(2) = 3$ et $s'(4) = 3$, calculez les dérivées ou indiquez de quelle information additionnelle vous auriez besoin pour pouvoir calculer les dérivées ci-après.

   a) $H'(2)$ si $H(x) = r(x) \cdot s(x)$ b) $H'(2)$ si $H(x) = r(s(x))$

   c) $H'(2)$ si $H(x) = \sqrt{r(x)}$ d) $H'(2)$ si $H(x) = s(r(x))$

5. Imaginez que vous grossissez les graphes des fonctions suivantes à proximité de l'origine.

   $$y = \arcsin x \qquad y = \sin x - \tan x \qquad y = x - \sin x \qquad y = \arctan x$$

   $$y = \frac{\sin x}{1 + \sin x} \qquad y = \frac{x^2}{x^2 + 1} \qquad y = \frac{1 - \cos x}{\cos x} \qquad y = \frac{x}{x^2 + 1}$$

   $$y = \frac{\sin x}{x} - 1 \qquad y = -x \ln x \qquad y = e^x - 1 \qquad y = x^{10} + \sqrt[10]{x}$$

   $$y = \frac{x}{x + 1}$$

   Quels sont les graphes qui se ressembleront? Groupez les fonctions que vous ne pouvez plus distinguer et donnez l'équation de la droite à laquelle elles s'assimileront. [Remarque : $(\sin x)/x - 1$ et $-x \ln x$ ne sont pas définies à l'origine.]

6. Les graphes de $\sin x$ et de $\cos x$ se recoupent une fois entre 0 et $\pi/2$. Quel est l'angle entre les deux courbes au point d'intersection? (Vous devez réfléchir à propos de la manière de définir l'angle entre deux courbes.)

7. L'accélération due à la gravité g, à la distance r du centre de la Terre, est donnée par

   $$g = \frac{GM}{r^2},$$

   où M est la masse de la Terre et G une constante.

   a) Trouvez $\dfrac{dg}{dr}$.

   b) Quelle est l'interprétation pratique (en termes d'accélération) de $\dfrac{dg}{dr}$? Vous attendez-vous à ce qu'elle soit négative?

   c) On vous dit que $M = 6 \times 10^{24}$ et $G = 6{,}67 \times 10^{-20}$, où M est en kilogrammes et r en kilomètres. Quelle est la valeur de $\dfrac{dg}{dr}$ à la surface de la Terre si $r = 6400$ km?

   d) Quelle indication en tirez-vous pour décider s'il est ou non raisonnable d'estimer que g est constante à proximité de la surface de la Terre?

8. En 1990, la population du Mexique était d'environ 84 millions avec une croissance annuelle de 2,6 % tandis que la population des États-Unis était d'environ 250 millions avec une croissance annuelle de 0,7 %. Quelle est la population qui croissait le plus vite si vous mesurez le taux de croissance en termes de personnes par année ? Justifiez votre réponse.

9. Supposez que la distance s d'un corps se déplaçant à partir d'un point fixe soit donnée en tant que fonction du temps t par $s = 20e^{t/2}$.

   a) Trouvez la vitesse v du corps en tant que fonction du temps t.
   b) Trouvez une relation entre v et s, puis démontrez que s satisfait l'équation différentielle $s' = \frac{1}{2}s$.

10. La pression de l'air au niveau de la mer est de 30 po de mercure. À une altitude de h pi au-dessus du niveau de la mer, la pression atmosphérique P (en pouces de mercure) est donnée par

    $$P = 30e^{-3,23 \times 10^{-5}\,h}.$$

    a) Tracez un graphe approximatif de P par rapport à h.
    b) Trouvez l'équation de la droite tangente au graphe au point $h = 0$.
    c) Une règle empirique indique que la pression atmosphérique chute d'environ 1 po/1000 pi d'altitude au-dessus du niveau de la mer. Écrivez une formule approximative pour calculer la pression atmosphérique à partir de cette règle empirique.
    d) Quelle est la relation entre vos réponses aux parties b) et c) ? Expliquez pourquoi cette règle empirique est valable.
    e) Les prédictions obtenues avec la règle empirique sont-elles trop grandes ou trop petites ? Justifiez votre réponse.

11. Supposez que la profondeur de l'eau y (en mètres) dans la baie de Fundy est exprimée par la fonction suivante du temps t (en heures) après minuit :

    $$y = 10 + 7,5\cos(0,507t).$$

    À quelle vitesse la marée monte-t-elle ou descend-elle (en mètres par heure) à chacune des heures suivantes ?

    a) 6 h   b) 9 h   c) 12 h   d) 18 h

12. Un plat de pommes de terre est placé dans un four chaud qui est maintenu à une température constante de 200 °C. Supposez qu'au temps $t = 30$ min, la température T des pommes de terre soit de 120 °C et qu'elle croisse à un taux (instantané) de 2 °C/min. La loi de refroidissement de Newton (ou, dans ce cas, le réchauffement) implique que la température au temps t sera obtenue à l'aide d'une formule de la forme

    $$T(t) = 200 - ae^{-bt}.$$

    Trouvez a et b.

13. Un objet est accroché à l'extrémité d'un ressort. Sa position (en centimètres) relativement à un point fixe, est donnée par une fonction du temps t (en secondes) qui est la suivante :

    $$y = y_0 \cos(2\pi\omega t), \quad \text{avec } \omega \text{ qui est une constante.}$$

    a) Trouvez une expression pour la vitesse et l'accélération de cet objet en oscillation.
    b) Comment les amplitudes de position, la vitesse et l'accélération se comparent-elles ? Comment les périodes de ces fonctions se comparent-elles ?
    c) Démontrez que la fonction y satisfait l'équation différentielle

    $$\frac{d^2y}{dt^2} + 4\pi^2\omega^2 y = 0.$$

14. Supposez que le nombre total de personnes N qui ont contracté une maladie au temps t (en jours) après sa déclaration est donné par

    $$N = \frac{1\,000\,000}{1 + 5\,000e^{-0,1t}}.$$

    a) À long terme, combien de gens seront affectés par cette maladie ?

b) Y a-t-il un jour où plus de un million de personnes seront affectées ? un demi-million ? un quart de million ? [Conseil : N'essayez pas de trouver quel jour ces événements se produisent.]

15. Une cellule sphérique croît à un taux constant de 400 μm³/j (1 μm = 10^{-6} m). À quel taux son rayon croît-il quand il est égal à 10 μm ?

16. Quand la croissance d'une cellule sphérique dépend du flux de nutriments au travers de sa surface, il est raisonnable de supposer que le taux de croissance dV/dt est proportionnel à la surface S. On suppose que pour une cellule particulière $dV/dt = \frac{1}{3} \cdot S$. À quel taux son rayon r va-t-il croître ?

17. Dans le poste de pilotage d'un avion, un système de radio navigation donne une lecture de la distance s (en milles) entre une station fixe au sol et l'avion. Le système donne aussi une lecture du taux de variation instantané ds/dt de cette distance (en milles par heure). Un avion en vol rectiligne à une altitude constante de 10 560 pi (2 mi) est passé juste au-dessus de la station au sol et il continue sa route. Quelle est la vitesse de cet avion à altitude constante quand la lecture est de $s = 4{,}6$ mi et que $ds/dt = 210$ mi/h ?

Les problèmes 18 et 19 portent sur la loi de Boyle qui établit que pour une quantité fixe de gaz à une température constante, la pression P et le volume V sont inversement proportionnels. Par suite, pour une constante quelconque k,

$$PV = k.$$

18. Supposez qu'une quantité fixe de gaz se répand à une température constante. Trouvez le taux de variation de la pression en fonction du volume.

19. Supposez qu'une certaine quantité de gaz occupe un volume de 10 cm³ à la pression de 2 atm (atmosphères) et que la pression croît, pendant que la température demeure constante.

a) Le volume va-t-il croître ou décroître ?

b) Si la pression croît à un taux de 0,05 atm/min au moment où la pression est égale à 2 atm, trouvez le taux de variation du volume à ce moment-là. Quelles sont les unités de votre réponse ?

20. Trouvez la dérivée n-ième de chacune des fonctions ci-après.

    a) $\ln x$ b) xe^x c) $e^x \cos x$

GROS PLAN SUR LA PRATIQUE

LA DÉRIVATION

Trouvez les dérivées des fonctions des problèmes 1 à 114. Supposez que a, b, c et k sont des constantes.

1. $f(t) = 3t^2 - 4t + 1$

2. $y = 17x + 24x^{1/2}$

3. $g(x) = -\frac{1}{2}(x^5 + 2x - 9)$

4. $g(t) = \dfrac{t^3 + k}{t}$

5. $f(x) = 5x^4 + \dfrac{1}{x^2}$

6. $z = \dfrac{t^2 + 3t + 1}{t + 1}$

7. $y = \dfrac{e^{2x}}{x^2 + 1}$

8. $f(x) = \dfrac{x^2 + 3x + 2}{x + 1}$

9. $y = \left(\dfrac{x^2 + 2}{3}\right)^2$

10. $g(\theta) = \sin^2(2\theta) - \pi\theta$

11. $g(x) = \sin(2 - 3x)$

12. $R(x) = 10 - 3\cos(\pi x)$

13. $f(z) = \dfrac{z^2 + 1}{3z}$

14. $q(r) = \dfrac{3r}{5r + 2}$

15. $h(z) = \sqrt{\dfrac{\sin(2z)}{\cos(2z)}}$

16. $y = x \ln x - x + 2$

17. $j(x) = \ln(e^{ax} + b)$

18. $y = 2x(\ln x + \ln 2) - 2x + e$

19. $g(\theta) = \sin(\tan \theta)$

20. $w(x) = \tan(x^2)$

21. $f(x) = \sin(\sin x + \cos x)$

22. $j(x) = \cos(\sin^{-1} x)$

23. $k(\alpha) = \sin^5 \alpha \cos^3 \alpha$

24. $f(w) = \cos^2 w + \cos(w^2)$

25. $g(t) = \dfrac{4}{3 + \sqrt{t}}$

26. $g(t) = \dfrac{t - 4}{t + 4}$

27. $y = \dfrac{1}{e^{3x} + x^2}$

28. $h(w) = (w^4 - 2w)^5$

29. $q(\theta) = \sqrt{4\theta^2 - \sin^2(2\theta)}$

30. $g(t) = (t \cos t + \tan^3(t^5))^4$

31. $h(w) = w^3 \ln(10w)$

32. $f(x) = \ln(\sin x + \cos x)$

33. $g(x) = \arcsin(\sin \pi x)$

34. $r(t) = \arcsin(2t)$

35. $w(r) = \sqrt{r^4 + 1}$

36. $h(w) = -2w^{-3} + 3\sqrt{w}$

37. $h(x) = \sqrt{\dfrac{x^2 + 9}{x + 3}}$

38. $f(x) = \sqrt{\dfrac{1 - \sin x}{1 - \cos x}}$

39. $T(u) = \arctan\left(\dfrac{u}{1 + u}\right)$

40. $w = 2^{-4z} \sin(\pi z)$

41. $v(t) = t^2 e^{-ct}$

42. $f(x) = \pi^x + x^\pi$

43. $f(x) = \dfrac{x}{1 + \ln x}$

44. $G(x) = \dfrac{\sin^2 x + 1}{\cos^2 x + 1}$

45. $a(t) = \ln\left(\dfrac{1 - \cos t}{1 + \cos t}\right)^4$

46. $f(x) = e^{\ln(kx)}$

47. $R(\theta) = e^{\sin(3\theta)}$

48. $f(x) = e^\pi + \pi^x$

49. $y = \pi^{(x + 2)}$

50. $g(x) = e^{\pi x}$

51. $g(\theta) = e^{\sin \theta}$

52. $f(\theta) = 2^{-\theta}$

53. $f(x) = e^{2x}(x^2 + 5^x)$

54. $h(x) = 2^{e^{3x}}$

55. $h(t) = \dfrac{4 - t}{4 + t}$

56. $r(y) = \dfrac{y}{\cos y + a}$

57. $h(z) = \left(\dfrac{b}{a + z^2}\right)^4$

58. $p(t) = e^{4t + 2}$

59. $h(z) = (\ln 2)^z$

60. $j(x) = \dfrac{x^3}{a} + \dfrac{a}{b}x^2 - cx + k$

61. $f(x) = \cos(\arctan 3x)$

62. $f(x) = (3x^2 + \pi)(e^x - 4)$

63. $g(t) = e^{(1 + 3t)^2}$

64. $f(z) = \dfrac{z^2 + 1}{\sqrt{z}}$

65. $h(r) = \dfrac{r^2}{2r + 1}$

66. $g(x) = 2x - \dfrac{1}{\sqrt[3]{x}} + 3^x - e$

67. $f(t) = 2te^t - \dfrac{1}{\sqrt{t}}$

68. $w = \dfrac{5 - 3z}{5 + 3z}$

69. $g(w) = \dfrac{1}{2^w + e^w}$

70. $f(y) = \ln\left(\ln\left(2y^3\right)\right)$

71. $f(x) = \dfrac{x^3}{9}(3\ln x - 1)$

72. $g(x) = x^k + k^x$

73. $r(\theta) = \sin\left((3\theta - \pi)^2\right)$

74. $s(\theta) = \sin^2(3\theta - \pi)$

75. $h(t) = \ln\left(e^{-t} - t\right)$

76. $p(\theta) = \dfrac{\sin(5 - \theta)}{\theta^2}$

77. $w(\theta) = \dfrac{\theta}{\sin^2 \theta}$

78. $g(x) = \dfrac{x^2 + \sqrt{x} + 1}{x^{3/2}}$

79. $s(x) = \arctan(2 - x)$

80. $r(\theta) = e^{(e^\theta + e^{-\theta})}$

81. $m(n) = \sin(e^n)$

82. $k(\alpha) = e^{\tan(\sin \alpha)}$

83. $g(t) = t\cos\left(\sqrt{t}\,e^t\right)$

84. $f(r) = (\tan 2 + \tan r)^e$

85. $y = e^{-\pi} + \pi^{-e}$

86. $y = (x^2 + 5)^3 (3x^3 - 2)^2$

87. $h(x) = xe^{\tan x}$

88. $y = e^{2x}\sin^2(3x)$

89. $g(x) = \tan^{-1}(3x^2 + 1)$

90. $y = 2^{\sin x}\cos x$

91. $h(x) = \ln e^{ax}$

92. $k(x) = \ln e^{ax} + \ln b$

93. $f(\theta) = e^{k\theta} - 1$

94. $N(\theta) = \tan(\arctan(k\theta))$

95. $f(t) = e^{-4kt}\sin t$

96. $f(x) = a^{5x}$

97. $f(x) = \dfrac{a^2 - x^2}{a^2 + x^2}$

98. $w(r) = \dfrac{ar^2}{b + r^3}$

99. $f(s) = \dfrac{a^2 - s^2}{\sqrt{a^2 + s^2}}$

100. $h(t) = e^{kt}(\sin at + \cos bt)$

101. $H(t) = (at^2 + b)e^{-ct}$

102. $g(\theta) = \sqrt{a^2 - \sin^2 \theta}$

103. $y = \arctan\left(\dfrac{2}{x}\right)$

104. $r(t) = \ln\left(\sin\left(\dfrac{t}{k}\right)\right)$

105. $g(u) = \dfrac{e^{au}}{a^2 + b^2}$

106. $g(w) = \dfrac{5}{(a^2 - w^2)^2}$

107. $y = \dfrac{e^x - e^{-x}}{e^x + e^{-x}}$

108. $y = \dfrac{e^{ax} - e^{-ax}}{e^{ax} + e^{-ax}}$

109. $f(x) = (2 - 4x - 3x^2)(6x^e - 3\pi)$

110. $f(t) = (\sin(2t) - \cos(3t))^4$

111. $s(y) = \sqrt[3]{(\cos^2 y + 3 + \sin^2 y)}$

112. $f(x) = (4 - x^2 + 2x^3)(6 - 4x + x^7)$

113. $h(x) = \left(\dfrac{1}{x} - \dfrac{1}{x^2}\right)(2x^3 + 4)$

114. $f(z) = \sqrt{5z} + 5\sqrt{z} + \dfrac{5}{\sqrt{z}} - \sqrt{\dfrac{5}{z}} + \sqrt{5}$

115. Si $g(2) = 3$ et $g'(2) = -4$, trouvez $f'(2)$ pour les fonctions suivantes :

   a) $f(x) = x^2 - 4g(x)$

   b) $f(x) = \dfrac{x}{g(x)}$

   c) $f(x) = x^2 g(x)$

   d) $f(x) = (g(x))^2$

   e) $f(x) = x\sin(g(x))$

   f) $f(x) = x^2\ln(g(x))$

116. Pour les parties a) à f) du problème 115, déterminez l'équation de la droite tangente à f au point $x = 2$.

Pour les problèmes 117 à 122, supposez que y est une fonction dérivable de x et trouvez dy/dx.

117. $xy - x - 3y - 4 = 0$

118. $6x^2 + 4y^2 = 36$

119. $ax^2 - by^2 = c^2$

120. $x^2 y - 2y + 5 = 0$

121. $x^3 + y^3 - 4x^2 y = 0$

122. $\sin(ay) + \cos(bx) = xy$

CHAPITRE QUATRE

L'UTILISATION DE LA DÉRIVÉE

Au chapitre 2, on a présenté la dérivée et certaines de ses interprétations. Au chapitre 3, on a fait la distinction entre toutes les fonctions standard, notamment les fonctions puissances, les fonctions exponentielles, les fonctions logarithmiques et les fonctions trigonométriques. On utilisera maintenant la dérivée première et la dérivée seconde pour analyser le comportement des familles de fonctions et pour résoudre les problèmes d'optimisation.

4.1   L'UTILISATION DE LA DÉRIVÉE PREMIÈRE ET DE LA DÉRIVÉE SECONDE

Ce qu'indiquent les dérivées au sujet d'une fonction et de son graphe

Comme on l'a vu au chapitre 2, le lien qui existe entre les dérivées d'une fonction et la fonction elle-même peut-être exprimé de la manière suivante :

- si $f' > 0$ sur un intervalle, alors f est croissante sur cet intervalle ;
- si $f' < 0$ sur un intervalle, alors f est décroissante sur cet intervalle ;
- si $f'' > 0$ sur un intervalle, alors le graphe de f est concave vers le haut sur cet intervalle ;
- si $f'' < 0$ sur un intervalle, alors le graphe de f est concave vers le bas sur cet intervalle.

Ces principes offrent de nouvelles possibilités, car on dispose maintenant de formules pour les dérivées des fonctions élémentaires.

Lorsqu'on trace le graphe d'une fonction à l'aide d'un ordinateur ou d'une calculatrice, on ne voit souvent qu'une partie de l'illustration. Les renseignements que fournissent la dérivée première et la dérivée seconde peuvent aider à identifier les régions qui présentent des comportements intéressants.

Exemple 1   À l'aide d'un ordinateur ou d'une calculatrice, tracez un graphe qui serait utile de la fonction $f(x) = x^3 - 9x^2 - 48x + 52$.

Solution   Puisque f est un polynôme cubique, on s'attend à ce que le graphe ait approximativement la forme d'un S. En traçant le graphe de cette fonction avec $-10 \leq x \leq 10$, $-10 \leq y \leq 10$, on obtient les deux droites presque verticales de la figure 4.1. On réalise que ce résultat est peu concluant et qu'il faudrait procéder autrement.

Figure 4.1 : Graphe peu concluant de
$f(x) = x^3 - 9x^2 - 48x + 52$

Pour y arriver, on utilise la dérivée afin de déterminer où la fonction est croissante et où elle est décroissante. La dérivée de f est

$$f'(x) = 3x^2 - 18x - 48.$$

Pour trouver où $f' > 0$ ou $f' < 0$, on doit d'abord trouver où $f' = 0$. Autrement dit, on cherche où $3x^2 - 18x - 48 = 0$. En faisant la factorisation, on obtient $3(x - 8)(x + 2) = 0$. Donc, $x = -2$ ou $x = 8$. Puisque $f' = 0$ *seulement* en $x = -2$ et en $x = 8$, et puisque f' est continue, f' ne peut changer de signe sur aucun des trois intervalles $x < -2$, $-2 < x < 8$ ou $8 < x$. Comment peut-on connaître le signe de f' sur chacun de ces intervalles ? La manière la plus simple consiste à choisir un point et à le substituer dans f'. Par exemple, puisque $f'(-3) = 33 > 0$, on sait que f' est positive pour $x < -2$. Donc, f est croissante pour $x < -2$. De même, puisque $f'(0) = -48$ et $f'(10) = 72$, on sait que f décroît entre $x = -2$ et $x = 8$ et qu'elle s'accroît pour $x > 8$. En bref,

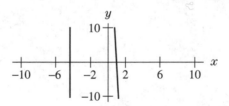

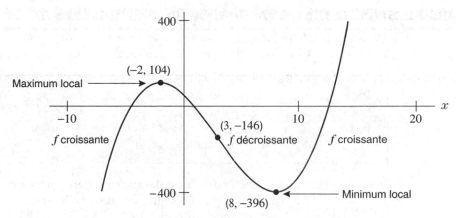

Figure 4.2 : Graphe utile de $f(x) = x^3 - 9x^2 - 48x + 52$

On trouve que $f(-2) = 104$ et $f(8) = -396$. Ainsi, sur l'intervalle $-2 < x < 8$, la fonction décroît en partant d'une valeur élevée de 104 à une valeur faible de -396. (On comprend maintenant pourquoi le premier graphe obtenu n'était pas très révélateur.) Il est facile d'obtenir un point de plus sur le graphe : l'intersection sur l'axe des y, $f(0) = 52$. Avec ces trois points seulement, on peut obtenir un graphe beaucoup plus utile. En fixant la fenêtre graphique à $-10 \le x \le 20$ et à $-400 \le y \le 400$, on obtient la figure 4.2, ce qui donne un meilleur aperçu du comportement de $f(x)$ que le graphe de la figure 4.1.

À la figure 4.2, on voit qu'une partie du graphe est concave vers le haut et qu'une partie de celui-ci est concave vers le bas. On peut utiliser la dérivée seconde pour analyser la concavité. On obtient

$$f''(x) = 6x - 18.$$

Donc, $f''(x) < 0$ quand $x < 3$ et $f''(x) > 0$ quand $x > 3$. Donc, le graphe de f est concave vers le bas pour $x < 3$ et concave vers le haut pour $x > 3$. En $x = 3$, on obtient $f''(x) = 0$. En résumé,

f concave vers le bas $\cap$	$x = 3$	f concave vers le haut $\cup$
$f'' < 0$	$f'' = 0$	$f'' > 0$

Le maximum local et le minimum local

On s'intéresse souvent à des points comme ceux qui sont identifiés par le maximum local et le minimum local (voir la figure 4.2). Soit la définition suivante :

> On suppose que p est un point qui appartient au domaine de f :
> - f a un **minimum local** en p si $f(p)$ est inférieure ou égale aux valeurs de f pour les points qui sont proches de p ;
> - f a un **maximum local** en p si $f(p)$ est supérieure ou égale aux valeurs de f pour les points qui sont proches de p.

On utilise l'adjectif *local* parce que la description ne porte que sur ce qui se produit à proximité de p.

Comment trouver un maximum local ou un minimum local ?

Dans l'exemple précédent, les points $x = -2$ et $x = 8$, où $f'(x) = 0$, jouent un rôle clé pour trouver un maximum local ou un minimum local. On nomme ces points ainsi :

> Pour toute fonction f, un point p appartenant au domaine de f, où $f'(p) = 0$ ou $f'(p)$ est indéfinie, s'appelle un **point critique** de la fonction. De plus, le point $(p, f(p))$ sur le graphe de f s'appelle également un point critique. Une **valeur critique** de f est la valeur $f(p)$ de la fonction en un point critique p.

À noter que le *point critique de f* peut désigner soit des points appartenant au domaine de f, soit des points sur le graphe de f. La signification sera déterminée en fonction du contexte.

Géométriquement, en un point critique où $f'(p) = 0$, la droite tangente au graphe de f en p est horizontale. En un point critique où $f'(p)$ est indéfinie, il n'y a aucune tangente horizontale au graphe — il y a soit une tangente verticale ou aucune tangente. (Par exemple, $x = 0$ est un point critique pour la fonction de valeur absolue $f(x) = |x|$.) Cependant, la plupart des fonctions qui seront examinées seront différentiables partout et, par conséquent, la plupart des points critiques seront du type $f'(p) = 0$.

Les points critiques divisent le domaine de f en intervalles sur lesquels le signe de la dérivée demeure le même, soit positif ou négatif. Donc, si f est définie sur l'intervalle entre deux points critiques successifs, son graphe ne peut changer de direction sur cet intervalle ; il est soit croissant ou décroissant. On obtient les résultats suivants, lesquels sont équivalents au théorème démontré dans la section « Gros plan sur la théorie » à la fin de ce chapitre.

> **Théorème :** Si une fonction continue f atteint un maximum local ou un minimum local en p, et si p n'est pas un point à la frontière du domaine, alors p est un point critique.

Avertissement ! Le signe de f' *ne doit pas* changer en un point critique. On considère $f(x) = x^3$, qui a un point critique en $x = 0$ (voir la figure 4.3). La dérivée $f'(x) = 3x^2$ est positive des deux côtés de $x = 0$. Donc, f augmente des deux côtés de $x = 0$ et il n'y a ni maximum local ni minimum local en $x = 0$. En d'autres mots, tous les points critiques ne sont pas des maximums locaux ou des minimums locaux.

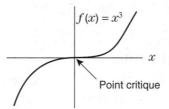

Figure 4.3 : Point critique qui n'est pas un maximum local ou un minimum local

Le test du maximum local ou du minimum local

Si f' a des signes différents d'un côté ou de l'autre d'un point critique p avec $f'(p) = 0$, alors le graphe change de direction en p et ressemble à ceux de la figure 4.4. On dispose donc des critères ci-après.

Test de la dérivée première pour un maximum local et un minimum local

On suppose que p est un point critique d'une fonction continue f.

- Si f' passe du négatif au positif en p, alors f atteint un minimum local en p.
- Si f' passe du positif au négatif en p, alors f atteint un maximum local en p.

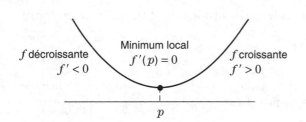

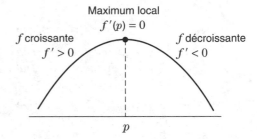

Figure 4.4 : Changements de direction en un point critique p : minimum local et maximum local

---

Exemple 2   Utilisez le graphe de la fonction $f(x) = \dfrac{1}{x(x-1)}$ (voir la figure 4.5) pour observer son maximum local et son minimum local. Justifiez votre observation de manière analytique.

Solution   Le graphe de la figure 4.5 suggère que cette fonction n'atteint pas de minimum local mais qu'elle atteint un maximum local autour de $x = \frac{1}{2}$. Pour confirmer ce résultat de manière analytique, on utilise la formule pour la dérivée. Puisque $f(x) = (x^2 - x)^{-1}$, on obtient

$$f'(x) = -1(x^2 - x)^{-2}(2x - 1) = -\frac{2x - 1}{\left(x^2 - x\right)^2}.$$

Donc, $f'(x) = 0$ pour $2x - 1 = 0$. Ainsi, le seul point critique du domaine de f est $x = \frac{1}{2}$.

De plus, $f'(x) > 0$ pour $0 < x < 1/2$, et $f'(x) < 0$ pour $1/2 < x < 1$. Ainsi, f croît pour $0 < x < 1/2$ et décroît pour $1/2 < x < 1$. Selon le test de la dérivée première, le point critique $x = 1/2$ est un maximum local.

Pour $-\infty < x < 0$ ou $1 < x < \infty$, il n'y a pas de points critiques et aucun maximum local ou minimum local. Bien que $1/(x(x-1)) \to 0$ autant lorsque $x \to \infty$ que lorsque $x \to -\infty$, on ne dit pas que zéro est un minimum local parce que $1/(x(x-1))$ *n'égale jamais* zéro.

Bien que $f' > 0$ partout où elle est définie pour $x < \frac{1}{2}$, la fonction f n'est pas croissante partout sur cet intervalle. Le problème est que f et f' ne sont pas définies en $x = 0$. On ne peut donc pas conclure que f est croissante quand $x < 1/2$.

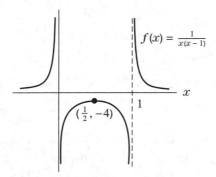

Figure 4.5 : Trouver le maximum local et le minimum local

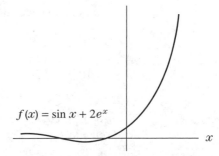

Figure 4.6 : Expliquer l'absence de maximum local et de minimum local pour $x \geq 0$

Exemple 3   Le graphe de $f(x) = \sin x + 2e^x$ se trouve à la figure 4.6 (page précédente). En utilisant la dérivée, expliquez pourquoi il n'y a pas de maximum ou de minimum local pour $x \geq 0$.

Solution   Les maximums et les minimums locaux peuvent être atteints en des points critiques. À présent, $f'(x) = \cos x + 2e^x$, qui est définie pour tous les x. On sait que $\cos x$ se situe toujours entre -1 et 1, et que $2e^x \geq 2$ pour $x \geq 0$. Donc, $f'(x)$ ne peut être zéro pour tout $x \geq 0$. Par conséquent, il n'y a pas de maximum local ou de minimum local pour $x \geq 0$.

Le test de la dérivée seconde pour un maximum local et un minimum local

Le fait de connaître la concavité d'une fonction peut être utile pour vérifier si un point critique est un maximum local ou un minimum local. On suppose que p est un point critique de f, avec $f'(p) = 0$ de sorte que le graphe de f a une droite tangente horizontale à p. Si le graphe est concave vers le haut en p, alors f atteint un minimum local en p. De même, si le graphe est concave vers le bas, f a un maximum local (voir la figure 4.7). Cela permet de suggérer que

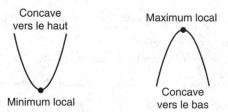

Figure 4.7 : Maximum local, minimum local et concavité

Test de la dérivée seconde pour un maximum local et un minimum local

- Si $f'(p) = 0$ et $f''(p) > 0$, alors f a un minimum local en p.
- Si $f'(p) = 0$ et $f''(p) < 0$, alors f a un maximum local en p.
- Si $f'(p) = 0$ et $f''(p) = 0$, alors le test ne révèle rien.

Exemple 4   Classez comme maximum local ou minimum local les points critiques de $f(x) = x^3 - 9x^2 - 48x + 52$.

Solution   Comme on l'a vu dans l'exemple 1,

$$f'(x) = 3x^2 - 18x - 48,$$

et les points critiques de f sont $x = -2$ et $x = 8$. On a

$$f''(x) = 6x - 18.$$

Ainsi $f''(8) = 30 > 0$. Donc, f a un minimum local en $x = 8$. Puisque $f''(-2) = -30 < 0$, f a un maximum local en $x = -2$.

Avertissement ! Le test de la dérivée seconde n'indique rien si $f'(p) = 0$ et $f''(p) = 0$. Par exemple, si $f(x) = x^3$ et $g(x) = x^4$, $f'(0) = g'(0) = 0$ et $f''(0) = g''(0) = 0$. Le point $x = 0$ est un minimum de g, mais il n'est ni un maximum ni un minimum de f. Cependant, le test de la dérivée première est encore utile. Par exemple, g' change de signe, passant du négatif au positif en $x = 0$. Donc, on sait que g atteint un minimum local en ce point.

La concavité et le point d'inflexion

On a étudié des points où la pente change de signe, ce qui a amené la notion de points critiques. On examine maintenant des points où la concavité change.

> Un point sur un graphe où la concavité d'une fonction change s'appelle un **point d'inflexion** de f.

L'expression *point d'inflexion de f* peut désigner soit un point appartenant au domaine de f ou un point sur le graphe de f. Le contexte du problème étudié indiquera celui dont il s'agit.

Comment trouver les points d'inflexion ?

Puisque la concavité change en un point d'inflexion, le signe de f'' change. Il est positif d'un côté du point d'inflexion et négatif de l'autre. Donc, au point d'inflexion, f'' est nulle ou indéfinie (voir la figure 4.8).

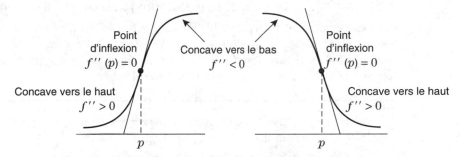

Figure 4.8 : Changement de concavité en p : les points d'inflexion sont
les maximums locaux ou les minimums locaux de f'

Exemple 5

Trouvez les points critiques et les points d'inflexion de $g(x) = xe^{-x}$ et tracez le graphe de g pour $x \geq 0$.

Solution

En prenant les dérivées et en simplifiant, on obtient

$$g'(x) = (1 - x)e^{-x} \quad \text{et} \quad g''(x) = (x - 2)e^{-x}.$$

Donc, $x = 1$ est un point critique ; $g' > 0$ pour $x < 1$ et $g' < 0$ pour $x > 1$. Ainsi, g croît pour atteindre un maximum local en $x = 1$ et décroît par la suite. De plus, $g(x) \to 0$ quand $x \to \infty$. Il y a un point d'inflexion en $x = 2$ puisque $g'' < 0$ pour $x < 2$ et $g'' > 0$ pour $x > 2$. Le graphe est tracé à la figure 4.9.

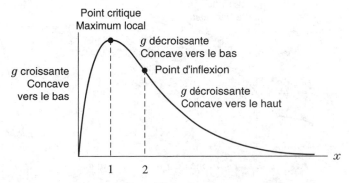

Figure 4.9 : Graphe de $g(x) = xe^{-x}$

Avertissement ! Ce ne sont pas tous les point x, quand $f''(x) = 0$ (ou f'' est indéfinie), qui sont des points d'inflexion (de même, tous les points où $f' = 0$ ne sont pas des maximums locaux ou des minimums locaux). Par exemple, $f(x) = x^4$ a $f''(x) = 12x^2$. Donc, $f''(0) = 0$, mais $f'' > 0$ quand $x > 0$ et quand $x < 0$. Par conséquent, il *n'y a pas* de changement de concavité en $x = 0$ (voir la figure 4.10).

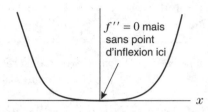

Figure 4.10 : Graphe de $f(x) = x^4$

Les points d'inflexion et le maximum local ou le minimum local de la dérivée

On peut également interpréter les points d'inflexion en fonction des dérivées premières. Si p est un point d'inflexion, alors $f''(p) = 0$ (ou $f''(p)$ est indéfinie) et, ainsi, p est un point critique de la fonction dérivée f'. Si f' est continue, ce point critique est un maximum local ou un minimum local de f', puisque f'' change de signe en p.

Une fonction f avec une dérivée continue possède un point d'inflexion en p si l'une ou l'autre des conditions suivantes s'applique :

- f' a un minimum local ou un maximum local en p ;
- f'' change de signe en p.

Exemple 6

Tracez le graphe de $f(x) = x + \sin x$ et déterminez où f croît le plus rapidement et le moins rapidement.

Solution

Le graphe de f est présenté à la figure 4.11 et le graphe de $f'(x) = 1 + \cos x$ à la figure 4.12.

Où f croît-elle le plus rapidement ? Aux points $x = \ldots, -2\pi, 0, 2\pi, 4\pi, 6\pi, \ldots$, car ces points sont des maximums locaux pour f', et f' a la même valeur en chacun de ces points. De même, f croît le moins rapidement aux points $x = \ldots, -3\pi, -\pi, \pi, 3\pi, 5\pi, \ldots$, puisque ces points sont des minimums locaux pour f'. À noter que les points où f croît le plus rapidement et les points où elle croît le moins rapidement sont les points d'inflexion de f.

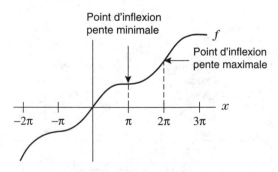

Figure 4.11 : Graphe de $f(x) = x + \sin x$

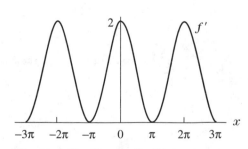

Figure 4.12 : Graphe de $f'(x) = 1 + \cos x$

Exemple 7   Supposez qu'on verse de l'eau dans le vase de la figure 4.13 à un débit constant, mesuré en volume par unité de temps. Le graphe $y = f(t)$ illustre la profondeur de l'eau en fonction du temps t. Expliquez la concavité et indiquez les points d'inflexion.

Solution   Au départ, le niveau de l'eau y monte plutôt lentement parce que la base du vase est large. Donc, il faut beaucoup d'eau pour que la profondeur augmente. Cependant, au fur et à mesure que le vase devient plus étroit, la vitesse à laquelle l'eau monte augmente. Cela signifie que, au départ, y augmente à un débit croissant et le graphe est concave vers le haut. Le débit de l'augmentation du niveau d'eau atteint son maximum lorsque l'eau atteint le milieu du vase, où le diamètre est le plus petit ; il s'agit d'un point d'inflexion. Après cela, le débit auquel y augmente commence à diminuer encore. Donc, le graphe est concave vers le bas (voir la figure 4.14).

Figure 4.13 : Vase

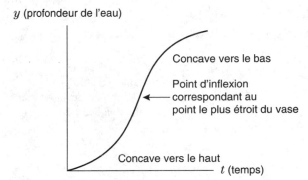

Figure 4.14 : Graphe de la profondeur de l'eau dans un vase y en fonction du temps t

Problèmes de la section 4.1

1. Indiquez tous les points critiques sur le graphe de f de la figure 4.15. Déterminez lesquels correspondent à des maximums locaux de f, à des minimums locaux et lesquels ne correspondent ni à l'un ni à l'autre.

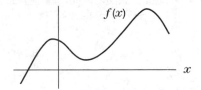   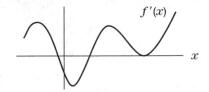

Figure 4.15   **Figure 4.16**

2. Indiquez sur le graphe de la fonction dérivée f' de la figure 4.16 les valeurs de x qui sont des points critiques de la fonction f. À quels points critiques f a-t-elle des maximums locaux, des minimums locaux ou ni l'un ni l'autre ?

3. Supposez que f a une dérivée continue dont les valeurs sont données dans le tableau ci-après.

x	0	1	2	3	4	5	6	7	8	9	10
$f'(x)$	5	2	1	−2	−5	−3	−1	2	3	1	−1

    a) Estimez les coordonnées x des points critiques de f pour $0 \leq x \leq 10$.

    b) Pour chaque point critique, indiquez s'il s'agit d'un maximum local de f, d'un minimum local ou de ni l'un ni l'autre.

4. Tracez les graphes de deux fonctions continues f et g. Chacune a exactement cinq points critiques (les points A à E de la figure 4.17) et satisfont aux conditions ci-après.

a) $\lim\limits_{x \to -\infty} f(x) = \infty$ et

   $\lim\limits_{x \to \infty} f(x) = \infty$

b) $\lim\limits_{x \to -\infty} g(x) = -\infty$ et

   $\lim\limits_{x \to \infty} g(x) = 0$

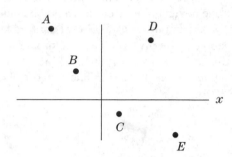

Figure 4.17

5. Sur le graphe de la dérivée f' de la figure 4.18, indiquez les valeurs de x qui sont des points d'inflexion de la fonction f.

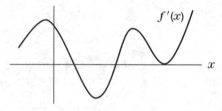

Figure 4.18

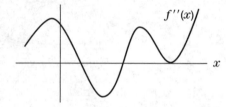

Figure 4.19

6. Sur le graphe de la dérivée seconde f'' de la figure 4.19, indiquez les valeurs de x qui sont des points d'inflexion de la fonction f.

7. Trouvez les points d'inflexion de $f(x) = x^4 + x^3 - 3x^2 + 2$.

À l'aide d'une calculatrice ou d'un ordinateur, tracez le graphe de chacune des fonctions des problèmes 8 à 15. Décrivez en quelques mots les caractéristiques intéressantes du graphe, situez l'emplacement des points critiques et l'endroit où la fonction est croissante-décroissante. Puis, utilisez la dérivée et l'algèbre pour expliquer la forme du graphe.

8. $f(x) = x^3 - 6x + 1$

9. $f(x) = x^3 + 6x + 1$

10. $f(x) = 3x^5 - 5x^3$

11. $f(x) = x + 2 \sin x$

12. $f(x) = e^x - 10x$

13. $f(x) = e^x + \sin x$

14. $f(x) = xe^{-x^2}$

15. $f(x) = x \ln x, \quad x > 0$

16. Utilisez les graphes que vous avez tracés aux problèmes 8 à 15 pour décrire en quelques mots la concavité de chaque graphe, précisez la valeur x des coordonnées approximatives pour tous les points d'inflexion. Puis, utilisez f'' et l'algèbre pour expliquer ce que vous observez.

17. Vous pourriez penser que le graphe de $f(x) = x^2 + \cos x$ devrait ressembler à une parabole avec des vagues. Tracez le graphe véritable de $f(x)$ en utilisant une calculatrice ou un ordinateur. Expliquez ce que vous observez en utilisant $f''(x)$.

18. Trouvez les valeurs de a et de b pour que la fonction $f(x) = x^2 + ax + b$ ait un minimum local au point $(6, -5)$.

19. Trouvez la valeur de a pour que la fonction $f(x) = xe^{ax}$ ait un point critique en $x = 3$.

20. Choisissez les constantes a et b dans la fonction

$$f(x) = axe^{bx}$$

pour que $f\left(\frac{1}{3}\right) = 1$ et que la fonction ait un maximum local en $x = \frac{1}{3}$.

21. Supposez que la fonction f est différentiable partout et qu'elle n'a qu'un seul point critique en $x = 3$. Dans les parties a) à d), on ajoute des conditions supplémentaires. Pour chaque cas, décidez si $x = 3$ est un maximum local, un minimum local ou ni l'un ni l'autre. Justifiez votre réponse. De plus, tracez des graphes possibles pour les quatre cas.

a) $f'(1) = 3$ et $f'(5) = -1$

c) $f(1) = 1, f(2) = 2, f(4) = 4, f(5) = 5$

b) $\lim_{x \to \infty} f(x) = \infty$ et $\lim_{x \to -\infty} f(x) = \infty$

d) $f'(2) = -1, f(3) = 1, \lim_{x \to \infty} f(x) = 3$

22. Supposez que le polynôme f a exactement deux maximums locaux et un minimum local, et que ce sont les seuls points critiques de f.

a) Tracez un graphe possible de f.
b) Quel est le plus grand nombre de zéros que f pourrait posséder ?
c) Quel est le plus petit nombre de zéros que f pourrait posséder ?
d) Quel est le plus petit nombre de points d'inflexion que f pourrait posséder ?
e) Quel est le plus petit degré que f pourrait avoir ?
f) Trouvez une formule possible pour $f(x)$.

23. a) L'eau coule à un débit constant dans un cylindre vertical. Tracez le graphe montrant la profondeur de l'eau en fonction du temps.
b) L'eau coule à un débit constant dans un contenant en forme de cône posé sur sa base. Tracez le graphe montrant la profondeur de l'eau en fonction du temps.

24. Si l'eau coule à un débit constant (c'est-à-dire que le volume est constant pour chaque unité de temps) dans l'urne grecque présentée à la figure 4.20, tracez le graphe montrant la profondeur de l'eau en fonction du temps. Indiquez sur le graphe le temps auquel l'eau atteint le point où l'urne est la plus large.

Figure 4.20

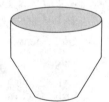

Figure 4.21

25. Si l'eau coule à un débit constant (c'est-à-dire que le volume est constant pour chaque unité de temps) dans le vase présenté à la figure 4.21, tracez le graphe montrant la profondeur de l'eau en fonction du temps. Indiquez sur le graphe le temps auquel l'eau atteint le coin du vase.

26. La population de lapins sur une petite île du Pacifique est donnée approximativement par

$$P(t) = \frac{2000}{1 + e^{(5,3 - 0,4t)}}$$

avec t mesuré en années depuis 1774, année où le capitaine James Cook a laissé 10 lapins sur l'île. Utilisez une calculatrice ou un ordinateur.

a) Tracez le graphe de P. La population finit-elle par se stabiliser ?
b) Estimez le moment auquel la population de lapins s'est accrue le plus rapidement. Quelle était la population à ce moment-là ?
c) Quelles causes naturelles pourraient entraîner la forme du graphe de P ?

Pour les problèmes 27 à 32, tracez un graphe de $y = f(x)$ en utilisant les informations données sur les dérivées $y' = f'(x)$ et $y'' = f''(x)$. Supposez que la fonction est définie et continue pour tous les x réels.

27.
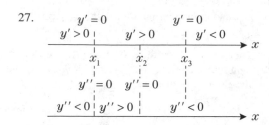

28.
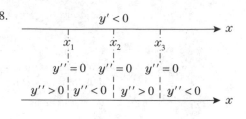

29.
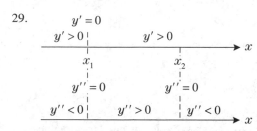

30.
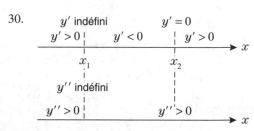

31.
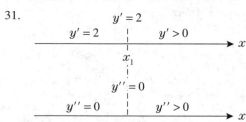

32.
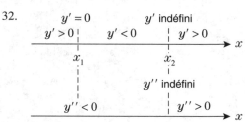

33. Soit f une fonction avec $f(x) > 0$ pour tout x. Définissez $g = 1/f$.

   a) Si f est croissante sur un intervalle autour de x_0, qu'en est-il de g ?
   b) Si f a un maximum local en x_1, qu'en est-il de g ?
   c) Si f est concave vers le bas en x_2, qu'en est-il de g ?

34. Qu'advient-il de la concavité lorsqu'on additionne des fonctions ?

   a) Si $f(x)$ et $g(x)$ sont concaves vers le haut pour tout x, $f(x) + g(x)$ est-il concave vers le haut pour tout x ?
   b) Si $f(x)$ est concave vers le haut pour tout x et $g(x)$ est concave vers le bas pour tout x, que pouvez-vous dire de la concavité de $f(x) + g(x)$? Par exemple, que se passe-t-il si $f(x)$ et $g(x)$ sont toutes les deux des polynômes de degré 2 ?
   c) Si $f(x)$ est concave vers le haut pour tout x et $g(x)$ est concave vers le bas pour tout x, est-il possible pour $f(x) + g(x)$ de changer de concavité infiniment souvent ?

4.2   LES FAMILLES DE COURBES : UNE ÉTUDE QUALITATIVE

On a vu au chapitre 1 que la connaissance d'une fonction peut fournir des données sur les graphes de bon nombre d'autres fonctions. La forme du graphe de $y = x^2$ donne aussi, indirectement, des renseignements sur les graphes de $y = x^2 + 2$, $y = (x + 2)^2$, $y = 2x^2$ et une quantité innombrable d'autres fonctions. On dit que toutes les fonctions de la forme $y = a(x + b)^2 + c$ forment une *famille de fonctions* ; leurs graphes sont semblables à celui de $y = x^2$, sauf pour les translations et les dilatations déterminés par les valeurs de a, de b et de c. Les constantes a, b et c sont appelées des *paramètres*. Différentes valeurs de paramètres donnent différents membres de la famille.

L'une des raisons pour lesquelles on étudie les familles de fonctions est leur utilisation dans la modélisation mathématique. Puisqu'il faut résoudre des problèmes de modélisation de certains phénomènes, une première étape cruciale pour construire un modèle consiste à reconnaître les familles de fonctions qui peuvent concorder avec les données disponibles.

Le mouvement sous la gravité $y = -4{,}9t^2 + v_0 t + y_0$

La position d'un objet se déplaçant verticalement sous l'influence de la gravité peut être décrite par une fonction dans la famille à deux paramètres suivante :

$$y = -4{,}9t^2 + v_0 t + y_0,$$

où t est le temps (en secondes) et y la distance (en mètres) au-dessus du sol. Pourquoi a-t-on besoin des paramètres v_0 et y_0 pour décrire tous ces mouvements ? Il convient de noter que, au temps $t = 0$, on a $y = y_0$. Ainsi, le paramètre y_0 donne la hauteur au-dessus du sol de l'objet au temps $t = 0$. Puisque $dy/dt = -9{,}8t + v_0$, le paramètre v_0 donne la vitesse de l'objet au temps $t = 0$.

Les courbes de la forme $y = A\ \sin(Bx)$

Cette famille est utilisée pour modéliser une vague. On a vu dans la section 1.9 que $|A|$ est l'amplitude de la vague et que $2\pi/|B|$ est sa période. Les figures 4.22 et 4.23 illustrent ces faits.

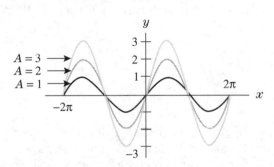

Figure 4.22 : Famille $y = A \sin x$
(avec $B = 1$)

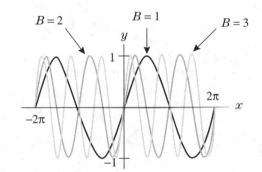

Figure 4.23 : Famille $y = \sin(Bx)$
(avec $A = 1$)

Les courbes de la forme $y = e^{-(x-a)^2}$

Le rôle du paramètre a de cette famille consiste à décaler ou à translater le graphe de $y = e^{-x^2}$ vers la droite ou vers la gauche. À noter que la valeur de y est toujours positive. Puisque $y \to 0$ quand $x \to \pm\infty$, l'axe des x est une asymptote horizontale. Ainsi, $y = e^{-(x-a)^2}$ est la famille de translations horizontales de la courbe en forme de cloche présentée à la figure 4.24.

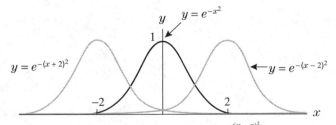

Figure 4.24 : Famille $y = e^{-(x-a)^2}$

Les courbes de la forme $y = e^{-(x-a)^2/b}$

Cette famille est reliée à la fonction de *distribution normale* qu'on utilise en probabilités et en statistiques[1]. On suppose que $b > 0$. Le graphe d'un membre typique de la famille est une courbe en forme de cloche, comme celui qui apparaît à la figure 4.24. On sait que le paramètre a déplace le graphe horizontalement. On considère maintenant le rôle du paramètre b en étudiant la famille avec $a = 0$. On a

$$y = e^{-x^2/b}.$$

Pour faire une recherche sur les points critiques et les points d'inflexion, on calcule

$$\frac{dy}{dx} = -\frac{2x}{b}\,e^{-x^2/b}$$

et, en appliquant la règle du produit, on obtient

$$\frac{d^2y}{dx^2} = -\frac{2}{b}\,e^{-x^2/b} - \frac{2x}{b}\left(-\frac{2x}{b}\,e^{-x^2/b}\right) = \frac{2}{b}\left(\frac{2x^2}{b} - 1\right)e^{-x^2/b}.$$

Il y a un point critique où $dy/dx = 0$, autrement dit où

$$\frac{dy}{dx} = -\frac{2x}{b}\,e^{-x^2/b} = 0.$$

Puisque $e^{-x^2/b}$ n'est jamais zéro, le seul point critique est $x = 0$. En ce point, $y = 1$ et $d^2y/dx^2 < 0$. Ainsi, selon le test de la dérivée seconde, il y a un maximum local en $x = 0$.

Les points d'inflexion sont atteints lorsque la dérivée seconde change de signe. Ainsi, on commence par trouver des valeurs de x pour lesquelles $d^2y/dx^2 = 0$. Puisque $e^{-x^2/b}$ n'est jamais zéro, $d^2y/dx^2 = 0$ quand

$$\frac{2x^2}{b} - 1 = 0.$$

En résolvant x, on obtient

$$x = \pm\sqrt{\frac{b}{2}}.$$

Si on observe l'expression pour d^2y/dx^2, on constate que d^2y/dx^2 est négatif pour $x = 0$ et positif quand $x \to \pm\infty$. Donc, la concavité change en $x = -\sqrt{b/2}$ et en $x = \sqrt{b/2}$. Par conséquent, on a des points d'inflexion à cet endroit. En retournant à la famille à deux paramètres $y = e^{-(x-a)^2/b}$, on conclut qu'il y a un maximum en $x = a$, qu'on obtient en décalant horizontalement le maximum en $x = 0$ de $y = e^{-x^2/b}$ de a unités. Il y a des points d'inflexion en $x = a \pm \sqrt{b/2}$ qu'on a obtenus en déplaçant les points d'inflexion $x = \pm\sqrt{b/2}$ de $y = e^{-x^2/b}$ de a unités (voir la figure 4.25). En ces points, $y = e^{-1/2} \approx 0{,}6$.

À l'aide de ces données, on peut observer l'effet des paramètres. Le paramètre a détermine l'emplacement du centre de la cloche et le paramètre b détermine l'étroitesse ou la largeur de la cloche (voir la figure 4.26). Si b est petit, alors les points d'inflexion se rapprochent de a et la cloche est plus étroite près de a ; si b est grand, les points d'inflexion sont plus loin de a et la cloche est plus large.

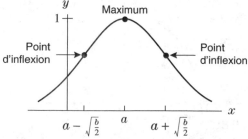

Figure 4.25 : Graphe de $y = e^{-(x-a)^2/b}$: courbe en forme de cloche avec un sommet en $x = a$

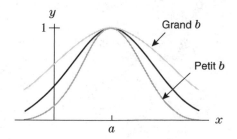

Figure 4.26 : Graphe de $y = e^{-(x-a)^2/b}$ pour un a fixe et divers b

---

1. Les probabilistes divisent la fonction par une constante $\sqrt{\pi b}$ pour obtenir la densité normale.

Les courbes de la forme $y = a(1 - e^{-bx})$

Il s'agit d'une famille à deux paramètres. On considère seulement a, $b > 0$. Le graphe d'un membre, avec $a = 2$ et $b = 1$, se trouve à la figure 4.27. Ce graphe représente une quantité qui est croissante mais qui finit par se stabiliser. Par exemple, la vitesse d'un corps qu'on laisse tomber dans un liquide épais s'accélère au départ, mais elle finit par se stabiliser lorsque le corps s'approche de sa vitesse terminale. De même, si un polluant donné qui est versé dans un lac s'accumule pour atteindre un niveau de saturation, sa concentration peut être décrite ainsi. Le graphe peut également représenter la température d'un objet placé dans un four.

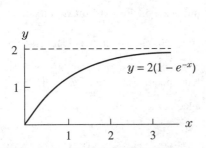

Figure 4.27 : Membre de la famille $y = a(1 - e^{-bx})$ avec $a = 2$

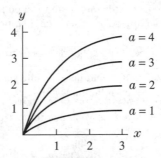

Figure 4.28 : Si $b = 1$, on obtient $y = a(1 - e^{-x})$, tracé pour divers a

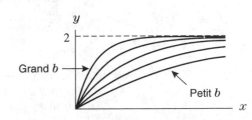

Figure 4.29 : Si $a = 2$, on obtient $y = 2(1 - e^{-bx})$, tracé pour divers b

On examine quel effet la variation de a aura sur le graphe. On situe b à un nombre positif quelconque, soit $b = 1$. On substitue différentes valeurs de a et on examine les graphes de la figure 4.28. On constate que lorsque x devient plus grand, y s'approche de a par en dessous, car $e^{-bx} \to 0$ quand $x \to \infty$. Physiquement, la valeur de a représente la vitesse terminale d'un corps qui chute ou le niveau de saturation du polluant dans le lac.

On examine maintenant l'effet de la variation de b sur le graphe. On situe a à un nombre positif donné, soit $a = 2$. On substitue différentes valeurs pour b et on examine les graphes de la figure 4.29. Le paramètre b détermine à quel point la courbe monte abruptement et à quelle vitesse elle se rapproche de la droite $y = a$.

On confirme cette dernière observation de manière analytique. Pour $y = a(1 - e^{-bx})$, on obtient $dy/dx = abe^{-bx}$. Donc, la pente de la tangente par rapport à la courbe en $x = 0$ est ab. Pour un plus grand b, la courbe monte plus rapidement en $x = 0$. En combien de temps la courbe montera-t-elle à mi-chemin de $y = 0$ à $y = a$? Quand $y = a/2$, on obtient

$$a(1 - e^{-bx}) = \frac{a}{2}, \qquad \text{ce qui entraîne} \qquad x = \frac{\ln 2}{b}.$$

Si b est grand, alors $(\ln 2)/b$ est petit. Donc, en une courte distance, la courbe se trouve déjà à mi-chemin par rapport à a. Si b est petit, alors $(\ln 2)/b$ est grand et il faut parcourir une grande distance pour se rendre à $a/2$ (voir la figure 4.30).

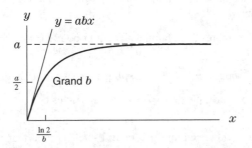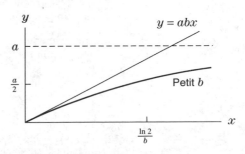

Figure 4.30 : Tangente en $x = 0$ à $y = a(1 - e^{-bx})$, avec un a fixe, un grand et un petit b

Problèmes de la section 4.2

1. Considérez la fonction $p(x) = x^3 - ax$, où a est une constante.

   a) Si $a < 0$, montrez que $p(x)$ est toujours croissante.
   b) Si $a > 0$, montrez que $p(x)$ a un maximum local et un minimum local.
   c) Tracez les graphes typiques pour les cas où $a < 0$ et $a > 0$, puis identifiez-les.

2. Considérez la fonction $p(x) = x^3 - ax$, où a est une constante et $a > 0$.

   a) Trouvez le maximum local et le minimum local de p.
   b) Quel effet l'augmentation de la valeur de a a-t-elle sur les positions du maximum et du minimum ?
   c) Sur les mêmes axes, tracez les graphes de p pour trois valeurs positives de a, puis identifiez-les.

3. Quel effet l'augmentation de la valeur de a a-t-elle sur le graphe de $f(x) = x^2 + 2ax$? Considérez les racines, les maximums et les minimums ainsi que les valeurs positives et négatives de a.

4. Le nombre N de personnes ayant entendu une rumeur propagée par les médias est modélisé par la fonction de temps t suivante :

   $$N(t) = a(1 - e^{-kt}).$$

   Supposez qu'il y a 200 000 personnes dans la population qui finissent par entendre la rumeur. Si 10 % de ces personnes l'ont entendue la première journée, trouvez a et k, en supposant que t est mesurée en jours.

5. Supposez que la température T d'une pomme de terre mise dans un four maintenu à 200 °C est donnée en fonction du temps t par

   $$T = a(1 - e^{-kt}) + b,$$

   où T est en degrés Celsius et t est en minutes.

   a) Si la température initiale de la pomme de terre est de 20 °C, trouvez a et b.
   b) Si la température de la pomme de terre augmente au départ de 2 °C/min, trouvez k.

6. Considérez la famille de fonctions $y = f(x) = x - k\sqrt{x}$, avec k une constante positive et $x \geq 0$. Montrez que le graphe de $f(x)$ a un minimum local au point dont la coordonnée x est à 1/4 du chemin entre ses intersections avec l'axe des x.

7. a) Trouvez tous les points critiques de $f(x) = x^4 + ax^2 + b$.
   b) Sous quelles conditions concernant a et b cette fonction aura-t-elle exactement un point critique ? Quel est ce point critique ? Est-ce un maximum local, un minimum local ou ni l'un ni l'autre ?
   c) Sous quelles conditions concernant a et b cette fonction aura-t-elle exactement trois points critiques ? Quels sont-ils et quels sont les maximums locaux ? les minimums locaux ?
   d) Cette fonction peut-elle avoir deux points critiques ? aucun point critique ? plus de trois points critiques ? Justifiez chacune de vos réponses.

8. Tracez le graphe de différents membres de la famille $y = e^{-ax} \sin bx$ pour $b = 1$ et expliquez la signification graphique du paramètre a.

9. Tracez le graphe de différents membres de la famille $e^{-ax} \sin bx$ pour $a = 1$ et expliquez la signification graphique du paramètre b.

10. Tracez les graphes de $y = xe^{-bx}$ pour $b = 1, 2, 3, 4$. Expliquez la signification graphique de b.

11. Trouvez les coordonnées du point critique de $y = xe^{-bx}$ et utilisez-les pour confirmer votre réponse au problème 10.

12. Si $a > 0$ et $b > 0$, confirmez analytiquement que $f(x) = a(1 - e^{-bx})$ est partout croissante et partout concave vers le bas.

13. Considérez la famille des courbes

$$y = Ae^{-Bx^2} \quad \text{pour} \quad A \text{ et } B \text{ positifs.}$$

Analysez l'effet de la variation de A et B sur la forme de la courbe. Illustrez votre réponse à l'aide de graphes.

14. Considérez la fonction

$$y = axe^{-bx} \quad \text{pour} \quad a \text{ et } b \text{ positifs.}$$

a) Trouvez le maximum local, le minimum local et les points d'inflexion.
b) Comment le fait de faire varier a et b modifie-t-il la forme du graphe ?
c) Sur un système d'axes, tracez le graphe de cette fonction pour différentes valeurs de a et de b.

15. Considérez la famille de fonctions $f(x) = x^2 + \cos(kx)$, $k > 0$.

a) À l'aide d'une calculatrice ou d'un ordinateur, tracez le graphe de f pour $k = 0{,}5$, 1, 3 et 5. Tentez de trouver le plus petit nombre k sur lequel vous voyez les points d'inflexion du graphe de f.
b) Expliquez pourquoi le graphe de f n'a pas de points d'inflexion si $k \le \sqrt{2}$ et un nombre infini de points d'inflexion si $k > \sqrt{2}$.
c) Expliquez pourquoi f n'a qu'un nombre fini de points critiques, peu importe la valeur de k.

16. Considérez la famille de fonctions de la forme $f(x) = e^x - kx$ pour $k > 0$.

a) À l'aide d'une calculatrice ou d'un ordinateur, tracez le graphe de f pour $k = 1/4$, $1/2$, 1, 2 et 4. Décrivez ce qui se produit quand k change.
b) Montrez que f a un minimum local en $x = \ln k$.
c) Trouvez la valeur de k pour laquelle le minimum local est le plus grand.

17. Considérez la famille

$$y = \frac{A}{x + B}.$$

a) Si $B = 0$, quel est l'effet de la variation de A sur le graphe ?
b) Si $A = 1$, quel est l'effet de la variation de B ?
c) Sur un ensemble d'axes, tracez le graphe de la fonction pour différentes valeurs de A et de B.

18. L'énergie potentielle U d'une particule se déplaçant le long de l'axe des x est donnée par

$$U = b\left(\frac{a^2}{x^2} - \frac{a}{x} \right),$$

où a et b sont des constantes positives. Considérez le graphe de U en fonction de x pour $x > 0$.

a) Trouvez les intersections et les asymptotes.
b) Calculez le maximum local et le minimum local.
c) Tracez le graphe.

19. La force F agissant sur une particule qui possède une énergie potentielle U est donnée par

$$F = -\frac{dU}{dx}.$$

En utilisant l'expression pour U donnée dans le problème 18, tracez le graphe de F et de U sur les mêmes axes. Identifiez les intersections ainsi que le maximum local et le minimum local.

20. Supposez que la force entre deux atomes dans une molécule est donnée en fonction de la distance r entre les molécules par

$$f(r) = -\frac{A}{r^2} + \frac{B}{r^3}, \quad r > 0,$$

où A et B sont des constantes positives.

a) Quels sont les zéros et les asymptotes de f ?
b) Trouvez les coordonnées des points critiques et des points d'inflexion de f.

c) Tracez le graphe de f.

d) En illustrant vos réponses à l'aide d'un graphe, décrivez l'effet sur le graphe de f :

    i) de l'accroissement de B, si A est maintenue constante.

    ii) de l'accroissement de A, si B est maintenue constante.

4.3   L'OPTIMISATION

Souvent, il est important de trouver la valeur la plus grande ou la plus petite d'une quantité donnée. Par exemple, les ingénieurs de l'industrie automobile veulent construire une voiture qui consomme le moins de carburant possible, les scientifiques veulent calculer la longueur d'onde que transmet la radiation maximale à une température donnée ou les urbanistes veulent concevoir des modèles de circulation routière pour minimiser les ralentissements. Les techniques de résolution de tels problèmes appartiennent au champ des mathématiques appelé l'*optimisation*. Les trois prochaines sections montrent comment la dérivée fournit une méthode efficace de résolution de nombreux problèmes d'optimisation.

Le maximum absolu et le minimum absolu

L'unique valeur la plus grande (ou la plus petite) d'une fonction f dans un domaine spécifié s'appelle le *maximum* (ou le *minimum*) *absolu* de f. On se souviendra que le maximum local et le minimum local indiquent où une fonction est localement plus grande ou plus petite. On cherche maintenant à savoir où la fonction est absolument la plus grande ou la plus petite dans un domaine donné.

> • f a un **minimum absolu** en p si $f(p)$ est inférieure ou égale à toutes les valeurs de f.
>
> • f a un **maximum absolu** en p si $f(p)$ est supérieure ou égale à toutes les valeurs de f.

Comment trouver un maximum et un minimum absolus ?

Si f est une fonction continue définie sur un intervalle fermé $a \le x \le b$ (autrement dit un intervalle contenant ses extrémités), la figure 4.31 montre que le maximum ou le minimum absolu de f est atteint soit à un maximum local ou à un minimum local, ou à l'un des points aux extrémités de l'intervalle, $x = a$ ou $x = b$.

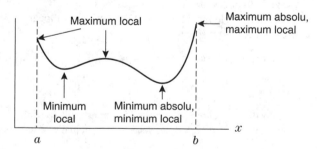

Figure 4.31 : Maximum et minimum absolus sur un intervalle fermé $a \le x \le b$

> **Pour trouver le maximum et le minimum absolus d'une fonction continue sur un intervalle fermé :**
>
> Comparer les valeurs de la fonction à tous les points critiques sur l'intervalle et aux extrémités de l'intervalle.

Qu'arrive-t-il si la fonction est définie sur un intervalle ouvert $a < x < b$ (autrement dit un intervalle qui ne comprend pas ses extrémités) ou l'ensemble des nombres réels ? Dans ces cas, il peut ou non y avoir un maximum absolu ou un minimum absolu. Par exemple, il n'y a pas de maximum absolu à la figure 4.32, car la fonction n'a pas véritablement de valeur plus grande. Le minimum absolu de la figure 4.32 coïncide au minimum local et est identifié. Il y a un minimum absolu mais pas de maximum absolu à la figure 4.33.

> **Pour trouver le maximum et le minimum absolus d'une fonction continue sur un intervalle ouvert ou l'ensemble des nombres réels :**
> Trouver la valeur de la fonction à tous les points critiques et on trace un graphe. Observer les valeurs de la fonction quand x tend vers les extrémités de l'intervalle ou tend vers $\pm\infty$, selon le cas.

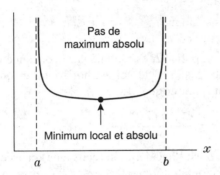

Figure 4.32 : Minimum absolu sur $a < x < b$

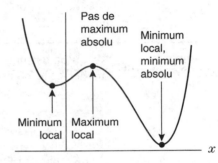

Figure 4.33 : Minimum absolu quand le domaine est constitué de l'ensemble des nombres réels

Exemple 1   Trouvez le maximum absolu et le minimum absolu de $f(x) = x^3 - 9x^2 - 48x + 52$ sur les intervalles :

a) $-5 \le x \le 12$ b) $-5 \le x \le 14$ c) $-5 \le x < \infty$.

Solution   a) On a précédemment obtenu les points critiques $x = -2$ et $x = 8$ en utilisant

$$f'(x) = 3x^2 - 18x - 48 = 3(x+2)(x-8).$$

On évalue f aux points critiques et aux extrémités de l'intervalle

$$f(-5) = (-5)^3 - 9(-5)^2 - 48(-5) + 52 = -58$$
$$f(-2) = 104$$
$$f(8) = -396$$
$$f(12) = -92.$$

En comparant ces valeurs de fonction, on voit que le maximum absolu sur [−5, 12] est 104 et qu'il est atteint en $x = -2$; et le minimum absolu sur [−5, 12] est −396 et qu'il est atteint en $x = 8$.

b) Pour l'intervalle [−5, 14], on compare

$$f(-5) = -58, \quad f(-2) = 104, \quad f(8) = -396, \quad f(14) = 360.$$

Le maximum absolu est maintenant 360 et est atteint en $x = 14$, et le minimum absolu est encore −396 et est atteint en $x = 8$. On note que, puisque la fonction est croissante pour $x > 8$, en changeant l'extrémité droite de l'intervalle de $x = 12$ à $x = 14$, on modifie le maximum absolu mais pas le minimum absolu (voir la figure 4.34, page suivante).

c)   La figure 4.34 montre que, pour $-5 \leq x < \infty$, il n'y a pas de maximum absolu, car on peut rendre $f(x)$ aussi grande qu'on le veut en choisissant un x suffisamment grand. Le minimum absolu demeure égal à -396 en $x = 8$.

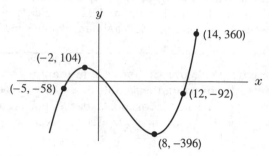

Figure 4.34 : Graphe de $f(x) = x^3 - 9x^2 - 48x + 52$

Exemple 2   Lorsqu'on tire une flèche dans les airs, sa portée R est définie par la distance horizontale entre l'archer et le point où la flèche touche le sol. Si le sol est horizontal et qu'on ne tient pas compte de la résistance de l'air, on peut montrer que

$$R = \frac{v_0^2 \sin(2\theta)}{g},$$

où v_0 est la vitesse initiale de la flèche, g est l'accélération (constante) causée par la gravité et θ est l'angle au-dessus de la droite horizontale tel que $0 \leq \theta \leq \pi/2$ (voir la figure 4.35). Quel angle initial maximise R ?

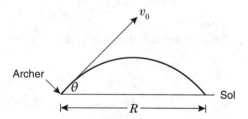

Figure 4.35 : Parcours d'une flèche

Solution   On peut trouver le maximum de cette fonction sans utiliser le calcul intégral. La valeur maximale de R est atteinte quand $\sin(2\theta) = 1$. Donc, $\theta = \arcsin(1)/2 = \pi/4$, ce qui donne $R = v_0^2/g$.

On résout maintenant le même problème avec le calcul différentiel. On veut trouver le maximum absolu de R pour $0 \leq \theta \leq \pi/2$. D'abord, on recherche des points critiques :

$$\frac{dR}{d\theta} = 2\frac{v_0^2 \cos(2\theta)}{g}.$$

En posant $dR/d\theta$ égal à zéro, on obtient

$$0 = \cos(2\theta), \quad \text{ou} \quad 2\theta = \pm\frac{\pi}{2}, \pm\frac{3\pi}{2}, \pm\frac{5\pi}{2}, \ldots$$

Donc, $\pi/4$ est le seul point critique sur l'intervalle $0 \leq \theta \leq \pi/2$. La portée en $\theta = \pi/4$ est $R = v_0^2/g$.

Maintenant, on doit vérifier la valeur de R aux points extrêmes $\theta = 0$ et $\theta = \pi/2$. Puisque $R = 0$ à chaque point extrême, le point critique $\theta = \pi/4$ donne un maximum local et un maximum absolu sur $0 \leq \theta \leq \pi/2$. Ainsi, la flèche atteint sa distance maximale quand elle est tirée à un angle de $\pi/4$ ou 45°.

Un exemple graphique : la minimisation de la consommation de carburant

Maintenant, voici un exemple dans lequel la fonction est donnée graphiquement et les valeurs optimales sont lues sur un graphe. On sait déjà comment estimer les valeurs optimales de $f(x)$ à partir d'un graphe de $f(x)$ — il suffit de lire les valeurs les plus grandes et les plus petites. Dans cet exemple, on voit comment estimer la valeur optimale de la quantité $f(x)/x$ à partir d'un graphe de $f(x)$ en fonction de x.

La question qu'on cherche à résoudre est la manière d'établir les vitesses pour maximiser l'efficacité du carburant[2]. On suppose que la consommation de carburant g (en gallons par heure) est fonction de la vitesse v (en milles par heure), comme on peut le voir à la figure 4.36. On veut minimiser la consommation de carburant par *mille* et non pas la consommation de carburant par heure. Soit $G = g/v$ la consommation moyenne de carburant par mille. (Les unités de G sont en gallons par mille.)

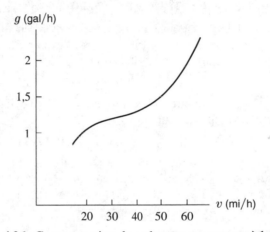

Figure 4.36 : Consommation de carburant par rapport à la vitesse

Exemple 3　　À l'aide de la figure 4.36, estimez la vitesse qui minimise G.

Solution　　On veut trouver la valeur minimal de $G = g/v$ quand g et v sont reliées par le graphe de la figure 4.36. On peut utiliser la figure 4.36 pour tracer le graphe de G par rapport à v et estimer un point critique. Cependant, il existe une manière plus simple d'y arriver.

La figure 4.37 (page suivante) montre que g/v est la pente de la droite passant par l'origine et se rendant jusqu'au point P. Où P doit-il se trouver sur la courbe pour que la pente soit un minimum ? À partir des positions possibles de la droite présentée à la figure 4.37, on voit que la pente de la droite est à la fois un minimum absolu et un minimum local lorsque la droite est tangente par rapport à la courbe. À partir de la figure 4.38 (page suivante), on constate que la vitesse en ce point correspond environ à 50 mi/h. Ainsi, pour minimiser la consommation d'essence par mille, on doit conduire la voiture à environ 50 mi/h.

2.　Adapté de TAYLOR, Peter D., *Calculus : The Analysis of Functions*, Toronto, Wall & Emerson, 1992.

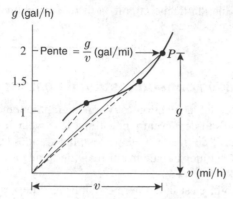

Figure 4.37 : Représentation graphique
de la consommation de carburant
par mille, $G = \dfrac{g}{v}$

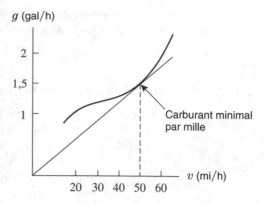

Figure 4.38 : Vitesse pour obtenir
l'efficacité maximale du carburant

La recherche des majorants et des minorants

Un problème qui est étroitement relié à la recherche des maximums et des minimums consiste à trouver les *bornes* d'une fonction. Dans l'exemple 1, la valeur de $f(x)$ sur l'intervalle [−5, 12] est comprise entre −396 et 104. Ainsi,

$$-396 \leq f(x) \leq 104,$$

et on dit que la fonction f est *minorée* par −396 et *majorée* par 104 sur [−5, 12]. Bien entendu, on pourrait également dire que

$$-400 \leq f(x) \leq 150,$$

tel que f est également minorée par −400 et majorée par 150 sur [−5, 12]. Cependant, on considère que −396 et 104 sont les *meilleures bornes possible*, car elles décrivent plus précisément comment la fonction $f(x)$ se comporte sur [−5, 12]. (Les bornes d'une fonction sont examinées plus en détail à l'annexe A.)

Exemple 4   Supposez qu'un objet sur un ressort oscille autour de sa position d'équilibre à $y = 0$. Sa distance à l'équilibre est donnée en fonction du temps t par

$$y = e^{-t} \cos t.$$

Trouvez la plus grande distance que parcourt l'objet au-dessus et au-dessous de l'équilibre pour $t \geq 0$.

Solution   On cherche à trouver les bornes d'une fonction. À quoi ressemble le graphe de la fonction ? On peut l'imaginer comme la courbe d'un cosinus ayant une amplitude décroissante de e^{-t}; en d'autres mots, c'est une courbe de cosinus comprimée entre les graphes de $y = e^{-t}$ et de $y = -e^{-t}$, qui forme une vague ayant des sommets de plus en plus bas et des creux moins profonds (voir la figure 4.39).

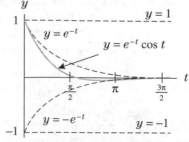

Figure 4.39 : $f(t) = e^{-t} \cos t$ pour $t \geq 0$

À partir du graphe, on peut voir que pour $t \geq 0$, le graphe se situe entre les droites horizontales $y = -1$ et $y = 1$. Cela signifie que -1 et 1 sont des bornes :

$$-1 \leq e^{-t} \cos t \leq 1.$$

La droite $y = 1$ est le meilleur majorant possible, car le graphe monte très haut (en $t = 0$). Cependant, on peut trouver un meilleur minorant si on trouve la valeur minimale absolue de f pour $t \geq 0$; ce minimum est atteint dans le premier creux situé entre $t = \pi/2$ et $t = 3\pi/2$ car, plus tard, les creux sont comprimés plus près de l'axe t. Au minimum, $dy/dt = 0$. La règle du produit donne

$$\frac{dy}{dt} = (-e^{-t}) \cos t + e^{-t} (-\sin t) = -e^{-t} (\cos t + \sin t) = 0.$$

Puisque e^{-t} n'est jamais zéro, on doit avoir

$$\cos t + \sin t = 0, \quad \text{donc} \quad \frac{\sin t}{\cos t} = -1.$$

Ainsi,

$$\tan t = -1, \quad \text{ce qui donne} \quad t = \frac{3\pi}{4}.$$

Ainsi, le minimum absolu qu'on voit sur le graphe est atteint en $t = 3\pi/4$. La valeur de y à ce minimum est

$$y = e^{-3\pi/4} \cos \left(\frac{3\pi}{4} \right) \approx -0{,}067.$$

En arrondissant de telle sorte que les inégalités s'appliquent toujours pour tout $t \geq 0$, on obtient

$$-0{,}07 < e^{-t} \cos t \leq 1.$$

On remarque combien l'ampleur du minorant est de beaucoup inférieure à celle du majorant. Cela reflète la vitesse à laquelle le facteur e^{-t} arrête l'oscillation.

Problèmes de la section 4.3

Pour les problèmes 1 et 2, indiquez tous les points critiques sur les graphes donnés. Déterminez lesquels correspondent aux minimums locaux, aux maximums locaux, aux minimums absolus, aux maximums absolus ou à aucun de ceux-ci.

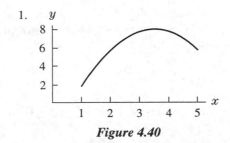

Figure 4.40

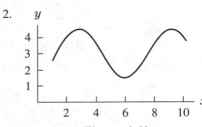

Figure 4.41

3. Pour $y = f(x) = x^{10} - 10x$ et $0 \leq x \leq 2$, trouvez les valeurs de x dans les situations décrites ci-après.

   a) $f(x)$ atteint un maximum local ou un minimum local. Indiquez lesquels sont des maximums et lesquels sont des minimums.
   b) $f(x)$ a atteint un maximum absolu ou un minimum absolu.

4. Pour $f(x) = x - \ln x$ et $0,1 \leq x \leq 2$, trouvez les valeurs de x dans les situations décrites ci-après.

   a) $f(x)$ a atteint un maximum local ou un minimum local. Indiquez lesquels sont des maximums et lesquels sont des minimums.
   b) $f(x)$ a atteint un maximum absolu ou un minimum absolu.

5. Pour $f(x) = \sin^2 x - \cos x$ et $0 \leq x \leq \pi$, trouvez, à deux décimales près, la ou les valeurs de x dans les situations décrites ci-après.

   a) $f(x)$ a atteint un maximum local ou un minimum local. Indiquez lesquels sont des maximums et lesquels sont des minimums.
   b) $f(x)$ a atteint un maximum absolu ou un minimum absolu.

6. La fonction $y = t(x)$ est positive et continue avec un maximum absolu au point $(3, 3)$. Tracez le graphe possible de $t(x)$ si $t'(x)$ et $t''(x)$ ont le même signe pour $x < 3$, mais des signes opposés pour $x > 3$.

7. La fonction $y = g(x)$ a une dérivée qui est donnée à la figure 4.42 pour $-2 \leq x \leq 2$.

   a) Décrivez en quelques lignes le comportement de $g(x)$ sur cet intervalle.
   b) Le graphe de $g(x)$ a-t-il des points d'inflexion ? Si oui, donnez les valeurs de x des coordonnées approximatives de leur emplacement. Justifiez votre réponse.
   c) Quels sont les maximums absolus et les minimums absolus de g sur $[-2, 2]$?
   d) Si $g(-2) = 5$, que savez-vous de $g(0)$ et de $g(2)$? Justifiez votre réponse.

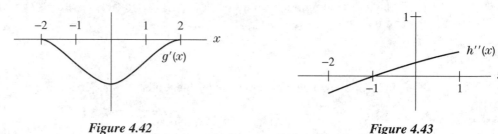

Figure 4.42   **Figure 4.43**

8. Une fonction $y = h(x)$ a une dérivée seconde qui est présentée à la figure 4.43 pour $-2 \leq x \leq 1$. Supposez que $h'(-1) = 0$ et $h(-1) = 2$.

   a) Expliquez pourquoi $h'(x)$ n'est jamais négative sur cet intervalle.
   b) Expliquez pourquoi $h(x)$ doit avoir un maximum absolu en $x = 1$.
   c) Tracez le graphe possible de $h(x)$ pour $-2 \leq x \leq 1$.

9. Un pamplemousse est lancé dans les airs à une vitesse initiale de 50 pi/s. Le pamplemousse se trouve à 5 pi au-dessus du sol lorsqu'il est lancé. Sa hauteur au temps t est donnée par

   $$y = -16t^2 + 50t + 5.$$

   Quelle hauteur atteint-il avant de retomber au sol ?

10. Pour une constante positive donnée C, la variation de température T chez un patient, produite par une dose D d'une drogue, est donnée par

    $$T = \left(\frac{C}{2} - \frac{D}{3}\right) D^2.$$

    a) Quel dosage maximise la variation de température ?
    b) Avec un dosage D, la sensibilité du corps à la drogue est définie par dT/dD. Quel dosage maximise la sensibilité ?

11. Lorsque vous toussez, votre trachée se contracte. La vitesse v à laquelle l'air est expulsé est fonction du rayon r de la trachée. Si R est le rayon normal (au repos) de votre trachée, alors pour $r \leq R$, la vitesse est donnée par

    $$v = a(R - r)r^2,$$

    où a est une constante positive. Quelle valeur de r maximise la vitesse ?

12. Le moment de flexion M d'une poutre soutenue à une extrémité, à une distance x du support, est donné par

$$M = \tfrac{1}{2}\,wLx - \tfrac{1}{2}\,wx^2,$$

où L est la longueur de la poutre et w la charge uniformément répartie par unité de longueur. Trouvez le point sur la poutre où le moment est maximal.

13. L'efficacité d'une vis E est donnée par

$$E = \frac{(\theta - \mu\theta^2)}{\mu + \theta}, \quad \theta > 0,$$

où θ est l'angle du pas de filetage et μ le coefficient de friction du matériel, une constante (positive). Quelle valeur de θ maximise E ?

14. Une femme tire un traîneau qui, combiné à sa charge, a une masse de m kg. Si son bras forme un angle θ avec son corps (vertical) et que le coefficient de friction (une constante positive) est μ, la moindre force possible F qu'elle doit exercer pour déplacer le traîneau est donnée par

$$F = \frac{mg\mu}{\sin\theta + \mu\cos\theta}.$$

Si $\mu = 0{,}15$, trouvez les valeurs maximales et minimales de F pour $0 \le \theta \le \pi/2$. Donnez vos réponses sous forme de multiples de mg.

15. Un fil de fer circulaire de rayon r_0 est étendu sur un plan perpendiculaire à l'axe des x et il est centré par rapport à l'origine. Le fil a une charge électrique positive répandue uniformément. Le champ électrique E dans la direction x est donné au point x de l'axe par

$$E = \frac{kx}{\left(x^2 + r_0^2\right)^{3/2}} \quad \text{pour} \quad k > 0.$$

À quel point sur l'axe des x le champ est-il le plus grand ? le plus petit ?

16. Un courant électrique I (en ampères) est donné par

$$I = \cos(wt) + \sqrt{3}\,\sin(wt),$$

où $w \ne 0$ est une constante. Quelles sont les valeurs maximales et minimales de I ?

17. a) Montrez que $x > 2\ln x$ pour tout $x > 0$. [Conseil : Trouvez le minimum de $f(x) = x - 2\ln x$.]
    b) Utilisez le résultat ci-dessus pour montrer que $e^x > x^2$ pour tout x positif.
    c) Est-ce que $x > 3\ln x$ pour tout x positif ?

Trouvez les meilleures bornes possible pour chacune des fonctions des problèmes 18 à 22.

18. e^{-x^2} pour $|x| \le 0{,}3$ | 19. $\ln(1 + x)$ pour $x \ge 0$

20. $\ln(1 + x^2)$ pour $-1 \le x \le 2$ | 21. $x^3 - 4x^2 + 4x$ pour $0 \le x \le 4$

22. $x + \sin x$ pour $0 \le x \le 2\pi$

23. Lorsque les oiseaux pondent des œufs, ils le font en plusieurs couvées à la fois. Lorsque les œufs éclosent, chaque couvée donne lieu à une nichée d'oisillons. On cherche à déterminer la taille de la couvée qui maximisera le nombre d'oisillons qui survivent par nichée. Si la couvée est petite, il n'y a pas assez d'oisillons dans la nichée ; si la couvée est grosse, il y a trop d'oisillons à nourrir et la plupart des oisillons meurent de faim. Le nombre d'oisillons qui survivent par nichée en fonction de la taille de la couvée est montré par la courbe de bénéfice de la figure 4.44[3] (page suivante).

    a) Estimez la taille de la couvée qui maximisera le nombre de survivants par nichée.
    b) De plus, supposez qu'il y a un coût biologique relatif à de grosses couvées : le taux de survie de la femelle diminue. Ce coût est représenté par la ligne pointillée à la figure 4.44. En tenant compte du coût et en supposant que la taille de la couvée optimale maximise en réalité la distance verticale entre les courbes, quelle est la nouvelle taille de couvée optimale ?

---

3. Données tirées de C. M. Perrins et D. Lack, rapportées par KREBS, J. R. et N. B. DAVIES, *An Introduction to Behavioural Ecology*, Oxford, Blackwell, 1987.

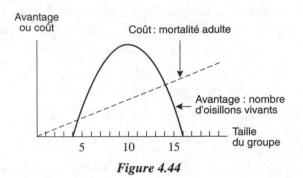

Figure 4.44

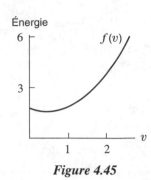

Figure 4.45

24. Soit $f(v)$ la quantité d'énergie consommée par un oiseau qui vole, mesurée en joules par seconde (un joule est une unité de mesure d'énergie), en fonction de sa vitesse v (en mètres par seconde) [voir la figure 4.45].

 a) Suggérez une raison pour laquelle le graphe a cette forme (en fonction de la manière dont volent les oiseaux).

 À présent, soit $a(v)$ la quantité d'énergie consommée par ce même oiseau, mesurée en joules *par mètre*.
 b) Quelle est la relation entre $f(v)$ et $a(v)$?
 c) Où $a(v)$ est-il un minimum ?
 d) L'oiseau devrait-il tenter de minimiser $f(v)$ ou $a(v)$ lorsqu'il vole ? Pourquoi ?

25. Le mouvement d'un avion qui vole en pallier est réduite par deux types de forces, soit la *traînée induite* et la *traînée parasite*. La traînée induite est une conséquence de la déflexion vers le bas de l'air alors que les ailes engendrent la portance. La traînée parasite provient de la friction de l'air sur la surface entière de l'avion. La traînée induite est inversement proportionnelle au carré de la vitesse tandis que la traînée parasite est directement proportionnelle au carré de la vitesse. La somme de la traînée induite et de la traînée parasite est appelée traînée totale. Le graphe de la figure 4.46 montre les fonctions de traînée induite et de traînée parasite d'un avion.

 a) Tracez le graphe de la traînée totale en fonction de la vitesse aérodynamique.
 b) Estimez deux différentes vitesses aérodynamiques qui donnent lieu à une traînée totale de 1000 lb. La fonction de traînée totale a-t-elle un inverse ? Qu'en est-il des fonctions de traînée induite et de traînée parasite ?
 c) La consommation de carburant (en gallons par heure) est approximativement proportionnelle à la traînée totale. Supposez que vous manquez de carburant et que la tour de contrôle vous demande d'effectuer un circuit d'attente circulaire d'une durée indéfinie à cause d'une tempête sur le terrain d'atterrissage. À quelle vitesse aérodynamique devriez-vous faire voler l'avion dans ce circuit d'attente ? Pourquoi ?

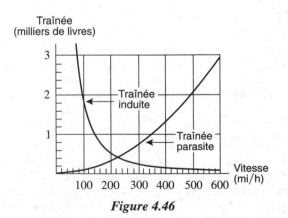

Figure 4.46

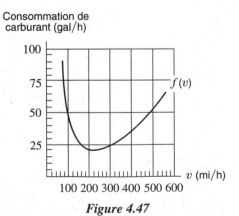

Figure 4.47

26. Soit $f(v)$ la consommation de carburant, mesurée en gallons par heure, d'un avion donné en fonction de sa vitesse v donnée en milles par heure. Un graphe de $f(v)$ est présenté à la figure 4.47.

   a) Soit $g(v)$ la consommation de carburant du même avion mesurée en gallons par mille plutôt qu'en gallons par heure. Quelle est la relation entre $f(v)$ et $g(v)$?
   b) Pour quelle valeur de v la consommation de carburant $f(v)$ est-elle minimisée ?
   c) Pour quelle valeur de v la consommation de carburant $g(v)$ est-elle minimisée ?
   d) Un pilote devrait-il tenter de minimiser $f(v)$ ou $g(v)$?

4.4 LES APPLICATIONS CONCERNANT LA MARGINALITÉ

Les dirigeants d'une entreprise ont souvent pour objectif d'augmenter au maximum leur profit. Dans la présente section, on verra comment la dérivée peut servir à cette fin. Le profit dépend à la fois du coût de production et du revenu provenant des ventes. On commence par analyser les fonctions de coût et de revenu.

> La **fonction de coût** $C(q)$ donne le coût total de la production d'une quantité q d'un bien donné.

Quel sera le type de fonction de C ? Plus le nombre de biens fabriqués est élevé, plus le coût total le sera. Donc, C est une fonction croissante. En fait, les fonctions de coût ont la forme générale présentée à la figure 4.48. L'intersection avec l'axe C représente le *coût fixe* qui est engagé même si rien n'est produit. (Cela englobe, par exemple, la machinerie nécessaire à l'exploitation.)

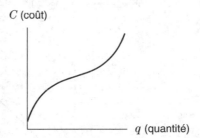

Figure 4.48 : Coût en fonction de la quantité

La fonction de coût augmente rapidement au départ, puis plus lentement par la suite, car la production de quantités plus grandes d'un bien est normalement plus efficace que la production de plus petites quantités de ce même bien — il s'agit de l'*économie d'échelle*. À des niveaux de production encore plus élevés, la fonction de coût commence à augmenter plus rapidement au fur et à mesure qu'il y a rareté des ressources, et des augmentations importantes peuvent survenir lorsqu'il faut construire de nouvelles usines. Cependant, le graphe de $C(q)$ peut commencer à être concave vers le bas, puis devenir concave vers le haut.

> La **fonction de revenu** $R(q)$ donne le revenu total qu'une entreprise obtient de la vente d'une quantité q d'un bien donné.

Le revenu provient des ventes. Si le prix par article est p et la quantité vendue q, alors

$$\text{Revenu} = \text{Prix} \times \text{Quantité}. \quad \text{Donc,} \quad R = pq.$$

Si le prix par article ne dépend pas de la quantité vendue, alors le graphe de $R(q)$ est une droite qui passe par l'origine avec une pente égale au prix p (voir la figure 4.49). En pratique, pour les grandes valeurs de q, le marché peut devenir saturé, ce qui cause une chute des prix et donne à $R(q)$ la forme de la figure 4.50.

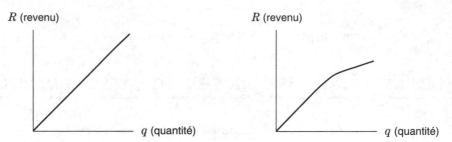

Figure 4.49 : Revenu : prix constant   **Figure 4.50 :** Revenu : prix décroissant

Le profit est normalement noté π (pour le distinguer du prix p ; ce π n'a rien à voir avec l'aire d'un cercle et représente simplement l'équivalent grec de la lettre « p »). Le profit découlant de la production et de la vente de q articles est défini par

$$\text{Profit} = \text{Revenu} - \text{Coût.} \quad \text{Donc,} \quad \pi(q) = R(q) - C(q).$$

Exemple 1   Si le coût C et le revenu R sont donnés par le graphe de la figure 4.51, pour quelles quantités de production q l'entreprise fait-elle un profit ? Quel niveau de production approximatif permet d'obtenir un profit maximal ?

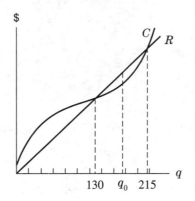

Figure 4.51 : Coût et revenu pour l'exemple 1

Solution   L'entreprise réalise un profit quand son revenu est supérieur au coût, autrement dit quand $R > C$. Le graphe de R se trouve au-dessus du graphe de C quand $130 < q < 215$ environ. La production comprise entre $q = 130$ unités et $q = 215$ unités entraînera un profit. La distance verticale entre les courbes de coût et de revenu est plus grande en q_0. Donc, la production de q_0 unités entraîne un profit maximal pour l'entreprise.

L'analyse marginale

Plusieurs décisions économiques sont basées sur une analyse de coût et de revenu « à la marge ». On étudiera cette notion à l'aide d'un exemple.

Le directeur d'une compagnie aérienne tente de déterminer s'il doit offrir un vol supplémentaire. Comment peut-il orienter sa décision ? On suppose que la décision doit être prise strictement sur une base financière : on offrira ce vol seulement s'il permet à l'entreprise de faire un profit. Évidemment, il faut considérer le coût et le revenu. Puisqu'il faut décider d'offrir ou non ce vol, la question cruciale consiste à savoir si le *coût supplémentaire* engagé est supérieur ou inférieur au *revenu supplémentaire* que ce vol permettra de faire. Ce coût et ce revenu additionnels s'appellent respectivement le *coût marginal* et le *revenu marginal*.

On suppose que $C(q)$ est la fonction qui donne le coût total permettant d'offrir q vols. Si la compagnie aérienne avait initialement prévu d'offrir 100 vols, ce coût serait de $C(100)$. Avec le vol supplémentaire, ce coût s'élève à $C(101)$. Donc,

$$\text{Coût marginal} = C(101) - C(100).$$

Maintenant,

$$C(101) - C(100) = \frac{C(101) - C(100)}{101 - 100},$$

et cette quantité est le taux moyen de variation du coût entre 100 et 101 vols. À la figure 4.52, le taux moyen de variation est la pente de la droite qui relie les points $C(100)$ et $C(101)$ sur le graphe. Si le graphe de la fonction de coût ne se recourbe pas trop rapidement près du point, la pente de cette droite se rapproche de la pente de la droite tangente. Donc, le taux moyen de variation se rapproche du taux instantané de variation. Puisque ces taux de variation ne sont pas très différents, plusieurs économistes choisissent de définir le coût marginal CM comme le taux de variation instantané du coût par rapport à la quantité :

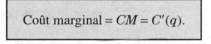

De même, le revenu produit par q vols est de $R(q)$, et le revenu supplémentaire obtenu en faisant passer le nombre de vols de 100 à 101 est

$$\text{Revenu marginal} = R(101) - R(100).$$

À présent, $R(101) - R(100)$ est le taux moyen de variation du revenu entre 100 et 101 vols. Comme auparavant, le taux moyen de variation est normalement presque égal au taux de variation instantané. Donc, les économistes définissent souvent le revenu marginal comme suit.

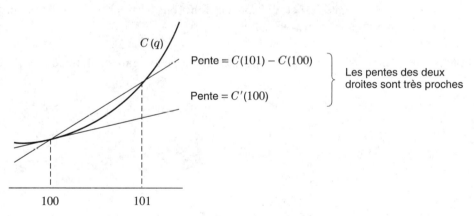

Figure 4.52 : Coût marginal : pente de l'une de ces droites

$$\boxed{\text{Revenu marginal} = RM = R'(q).}$$

On fait souvent référence au coût total et au revenu total pour les distinguer du coût marginal et du revenu marginal. Si les mots *coût* et *revenu* sont utilisés seuls, ils signifient le coût total et le revenu total.

Exemple 2   Si $C(q)$ et $R(q)$ pour la compagnie aérienne sont données à la figure 4.53, la compagnie devrait-elle ajouter le 101-ième vol ?

Solution   Le revenu marginal est la pente de la courbe de revenu, et le coût marginal est la pente de la courbe de coût au point 100. À partir de la figure 4.53, on constate que la pente au point A est plus petite que la pente au point B. Donc, $CM < RM$. Cela signifie que le revenu supplémentaire sera supérieur au coût supplémentaire si la compagnie offre un autre vol ; elle devrait donc offrir à ses clients le 101-ième vol.

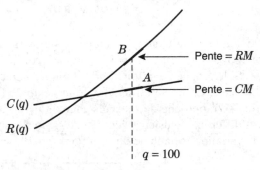

Figure 4.53 : Coût et revenu pour l'exemple 2

Puisque CM et RM sont des fonctions dérivées, on peut les estimer à partir des graphes de coût total et de revenu total.

Exemple 3   Si R et C sont données par les graphes de la figure 4.54, tracez les graphes de $RM = R'(q)$ et de $CM = C'(q)$.

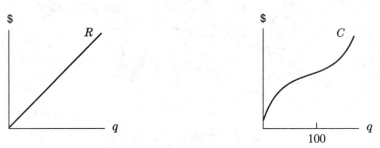

Figure 4.54 : Revenu total et coût total pour l'exemple 3

Solution   Le graphe de revenu est une droite qui passe par l'origine avec l'équation

$$R = pq,$$

où p est le prix, qui est constant. La pente est p et

$$RM = R'(q) = p.$$

Le coût total étant croissant, le coût marginal est donc toujours positif (au-dessus de l'axe q). Pour des petites valeurs de q, la courbe de coût total est concave vers le bas, et le coût marginal est décroissant. Pour une plus grande valeur de q, soit $q > 100$, la courbe de coût total est concave vers le haut et le coût marginal est croissant. Ainsi, le coût marginal a un minimum à environ $q = 100$ (voir la figure 4.55).

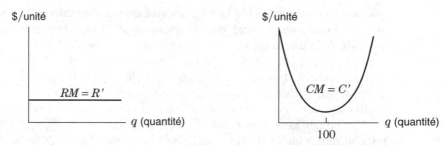

Figure 4.55 : Revenu marginal et coût marginal pour l'exemple 3

La maximisation du profit

On apprendra maintenant comment augmenter au maximum le profit, et ce à l'aide de fonctions de revenu total et de coût total.

Exemple 4   Trouvez le profit maximal si le revenu total et le coût total sont donnés, pour $0 \leq q \leq 200$, par les courbes R et C de la figure 4.56.

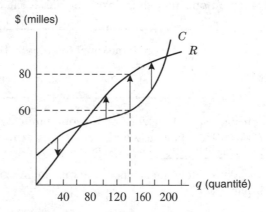

Figure 4.56 : Profit maximal à $q = 140$

Solution   Le profit est représenté par la différence verticale entre les courbes et est identifié par les flèches verticales sur le graphe. Lorsque le revenu est inférieur au coût, l'entreprise subit une perte ; lorsque le revenu est supérieur au coût, l'entreprise réalise un profit. On peut voir que le profit est maximisé à environ $q = 140$. C'est donc le niveau de production qu'il faut trouver. Pour s'assurer que le maximum local est un maximum absolu, il faut vérifier les points aux extrémités. En $q = 0$ et en $q = 200$, le profit est négatif, et le maximum absolu est donc en $q = 140$.

Pour trouver le profit maximal véritable, on doit estimer la distance verticale entre les courbes en $q = 140$. Avec cela, on obtient un profit maximal de 80 000 \$ – 60 000 \$ = 20 000 \$.

Si on veut trouver le profit minimal. Dans cet exemple, il faut observer les points aux extrémités quand $q = 0$ ou $q = 200$. On voit que le profit minimal est négatif (une perte) et il est atteint en $q = 0$.

Profit maximal atteint où $RM = CM$

Dans l'exemple 4, on peut observer que, en $q = 140$, les pentes des deux courbes de la figure 4.56 sont égales. À la gauche de $q = 140$, la courbe de revenu a une pente plus grande que la courbe de coût et le profit augmente quand q augmente. L'entreprise fera plus de profit en produisant une plus grande quantité d'unités. Donc, la production devrait augmenter vers $q = 140$. À la droite de $q = 140$, la pente de la courbe de revenu est inférieure à la pente de la courbe de coût et le profit diminue. L'entreprise fera plus de profit en produisant une moins grande quantité d'unités, de telle sorte que la production devrait diminuer vers $q = 140$. Au point où les pentes sont égales, le profit a un maximum local ; sinon, on peut augmenter le profit en se déplaçant vers ce point. Puisque les pentes sont égales en $q = 140$, on a $RM = CM$.

On considère maintenant une situation générale. Pour augmenter au maximum ou diminuer au minimum le profit sur un intervalle, on optimise le profit π, où

$$\pi(q) = R(q) - C(q).$$

On sait que les maximums absolus et les minimums absolus ne peuvent être atteints qu'en des points critiques ou des points aux extrémités d'un intervalle. Pour trouver les points critiques de π, il faut rechercher les zéros de la dérivée :

$$\pi'(q) = R'(q) - C'(q) = 0.$$

Donc,

$$R'(q) = C'(q).$$

Autrement dit, les pentes des courbes de revenu et de coût sont égales. Il s'agit de la même observation qu'on a faite dans l'exemple précédent. Sur le plan économique,

> Le profit maximal (ou minimal) peut être atteint où
>
> Coût marginal = Revenu marginal.

Bien sûr, le profit maximal ou le profit minimal *ne doivent pas* nécessairement être atteints là où $RM = CM$; il faut aussi tenir compte des extrémités.

Exemple 5   Trouvez la quantité q qui augmente au maximum le profit si le revenu total et le coût total sont donnés par

$$R(q) = 5q - 0,003q^2,$$
$$C(q) = 300 + 1,1q,$$

où $0 \le q \le 800$ unités et $R(q)$ et $C(q)$ sont en dollars. Quel niveau de production donne le profit minimal ?

Solution   On recherche des niveaux de production où le revenu marginal égale le coût marginal :

$$RM = R'(q) = 5 - 0,006q,$$
$$CM = C'(q) = 1,1.$$

Donc, $5 - 0,006q = 1,1$ ou

$$q = 3,9/0,006 = 650 \text{ unités}.$$

Cette valeur de q représente-t-elle un maximum local ou un minimum local de π ? On peut le savoir en considérant les niveaux de production de 649 unités et de 651 unités. Quand $q = 649$, on a $RM = 1,106$ \$, ce qui est supérieur au coût marginal (constant) de 1,1 \$. Cela signifie que la production d'une unité de plus engendrera plus de revenu que son coût, donc le profit augmentera. Quand $q = 651$, $RM = 1,094$ \$, ce qui est *inférieur* à CM. Donc, il n'est pas profitable de produire la 651-ième unité. On conclut que $q = 650$ est un maximum local pour la fonction de profit π. Le profit gagné en produisant et en vendant cette quantité est $\pi(650) = R(650) - C(650) = 967,50$ \$.

Pour vérifier les maximums globaux, il faut observer les points aux extrémités. Si $q = 0$, le seul coût est de 300 \$ (le coût fixe) et il n'y a pas de revenu. Donc, $\pi(0) = -300$. À la limite supérieure de $q = 800$, on a $\pi(800) = 900$ \$. Donc, le profit maximal est au niveau de production de 650 unités, où $RM = CM$. Le profit minimal (une perte) se produit quand $q = 0$ et il n'y aucune production.

Problèmes de la section 4.4

1. Un fabricant vous informe des fonctions de coût et de revenu présentées à la figure 4.57. Tracez les graphes, en fonction de la quantité, des éléments ci-après.

   a) Le profit total   b) Le coût marginal   c) Le revenu marginal

   Identifiez les points q_1 et q_2 sur les graphes.

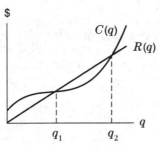

Figure 4.57

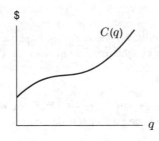

Figure 4.58

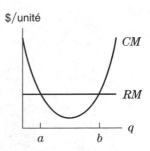

Figure 4.59

2. Supposez que le coût de production d'un bien pour un fabricant est donné par le graphe de $C(q)$ de la figure 4.57. Supposez également que le fabricant vend le produit à un prix p pour chaque unité (peu importe la quantité vendue), tel que le revenu total de la vente d'une quantité q est $R(q) = pq$.

   a) La différence $\pi(q) = R(q) - C(q)$ est le profit total. Pour quelle quantité q_0 le profit est-il maximal ? Inscrivez votre réponse sur le graphe.
   b) Quelle est la relation entre p et $C'(q_0)$? Expliquez vos résultats graphiquement et de manière analytique. Qu'est-ce que cela signifie sur le plan économique ? (Notez que p est la pente de la droite $R(q) = pq$. Remarquez aussi que $\pi(q)$ a un maximum en $q = q_0$ tel que $\pi'(q_0) = 0$.)
   c) Tracez le graphe de $C'(q)$ et de p (comme droite horizontale) sur les mêmes axes. Identifiez q_0 sur l'axe q.

3. Soit $C(q)$ le coût total de la production d'une quantité q d'un bien donné (voir la figure 4.58).

   a) Quelle est la signification de $C(0)$?
   b) Décrivez brièvement comment varie le coût marginal au fur et à mesure que la quantité produite augmente.
   c) Expliquez la concavité du graphe (sur le plan économique).
   d) Expliquez la signification économique (en fonction du coût marginal) du point où change la concavité.
   e) Selon vous, le graphe de $C(q)$ aurait-il cette forme pour tous les types de biens ?

4. Le revenu marginal et le coût marginal d'un article donné sont tracés à la figure 4.59. Les quantités suivantes augmentent-elles au maximum le revenu de l'entreprise ? Justifiez votre réponse.

   a) $q = a$ b) $q = b$

5. Supposez que le coût total $C(q)$ de la production de q articles est donné par

$$C(q) = 0{,}01q^3 - 0{,}6q^2 + 13q.$$

a) Quel est le coût fixe ?

b) Quel est le profit maximal si chaque article se vend 7 $? (Supposez que vous vendez toute votre production.)

c) Supposez que la production s'élève exactement à 34 articles. Ces derniers se vendent tous lorsque leur prix est de 7 $, mais pour chaque hausse du prix de 1 $, on vend 2 articles de moins. Devez-vous augmenter le prix ? Le cas échéant, de combien ?

6. Supposez qu'une entreprise fabrique un seul produit. La quantité q de ce produit fabriqué chaque mois est fonction de la quantité de capital K investi (c'est-à-dire le nombre de machines que possède l'entreprise, la taille de ses édifices et ainsi de suite) et la quantité de main-d'œuvre L disponible chaque mois. On suppose souvent que q peut être exprimée en fonction de K et L par la *fonction de production de Cobb-Douglas* :

$$q = cK^{\alpha}L^{\beta}$$

où c, α, β sont des constantes positives avec $0 < \alpha < 1$ et $0 < \beta < 1$.

Dans ce problème, on montrera comment le gouvernement de Russie pourrait utiliser une fonction de Cobb-Douglas pour estimer le nombre de personnes qu'une nouvelle industrie privatisée pourrait embaucher. Une entreprise dans cette industrie ne disposera que d'une petite quantité de capital et devra l'utiliser entièrement ; K est donc fixe. Supposez que L est mesurée en heures-personnes par mois et que chaque heure de main-d'œuvre coûte à l'entreprise w roubles (un rouble est l'unité monétaire russe). Supposez que l'entreprise n'a pas d'autre coût, outre la main-d'œuvre, et que chaque unité du bien se vend à un prix fixe de p roubles. Combien d'heures-personnes par mois l'entreprise devrait-elle prévoir afin d'augmenter au maximum son profit ?

7. Un travailleur agricole de l'Ouganda veut planter du trèfle pour accroître le nombre d'abeilles ouvrières dans la région. Normalement, on compte 100 abeilles dans la région ; on s'attend à ce que chaque nouvel acre de trèfle attire 20 abeilles de plus.

a) Tracez le graphe du nombre total $N(x)$ d'abeilles en fonction de x, qui est le nombre d'acres consacré au trèfle.

b) Expliquez géométriquement et de manière algébrique la forme des graphes ci-après.

    i)   Le taux marginal d'augmentation du nombre d'abeilles selon les acres de trèfle $N'(x)$.

    ii)   Le nombre moyen d'abeilles par acre de trèfle $N(x)/x$.

8. Vous investissez x $ dans un projet donné, et votre rendement est de $R(x)$. Supposez que vous voulez choisir x pour augmenter au maximum votre rendement par dollar investi[4], lequel est

$$r(x) = \frac{R(x)}{x}.$$

a) Supposez que le graphe de $R(x)$ a la forme de la figure 4.60, avec $R(0) = 0$. Illustrez sur une copie de ce graphe que la valeur maximale de $r(x)$ s'obtient en un point sur le graphe de $R(x)$ où la droite partant de l'origine au point est une tangente par rapport au graphe.

b) Est-il également vrai que le maximum de $r(x)$ doit être atteint au point où la pente du graphe de $r(x)$ est zéro ? Sur le même ensemble d'axes utilisé pour la partie a), dessinez une version approximative du graphe de $r(x)$ correspondant à votre graphe R et démontrez que le maximum est atteint là où la pente est zéro.

c) Montrez, en prenant la dérivée de la formule précédente pour $r(x)$, que les conditions de la partie a) et de la partie b) sont équivalentes : le point où la droite partant de l'origine est une tangente par rapport au graphe de R est le même point où le graphe de r a une pente nulle.

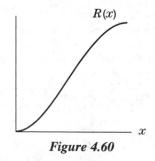

Figure 4.60

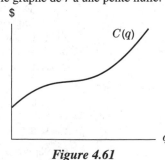

Figure 4.61

4. Tiré de TAYLOR, Peter D., *Calculus : The Analysis of Functions*, Toronto, Wall & Emerson, 1992.

Les problèmes 9 à 11 font intervenir le *coût moyen* de la production d'une quantité q d'un bien, qui est défini par

$$a(q) = \frac{C(q)}{q}.$$

9. La figure 4.61 montre le coût de production $C(q)$ en fonction de la quantité produite q.

   a) Pour une certaine valeur q_0, tracez une droite dont la pente est le coût marginal *CM* en ce point.

   b) Pour le même q_0, expliquez pourquoi le coût moyen $a(q_0)$ peut être représenté par la pente de la droite reliant ce point sur la courbe et l'origine.

   c) En utilisant la méthode de l'exemple 3, expliquez pourquoi le coût moyen et le coût marginal sont égaux quand q a la valeur qui réduit au minimum $a(q)$.

10. Supposez qu'une entreprise produit une quantité q d'un bien donné et que le coût moyen par article est donné par

$$a(q) = 0,01q^2 - 0,6q + 13 \quad \text{pour} \quad q > 0.$$

   a) Quel est le coût total $C(q)$ de la production de q articles ?

   b) Quel est le coût marginal minimal ? Quelles sont les interprétations pratiques de ce résultat ?

   c) À quel niveau de production le coût moyen est-il à son minimum ? Quel est le coût moyen le plus bas ?

   d) Calculez le coût marginal en $q = 30$. Comment ce résultat est-il relié à votre réponse de la partie c) ? Expliquez cette relation de manière analytique en langage courant.

11. Un modèle raisonnablement réaliste du coût pour une entreprise est donné par la *courbe de coût de Cobb-Douglas à court terme*, soit

$$C(q) = Kq^{1/a} + F,$$

où a est une constante positive, F est le coût fixe et K mesure le degré de technologie de l'entreprise.

   a) Montrez que C est concave vers le bas si $a > 1$.

   b) En supposant que le coût moyen est réduit au minimum lorsque le coût moyen est égal au coût marginal, trouvez quelle valeur de q réduit au minimum le coût moyen.

4.5 L'OPTIMISATION : INTRODUCTION À LA MODÉLISATION

Il est beaucoup plus facile de trouver les maximums et les minimums absolus si on dispose d'une formule pour maximiser ou minimiser la fonction. Le processus de la traduction d'un problème en une fonction dont on connaît la formule s'appelle la *modélisation mathématique*. En étudiant les exemples suivants, on aura un avant-goût de certains types de modélisation.

Exemple 1   Quelles sont les dimensions d'une boîte de conserve en aluminium qui contient 40 po^3 de jus et qui utilise le moins de matériau possible (ici l'aluminium) ? Supposez que la boîte est cylindrique et qu'elle est fermée aux deux extrémités.

Solution   Souvent, il est avantageux de penser à un problème en termes généraux avant d'essayer de le résoudre. Puisqu'on tente d'utiliser le moins d'aluminium possible, pourquoi ne pas réduire la taille de la boîte au maximum, soit de la grosseur d'une arachide ? Bien sûr, ce n'est pas possible puisqu'elle doit contenir 40 po^3 de jus. Si on peut rétrécir la boîte afin d'utiliser le moins d'aluminium possible sur les côtés, il faudra l'élargir pour qu'elle puisse contenir 40 po^3 de liquide. En utilisant moins d'aluminium sur les côtés, on devra peut-être utiliser plus d'aluminium sur les extrémités de la boîte, étant donné sa forme courte et large (voir la figure 4.62 a), page suivante).

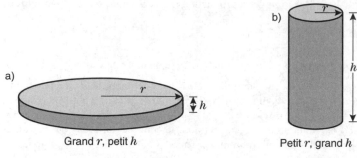

a)

Grand r, petit h

b)

Petit r, grand h

Figure 4.62 : Diverses boîtes de forme cylindrique

TABLEAU 4.1   *Quantité de matériau M utilisé pour la boîte selon différents choix de rayon r et de hauteur h*

r (po)	h (po)	M (po^2)
0,2	318,31	400,25
1,0	12,73	86,27
2,0	3,18	65,09
3,0	1,41	83,13
4,0	0,80	120,64
10,0	0,13	636,49

Si on tente d'utiliser moins d'aluminium en réduisant les extrémités, on devra allonger les côtés pour que la boîte contienne 40 po^3 de jus. Donc, si on utilise moins d'aluminium pour les extrémités, on doit en utiliser plus pour les côtés (voir la figure 4.62 b)). On peut vérifier ce raisonnement en observant le tableau 4.1.

Le tableau donne la quantité de matériau utilisé pour la boîte selon certains choix de rayon r et de hauteur h. On peut constater que r et h changent dans des directions opposées et qu'on utilise plus d'aluminium pour les extrémités (très grand ou très petit r et h) que pour les côtés. En observant le tableau, on dirait que le rayon optimal de la boîte se trouve quelque part entre $1,0 \leq r \leq 3,0$. Si on considère le matériau utilisé M en fonction du rayon r, un graphe de cette fonction ressemble à celui de la figure 4.63. Le graphe montre que le minimum absolu dont on a besoin est atteint à un point critique.

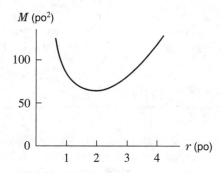

Figure 4.63 : Matériau total utilisé pour la boîte M en fonction du rayon r

Le tableau et le graphe ont été obtenus à partir d'un modèle mathématique, lequel, dans ce cas, est une formule pour le matériau utilisé afin de fabriquer la boîte. Pour trouver cette formule, il faut connaître la géométrie d'un cylindre, plus précisément son aire et son volume. On a

M = Matériau utilisé pour la boîte = Matériau aux extrémités + Matériau sur les côtés,

où

Matériau aux extrémités = 2 · Aire d'un cercle de rayon r = $2 \cdot \pi r^2$,

Matériau sur les côtés = Aire du cylindre de hauteur h et de rayon r = $2\pi rh$.

Cependant, h n'est pas indépendant de r. En effet, si r augmente, h diminue, et inversement. Pour trouver la relation, on considère le fait que le volume du cylindre $\pi r^2 h$ est égal à la constante 40 po^3, soit

$$\pi r^2 h = 40, \quad \text{donne} \quad h = \frac{40}{\pi r^2}.$$

Cela signifie que

$$\text{Matériau sur le côté} = 2\pi rh = 2\pi r\,\frac{40}{\pi r^2} = \frac{80}{r}.$$

Ainsi, on obtient la formule pour le matériau total utilisé pour une boîte de rayon r, soit

$$M(r) = 2\pi r^2 + \frac{80}{r}.$$

Le domaine de cette fonction est tout $r > 0$.

On utilise maintenant le calcul différentiel pour trouver le minimum de M. On recherche les points critiques :

$$\frac{dM}{dr} = 4\pi r - \frac{80}{r^2} = 0 \quad \text{en un point critique.} \quad \text{Donc, } 4\pi r = \frac{80}{r^2}.$$

Ainsi,

$$\pi r^3 = 20, \quad \text{aussi} \quad r = \left(\frac{20}{\pi}\right)^{1/3} \approx 1,85 \text{ po,}$$

ce qui concorde avec le graphe. On obtient aussi

$$h = \frac{40}{\pi r^2} \approx \frac{40}{\pi(1,85)^2} \approx 3,7 \text{ po.}$$

Ainsi, le matériau utilisé $M(1,85)$ est d'environ 64,7 po^2.

Conseils pratiques pour modéliser des problèmes d'optimisation

1. S'assurer de connaître la quantité ou la fonction à optimiser.

2. Si possible, faire différents croquis montrant la relation entre les éléments qui varient. Identifier les croquis clairement en attribuant des variables aux quantités qui varient.

3. Tenter d'obtenir une formule pour la fonction à optimiser en fonction des variables identifiées à l'étape précédente. Au besoin, éliminer de cette formule toutes les variables, sauf une. Identifier le domaine dans lequel cette variable varie.

4. Trouver les points critiques et évaluer la fonction en ces points et aux extrémités pour trouver les maximums absolus et les minimums absolus.

L'exemple 2, qui est un autre problème de géométrie, illustre cette approche.

Exemple 2   Hélène veut se rendre à l'arrêt d'autobus le plus rapidement possible. L'arrêt d'autobus se trouve de l'autre côté d'un parc gazonné, soit à 2000 pi à l'ouest et à 600 pi au nord de sa position de départ. Hélène peut marcher vers l'ouest en longeant le parc par le trottoir à une vitesse de 6 pi/s. Elle peut également traverser à pied la pelouse du parc, mais à une vitesse de 4 pi/s seulement (le parc étant un lieu de prédilection pour promener les chiens, elle doit donc regarder où elle pose les pieds). Quel chemin lui permettra d'arriver le plus rapidement à l'arrêt d'autobus ?

Solution

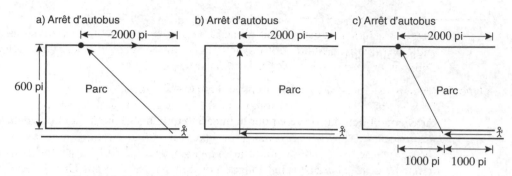

Figure 4.64 : Trois chemins possibles pour se rendre à l'arrêt d'autobus

On pourrait être tenté de croire que, au départ, il serait préférable qu'elle emprunte le chemin le plus court. Malheureusement, le chemin le plus court pour se rendre à l'arrêt d'autobus est celui qui consiste à traverser le parc, et la vitesse d'Hélène est alors la plus lente (voir la figure 4.64 a)). Cette distance est $\sqrt{2000^2 + 600^2} \approx 2100$ pi, ce qui lui prendrait environ 525 s pour traverser le parc. Elle pourrait donc emprunter le chemin de 2000 pi par le trottoir ; il lui resterait seulement 600 pi vers le nord à parcourir en passant par le parc (voir la figure 4.64 b)). Cet itinéraire lui prendrait $2000/6 + 600/4 \approx 483$ s au total.

Mais peut-elle faire mieux encore ? Il est possible qu'une autre combinaison de parcours (par le trottoir et le parc) lui permette de se rendre plus rapidement à l'arrêt. Par exemple, quelle est la distance du parcours si elle marche 1000 pi vers l'ouest en empruntant le trottoir et qu'elle parcourt le reste du chemin en traversant le parc (voir la figure 4.64 c)) ? La réponse est d'environ 458 s.

Afin d'établir un modèle pour ce problème, on identifie la distance qu'Hélène parcourt à l'ouest en empruntant le trottoir par x et la distance qu'elle marche en traversant le parc par y (voir la figure 4.65). Alors, le temps t sera

$$t = t_{\text{trottoir}} + t_{\text{parc}}.$$

Puisque

$$\text{Temps} = \text{Distance/Vitesse},$$

et qu'elle peut parcourir 6 pi/s sur le trottoir et 4 pi/s en traversant le parc, on obtient

$$t = \frac{x}{6} + \frac{y}{4}.$$

À présent, selon le théorème de Pythagore, $y = \sqrt{(2000 - x)^2 + 600^2}$. Donc,

$$t = \frac{x}{6} + \frac{\sqrt{(2000 - x)^2 + 600^2}}{4}.$$

On peut trouver les points critiques de cette fonction algébriquement (voir le problème 1 un peu plus loin). Par ailleurs, on peut tracer le graphe de la fonction à l'aide d'une calculatrice et estimer le point critique, qui est de $x \approx 1463$ pi. Cela donne un temps total minimal d'environ 445 s.

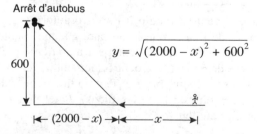

Figure 4.65 : Modélisation du temps nécessaire pour se rendre à l'arrêt d'autobus

Exemple 3   Deux corridors, respectivement d'une largeur de 4 pi et de 8 pi, se rejoignent pour former un angle droit (voir la figure 4.66). Quelle est la longueur de l'échelle la plus longue qu'on peut faire passer horizontalement par le coin ?

Solution   On suppose que l'échelle est transportée latéralement et on ne tient pas compte de sa largeur. Pour avoir l'échelle la plus longue possible, il faut la faire passer par le coin de telle sorte qu'elle frôle les deux murs (en A et en C) et qu'elle frôle le coin en B. Il faut dessiner des droites pour observer les résultats (voir la figure 4.66). La longueur de la droite $\overline{ABC}$ diminue lorsqu'on tourne le coin, puis elle augmente de nouveau. Cette longueur minimale est la longueur de l'échelle la plus longue pouvant passer le coin. Une échelle plus petite serait également appropriée (si elle touche A, B et C simultanément), mais une échelle plus longue ne passerait pas le coin.

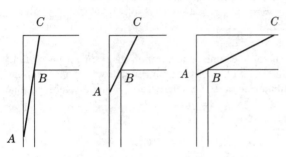

Figure 4.66 : Différentes échelles qui frôlent les murs et le coin

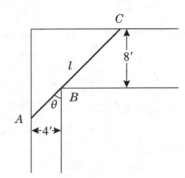

Figure 4.67 : Échelle et corridor

Il faut donc trouver la *plus petite* longueur de la droite $\overline{ABC}$. On exprimera la longueur l en fonction de θ, qui est l'angle entre la droite et le mur du corridor étroit (voir la figure 4.67).

On obtient

$$l = \overline{AB} + \overline{BC} .$$

Maintenant, $\overline{AB} = 4/\sin\theta$ et $\overline{BC} = 8/\cos\theta$. Donc,

$$l = \frac{4}{\sin\theta} + \frac{8}{\cos\theta} .$$

Ici le domaine de θ est $0 < \theta < \pi/2$.

Maintenant, on distingue

$$\frac{dl}{d\theta} = -\frac{4}{(\sin\theta)^2}(\cos\theta) - \frac{8}{(\cos\theta)^2}(-\sin\theta).$$

Pour minimiser l, on résout $dl/d\theta = 0$:

$$-4\frac{\cos\theta}{(\sin\theta)^2} + 8\frac{\sin\theta}{(\cos\theta)^2} = 0.$$

Donc,

$$2(\sin\theta)^3 = (\cos\theta)^3, \quad \text{ou} \quad \frac{(\sin\theta)^3}{(\cos\theta)^3} = \frac{1}{2} .$$

Cela signifie que

$$\tan\theta = \sqrt[3]{0{,}5} \approx 0{,}79. \quad \text{Donc,} \quad \theta \approx 0{,}67 \text{ rad.}$$

Ainsi, $\theta \approx 0{,}67$ est le point critique et si on cherche à savoir ce qui arrive à θ près de zéro et à θ près de $\pi/2$, on apprend que l atteint un minimum absolu en $\theta = 0{,}67$. La valeur minimale de l est donc

$$l = \frac{4}{\sin(0{,}67)} + \frac{8}{\cos(0{,}67)} \approx 16{,}65 \text{ pi.}$$

Donc, l'échelle peut mesurer au plus 16,65 pi de long et tout de même passer le coin.

Problèmes de la section 4.5

1. Trouvez analytiquement le point critique exact de la fonction qui représente le temps t pour se rendre à pied à l'arrêt d'autobus de l'exemple 2. N'oubliez pas que t est donné par

$$t = \frac{x}{6} + \frac{\sqrt{(2000 - x)^2 + 600^2}}{4}.$$

2. Les dépôts d'une cheminée s'accumulent au sol avec une concentration inversement proportionnelle au carré de la distance entre deux cheminées. Si les deux cheminées se trouvent à 20 mi l'une de l'autre, la concentration des dépôts combinés de la droite qui les relie, à une distance x d'une cheminée, est donnée par

$$S = \frac{k_1}{x^2} + \frac{k_2}{(20 - x)^2},$$

où k_1 et k_2 sont des constantes positives qui dépendent de la quantité de fumée émise par chaque cheminée. Si $k_1 = 7k_2$, trouvez le point sur la droite qui relie les cheminées où la concentration du dépôt atteint un minimum.

3. Une onde d'une longueur λ voyageant en eau profonde a une vitesse v donnée par

$$v = k\sqrt{\frac{\lambda}{c} + \frac{c}{\lambda}},$$

où c et k sont des constantes positives. Quand λ varie, l'onde atteint-elle une vitesse maximale ou minimale ? Le cas échéant, quelle est cette vitesse ? Justifiez votre réponse.

4. Si vous avez 100 pi de clôture et que vous désirez entourer une zone rectangulaire longeant un long mur droit, quelle est la plus grande superficie que vous pouvez clôturer ?

5. Une boîte fermée a une surface fixe A et une base carrée avec un côté x.

   a) Trouvez une formule pour son volume V en fonction de x.
   b) Tracez le graphe de V en fonction de x.
   c) Trouvez la valeur maximale de V.

6. Une architecte paysagiste prévoit clôturer 3000 pi^2 d'une superficie rectangulaire du jardin botanique. Sur trois côtés, elle prévoit planter des arbustes qui coûtent 25 \$/pi, et sur le quatrième côté elle désire installer une clôture qui coûte 10 \$/pi. Trouvez le coût minimal.

7. Vous projetez de construire une piscine rectangulaire d'une superficie de 1800 pi^2. Le propriétaire souhaite que vous installiez une plate-forme de 5 pi de largeur sur un côté de la piscine et des plates-formes de 10 pi de largeur aux deux extrémités. Trouvez les dimensions de la propriété la plus petite sur laquelle la piscine pourrait être construite en respectant ces conditions.

8. Supposez que vous devez découper une poutre rectangulaire dans une pièce de grume (bois couvert de son écorce) cylindrique ayant un rayon de 30 cm. La force d'une poutre de largeur w et de hauteur h est proportionnelle à wh^2 (voir la figure 4.68). Trouvez la largeur et la hauteur de la poutre de force maximale.

9. Une ampoule est suspendue à une hauteur h au-dessus du plancher (voir la figure 4.69). La lumière au point P est inversement proportionnelle au carré de la distance entre le point P et l'ampoule. De plus, la lumière est proportionnelle au cosinus de l'angle θ. À quelle distance du plancher l'ampoule doit-elle se trouver pour maximiser la lumière au point P ?

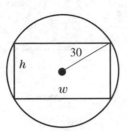

Figure 4.68

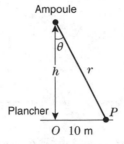

Figure 4.69

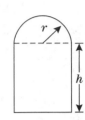

Figure 4.70

10. La section transversale d'un tunnel est un rectangle de hauteur h surmonté d'un toit semi-circulaire de rayon r (voir la figure 4.70). Si l'aire de la section transversale est A, déterminez les dimensions de la section transversale qui minimise le périmètre.

11. Quel point sur la parabole $y = x^2$ se trouve le plus près de $(1, 0)$? Trouvez les coordonnées à deux décimales près. [Conseil : Minimisez le carré de la distance, ce qui permettra d'éliminer les racines carrées.]

12. Trouvez les coordonnées du point sur la parabole $y = x^2$ qui est le plus proche du point $(3, 0)$.

13. Parmi tous les rectangles ayant une aire A, lequel a les diagonales les plus courtes ?

14. Supposez que vous êtes dirigeant d'une petite entreprise d'ameublement. Votre adjoint conclut un accord avec un client pour lui livrer jusqu'à 400 chaises, le nombre exact devant être déterminé ultérieurement par le client. Le prix est établi à 90 $ par chaise pour toute quantité inférieure à 300 chaises, et le prix sera réduit de 0,25 $ par chaise (sur une commande complète) pour chaque chaise additionnelle dépassant la livraison de 300 chaises. Quel est le revenu le plus élevé et le plus faible pour l'entreprise dans le cadre de cet accord ?

15. Le coût de la consommation de carburant d'un bateau (en dollars par heure) est proportionnel au cube de sa vitesse. Un traversier consomme 100 $ de carburant par heure lorsqu'il navigue à 10 mi/h. Mis à part le carburant, le coût d'exploitation du traversier (la main-d'œuvre, l'entretien, etc.) s'élève à 675 $/h. À quelle vitesse devrait-il voyager afin de minimiser le coût *par mille parcouru* ?

16. a) Pour quel nombre positif x, $x^{1/x}$ est-il le plus grand ? Justifiez votre réponse.
    [Conseil : Vous pouvez écrire $x^{1/x} = e^{\ln(x^{1/x})}$.]
    b) Pour quel entier positif n, $n^{1/n}$ est-il le plus grand ? Justifiez votre réponse.
    c) Utilisez vos réponses aux parties a) et b) pour décider lequel est le plus grand : $3^{1/3}$ ou $\pi^{1/\pi}$.

17. La *moyenne arithmétique* de deux nombres a et b est définie par $(a + b)/2$; la *moyenne géométrique* de deux nombres positifs a et b est définie par $\sqrt{ab}$.

    a) Pour deux nombres positifs, laquelle des deux moyennes est la plus grande ? Justifiez votre réponse.
    [Conseil : Définissez $f(x) = (a + x)/2 - \sqrt{ax}$ pour un a fixe.]
    b) Pour trois nombres positifs a, b et c, la moyenne arithmétique et la moyenne géométrique sont respectivement $(a + b + c)/3$ et $\sqrt[3]{abc}$. Laquelle des deux moyennes à trois chiffres est la plus grande ? [Conseil : Redéfinissez $f(x)$ pour a et b fixes.]

18. Deux villes situées sur le même côté d'une rivière veulent construire une station de pompage S pour s'approvisionner en eau. La station doit se situer sur le bord de la rivière, et les conduites devront se rendre directement dans les deux villes. Les distances sont présentées à la figure 4.71 (page suivante). Où devrait se trouver la station de pompage pour minimiser la longueur totale des conduites ?

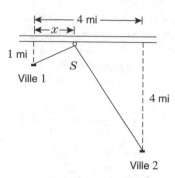

Figure 4.71

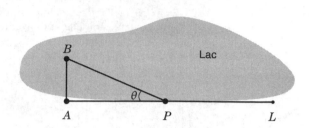

Figure 4.72

19. Supposez qu'on lâche un pigeon d'un bateau (point B de la figure 4.72) ancré dans un lac. À cause de l'air descendant sur l'eau fraîche, l'énergie (en joules par mètre) dont l'oiseau a besoin pour voler à 1 m au-dessus du niveau du lac correspond au double de l'énergie e requise pour voler au-dessus de la berge ($e = 3$ J/m). Pour minimiser l'énergie requise pour voler du point B au pigeonnier L, le pigeon se dirige vers un point P sur la berge et vole le long de la berge jusqu'au point L. La distance $\overline{AL}$ correspond à 2000 m, et la distance $\overline{AB}$ est 500 m.

   a) Exprimez l'énergie requise pour voler de B à L en passant par P en fonction de l'angle θ (l'angle BPA).

   b) Quel est l'angle θ optimal ?

   c) Votre réponse change-t-elle si $\overline{AL}$, $\overline{AB}$ et e ont différentes valeurs numériques ?

20. Pour mieux voir la statue de la Liberté à la figure 4.73, vous devez vous trouver à la position où θ atteint un maximum. Si la statue a 92 m de hauteur avec sa base (laquelle mesure 46 m de hauteur), à quelle distance par rapport à la base de la statue devriez-vous vous trouver ? [Conseil : Trouvez une formule pour θ en fonction de votre distance par rapport à la base. Utilisez cette fonction pour maximiser θ, en notant que $0 \leq \theta \leq \pi/2$.]

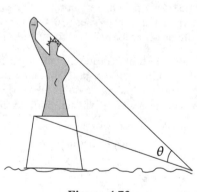

Figure 4.73

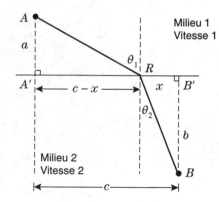

Figure 4.74

21. Lorsqu'un rayon de lumière se propage d'un milieu à l'autre (par exemple de l'air à l'eau), il change de direction. Ce phénomène s'appelle la *réfraction*. À la figure 4.74, la lumière passe de A à B. La quantité de réfraction est fonction des vitesses v_1 et v_2 de la lumière dans les deux milieux et du *principe de Fermat*, lequel énonce que le temps de propagation de la lumière T de A à B est un minimum.

   a) Trouvez une expression pour T en fonction de x et des constantes a, b, v_1, v_2 et c.

   b) Montrez que si R est choisi de telle sorte que le temps de propagation est minimisé, alors

$$\frac{\sin \theta_1}{\sin \theta_2} = \frac{v_1}{v_2}.$$

   Ce résultat s'appelle la *loi de Snell*, et le rapport v_1/v_2 s'appelle l'*indice de réfraction* du deuxième milieu par rapport au premier.

22. Montrez que, quand la valeur de x (voir la figure 4.74) est choisie selon la loi de Snell, le temps pris par le rayon de lumière est un minimum.

4.6 LES FONCTIONS HYPERBOLIQUES

Les combinaisons de e^x et de e^{-x} sont si souvent utilisées en ingénierie qu'on leur a donné un nom. Il s'agit du *sinus hyperbolique*, qui s'abrège en sinh et du *cosinus hyperbolique*, qui s'abrège cosh. Ils se définissent comme suit :

> **Fonctions hyperboliques**
>
> $$\cosh x = \frac{e^x + e^{-x}}{2} \qquad \sinh x = \frac{e^x - e^{-x}}{2}$$

Les propriétés des fonctions hyperboliques

Les graphes de cosh x et de sinh x sont donnés aux figures 4.75 et 4.76 avec les graphes des multiples de e^x et de e^{-x}. Le graphe de cosh x est appelé *caténaire* (ou chaînette) ; il a la forme d'un câble suspendu.

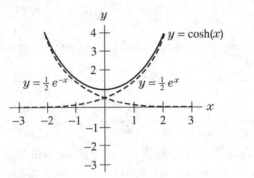

Figure 4.75 : Graphe de $y = \cosh x$ **Figure 4.76 :** Graphe de $y = \sinh x$

Le graphe suggère que les résultats suivants s'appliquent :

> $$\cosh 0 = 1 \qquad \sinh 0 = 0$$
> $$\cosh(-x) = \cosh x \qquad \sinh(-x) = -\sinh x$$

Pour démontrer que les fonctions hyperboliques ont véritablement ces propriétés, on utilise leur formule.

Exemple 1   Montrez que   a) $\cosh(0) = 1$ b) $\cosh(-x) = \cosh x$.

Solution   a)   En substituant $x = 0$ dans la formule par cosh x, on obtient

$$\cosh 0 = \frac{e^0 + e^{-0}}{2} = \frac{1 + 1}{2} = 1.$$

b)   En substituant $-x$ par x, on obtient

$$\cosh(-x) = \frac{e^{-x} + e^{-(-x)}}{2} = \frac{e^{-x} + e^x}{2} = \cosh x.$$

Ainsi, on sait que cosh x est une fonction paire.

Exemple 2   Décrivez et expliquez le comportement de $\cosh x$ quand $x \to \infty$ et $x \to -\infty$.

Solution   À partir de la figure 4.75, il semble que quand $x \to \infty$, le graphe de $\cosh x$ ressemble au graphe de $\frac{1}{2} e^x$. De même, quand $x \to -\infty$, le graphe de $\cosh x$ ressemble au graphe de $\frac{1}{2} e^{-x}$. Ce comportement s'explique en utilisant la formule pour $\cosh x$ et les faits que $e^{-x} \to 0$ quand $x \to \infty$ et $e^x \to 0$ quand $x \to -\infty$:

$$\text{Quand } x \to \infty, \qquad \cosh x = \frac{e^x + e^{-x}}{2} \to \frac{1}{2} e^x.$$

$$\text{Quand } x \to -\infty, \qquad \cosh x = \frac{e^x + e^{-x}}{2} \to \frac{1}{2} e^{-x}.$$

Les identités comprenant cosh x et sinh x

Les fonctions hyperboliques ont des noms qui rappellent les fonctions trigonométriques parce qu'elles partagent certaines propriétés similaires. Une identité familière pour les fonctions trigonométriques est

$$(\cos x)^2 + (\sin x)^2 = 1.$$

Pour découvrir une identité analogue reliant $(\cosh x)^2$ et $(\sinh x)^2$, on calcule d'abord

$$(\cosh x)^2 = \left(\frac{e^x + e^{-x}}{2} \right)^2 = \frac{e^{2x} + 2e^x e^{-x} + e^{-2x}}{4} = \frac{e^{2x} + 2 + e^{-2x}}{4},$$

$$(\sinh x)^2 = \left(\frac{e^x - e^{-x}}{2} \right)^2 = \frac{e^{2x} - 2e^x e^{-x} + e^{-2x}}{4} = \frac{e^{2x} - 2 + e^{-2x}}{4}.$$

Si on additionne ces expressions, le côté droit qui résulte contient des termes comprenant à la fois e^{2x} et e^{-2x}. Cependant, si on soustrait les expressions pour $(\cosh x)^2$ et $(\sinh x)^2$, on obtient un résultat simple, soit

$$(\cosh x)^2 - (\sinh x)^2 = \frac{e^{2x} + 2 + e^{-2x}}{4} - \frac{e^{2x} - 2 + e^{-2x}}{4} = \frac{4}{4} = 1.$$

Ainsi, en écrivant $\cosh^2 x$ pour $(\cosh x)^2$ et $\sinh^2 x$ pour $(\sinh x)^2$, on obtient l'identité

$$\boxed{\cosh^2 x - \sinh^2 x = 1}$$

La tangente hyperbolique

Par analogie, en ce qui concerne les fonctions trigonométriques, on peut définir

$$\boxed{\tanh x = \frac{\sinh x}{\cosh x}}$$

Les dérivées des fonctions hyperboliques

On calcule les dérivées en considérant le fait que $\frac{d}{dx}(e^x) = e^x$. Les résultats rappellent de nouveau les fonctions trigonométriques. Par exemple,

$$\frac{d}{dx}(\cosh x) = \frac{d}{dx}\left(\frac{e^x + e^{-x}}{2} \right) = \frac{e^x - e^{-x}}{2} = \sinh x.$$

On trouve $\dfrac{d}{dx}(\sinh x)$ de la même façon, ce qui donne les résultats suivants :

$$\frac{d}{dx}(\cosh x) = \sinh x \qquad \frac{d}{dx}(\sinh x) = \cosh x$$

Exemple 3   Calculez la dérivée de $\tanh x$.

Solution   En utilisant la règle du quotient, on obtient

$$\frac{d}{dx}(\tanh x) = \frac{d}{dx}\left(\frac{\sinh x}{\cosh x}\right) = \frac{(\cosh x)^2 - (\sinh x)^2}{(\cosh x)^2} = \frac{1}{\cosh^2 x}.$$

Problèmes de la section 4.6

1. Montrez que $\sinh 0 = 0$.

2. Montrez que $\sinh(-x) = -\sinh(x)$.

3. Décrivez et expliquez le comportement de $\sinh x$ quand $x \to \infty$ et quand $x \to -\infty$.

4. Y a-t-il une identité similaire à $\sin(2x) = 2\sin x \cos x$ pour les fonctions hyperboliques ? Justifiez votre réponse.

5. Y a-t-il une identité similaire à $\cos(2x) = \cos^2 x - \sin^2 x$ pour les fonctions hyperboliques ? Justifiez votre réponse.

6. Montrez que $\dfrac{d}{dx}(\sinh x) = \cosh x$.

Trouvez les dérivées des fonctions pour les problèmes 7 à 11.

7. $y = \cosh(2x)$
8. $y = \sinh(3z + 5)$
9. $f(t) = \cosh\left(e^{t^2}\right)$

10. $f(y) = \sinh(\sinh(3y))$
11. $g(\theta) = \ln(\cosh(1 + \theta))$

12. Considérez la famille de fonctions $y = a\cosh(x/a)$ pour $a > 0$. Tracez des graphes pour $a = 1, 2, 3$. Décrivez en langage courant l'effet de l'augmentation de a.

13. a) À l'aide d'une calculatrice ou d'un ordinateur, tracez le graphe de $y = 2e^x + 5e^{-x}$ pour $-3 \le x \le 3$, $0 \le y \le 20$. Observez sa ressemblance avec le graphe de $y = \cosh x$. Où se trouve approximativement son minimum ?

 b) Montrez algébriquement que $y = 2e^x + 5e^{-x}$ peut s'écrire sous la forme $y = A\cosh(x - c)$. Calculez les valeurs de A et de c. Expliquez ce que cela vous apprend au sujet du graphe de la partie a).

14. Ce problème étant une généralisation du problème 13, montrez que toute fonction de la forme

$$y = Ae^x + Be^{-x}, \quad A > 0, B > 0$$

peut s'écrire, pour un K et un c, sous la forme

$$y = K\cosh(x - c).$$

Qu'est-ce que cela vous apprend au sujet du graphe de $y = Ae^x + Be^{-x}$?

15. Considérez la famille des fonctions de la forme $y = Ae^x + Be^{-x}$ pour des constantes quelconques A et B.

   a) Tracez le graphe de la fonction pour les constantes ci-après.

i) $A = 1, B = 1$	ii) $A = 1, B = -1$	iii) $A = 2, B = 1$
iv) $A = 2, B = -1$	v) $A = -2, B = -1$	vi) $A = -2, B = 1$

   b) Décrivez en langage courant la forme générale du graphe si A et B ont le même signe. Quel effet le signe de A a-t-il sur le graphe ?

   c) Décrivez en langage courant la forme générale du graphe si A et B ont différents signes. Quel effet le signe de A a-t-il sur le graphe ?

   d) Pour quelles valeurs de A et de B la fonction atteint-elle un maximum local ? un minimum local ? Justifiez votre réponse en utilisant des dérivées.

16. Le câble entre deux tours d'un pont suspendu prend la forme de la courbe

$$y = \frac{T}{w} \cosh\left(\frac{wx}{T}\right),$$

où T est la tension dans le câble à son point le plus bas et w est le poids du câble par unité de longueur. La courbe s'appelle une *caténaire*.

   a) Supposez que le câble s'étire entre les points $x = -T/w$ et $x = T/w$. Trouvez une expression pour la courbure du câble. (Autrement dit, trouvez la différence entre la hauteur du câble aux points les plus élevés et les plus bas.)

   b) Montrez que la forme du câble satisfait à l'équation différentielle

$$\frac{d^2y}{dx^2} = \frac{w}{T}\sqrt{1 + \left(\frac{dy}{dx}\right)^2}.$$

17. L'arche Saint-Louis peut être calculée approximativement en utilisant une fonction de la forme $y = b - a\cosh(x/a)$. En plaçant l'origine sur le sol au centre de l'arc et l'axe des y vers le haut, trouvez une équation approximative pour l'arche, étant donné les dimensions présentées à la figure 4.77. (En d'autres mots, trouvez a et b.)

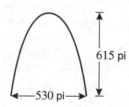

Figure 4.77

SOMMAIRE DU CHAPITRE

- **Extremums locaux**
  Maximum, minimum, point critique, tests pour les maximums locaux et les minimums locaux.

- **Utilisation de la dérivée seconde**
  Concavité, point d'inflexion.

- **Familles de courbes**

- **Optimisation**
  Extremum absolu, problèmes de modélisation, optimisation graphique, majorant et minorant.

- **Marginalité**
  Fonctions de coût et de revenu, fonctions de revenu marginal et de coût marginal.

- **Fonctions hyperboliques**

PROBLÈMES DE RÉVISION DU CHAPITRE QUATRE

Pour les problèmes 1 et 2, indiquez tous les points critiques sur les graphes donnés. Déterminez lequel correspond aux minimums locaux, aux maximums locaux, aux maximums absolus, aux minimums absolus ou à aucun de ceux-ci. (Notez que les graphes se trouvent sur des intervalles fermés.)

1.

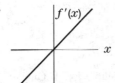

Figure 4.78

2.

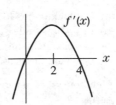

Figure 4.79

Pour les graphes de f' des problèmes 3 à 6, déterminez :

    a) Sur quels intervalles f est croissante ? f est décroissante ?

    b) Si f a des maximums ou des minimums. Le cas échéant, identifiez-les et situez-les.

3. **4.**

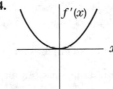

5. **6.**

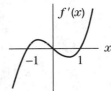

Pour chacune des fonctions des problèmes 7 à 10 :

    a) Trouvez f' et f''.

    b) Trouvez les points critiques de f.

    c) Trouvez les points d'inflexion.

    d) Évaluez f aux points critiques et aux extrémités de l'intervalle. Identifiez les maximums globaux et les minimums globaux de f.

    e) Tracez le graphe de f. Indiquez clairement où f est croissante ou décroissante et précisez sa concavité.

7. $f(x) = x^3 - 3x^2$ $(-1 \le x \le 3)$

8. $f(x) = x + \sin x$ $(0 \le x \le 2\pi)$

9. $f(x) = e^{-x} \sin x$ $(0 \le x \le 2\pi)$

10. $f(x) = x^{-2/3} + x^{1/3}$ $(1,2 \le x \le 3,5)$

Pour chacune des fonctions des problèmes 11 à 13, trouvez les limites quand x tend vers $+\infty$ et $-\infty$ et procédez comme pour les problèmes 7 à 10. (Autrement dit, trouvez f', etc.)

11. $f(x) = 2x^3 - 9x^2 + 12x + 1$ **12.** $f(x) = \dfrac{4x^2}{x^2 + 1}$ **13.** $f(x) = xe^{-x}$

14. Déterminez les maximums locaux et les minimums locaux ainsi que les points d'inflexion de $e^{-x^2/2}$. Tracez un graphe.

Pour chacune des fonctions des problèmes 15 à 20, utilisez des dérivées pour identifier les maximums locaux et les minimums locaux ainsi que les points d'inflexion. Confirmez vos réponses en utilisant une calculatrice ou un ordinateur.

15. $f(x) = x^3 + 3x^2 - 9x - 15$ **16.** $f(x) = x^5 - 15x^3 + 10$ **17.** $f(x) = x - 2\ln x$ pour $x > 0$

18. $f(x) = x^2 e^{5x}$ **19.** $f(x) = e^{-x^2}$ **20.** $f(x) = \dfrac{x^2}{x^2 + 1}$

21. Sur le graphe de la fonction dérivée f' de la figure 4.80, indiquez les valeurs de x qui sont des points critiques de la fonction f. S'agit-il de maximums locaux, de minimums locaux ou ni l'un ni l'autre ?

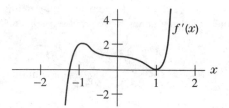

Figure 4.80 : Graphe de f' et non de f **Figure 4.81**

22. Pour la fonction f du graphe de la figure 4.81 :

a) Tracez le graphe de $f'(x)$.
b) Où $f'(x)$ change-t-elle de signe ?
c) Où $f'(x)$ atteint-elle des maximums locaux ou des minimums locaux ?

23. En vous basant sur votre réponse au problème 22, décrivez brièvement (à l'aide de phrases complètes) les relations entre les caractéristiques suivantes d'une fonction f :

a) Les maximums locaux et les minimums locaux de f.
b) Les points où le graphe de f change de concavité.
c) Les changements de signe de f'.
d) Les maximums locaux et les minimums locaux de f'.

24. Une boîte avec un fond carré et un dessus a un volume fixe V. Quelles dimensions minimisent la surface ?

25. Une boîte avec un fond carré et dépourvue de dessus a un volume fixe V. Quelles dimensions minimisent la surface ?

Trouvez les meilleures bornes possible pour les fonctions des problèmes 26 à 27.

26. $e^{-x} \sin x$ pour $x \geq 0$ **27.** $x \sin x$ pour $0 \leq x \leq 2\pi$

28. Tracez plusieurs membres de la famille $y = x^3 - ax^2$ sur les mêmes axes. Montrez que les points critiques se trouvent sur la courbe $y = -\frac{1}{2}x^3$.

29. Supposez que $g(t) = (\ln t)/t$ pour $t > 0$.

a) La fonction g a-t-elle un maximum absolu ou un minimum absolu sur $0 < t < \infty$? Le cas échéant, situez-les et déterminez quelles sont leurs valeurs.
b) Que vous apprennent les réponses à la partie a) au sujet du nombre de solutions à l'équation

$$\frac{\ln x}{x} = \frac{\ln 5}{5} \ ?$$

(Remarque : Il existe plusieurs façons de trouver le nombre de solutions à cette équation. On vous demande de tirer une conclusion à partir de la réponse à la partie a).)
c) Estimez la ou les solutions.

30. Des populations ayant des limites de croissance ont été modélisées à l'aide de la famille logistique

$$y = \frac{A}{1 + Be^{-Cx}} \quad \text{pour} -\infty < x < \infty \quad \text{et} \quad A, B, C > 0.$$

a) Tracez un graphe de $g(x) = A/(1 + e^{-Cx})$. Quelle est la signification du paramètre A ?
b) Montrez que $g(-x) + g(x) = A$. Que signifie ce résultat par rapport aux graphes de $g(x)$ et de $g(-x)$?

c) Qu'advient-il du graphe de g si A est maintenu constant et la valeur de C est augmentée ?

d) Montrez que la courbe $y = A/(1 + Be^{-Cx})$ est un décalage (ou translation) horizontal du graphe de g.

31. Pour $a > 0$, la droite

$$a(a^2 + 1)y = a - x$$

forme un triangle dans le premier quadrant avec les axes des x et des y.

a) Trouvez, en fonction de a, les intersections de la droite avec les axes des x et des y.

b) Trouvez l'aire du triangle en fonction de a.

c) Trouvez la valeur de a qui permet à l'aire d'atteindre un maximum.

d) Quelle est l'aire la plus grande ?

e) Si vous souhaitez que le triangle ait une aire de $1/5$, de quels choix disposez-vous pour a ?

32. Un bateau navigue à 12 nœuds en direction nord (1 nœud = 1,85 km/h) et aperçoit à 3 km au nord-ouest un énorme pétrolier qui file à une vitesse de 15 nœuds vers l'est. Pour des raisons de sécurité, les bateaux doivent maintenir une distance minimale de 100 m entre eux. Utilisez une calculatrice ou un ordinateur pour déterminer la distance la plus courte qui va les séparer s'ils continuent à naviguer dans leur direction respective, puis déterminez s'ils doivent changer de cap.

33. Considérez le vase présenté à la figure 4.82. Supposez qu'on remplit un vase d'eau à un débit constant (c'est-à-dire à un volume constant par unité de temps).

a) Tracez le graphe de $y = f(t)$, soit la profondeur de l'eau, en fonction du temps t. Montrez sur votre graphe les points où la concavité change.

b) À quelle profondeur $y = f(t)$ croît-elle le plus rapidement ? le plus lentement ? Estimez le rapport entre les taux de croissance de ces deux profondeurs.

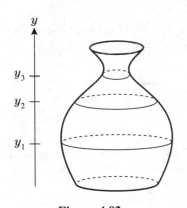

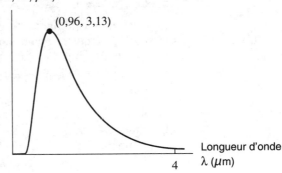

Figure 4.82   **Figure 4.83**

34. Tout corps irradie de l'énergie de différentes longueurs d'ondes. La puissance de la radiation (par mètre carré de surface) et la distribution de la radiation parmi les longueurs d'ondes varient avec la température (en kelvins).

La fonction du graphe tracé à la figure 4.83 représente l'intensité de la radiation d'un corps noir à une température $T = 3000$ K en fonction de la longueur d'onde. L'intensité de la radiation est à son niveau le plus élevé dans la gamme infrarouge, autrement dit à des longueurs d'ondes plus longues que celles de la lumière visible (0,4 − 0,7 µm). Selon la loi de la radiation de Max Planck émise par la Berlin Physical Society le 19 octobre 1900,

$$r(\lambda) = \frac{a}{\lambda^5(e^{b/\lambda} - 1)},$$

où a et b sont des constantes empiriques choisies pour mieux correspondre aux données expérimentales. Trouvez a et b de telle sorte que la formule corresponde au graphe.

(Plus tard en 1900, Planck a été capable de dériver sa loi de la radiation entièrement à partir de la théorie. Il a prouvé que $a = 2\pi c^2 h$ et $b = \frac{hc}{Tk}$, où c = la vitesse de la lumière, h = la constante de Planck et k = la constante de Boltzmann.)

GROS PLAN SUR LA THÉORIE

LES THÉORÈMES SUR LES FONCTIONS CONTINUES ET DIFFÉRENTIABLES

Dans ce chapitre, on a utilisé des faits élémentaires sans les appuyer par des preuves. Par exemple, on a dit qu'une fonction continue a un maximum sur un intervalle fermé et borné, ou qu'une fonction dont la dérivée est positive sur un intervalle est croissante sur cet intervalle.

D'un point de vue géométrique, ces faits semblent évidents. Si on trace le graphe d'une fonction continue, en commençant par une extrémité d'un intervalle borné et fermé et en allant à l'autre extrémité, il semble évident qu'on doit passer par le point le plus élevé. Et si la dérivée d'une fonction est positive, alors son graphe doit aller en montant et la fonction doit donc être croissante.

Cependant, ce type de raisonnement graphique ne constitue pas une preuve rigoureuse pour deux raisons. Premièrement, peu importe les représentations qu'on s'en fait, on ne peut être sûr d'avoir pensé à toutes les possibilités. Deuxièmement, ces représentations dépendent souvent des théorèmes qu'on tente de prouver.

Une fonction continue sur un intervalle fermé a un maximum

> **Théorème de la valeur extrême**
> Si f est continue sur l'intervalle $[a, b]$, alors f a un maximum absolu et un minimum absolu sur cet intervalle.

Cette preuve comporte deux parties : la première consiste à démontrer que f a un majorant sur $[a, b]$; la seconde est de démontrer que si f a un majorant, alors elle a un maximum absolu sur l'intervalle. Ici on prouve la seconde partie ; la première partie est démontrée aux problèmes 16 et 17. Puis, au problème 5, on applique les résultats d'un maximum à un minimum.

Preuve   On suppose que f est continue et a un majorant sur l'intervalle $[a, b]$. Cela signifie que f a un supremum M sur $[a, b]$. Divisez $[a, b]$ en deux moitiés. Puis, sur l'une des moitiés, le supremum de f est M puisque s'il est inférieur à M sur les deux moitiés, il sera inférieur à M dans l'entier. Choisissez une moitié sur laquelle le supremum est égal à M. Continuez de le diviser en deux parties égales et à chaque étape, choisissez le demi-intervalle où le supremum de f est M (voir la figure 4.84). Cela donne une série d'intervalles imbriqués (ou emboîtés). Selon le théorème sur les intervalles emboîtés présenté au chapitre 1, il y a un nombre c dans $[a, b]$ qui est contenu dans tous ces intervalles.

Puisque M est le supremum de f, on a $f(c) \leq M$. Il n'est pas possible que $f(c) < M$. En effet, si $f(c) < M$, alors $f(c) < M_0$ pour certains nombres $M_0 < M$. (Par exemple, on peut prendre M_0 pour qu'il se trouve à mi-chemin entre M et $f(c)$.) Mais, puisque f est continue, il y aura un $\delta > 0$ de telle sorte que $f(x) < M_0$ pour tout x dans $[a, b]$ avec $c - \delta < x < c + \delta$ (voir le problème 15). Puisque les intervalles imbriqués qu'on a construits ci-dessus ont une largeur qui tend vers zéro, l'un d'eux serait contenu sur l'intervalle $c - \delta < x < c + \delta$. Ainsi, f serait bornée au-dessus par M_0 sur l'un des intervalles emboîtés. Cependant, on a choisi chaque intervalle emboîté pour que le supremum de f soit M. Il s'agit d'une contradiction de $M_0 < M$.

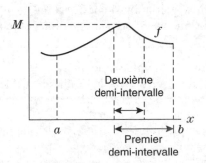

Figure 4.84 : Choisir successivement le demi-intervalle où le supremum de f est M

Donc, il n'est pas possible que $f(c) < M$; on doit avoir $f(c) = M$. Ainsi, M est le maximum absolu de f sur $[a, b]$, ce qu'on souhaitait démontrer.

Le théorème de la valeur extrême garantit la présence d'un maximum (et d'un minimum) absolu sur un intervalle. Pour trouver les maximums absolus, on doit observer tous les maximums locaux. Le théorème suivant indique que, sur un intervalle, les maximums locaux se situent seulement aux points critiques où la dérivée est zéro ou indéfinie.

> **Théorème : Extremums locaux et points critiques**
> On suppose que f est définie sur un intervalle et qu'elle a un maximum ou un minimum local au point $x = a$, lequel n'est pas une extrémité de l'intervalle. Si f est différentiable en $x = a$, alors $f'(a) = 0$.

Preuve   On commence par la définition de la dérivée :

$$f'(a) = \lim_{h \to 0} \frac{f(a + h) - f(a)}{h}.$$

Il faut se souvenir qu'il s'agit d'une limite à deux côtés :

$$f'(a) = \lim_{h \to 0^-} \frac{f(a + h) - f(a)}{h} = \lim_{h \to 0^+} \frac{f(a + h) - f(a)}{h}.$$

On suppose que f a un maximum local en $x = a$. Selon la définition du maximum local, $f(a + h) \leq f(a)$ pour tout h suffisamment petit. Par suite, $f(a + h) - f(a) \leq 0$ pour un h suffisamment petit. Le dénominateur h est positif quand on prend la limite à partir de la droite, et il est négatif quand on prend la limite à partir de la gauche.
Par suite,

$$\lim_{h \to 0^-} \frac{f(a + h) - f(a)}{h} \geq 0 \quad \text{et} \quad \lim_{h \to 0^+} \frac{f(a + h) - f(a)}{h} \leq 0.$$

Puisque ces deux limites sont égales à $f'(a)$, on a $f'(a) \geq 0$ et $f'(a) \leq 0$, on doit donc avoir $f'(a) = 0$.

La relation entre l'information locale et l'information globale : le théorème de la valeur moyenne

On veut souvent tirer une conclusion globale (par exemple, f est croissante sur un intervalle) à partir d'une information locale (f' est positive). Le théorème suivant fait la relation entre le taux moyen de variation d'une fonction sur un intervalle (information globale) et le taux de variation instantané en un point de l'intervalle (information locale).

Théorème de la valeur moyenne

Si f est continue sur $[a, b]$ et différentiable sur (a, b), alors il existe un nombre c avec $a < c < b$ tel que

$$f'(c) = \frac{f(b) - f(a)}{b - a}.$$

En d'autres mots, $f(b) - f(a) = f'(c)(b - a)$.

Pour comprendre ce théorème d'un point de vue géométrique, on considère le graphe de la figure 4.85. Sur la courbe où $x = a$ et $x = b$, on relie les points par une ligne et on constate que la pente de cette droite sécante AB est donnée par

$$m = \frac{f(b) - f(a)}{b - a}.$$

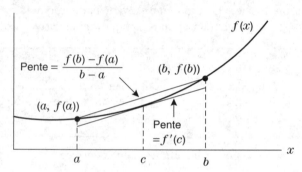

Figure 4.85 : Point c avec $f'(c) = \frac{f(b) - f(a)}{b - a}$

On considère maintenant la droite tangente tracée sur la courbe à chaque point entre $x = a$ et $x = b$. Généralement, ces droites auront des pentes différentes. Pour la courbe illustrée à la figure 4.85, la droite tangente en $x = a$ est plus faible que la droite sécante de A à B. De la même façon, la droite tangente au point $x = b$ est plus abrupte que la droite sécante. Cependant, il y a au moins un point entre a et b où la pente de la droite tangente à la courbe est précisément la même que celle de la pente de la droite sécante. On suppose que cette situation se produit en $x = c$. Alors,

$$f'(c) = m = \frac{f(b) - f(a)}{b - a}.$$

Le théorème de la valeur moyenne indique que le point $x = c$ existe, mais il ne précise pas comment trouver c.

Les problèmes 18 et 19 démontrent comment le théorème de la valeur moyenne peut être déduit du théorème de la valeur extrême.

Le théorème de la fonction croissante

On dit qu'une fonction f est croissante sur un intervalle si, pour deux nombres x_1 et x_2 sur l'intervalle tel que $x_1 < x_2$, on a $f(x_1) < f(x_2)$. Si, à la place, on a $f(x_1) \leq f(x_2)$, on dit que f est *non décroissante*.

> **Théorème de la fonction croissante**
> On suppose que f est continue sur $[a, b]$ et différentiable sur (a, b).
> - Si $f'(x) > 0$ sur (a, b), alors f est croissante sur $[a, b]$.
> - Si $f'(x) \geq 0$ sur (a, b), alors f est non décroissante sur $[a, b]$.

Preuve On suppose que $a \leq x_1 < x_2 \leq b$. Selon le théorème de la valeur moyenne, il y a un nombre c avec $x_1 < c < x_2$, de telle sorte que

$$f(x_2) - f(x_1) = f'(c)(x_2 - x_1).$$

Si $f'(c) > 0$, on a $f(x_2) - f(x_1) > 0$, ce qui signifie que f est croissante.
Si $f'(c) \geq 0$, on a $f(x_2) - f(x_1) \geq 0$, ce qui signifie que f est non décroissante.

On peut croire que quelque chose d'aussi simple que le théorème de la fonction croissante doit découler immédiatement de la définition de la dérivée, et que l'utilisation du théorème de la valeur moyenne (qui en retour dépend du théorème de la valeur extrême) est surprenant. Une preuve plus directe et indépendante est fournie au problème 11, mais cette preuve comporte également certaines subtilités.

Le théorème de la fonction constante

Si f est constante sur un intervalle, alors on sait que $f'(x) = 0$ sur l'intervalle. Le théorème suivant est la réciproque du précédent.

> **Théorème de la fonction constante**
> On suppose que f est continue sur $[a, b]$ et différentiable sur (a, b). Si $f'(x) = 0$ sur (a, b), alors f est constante sur $[a, b]$.

Preuve La preuve est la même que celle du théorème de la fonction croissante, mais dans ce cas $f'(c) = 0$. Donc, $f(x_2) - f(x_1) = 0$. Par suite, $f(x_2) = f(x_1)$ pour $a \leq x_1 < x_2 \leq b$. Donc, f est constante.

Les problèmes 6 et 8 fournissent une preuve du théorème de la fonction constante qui utilise le théorème de la fonction croissante.

Le principe de l'hippodrome

> **Principe de l'hippodrome**[6]
> On suppose que g et h sont continues sur $[a, b]$ et différentiables sur (a, b), et que $g'(x) \leq h'(x)$ pour $a < x < b$.
> - Si $g(a) = h(a)$, alors $g(x) \leq h(x)$ pour $a \leq x \leq b$.
> - Si $g(b) = h(b)$, alors $g(x) \geq h(x)$ pour $a \leq x \leq b$.

Le principe de l'hippodrome a l'interprétation suivante. On peut penser à $g(x)$ et $h(x)$ comme étant les positions de deux chevaux de course au temps x, avec le cheval h qui se déplace toujours plus vite que le cheval g. S'ils partent en même temps, le cheval h mène durant toute la course. S'ils arrivent en même temps, le cheval g a mené durant toute la course.

---

6. Basé sur le principe de l'hippodrome du volume de DAVIS, William, Horacio PORTA et Jerry UHL, *Calculus & Mathematica* (Reading : Addison Wesley, 1994).

Preuve   Considérez la fonction $f(x) = h(x) - g(x)$. Puisque $f'(x) = h'(x) - g'(x) \geq 0$, on sait que f est non décroissante selon le théorème de la fonction croissante. Donc, $f(x) \geq f(a) = h(a) - g(a) = 0$. Par suite, $g(x) \leq h(x)$ pour $a \leq x \leq b$, ce qui prouve la première partie du principe de l'hippodrome. La preuve de la deuxième partie est demandée au problème 7.

Exemple 1   À l'aide d'un graphe, expliquez pourquoi $e^x \geq 1 + x$ pour toutes les valeurs de x. Puis, utilisez le principe de l'hippodrome pour prouver l'inégalité.

Solution   Le graphe de la fonction $f(x) = e^x$ est concave vers le haut partout, et l'équation de sa droite tangente au point $(0, 1)$ est $y = x + 1$ (voir la figure 4.86). Puisque le graphe se trouve toujours au-dessus de sa tangente, on a l'inégalité

$$e^x \geq 1 + x.$$

Maintenant, on doit démontrer l'inégalité en utilisant le principe de l'hippodrome. Soit $g(x) = 1 + x$ et $h(x) = e^x$. Alors, $g(0) = h(0) = 1$. De plus, $g'(x) = 1$ et $h'(x) = e^x$. Ainsi, $g'(x) \leq h'(x)$ pour $x \geq 0$. Donc, selon ce principe de l'hippodrome, avec $a = 0$, on a $g(x) \leq h(x)$, ce qui signifie que $1 + x \leq e^x$.

Pour $x \leq 0$, on a $h'(x) \leq g'(x)$. Donc, selon le principe de l'hippodrome, avec $b = 0$, on a $g(x) \leq h(x)$, ce qui signifie que $1 + x \leq e^x$.

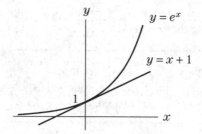

Figure 4.86 : Graphe démontrant que $e^x \geq 1 + x$

Problèmes sur les théorèmes concernant les fonctions continues et différentiables

1. Utilisez le principe de l'hippodrome et considérez le fait que $\sin 0 = 0$ pour démontrer que $\sin x \leq x$ pour tout $x \geq 0$.

2. Utilisez le principe de l'hippodrome pour démontrer que $\ln x \leq x - 1$.

3. Considérez le fait que $\ln x$ et e^x sont des fonctions inverses pour démontrer que les inégalités $e^x \geq 1 + x$ et $\ln x \leq x - 1$ sont équivalentes pour $x > 0$.

4. Supposez que la position d'une particule qui se déplace le long de l'axe des x est donnée par $s = f(t)$, et que la position et la vitesse initiales de la particule sont $f(0) = 3$ et $f'(0) = 4$. Supposez aussi que l'accélération est bornée par $5 \leq f''(t) \leq 7$ pour $0 \leq t \leq 2$. Que pouvez-vous dire de la position $f(2)$ de la particule à $t = 2$?

5. Démontrez que si chaque fonction continue sur un intervalle $[a, b]$ a un maximum absolu, alors chaque fonction continue a aussi un minimum absolu. [Conseil : Considérez $-f$.]

6. Énoncez un théorème de la fonction décroissante, semblable au théorème de la fonction croissante. Déduisez votre théorème du théorème de la fonction croissante. [Conseil : Appliquez le théorème de la fonction croissante à $-f$.]

7. Supposez que g et h sont continues sur $[a, b]$ et différentiables sur (a, b). Prouvez que si $g'(x) \le h'(x)$ pour $a < x < b$ et $g(b) = h(b)$, alors $h(x) \le g(x)$ pour $a \le x \le b$.

8. Déduisez le théorème de la fonction constante du théorème de la fonction croissante et du théorème de la fonction décroissante (voir le problème 6).

9. Prouvez que si $f'(x) = g'(x)$ pour tout x dans (a, b), alors il y a une constante C telle que $f(x) = g(x) + C$ sur (a, b). [Conseil : Appliquez le théorème de la fonction constante à $h(x) = f(x) - g(x)$.]

10. Supposez que $f'(x) = f(x)$ pour tout x. Prouvez que $f(x) = Ce^x$ pour une constante C. [Conseil : Considérez la fonction $f(x)/e^x$.]

11. Dans ce problème, on donne une preuve du théorème de la fonction croissante qui n'utilise pas le théorème de la valeur moyenne. Supposez que f est continue sur $[a, b]$ et différentiable sur (a, b), et que $f'(x) \ge 0$ pour tout x dans (a, b).

    a) On écrit Pente (c, d) pour noter la pente entre $(c, f(c))$ et $(d, f(d))$, alors
    $$\text{Pente } (c, d) = \frac{f(d) - f(c)}{d - c}.$$
    Démontrez que si $c < e < d$, alors
    $$\text{Pente } (c, d) = \left(\frac{e - c}{d - c}\right) \cdot \text{Pente } (c, e) + \left(\frac{d - e}{d - c}\right) \cdot \text{Pente } (e, d).$$
    Utilisez cette équation pour démontrer que Pente (c, d) se trouve entre Pente (c, e) et Pente (e, d).

    b) Premièrement, on démontre que f est non décroissante sur (a, b), c'est-à-dire si $a < a_1 < b_1 < b$, alors $f(a_1) \le f(b_1)$. Supposez que, contrairement à ce qu'on veut, $f(a_1) > f(b_1)$, de telle sorte que Pente (a_1, b_1) soit négative. Démontrez qu'il y a une série d'intervalles emboîtés $[a_n, b_n]$, chacun étant la moitié du précédent, de telle sorte que Pente $(a_n, b_n) \le$ Pente (a_1, b_1) pour tout n.

    c) Selon le théorème des intervalles emboîtés, il y a un nombre c dans (a, b) qui est contenu sur tous les intervalles $[a_n, b_n]$. Démontrez que, pour tout n, Pente (a_n, c) ou Pente (c, b_n) est inférieure ou égale à Pente (a_1, b_1).

    d) En utilisant $\lim_{x \to c}$ Pente $(x, c) = \lim_{x \to c}$ Pente $(c, x) = f'(c) \ge 0$, démontrez que pour un n suffisamment grand, Pente (a_n, c) et Pente (c, b_n) sont supérieures à Pente (a_1, b_1), ce qui contredit la partie c).

    e) La contradiction de la partie d) prouve que l'hypothèse $f(a_1) > f(b_1)$ de la partie b) doit être fausse. Par suite, $f(a_1) \le f(b_1)$. Puisque cela est vrai pour tout a_1 et b_1 tel que $a < a_1 < b_1 < b$, on a démontré que f est non décroissante sur (a, b). Utilisez la continuité de f pour déduire que f est non décroissante sur $[a, b]$.

    f) Maintenant, supposez que $f'(x) > 0$ sur (a, b). Démontrez que si $a \le a_1 < b_1 \le b$, et $f(a_1) = f(b_1)$, alors f est constante sur $[a_1, b_1]$ et alors $f'(x) = 0$ sur $[a_1, b_1]$. Cela contredit $f'(x) > 0$. Donc, il n'est pas possible que $f(a_1) = f(b_1)$, et on doit avoir $f(a_1) < f(b_1)$. Par suite, f est croissante sur $[a, b]$.

12. Supposez que f est continue sur $[a, b]$ et différentiable sur (a, b) et que $m \le f'(x) \le M$ sur (a, b). Utilisez le principe de l'hippodrome pour prouver que $f(x) - f(a) \le M(x - a)$ pour tout x dans $[a, b]$, et que $m(x - a) \le f(x) - f(a)$ pour tout x dans $[a, b]$. Concluez que $m \le (f(b) - f(a))/(b - a) \le M$. C'est ce qu'on appelle l'inégalité de la valeur moyenne. En d'autres mots, si le taux de variation instantané de f se situe entre m et M sur un intervalle, alors il en est de même pour le taux moyen de variation de f sur l'intervalle.

13. Supposez que $f''(x) \ge 0$ pour tout x dans (a, b). On démontrera que le graphe de f se situe au-dessus de la droite tangente au point $(c, f(c))$ pour tout c avec $a < c < b$.

    a) Appliquez le théorème de la fonction croissante pour prouver que $f'(c) \le f'(x)$ pour $c \le x < b$ et que $f'(x) \le f'(c)$ pour $a < x \le c$.

    b) Utilisez a) et le principe de l'hippodrome pour conclure que $f(c) + f'(c)(x - c) \le f(x)$ pour $a < x < b$.

14. Soit F une fonction dérivable telle que sa dérivée f est continue. Soit $[a, b]$ un intervalle contenu dans le domaine de f, et

$$a = x_0 < x_1 < \cdots < x_{n-1} < x_n = b$$

une subdivision de $[a, b]$. Montrez qu'il existe des nombres $Z_1, Z_2, ..., Z_n$ tels que

$$x_{i-1} < Z_1 < x_i \quad i = 1, 2, ..., n$$

et tels que

$$\sum_{i=1}^{n} f(Z_i)\,(x_1 - x_{i-1}) = F(b) - F(a).$$

[Conseil : Appliquez le théorème de la valeur moyenne à

$$F(b) - F(a) = (F(b) - F(x_{n-1})) + (F(x_{n-1}) - F(x_{n-2})) + \cdots + (F(x_1) - F(a)).]$$

Ce résultat est équivalent au théorème fondamental du calcul intégral qui sera vu ultérieurement.

15. Supposez que f est continue sur $[a, b]$ et que c se situe dans $[a, b]$. Démontrez que si $f(c) < M$, alors il y a un δ tel que $f(x) < M$ pour tout x dans $[a, b]$ tel que $c - \delta < x < c + \delta$. [Conseil : Soit $\epsilon = M - f(c)$. Choisissez δ de telle sorte que $|f(x) - f(c)| < \epsilon$ si $|x - c| < \delta$.]

Précédemment, on a démontré qu'une fonction continue f a un maximum absolu sur l'intervalle $[a, b]$ avec l'hypothèse que f a un majorant sur $[a, b]$. On prouve cette affirmation aux problèmes 16 et 17.

16. a) Supposez que f n'a pas de majorant sur $[a, b]$. Divisez $[a, b]$ en deux moitiés. Déduisez que f n'a pas de majorant sur au moins l'une des moitiés. Appelez cette moitié $[a_1, b_1]$.
    b) Continuez de diviser en deux pour qu'au n-ième stade vous obteniez un intervalle $[a_n, b_n]$ sur lequel f n'a pas de majorant. Selon le théorème de l'intervalle emboîté du chapitre 1, il y a un point c dans tous les intervalles $[a_n, b_n]$.
    c) Utilisez la continuité de f en c pour déduire que f a un majorant sur $[a_n, b_n]$ pour un n suffisamment grand. Cela contredit la supposition originale. Donc, f doit avoir un majorant sur $[a, b]$.

17. a) Démontrez que si $y \geq 0$, alors $y/(1 + y) < 1$.
    b) Supposez que f est continue sur $[a, b]$ et que $f(x) \geq 0$ sur $[a, b]$. Définissez une fonction g par $g(x) = f(x)/(1 + f(x))$. Démontrez que g est continue et bornée sur $[a, b]$. Il découle de la preuve partielle du théorème de la valeur extrême déjà cité que g a un maximum absolu sur $[a, b]$ en un point $x = c$.
    c) Supposez que $y_1 \geq 0$ et $y_2 \geq 0$, et que $y_1/(1 + y_1) \leq y_2/(1 + y_2)$. Démontrez que $y_1 \leq y_2$.
    d) Utilisez les parties c) et d) pour démontrer que f a un maximum absolu en $x = c$.
    e) On a démontré que si f est continue et non négative sur $[a, b]$, alors elle est majorée sur $[a, b]$. Maintenant, supposez que f est continue, mais pas nécessairement non négative. En appliquant l'argument à $|f|$, déduisez que f est aussi majorée.

18. Dans ce problème, on démontre un cas spécial du théorème de la valeur moyenne où $f(a) = f(b) = 0$. Ce cas spécial est appelé le théorème de Rolle. Si f est continue sur $[a, b]$ et différentiable sur (a, b), et si $f(a) = f(b) = 0$, alors il y a un nombre c avec $a < c < b$ tel que

$$f'(c) = 0.$$

Selon le théorème de la valeur extrême, f a un maximum absolu et un minimum absolu sur $[a, b]$.

    a) Prouvez le théorème de Rolle dans le cas où le maximum absolu et le minimum absolu sont tous deux à des extrémités de $[a, b]$. [Conseil : $f(x)$ doit être une fonction très simple dans ce cas.]
    b) Prouvez le théorème de Rolle dans le cas où le maximum absolu ou le minimum absolu n'est pas une extrémité de l'intervalle. [Conseil : Pensez aux maximums et aux minimums locaux.]

19. Appliquez le théorème de Rolle pour prouver le théorème de la valeur moyenne. Supposez que $f(x)$ est continue sur $[a, b]$ et différentiable sur (a, b).

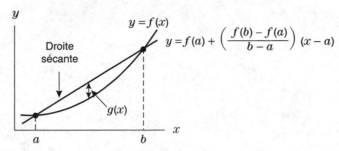

Figure 4.87 : $g(x)$ est la différence entre la droite sécante
et le graphe de $f(x)$

a) Soit $g(x)$ la différence entre $f(x)$ et la valeur y de la droite sécante reliant $(a, f(a))$ à $(b, f(b))$ [voir la figure 4.87]. Démontrez que

$$g(x) = f(x) - f(a) - \frac{f(b) - f(a)}{b - a}(x - a).$$

b) Appliquez le théorème de Rolle pour démontrer qu'il doit y avoir un point c dans (a, b) tel que $g'(c) = 0$.

c) Démontrez que si c est le point dans la partie b), alors

$$f'(c) = \frac{f(b) - f(a)}{b - a}.$$

CHAPITRE CINQ

L'INTÉGRALE DÉFINIE : UNE NOTION CLÉ

On a déjà abordé le calcul de la vitesse à partir de la distance parcourue. Cette notion a conduit à la notion de dérivée (ou taux de variation) d'une fonction. À présent, on étudiera le problème inverse : si on a la vitesse, comment peut-on calculer la distance parcourue ? Partant de cette équation, on débouchera sur la deuxième notion clé : l'*intégrale définie*, qui permet de calculer la variation totale d'une fonction à partir de son taux de variation. On découvrira ensuite qu'on peut utiliser l'intégrale définie pour calculer non seulement la distance parcourue mais d'autres quantités, telles que l'aire sous une courbe et la valeur moyenne d'une fonction.

On terminera le présent chapitre en énonçant le théorème fondamental du calcul, selon lequel on peut utiliser une intégrale définie pour obtenir des données sur une fonction à partir de sa dérivée. Le calcul des dérivées et le calcul des intégrales définies sont, dans une certaine mesure, des processus inverses.

5.1 COMMENT MESURER LA DISTANCE PARCOURUE

Si la vitesse d'un objet en mouvement est une constante, on peut trouver la distance que cet objet parcourt à l'aide de la formule

$$\text{Distance} = \text{Vitesse} \cdot \text{Temps}.$$

Dans la présente section, on apprendra comment estimer la distance lorsque la vitesse n'est pas une constante.

Une expérience stimulante : quelle distance la voiture a-t-elle parcourue ?

Les données sur la vitesse toutes les deux secondes

On suppose qu'une voiture se déplace à une vitesse croissante, qu'on mesure la vitesse de la voiture toutes les deux secondes et qu'on obtient les données du tableau 5.1.

TABLEAU 5.1 *Vitesse de la voiture toutes les deux secondes*

Temps (s)	0	2	4	6	8	10
Vitesse (pi/s)	20	30	38	44	48	50

Quelle distance la voiture a-t-elle parcourue ? Puisqu'on ne sait pas à quelle vitesse la voiture se déplace à chaque instant, on ne peut calculer la distance parcourue avec précision, mais on peut effectuer un calcul approximatif. La vitesse est croissante, donc la voiture se déplace au moins à 20 pi/s au cours des deux premières secondes. Puisque Distance = Vitesse · Temps, la voiture parcourt au moins $(20)(2) = 40$ pi au cours des deux premières secondes. De même, elle parcourt au moins $(30)(2) = 60$ pi durant les deux secondes qui suivent, et ainsi de suite. Durant la période de 10 s, elle parcourt au moins

$$(20)(2) + (30)(2) + (38)(2) + (44)(2) + (48)(2) = 360 \text{ pi}.$$

Ainsi, 360 pi constituent une sous-estimation de la distance totale parcourue durant les 10 s.

Pour obtenir une surestimation, on pourrait raisonner ainsi : durant les deux premières secondes, la vitesse de la voiture correspond au plus à 30 pi/s. Donc, elle parcourt au plus $(30)(2) = 60$ pi. Au cours des deux secondes suivantes, elle parcourt au plus $(38)(2) = 76$ pi, et ainsi de suite. Donc, durant la période de 10 s, elle a parcouru au plus

$$(30)(2) + (38)(2) + (44)(2) + (48)(2) + (50)(2) = 420 \text{ pi}.$$

Ainsi,

$$360 \text{ pi} \leq \text{Distance parcourue} \leq 420 \text{ pi}.$$

Il y a une différence de 60 pi entre l'estimation supérieure et l'estimation inférieure.

Les données sur la vitesse toutes les secondes

Pour obtenir une estimation plus précise, on doit mesurer la vitesse plus fréquemment, par exemple toutes les secondes. Le tableau 5.2 présente ces données.

Comme dans l'exemple précédent, on obtient une sous-estimation pour chaque seconde en utilisant la vitesse au début de cette seconde. Durant la première seconde, la vitesse correspond au moins à 20 pi/s. Donc, la voiture parcourt au moins $(20)(1) = 20$ pi. Durant la seconde suivante, la voiture se déplace d'au moins 26 pi, et ainsi de suite. On peut maintenant dire que

$$\begin{aligned}
\text{Nouvelle sous-estimation} =\ & (20)(1) + (26)(1) + (30)(1) + (35)(1) + (38)(1) \\
& + (42)(1) + (44)(1) + (46)(1) + (48)(1) + (49)(1) \\
=\ & 378 \text{ pi}.
\end{aligned}$$

TABLEAU 5.2   *Vitesse de la voiture toutes les secondes*

Temps (s)	0	1	2	3	4	5	6	7	8	9	10
Vitesse (pi/s)	20	26	30	35	38	42	44	46	48	49	50

À noter que cette sous-estimation est supérieure à la première sous-estimation de 360 pi.

On obtient une nouvelle surestimation en considérant la vitesse à la fin de chaque seconde. Durant la première seconde, la vitesse atteint au plus 26 pi/s. Donc, la voiture se déplace d'au plus $(26)(1) = 26$ pi ; durant la deuxième seconde, elle se déplace d'au plus 30 pi, et ainsi de suite.

$$\text{Nouvelle surestimation} = (26)(1) + (30)(1) + (35)(1) + (38)(1) + (42)(1)$$
$$+ (44)(1) + (46)(1) + (48)(1) + (49)(1) + (50)(1)$$
$$= 408 \text{ pi.}$$

Cette surestimation est inférieure à la précédente qui valait 420 pi. On sait maintenant que

$$378 \text{ pi} \leq \text{Distance parcourue} \leq 408 \text{ pi.}$$

À remarquer que la différence entre les nouvelles estimations supérieure et inférieure correspond maintenant à 30 pi, soit la moitié de ce qu'elle était auparavant. En réduisant de moitié l'intervalle de mesure, on a diminué de moitié la différence entre l'estimation supérieure et l'estimation inférieure.

La visualisation de la distance sur un graphe de vitesse : les données sur la vitesse toutes les deux secondes

On peut représenter à la fois les estimations supérieures et les estimations inférieures sur un graphe de la vitesse. Sur ce graphe, on peut également voir comment la variation de l'intervalle de temps entre les mesures de la vitesse entraîne une variation de la précision des estimations.

On peut tracer le graphe de la vitesse en utilisant les données du tableau 5.1 pour toutes les deux secondes et en faisant passer une courbe régulière par les points des données (voir la figure 5.1). L'aire du premier rectangle ombré en foncé est $(20)(2) = 40$, soit la sous-estimation de la distance parcourue durant les deux premières secondes. L'aire du deuxième rectangle foncé est $(30)(2) = 60$, soit l'estimation la plus basse pour la distance parcourue au cours des deux secondes suivantes. L'aire totale des rectangles foncés représente l'estimation inférieure pour la distance parcourue durant les 10 s.

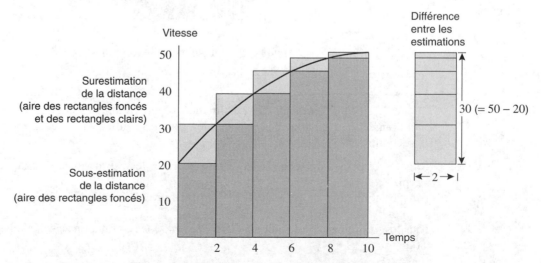

Figure 5.1 : Vitesse mesurée toutes les deux secondes

Si on considère les rectangles foncés et les rectangles clairs ensemble, la première aire est $(30)(2) = 60$, soit la surestimation pour la distance parcourue au cours des deux premières secondes. La deuxième aire est $(38)(2) = 76$, soit la surestimation pour les deux secondes suivantes. En poursuivant ce calcul, on peut constater que l'estimation supérieure de la distance est représentée par la somme des aires des rectangles foncés et des rectangles clairs. Ainsi, l'aire des rectangles clairs seulement représente la différence entre les deux estimations.

Pour calculer la différence entre les deux estimations, on observe la figure 5.1 et on suppose que tous les rectangles clairs sont tassés vers la droite et empilés les uns sur les autres. On obtient ainsi un rectangle de largeur 2 et de hauteur 30. À noter que la hauteur 30 représente simplement la différence entre la valeur initiale et la valeur finale de la vitesse, soit $30 = 50 - 20$. La largeur 2 est l'intervalle temporel entre les mesures de la vitesse.

La visualisation de la distance sur le graphe de la vitesse : les données sur la vitesse toutes les secondes

Les données des vitesses mesurées toutes les secondes sont illustrées à la figure 5.2. L'aire des rectangles foncés représente encore une fois les estimations inférieures ; les rectangles foncés et les rectangles clairs représentent les estimations supérieures. Comme dans l'exemple précédent, la différence entre ces deux estimations est représentée par l'aire des rectangles clairs. On peut calculer la différence en empilant les rectangles clairs verticalement, ce qui donne un rectangle de la même hauteur qu'auparavant mais dont la largeur est plus petite de moitié. Son aire est donc plus petite de moitié de ce qu'elle était auparavant. Encore une fois, la hauteur de cette pile est $50 - 20 = 30$, mais sa largeur correspond à l'intervalle temporel entre les mesures, soit 1.

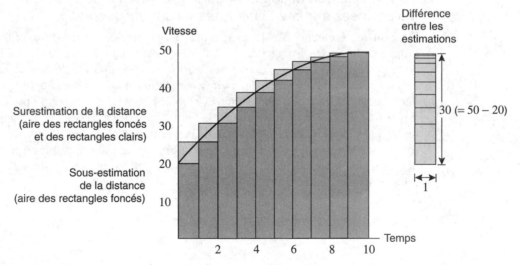

Figure 5.2 : Vitesse mesurée toutes les secondes

Exemple 1   Quelle serait la différence entre l'estimation supérieure et l'estimation inférieure si la vitesse était donnée tous les dixièmes de seconde ? tous les centièmes de seconde ? tous les millièmes de seconde ?

Solution   Tous les dixièmes de seconde, la différence entre les estimations est égale à $(50 - 20)(1/10) = 3$ pi.
Tous les centièmes de seconde, la différence entre les estimations est égale à $(50 - 20)(1/100) = 0,3$ pi.
Tous les millièmes de seconde, la différence entre les estimations est égale à $(50 - 20)(1/1000) = 0,03$ pi.

Exemple 2   À quelle fréquence devrez-vous noter la vitesse afin d'estimer la distance parcourue à 0,1 pi près ?

Solution   La différence entre la vitesse au début et à la fin de la période d'observation est $50 - 20 = 30$. Si le temps entre les mesures est h, alors la différence entre l'estimation supérieure et l'estimation inférieure est $(30)h$. On veut obtenir

$$(30)h < 0,1,$$

ou

$$h < \frac{0,1}{30} \approx 0,0033.$$

Donc, si les mesures sont prises à moins de 0,0033 s d'intervalle, l'estimation de la distance sera correcte à 0,1 pi près.

La précision des estimations de la distance

On obtient maintenant une expression exacte pour la distance parcourue. On exprime la distance parcourue exacte sous forme de limite de l'estimation supérieure et de l'estimation inférieure.

On veut connaître la distance que parcourt un objet en mouvement par rapport à un intervalle temporel $a \leq t \leq b$. Soit la vitesse au temps t donnée par la fonction $v = f(t)$. On mesure $f(t)$ à des intervalles égaux $t_0, t_1, t_2, ..., t_n$, avec le temps $t_0 = a$ et le temps $t_n = b$. L'intervalle temporel entre deux mesures consécutives est

$$\Delta t = \frac{b-a}{n},$$

où Δt signifie variation en t ou incrément de t.

Durant le premier intervalle temporel, on peut mesurer approximativement la vitesse par $f(t_0)$. Donc, la distance parcourue correspond approximativement à

$$f(t_0)\Delta t.$$

Durant le deuxième intervalle temporel, la vitesse correspond environ à $f(t_1)$. Donc, la distance parcourue est de

$$f(t_1)\Delta t.$$

En poursuivant ainsi et en additionnant toutes les estimations, on obtient une estimation de la distance totale. Durant le dernier intervalle, la vitesse est donnée approximativement par $f(t_{n-1})$. Donc, le dernier terme est $f(t_{n-1})\Delta t$, soit

$$\text{Distance parcourue entre } t = a \text{ et } t = b \approx f(t_0)\Delta t + f(t_1)\Delta t + f(t_2)\Delta t + \cdots + f(t_{n-1})\Delta t$$

Ce résultat s'appelle la *somme calculée à partir des extrémités gauches de chaque intervalle* (ou *somme de gauche*) parce qu'on utilise la valeur de la vitesse de l'extrémité gauche de chaque intervalle temporel. Elle est représentée par la somme des aires des rectangles de la figure 5.3 (page suivante).

On calcule aussi la *somme calculée à partir des extrémités droites de chaque intervalle* (ou *somme de droite*) en utilisant la valeur de la vitesse de l'extrémité droite de chaque intervalle temporel. Dans ce cas, l'estimation pour le premier intervalle est de $f(t_1)\Delta t$, de $f(t_2)\Delta t$ pour le deuxième intervalle et ainsi de suite. L'estimation pour le dernier intervalle est maintenant de $f(t_n)\Delta t$.

Donc,

$$\text{Distance parcourue entre } t = a \text{ et } t = b \approx f(t_1)\Delta t + f(t_2)\Delta t + f(t_3)\Delta t + \cdots + f(t_n)\Delta t.$$

La somme de droite est représentée par l'aire des rectangles de la figure 5.4.

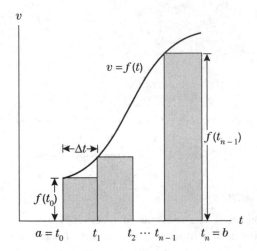

Figure 5.3 : Somme de gauche

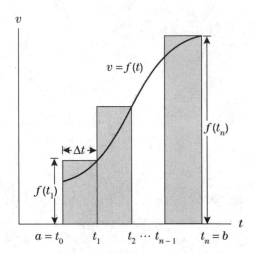

Figure 5.4 : Somme de droite

Si f est une fonction croissante, la somme de gauche constitue une sous-estimation de la distance parcourue, car la somme de gauche utilise la vitesse au début de chaque intervalle pour calculer la distance parcourue tandis qu'en fait, la vitesse continue d'augmenter après qu'on a pris cette mesure. De même, si f est croissante, la somme de droite est une surestimation. Si f est décroissante, comme sur la figure 5.5, alors les rôles des deux sommes sont inversés.

Pour des fonctions croissantes ou décroissantes, la valeur exacte de la distance parcourue se situe quelque part entre les deux estimations. Ainsi, la précision de l'estimation actuelle dépend de la proximité de ces deux sommes. Pour une fonction croissante partout ou décroissante partout sur l'intervalle $[a, b]$,

$$\left| \begin{array}{c} \text{Différence entre l'estimation supérieure} \\ \text{et l'estimation inférieure} \end{array} \right| = \left| \begin{array}{c} \text{Différence entre} \\ f(a) \text{ et } f(b) \end{array} \right| \times \Delta t = \left| f(b) - f(a) \right| \cdot \Delta t.$$

(Des valeurs absolues sont utilisées pour rendre la différence non négative.) À la figure 5.5, l'aire des rectangles ombrés en clair représente la différence entre les estimations. En prenant l'intervalle temporel Δt entre des mesures suffisamment petites, on peut rendre cette différence entre l'estimation supérieure et l'estimation inférieure aussi petite qu'on le souhaite.

Dans l'exemple de la voiture, au fur et à mesure que n augmente, les surestimations de la distance parcourue diminuent et les sous-estimations augmentent, ce qui fixe la distance exacte entre elles. Cela laisse entendre que pour trouver exactement la distance parcourue entre $t = a$ et $t = b$, on prend les limites des sommes quand n tend vers l'infini.

$$\begin{aligned} \text{Distance parcourue entre } t = a \text{ et } t = b &= \lim_{n \to \infty} (\text{somme de gauche}) \\ &= \lim_{n \to \infty} [f(t_0)\Delta t + f(t_1)\Delta t + \cdots + f(t_{n-1})\Delta t] \\ &= \text{Aire sous la courbe } f(t) \text{ de } t = a \text{ à } t = b \end{aligned}$$

et

$$\begin{aligned} \text{Distance parcourue entre } t = a \text{ et } t = b &= \lim_{n \to \infty} (\text{somme de droite}) \end{aligned}$$

$$= \lim_{n \to \infty} \ [f(t_1)\Delta t + f(t_2)\Delta t + \cdots + f(t_n)\Delta t]$$

$$= \text{Aire sous la courbe } f(t) \text{ de } t = a \text{ à } t = b$$

Si f est continue, les limites des sommes de gauche et de droite sont toutes les deux égales à la distance parcourue. Cette méthode de calcul de la distance en prenant la limite de la somme fonctionne même si la vitesse n'est pas croissante partout ou décroissante partout sur l'intervalle.

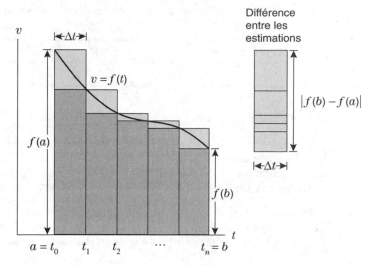

Figure 5.5 : Sommes de gauche et de droite si f est décroissante

Problèmes de la section 5.1

1. Une voiture s'arrête complètement 6 s après que le conducteur a appuyé sur la pédale de frein. Pendant le freinage, on enregistre les vitesses suivantes :

Temps depuis le début du freinage (s)	0	2	4	6
Vitesse (pi/s)	88	45	16	0

a) Donnez des estimations supérieure et inférieure pour la distance que parcourt l'automobile après que le conducteur a appuyé sur la pédale de frein.

b) Sur un graphe de vitesse par rapport au temps, montrez les estimations inférieure et supérieure de la partie a).

2. Un étudiant circule à une vitesse élevée sur la route 11 à bord de sa luxueuse Porsche rouge. Son système radar le prévient d'un obstacle situé à 400 pi devant lui. Il appuie immédiatement sur la pédale de frein, commence à ralentir et aperçoit une mouffette droit devant lui sur la route.

Supposez que la « boîte noire » de la Porsche enregistre la vitesse de la voiture toutes les 2 s, ce qui donne le tableau suivant. Supposez également que la vitesse diminue durant les 10 s que la voiture met à s'arrêter, bien que cette diminution ne se fasse pas à un taux uniforme.

Temps depuis le début du freinage (s)	0	2	4	6	8	10
Vitesse (pi/s)	100	80	50	25	10	0

a) À l'aide des données de ce tableau, donnez l'estimation la plus exacte possible de la distance totale que l'étudiant parcourt dans sa voiture avant de freiner.

b) Quel énoncé ci-dessous pouvez-vous justifier à l'aide des données de cette histoire et de la table des données ? (Choisissez-en un et justifiez-le.)
   i)   La voiture s'est arrêtée et n'a pas écrasé la mouffette.
   ii) Les données de la « boîte noire » ne sont pas concluantes. On ne peut savoir si la voiture a écrasé la mouffette.
   iii) La pauvre mouffette a été écrasée par la voiture.

3. Roger décide de courir le marathon. George, l'ami de Roger, le suit à bicyclette et chronomètre sa vitesse toutes les 15 min. Au départ, la vitesse de Roger est bonne, mais une heure plus tard, il est tellement épuisé qu'il doit s'arrêter. Voici les données recueillies par George :

Temps de course (min)	0	15	30	45	60	75	90
Vitesse (mi/h)	12	11	10	10	8	7	0

a) En supposant que la vitesse de Roger n'augmente jamais, donnez les estimations supérieure et inférieure de la distance que Roger a parcourue durant la première demi-heure de sa course.
b) Donnez les estimations supérieure et inférieure de la distance que Roger a parcourue durant l'heure et demie de sa course.
c) À quelle fréquence George devait-il mesurer la vitesse de Roger pour trouver les estimations supérieure et inférieure à 0,1 mi près de la distance qu'il a effectivement parcourue ?

4. On produit du gaz de houille dans une usine. Les polluants contenus dans le gaz sont éliminés par des épurateurs qui perdent de leur efficacité avec le temps. Les mesures suivantes, prises au début de chaque mois, montrent le taux auquel les polluants s'échappent dans le gaz :

Temps (mois)	0	1	2	3	4	5	6
Taux auquel les polluants s'échappent (tonnes/mois)	5	7	8	10	13	16	20

a) Donnez une surestimation et une sous-estimation de la quantité totale de polluants qui s'échappent durant le premier mois.
b) Donnez une surestimation et une sous-estimation de la quantité totale de polluants qui se sont échappés durant les six mois.
c) À quelle fréquence doit-on prendre les mesures pour trouver des sous-estimations et des surestimations qui diffèrent de moins de 1 t de la quantité exacte de polluants qui se sont échappés durant les six premiers mois ?

5. Supposez que le temps t (en secondes) et votre vitesse v (en mètres par seconde) sont donnés par

$$v(t) = 1 + t^2 \quad \text{pour} \quad 0 \le t \le 6.$$

Utilisez $\Delta t = 2$ pour estimer la distance parcourue pendant ce temps. Trouvez les sommes de gauche et de droite et faites la moyenne de ces deux sommes.

6. Pour $0 \le t \le 1$, un insecte se déplace à une vitesse v déterminée par la formule

$$v = \frac{1}{1+t},$$

où t est en heures et v est en mètres par heure. Utilisez $\Delta t = 0{,}2$ pour estimer la distance que parcourt l'insecte durant cette heure. Trouvez une sous-estimation et une surestimation, puis faites la moyenne des deux pour obtenir une nouvelle estimation.

7. Dans la figure 5.6, utilisez la grille pour estimer l'aire de la région formée par la courbe, l'axe horizontal et les droites verticales $x = 3$ et $x = -3$. Calculez des estimations supérieure et inférieure qui diffèrent au plus de 4 unités carrées l'une de l'autre. Expliquez votre réponse.

8. a) Dans la figure 5.7, estimez la zone ombrée en foncé avec une marge d'erreur d'au plus 0,1.
   b) Comment pouvez-vous donner une mesure approximative de cette zone foncée à quelque degré de précision que ce soit ?

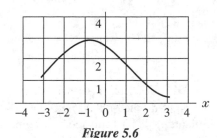

Figure 5.6

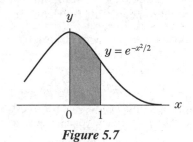

Figure 5.7

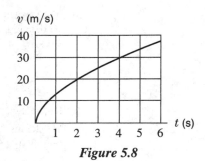

Figure 5.8

9. La figure 5.8 montre le graphe de la vitesse v d'un objet (en mètres par seconde). Estimez la distance que parcourt l'objet entre $t = 0$ et $t = 6$.

10. Vous sautez d'un avion. Avant l'ouverture de votre parachute, vous chutez de plus en plus rapidement, mais votre accélération diminue à cause de la résistance de l'air. Le tableau ci-dessous donne votre accélération a (en mètres par seconde au carré) après t s.

t	0	1	2	3	4	5
a	9,81	8,03	6,53	5,38	4,41	3,61

a) Donnez les estimations supérieure et inférieure de votre vitesse à $t = 5$.

b) Calculez une nouvelle estimation en faisant la moyenne des estimations supérieure et inférieure. Que vous révèle la concavité du graphe de l'accélération sur votre nouvelle estimation ?

11. Lorsqu'un avion tente de monter le plus rapidement possible dans le ciel, son taux ascensionnel diminue avec l'altitude. (Cela se produit parce que l'air est moins dense à des altitudes plus élevées.) Le tableau 5.3 présente les données de la performance d'un avion.

TABLEAU 5.3

Altitude (1000 pi)	0	1	2	3	4	5	6	7	8	9	10
Taux ascensionnel (pi/min)	925	875	830	780	730	685	635	585	535	490	440

a) Calculez les estimations supérieure et inférieure pour le temps que prendra cet avion pour atteindre une altitude de 10 000 pi (au-dessus du niveau de la mer).

b) Si les données sur le taux ascensionnel étaient présentées en incréments de 500 pi, quelle serait la différence entre les estimations supérieure et inférieure pour le temps ascensionnel en fonction de 20 sous-intervalles ?

5.2   L'INTÉGRALE DÉFINIE

Dans la section 5.1, on a appris à mesurer approximativement la distance parcourue en calculant des sommes et en l'exprimant avec exactitude sous forme de limite d'une somme. Dans la présente section, on montrera comment définir ces sommes pour toute fonction f, qu'elle représente ou non une vitesse. Soit une fonction $f(t)$ continue pour $a \leq t \leq b$. On divise l'intervalle entre a et b en n sous-intervalles égaux et on appelle la largeur d'un sous-intervalle individuel Δt.

Donc,

$$\Delta t = \frac{b - a}{n}.$$

Soit t_0, t_1, t_2, …, t_n les extrémités des sous-intervalles (voir les figures 5.9 et 5.10). Comme dans l'exemple précédent, on construit deux sommes :

$$\text{Somme de gauche} = f(t_0)\Delta t + f(t_1)\Delta t + \cdots + f(t_{n-1})\Delta t$$

et

$$\text{Somme de droite} = f(t_1)\Delta t + f(t_2)\Delta t + \cdots + f(t_n)\Delta t.$$

Ces sommes représentent les aires des figures 5.9 et 5.10, étant donné que $f(t) \geq 0$. Dans la figure 5.9, le premier rectangle a une largeur Δt et une hauteur $f(t_0)$ [puisque son coin gauche supérieur touche à peine à la courbe] et a donc une aire de $f(t_0)\Delta t$. Le deuxième rectangle a une largeur Δt et une hauteur $f(t_1)$ et a donc l'aire $f(t_1)\Delta t$, et ainsi de suite. La somme de toutes les aires est la somme de gauche. La somme de droite (voir la figure 5.10) est construite de la même manière, sauf que chaque rectangle touche la courbe avec son côté droit à la place de son côté gauche.

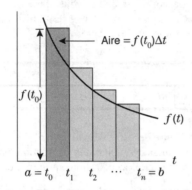

Figure 5.9 : Somme de gauche

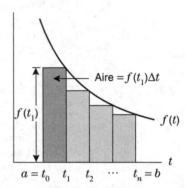

Figure 5.10 : Somme de droite

L'écriture des sommes de gauche et de droite à l'aide de la notation sigma

Les sommes de droite et de gauche peuvent s'écrire de manière plus concise à l'aide de la notation sigma ou sommation. Le symbole $\sum$ est un sigma majuscule ou la lettre grecque S. On écrit

$$\text{Somme de droite} = \sum_{i=1}^{n} f(t_i)\Delta t = f(t_1)\Delta t + f(t_2)\Delta t + \cdots + f(t_n)\Delta t.$$

Le $\sum$ indique qu'il faut ajouter les termes de la forme $f(t_i)\Delta t$. Le $i = 1$ à la base du sigma indique de commencer à $i = 1$ et le n du dessus d'arrêter à $i = n$.

Dans la somme de gauche, on commence à $i = 0$ et on arrête à $i = n - 1$. On écrit donc

$$\text{Somme de gauche} = \sum_{i=0}^{n-1} f(t_i)\Delta t = f(t_0)\Delta t + f(t_1)\Delta t + \cdots + f(t_{n-1})\Delta t.$$

La limite pour obtenir l'intégrale définie

Dans la section précédente, on a pris la limite de ces sommes quand n tendait vers l'infini. On fait la même chose ici. Si f est continue pour $a \leq t \leq b$, les limites des sommes de gauche et de droite existent et sont égales. L'*intégrale définie* est la limite de ces sommes. Une définition formelle de l'intégrale définie est donnée dans la rubrique « Gros plan sur la théorie » plus loin dans ce chapitre.

On suppose que f est continue pour $a \leq t \leq b$. L'**intégrale définie** de f de a à b, qui s'écrit

$$\int_a^b f(t)\, dt,$$

est la limite des sommes de gauche ou de droite avec n subdivisions de $[a, b]$ quand n devient arbitrairement grand. En d'autres mots,

$$\int_a^b f(t)\, dt = \lim_{n \to \infty} (\text{somme de gauche}) = \lim_{n \to \infty} \left(\sum_{i=0}^{n-1} f(t_i) \Delta t \right)$$

et

$$\int_a^b f(t)\, dt = \lim_{n \to \infty} (\text{somme de droite}) = \lim_{n \to \infty} \left(\sum_{i=1}^{n} f(t_i) \Delta t \right).$$

Chacune de ces sommes est appelée une *somme de Riemann*, f est la *fonction à intégrer* et a et b sont les *bornes d'intégration*.

Historiquement, le symbole $\int$ est un S allongé signifiant sommation, de la même manière que $\sum$. Le dt de l'intégrale provient du facteur Δt. À remarquer que les bornes sur le symbole $\sum$ sont 0 et $n-1$ pour la somme de gauche et 1 et n pour la somme de droite, tandis que les bornes du symbole $\int$ sont a et b.

Le calcul d'une intégrale définie

En pratique, on détermine souvent de manière approximative les intégrales définies numériquement à l'aide d'une calculatrice ou d'un ordinateur. Ceux-ci utilisent des logiciels permettant de calculer les sommes des valeurs de n qui deviennent de plus en plus grandes et finissent par donner une valeur pour l'intégrale. Différentes calculatrices ou divers ordinateurs peuvent donner des estimations légèrement différentes à cause des erreurs d'arrondissement et parce qu'ils peuvent avoir recours à différentes méthodes d'approximation. Certaines intégrales définies (mais pas toutes) peuvent se calculer avec précision. Cependant, toute intégrale définie peut être calculée approximativement de manière numérique.

Dans l'exemple 1, on voit comment fonctionne l'approximation numérique. Pour toute valeur de n, on calcule une sous-estimation et une surestimation de l'intégrale. Au fur et à mesure qu'on augmente la valeur de n, les surestimations et les sous-estimations se rapprochent l'une de l'autre, resserrant ainsi la valeur de l'intégrale entre elles. Si on augmente suffisamment la valeur de n, on peut calculer l'intégrale avec n'importe quel degré de précision souhaité.

Exemple 1   Calculez les sommes de gauche et de droite avec $n = 2$ et $n = 10$ pour $\int_1^2 \dfrac{1}{t}\, dt$. Comment les valeurs de ces sommes se comparent-elles avec la valeur exacte de l'intégrale ?

Solution   Ici $a = 1$ et $b = 2$. Donc, pour $n = 2$, $\Delta t = (2-1)/2 = 0{,}5$. Par conséquent, $t_0 = 1$, $t_1 = 1{,}5$ et $t_2 = 2$ (voir la figure 5.11, page suivante). On obtient

$$\text{Somme de gauche } = f(1)\Delta t + f(1{,}5)\Delta t$$

$$= 1(0{,}5) + \frac{1}{1{,}5}(0{,}5)$$

$$\approx 0{,}8333,$$

$$\text{Somme de droite } = f(1,5)\Delta t + f(2)\Delta t$$

$$= \frac{1}{1,5}\,(0,5) + \frac{1}{2}\,(0,5)$$

$$\approx 0,5833.$$

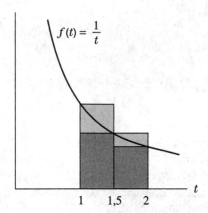
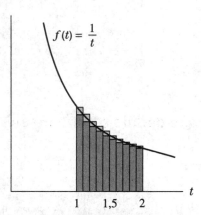

Figure 5.11 : Approximation de $\int_1^2 \frac{1}{t}\,dt$ avec $n = 2$

Figure 5.12 : Approximation de $\int_1^2 \frac{1}{t}\,dt$ avec $n = 10$

À partir de la figure 5.11, on voit que la somme de gauche est plus grande que l'aire sous la courbe et que la somme de droite est plus petite. Donc, l'aire sous la courbe $f(t) = 1/t$ comprise entre $t = 1$ et $t = 2$ se situe entre 0,5833 et 0,8333 :

$$0,5833 < \int_1^2 \frac{1}{t}\,dt < 0,8333.$$

Lorsque $n = 10$, on a $\Delta t = (2 - 1)/10 = 0,1$ (voir la figure 5.12). Donc,

$$\text{Somme de gauche } = f(1)\Delta t + f(1,1)\Delta t + \cdots + f(1,9)\Delta t$$

$$= \left(1 + \frac{1}{1,1} + \cdots + \frac{1}{1,9}\right)0,1$$

$$\approx 0,7188,$$

$$\text{Somme de droite } = f(1,1)\Delta t + f(1,2)\Delta t + \cdots + f(2)\Delta t$$

$$= \left(\frac{1}{1,1} + \frac{1}{1,2} + \cdots + \frac{1}{2}\right)0,1$$

$$\approx 0,6688.$$

À partir de la figure 5.12, on peut voir que la somme de gauche est supérieure à l'aire sous la courbe et que la somme de droite est inférieure. Donc,

$$0,6688 < \int_1^2 \frac{1}{t}\,dt < 0,7188.$$

On remarque que la valeur exacte de l'intégrale se trouve toujours entre la somme de gauche et la somme de droite. Au fur et à mesure que la longueur des subdivisions diminue, les sommes de gauche et de droite se rapprochent.

Exemple 2   Utilisez les sommes de gauche et de droite avec $n = 250$ pour $\int_1^2 \frac{1}{t}\,dt$ pour estimer la valeur de l'intégrale.

Solution   À l'aide d'une calculatrice programmable ou d'un logiciel, on voit que

$$0{,}6921 < \int_1^2 \frac{1}{t}\, dt < 0{,}6941.$$

On peut donc dire que

$$\int_1^2 \frac{1}{t}\, dt \approx 0{,}69,$$

avec deux décimales exactes. La valeur exacte est connue et vaut $\int_1^2 \frac{1}{t}\, dt = \ln 2 = 0{,}693\ 147\ \ldots$

L'intégrale définie en tant qu'aire

Si $f(x)$ est positive, on peut interpréter chaque terme $f(x_0)\Delta x$, $f(x_1)\Delta x$, ... sur une somme de Riemann de gauche ou de droite comme l'aire d'un rectangle (voir la figure 5.13). Comme la largeur Δx des rectangles s'approche de zéro, les rectangles correspondent plus précisément à la courbe du graphe et la somme des aires se rapprochent de plus en plus de l'aire ombrée sous la courbe de la figure 5.14. Cela suggère que

---

Lorsque $f(x)$ est positive et $a < b$,

$$\text{L'aire sous le graphe de } f \text{ entre } a \text{ et } b = \int_a^b f(x)\, dx.$$

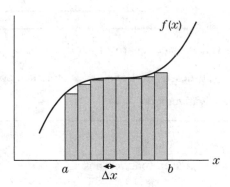

Figure 5.13 : Aire des rectangles mesurant approximativement l'aire sous la courbe

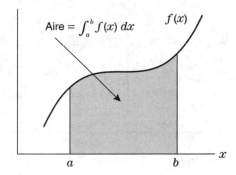

Figure 5.14 : L'intégrale définie $\int_a^b f(x)\, dx$

Exemple 3   Considérez l'intégrale $\int_{-1}^1 \sqrt{1 - x^2}\, dx$.

a) Interprétez l'intégrale en tant qu'aire et trouvez sa valeur exacte.

b) Estimez l'intégrale en utilisant une calculatrice ou un ordinateur. Comparez votre réponse à la valeur exacte.

Solution

a) L'intégrale est l'aire sous le graphe de $y = \sqrt{1 - x^2}$ entre -1 et 1. En réécrivant cette équation comme $x^2 + y^2 = 1$, on voit que le graphe est un demi-cercle de rayon 1 et d'aire $\pi/2$ (voir la figure 5.15, page suivante).

b) Une calculatrice estime l'intégrale à $1{,}570\ 796\ 6\ldots$ À des fins de comparaison, $\pi/2 = 1{,}570\ 796\ 3\ldots$

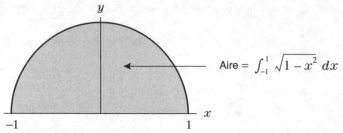

Aire $= \int_{-1}^{1} \sqrt{1-x^2}\ dx$

Figure 5.15 : $\int_{-1}^{1} \sqrt{1-x^2}\ dx$ et interprétation de l'aire

Lorsque $f(x)$ n'est pas positive

Dans le dessin de la figure 5.14, on a supposé que le graphe de $f(x)$ se trouve au-dessus de l'axe des x. Si le graphe se trouve sous l'axe des x, alors chaque valeur de $f(x)$ est négative. Donc, chaque $f(x)\Delta x$ est négative, et l'aire est calculée de manière négative. Dans ce cas, l'intégrale définie est la valeur négative de l'aire.

Exemple 4   Comment l'intégrale définie $\int_{-1}^{1} (x^2 - 1)\ dx$ est-elle reliée à l'aire entre la parabole $y = x^2 - 1$ et l'axe des x ?

Solution   À l'aide d'une calculatrice, on trouve $\int_{-1}^{1} (x^2 - 1)\ dx \approx -1{,}33$. La parabole se situe sous l'axe entre $x = -1$ et $x = 1$ (voir la figure 5.16). Donc, l'aire entre la parabole et l'axe des x est d'environ 1,33.

Lorsque $f(x)$ est positive pour des valeurs x et négative pour d'autres, et que $a < b$,

$\int_{a}^{b} f(x)\ dx$ est la somme des aires au-dessus de l'axe des x (calculée positivement) et des aires sous l'axe des x (calculée négativement).

Exemple 5   Interprétez l'intégrale définie $\int_{0}^{\sqrt{2\pi}} \sin(x^2)\ dx$ en fonction des aires.

Solution   L'intégrale est l'aire A_1 au-dessus de l'axe des x moins l'aire A_2 sous l'axe des x (voir la figure 5.17). L'approximation de l'intégrale à l'aide d'une calculatrice donne

$$\int_{0}^{\sqrt{2\pi}} \sin(x^2)\ dx \approx 0{,}43.$$

Le graphe de $y = \sin(x^2)$ croise l'axe des x où $x^2 = \pi$, c'est-à-dire en $x = \sqrt{\pi}$. La prochaine intersection se trouve à $x = \sqrt{2\pi}$. En divisant l'intégrale en deux parties et en calculant chacune d'elles séparément, on obtient

$$\int_{0}^{\sqrt{\pi}} \sin(x^2)\ dx \approx 0{,}89 \quad \text{et} \quad \int_{\sqrt{\pi}}^{\sqrt{2\pi}} \sin(x^2)\ dx \approx -0{,}46.$$

Donc, $A_1 \approx 0{,}89$ et $A_2 \approx 0{,}46$. Alors, tel qu'on l'a prévu,

$$\int_{0}^{\sqrt{2\pi}} \sin(x^2)\ dx = A_1 - A_2 \approx 0{,}89 - 0{,}46 = 0{,}43.$$

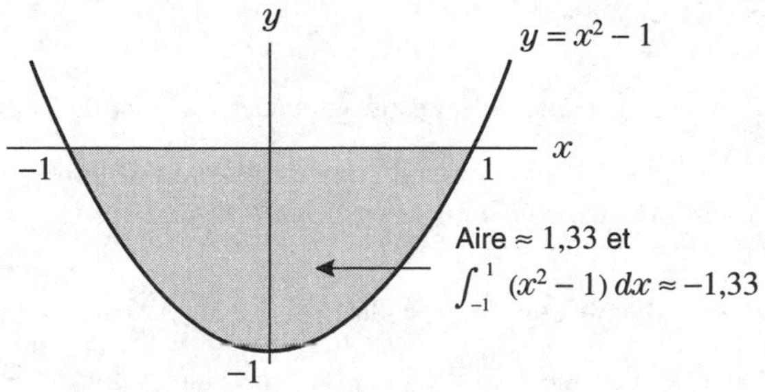

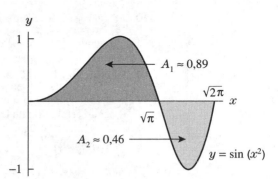

Figure 5.16 : L'intégrale $\int_{-1}^{1} (x^2 - 1)\, dx$ est négative dans l'aire ombrée

Figure 5.17 : Intégrale $\int_{0}^{\sqrt{2\pi}} \sin(x^2)\, dx = A_1 - A_2$

Problèmes de la section 5.2

1. Copiez la figure 5.18, puis dessinez des rectangles représentant chacune des sommes de Riemann suivantes pour la fonction f sur l'intervalle $0 \le t \le 8$. Calculez la valeur de chaque somme.

   a) Somme de gauche avec $\Delta t = 4$.
   b) Somme de droite avec $\Delta t = 4$.
   c) Somme de gauche avec $\Delta t = 2$.
   d) Somme de droite avec $\Delta t = 2$.

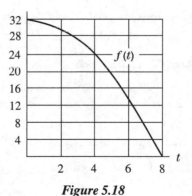

Figure 5.18

2. Écrivez les termes de la somme de droite avec $n = 5$ qui pourrait servir à calculer approximativement $\int_{3}^{7} \dfrac{1}{1 + x}\, dx$. N'évaluez pas les termes ou la somme.

Pour les problèmes 3 à 8, créez une table des sommes de gauche et de droite avec 2, 10, 50 et 250 sous-intervalles. Observez les limites vers lesquelles tendent les sommes au fur et à mesure que le nombre de sous-intervalles augmente et, ainsi, estimez la valeur de l'intégrale définie.

3. $\displaystyle\int_{0}^{1} x^3\, dx$ 4. $\displaystyle\int_{0}^{\pi/2} \cos x\, dx$ 5. $\displaystyle\int_{2}^{3} \sin(t^2)\, dt$

6. $\displaystyle\int_{0}^{1} e^{t^2}\, dt$ 7. $\displaystyle\int_{0,2}^{3} \sin(1/x)\, dx$ 8. $\displaystyle\int_{1}^{2} x^x\, dx$

9. Estimez $\displaystyle\int_{1}^{2} x^2\, dx$ en utilisant des sommes de gauche et de droite avec quatre sous-intervalles. À quel point votre estimation diffère-t-elle de la valeur réelle de l'intégrale ?

10. a) Utilisez une calculatrice ou un ordinateur pour trouver $\int_0^6 (x^2 + 1)\, dx$. Représentez cette valeur sous forme d'une aire sous une courbe.

    b) Estimez $\int_0^6 (x^2 + 1)\, dx$ en utilisant une somme de gauche avec $n = 3$. Représentez cette somme sur un graphe de $f(x) = x^2 + 1$. Cette somme constitue-t-elle une surestimation ou une sous-estimation de la valeur véritable trouvée dans la partie a) ?

    c) Estimez $\int_0^6 (x^2 + 1)\, dx$ en utilisant une somme de droite avec $n = 3$. Représentez cette somme sur votre graphe. Cette somme constitue-t-elle une surestimation ou une sous-estimation ?

11. Voici une table des valeurs de $f(t)$. Estimez $\int_0^{100} f(t)\, dt$.

t	0	20	40	60	80	100
$f(t)$	1,2	2,8	4,0	4,7	5,1	5,2

Estimez l'aire des régions des problèmes 12 à 17.

12. Sous la courbe $y = \cos t$ pour $0 \le t \le \pi/2$.

13. Entre la courbe $y = 7 - x^2$ et l'axe des x.

14. Sous la courbe $y = \cos \sqrt{x}$ pour $0 \le x \le 2$.

15. Sous la courbe $y = e^x$ et au-dessus de la droite $y = 1$ pour $0 \le x \le 2$.

16. Entre $y = x^2$ et $y = x^3$ pour $0 \le x \le 1$.

17. Entre $y = x^{1/2}$ et $y = x^{1/3}$ pour $0 \le x \le 1$.

18. Dans les problèmes 16 et 17, on calcule les aires entre $y = x^2$ et $y = x^3$ et entre $y = x^{1/2}$ et $y = x^{1/3}$ sur $0 \le x \le 1$. Expliquez pourquoi vous devriez prévoir que ces deux aires seront égales.

19. a) Tracez le graphe de $f(x) = x(x + 2)(x - 1)$.
    b) Trouvez l'aire totale entre le graphe et l'axe des x entre $x = -2$ et $x = 1$.
    c) Trouvez $\int_{-2}^1 f(x)\, dx$ et interprétez-la en fonction des aires.

20. Calculez l'intégrale définie $\int_0^4 \cos \sqrt{x}\, dx$ et interprétez les résultats en fonction des aires.

21. Sans calculer l'intégrale, décidez si

$$\int_0^{2\pi} e^{-x} \sin x\, dx$$

est positive ou négative et expliquez votre réponse. [Conseil : Tracez le graphe de $e^{-x} \sin x$.]

22. Supposez qu'on utilise $n = 500$ sous-intervalles pour calculer approximativement $\int_{-1}^1 (2x^3 + 4)\, dx$. Sans calculer les sommes de Riemann, trouvez la différence entre les sommes de Riemann de droite et de gauche.

23. Le graphe de la fonction $f(t)$ est donné à la figure 5.19. Lequel des quatre chiffres suivants pourrait constituer une estimation de $\int_0^1 f(t)\, dt$ avec deux décimales exactes ? Justifiez votre réponse.

    a) −98,35   b) 71,84   c) 100,12   d) 93,47

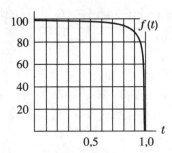

Figure 5.19

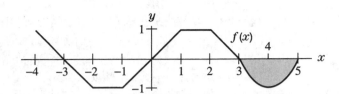

Figure 5.20

24. Le graphe de $y = f(x)$ est donné à la figure 5.20.

    a) Qu'est-ce que $\int_{-3}^{0} f(x)\, dx$?

    b) Si l'aire de la région ombrée est A, estimez $\int_{-3}^{4} f(x)\, dx$.

25. Considérez l'intégrale définie $\int_{0}^{1} x^4\, dx$.

    a) Écrivez une expression pour l'approximation de la somme de Riemann de droite pour cette intégrale en utilisant n sous-intervalles. Exprimez chaque x_i, $i = 1, 2, \ldots, n$ en fonction de i.

    b) Utilisez un logiciel de calcul symbolique afin d'obtenir une formule pour la somme que vous avez écrite sur la partie a) en fonction de n.

    c) Prenez la limite de cette expression pour la somme quand $n \to \infty$, ce qui permet de trouver la valeur exacte de cette intégrale.

26. Reprenez le problème 25 en utilisant l'intégrale définie $\int_{0}^{1} x^5\, dx$.

27. Les trois termes d'une somme de gauche utilisée pour trouver la valeur approximative de l'intégrale définie $\int_{a}^{b} f(x)$ sont les suivants :

$$\left(2 + 0 \cdot \frac{4}{3}\right)^2 \cdot \frac{4}{3} + \left(2 + 1 \cdot \frac{4}{3}\right)^2 \cdot \frac{4}{3} + \left(2 + 2 \cdot \frac{4}{3}\right)^2 \cdot \frac{4}{3}.$$

Trouvez des valeurs pour a et b et une formule pour $f(x)$.

28. Considérez l'intégrale $\int_{1}^{2} \frac{1}{t}\, dt$. Dans l'exemple 1, en divisant l'intervalle $1 \le t \le 2$ en 10 sous-intervalles de longueur égale, on a démontré que

$$0{,}1\left[\frac{1}{1{,}1} + \frac{1}{1{,}2} + \cdots + \frac{1}{2{,}0}\right] \;\le\; \int_{1}^{2} \frac{1}{t}\, dt \;\le\; 0{,}1\left[\frac{1}{1} + \frac{1}{1{,}1} + \cdots + \frac{1}{1{,}9}\right].$$

    a) À présent, divisez l'intervalle $1 \le t \le 2$ en n sous-intervalles de longueur égale pour montrer que

$$\sum_{r=1}^{n} \frac{1}{n+r} \;<\; \int_{1}^{2} \frac{1}{t}\, dt \;<\; \sum_{r=0}^{n-1} \frac{1}{n+r}.$$

    b) Montrez que la différence entre la somme supérieure et la somme inférieure de la partie a) est $1/(2n)$.

    c) La valeur exacte de $\int_{1}^{2} (1/t)\, dt$ est $\ln(2)$. Quelle doit être la valeur minimale de n pour que l'erreur d'approximation de $\ln(2)$ soit d'au plus $5 \cdot 10^{-6}$ si on utilise une des sommes de la partie a) ?

5.3 LES INTERPRÉTATIONS DE L'INTÉGRALE DÉFINIE

La notation et les unités de l'intégrale définie

Tout comme la notation de Leibniz dy/dx de la dérivée rappelle que la dérivée est la limite d'un rapport de différences, la notation de l'intégrale définie fait référence à la signification de l'intégrale. Le symbole

$$\int_a^b f(x)\,dx$$

rappelle qu'une intégrale est une limite de sommes (le signe de l'intégrale est un ancien S) des termes de la forme « $f(x)$ fois une petite différence de x ». Officiellement, dx n'est pas une entité distincte, mais une partie du symbole complet de l'intégrale. Tout comme d/dx peut être considéré comme un symbole unique signifiant « la dérivée par rapport à x de... », on peut considérer $\int_a^b \ldots dx$ comme un symbole unique signifiant « l'intégrale de... par rapport à x ».

Cependant, bon nombre de scientifiques et de mathématiciens considèrent officieusement dx comme une portion « infinitésimalement » petite de x qui, dans ce contexte, est multipliée par une valeur de fonction $f(x)$. Ce point de vue est souvent la clé de l'interprétation d'une intégrale définie. Par exemple, si $f(t)$ est la vitesse d'une particule en mouvement au temps t, alors on peut officieusement considérer $f(t)\,dt$ comme la vitesse multipliée par le temps, ce qui donne la distance que parcourt la particule durant une courte période dt. On peut alors considérer l'intégrale $\int_a^b f(t)\,dt$ comme la somme de toutes ces courtes distances, ce qui donne la variation nette de la position de la particule entre $t = a$ et $t = b$.

La notation de l'intégrale aide aussi à déterminer quelles unités il faut utiliser pour la valeur de l'intégrale. Puisque les termes additionnés sont des produits de la forme « $f(x)$ multipliée par une différence en x », l'unité de mesure de $\int_a^b f(x)\,dx$ est le produit de $f(x)$ et les unités de x. Par exemple, si $f(t)$ est la vitesse mesurée en mètres par seconde et t le temps mesuré en secondes, alors

$$\int_a^b f(t)\,dt$$

a des unités de (mètres/seconde) · (seconde) = mètres. C'est ce à quoi on s'attendait puisque la valeur de cette intégrale représente une variation de position.

À titre d'exemple, on trace le graphe de $y = f(x)$ avec les mêmes unités de mesure de longueur sur les axes des x et des y, par exemple les centimètres. Alors, $f(x)$ et x sont mesurés avec les mêmes unités, donc

$$\int_a^b f(x)\,dx$$

est mesurée en unités carrées de cm · cm = cm^2. Encore une fois, c'est ce qu'on anticipait puisque, dans ce contexte, l'intégrale représente une aire.

L'intégrale définie en tant que moyenne

On sait comment trouver la moyenne de n nombres : on les additionne et on les divise par n. Toutefois, comment peut-on trouver la valeur moyenne d'une fonction qui varie continuellement ? Par exemple, on suppose que $f(t)$ est la température au temps t, mesuré en heures depuis minuit, et qu'on veut calculer la température moyenne sur une période de 24 heures. Pour commencer, on pourrait calculer la moyenne des températures à n intervalles de temps égaux, $t_1, t_2, \ldots, t_n$, durant la journée.

$$\text{Température moyenne} \approx \frac{f(t_1) + f(t_2) + \cdots + f(t_n)}{n}.$$

Plus n est grand, plus l'approximation sera exacte. On peut réécrire cette expression sous forme de somme de Riemann sur l'intervalle $0 \leq t \leq 24$ si on considère le fait que $\Delta t = 24/n$. Donc, $n = 24/\Delta t$:

$$\text{Température moyenne} \approx \frac{f(t_1) + f(t_2) + \cdots + f(t_n)}{24/\Delta t}$$

$$= \frac{f(t_1)\Delta t + f(t_2)\Delta t + \cdots + f(t_n)\Delta t}{24}$$

$$= \frac{1}{24} \sum_{i=1}^{n} f(t_i)\Delta t.$$

Quand $n \to \infty$, la somme de Riemann tend vers une intégrale, et $1/24$ de la somme donne une meilleure mesure approximative de la température moyenne. Il est donc logique d'écrire

$$\text{Température moyenne} = \lim_{n \to \infty} \frac{1}{24} \sum_{i=1}^{n} f(t_i)\Delta t$$

$$= \frac{1}{24} \int_{0}^{24} f(t)\,dt.$$

On a trouvé une manière d'exprimer la température moyenne sur un intervalle en fonction d'une intégrale. En généralisant pour toute fonction f, si $a < b$, on définit

$$\boxed{\begin{array}{l} \text{Valeur moyenne de } f \\ \text{de } a \text{ à } b \end{array} = \frac{1}{b-a} \int_{a}^{b} f(x)\,dx.}$$

Comment visualiser la moyenne sur un graphe

La définition de la valeur moyenne indique que

$$(\text{Valeur moyenne de } f) \cdot (b-a) = \int_{a}^{b} f(x)\,dx.$$

On interprète maintenant l'intégrale en tant qu'aire sous le graphe de f. Alors, la valeur moyenne de f est la hauteur d'un rectangle dont la base est $(b-a)$ et dont l'aire est la même que celle sous le graphe de f (voir la figure 5.21, page suivante).

Exemple 1 Supposez que $C(t)$ représente le coût quotidien du chauffage de votre maison (en dollars par jour), où t est le temps mesuré (en jours) et $t = 0$ correspond au 1er janvier 1997. Interprétez

$$\int_{0}^{90} C(t)\,dt \text{ et } \frac{1}{90-0} \int_{0}^{90} C(t)\,dt.$$

Solution Les unités de l'intégrale $\displaystyle\int_{0}^{90} C(t)\,dt$ sont (dollars/jour) $\cdot$ (jours) = dollars. L'intégrale représente le coût total (en dollars) du chauffage de votre maison durant les 90 premiers jours de 1997, notamment au cours des mois de janvier, de février et de mars. La deuxième expression est mesurée par $(1/\text{jours})(\text{dollars})$ ou dollars par jour, soit les mêmes unités que $C(t)$. Elle représente le coût moyen par jour du chauffage de votre maison durant les 90 premiers jours de 1997.

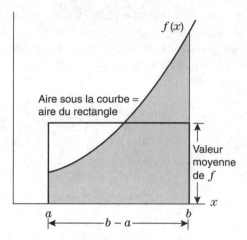

Figure 5.21 : Aire et valeur moyenne

Exemple 2   Au chapitre 1, section 1.3, on a vu que la population du Mexique pouvait être modélisée par la fonction

$$P = f(t) = 67{,}38(1{,}026)^t,$$

où P est en millions d'habitants et t est en années depuis 1980. Utilisez cette fonction pour prédire la population moyenne du Mexique entre les années 2000 et 2020.

Solution   On veut obtenir la valeur moyenne de $f(t)$ entre $t = 20$ et $t = 40$. Donc,

$$\text{Population moyenne} = \frac{1}{40 - 20} \int_{20}^{40} f(t)\, dt \approx \frac{1}{20}(2942{,}66) = 147{,}1.$$

On a utilisé une calculatrice pour évaluer l'intégrale. On peut voir que la population moyenne du Mexique entre 2000 et 2020 devrait atteindre environ 147 millions d'habitants.

Les applications de l'intégrale définie

La distance totale parcourue par un objet en mouvement sur un intervalle temporel donné peut être représentée par une intégrale définie de la vitesse. Les exemples suivants montrent comment la représentation d'une quantité sous forme d'intégrale définie, et donc sous forme d'aire, peut être utile même si on n'évalue pas l'intégrale.

Exemple 3   Deux voitures partent d'un feu de circulation et accélèrent pendant plusieurs minutes. La figure 5.22 montre leur vitesse en fonction du temps. a) Quelle voiture devance l'autre après 1 min ? b) Quelle voiture devance l'autre après 2 min ?

Solution   a)   Durant la première minute, la voiture 1 va plus vite que la voiture 2. Donc, la voiture 1 devance la voiture 2 après 1 min.

b)   Deux minutes plus tard, la situation est moins claire, car la voiture 1 roule plus vite que la voiture 2 pendant la première minute et la voiture 2 roule plus vite que la voiture 1 pendant la deuxième minute. Cependant, si $v = f(t)$ est la vitesse d'une voiture après t min, alors on sait que

$$\text{Distance parcourue en 2 min} = \int_0^2 f(t)\, dt,$$

puisque l'intégrale de la vitesse est la distance parcourue. Cette intégrale définie peut également être interprétée sous forme d'une aire sous le graphe de f entre 0 et 2. Puisque l'aire représentant la distance parcourue par la voiture 2 est clairement plus grande que l'aire de la voiture 1 (voir la figure 5.22), on sait que la voiture 2 a effectué un plus grand parcours que la voiture 1.

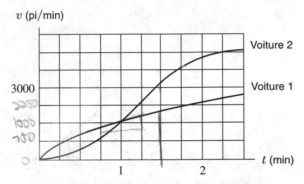

Figure 5.22 : Vitesses de deux voitures. Laquelle devance l'autre et à quel moment ?

Exemple 4   Une voiture part à 12 h et roule à la vitesse montrée à la figure 5.23. Un camion part du même endroit à 13 h et roule à une vitesse constante de 50 mi/h.

a)   À quelle distance du point de départ se trouve la voiture lorsque le camion part ?

b)   Durant la période où la voiture devance le camion, à quel moment la distance qui les sépare est-elle la plus grande et quelle est cette distance ?

c)   À quel moment le camion devance-t-il la voiture et quelle distance la voiture et le camion ont-ils parcourue ?

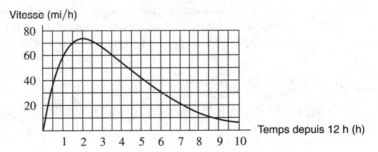

Figure 5.23 : Vitesse de la voiture

Solution   Pour trouver des distances à partir du graphe de vitesse, on considère le fait que si t est le temps mesuré à partir de 12 h et v est la vitesse, alors

$$\text{Distance parcourue par la voiture jusqu'au temps } T = \int_0^T v \, dt = \text{Aire sous le graphe de vitesse entre 0 et } T$$

On peut représenter le mouvement du camion sur le même graphe à l'aide de la droite horizontale $v = 50$, en commençant à $t = 1$. La distance parcourue par le camion est alors égale à l'aire rectangulaire sous cette droite, et la distance entre les deux véhicules correspond à la différence entre ces aires. À noter que chaque petit rectangle sur le graphe correspond au déplacement à une vitesse de 10 mi/h pendant une demi-heure (soit à une distance de 5 mi).

a)   La distance parcourue par la voiture lorsque le camion part est représentée par l'aire ombrée de la figure 5.24 (page suivante), qui totalise environ sept rectangles ou environ 35 mi.

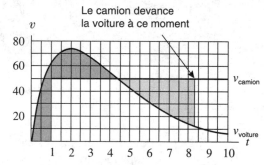

Figure 5.24 : L'aire ombrée représente la distance
parcourue par la voiture de 12 h à 13 h

b) La voiture part avant le camion, et la distance entre eux augmente tant et aussi longtemps que la vitesse de la voiture est supérieure à celle du camion. Plus tard, lorsque la vitesse du camion dépasse celle de la voiture, le camion commence à prendre de l'avance sur la voiture. En d'autres mots, la distance entre la voiture et le camion augmentera tant que $v_{\text{voiture}} > v_{\text{camion}}$, et elle diminuera lorsque $v_{\text{voiture}} < v_{\text{camion}}$. Ainsi, la distance maximale est obtenue lorsque $v_{\text{voiture}} = v_{\text{camion}}$, c'est-à-dire lorsque $t \approx 4,3$ h (à environ 16 h 20) (voir la figure 5.25). La distance parcourue par la voiture correspond à l'aire sous le graphe de v_{voiture} entre $t = 0$ et $t = 4,3$; la distance parcourue par le camion est égale à l'aire sous la droite de v_{camion} entre $t = 1$ (au départ) et $t = 4,3$. Donc, la distance entre la voiture et le camion est représentée par l'aire ombrée de la figure 5.25, qui est environ

$$35 \text{ mi} + 50 \text{ mi} = 85 \text{ mi}.$$

c) Le camion dépasse la voiture lorsque les deux véhicules ont parcouru la même distance. Cela se produit lorsque l'aire sous la courbe v_{voiture} jusqu'à ce moment est égale à l'aire sous la droite v_{camion} jusqu'à ce moment. Puisque les aires sous v_{voiture} et v_{camion} se chevauchent (voir la figure 5.26), elles sont égales lorsque l'aire ombrée en clair est égale à l'aire ombrée en foncé (qui équivaut approximativement à 85 mi). Cela se produit quand $t \approx 8,3$ h ou à environ 20 h 20.

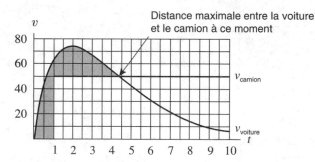

Figure 5.25 : Aire ombrée = Distance qui sépare
la voiture du camion vers 16 h 20

Figure 5.26 : Le camion devance la voiture lorsque
les aires ombrées en foncé et en clair sont égales

Problèmes de la section 5.3

1. Pour les deux voitures de l'exemple 3 ci-dessus, estimez :

a) Les distances parcourues par la voiture 1 et la voiture 2 durant la première minute.

b) Le temps pendant lequel les deux voitures ont parcouru la même distance.

2. Considérez la voiture et le camion de l'exemple 4 ci-dessus.

a) À quelle vitesse la distance entre la voiture et le camion augmente-t-elle ou diminue-t-elle à 15 h 00 ?

b) Sur le plan pratique (en fonction de la distance entre la voiture et le camion), que signifie le fait que la vitesse de la voiture atteint son maximum vers 14 h 00 ?

3. Considérez la voiture et le camion de l'exemple 4 ci-dessus, mais supposez que le camion part à 12 h (tous les autres facteurs demeurent identiques).

a) Tracez un nouveau graphe montrant les vitesses de la voiture et du camion par rapport au temps.

b) À combien de reprises les graphes se croisent-ils ? Que signifie chaque intersection en fonction de la distance qui les sépare ?

4. Si $f(t)$ est mesurée en mètres par seconde au carré et t en secondes, quelles sont les unités de $\int_a^b f(t)\,dt$?

5. Si $f(t)$ est mesurée en dollars par année et t en années, quelles sont les unités de $\int_a^b f(t)\,dt$?

6. Si $f(x)$ est mesurée en livres et x en pieds, quelles sont les unités de $\int_a^b f(x)\,dx$?

7. De l'huile se déverse d'un camion-citerne à un taux de $r = f(t)$ gallons par minute, où t est en minutes. Écrivez une intégrale définie pour exprimer la quantité totale d'huile déversée du camion-citerne au cours de la première heure.

Pour les problèmes 8 à 10, trouvez la valeur moyenne de la fonction sur un intervalle donné.

8. $g(t) = 1 + t$ sur [0, 2]   9. $f(x) = 4x + 7$ sur [1, 3]   10. $g(t) = e^t$ sur [0, 10]

11. Si le graphe de f se trouve dans la figure 5.27 :

a) Qu'est ce que $\int_1^6 f(x)\,dx$?   b) Quelle est la valeur moyenne de f sur [1, 6] ?

12. Une opération de deux jours consistant à nettoyer l'environnement débute à 9 h 00 le premier jour. Le nombre de travailleurs fluctue selon les données de la figure 5.28. Si les travailleurs sont rémunérés 10 $/h, quel a été le coût de la main-d'œuvre pour l'opération ?

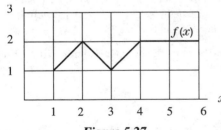

Figure 5.27

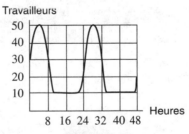

Figure 5.28

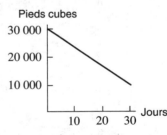

Figure 5.29

13. Supposez que, dans le problème 12, les travailleurs sont rémunérés 10 $/h pour le travail accompli durant la période comprise entre 9 h 00 et 17 h 00 et qu'ils sont payés 15 $/h durant le reste de la journée. Quel serait le coût de la main-d'œuvre si l'opération avait été exécutée dans ces circonstances ?

14. Un entrepôt demande à ses clients 5 $/j pour chaque 10 pi^3 d'espace d'entreposage. La figure 5.29 présente l'espace d'entreposage utilisé par une entreprise durant un mois. Quel prix (en dollars par jour) l'entreprise devra-t-elle payer ?

15. Si $f(x) = 2$, montrez que la valeur moyenne de $f(x)$ sur l'intervalle [a, b] est 2.

16. a) Sans calculer d'intégrales, expliquez pourquoi la valeur moyenne de $f(x) = \sin x$ sur $[0, \pi]$ doit se situer entre 0,5 et 1.
    b) Calculez cette moyenne. Donnez votre réponse avec deux décimales exactes.

17. a) Quelle est la valeur moyenne de $f(x) = \sqrt{1 - x^2}$ sur l'intervalle $0 \leq x \leq 1$?
    b) Comment pouvez-vous déterminer si cette valeur moyenne est supérieure ou inférieure à 0,5 sans faire de calculs ?

18. Comment les unités de la valeur moyenne sont-elles reliées aux unités de $f(x)$ et aux unités de x ?

19. Une barre de métal se refroidit, passant de 1000 °C à la température ambiante, soit 20 °C. La température T de la barre, t minutes après qu'elle commence à refroidir, est donnée en degrés Celsius par

$$T = 20 + 980e^{-0,1t}.$$

    a) Trouvez la température de la barre 1 h plus tard.
    b) Trouvez la valeur moyenne de la température durant la première heure.
    c) Votre réponse à la partie b) est-elle supérieure ou inférieure à la moyenne de la température au début et à la fin de l'heure ? Expliquez ce résultat en fonction de la concavité du graphe de T.

20. La valeur V d'une lampe Tiffany, qui valait 225 $ en 1965, augmente de 15 % par année. Sa valeur (en dollars) t années après 1965 est donnée par

$$V = 225(1,15)^t.$$

Trouvez la valeur moyenne de la lampe durant la période comprise entre 1965 et 2000.

21. Le nombre d'heures H où il fait jour à Madrid en fonction de la date est calculé approximativement par la formule

$$H = 12 + 2,4 \sin[0,0172(t - 80)],$$

où t est le nombre de jours depuis le début de l'année. Trouvez le nombre d'heures moyen où il fait jour à Madrid :

    a) en janvier.   b) en juin.   c) durant une année complète.

    d) Commentez les ampleurs relatives de vos réponses aux parties a), b) et c). Pourquoi sont-elles raisonnables ?

22. Une cycliste circule le long d'une route droite à une vitesse v donnée à la figure 5.30. Supposez que la cycliste commence sa randonnée à 5 mi de distance d'un lac, que les vitesses positives l'éloignent du lac et que les vitesses négatives l'en rapprochent. À quel moment la cycliste se trouve-t-elle à la distance la plus éloignée du lac et quelle est cette distance ?

23. Une force F parallèle à l'axe des x est donnée par le graphe de la figure 5.31. Estimez le travail W accompli par la force, où $W = \int_0^{16} F(x)\, dx$.

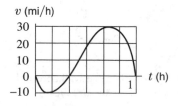

Figure 5.30

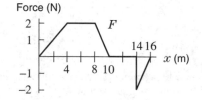

Figure 5.31

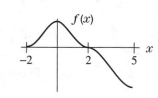

Figure 5.32

24. Pour la fonction paire f de la figure 5.32, écrivez une expression comprenant une ou plusieurs intégrales définies qui permet d'exprimer :

    a) La valeur moyenne de f pour $0 \leq x \leq 5$.   b) La valeur moyenne de $|f|$ pour $0 \leq x \leq 5$.

25. Pour la fonction paire f de la figure 5.32, considérez la valeur moyenne de f sur les intervalles suivants :

$$\text{I) } 0 \leq x \leq 1 \qquad \text{II) } 0 \leq x \leq 2 \qquad \text{III) } 0 \leq x \leq 5 \qquad \text{IV) } -2 \leq x \leq 2$$

a) Pour quel intervalle la valeur moyenne de f est-elle la plus petite ?
b) Pour quel intervalle la valeur moyenne de f est-elle la plus grande ?
c) Pour quelle paire d'intervalles les valeurs moyennes sont-elles égales ?

5.4 LES THÉORÈMES SUR LES INTÉGRALES DÉFINIES

L'intégrale définie d'un taux donne la variation totale

On vient de voir comment l'intégrale définie d'une fonction de vitesse pouvait être interprétée comme la distance totale parcourue. Si $v(t)$ est la vitesse et $s(t)$ la position, alors $v(t) = s'(t)$ et on sait que

$$\text{Variation totale de la position} = s(b) - s(a) = \int_a^b s'(t)\, dt.$$

Dans la présente section, on généralisera ce résultat pour expliquer pourquoi l'intégrale du taux de variation de toute quantité donne la variation totale de cette quantité.

On suppose que $F'(t)$ est le taux de variation d'une quantité $F(t)$ par rapport au temps et qu'on désire connaître la variation totale en $F(t)$ entre $t = a$ et $t = b$. On divise l'intervalle $a \leq t \leq b$ en n sous-intervalles, chacun étant de longueur Δt. Pour chaque intervalle, on estime la variation en $F(t)$, qui s'écrit ΔF, et on les additionne tous. Pour chaque sous-intervalle, on suppose que le taux de variation de $F(t)$ est approximativement constant. Donc, on peut dire que

$$\Delta F \approx \text{Taux de variation de } F \cdot \text{Temps écoulé.}$$

Pour le premier sous-intervalle de t_0 à t_1, le taux de variation de $F(t)$ est d'environ $F'(t_0)$. Donc,

$$\Delta F \approx F'(t_0)\, \Delta t.$$

De même, pour le deuxième intervalle,

$$\Delta F \approx F'(t_1)\, \Delta t.$$

En additionnant tous les sous-intervalles, on obtient

$$\text{Variation totale en } F = \sum_{i=0}^{n-1} \Delta F \approx \sum_{i=0}^{n-1} F'(t_i) \Delta t.$$

On a approximé la variation en $F(t)$ comme une somme de gauche.

Cependant, la variation totale en $F(t)$ entre les temps $t = a$ et $t = b$ est simplement $F(b) - F(a)$. En prenant la limite pour n qui tend vers l'infini, on obtient le résultat suivant[1] :

$$F(b) - F(a) = \genfrac{}{}{0pt}{}{\text{Variation totale de } F(t)}{\text{entre } t = a \text{ et } t = b} = \lim_{n \to \infty} \sum_{i=0}^{n-1} F(t_i) \Delta t = \int_a^b F'(t)\, dt.$$

Ce résultat est l'un des plus importants en calcul, car il établit le lien entre la dérivée et l'intégrale définie. On l'appelle le théorème fondamental du calcul et il s'énonce souvent comme suit :

---

1. On aurait également pu utiliser la somme de droite, puisque l'intégrale définie constitue leur limite commune.

Théorème fondamental du calcul

Si f est continue sur l'intervalle $[a, b]$ et $f(t) = F'(t)$, alors

$$\int_a^b f(t)\, dt = F(b) - F(a).$$

En langage courant :

   L'intégrale définie d'un taux de variation donne la variation totale.

Quelles sont les composantes de la preuve du théorème fondamental ?

L'argument qu'on a donné rend le théorème fondamental plausible. Cependant, il ne s'agit pas d'une preuve mathématique. Chacune des approximations

$$\Delta F \approx F'(t_i)\Delta t, \quad i = 1, \ldots, n,$$

contient une petite erreur. Pour prouver que la variation totale de F est bien approximée par la somme de Riemann $\sum_{i=0}^{n-1} F'(t_i)\Delta t$, on doit montrer que la somme de toutes les erreurs est petite (en fait, qu'on peut la rendre aussi petite qu'on le souhaite en choisissant un n suffisamment grand). Les détails de cet argument ne sont pas énoncés ici. Toutefois, la notion principale fait ressortir un fait important concernant la linéarisation locale : l'erreur sur la linéarisation locale $\Delta F \approx F'(t_i)\Delta t$ n'est pas seulement petite ; elle est petite par rapport à la taille de Δt. Cela provient de la définition de la dérivée : si on choisit Δt pour qu'elle soit suffisamment petite, on peut s'assurer que l'erreur sur l'approximation

$$F'(t_i) \approx \frac{\Delta F}{\Delta t}$$

est aussi petite qu'on le souhaite. En d'autres mots,

$$F'(t_i) = \frac{\Delta F}{\Delta t} + \epsilon,$$

où ϵ peut être aussi petit qu'on le souhaite. En multipliant le tout par Δt, on obtient l'approximation

$$F'(t_i)\Delta t = \Delta F + \epsilon\Delta t.$$

Ainsi, dans l'approximation $F'(t_i)\Delta t \approx \Delta F$, l'erreur est $\epsilon\Delta t$, laquelle est petite même par rapport à Δt. Lorsqu'on additionne ces petites erreurs, on obtient tout de même une petite erreur totale.

L'application du théorème fondamental

Le théorème fondamental permet de calculer précisément certaines intégrales définies.

Exemple 1   Calculez $\int_1^3 2x\, dx$ à l'aide de deux méthodes différentes.

Solution   À l'aide des sommes de droite et de gauche, on peut calculer approximativement cette intégrale avec autant de précision qu'on le souhaite. Avec $n = 100$, par exemple, la somme de gauche est 7,96 et la somme de droite est 8,04. En utilisant $n = 500$, on apprend que

$$7{,}992 < \int_1^3 2x\, dx < 8{,}008.$$

Le théorème fondamental, par ailleurs, permet de calculer l'intégrale avec précision. On prend $f(x) = 2x$. On sait que si $F(x) = x^2$, alors $F'(x) = 2x$. On utilise donc $f(x) = 2x$ et $F(x) = x^2$ et on obtient

$$\int_1^3 2x\, dx = F(3) - F(1) = 3^2 - 1^2 = 8.$$

On peut également utiliser le théorème fondamental quant le taux $F'(t)$ est connu et qu'on veut trouver la variation totale $F(b) - F(a)$. Si on connaît également $F(a)$, le théorème permet de reconstruire la fonction F à partir de ce qu'on sait sur sa dérivée $F' = f$.

Exemple 2   Soit $F(t)$ une population de bactéries qui atteint les 5 millions au temps $t = 0$. Supposez qu'après t heures, la population augmente à un taux instantané de 2^t millions de bactéries par heure. Estimez l'augmentation totale de la population de bactéries durant la première heure et la population à $t = 1$.

Solution   Puisque le taux auquel augmente la population est $F'(t) = 2^t$, on obtient

$$\text{Variation de la population} = F(1) - F(0) = \int_0^1 2^t\, dt.$$

En utilisant une calculatrice, on obtient

$$\text{Variation de la population} = \int_0^1 2^t\, dt \approx 1{,}44 \text{ millions de bactéries.}$$

Puisque $F(0) = 5$, la population à $t = 1$ est donnée par

$$\text{Population} = F(1) = F(0) + \int_0^1 2^t\, dt \approx 5 + 1{,}44 = 6{,}44 \text{ millions de bactéries.}$$

Les propriétés de l'intégrale définie

Pour l'intégrale définie $\int_a^b f(x)\, dx$, on a jusqu'à maintenant considéré que le cas $a < b$. Maintenant, soit $a \geq b$. On détermine encore $x_0 = a$, $x_n = b$, et $\Delta x = (b - a)/n$. Comme précédemment, on a $\int_a^b f(x)\, dx = \lim_{n \to \infty} \sum_{i=1}^n f(x_i)\Delta x$.

Théorème : Propriétés des bornes d'intégration

Si a, b et c sont trois nombres quelconques et f est une fonction continue, alors

1. $\displaystyle\int_b^a f(x)\, dx = -\int_a^b f(x)\, dx.$

2. $\displaystyle\int_a^c f(x)\, dx + \int_c^b f(x)\, dx = \int_a^b f(x)\, dx.$

En langage courant :
1. L'intégrale de b à a est de signe opposé à l'intégrale de a à b.
2. L'intégrale de a à c plus l'intégrale de c à b est l'intégrale de a à b.

En considérant les intégrales comme des aires, on peut justifier ces résultats pour $f \geq 0$. En fait, ils sont vrais pour toutes les fonctions pour lesquelles les intégrales sont définies.

Pourquoi $\int_b^a f(x)\,dx = -\int_a^b f(x)\,dx$?

Par définition, les deux intégrales sont données approximativement par les sommes de la forme $\sum f(x_i)\Delta x$. Les x_i sont les mêmes dans chaque cas : la seule différence entre les sommes pour $\int_b^a f(x)\,dx$ et $\int_a^b f(x)\,dx$ est que dans la première, $\Delta x = (a-b)/n = -(b-a)/n$ et dans la seconde, $\Delta x = (b-a)/n$. Puisque le reste des éléments qui concernent les sommes sont les mêmes, on doit avoir $\int_b^a f(x)\,dx = -\int_a^b f(x)\,dx$.

Pourquoi $\int_a^c f(x)\,dx + \int_c^b f(x)\,dx = \int_a^b f(x)\,dx$?

On suppose que $a < c < b$. La figure 5.33 suggère que $\int_a^c f(x)\,dx + \int_c^b f(x)\,dx = \int_a^b f(x)\,dx$ puisque l'aire sous f de a à c combinée à l'aire sous f de c à b forment ensemble l'aire totale sous f de a à b.

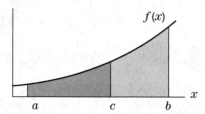

Figure 5.33 : Additivité de l'intégrale définie ($a < c < b$)

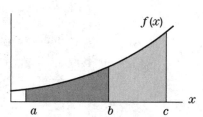

Figure 5.34 : Additivité de l'intégrale définie ($a < b < c$)

En fait, cette propriété s'applique à tous les nombres a, b et c, et pas seulement à ceux qui satisfont à $a < c < b$ (voir la figure 5.34). Par exemple, l'aire sous f de 3 à 6 est égale à l'aire de 3 à 8 *moins* l'aire de 6 à 8. Donc,

$$\int_3^6 f(x)\,dx = \int_3^8 f(x)\,dx - \int_6^8 f(x)\,dx = \int_3^8 f(x)\,dx + \int_8^6 f(x)\,dx.$$

Exemple 3   Si vous savez que $\int_0^{1{,}25} \cos(x^2)\,dx = 0{,}98$ et $\int_0^1 \cos(x^2)\,dx = 0{,}90$ (voir la figure 5.35), quelle sont les valeurs des intégrales suivantes ?

a) $\int_1^{1{,}25} \cos(x^2)\,dx$ b) $\int_{-1}^1 \cos(x^2)\,dx$ c) $\int_{1{,}25}^{-1} \cos(x^2)\,dx$

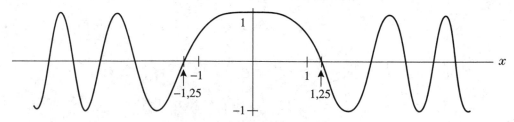

Figure 5.35 : Graphe de $f(x) = \cos(x^2)$

Solution   a)   Puisque $\int_0^{1{,}25} \cos(x^2)\,dx = \int_0^1 \cos(x^2)\,dx + \int_1^{1{,}25} \cos(x^2)\,dx$ selon la propriété d'additivité, on obtient $0{,}98 = 0{,}90 + \int_1^{1{,}25} \cos(x^2)\,dx$. Donc, $\int_1^{1{,}25} \cos(x^2)\,dx = 0{,}08$.

b) $\int_{-1}^1 \cos(x^2)\,dx = \int_{-1}^0 \cos(x^2)\,dx = \int_0^1 \cos(x^2)\,dx$.
Selon la symétrie de $\cos(x^2)$ par rapport à l'axe des y, $\int_{-1}^0 \cos(x^2)\,dx = \int_0^1 \cos(x^2)\,dx = 0{,}90$. Donc, $\int_{-1}^1 \cos(x^2)\,dx = 0{,}90 + 0{,}90 = 1{,}80$.

c) $\int_{1,25}^{-1} \cos(x^2)\, dx = -\int_{-1}^{1,25} \cos(x^2)\, dx = -(\int_{-1}^{0} \cos(x^2)\, dx + \int_{0}^{1,25} \cos(x^2)\, dx) = -(0,90 + 0,98)$
      $= -1,88.$

Théorème : Propriétés des sommes et des multiples constants de la fonction à intégrer ou linéarité de l'intégrale définie

Soit f et g des fonctions continues et c une constante.

1. $$\int_{a}^{b} (f(x) \pm g(x))\, dx = \int_{a}^{b} f(x)\, dx \pm \int_{a}^{b} g(x)\, dx.$$

2. $$\int_{a}^{b} c f(x)\, dx = c \int_{a}^{b} f(x)\, dx.$$

En langage courant :

1.   L'intégrale de la somme (ou de la différence) de deux fonctions est la somme (ou la différence) de leurs intégrales.

2.   L'intégrale d'une constante multipliée par une fonction est cette constante multipliée par l'intégrale de la fonction.

Pourquoi ces propriétés s'appliquent-elles ?

On peut visualiser ces deux propriétés en considérant la définition de l'intégrale définie comme la limite de la somme des aires des rectangles.

Pour la propriété 1, on suppose que f et g sont positives sur l'intervalle $[a, b]$ de manière telle que l'aire sous $f(x) + g(x)$ correspond approximativement à la somme des aires des rectangles comme celle qui est ombrée à la figure 5.36. L'aire de ce rectangle est

$$[f(x_i) + g(x_i)]\Delta x = f(x_i)\Delta x + g(x_i)\Delta x.$$

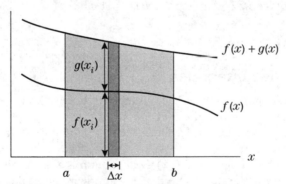

Figure 5.36 : Aire $= \int_{a}^{b} [f(x) + g(x)]\, dx = \int_{a}^{b} f(x)\, dx + \int_{a}^{b} g(x)\, dx$

Puisque $f(x_i)\Delta x$ est l'aire d'un rectangle sous le graphe de f et que $g(x_i)\Delta x$ est l'aire d'un rectangle sous le graphe de g, l'aire sous $f(x) + g(x)$ est la somme des aires sous $f(x)$ et $g(x)$.

Pour la propriété 2, on note qu'en multipliant une fonction par c, on allonge ou on aplatit d'un facteur c le graphe dans le sens vertical. Ainsi, on allonge ou aplatit la hauteur de chaque rectangle approximatif de c et multiplie donc l'aire par c.

Exemple 4   Évaluez l'intégrale définie $\int_{0}^{2} (1 + 3x)\, dx$ avec précision.

Solution   On peut diviser cette intégrale comme suit :

$$\int_0^2 (1 + 3x)\, dx = \int_0^2 1\, dx = \int_0^2 3x\, dx = \int_0^2 1\, dx + 3\int_0^2 x\, dx.$$

Cela exprime l'intégrale originale en fonction de deux intégrales plus simples. À partir de l'interprétation de l'aire de l'intégrale, on constate que

$$\int_0^2 1\, dx = 2,$$

puisqu'elle représente l'aire sous la droite horizontale $y = 1$ entre $x = 0$ et $x = 2$ (voir la figure 5.37). De même,

$$\int_0^2 x\, dx = \frac{1}{2} \cdot 2 \cdot 2 = 2,$$

car elle est l'aire du triangle de la figure 5.38. Ainsi,

$$\int_0^2 (1 + 3x)\, dx = \int_0^2 1\, dx + 3\int_0^2 x\, dx = 2 + 3(2) = 8.$$

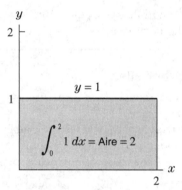

Figure 5.37 : Aire représentant $\int_0^2 1\, dx$

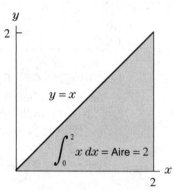

Figure 5.38 : Aire représentant $\int_0^2 x\, dx$

La comparaison des intégrales

On suppose qu'on a des constantes m et M telles que $m \le f(x) \le M$ pour $a \le x \le b$. On dit que f est *majoré* par M et *minoré* par m. Alors, le graphe de f se trouve entre les droites horizontales $y = m$ et $y = M$. Donc, l'intégrale définie se trouve entre $m(b - a)$ et $M(b - a)$ [voir la figure 5.39].

On suppose que $f(x) \le g(x)$ pour $a \le x \le b$ (voir la figure 5.40). Selon un argument similaire, l'intégrale définie de f est inférieure ou égale à l'intégrale définie de g, qui conduit aux résultats suivants :

Théorème : Résultats concernant la comparaison des intégrales définies

Soit f et g des fonctions continues.

1.   Si $m \le f(x) \le M$ pour $a \le x \le b$, alors $m(b - a) \le \int_a^b f(x)\, dx \le M(b - a)$.

2.   Si $f(x) \le g(x)$ pour $a \le x \le b$, alors $\int_a^b f(x)\, dx \le \int_a^b g(x)\, dx$.

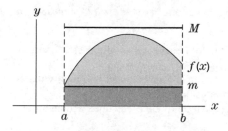

Figure 5.39 : L'aire sous le graphe de f
se trouve entre les aires des rectangles

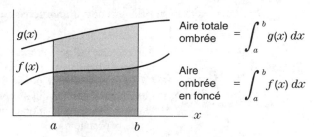

Figure 5.40 : Si $f(x) \leq g(x)$, alors
$\int_a^b f(x)\, dx \leq \int_a^b g(x)\, dx$

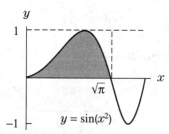

Figure 5.41 : Graphe montrant que $\int_0^{\sqrt{\pi}} \sin(x^2)\, dx < \sqrt{\pi}$

Exemple 5   Expliquez pourquoi $\displaystyle\int_0^{\sqrt{\pi}} \sin(x^2)\, dx \leq \sqrt{\pi}$.

Solution   Puisque $\sin(x^2) \leq 1$ pour tout x (voir la figure 5.41), la partie 2 du théorème donne

$$\int_0^{\sqrt{\pi}} \sin(x^2)\, dx \leq \int_0^{\sqrt{\pi}} 1\, dx = \sqrt{\pi}.$$

Exemple 6   Montrez que $\displaystyle 2 \leq \int_0^2 \sqrt{1 + x^3}\, dx \leq 6$.

Solution   On remarque que $f(x) = \sqrt{1 + x^3}$ est croissante pour $0 \leq x \leq 2$, puisque x^3 augmente quand x augmente. Cela signifie que $f(0) \leq f(x) \leq f(2)$. Pour cette fonction, $f(0) = 1$ et $f(2) = 3$. Ainsi, on peut imaginer l'aire sous $f(x)$ comme si elle se situait entre l'aire sous la droite $y = 1$ et l'aire sous la droite $y = 3$ sur l'intervalle $0 \leq x \leq 2$. Autrement dit,

$$1(2 - 0) \leq \int_0^2 \sqrt{1 + x^3}\, dx \leq 3(2 - 0).$$

Problèmes de la section 5.4

1. Le graphe d'une dérivée $f'(x)$ est présenté à la figure 5.42. Remplissez le tableau pour $f(x)$ si $f(0) = 2$.

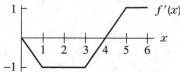

x	0	1	2	3	4	5	6
$f(x)$	2						

Figure 5.42 : Graphe de f' et non de f

2. De l'eau s'écoule d'un réservoir à un débit de $R(t)$ mesuré en gallons par heure, où t est mesuré en heures.

    a) Écrivez une intégrale définie qui exprime la quantité totale d'eau qui s'écoule durant les deux premières heures.
    b) La figure 5.43 est un graphe de $R(t)$. Sur un graphe, ombrez la région dont l'aire représente la quantité totale d'eau qui s'écoule durant les deux premières heures.
    c) Donnez une surestimation et une sous-estimation de la quantité totale d'eau qui s'écoule durant les deux premières heures.

3. La figure 5.44 montre le graphe de f. Si $F' = f$ et $F(0) = 0$, trouvez $F(b)$ pour $b = 1, 2, 3, 4, 5, 6$.

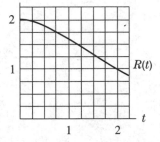

Figure 5.43

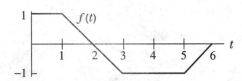

Figure 5.44

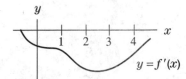

Figure 5.45 : Graphe de f' et non de f

Les problèmes 4 et 5 concernent le graphe de f' de la figure 5.45.

4. Laquelle est la plus grande, $f(0)$ ou $f(1)$?

5. Dressez une liste des valeurs suivantes par ordre croissant : $\dfrac{f(4) - f(2)}{2}$, $f(3) - f(2)$, $f(4) - f(3)$.

6. Au début de 1993, un bulletin d'information annonçait que le revenu moyen d'un Américain variait à un taux de $r(t) = 40(1{,}002)^t$ mesuré en dollars par mois, où t est en mois à partir du 1er janvier 1993. De quel montant le revenu moyen d'un Américain a-t-il varié durant 1993 ?

7. On place une tasse de café dont la température est de 90 °C dans une pièce dont la température est 20 °C. Si la température du café varie à un taux donné (en degrés Celsius par minute) de

    $$r(t) = -7e^{-0{,}1t}, \text{ où } t \text{ est mesuré en minutes,}$$

    estimez, avec une décimale exacte, la température du café quand $t = 10$.

8. Le taux auquel la réserve de pétrole mondiale est consommée augmente continuellement. Supposez que le taux (en milliards de barils par année) est donné par la fonction $r = f(t)$, où t est mesuré en années et $t = 0$ est le début de 1990.

    a) Écrivez une intégrale définie qui représente la quantité totale de pétrole utilisée entre le début de 1990 et le début de 1995.
    b) Supposez que $r = 32e^{0{,}05t}$. En utilisant la somme de gauche avec cinq sous-intervalles, trouvez la valeur approximative pour la quantité totale de pétrole utilisée entre le début de 1990 et le début de 1995.
    c) Interprétez chacun des cinq termes de la somme de la partie b) en fonction de la consommation de pétrole.

9. Le graphe d'une fonction $y = f(x)$ est donné à la figure 5.46. Supposez que $f(x)$ est le taux (en milliers d'algues par heure) auquel une population d'algues augmente, où x est en heures.

    a) Estimez la valeur moyenne du taux de croissance de la population sur l'intervalle $x = -1$ à $x = 3$. Expliquez comment vous avez trouvé votre réponse.
    b) Estimez la variation totale de la population d'algues sur l'intervalle $x = -3$ à $x = 3$.

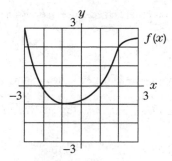

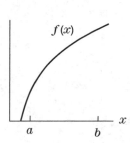

Figure 5.46   **Figure 5.47**

Pour les problèmes 10 à 13, inscrivez les quantités suivantes sur une copie du graphe de f de la figure 5.47.

10. Une longueur représentant $f(b) - f(a)$.

11. Une pente représentant $\dfrac{f(b) - f(a)}{b - a}$.

12. Une aire représentant $F(b) - F(a)$, où $F' = f$.

13. Une longueur mesurant approximativement

$$\frac{F(b) - F(a)}{b - a}, \text{ où } F' = f.$$

Supposez que $\int_a^b f(x)\, dx = 8$, $\int_a^b \left(f(x)\right)^2 dx = 12$, $\int_a^b g(t)\, dt = 2$, et $\int_a^b \left(g(t)\right)^2 dt = 3$. Trouvez les intégrales pour les problèmes 14 à 19.

14. $\int_a^b \left(f(x) + g(x)\right) dx$

15. $\int_a^b \left((f(x))^2 - (g(x))^2\right) dx$

16. $\int_a^b \left(f(x)\right)^2 dx - \left(\int_a^b f(x)\, dx\right)^2$

17. $\int_a^b c f(z)\, dz$

18. $\int_a^b \left(c_1 g(x) + (c_2 f(x))^2\right) dx$

19. $\int_{a+5}^{b+5} f(x - 5)\, dx$

20. La fonction de *distribution normale centrée réduite*, qu'on utilise souvent en statistiques, correspond à la formule

$$\frac{1}{\sqrt{2\pi}}\, e^{-x^2/2}$$

et au graphe de la figure 5.48. Des manuels de statistiques contiennent habituellement des tables semblables à celle ci-dessous, qui ne présentent que l'aire sous la courbe de 0 à b pour différentes valeurs de b.

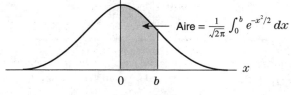

Aire $= \dfrac{1}{\sqrt{2\pi}} \displaystyle\int_0^b e^{-x^2/2}\, dx$

Figure 5.48

b	$\dfrac{1}{\sqrt{2\pi}} \displaystyle\int_0^b e^{-x^2/2}\, dx$
1	0,3413
2	0,4772
3	0,4987
4	0,5000

Utilisez les données présentées dans le tableau et la symétrie de la courbe normale standard par rapport à l'axe des y pour trouver :

a) $\dfrac{1}{\sqrt{2\pi}} \displaystyle\int_1^3 e^{-x^2/2}\, dx$.

b) $\dfrac{1}{\sqrt{2\pi}} \displaystyle\int_{-2}^3 e^{-x^2/2}\, dx$.

21. a) $\displaystyle\int_{-1}^{1} e^{x^2}\,dx$ est-elle positive, négative ou égale à zéro ? Justifiez votre réponse.

    b) Expliquez pourquoi $0 < \displaystyle\int_{0}^{1} e^{x^2}\,dx < 3$.

22. Sans calculer l'intégrale, expliquez pourquoi les énoncés suivants sont faux.

    a) $\displaystyle\int_{-2}^{-1} e^{x^2}\,dx = -3$ b) $\displaystyle\int_{-1}^{1} \left|\frac{\cos(x+2)}{1+\tan^2 x}\right|\,dx = 0$

23. Sans effectuer de calculs, trouvez les valeurs des expressions ci-après.

    a) $\displaystyle\int_{-2}^{2} \sin x\,dx$ b) $\displaystyle\int_{-\pi}^{\pi} x^{113}\,dx$.

24. Utilisez la propriété $\displaystyle\int_{b}^{a} f(x)\,dx = -\int_{a}^{b} f(x)\,dx$ pour montrer que $\displaystyle\int_{a}^{a} f(x)\,dx = 0$.

25. La valeur moyenne de $y = v(x)$ est égale à 4 pour $1 \le x \le 6$ et est égale à 5 pour $6 \le x \le 8$. Quelle est la valeur moyenne de $v(x)$ pour $1 \le x \le 8$?

SOMMAIRE DU CHAPITRE

- **Intégrale définie en tant que limite des sommes de droite et de gauche**
- **Interprétations de l'intégrale définie**
  Variation totale à partir du taux de variation, changement de position étant donné la vitesse, aire, $(b - a)\cdot$ Valeur moyenne.

- **Propriétés de l'intégrale définie**
  Propriétés comprenant la fonction à intégrer, propriétés comprenant les limites, comparaison entre les intégrales.
- **Théorème fondamental du calcul**
- **Travailler avec l'intégrale définie**
  Estimer une intégrale définie à partir d'un graphe, d'une table des valeurs ou d'une formule.

PROBLÈMES DE RÉVISION DU CHAPITRE CINQ

1. Une voiture circulant à 80 pi/s (à environ 55 mi/h) freine pour s'arrêter 8 s plus tard. Sa vitesse est notée toutes les deux secondes et est donnée dans le tableau suivant.

   a) Donnez votre meilleure estimation de la distance que parcourt la voiture durant ces 8 s.
   b) Pour estimer la distance parcourue à 20 pi près, à quelle fréquence devriez-vous noter la vitesse ?

t (s)	0	2	4	6	8
$v(t)$ (pi/s)	80	52	28	10	0

2. Remplissez le tableau 5.4 avec les sommes de gauche et de droite appropriées avec n sous-intervalles pour l'intégrale $\int_{-1}^{2} 5e^{-x^2}\,dx$. Utilisez le tableau pour estimer la valeur de l'intégrale définie.

   TABLEAU 5.4

n	Droite	Gauche
5		
25		
500		

3. Un graphe de $y = f(x)$ est donné à la figure 5.49. Estimez $\int_0^{20} f(x)\,dx$.

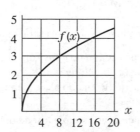

Figure 5.49

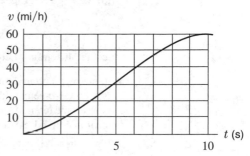

Figure 5.50

4. Une voiture accélère lentement passant de 0 à 60 mi/h en 10 s. Supposez que la vitesse de la voiture en fonction du temps est donnée à la figure 5.50. Estimez la distance que parcourt la voiture durant la période de 10 s.

5. Votre vitesse est donnée par

$$v(t) = \sin(t^2) \qquad \text{pour } 0 \le t \le 1{,}1.$$

Représentez la distance parcourue durant cette période par une intégrale ; utilisez une calculatrice ou un ordinateur pour trouver la distance parcourue.

Trouvez l'aire des régions des problèmes 6 à 9.

6. Entre $y = x^2 - 9$ et l'axe des x.

7. Sous une arche de la courbe $y = \sin x$.

8. Entre la parabole $y = 4 - x^2$ et l'axe des x.

9. Entre la droite $y = 1$ et l'une des arches de la courbe $y = \sin \theta$.

10. Si $\int_2^5 (2f(x) + 3)\,dx = 17$, trouvez $\int_2^5 f(x)\,dx$.

11. Le graphe d'une fonction continue f est donné à la figure 5.51. Classez les intégrales suivantes par ordre numérique ascendant. Justifiez votre réponse.

i) $\int_0^2 f(x)\,dx$ ii) $\int_0^1 f(x)\,dx$ iii) $\int_0^2 \left(f(x)\right)^{1/2}\,dx$ iv) $\int_0^2 \left(f(x)\right)^2\,dx$.

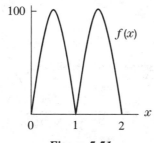

Figure 5.51

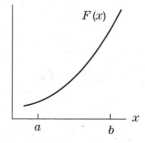

Figure 5.52

Pour les problèmes 12 à 14, en supposant que $F' = f$, inscrivez les quantités suivantes sur une copie de la figure 5.52.

12. Une pente représentant $f(a)$.

13. Une longueur représentant $\int_a^b f(x)\,dx$.

14. Une pente représentant $\dfrac{1}{b-a} \int_a^b f(x)\,dx$.

15. a) Tracez un graphe de $f(x) = \sin(x^2)$ et indiquez les points $x = \sqrt{\pi}$, $\sqrt{2\pi}$, $\sqrt{3\pi}$, $\sqrt{4\pi}$.

b) Utilisez ce graphe pour décider lequel des quatre nombres

$$\int_0^{\sqrt{n\pi}} \sin(x^2)\, dx \quad n = 1, 2, 3, 4$$

est le plus grand. Lequel est le plus petit ? Combien de nombres sont positifs ?

16. On a récemment demandé à un organisme de protection de l'environnement de mener une enquête sur un déversement d'iode radioactif. Les mesures montrent que les niveaux de radiation ambiants sur le site étaient quatre fois supérieurs à la limite maximale acceptable. Donc, l'organisme a ordonné de faire évacuer les régions avoisinantes.

On sait que le niveau de radiation provenant d'une source d'iode diminue selon la formule

$$R(t) = R_0 e^{-0,004t},$$

où R est le niveau de radiation (en millirems par heure) au temps t, R_0 est le niveau de radiation initial (à $t = 0$) et t est le temps mesuré en heures.

a) Dans combien de temps le site aura-t-il atteint un niveau acceptable de radiation ?

b) Quelle quantité de radiation totale (en millirems) a été émise durant cette période, si on suppose que la limite maximale acceptable est de 0,6 millirems/h ?

17. Supposez que la population P du Mexique (en millions) est donnée par

$$P = 67,38(1,026)^t,$$

où t est le nombre d'années depuis 1980.

a) Quelle était la population moyenne du Mexique entre 1980 et 1990 ?

b) Quelle était la population moyenne du Mexique en 1980 ? en 1990 ?

c) Expliquez, en fonction de la concavité du graphe de P (voir au chapitre 1 la figure 1.18), la raison pour laquelle votre réponse à la partie b) est plus grande ou plus petite que votre réponse à la partie a).

18. Les graphes de la figure 5.53 représentent la vitesse v d'une particule se déplaçant le long de l'axe des x pour le temps $0 \le t \le 5$. Les échelles verticales de tous les graphes sont les mêmes. Identifiez le graphe montrant la particule qui

a) a une accélération constante.

b) se retrouve le plus à gauche par rapport à son point de départ.

c) se retrouve à la plus grande distance de son point de départ.

d) enregistre l'accélération initiale la plus grande.

e) a la vitesse moyenne la plus grande.

f) a l'accélération moyenne la plus grande.

I) 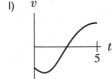 II) 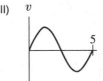 III) 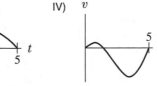 IV) V)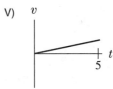

Figure 5.53

19. Une nouvelle vendeuse découvre qu'au fur à mesure qu'elle acquiert de l'expérience, ses ventes d'appareils électroménagers augmentent chaque mois. Durant le premier mois, elle n'en vend que sept, mais chaque mois suivant, elle en vend deux de plus que le mois précédent. Le nombre d'appareils vendus durant le mois t est $2t + 5$.

a) Trouvez arithmétiquement le nombre moyen d'appareils électroménagers vendus par mois au cours de la première année, en calculant le nombre d'appareils vendus chaque mois et en faisant la moyenne sur 12 mois.

b) Maintenant, trouvez la moyenne par intégration comme si la fonction des ventes s'appliquait à toutes les valeurs de t (plutôt qu'aux valeurs entières).

c) Ces deux résultats sont-ils comparables ?

d) Si vous considérez que votre réponse à la partie a) est vraie, et que la réponse de l'intégrale est une approximation, pour quelle raison utiliseriez-vous l'intégrale plutôt que la vraie réponse ?

e) Tracez un graphe des deux réponses sous la forme d'aire d'une région. Inscrivez sur votre graphe une région représentant l'erreur dans la réponse de l'intégrale.

20. On remplit d'eau un grand réservoir avec un boyau ayant un débit constant. Cinq minutes plus tard, on perce un trou au fond du réservoir et l'eau commence à s'écouler. Au départ, le débit au travers du trou est deux fois plus élevé que le débit du boyau, mais au fur et à mesure que le niveau d'eau baisse dans le réservoir, le débit du trou diminue ; 10 minutes plus tard, le niveau d'eau dans le réservoir semble être constant. Tracez les graphes des débits du boyau et du trou par rapport au temps sur les mêmes paires d'axes. Montrez comment le volume d'eau dans le réservoir peut être interprété à tout moment en fonction de l'aire (ou de la différence entre deux aires). En particulier, interprétez le volume en régime permanent du réservoir[2].

21. Le barrage Glen Canyon, situé en haut du Grand Canyon, prévient les inondations naturelles. En 1996, les scientifiques ont décidé qu'il fallait provoquer une inondation artificielle pour restaurer l'équilibre environnemental. L'eau a été déversée par le barrage à un débit contrôlé[3], qui est présenté à la figure 5.54. Cette dernière montre également le débit de la dernière inondation naturelle survenue en 1957.

a) À quel débit l'eau se déversait-elle du barrage en 1996, avant l'inondation artificielle ?

b) À quel débit l'eau se déversait-elle dans la rivière durant la saison précédant l'inondation en 1957 ?

c) Estimez les débits maximaux de déversement pour les inondations de 1996 et de 1957.

d) Quelle a été la durée approximative de la dernière inondation de 1996 ? Quelle a été la durée de l'inondation de 1957 ?

e) Estimez la quantité d'eau additionnelle qui s'est déversée dans la rivière en 1996 à la suite de l'inondation artificielle.

f) Estimez la quantité additionnelle d'eau qui s'est déversée dans la rivière en 1957 à la suite de l'inondation.

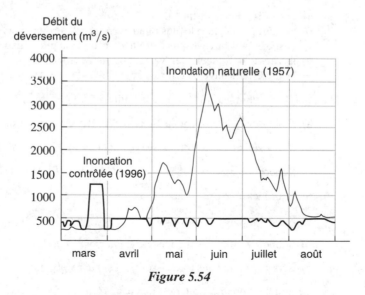

Figure 5.54

22. Au 18e siècle, les frères de Montgolfier (Joseph et Étienne) inventèrent le ballon à air chaud. S'ils avaient disposé des instruments appropriés, ils auraient pu laisser des données sur leurs premières

2. Tiré de TAYLOR, Peter D., *Calculus : The Analysis of Functions*, Toronto, Wall & Emerson, Inc., 1992.

3. Adapté de COLLIER, M., R. Webb et E. Andrews, « Experimental Flooding in Grand Canyon », dans *Scientific American,* janvier 1997.

expériences, comme celles qui sont présentées à la figure 5.55. Le graphe montre leur vitesse verticale v alors que l'ascension est positive.

a) Au cours de quels intervalles l'accélération a-t-elle été positive ? négative ?
b) Quelle a été l'altitude la plus élevée et à quel moment ?
c) À quel moment l'accélération ascensionnelle a-t-elle été la plus grande ?
d) À quel moment la décélération a-t-elle été la plus grande ?
e) Qu'aurait-il pu se produire durant ce vol pour expliquer la réponse à la partie d) ?
f) Ce vol s'est terminé au sommet d'une colline. Comment pouvez-vous le savoir et quelle était la hauteur de la colline au-delà du point de départ ?

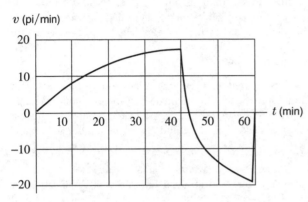

Figure 5.55   *Figure 5.56*

23. Une souris se promène d'un bout à l'autre d'un tunnel, attirée par des morceaux de cheddar qu'on place et qu'on retire à chaque extrémité (droite et gauche) du tunnel. Le graphe de la vitesse v de la souris est donné à la figure 5.56. La vitesse positive correspond au mouvement de la souris vers l'extrémité droite du tunnel. En supposant que la souris commence ($t = 0$) au centre du tunnel, utilisez le graphe pour estimer le ou les temps où

a) la souris change de direction.
b) la souris se déplace le plus rapidement vers la droite ; vers la gauche.
c) la souris se trouve le plus à droite du centre ; le plus à gauche du centre.
d) la vitesse de la souris (en valeur absolue) est décroissante.
e) la souris se trouve au centre du tunnel.

24. Soit la fonction paire f tracée à la figure 5.57.

a) Supposez que vous connaissez $\int_0^2 f(x)\,dx$. Qu'est-ce que $\int_{-2}^2 f(x)\,dx$?
b) Supposez que vous connaissez $\int_0^5 f(x)\,dx$ et $\int_2^5 f(x)\,dx$. Qu'est-ce que $\int_0^2 f(x)\,dx$?
c) Supposez que vous connaissez $\int_{-2}^5 f(x)\,dx$ et $\int_{-2}^2 f(x)\,dx$. Qu'est-ce que $\int_0^5 f(x)\,dx$?

25. Soit la fonction paire f tracée à la figure 5.57.

a) Supposez que vous connaissez $\int_{-2}^2 f(x)\,dx$ et $\int_0^5 f(x)\,dx$. Qu'est-ce que $\int_2^5 f(x)\,dx$?
b) Supposez que vous connaissez $\int_{-2}^5 f(x)\,dx$ et $\int_{-2}^0 f(x)\,dx$. Qu'est-ce que $\int_2^5 f(x)\,dx$?
c) Supposez que vous connaissez $\int_2^5 f(x)\,dx$ et $\int_{-2}^5 f(x)\,dx$. Qu'est-ce que $\int_0^2 f(x)\,dx$?

26. Le graphe d'une fonction f est donné à la figure 5.58. Dressez une liste, en allant de la *plus petite* à la *plus grande*, pour

a) $f'(1)$.
b) la valeur moyenne de $f(x)$, $0 \le x \le a$.
c) la valeur moyenne du taux de variation de $f(x)$ pour $0 \le x \le a$.

d) $\displaystyle\int_0^a f(x)\,dx$.

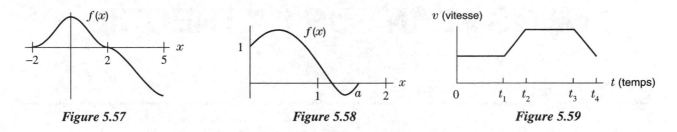

Figure 5.57   Figure 5.58   Figure 5.59

27. Une force F agit sur une particule de masse m se déplaçant le long d'une droite. La vitesse v de la particule est montrée à la figure 5.59. En utilisant $F = ma$, où a est l'accélération de la particule, déterminez si le travail accompli par la force sur la particule sur chacun des intervalles $[0, t_1]$, $[t_1, t_2]$, $[t_2, t_3]$, $[t_3, t_4]$ est positif, négatif ou égal à zéro. (Travail accompli = Force · Distance, lorsque la force est constante.)

GROS PLAN SUR LA THÉORIE

L'INTÉGRALE DÉFINIE

Il faut se rappeler que si f est continue sur $[a, b]$, l'intégrale définie est donnée par une limite des sommes de gauche ou de droite :

$$\int_a^b f(x)\, dx = \lim_{n \to \infty} \sum_{i=0}^{n-1} f(x_i)\Delta x = \lim_{n \to \infty} \sum_{i=1}^{n} f(x_i)\Delta x.$$

Cela fournit une méthode pour mesurer approximativement les intégrales définies numériquement [4]. Dans la présente section, on donnera une définition formelle de l'intégrale définie à l'aide de sommes plus générales.

Un cas particulier : les fonctions monotones

Une fonction qui est soit croissante, soit décroissante sur un intervalle est dite *monotone* sur l'intervalle. À la section 5.1, on a vu que si f est monotone, les sommes de gauche et de droite bornent la valeur exacte de l'intégrale entre elles. On poursuit maintenant l'exemple 1 de la section 5.2 dans lequel on examine la valeur de

$$\int_1^2 \frac{1}{t}\, dt.$$

Les sommes de gauche et de droite pour $n = 2$, 10, 50 et 250 sont données dans le tableau 5.5.

Puisque la fonction $f(t) = 1/t$ est décroissante, les sommes de gauche sont décroissantes et convergent vers l'intégrale tandis que les sommes de droite sont croissantes et convergent aussi vers l'intégrale. À partir de la dernière ligne du tableau, on peut déduire que

$$0,6921 < \int_1^2 \frac{1}{t}\, dt < 0,6941.$$

Donc, $\int_1^2 \frac{1}{t}\, dt \approx 0,69$ avec deux décimales exactes.

La différence entre l'estimation supérieure et l'estimation inférieure

Pour s'assurer que les sommes de gauche et de droite renferment un nombre unique compris entre elles, il faut savoir si la différence entre elles s'approche de zéro. On a vu précédemment que pour une fonction monotone f sur l'intervalle $[a, b]$:

$$\left| \begin{array}{c} \text{Différence entre l'estimation supérieure} \\ \text{et l'estimation inférieure} \end{array} \right| = |f(b) - f(a)| \cdot \Delta t,$$

où $\Delta t = (b - a)/n$. On peut rendre cette différence aussi petite qu'on le souhaite en choisissant une valeur suffisamment petite pour Δt.

TABLEAU 5.5 *Sommes de droite et de gauche pour $\int_1^2 \frac{1}{t}\, dt$*

n	Somme de gauche	Somme de droite
2	0,8333	0,5833
10	0,7188	0,6688
50	0,6982	0,6882
250	0,6941	0,6921

4. En pratique, on estime souvent les intégrales en utilisant des méthodes numériques avancées.

TABLEAU 5.6 *Sommes de droite et de gauche pour* $\int_0^{2,5} \sin(t^2)\, dt$

n	Somme de gauche	Somme de droite
2	1,2500	1,2085
10	0,4614	0,4531
50	0,4324	0,4307
250	0,4307	0,4304
1000	0,4306	0,4305

Quand f n'est pas monotone

Si f n'est pas monotone, l'intégrale définie n'est pas toujours comprise entre les sommes de gauche et de droite. Par exemple, le tableau 5.6 donne les sommes de l'intégrale $\int_0^{2,5} \sin(t^2)\, dt$. Bien que $\sin(t^2)$ n'est certainement pas monotone sur [0, 2,5], lorsqu'on arrive à $n = 250$, il est clair que $\int_0^{2,5} \sin(t^2)\, dt \approx 0,43$ avec deux décimales exactes. À noter, cependant, que 0,43 ne se trouve pas entre 1,2500 et 1,2085 (les sommes de droite et de gauche pour $n = 2$) ou entre 0,4614 et 0,4531 (les deux sommes pour $n = 10$). Si la fonction à intégrer n'est pas monotone, les sommes de gauche et de droite peuvent toutes les deux être plus grandes (ou plus petites) que l'intégrale (voir les problèmes 2 et 3).

La définition de l'intégrale définie à l'aide des sommes supérieure et inférieure

Quand f n'est pas monotone, il est difficile d'obtenir des majorants et des minorants pour $\int_a^b f(x)\, dx$ à partir des sommes de gauche et de droite. Donc, à la place, on adopte l'approche suivante pour toute fonction f. Si f est continue, cette nouvelle approche concorde avec la précédente. Comme auparavant, on considère une subdivision de [a, b] en n intervalles; cependant, les sous-intervalles ont aussi différentes longueurs. Soit Δx_i la longueur du i-ième intervalle et la définition ci-après.

On suppose que f est bornée sur [a, b] — cela signifie bornée supérieurement (majorée) et bornée inférieurement (minorée). La **somme inférieure** pour f sur l'intervalle [a, b] est une somme

$$\sum_{i-1}^{n} m_i \Delta x_i,$$

où m_i est l'infimum de f sur le i-ième intervalle. Une **somme supérieure** est

$$\sum_{i=1}^{n} M_i \Delta x_i,$$

où M_i est le supremum de f sur le i-ième intervalle.

(Voir la figure 5.60, page suivante.) À présent, plutôt que de prendre une limite lorsque $n \to \infty$, on considère les infimums et les supremums de ces sommes. On formule la définition ci-après.

Définition de l'intégrale définie

On suppose que f est bornée sur [a, b]. Soit L le supremum de toutes les sommes inférieures de f sur [a, b] et soit U l'infimum de toutes les sommes supérieures. Si $L = U$, alors on dit que f est *intégrable* et on définit $\int_a^b f(x)\, dx$ comme si elle était égale à la valeur commune de L et de U.

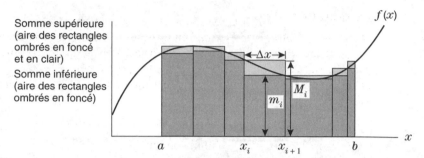

Figure 5.60 : Sommes inférieure et supérieure donnant approximativement $\int_a^b f(x)\,dx$

L'utilisation de la définition dans une preuve

À titre d'exemple, on prouvera le théorème sur les résultats concernant la comparaison des intégrales définies (énoncé à la section 5.4).

Théorème : Inégalité de la valeur moyenne des intégrales

Si $m \leq f(x) \leq M$ pour tout x dans $[a, b]$ et si f est intégrable sur $[a, b]$, alors

$$m(b-a) \leq \int_a^b f(x)\,dx \leq M(b-a).$$

Géométriquement, si f est positive, ce théorème énonce que l'aire sous le graphe de f est inférieure à l'aire du rectangle de hauteur M et supérieure à l'aire du rectangle de hauteur m (voir la figure 5.39).

Preuve   La subdivision la plus simple de $[a, b]$ est celle qui est constituée d'un sous-intervalle, notamment $[a, b]$ lui-même. Même s'il ne donne pas une très bonne approximation de l'intégrale définie, il est tout de même considéré comme un sous-intervalle. L'infimum de f sur $[a, b]$ est inférieur ou égal à M et la longueur du seul sous-intervalle de la subdivision est $b - a$. Donc, la somme supérieure de cette subdivision est inférieure ou égale à $M(b - a)$. Puisque toutes les sommes supérieures constituent une surestimation de $\int_a^b f(x)\,dx$, on obtient

$$\int_a^b f(x)\,dx \leq \text{Somme supérieure} \leq M(b-a).$$

L'argument pour l'autre inégalité est semblable mais avec des sommes inférieures (voir le problème 19).

Le problème 20 donne un autre exemple de preuve à l'aide de la définition de l'intégrale définie.

Les fonctions continues sont intégrables

Dans la présente section, on démontrera le théorème ci-après.

Théorème : Les fonctions continues sont intégrables

Si f est continue sur $[a, b]$, alors $\int_a^b f(x)\,dx$ existe.

La question clé

On peut démontrer (par exemple en utilisant le théorème de la valeur extrême) qu'une fonction continue sur un intervalle fermé est bornée. Puisque toute somme inférieure est inférieure ou égale à toute somme supérieure (voir les problèmes 13 à 17), il s'ensuit que $L \leq U$ (voir le problème 18). Pour montrer que f est intégrable, il suffit de démontrer que $L = U$. Donc, la question est la suivante :

> Peut-on trouver une subdivision où la somme inférieure est aussi proche qu'on le souhaite de la somme supérieure ?

Si on le pouvait, $L < U$ ne serait pas une possibilité puisque $U - L$ serait un nombre positif, et on serait en mesure de trouver des sommes supérieures et inférieures plus petites que $U - L$, et ce l'une sans l'autre. Dans ce cas, la somme inférieure serait supérieure à L ou la somme supérieure serait inférieure à U. Cela ne peut se produire, car L est un majorant pour les sommes inférieures et U est un minorant pour les sommes supérieures.

Nous avons déjà vu que si f est monotone, on peut trouver des sommes supérieure et inférieure qui sont arbitrairement proches l'une de l'autre ; on n'a qu'à prendre les sommes de gauche et de droite. Cela prouve que les fonctions monotones sont intégrables. Si f n'est pas monotone, on procède différemment.

L'insertion de l'intégrale entre les sommes supérieure et inférieure

Pour un sous-intervalle de $[a, b]$, on a

$$\text{Différence entre les sommes supérieure et inférieure} = \sum_{i=1}^{n} (M_i - m_i)\Delta x_i,$$

où M_i est l'infimum de f sur le i-ième sous-intervalle et m_i est le supremum. Le nombre $M_i - m_i$ représente la variation[5] de f sur le i-ième sous-intervalle. On suppose qu'on peut choisir la subdivision de telle sorte que la variation sur chaque sous-intervalle soit inférieure à un petit nombre positif ϵ. Alors,

$$\text{Différence entre les sommes supérieure et inférieure} < \sum_{i=1}^{n} \epsilon \Delta x_i = \epsilon \sum_{i=1}^{n} \Delta x_i = \epsilon(b - a).$$

En choisissant ϵ suffisamment petit, on peut rendre la différence aussi petite qu'on le souhaite. Ainsi, la prochaine question est :

> Peut-on trouver une subdivision où la variation maximale de f sur chacun des sous-intervalles est aussi petite qu'on le souhaite ?

Rendre les variations petites sur chaque sous-intervalle

Soit ϵ un nombre positif aussi petit qu'on le souhaite. On veut prouver qu'il y a une subdivision de $[a, b]$ telle que la variation de f sur chaque sous-intervalle est inférieure à ϵ. On donnera une preuve indirecte : on suppose qu'il n'existe aucune telle subdivision, et on démontre que cela mène à une contradiction.

On divise l'intervalle $[a, b]$ en deux moitiés. Si chacune des moitiés possède une subdivision où la variation maximale sur les sous-intervalles est inférieure à ϵ, on peut rassembler les deux subdivisions pour former une subdivision de $[a, b]$ ayant la même propriété.

---

5. Il ne s'agit pas de la même notion que la variation totale utilisée dans des manuels plus avancés.

Donc, si $[a, b]$ n'a pas cette subdivision, alors l'une des moitiés n'est plus valable. On choisit une moitié qui n'a pas une telle subdivision et on la divise encore de moitié. Une fois de plus, l'une des moitiés ne doit pas avoir une subdivision où la variation de f sur chaque sous-intervalle est inférieure à ϵ. En poursuivant ainsi, on trouve une suite d'intervalles emboîtés dont chacun ne comporte pas une telle subdivision.

Selon le théorème des intervalles emboîtés déjà énoncé, ces intervalles contiennent tous un nombre c. Puisque f est continue en c, on peut trouver l'intervalle autour de c sur lequel la variation est inférieure à ϵ. L'un des intervalles emboîtés doit être sur cet intervalle, puisqu'il devient arbitrairement petit. Donc, la variation de f sur l'un des intervalles emboîtés est inférieure à ϵ, ce qui est impossible, étant donné la manière dont on choisit chaque intervalle emboîté. Ainsi, l'hypothèse selon laquelle $[a, b]$ n'a pas la subdivision exigée est fausse ; il doit y avoir une subdivision de $[a, b]$ telle que la variation de f sur chaque sous-intervalle est inférieure à ϵ.

Résumé

On a démontré par contradiction que pour chaque nombre positif ϵ, aussi petit soit-il, il existe une subdivision de $[a, b]$ telle que la variation de f sur chaque sous-intervalle est inférieure à ϵ. Cela signifie qu'on peut rapprocher les sommes supérieure et inférieure autant qu'on le souhaite ; ainsi $L = U$ et $\int_a^b f(x)\,dx = U = L$. Autrement dit, la fonction continue f est intégrable.

Les sommes de Riemann plus générales

Les sommes de gauche et de droite sont des cas particuliers des sommes de Riemann. Pour une somme de Riemann générale, comme pour les sommes supérieure et inférieure, on permet aux subdivisions d'avoir des longueurs différentes. De plus, plutôt que d'évaluer f seulement aux extrémités gauche ou droite de chaque subdivision, on lui permet d'être évaluée n'importe où à l'intérieur de la subdivision. Ainsi, une somme de Riemann générale a la forme

$$\sum_{i=1}^{n} \text{(Valeur de } f \text{ à un point de la } i\text{-ième subdivision)} \cdot \text{(Longueur de la } i\text{-ième subdivision)}.$$

(Voir la figure 5.61.) Comme auparavant, x_0, x_1, ..., x_n sont les extrémités des subdivisions. Donc, la longueur de la i-ième subdivision est $\Delta x_i = x_i - x_{i-1}$. Pour chaque i, on choisit un point c_i sur le i-ième sous-intervalle où on peut évaluer f, d'où la définition ci-après.

Une somme de Riemann générale de f sur l'intervalle $[a, b]$ est une somme de la forme

$$\sum_{i=1}^{n} f(c_i)\Delta x_i,$$

où $a = x_0 < x_1 < \cdots < x_n = b$ et, pour $i = 1, ..., n$, $\Delta x_i = x_i - x_{i-1}$ et $x_{i-1} \leq c_i \leq x_i$.

On définit l'*erreur* d'une approximation comme étant la valeur absolue de la différence entre les valeurs approximatives et vraies. Puisque la vraie valeur de l'intégrale se situe entre une quelconque surestimation et une quelconque sous-estimation, l'erreur d'approximation d'une intégrale définie par la somme de Riemann doit être inférieure à la différence entre les sommes supérieure et inférieure en utilisant la même subdivision. Si $\int_a^b f(x)\,dx$ existe, il y a une subdivision pour laquelle les sommes supérieure et inférieure sont aussi rapprochées qu'on le souhaite. On peut donc calculer une approximation de l'intégrale de façon arbitrairement rapprochée par les sommes de Riemann.

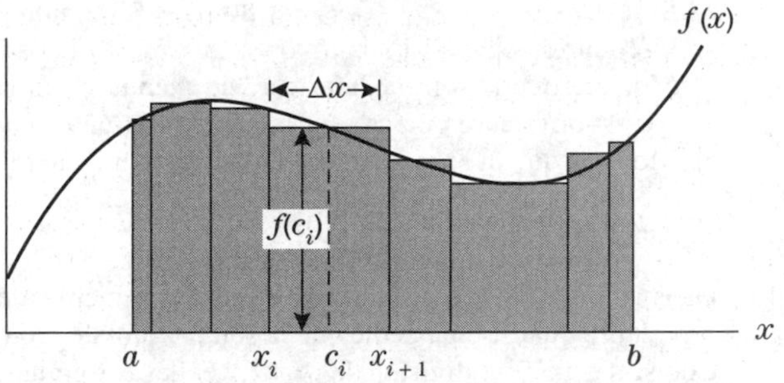

Figure 5.61 : Une somme de Riemann générale donnant
approximativement $\int_1^b f(x)\, dx$

Problèmes sur l'intégrale définie

1. Par quelques phrases, confirmez ou réfutez l'énoncé suivant :

   « Si une somme de gauche sous-estime une intégrale définie par une certaine valeur, alors la somme de droite correspondante surestimera l'intégrale par la même valeur. »

2. À l'aide du graphe de $2 + \cos x$ pour $0 \le x \le 4\pi$, dressez une liste des quantités suivantes en ordre croissant : la valeur de l'intégrale $\int_0^{4\pi} (2 + \cos x)\, dx$, la somme de gauche avec $n = 2$ subdivisions et la somme de droite avec $n = 2$ subdivisions.

3. Tracez le graphe d'une fonction f (vous n'avez pas à donner une formule pour f) sur un intervalle $[a, b]$ avec la propriété voulant qu'avec $n = 2$ subdivisions,

$$\int_a^b f(x)\, dx < \text{Somme de gauche} < \text{Somme de droite}.$$

Pour les problèmes 4 à 12, trouvez une subdivision en utilisant des sous-intervalles de même longueur pour lesquels les sommes inférieure et supérieure diffèrent de moins de 0,1. Donnez ces sommes et une estimation de l'intégrale qui se situe à l'intérieur de 0,05 de la vraie valeur. Expliquez votre raisonnement. [Note : Mis à part le problème 12, chaque fonction est monotone sur l'intervalle donné.]

4. $\displaystyle\int_0^5 x^2\, dx$ 5. $\displaystyle\int_1^2 2^x\, dx$ 6. $\displaystyle\int_1^4 \frac{1}{\sqrt{1 + x^2}}\, dx$

7. $\displaystyle\int_1^{1,5} \sin x\, dx$ 8. $\displaystyle\int_0^{\pi/4} \frac{d\theta}{\cos \theta}$ 9. $\displaystyle\int_{-2}^{-1} \cos^3 y\, dy$

10. $\displaystyle\int_1^5 (\ln x)^2\, dx$ 11. $\displaystyle\int_{1,1}^{1,7} e^t \ln t\, dt$ 12. $\displaystyle\int_{-3}^3 e^{-t^2}\, dt$

Pour les problèmes 13 à 17, vous montrez que chaque somme inférieure pour une fonction f bornée sur un intervalle $[a, b]$ est inférieure à chaque somme supérieure, en utilisant la notion de *raffinement* d'une subdivision. Étant donné une subdivision de l'intervalle $[a, b]$, on peut subdiviser un ou plusieurs de ses sous-intervalles pour obtenir une nouvelle subdivision. On dit que la nouvelle subdivision constitue un raffinement de l'ancienne. Remarquez qu'on obtient un raffinement si on ajoute un point sur un quelconque sous-intervalle.

13. Montrez que la somme inférieure de f sur $[a, b]$ en utilisant une subdivision donnée est inférieure ou égale à la somme supérieure en utilisant la même subdivision.

14. Dans ce problème, vous démontrerez que le raffinement d'une subdivision donne lieu à une somme inférieure qui est plus grande que la somme initiale. Soit f une fonction définie et bornée sur $[a, b]$. Choisissez une subdivision de $[a, b]$ avec les extrémités $a = x_0 < x_1 < \cdots < x_{n-1} < x_n = b$.

a) Supposez que $x_{i-1} \le y \le x_i$. Soit m_i l'infimum de f sur $[x_{i-1}, x_i]$. Montrez que m_i est inférieur ou égal à l'infimum de f sur $[x_{i-1}, y]$ et à l'infimum de f sur $[y, x_i]$.

b) Montrez que la somme inférieure de f en utilisant la subdivision $a = x_0 < x_1 < \cdots < x_{n-1} < x_n = b$ est inférieure ou égale à la somme inférieure en utilisant la même subdivision avec y inclus.

c) Montrez que la somme inférieure de f en utilisant la subdivision $a = x_0 < x_1 < \cdots < x_{n-1} < x_n = b$ est inférieure ou égale à la somme inférieure en utilisant un raffinement quelconque de la subdivision.

15. Dans ce problème, vous montrerez que le raffinement d'une subdivision donne lieu à une somme supérieure qui est plus petite que la somme initiale. Soit f une fonction définie et bornée sur $[a, b]$. Choisissez une subdivision de $[a, b]$ avec les extrémités $a = x_0 < x_1 < \cdots < x_{n-1} < x_n = b$.

a) Supposez que $x_{i-1} \le y \le x_i$. Soit M_i le supremum de f sur $[x_{i-1}, x_i]$. Montrez que M_i est supérieur ou égal au supremum de f sur $[x_{i-1}, y]$ et au supremum de f sur $[y, x_i]$.

b) Montrez que la somme supérieure de f en utilisant la subdivision $a = x_0 < x_1 < \cdots < x_{n-1} < x_n = b$ est supérieure ou égale à la somme supérieure en utilisant la même subdivision avec y inclus.

c) Montrez que la somme supérieure de f en utilisant la subdivision $a = x_0 < x_1 < \cdots < x_{n-1} < x_n = b$ est supérieure ou égale à la somme supérieure en utilisant un raffinement quelconque de la subdivision.

16. Étant donné deux subdivisions de $[a, b]$, démontrez qu'il en existe une troisième qui est un raffinement des deux premières.

17. Montrez que toute somme inférieure de f sur $[a, b]$ est inférieure ou égale à toute somme supérieure. [Conseil : La somme inférieure utilise une subdivision de $[a, b]$; la somme supérieure en utilise une autre. Référez-vous au problème 16 pour choisir un raffinement commun aux deux subdivisions, puis utilisez les problèmes 13 à 15.]

18. Soit f une fonction définie et bornée sur $[a, b]$, soit L le supremum de toutes les sommes inférieures de f sur $[a, b]$ et soit U l'infimum de toutes les sommes supérieures.

a) Montrez que si L est strictement supérieur à U, alors il y a une somme inférieure qui est strictement supérieure à une somme supérieure. [Conseil : Soit $\epsilon = L - U$; trouvez une somme inférieure à l'intérieur de $\epsilon/3$ de L et une somme supérieure à l'intérieur de $\epsilon/3$ de U.

b) Déduisez que $L \le U$.

19. On a prouvé précédemment la moitié du théorème sur l'inégalité de la valeur moyenne des intégrales. Prouvez l'autre moitié. Autrement dit, si f est continue sur $[a, b]$ et $f(x) \ge m$ pour x sur $[a, b]$, alors $m(b - a) \le \int_a^b f(x)\, dx$.

20. Dans ce problème, vous prouverez que si f est continue sur $[a, b]$ et si c se trouve sur $[a, b]$, alors

$$\int_a^b f(x)\, dx = \int_a^c f(x)\, dx + \int_c^b f(x)\, dx.$$

a) Démontrez que si ℓ_1 est une somme inférieure de f sur $[a, c]$ et si ℓ_2 est une somme inférieure de f sur $[c, b]$, alors $\ell_1 + \ell_2$ est une somme inférieure de f sur $[a, b]$.

b) Démontrez que si ℓ est une somme inférieure de f sur $[a, b]$, alors il existe une somme inférieure ℓ_1 de f sur $[a, c]$ et une somme inférieure ℓ_2 de f sur $[c, b]$ tel que $\ell \le \ell_1 + \ell_2$.

c) Soit L le supremum de toutes les sommes inférieures sur $[a, b]$, soit L_1 le supremum de toutes les sommes inférieures sur $[a, c]$ et soit L_2 le supremum de toutes les sommes inférieures sur $[c, a]$. Utilisez les parties a) et b) pour démontrer que $L = L_1 + L_2$.

Puisque f est continue sur $[a, b]$, $L = \int_a^b f(x)\, dx$, $L_1 = \int_a^c f(x)\, dx$ et $L_2 = \int_c^b f(x)\, dx$. Ainsi, vous avez prouvé l'énoncé requis.

CHAPITRE SIX

LA CONSTRUCTION DE PRIMITIVES

Au chapitre 2, on a appris à calculer la vitesse à partir d'une position donnée et au chapitre 5 on a appris à reconstruire la distance à partir de la vitesse. Dans le présent chapitre, on verra plus en détail la façon de reconstruire une fonction à partir de sa dérivée.

On peut déjà présumer de l'allure du graphe de f à partir du graphe de f' et on sait utiliser f' pour estimer numériquement les valeurs de f. Par extrapolation, on verra comment passer analytiquement de f' à f.

6.1 LES PRIMITIVES VUES GRAPHIQUEMENT ET NUMÉRIQUEMENT

La famille des primitives

Si la dérivée de F est f, on dit que F est une *primitive* de f. Par exemple, puisque la dérivée de x^2 est $2x$, on dit que

$$x^2 \text{ est une primitive de } 2x.$$

On remarque que $2x$ a de nombreuses primitives puisque $x^2 + 1$, $x^2 + 2$ et $x^2 + 3$ ont toutes la dérivée $2x$. En fait, si C est une constante, on a

$$\frac{d}{dx}(x^2 + C) = 2x + 0 = 2x,$$

et, ainsi, toute fonction de la forme $x^2 + C$ est une primitive de $2x$. La fonction $f(x) = 2x$ a une *famille de primitives*.

Voici un autre exemple. Si v est la vitesse d'une voiture et s sa position, alors $v = ds/dt$ et s est une primitive de v. Comme on l'a vu plus haut, $s + C$ est une primitive de v pour toute constante C. Si on applique ce principe à la voiture, le fait d'ajouter C à s équivaut à ajouter C à la lecture de l'odomètre. Quand on ajoute une distance fixe à la lecture de l'odomètre, cela signifie simplement qu'on mesure la distance à partir d'un point différent, ce qui ne modifie pas la vitesse de la voiture.

La visualisation de primitives à l'aide des pentes

On suppose qu'on a le graphe de f' et qu'on veut tracer un graphe approximatif de f. On recherche le graphe de f dont la pente en tout point est égale à la valeur de f'. Là où f' est au-dessus de l'axe des x, f est croissante ; là où f' est au-dessous de l'axe des x, f est décroissante. Si f' est croissante, f est concave vers le haut ; si f' est décroissante, f est concave vers le bas.

Exemple 1   Le graphe de f' est présenté à la figure 6.1. Tracez un graphe de f quand $f(0) = 0$ et $f(0) = 1$.

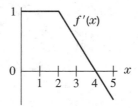

Figure 6.1 : Graphe de f'

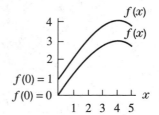

Figure 6.2 : Deux fonctions f différentes qui ont la même dérivée f'

Solution   Pour $0 \le x \le 2$, f a une pente constante de 1 et donc le graphe de f est une droite. Pour $2 \le x \le 4$, f augmente mais de plus en plus lentement ; elle a un maximum en $x = 4$, puis elle diminue (voir la figure 6.2).

On remarque que les solutions avec $f(0) = 0$ et $f(0) = 1$ débutent à différents points sur l'axe vertical, mais qu'elles ont la même forme.

Exemple 2   Tracez le graphe de la primitive F de $f(x) = e^{-x^2}$ qui satisfait à $F(0) = 0$.

Solution   Le graphe de $f(x) = e^{-x^2}$ est présenté à la figure 6.3. La pente de la primitive $F(x)$ est donnée par $f(x)$. Puisque $f(x)$ est toujours positive, la primitive $F(x)$ est toujours croissante. Puisque

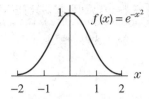

Figure 6.3 : Le graphe
de $f(x) = e^{-x^2}$

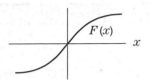

Figure 6.4 : Une primitive
$F(x)$ de $f(x) = e^{-x^2}$

$f(x)$ est croissante pour un x négatif, on sait que $F(x)$ est concave vers le haut pour un x négatif. Puisque $f(x)$ est décroissante pour un x positif, on sait que $F(x)$ est concave vers le bas pour un x positif. Puisque $f(x) \to 0$ quand $x \to \pm\infty$, $f(x) \to 0$ et alors le graphe de $F(x)$ s'aplanit aux deux extrémités. Un graphe de $F(x)$ avec $F(0) = 0$ est présenté à la figure 6.4.

Exemple 3   Pour la fonction f' donnée à la figure 6.5, tracez un graphe de trois fonctions de primitives f dans les situations décrites ci-après.

a) $f(0) = 0$ b) $f(0) = 1$ c) $f(0) = 2$

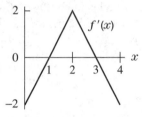

Figure 6.5 : Fonction de pente f'

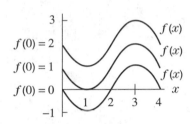

Figure 6.6 : Primitives f

Solution   Pour tracer un graphe de f sur l'axe vertical, on commence au point spécifié par la condition initiale, puis on se déplace selon la pente donnée par la valeur de f' (voir la figure 6.6). Différentes conditions initiales donnent différents graphes de f, mais pour une valeur de x donnée, elles ont toutes la même pente (car la valeur de f' est la même pour chacune). Par suite, les différentes courbes f sont obtenues à partir de l'une et de l'autre par un déplacement vertical.

- Au point où f' est positive ($1 < x < 3$), on voit que f est croissante ; au point où f' est négative ($0 < x < 1$ ou $3 < x < 4$), on constate que f est décroissante.
- Au point où f' est croissante ($0 < x < 2$), on constate que f est concave vers le haut ; au point où f' est décroissante ($2 < x < 4$), on constate que f est concave vers le bas.
- Au point où $f' = 0$, on voit que f a un maximum local ($x = 3$) ou un minimum local ($x = 1$).
- Au point où f' a un maximum ($x = 2$), on constate que f a un point d'inflexion.

Le calcul des valeurs d'une primitive en appliquant le théorème fondamental

Un graphe de f' montre où f est croissante et où f est décroissante. On peut trouver la valeur exacte de la fonction f en appliquant le théorème fondamental.

> ### Théorème fondamental du calcul
>
> Si F est une primitive d'une fonction continue f, alors
>
> $$\int_a^b f(x)\,dx = F(b) - F(a).$$

Exemple 4 La figure 6.7 illustre le graphe de la dérivée $f'(x)$ d'une fonction $f(x)$. On a $f(0) = 100$. Tracez le graphe de $f(x)$ en montrant tous les points critiques et tous les points d'inflexion de f et donnez leurs coordonnées.

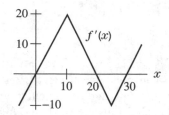

Figure 6.7 : Graphe d'une dérivée

Solution Les points critiques de f se trouvent en $x = 0$, en $x = 20$ et en $x = 30$, où $f'(x) = 0$. Les points d'inflexion de f se trouvent en $x = 10$ et en $x = 25$, où $f'(x)$ a un maximum ou un minimum. Pour trouver les coordonnées des points critiques et des points d'inflexion de f, on évalue $f(x)$ pour $x = 0, 10, 20, 25$ et 30. On applique le théorème fondamental pour exprimer les valeurs de $f(x)$ en fonction d'intégrales définies. On évalue les intégrales définies en utilisant les aires des régions triangulaires dans le graphe de $f'(x)$, en se rappelant que les aires qui se trouvent au-dessous de l'axe des x sont soustraites (voir la figure 6.8).

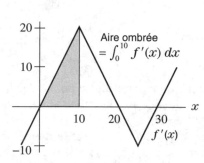

Figure 6.8 : Recherche de
$f(10) = f(0) + \int_0^{10} f'(x)\, dx$

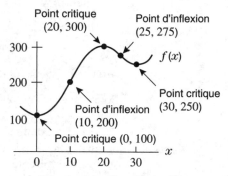

Figure 6.9 : Graphe de $f(x)$

Puisque $f(0) = 100$, le théorème fondamental énonce que

$$f(10) = f(0) + \int_0^{10} f'(x)\, dx = 100 + (\text{Aire ombrée de la figure 6.8}) = 100 + \frac{1}{2}(10)(20) = 200$$

$$f(20) = f(10) + \int_{10}^{20} f'(x)\, dx = 200 + \frac{1}{2}(10)(20) = 300$$

$$f(25) = f(20) + \int_{20}^{25} f'(x)\, dx = 300 - \frac{1}{2}(5)(10) = 275$$

$$f(30) = f(25) + \int_{25}^{30} f'(x)\, dx = 275 - \frac{1}{2}(5)(10) = 250$$

La figure 6.9 présente le graphe de f.

Exemple 5 Supposez que $F'(t) = t\cos t$ et $F(0) = 2$. Trouvez les valeurs de $F(b)$ aux points $b = 0$, 0,1, 0,2, ..., 1,0.

Solution   On applique le théorème fondamental avec $f(t) = t \cos t$ et $a = 0$ pour obtenir les valeurs de $F(b)$. Puisque

$$F(b) - F(0) = \int_0^b F'(t)\, dt = \int_0^b t \cos t\, dt$$

et $F(0) = 2$, on a

$$F(b) = 2 + \int_0^b t \cos t\, dt.$$

En utilisant des méthodes numériques pour estimer l'intégrale définie $\int_0^b t \cos t\, dt$ pour chacune des valeurs $b = 0$, 0,1, 0,2, ..., 1,0, on obtient les valeurs approximatives de F du tableau 6.1.

TABLEAU 6.1   *Valeurs approximatives de* F

b	0	0,1	0,2	0,3	0,4	0,5	0,6	0,7	0,8	0,9	1,0
$F(b)$	2,000	2,005	2,020	2,044	2,077	2,117	2,164	2,216	2,271	2,327	2,382

On remarque que, dans le tableau, la fonction $F(b)$ semble croître entre $b = 0$ et $b = 1$. C'est en effet le cas, et on aurait pu le prévoir sans recourir au théorème fondamental, car on sait que $t \cos t$, la dérivée de $F(t)$, est positive pour t entre 0 et 1.

Problèmes de la section 6.1

Pour chaque fonction des problèmes 1 à 4, tracez deux fonctions F de sorte que $F' = f$. Dans un cas, prenez $F(0) = 0$; dans l'autre cas, prenez $F(0) = 1$.

Pour chaque fonction $f(x)$ des problèmes 5 à 7, supposez que $F(x)$ est telle que $F'(x) = f(x)$.

  a) Quels sont les points critiques de $F(x)$?
  b) Quels points critiques sont des maximums locaux, des minimums locaux ou ni l'un ni l'autre?
  c) Tracez un graphe possible de $F(x)$.

Pour chaque fonction des problèmes 8 à 10, tracez deux fonctions F où $F'(x) = f(x)$. Dans un cas, prenez $F(0) = 0$; dans l'autre cas, prenez $F(0) = 1$. Pour chacune des situations, inscrivez x_1, x_2 et x_3 sur l'axe des x de votre graphe. Identifiez les maximums locaux, les minimums locaux et les points d'inflexion de $F(x)$.

8.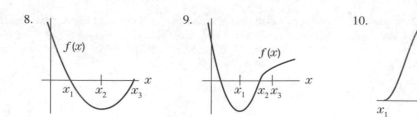

9.

10.

11. Supposez que f' est donnée par le graphe de la figure 6.10, f est continue et $f(0) = 0$.

   a) Trouvez $f(3)$ et $f(7)$.
   b) Trouvez tous les x avec $f(x) = 0$.
   c) Tracez un graphe de f sur l'intervalle $0 \le x \le 7$.

12. Supposez que f' est donnée par le graphe de la figure 6.10, f est continue et $f(3) = 0$.

   a) Tracez un graphe de f.
   b) Trouvez $f(0)$ et $f(7)$.
   c) Trouvez $\int_0^7 f'(x)\, dx$ de deux différentes manières.

13. La figure 6.11 présente le graphe de la dérivée $g'(x)$ d'une fonction $g(x)$. On a $g(0) = 50$. Tracez le graphe de $g(x)$ en indiquant tous les points critiques et les points d'inflexion de g et en donnant leurs coordonnées.

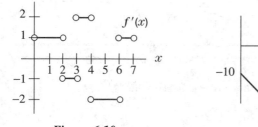

Figure 6.10

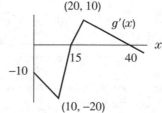

Figure 6.11

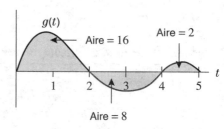

Figure 6.12

14. La figure 6.12 présente un graphe de $g(t)$. Tracez le graphe d'une primitive $G(t)$ de $g(t)$ qui satisfait à $G(0) = 5$. Déterminez chaque point critique de $G(t)$ et ses coordonnées.

15. La figure 6.13 présente la vitesse verticale d'un bouchon de liège qui monte et descend sur les vagues de la mer. La montée du bouchon est considérée comme positive. Décrivez le mouvement du bouchon à chaque point identifié. À quel(s) point(s), s'il y en a, l'accélération est-elle égale à zéro ? Tracez un graphe de la hauteur du bouchon au-dessus du fond de la mer en fonction du temps.

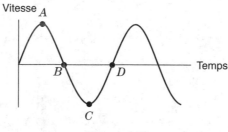

Figure 6.13

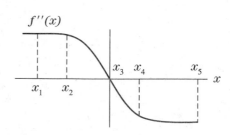

Figure 6.14

16. Le graphe de f'' est présenté à la figure 6.14. Tracez les graphes de f et de f' en supposant que les deux passent par l'origine ; utilisez-les pour déterminer sur laquelle des valeurs de x définies :

   a) $f(x)$ est la plus grande.
   b) $f(x)$ est la plus petite.
   c) $f'(x)$ est la plus grande.
   d) $f'(x)$ est la plus petite.
   e) $f''(x)$ est la plus grande.
   f) $f''(x)$ est la plus petite.

17. Deux fonctions $f(x)$ et $g(x)$ sont présentées à la figure 6.15. Soit $F(x)$ une primitive de $f(x)$ et $G(x)$ une primitive de $g(x)$. Sur les mêmes axes, tracez les graphes des primitives $F(x)$ et $G(x)$ qui satisfont à $F(0) = 0$ et à $G(0) = 0$. Comparez les deux primitives en incluant une discussion sur les zéros et les coordonnées x et y des points critiques.

18. Le réservoir Quabbin de la partie ouest du Massachusetts approvisionne en eau la plus grande partie de la ville de Boston. Le graphe à la figure 6.16 présente le débit et l'afflux d'eau du réservoir Quabbin en 1993.

   a) Tracez un graphe possible de la quantité d'eau dans le réservoir en fonction du temps.
   b) En 1993, à quel moment la quantité d'eau dans le réservoir a-t-elle atteint son niveau le plus haut ? le plus bas ? Identifiez ces points sur le graphe que vous avez tracé en a).
   c) À quel moment la quantité d'eau a-t-elle augmenté le plus rapidement ? diminué le plus rapidement ? Identifiez ces temps sur les deux graphes.
   d) En juillet 1994, la quantité d'eau dans le réservoir était environ la même qu'en janvier 1993. Tracez les graphes possibles du débit et de l'afflux d'eau du réservoir pour la première moitié de 1994. Expliquez les graphes obtenus.

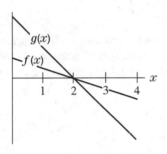

Figure 6.15

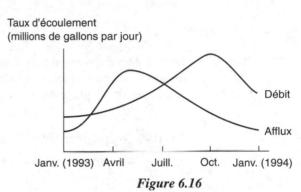

Figure 6.16

6.2   LA CONSTRUCTION ANALYTIQUE DE PRIMITIVES

Qu'est-ce qu'une primitive de $f(x) = 0$?

D'une part, une fonction dont la primitive est zéro partout sur un intervalle doit avoir une droite tangente horizontale en chaque point de son graphe, et cette situation peut se produire seulement quand la fonction est constante. D'autre part, si on considère la dérivée comme étant la vitesse et si la vitesse est toujours zéro, alors l'objet ne bouge pas ; la fonction position est constante. La démonstration rigoureuse de ce résultat à l'aide de la définition de la dérivée est étonnamment subtile.

Si la dérivée d'une fonction est zéro partout sur un intervalle, alors la fonction est constante sur l'intervalle :

$$\text{Si } F'(x) = 0 \text{ sur un intervalle, alors } F(x) = C \text{ sur cet intervalle.}$$

Quelle est la primitive la plus générale de f ?

On sait que si une fonction f a une primitive F, alors elle a une famille de primitives de la forme $F(x) + C$, où C est une constante. On peut se demander s'il y en a d'autres. Pour le savoir, soit deux fonctions F et G avec $F' = f$ et $G' = f$, c'est-à-dire que F et G sont toutes deux des primitives de la même fonction f. Puisque $F' = G'$, on a $(F - G)' = 0$. Mais cela signifie qu'on doit avoir $F - G = C$, donc $F(x) = G(x) + C$, où C est une constante. Ainsi, deux primitives de la même fonction peuvent ne différer que par une constante.

> Si F et G sont toutes deux des primitives de f, alors $F(x) = G(x) + C$ pour une constante C.

L'intégrale indéfinie

Toutes les primitives de $f(x)$ sont de la forme $F(x) + C$. La notation pour la primitive générale ressemble à l'intégrale définie mais sans les bornes ; on l'appelle l'*intégrale indéfinie* :

$$\int f(x)\, dx = F(x) + C.$$

Il est important de comprendre la différence entre

$$\int_a^b f(x)\, dx \quad \text{et} \quad \int f(x)\, dx.$$

La première expression est un nombre et la deuxième est une famille de *fonctions*. Puisque la notation est semblable, on utilise souvent le mot *intégration* pour représenter le processus de recherche de la primitive et de l'intégrale définie. Le contexte est généralement assez clair pour les différencier.

Qu'est-ce qu'une primitive de $f(x) = k$?

Si k est une constante, la dérivée de kx est k, et on a

$$\text{Une primitive de } k \text{ est } kx.$$

En utilisant la notation de l'intégrale indéfinie, on a

> Si k est constante
> $$\int k\, dx = kx + C.$$

La recherche de primitives

On peut comparer la recherche de primitives de fonctions à la recherche de la racine carrée de nombres : si on choisit un chiffre au hasard, comme 7 ou 493, on peut avoir de la difficulté à trouver leur racine carrée sans calculatrice. Mais si on prend un chiffre comme 25 ou 64, qui sont des carrés parfaits, on peut trouver leur racine carrée exacte. De la même façon, si on choisit une fonction qu'on reconnaît comme étant une dérivée, alors on peut aisément trouver sa primitive.

Par exemple, pour trouver une primitive de $f(x) = x$, on remarque que $2x$ est la dérivée de x^2 ; ce qui indique que x^2 est une primitive de $2x$. Si on divise par 2, alors on trouve que

$$\text{Une primitive de } x \text{ est } \frac{x^2}{2}.$$

Pour vérifier cet énoncé, on prend la dérivée de $x^2/2$:

$$\frac{d}{dx}\left(\frac{x^2}{2}\right) = \frac{1}{2} \cdot \frac{d}{dx}x^2 = \frac{1}{2} \cdot 2x = x.$$

Que peut-on dire d'une primitive de x^2 ? La dérivée de x^3 est $3x^2$, donc la dérivée de $x^3/3$ est $3x^2/3 = x^2$. Par suite,

$$\text{Une primitive de } x^2 \text{ est } \frac{x^3}{3}.$$

Est-il possible de dégager un modèle ? Celui-ci ressemble à

$$\text{Une primitive de } x^n \text{ est } \frac{x^{n+1}}{n+1}.$$

(Si on suppose que $n \neq -1$, on obtient $x^0/0$, ce qui est insensé.) Il est facile de vérifier cette formule par différentiation :

$$\frac{d}{dx}\left(\frac{x^{n+1}}{n+1}\right) = \frac{(n+1)x^n}{n+1} = x^n.$$

Il faut se rappeler que l'intégrale indéfinie d'une fonction est la famille de toutes ses primitives. Par suite, avec la notation d'intégrale indéfinie, on a démontré que

$$\boxed{\int x^n \, dx = \frac{x^{n+1}}{n+1} + C, \quad n \neq -1.}$$

Alors, que peut-on dire si $n = -1$? En d'autres mots, qu'est-ce qu'une primitive de $1/x$? Heureusement, on connaît une fonction dont la dérivée est $1/x$, notamment le logarithme naturel. Ainsi, puisque

$$\frac{d}{dx}(\ln x) = \frac{1}{x},$$

on sait que

$$\int \frac{1}{x} \, dx = \ln x + C \quad \text{pour } x > 0.$$

Si $x < 0$, alors $\ln x$ n'est pas définie, donc elle ne peut être une primitive de $1/x$. Dans ce cas, on peut essayer $\ln(-x)$:

$$\frac{d}{dx} \ln(-x) = (-1)\frac{1}{-x} = \frac{1}{x}.$$

Alors,

$$\int \frac{1}{x} \, dx = \ln(-x) + C \quad \text{pour } x < 0.$$

Cela signifie que $\ln x$ est une primitive de $1/x$ si $x > 0$, et $\ln(-x)$ est une primitive de $1/x$ si $x < 0$. Puisque $|x| = x$ quand $x > 0$ et $|x| = -x$ quand $x < 0$, on peut combiner ces deux formules.

$$\text{Une primitive de } \frac{1}{x} \text{ est } \ln|x|.$$

Par suite,

$$\boxed{\int \frac{1}{x} \, dx = \ln|x| + C.}$$

Puisque la fonction exponentielle est sa propre dérivée, elle est également sa propre primitive. Ainsi,

$$\int e^x \, dx = e^x + C.$$

De plus, les primitives du sinus et du cosinus sont faciles à trouver. Puisque

$$\frac{d}{dx} \sin x = \cos x \quad \text{et} \quad \frac{d}{dx} \cos x = -\sin x,$$

on obtient

$$\int \cos x \, dx = \sin x + C \quad \text{et} \quad \int \sin x \, dx = -\cos x + C$$

Exemple 1 Trouvez $\int (3x + x^2) \, dx$.

Solution On sait que $x^2/2$ est une primitive de x et que $x^3/3$ est une primitive de x^2. Alors, on s'attend à ce que

$$\int (3x + x^2) \, dx = 3 \left(\frac{x^2}{2} \right) + \frac{x^3}{3} + C.$$

Il faut toujours vérifier les primitives avec la différentiation. On procède facilement de la manière suivante :

$$\frac{d}{dx} \left(\frac{3}{2} x^2 + \frac{x^3}{3} + C \right) = \frac{3}{2} \cdot 2x + \frac{3x^2}{3} = 3x + x^2.$$

L'exemple 1 illustre le fait que les règles que nous connaissons pour les dérivées, à savoir la somme et le produit par une constante, fonctionnent à l'inverse.

Propriétés des primitives : sommes et multiples constants

Avec la notation d'intégrale définie,

1. $\int \left[f(x) \pm g(x) \right] dx = \int f(x) \, dx \pm \int g(x) \, dx.$

2. $\int c f(x) \, dx = c \int f(x) \, dx.$

En langage courant,

1. La primitive de la somme (ou de la différence) de deux fonctions est la somme (ou la différence) de leurs primitives.

2. La primitive d'une constante multipliée par une fonction est égale à la constante multipliée par une primitive de la fonction.

Exemple 2   Trouvez $\int (\sin x + 3 \cos x)\, dx$.

Solution   On sépare la primitive en deux termes :

$$\int (\sin x + 3 \cos x)\, dx = \int \sin x\, dx + 3 \int \cos x\, dx = -\cos x + 3 \sin x + C.$$

On vérifie avec la différentiation :

$$\frac{d}{dx}(-\cos x + 3 \sin x + C) = \sin x + 3 \cos x.$$

L'utilisation de primitives pour calculer les intégrales définies

Comme le théorème fondamental du calcul indique que si $F' = f$, alors

$$\int_a^b f(x)\, dx = F(b) - F(a).$$

On a alors une nouvelle manière de calculer les intégrales définies. Pour trouver $\int_a^b f(x)\, dx$, on doit d'abord essayer de trouver F, puis on doit calculer $F(b) - F(a)$. Cette méthode de calcul des intégrales définies offre un très grand avantage sur l'utilisation des sommes de droite et de gauche, car elle permet d'obtenir une réponse exacte rapidement. Cependant, cette méthode fonctionne seulement dans les situations où on peut trouver la primitive $F(x)$, ce qui n'est pas toujours facile. Par exemple, aucune des fonctions qu'on a vues jusqu'à maintenant n'est une primitive de $\sin(x^2)$.

Exemple 3   Calculez $\int_1^3 2x\, dx$ en appliquant le théorème fondamental.

Solution   Puisque $F(x) = x^2$ est une primitive de $f(x) = 2x$, on a

$$\int_1^3 2x\, dx = F(3) - F(1) = 3^2 - 1^2 = 8.$$

À noter que dans cet exemple, on a utilisé la primitive x^2, mais $x^2 + C$ fonctionne également pour toute constante C. La primitive qu'on utilise n'a pas d'importance pour calculer une intégrale définie, car la constante s'annule quand on soustrait $F(a)$ de $F(b)$. Par exemple, si on avait utilisé $x^2 + C$, on aurait obtenu la même réponse :

$$\int_1^3 2x\, dx = F(3) - F(1) = (3^2 + C) - (1^2 + C) = 8.$$

Il est utile d'introduire une notation abrégée pour $F(b) - F(a)$ comme suit :

$$F(x)\Big|_a^b$$

Par exemple,

$$\int_1^3 2x\, dx = x^2 \Big|_1^3 = 3^2 - 1^2 = 8.$$

Problèmes de la section 6.2

Pour chacune des fonctions des problèmes 1 à 21, trouvez une primitive.

1. $f(x) = 5$

2. $f(x) = 5x$

3. $f(x) = x^2$

4. $g(t) = t^2 + t$

5. $h(t) = \cos t$

6. $g(z) = \sqrt{z}$

7. $h(z) = \dfrac{1}{z}$

8. $r(t) = \dfrac{1}{t^2}$

9. $g(z) = \dfrac{1}{z^3}$

10. $f(z) = e^z$

11. $g(t) = \sin t$

12. $f(t) = 2t^2 + 3t^3 + 4t^4$

13. $p(t) = t^3 - \dfrac{t^2}{2} - t$

14. $q(y) = y^4 + \dfrac{1}{y}$

15. $f(x) = 5x - \sqrt{x}$

16. $f(t) = \dfrac{t^2 + 1}{t}$

17. $p(\theta) = 2 \sin (2\theta)$

18. $r(t) = e^t + 5e^{5t}$

19. $q(t) = (t + 1)^2$

20. $f(x) = 5^x$

21. $p(t) = \cos t + \dfrac{1}{\cos^2 t}$

Pour les problèmes 22 à 29, trouvez une primitive $F(x)$ avec $F'(x) = f(x)$ et $F(0) = 0$. Existe-t-il une seule solution possible dans chaque cas ?

22. $f(x) = 3$

23. $f(x) = 2x$

24. $f(x) = -7x$

25. $f(x) = \dfrac{1}{4}x$

26. $f(x) = x^2$

27. $f(x) = \sqrt{x}$

28. $f(x) = 2 + 4x + 5x^2$

29. $f(x) = \sin x$

Trouvez les intégrales indéfinies des problèmes 30 à 45.

30. $\displaystyle\int 3x\, dx$

31. $\displaystyle\int (4t + 7)\, dt$

32. $\displaystyle\int \cos \theta\, d\theta$

33. $\displaystyle\int 5e^z\, dz$

34. $\displaystyle\int \left(x + \dfrac{1}{\sqrt{x}}\right) dx$

35. $\displaystyle\int \sin t\, dt$

36. $\displaystyle\int (\pi + x^{11})\, dx$

37. $\displaystyle\int \left(t\sqrt{t} + \dfrac{1}{t\sqrt{t}}\right) dt$

38. $\displaystyle\int \cos(x + 1)\, dx$

39. $\displaystyle\int e^{2r}\, dr$

40. $\displaystyle\int \dfrac{1}{e^z}\, dz$

41. $\displaystyle\int \left(\dfrac{y^2 - 1}{y}\right)^2 dy$

42. $\displaystyle\int \dfrac{1}{x + 1}\, dx$ \quad [Conseil : $\frac{d}{dx}\left(\ln(x + 1)\right) = ?$]

43. $\displaystyle\int \dfrac{1}{2x - 1}\, dx$ \quad [Conseil : $\frac{d}{dx}\left(\ln(2x - 1)\right) = ?$]

44. $\displaystyle\int (e^{5 + x} + e^{5x})\, dx$ \quad [Conseil : $\frac{d}{dx}\left(e^{5x}\right) = ?$]

45. $\displaystyle\int (\cos 2x - 2\sin x)\, dx$ \quad [Conseil : $\frac{d}{dx}\left(\sin 2x\right) = ?$]

En appliquant le théorème fondamental, évaluez exactement [comme dans $\ln(3\pi)$] et numériquement [$\ln(3\pi) \approx 2{,}243$] les intégrales définies des problèmes 46 à 55.

46. $\displaystyle\int_{2}^{5} (x^3 - \pi x^2)\, dx$ **47.** $\displaystyle\int_{0}^{1} \sin\theta\, d\theta$ **48.** $\displaystyle\int_{1}^{2} \frac{1+y^2}{y}\, dy$

49. $\displaystyle\int_{0}^{2} \left(\frac{x^3}{3} + 2x\right) dx$ **50.** $\displaystyle\int_{0}^{\pi/4} (\sin t + \cos t)\, dt$ **51.** $\displaystyle\int_{-3}^{-1} \frac{2}{r^3}\, dr$

52. $\displaystyle\int_{0}^{1} 2e^x\, dx$ **53.** $\displaystyle\int_{0}^{\pi/4} \frac{1}{\cos^2 x}\, dx$ **54.** $\displaystyle\int_{-1}^{1} 2^x\, dx$

55. $\displaystyle\int_{0}^{\pi/6} (\sin x + \cos 2x)\, dx$ [Conseil : Vérifiez ce qu'est $\frac{d}{dx}(\sin 2x)$.]

56. Calculez l'aire exacte entre le graphe de $y = 7 - 8x + x^2$ et l'axe des x.

57. Calculez l'aire exacte au-dessus du graphe de $y = \sin\theta$ et au-dessous du graphe de $y = \cos\theta$ pour $0 \le \theta \le \pi/4$.

58. Trouvez la valeur exacte de l'aire entre les graphes de $y = \cos x$ et $y = e^x$ pour $0 \le x \le 1$.

59. Trouvez la valeur positive exacte de c en rendant l'aire entre le graphe $y = x^2 - c^2$ et l'axe des x égale à 36.

60. La valeur moyenne de la fonction $v(x) = 6/x^2$ sur l'intervalle $[1, c]$ est égale à 1. Trouvez la valeur de c.

61. a) Quelle est la valeur moyenne de $f(t) = \sin t$ sur $0 \le t \le 2\pi$? Pourquoi s'agit-il d'une réponse raisonnable ?

     b) Trouvez la valeur moyenne de $f(t) = \sin t$ sur $0 \le t \le \pi$.

62. Considérez les coûts de forage d'un puits de pétrole. Il y a deux types de coûts : le *coût fixe* (indépendant de la profondeur du puits) et le *coût marginal* (l'augmentation du coût pour chaque mètre de forage additionnel). À l'aide de ces deux données, vous pouvez déterminer le coût total C. Le coût marginal est fonction de la profondeur du trou de forage ; le coût de forage est de plus en plus élevé, par mètre, au fur et à mesure que vous creusez dans la terre. Supposez que le coût fixe est de 1 000 000 de riyals (le riyal est l'unité monétaire de l'Arabie Saoudite) et que le coût marginal est de

$$C'(x) = 4000 + 10x$$

(en riyals/mètre), où x est la profondeur (en mètres). Trouvez le coût total du forage d'un puits de x mètres de profondeur.

63. Le cas du lac Sioux de la région est du Dakota Sud constitue l'un des problèmes de pollution qu'on ait signalé à l'Agence de protection de l'environnement (EPA). Depuis des années, une petite usine de pâtes et papiers de la région évacuait dans le lac des déchets qui contenaient du tétrachlorure de carbone (CCl_4). Quand on a mis l'EPA au courant de la situation, les produits chimiques étaient déversés dans le lac à un taux de 16 verges cubes par année.

     L'agence a ordonné à l'usine d'installer des filtres destinés à ralentir le déversement de CCl_4 et à y mettre fin. La mise en application de ce programme a pris exactement trois ans et, durant cette période, le flux de polluants est demeuré stable à 16 verges cubes/année. Une fois les filtres installés, le flux a diminué. Si t est le temps (en années) depuis le jour où l'EPA a été mise au courant de la situation, le taux de déversement a été estimé ainsi :

$$\text{Taux (en verges cubes par année)} = t^2 - 14t + 49,$$

entre le temps où les filtres ont été installés et le temps où on a mis fin au déversement.

     a) Tracez un graphe qui montre le taux de CCl_4 déversé dans le lac en fonction du temps, en commençant au moment où l'EPA a été mise au courant de la situation.

     b) Combien d'années se sont écoulées entre le moment où l'EPA a été mise au courant de la situation et le moment où on a complètement mis fin au déversement de polluants dans le lac ?

     c) Combien de verges cubes de CCl_4 ont été déversées dans le lac durant la période montrée dans le graphe de la partie a) ?

6.3 LES ÉQUATIONS DIFFÉRENTIELLES

Au chapitre 2, on a vu que la vitesse correspond à la dérivée de la distance et que l'accélération est la dérivée de la vitesse. Dans cette section, on analyse le mouvement d'un objet en chute libre sous l'influence de la gravité. Cette opération exige qu'on effectue le processus inverse, soit retrouver la vitesse à partir de l'accélération puis la position à partir de la vitesse.

Le mouvement avec une vitesse constante

On considère brièvement un problème familier : un objet se déplace en ligne droite à une vitesse constante. On pense à une voiture qui roule à 50 mi/h. Quelle distance parcourt-elle pendant un temps donné ? On trouve la réponse à l'aide de la formule

$$\text{Distance} = \text{Taux} \times \text{Temps}$$

ou

$$s = 50t,$$

où s est la distance de la voiture (en milles) par rapport à un point de référence fixe et t le temps (en heures). De la même façon, on peut décrire le mouvement en écrivant l'équation

$$\frac{ds}{dt} = 50.$$

C'est ce qu'on appelle l'*équation différentielle* de la *fonction s*. La solution à cette équation est la primitive générale

$$s = 50t + C.$$

L'équation $s = 50t + C$ indique que $s = C$ quand $t = 0$. Par suite, la constante C représente la distance initiale s_0 de la voiture à partir du point de référence.

Le mouvement uniformément accéléré

Maintenant, on considère un objet qui se déplace avec une *accélération constante* (ou un *mouvement uniformément accéléré*) le long d'une ligne droite. On sait, depuis l'époque de Galilée, qu'il s'agit du mouvement d'un objet se déplaçant sous l'influence de la gravité (on néglige la résistance de l'air). Ainsi, si v est la vitesse vers le haut et t est le temps,

$$\frac{dv}{dt} = -g,$$

où g est l'*accélération constante due à la gravité*, dont la valeur est déterminée par expérimentation. Dans les unités les plus souvent utilisées, sa valeur est d'environ

$$g = 9{,}81 \text{ m/s}^2 \quad \text{ou} \quad g = 32 \text{ pi/s}^2.$$

Le signe négatif vient du fait que la vitesse est mesurée vers le haut, tandis que la gravité agit vers le bas.

Exemple 1   On laisse tomber un caillou du haut d'un édifice de 100 pi de hauteur. Trouvez, en fonction du temps, sa position et sa vitesse. Quand le caillou touche-t-il le sol et quelle vitesse a-t-il atteint à ce moment ?

Solution   On suppose que t est mesurée en secondes à partir du moment où on a laissé tomber le caillou. Si on mesure la distance s (en pieds) au-dessus du sol, alors la vitesse v est en pieds par seconde vers le haut, et l'accélération due à la gravité est de 32 pi/s² vers le bas. Donc,

$$\frac{dv}{dt} = -32.$$

À partir de ce qu'on sait sur les primitives, on doit avoir

$$v = -32t + C,$$

où C est une constante. Puisque $v = C$ quand $t = 0$, la constante C représente la vitesse initiale v_0. Puisqu'on laisse tomber le caillou plutôt que de le lancer du haut de l'édifice, on sait que la vitesse initiale est zéro, donc $v_0 = 0$. Si on fait la substitution, on obtient

$$0 = -32(0) + C, \quad \text{donc} \quad C = 0.$$

Par suite,

$$v = -32t.$$

Maintenant, on peut écrire

$$v = \frac{ds}{dt} = -32t.$$

La primitive générale de $-32t$ est

$$s = -16t^2 + K,$$

où K est une autre constante.

Puisque le caillou part du haut de l'édifice, $s = 100$ quand $t = 0$. Si on fait la substitution avec $s = -16t^2 + K$, on obtient

$$100 = -16(0^2) + K.$$

Donc,

$$K = 100$$

et, ainsi,

$$s = -16t^2 + 100.$$

Par conséquent, on a trouvé les fonctions v et s, en fonction de t.

Le caillou touche le sol quand $s = 0$, donc on doit résoudre

$$0 = -16t^2 + 100,$$

ce qui donne $t^2 = 100/16$ ou $t = \pm10/4 = \pm2{,}5$ s. Puisque t doit être positif, $t = 2{,}5$ s. À ce temps, $v = -32(2{,}5) = -80$ pi/s. (On remarque que la vitesse est négative parce que l'on considère que la direction vers le haut est positive et que celle vers le bas est négative.)

Exemple 2   On lance un objet verticalement vers le haut à une vitesse de 10 m/s depuis une hauteur de 2 m. Trouvez l'altitude la plus élevée que cet objet atteint et le moment où il touche le sol.

Solution   On doit trouver la position en fonction du temps. Dans cet exemple, la vitesse est mesurée en mètres par seconde. Donc, on utilise $g = 9{,}8$ m/s^2. En mesurant la distance (en mètres) vers le haut à partir du sol, on a

$$\frac{dv}{dt} = -9{,}8.$$

Comme on l'a vu plus haut, v est une fonction dont la dérivée est constante. Donc,

$$v = -9{,}8t + C.$$

Puisque la vitesse initiale est de 10 m/s vers le haut, on sait que $v = 10$ quand $t = 0$. Si on fait la substitution, on obtient

$$10 = -9{,}8(0) + C. \quad \text{Donc,} \quad C = 10.$$

Par suite,

$$v = -9{,}8t + 10.$$

Pour trouver s, on utilise

$$v = \frac{ds}{dt} = -9{,}8t + 10$$

et on recherche une fonction qui a $-9{,}8t + 10$ comme dérivée. La primitive générale de $-9{,}8t + 10$ est

$$s = -4{,}9t^2 + 10t + K,$$

où K est une constante. Pour trouver K, on considère le fait que l'objet entre en mouvement à une hauteur de 2 m, alors $s = 2$ quand $t = 0$. Si on fait la substitution, on obtient

$$2 = -4{,}9(0)^2 + 10(0) + K. \quad \text{Donc,} \quad K = 2$$

et, ainsi,

$$s = -4{,}9t^2 + 10t + 2.$$

L'objet atteint l'altitude la plus élevée quand la vitesse est zéro. Alors, à ce temps,

$$v = -9{,}8t + 10 = 0.$$

Cela se produit quand

$$t = \frac{10}{9{,}8} \approx 1{,}02 \text{ s.}$$

Lorsque $t = 1{,}02$ s,

$$s = -4{,}9(1{,}02)^2 + 10(1{,}02) + 2 \approx 7{,}10 \text{ m.}$$

Donc, l'altitude maximale atteinte est de 7,10 m. L'objet frappe le sol quand $s = 0$:

$$0 = -4{,}9t^2 + 10t + 2.$$

En résolvant cette équation avec la formule quadratique, on a

$$t \approx -0{,}18 \text{ et } t \approx 2{,}22 \text{ s.}$$

Puisque le moment où l'objet touche le sol doit être positif, $t \approx 2{,}22$ s.

Les primitives et les équations différentielles

On résout le problème du mouvement uniformément accéléré en l'effectuant à l'inverse, c'est-à-dire en remontant de la dérivée d'une fonction à la fonction elle-même. Si f est une fonction connue et qu'on trouve la *solution générale* de l'équation différentielle

$$\frac{dy}{dx} = f(x),$$

on trouvera la primitive générale $y = F(x) + C$ avec $F'(x) = f(x)$.

Exemple 3   Trouvez et tracez le graphe de la solution générale de l'équation différentielle

$$\frac{dy}{dx} = \sin x + 2.$$

Solution   On recherche une fonction dont la dérivée est $\sin x + 2$. Une primitive de $\sin x + 2$ est

$$y = -\cos x + 2x.$$

Par suite, la solution générale est

$$y = -\cos x + 2x + C,$$

où C est une constante. La figure 6.17 illustre plusieurs courbes de cette famille.

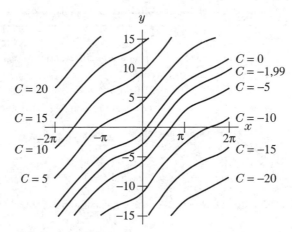

Figure 6.17 : Courbes de solution de $\frac{dy}{dx} = \sin x + 2$

Comment choisir une solution de l'équation différentielle $\dfrac{dy}{dx} = f(x)$?

Choisir une primitive équivaut à sélectionner une valeur de C. Pour ce faire, il faut posséder une donnée supplémentaire, notamment la vitesse initiale ou la position initiale. En général, on choisit une courbe en particulier dans la famille des solutions en précisant que la courbe doit passer par un point donné (x_0, y_0). L'équation différentielle et une condition supplémentaire, qui est

$$\frac{dy}{dx} = f(x), \quad y(x_0) = y_0,$$

s'appelle un *problème avec une condition initiale*. En général, un problème avec une condition initiale a une solution unique. À noter que $y(x_0) = y_0$ est l'abréviation de $y = y_0$ quand $x = x_0$ et cette dernière condition est la condition initiale.

Exemple 4   Trouvez la solution du problème avec la condition initiale

$$\frac{dy}{dx} = \sin x + 2, \quad y(3) = 5.$$

Solution   On a déjà vu que la solution générale de l'équation différentielle est $y = -\cos x + 2x + C$. La condition initiale permet de déterminer la constante C. En substituant $y(3) = 5$, on obtient

$$5 = y(3) = -\cos 3 + 2 \cdot 3 + C.$$

Donc, on obtient C de la manière suivante :

$$C = 5 + \cos 3 - 6 \approx -1{,}99.$$

Par suite, la solution (unique) est

$$y = -\cos x + 2x - 1,99.$$

La figure 6.17 illustre cette solution particulière (notée $C = -1,99$).

Problèmes de la section 6.3

Trouvez la solution générale des équations différentielles des problèmes 1 à 4.

1. $\dfrac{dy}{dx} = x^3 + 5$ 2. $\dfrac{dy}{dx} = 8x + \dfrac{1}{x}$ 3. $\dfrac{dW}{dt} = 4\sqrt{t}$ 4. $\dfrac{dr}{dp} = 3 \sin p$

Pour les problèmes 5 à 7, trouvez la solution du problème avec la condition initiale donnée.

5. $\dfrac{dy}{dx} = 6x^2 + 4x, \quad y(2) = 10$ 6. $\dfrac{dP}{dt} = 10e^t, \quad P(0) = 25$

7. $\dfrac{ds}{dt} = -32t + 100, \quad s = 50$ quand $t = 0$

8. Démontrez que $y = x + \sin x - \pi$ satisfait au problème avec une condition initiale

$$\frac{dy}{dx} = 1 + \cos x, \quad y(\pi) = 0.$$

9. Démontrez que $y = xe^{-x} + 2$ est une solution au problème avec une condition initiale

$$\frac{dy}{dx} = (1 - x)e^{-x}, \quad y(0) = 2.$$

10. a) Trouvez la solution générale de l'équation différentielle $\dfrac{dy}{dx} = 2x + 1$.

b) Tracez un graphe qui a au moins trois solutions.

c) Trouvez la solution qui satisfait à $y(1) = 5$. Tracez le graphe de cette solution avec les autres solutions de la partie b).

11. De la glace se forme sur un étang à un taux donné par

$$\frac{dy}{dt} = k\sqrt{t},$$

où y est l'épaisseur de la glace (en pouces) au temps t (en heures) depuis le début de la formation de la glace et k est une constante positive. Trouvez y en fonction de t.

12. Si une voiture passe de 0 mi/h à 80 mi/h en 6 s avec une accélération constante, quelle est cette accélération ?

13. Une voiture qui roule à 80 pi/s (environ 55 mi/h) s'arrête complètement en 5 s. Supposez que la décélération est constante.

a) Tracez le graphe de la vitesse par rapport au temps t pour $0 \le t \le 5$ s.

b) Représentez, en fonction de l'aire sur le graphe, la distance parcourue à partir du moment où on appuie sur la pédale de frein jusqu'à ce que la voiture s'arrête complètement.

c) Trouvez cette aire et de là, calculez la distance parcourue.

d) Trouvez maintenant la distance parcourue en utilisant l'intégration.

14. Un avion à réaction 727 doit atteindre une vitesse de 200 mi/h pour décoller. S'il peut passer de 0 mi/h à 200 mi/h en 30 s, quelle doit être la longueur de la piste de décollage ? (Supposez que l'accélération est constante.)

15. Supposez qu'une voiture roulant à 30 pi/s décélère à un taux constant de 5 pi/s^2.

a) Construisez un tableau montrant la vitesse de la voiture chaque demi-seconde. Quand la voiture s'arrête-t-elle ?

b) À l'aide de votre tableau, trouvez les sommes de gauche et de droite qui permettent d'évaluer la distance totale parcourue avant que la voiture ne s'arrête. Quelle somme est une surestimation et laquelle est une sous-estimation ?

c) Tracez le graphe de la vitesse par rapport au temps. Sur le graphe, montrez une aire qui représente la distance parcourue avant que la voiture ne s'arrête. Utilisez le graphe pour calculer cette distance.

d) Trouvez une formule pour la vitesse de la voiture en fonction du temps, puis calculez, par intégration, la distance parcourue. Quelle est la relation entre votre réponse aux parties c) et d) et vos estimations de la partie b) ?

16. On a installé un propulseur de ballon d'eau sur le toit d'un édifice. La vitesse verticale (en pieds par seconde) du ballon d'eau au temps t après le lancement est donnée par

$$v(t) = -32t + 40,$$

avec $v > 0$ correspondant au mouvement ascendant.

a) Si l'édifice mesure 30 pi de haut, trouvez une expression pour la hauteur du ballon d'eau au-dessus du sol à un temps t.

b) Quelle est la vitesse moyenne du ballon entre $t = 1,5$ s et $t = 3$ s ?

c) Une personne d'une taille de 6 pi se trouve en bas de l'édifice. À quelle vitesse chute le ballon d'eau quand il frappe la tête de cette personne ?

17. On lance un objet verticalement vers le haut à partir du sol avec une vitesse de 160 pi/s.

a) Tracez un graphe de la vitesse de l'objet (si la direction vers le haut est positive par rapport au temps).

b) Sur le graphe, indiquez les points où l'objet atteint l'altitude la plus élevée et quand il touche le sol.

c) Trouvez la hauteur maximale atteinte par l'objet en considérant une aire sur le graphe.

d) Exprimez la vitesse en fonction du temps et trouvez, par intégration, la hauteur la plus grande.

18. Un caillou lancé vers le haut, du haut d'une falaise de 320 pi à une vitesse de 128 pi/s, finit par tomber sur la plage qui se trouve en bas de la falaise.

a) Combien de temps le caillou met-il pour atteindre son point le plus haut ?

b) Quelle est sa hauteur maximale ?

c) Combien de temps s'écoule-t-il avant que le caillou tombe sur la plage ?

d) Quelle est la vitesse du caillou au moment de l'impact ?

19. Sur la Lune, l'accélération due à la gravité est d'environ 1,6 m/s^2 (comparativement à $g \approx 9,8$ m/s^2 sur la Terre). Si vous êtes sur la Lune et que vous laissez tomber un caillou (à une vitesse initiale de zéro), trouvez les formules pour :

a) sa vitesse $v(t)$ au temps t.

b) la distance $s(t)$ de sa chute au temps t.

20. a) Supposez que vous lancez un caillou dans les airs. Quelle devrait être la vitesse initiale du caillou s'il atteint une hauteur maximale de 100 pi au-dessus de son point de départ ?

b) Supposez maintenant que vous soyez sur la Lune et que vous lanciez un caillou verticalement vers le haut avec la même vitesse qu'à la partie a). Quelle sera la hauteur maximale du caillou ? (Sur la Lune, $g = 5$ pi/s^2.)

21. Un chat qui marche sur le bord d'une fenêtre d'un appartement de New York accroche sur son passage un pot de fleurs. Celui-ci s'écrase dans la rue, 200 pi plus bas. Quelle est la vitesse du pot de fleurs quand il s'écrase dans la rue ? (Donnez votre réponse en pieds par seconde et en milles par heure, sachant que 1 pi/s = 15/22 mi/h.)

22. Parmi toutes les voitures qui ont fait l'objet d'une étude menée par la revue *Car and Driver* dans la publication d'avril 1991, la Acura NSX est la voiture qui s'arrête sur la plus courte distance. En effet, la Acura prend 157 pi pour s'arrêter quand elle roule à 70 mi/h. Trouvez l'accélération, en supposant qu'elle est constante.

6.4 LE DEUXIÈME THÉORÈME FONDAMENTAL DU CALCUL

On suppose que f est une fonction élémentaire, c'est-à-dire une combinaison de constantes, de puissances de x, $\sin x$, $\cos x$, e^x et $\ln x$. On doit donc avoir de la chance pour trouver une primitive F qui est aussi une fonction élémentaire. Toutefois, si on ne peut trouver F comme fonction élémentaire, comment peut-on être sûr que F existe ? Dans cette section, on apprend à utiliser l'intégrale définie pour construire des primitives.

La construction de primitives à l'aide de l'intégrale définie

On considère la fonction $f(x) = e^{-x^2}$. On souhaite trouver une manière de calculer les valeurs de sa primitive. Si la primitive F était une fonction élémentaire, on pourrait l'évaluer à l'aide d'une calculatrice, mais ce n'est pas le cas. Cependant, on sait que, selon le théorème fondamental du calcul,

$$F(b) - F(a) = \int_a^b e^{-t^2}\, dt.$$

Alors,

$$F(x) - F(0) = \int_0^x e^{-t^2}\, dt.$$

Tout ce qu'on a fait ici, c'est d'établir que $a = 0$ et de remplacer le b habituel dans la borne supérieure par un x. On veut maintenant trouver la primitive qui satisfait à $F(0) = 0$. On a

$$F(x) = \int_0^x e^{-t^2}\, dt.$$

Il s'agit de la formule pour F. Pour toute valeur de x, il existe une valeur unique pour $F(x)$, de telle sorte que F est une fonction. Pour tout x fixé, on peut calculer numériquement $F(x)$ avec toute la précision souhaitée. Par exemple, on peut calculer

$$F(2) = \int_0^2 e^{-t^2}\, dt = 0{,}882\ 08\ldots$$

On remarque que l'expression de F n'est pas une fonction élémentaire ; on a *créé* une nouvelle fonction en utilisant l'intégrale définie. Le prochain théorème établit que, en général, cette méthode de construction de primitives fonctionne. Cela signifie que si on définit F par

$$F(x) = \int_a^x f(t)\, dt,$$

alors F doit être une primitive de f.

**Théorème de construction de primitives
(deuxième théorème fondamental du calcul)**

Si f est une fonction continue sur un intervalle et si a est un nombre quelconque sur cet intervalle, alors la fonction F définie par

$$F(x) = \int_a^x f(t)\, dt$$

est une primitive de f.

On remarque que si on connaît déjà une primitive de f, qu'on peut appeler G, alors le théorème fondamental du calcul établit que

$$G(x) - G(a) = \int_a^x f(t)\,dt.$$

Selon la définition de F, on a

$$F(x) = \int_a^x f(t)\,dt.$$

Par suite,

$$G(x) - G(a) = F(x),$$

alors F et G diffèrent par une constante (notamment $G(a)$), et alors F et G sont toutes *deux* des primitives de f.

La justification du théorème de construction de primitives

Notre but est de démontrer que F, définie par cette intégrale, est une primitive de f. On veut démontrer que $F'(x) = f(x)$. Selon la définition de la dérivée,

$$F'(x) = \lim_{h \to 0} \frac{F(x+h) - F(x)}{h}.$$

Pour obtenir des indices géométriques, on suppose que f et h sont positifs. Alors, on peut visualiser

$$F(x) = \int_a^x f(t)\,dt$$

et

$$F(x+h) = \int_a^{x+h} f(t)\,dt,$$

comme des aires, ce qui entraîne la représentation

$$F(x+h) - F(x) = \int_x^{x+h} f(t)\,dt$$

comme la différence de deux aires. À partir de la figure 6.18 (page suivante), on voit que $F(x+h) - F(x)$ est approximativement l'aire d'un rectangle de hauteur $f(x)$ et de largeur h (région la plus foncée dans la figure 6.18). Donc, on a

$$F(x+h) - F(x) \approx f(x)h,$$

d'où

$$\frac{F(x+h) - F(x)}{h} \approx f(x).$$

Plus précisément, on peut utiliser le dernier théorème de la section 5.4 pour comparer les intégrales et conclure que

$$mh \leq \int_x^{x+h} f(t)\,dt \leq Mh,$$

où m est l'infimum de f sur l'intervalle de x à $x+h$ et M est le supremum sur cet intervalle (voir la figure 6.19, page suivante). Par suite,

$$mh \leq F(x+h) - F(x) \leq Mh.$$

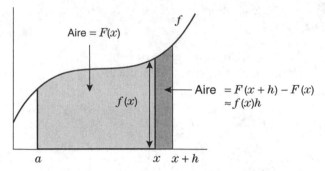

Figure 6.18 : $F(x + h) - F(x)$ est l'aire d'une région approximativement rectangulaire

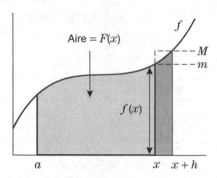

Figure 6.19 : Minorant et majorant pour $F(x + h) - F(x)$

Alors,

$$m \leq \frac{F(x + h) - F(x)}{h} \leq M.$$

Puisque f est continue, m et M tendent vers $f(x)$ tandis que h tend vers zéro. Par suite,

$$f(x) \leq \lim_{h \to 0} \frac{F(x + h) - F(x)}{h} \leq f(x).$$

Ainsi, les deux inégalités doivent être des égalités. Donc, on obtient le résultat qu'on souhaite, soit

$$f(x) = \lim_{h \to 0} \frac{F(x + h) - F(x)}{h} = F'(x).$$

L'application du théorème de construction de primitives

Le théorème de construction de primitives permet d'écrire des primitives de fonctions qui n'ont pas de primitives élémentaires. Par exemple, une primitive de $(\sin x)/x$ est

$$F(x) = \int_0^x \frac{\sin t}{t} \, dt.$$

On remarque que F est une fonction. On peut calculer les valeurs de celle-ci avec n'importe quel degré de précision. Cette fonction a déjà un nom : on l'appelle l'*intégrale du sinus* et elle est notée $\mathrm{Si}(x)$.

Exemple 1   Construisez une table des valeurs de $\mathrm{Si}(x)$ pour $x = 0, 1, 2, 3$.

Solution   À l'aide de méthodes numériques, on calcule les valeurs de $\mathrm{Si}(x) = \int_0^x \frac{\sin t}{t} \, dt$ données au tableau 6.2. Puisque l'intégrande est indéfini en $t = 0$, on a pris la valeur 0,000 01 plutôt que 0.

TABLEAU 6.2   *Table des valeurs de* $\mathrm{Si}(x)$

x	0	1	2	3
$\mathrm{Si}(x)$	0	0,95	1,61	1,85

On a donné un nom à l'intégrale du sinus parce que les scientifiques et les ingénieurs lui ont trouvé une application (par exemple en optique). Pour ceux et celles qui l'utilisent couramment, il s'agit simplement d'une fonction aussi courante que le sinus ou le cosinus.

On peut utiliser sa dérivée

$$\frac{d}{dx}\,\text{Si}(x) = \frac{\sin x}{x}\,,$$

avec les autres règles de différentiation, comme dans l'exemple 2.

Exemple 2   Trouvez la dérivée de $x\,\text{Si}(x)$.

Solution   À l'aide de la règle des produits,

$$\frac{d}{dx}\,(x\,\text{Si}(x)) = \left(\frac{d}{dx}\,x\right)\text{Si}(x) + x\left(\frac{d}{dx}\,\text{Si}(x)\right)$$

$$= 1 \cdot \text{Si}(x) + x\frac{\sin x}{x}$$

$$= \text{Si}(x) + \sin x.$$

Problèmes de la section 6.4

1. Le graphe de la dérivée F' d'une fonction F est donné à la figure 6.20. Si $F(20) = 150$, évaluez la valeur maximale atteinte par F.

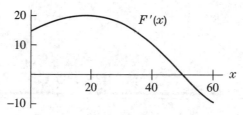

Figure 6.20

2. Supposez que $F'(t) = \sin t \cos t$ et que $F(0) = 1$. Trouvez $F(b)$ pour $b = 0$, 0,5, 1, 1,5, 2, 2,5 et 3.

Pour les fonctions des problèmes 3 à 5, soit $F(x) = \int_0^x f(t)\,dt$. Tracez le graphe de $F(x)$ en fonction de x.

3. 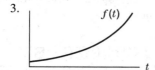   4. 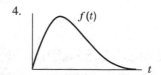   5.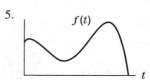

6. Créez une table des valeurs pour $x = 0$, 0,5, 1,0, 1,5 et 2,0 de la fonction suivante :

$$I(x) = \int_0^x \sqrt{t^4 + 1}\,dt.$$

7. a) Continuez de construire la table des valeurs de $\text{Si}(x) = \int_0^x \frac{\sin t}{t}\,dt$ de l'exemple 1 pour $x = 4$ et $x = 5$.

   b) Pourquoi $\text{Si}(x)$ est-elle décroissante entre $x = 4$ et $x = 5$?

Trouvez les dérivées des problèmes 8 à 13.

8. $\dfrac{d}{dx}\displaystyle\int_0^x \sqrt{3+\cos(t^2)}\,dt$ 9. $\dfrac{d}{dx}\displaystyle\int_1^x (1+t)^{200}\,dt$ 10. $\dfrac{d}{dx}\displaystyle\int_{0,5}^x \arctan(t^2)\,dt$

11. $\dfrac{d}{dt}\displaystyle\int_t^\pi \cos(z^3)\,dz$ 12. $\dfrac{d}{dx}\displaystyle\int_x^1 \ln t\,dt$ 13. $\dfrac{d}{dx}\left[\operatorname{Si}(x^2)\right]$

14. Soit $F(x)=\int_0^x \sin(2t)\,dt$.

   a) Évaluez $F(\pi)$.
   b) Tracez un graphe pour expliquer, d'un point de vue géométrique, pourquoi la réponse à la partie a) est correcte.
   c) Pour quelles valeurs de x a-t-on $F(x)$ positive ? négative ?

15. Soit $F(x)=\int_2^x \frac{1}{\ln t}\,dt$ pour $x \ge 2$.

   a) Trouvez $F'(x)$.
   b) F est-elle croissante ou décroissante ? Que pouvez-vous dire de la concavité de ce graphe ?
   c) Tracez un graphe de $F(x)$.

Les problèmes 16 à 19 portent sur la *fonction d'erreur* erf(x) définie par

$$\operatorname{erf}(x)=\frac{2}{\sqrt{\pi}}\int_0^x e^{-t^2}\,dt.$$

Trouvez une expression en fonction de erf(x) pour chacune des quantités ci-après.

16. $\dfrac{d}{dx}\left(x\operatorname{erf}(x)\right)$ 17. $\dfrac{d}{dx}\left(\operatorname{erf}(\sqrt{x})\right)$ 18. $\sqrt{\dfrac{2}{\pi}}\displaystyle\int_0^x e^{-t^2/2}\,dt$ 19. $\sqrt{\dfrac{2}{\pi}}\displaystyle\int_{x_1}^{x_2} e^{-t^2/2}\,dt$

SOMMAIRE DU CHAPITRE

- **La construction de primitives**
  Graphiquement, numériquement, analytiquement.
- **La famille des primitives**
  L'intégrale définie.

- **Les équations différentielles**
  Problèmes avec une condition initiale, mouvement uniforme.
- **Le théorème de construction de primitives (le deuxième théorème fondamental du calcul)**
  Construction de primitives à l'aide des intégrales définies.

PROBLÈMES DE RÉVISION DU CHAPITRE SIX

Trouvez les intégrales définies des problèmes 1 à 15.

1. $\displaystyle\int (5x+7)\,dx$ 2. $\displaystyle\int \left(\frac{3}{t}-\frac{2}{t^2}\right)dt$ 3. $\displaystyle\int (e^x+5)\,dx$

4. $\displaystyle\int \left(x^{3/2}+\frac{\sqrt{x}}{5}-\frac{2}{x}\right)dx$ 5. $\displaystyle\int \frac{1}{\cos^2 x}\,dx$ 6. $\displaystyle\int 2^x\,dx$

7. $\displaystyle\int (x+1)^2\,dx$ 8. $\displaystyle\int (x+1)^3\,dx$ 9. $\displaystyle\int (x+1)^9\,dx$

10. $\int \left(\dfrac{x+1}{x} \right) dx$ **11.** $\int \left(\dfrac{x^2 + x + 1}{x} \right) dx$ **12.** $\int \left(3 \cos \psi + 3\sqrt{\psi} \right) d\psi$

13. $\int (3 \cos x - 7 \sin x)\, dx$ **14.** $\int \left(x + \dfrac{2}{x} + \pi \sin x \right) dx$ **15.** $\int (2e^x - 8 \cos x)\, dx$

Trouvez des primitives pour les fonctions des problèmes 16 à 38. Vérifiez en utilisant la différentiation.

16. $f(x) = x + x^5 + x^{-5}$ **17.** $g(x) = \dfrac{1}{x} + \dfrac{1}{x^2} + \dfrac{1}{x^3}$ **18.** $f(x) = x^6 - \dfrac{1}{7x^6}$

19. $g(t) = 5 + \cos t$ **20.** $g(\alpha) - 3 \sin(3\alpha)$ **21.** $h(r) = 2\sqrt{r} + \dfrac{1}{2\sqrt{r}}$

22. $g(x) = (x+1)^3$ **23.** $h(t) = \dfrac{(t-1)^2}{t^2}$ **24.** $p(y) = \dfrac{1}{y} + y + 1$

25. $f(z) = e^z + 3$ **26.** $f(x) = 2xe^{x^2}$ **27.** $g(x) = e^x + e^{1+x}$

28. $g(\theta) = \sin \theta - 2 \cos \theta$ **29.** $p(r) = 2\pi r$ **30.** $f(x) = 2^x + \dfrac{1}{2^x}$

31. $h(t) = \cos t(1 + \sin t)^{29}$ **32.** $h(t) = 2t \cos(t^2)$ **33.** $f(t) = t \cos(t^2)$

34. $r(x) = 3x^2 \cos(x^3 + 7)$ **35.** $g(y) = e^2 + 2^y$ **36.** $g(\theta) = \sin \theta + \dfrac{1}{1 + \theta^2}$

37. $f(x) = xe^{x^2}$ **38.** $f(x) = 6\sqrt{x} - \dfrac{1}{x^2} + \dfrac{10}{x}$

39. Calculez l'aire exacte au-dessus du graphe de $y = \frac{1}{2} \left(\frac{3}{\pi} x \right)^2$ et au-dessous du graphe de $y = \cos x$. Les courbes se croisent en $x = \pm \pi/3$.

40. Trouvez l'aire exacte entre l'axe des x et le graphe de $y = x^3 - x$.

41. Trouvez la valeur positive exacte de c qui rend l'aire sous le graphe de $y = c(1 - x^2)$ et au-dessus de l'axe des x égale à 1.

42. Tracez la parabole $y = x(x - \pi)$ et la courbe $y = \sin x$ en montrant leurs points d'intersection. Trouvez l'aire exacte entre les deux graphes.

On donne le graphe de $f'(x)$ pour les problèmes 43 et 44. Tracez un graphe possible pour $f(x)$. Identifiez les points $x_1 \dots x_4$ sur le graphe et les maximums locaux, les minimums locaux et les points d'inflexion.

43.

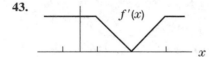

44.

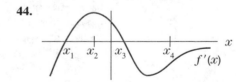

45. Si le graphe de f est identique à celui qui est illustré à la figure 6.21, tracez un graphe de la fonction $F(x) = \displaystyle\int_0^x f(t)\, dt$.

46. Un objet est fixé à un ressort qui est suspendu au plafond d'une pièce. La fonction $h(t)$ donne la hauteur de l'objet au-dessus du plancher de la chambre au temps t. Le graphe de $h'(t)$ est présenté à la figure 6.22. Tracez un graphe possible de $h(t)$.

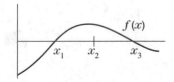

Figure 6.21

Figure 6.22

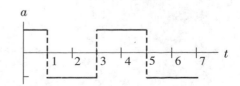

Figure 6.23

47. L'accélération a d'une particule en fonction du temps t est illustrée à la figure 6.23 (page précédente). Tracez les graphes de la vitesse et de la position par rapport au temps. Supposez que la particule est immobile au départ au point d'origine.

48. Un objet lancé dans les airs sur une planète d'une galaxie lointaine atteint une altitude $s = -25t^2 + 72t + 40$ pi au temps t s après avoir été lancé. Quelle est l'accélération due à la gravité sur cette planète ? À quelle vitesse l'objet a-t-il été lancé ? à quelle hauteur ?

49. La vitesse angulaire du moteur d'une voiture passe de 1100 tours/min à 2500 tours/min en 6 s. Supposez que l'accélération angulaire est constante.

a) Trouvez l'accélération angulaire (en tours par minute au carré).
b) Combien de tours fait le moteur pendant ce temps ?

50. Le rotor d'un hélicoptère ralentit à un taux constant en passant de 350 tours/min à 260 tours/min en 1,5 minute.

a) Trouvez l'accélération angulaire durant cet intervalle de temps. Quelles sont les unités de cette accélération ?
b) Supposez que l'accélération angulaire reste constante. Combien de temps le rotor met-il pour s'arrêter ? (Mesurez le temps à partir du moment où la vitesse est de 350 tours/min.)
c) Combien de tours fait le rotor entre le temps où la vitesse angulaire est de 350 tours/min et son arrêt ?

51. Un objet est lancé verticalement vers le haut à une vitesse de 80 pi/s.

a) Construisez une table montrant sa vitesse chaque seconde.
b) Quand atteint-il l'altitude la plus élevée ? Quand touche-t-il le sol ?
c) À l'aide de votre table, écrivez la somme de gauche qui surestime et la somme de droite qui sous-estime l'altitude que l'objet atteint.
d) Utilisez l'intégration pour trouver l'altitude la plus élevée qu'il atteint.

52. Une voiture, qui au départ roule à 60 mi/h, a une décélération constante et s'arrête sur une distance de 200 pi. Quelle est sa décélération ? (Donnez votre réponse en pieds par seconde au carré. Notez que 1 mi/h = 22/15 pi/s.)

53. Considérez une population de bactéries dont le taux de naissance B est donné par la courbe de la figure 6.24 en fonction du temps (en heures). Le taux de naissance est mesuré en naissances par heure. La courbe D donne le taux de mortalité (en morts par heure) de cette population.

a) Expliquez ce que vous apprend la forme de chacun de ces graphes sur la population.
b) Utilisez les graphes pour trouver le temps auquel le taux net d'augmentation de la population est à son maximum.
c) Supposez qu'au temps $t = 0$, la population a la taille N. Tracez le graphe du nombre de bactéries nées au temps t. Tracez également le graphe de bactéries vivantes au temps t. Utilisez ces graphes pour trouver le temps pendant lequel la taille de la population est à son maximum.

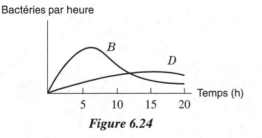

Figure 6.24

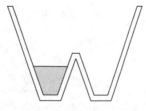

Figure 6.25

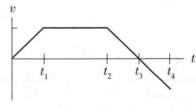

Figure 6.26

54. La section gauche du contenant en forme de W de la figure 6.25 se remplit d'eau à un taux constant. Tracez un graphe de la hauteur H de l'eau dans le côté gauche du contenant en fonction du temps t. Supposez qu'au départ le contenant est vide.

55. Supposez qu'une particule de masse m sous l'effet d'une force F se déplace en ligne droite. Son accélération a est donnée par la loi de Newton, soit

$$F = ma.$$

Le travail W effectué par une force *constante* quand la particule se déplace d'une distance d dans la direction de la force est

$$W = Fd.$$

Supposez que la vitesse v de la particule en fonction du temps t est donnée à la figure 6.26. Quel est le signe du travail effectué durant chacun des intervalles de temps $[0, t_1]$, $[t_1, t_2]$, $[t_2, t_3]$, $[t_3, t_4]$ et $[t_2, t_4]$?

56. Soit $F(x) = \int_{\pi/2}^{x} \frac{\sin t}{t} \, dt$. Trouvez la ou les valeurs de x entre $\pi/2$ et $3\pi/2$ pour lesquelles $F(x)$ a un maximum absolu et un minimum absolu. Justifiez votre réponse.

GROS PLAN SUR LA MODÉLISATION

LES ÉQUATIONS DU MOUVEMENT

Le comportement d'un corps qui se déplace librement sous l'influence de la gravité à la surface de la Terre intriguait déjà les mathématiciens et les philosophes de la Grèce antique, mais c'est finalement Galilée et Newton qui ont résolu le problème. La question à laquelle on devait répondre était la suivante : comment la vitesse et la position du corps varient-elles en fonction du temps ? On définit s comme la position (ou la hauteur) du corps au-dessus d'un point fixe (souvent le niveau du sol) ; v est alors la vitesse du corps mesurée de bas en haut. On suppose que l'accélération du corps est constante, soit $-g$ (le signe négatif signifie que l'accélération est de haut en bas). Alors,

$$\text{Accélération} = \frac{dv}{dt} = -g.$$

Par conséquent, la vitesse est la primitive de $-g$, soit

$$v = -gt + C.$$

Si la vitesse initiale est v_0, alors $C = v_0$. Donc,

$$v = -gt + v_0.$$

Que peut-on dire de la position ? On sait que

$$\frac{ds}{dt} = v = -gt + v_0.$$

Ainsi, on peut trouver s encore une fois par le calcul de la primitive, ce qui donne

$$s = -\frac{gt^2}{2} + v_0 t + C.$$

Si la position initiale est s_0, alors on doit avoir

$$s = -\frac{gt^2}{2} + v_0 t + s_0.$$

Cette dérivation des formules de la vitesse et de la position du corps a demandé peu d'effort. Pourtant, elle cache presque 2000 ans de recherche pour comprendre les mécanismes des corps en chute libre, couvrant une matière depuis la *Physique* d'Aristote jusqu'aux *Dialogues sur deux nouvelles sciences* de Galilée. Avant de présenter la solution au problème de Galilée, on fera quelques observations supplémentaires sur le mouvement uniforme et le mouvement uniformément accéléré.

Même s'il s'agit d'une ultrasimplification des hypothèses d'Aristote, on peut dire que sa conception du mouvement reposait au départ sur une *variation de la position*. Ce concept semble tout à fait raisonnable, car il découle de l'observation directe. Il a dominé les débats sur le mouvement pendant des siècles. Cependant, il lui manque une précision qui a été mise en lumière par Descartes, Galilée et, avec un accent différent, par Newton. Aujourd'hui, cette précision est connue sous le terme de *principe d'inertie*.

Selon ce principe, un corps qui circule librement en ligne droite et à une vitesse constante poursuivra son mouvement indéfiniment. Autrement dit, cela signifie qu'il est impossible de faire la distinction au sens absolu (c'est-à-dire en en faisant l'expérience) entre le fait d'être immobile et le fait de se déplacer en ligne droite à une vitesse constante. Quand un étudiant lit ce manuel dans une pièce fermée sans aucun point de référence, aucune expérience ne vous prouvera de manière indubitable qu'il est immobile, ou que l'étudiant, la pièce et tout ce qui s'y trouve se déplace en ligne droite à une vitesse constante. Ainsi, comme l'a saisi Newton, on ne peut comprendre le mouvement qu'en se fondant sur la *variation de la vitesse* plutôt que sur le changement de position. Puisque l'accélération est le taux de variation de la vitesse, c'est l'accélération qui doit jouer un rôle clé dans la description du mouvement.

Comment l'accélération se produit-elle ? Comment la vitesse varie-t-elle ? Par l'action des *forces*. Newton a insité sur l'importance des forces. Les lois de Newton sur le mouvement n'expliquent pas ce qu'est une force, mais seulement comment elle agit. Sa première loi est le principe d'inertie, qui explique ce qui se passe en l'*absence* de force : il n'y a aucune variation de la vitesse. Sa deuxième loi établit que l'application d'une force produit une variation de la vitesse, c'est-à-dire une accélération. Elle établit que $F = ma$, où m est la masse de l'objet, F est la force nette et a est l'accélération produite par cette force.

Galilée, quant à lui, a démontré qu'un corps en chute libre sous l'influence de la gravité se comporte de cette manière avec une accélération constante. Si on peut négliger la résistance de l'air, cette accélération constante est indépendante de la masse du corps. Cette dernière hypothèse a abouti à la fameuse observation de Galilée : une balle lourde et une balle légère qui tombent du sommet de la tour de Pise touchent le sol en même temps. Qu'il ait ou non tenté cette expérience, Galilée a présenté une expérience très claire dans les *Dialogues* afin de prouver cette hypothèse. (Cette affirmation contredisait la notion de sens commun d'Aristote, qui voulait que la balle plus lourde touche le sol avant la balle légère.) Galilée a démontré que la masse de l'objet doit figurer comme une variable dans l'équation du mouvement. Ainsi, la même équation de l'accélération constante s'applique à tous les corps en chute libre, sous la seule influence de la gravité.

Presque 100 ans après l'expérience de Galilée, Newton a formulé ses lois du mouvement et de la gravité sous la forme d'une équation différentielle qui décrit le mouvement d'un corps en chute libre. Selon Newton, l'accélération est provoquée par une force, et dans le cas d'un corps en chute libre, cette force est celle de la gravité. La loi de la gravité de Newton stipule que la force gravitationnelle qui existe entre deux corps les attire l'un vers l'autre. L'équation de cette force est donnée par

$$F = \frac{GMm}{r^2},$$

où G est la constante gravitationnelle, m et M sont les masses respectives des deux corps, et r est la distance entre eux. Il s'agit de la fameuse *loi en inverse carré*. Pour un corps en chute, M est la masse de la Terre et r la distance entre le corps et le centre de la Terre. Donc, r varie au fur et à mesure que le corps tombe. Cependant, pour tout objet observable (comme une balle qu'on laisse tomber du haut de la tour de Pise), ce paramètre ne varie pas de façon suffisamment significative durant le mouvement. Ainsi, en première estimation, il est raisonnable de supposer que la force est constante. Selon la deuxième loi de Newton,

$$\text{Force} = \text{Masse} \times \text{Accélération}.$$

Puisque la force gravitationnelle agit vers le bas,

$$-\frac{GMm}{r^2} = m\frac{d^2s}{dt^2}.$$

Par suite,

$$\frac{d^2s}{dt^2} = -\frac{GM}{r^2} = \text{constante}.$$

Si on définit $g = GM/r^2$, alors

$$\frac{d^2s}{dt^2} = -g.$$

Le fait que la masse m n'apparaît plus dans l'expression précédente reflète l'observation expérimentale de Galilée affirmant que l'accélération due à la gravité est indépendante de la masse du corps.

Problèmes sur les équations du mouvement

1. On laisse tomber un objet du haut d'une tour de 400 pi. Quand cet objet touche-t-il le sol et quelle est sa vitesse au moment de l'impact ?

2. Considérez l'objet du problème 1, puis supposez qu'il tombe du haut de la même tour de 400 pi. Quelle devrait être l'accélération due à la gravité pour que l'objet touche le sol dans la moitié du temps trouvé au problème 1 ?

3. Une balle qu'on laisse tomber d'une fenêtre touche le sol après 5 s. À quelle hauteur se trouve la fenêtre ? (Donnez votre réponse en pieds.)

4. Sur la Lune, l'accélération due à la gravité est de 5 pi/s^2. Un astronaute saute dans les airs avec une vitesse initiale de 10 pi/s. Quelle altitude atteint-il ? Combien de temps l'astronaute reste-t-il dans les airs ?

5. Galilée a été la première personne à démontrer que la distance parcourue par un corps en chute libre à partir de sa position de repos est proportionnelle au carré du temps pendant lequel a duré sa chute et que cette distance est indépendante de la masse du corps. Dérivez ce résultat du fait que l'accélération due à la gravité est une constante.

6. En tentant de comprendre le mouvement des corps sous l'influence de la gravité, Galilée a établit ce qui suit :

   On suppose qu'un corps est initialement au repos et qu'il est soumis à une accélération uniforme. Le temps de parcours d'un espace par ce corps est égal au temps qu'il lui faudrait pour franchir le même espace à une vitesse constante, vitesse dont la valeur est la moyenne de la vitesse la plus élevée et de la vitesse juste avant que ne commence l'accélération.

   a) Écrivez l'énoncé de Galilée à l'aide de symboles et définissez tous les symboles utilisés.
   b) Vérifiez l'énoncé de Galilée pour un corps qu'on lâche du haut d'un édifice de 100 pi de haut. Ce corps, d'abord au repos, accélère sous l'influence de la gravité jusqu'à ce qu'il touche le sol.
   c) Démontrez pourquoi l'énoncé de Galilée est vrai en général.

7. Dans son document *Dialogues sur deux nouvelles sciences*, Galilée a écrit :

   Les distances parcourues durant des intervalles égaux de temps par un corps en chute libre, à partir d'une position au repos, se comportent avec le même rapport que les chiffres impairs à partir de l'unité.

   Supposez, comme on le croit maintenant, que $s = -(gt^2)/2$, où s est la distance totale parcourue au temps t, et g est l'accélération due à la gravité.

   a) Quelle distance un corps en chute libre parcourt-il durant la première seconde (entre $t = 0$ et $t = 1$) ? durant la deuxième seconde (entre $t = 1$ et $t = 2$) ? la troisième seconde ? la quatrième seconde ?
   b) Qu'est-ce que vos réponses vous permettent de conclure quant à la véracité de l'énoncé de Galilée ?

8. L'accélération due à la gravité à 2 m du sol est de 9,8 m/s^2. Quelle est l'accélération due à la gravité à 100 m du sol ? à 100 000 m ? (Le rayon de la Terre est de $6,4 \times 10^6$ m.)

CHAPITRE SEPT

L'INTÉGRATION

Dans le chapitre 5, on a présenté l'intégrale définie et, dans le chapitre 6, les primitives. Dans le présent chapitre, on se concentrera sur des méthodes de recherche des primitives et des intégrales définies. On abordera différents moyens d'évaluer avec précision les primitives et les intégrales définies, puis on établira des méthodes numériques plus efficaces pour obtenir des approximations des intégrales définies. Finalement, on présentera les notions d'intégrales impropres et on discutera de méthodes qui permettent de les évaluer.

7.1 L'INTÉGRATION PAR SUBSTITUTION : PARTIE I

Dans le chapitre 3, on a étudié les règles qui permettent de différentier une fonction obtenue par la combinaison de constantes, de puissances de x, $\sin x$, $\cos x$, e^x et $\ln x$, en utilisant l'addition, la multiplication, la division ou la composition de fonctions. On les appelle des fonctions *élémentaires*.

Existe-t-il des règles similaires pour l'intégration ? Par exemple, y a-t-il une règle du produit pour les primitives ? ou une règle de la dérivée en chaîne ? Dans les prochaines sections, on présentera deux méthodes d'intégration : la substitution et l'intégration par parties. La première permet d'inverser la règle de la dérivée en chaîne tandis que la seconde permet d'inverser la règle du produit.

Il existe une différence importante entre la recherche de dérivées et la recherche de primitives. Chaque fonction élémentaire comporte des dérivées élémentaires. Cependant, bon nombre des fonctions élémentaires ne contiennent pas de primitives élémentaires ; par exemple $\sqrt{x^3 + 1}$, $(\sin x)/x$ et e^{-x^2}. Il ne s'agit pas de fonctions exotiques, mais de fonctions ordinaires qui surviennent naturellement.

La méthode par tâtonnements et vérification

Une stratégie efficace pour la recherche de primitives simples consiste à *présumer* une réponse (en utilisant les connaissances des règles de différentiation) puis à *vérifier* la réponse en la différentiant. Si on obtient le résultat souhaité, alors on a terminé ; sinon, il faut recommencer.

La méthode par tâtonnements et par vérification est très utile quand il s'agit d'inverser la règle de la dérivée en chaîne. Selon la règle de la dérivée en chaîne,

$$\frac{d}{dx}\left(f(g(x))\right) = \underbrace{f'}_{\text{Dérivée extérieure}}\overbrace{\left(g(x)\right)}^{\text{Intérieur}} \cdot \underbrace{g'(x)}_{\text{Dérivée intérieure}}.$$

Ainsi, toute fonction qui découle de l'application de la règle de la dérivée en chaîne sera le produit de deux facteurs : la dérivée *extérieure* et la dérivée *intérieure*. Si une fonction a cette forme, sa primitive est $f(g(x))$.

Exemple 1 Trouvez $\displaystyle\int 3x^2 \cos(x^3)\,dx$.

Solution La fonction $3x^2 \cos(x^3)$ ressemble au résultat découlant de l'application de la règle de la dérivée en chaîne : il existe une fonction *intérieure* x^3 et sa dérivée $3x^2$ qui est un facteur. On présume que $\sin(x^3)$ est la primitive. Pour le vérifier, on effectue la différentiation et on obtient

$$\frac{d}{dx}\left(\sin(x^3)\right) = \cos(x^3) \cdot (3x^2).$$

Puisque c'est l'expression avec laquelle on a commencé, on a

$$\int 3x^2 \cos(x^3)\,dx = \sin(x^3) + C.$$

Cette méthode vise d'emblée à tenter de trouver une fonction intérieure dont la dérivée figure comme facteur. Elle fonctionne même quand un facteur constant ne se trouve pas dans la dérivée, comme dans l'exemple 2.

Exemple 2   Trouvez $\displaystyle\int te^{(t^2+1)}\,dt$.

Solution   On dirait que t^2+1 est une fonction intérieure. Donc, on présume que $e^{(t^2+1)}$ est la primitive, puisque quand on trouve la dérivée d'une exponentielle, cette exponentielle figure de nouveau avec les autres termes de la règle de la dérivée en chaîne. Maintenant, on fait la vérification :

$$\frac{d}{dt}\left(e^{(t^2+1)}\right) = \left(e^{(t^2+1)}\right)\cdot 2t.$$

La réponse initialement présumée était trop élevée d'un facteur de 2. Par conséquent, on remplace la réponse par $\frac{1}{2}e^{(t^2+1)}$ et on la vérifie de nouveau. Soit

$$\frac{d}{dt}\left(\frac{1}{2}e^{(t^2+1)}\right) = \frac{1}{2}e^{(t^2+1)}\cdot 2t = e^{(t^2+1)}\cdot t.$$

Par suite,

$$\int te^{(t^2+1)}\,dt = \frac{1}{2}e^{(t^2+1)} + C.$$

Exemple 3   Trouvez $\displaystyle\int x^3\sqrt{x^4+5}\,dx$.

Solution   Ici la fonction intérieure est x^4+5 et sa dérivée figure comme facteur, sauf qu'il manque un 4. Ainsi, l'intégrande qu'on obtient a plus ou moins la forme de

$$g'(x)\sqrt{g(x)}\,,$$

où $g(x) = x^4+5$. On peut présumer qu'une primitive est

$$\frac{(g(x))^{3/2}}{3/2} = \frac{(x^4+5)^{3/2}}{3/2}\,.$$

On vérifie et on observe que

$$\frac{d}{dx}\left(\frac{(x^4+5)^{3/2}}{3/2}\right) = \frac{3}{2}\frac{(x^4+5)^{1/2}}{3/2}\cdot 4x^3 = 4x^3(x^4+5)^{1/2}.$$

Par conséquent, $\dfrac{(x^4+5)^{3/2}}{3/2}$ est trop élevée d'un facteur de 4. La primitive exacte est

$$\frac{1}{4}\frac{(x^4+5)^{3/2}}{3/2} = \frac{1}{6}(x^4+5)^{3/2}.$$

Par suite,

$$\int x^3\sqrt{x^4+5}\,dx = \frac{1}{6}(x^4+5)^{3/2} + C.$$

Comme vérification finale, on calcule

$$\frac{d}{dx}\left(\frac{1}{6}(x^4+5)^{3/2}\right) = \frac{1}{6}\cdot\frac{3}{2}(x^4+5)^{1/2}\cdot 4x^3 = x^3(x^4+5)^{1/2}.$$

Tel qu'on l'a vu dans les exemples précédents, l'intégration d'une fonction implique souvent la correction des facteurs constants : si la différentiation produit un facteur supplémentaire de 4, l'intégration fera appel à un facteur de $\frac{1}{4}$.

La méthode de substitution

Lorsque l'intégrande est compliquée, il peut être utile de formaliser cette méthode par tâtonnements et par vérification comme suit :

Pour effectuer une substitution

Soit w la fonction *intérieure* et $dw = w'(x)\, dx = \dfrac{dw}{dx}\, dx$.

On reprend l'exemple 1 effectué par tâtonnements et vérification.

Exemple 4   Trouvez $\displaystyle\int 3x^2 \cos(x^3)\, dx$.

Solution   Comme précédemment, on recherche une fonction intérieure dans laquelle figure la dérivée — dans ce cas x^3. Soit $w = x^3$. Puis $dw = w'(x)\, dx = 3x^2\, dx$. On peut maintenant entièrement réécrire l'intégrande originale en fonction de la nouvelle variable w :

$$\int 3x^2 \cos(x^3)\, dx = \int \cos(\underbrace{x^3}_{w}) \cdot \underbrace{3x^2\, dx}_{dw} = \int \cos w\ dw = \sin w + C = \sin(x^3) + C.$$

En substituant la variable par w, on peut simplifier l'intégrande. On a maintenant $\cos w$, lequel peut être intégré plus facilement. L'étape finale, après l'intégration, consiste à reconvertir en la variable originale x.

Pourquoi la substitution fonctionne-t-elle ?

La méthode de substitution donne l'impression qu'on peut traiter dw et dx comme des entités distinctes, même en les annulant dans l'équation $dw = (dw/dx)dx$. On verra pourquoi cela fonctionne. On suppose qu'on a une intégrale de la forme $\int f(g(x))g'(x)\, dx$, où $g(x)$ est la fonction intérieure et $f(x)$ est la fonction extérieure. Si F est une primitive de f, alors $F' = f$ et, selon la règle de la dérivée en chaîne, $\frac{d}{dx}(F(g(x))) = f(g(x))g'(x)$. Par conséquent,

$$\int f(g(x))g'(x)\, dx = F(g(x)) + C.$$

On écrit maintenant $w = g(x)$ et $dw/dx = g'(x)$ des deux côtés de l'équation :

$$\int f(w)\, \frac{dw}{dx}\, dx = F(w) + C.$$

Par ailleurs, en sachant que $F' = f$, on sait que

$$\int f(w)\, dw = F(w) + C.$$

Ainsi, les deux intégrales suivantes sont égales :

$$\int f(w)\, \frac{dw}{dx}\, dx = \int f(w)\, dw.$$

En substituant w par la fonction intérieure et en écrivant $dw = w'(x)\, dx$, l'intégrale indéfinie demeure inchangée.

On reprend maintenant l'exemple 2 qu'on a effectué par tâtonnements et vérification.

Exemple 5   Trouvez $\displaystyle\int te^{(t^2+1)}\,dt$.

Solution   Ici la fonction intérieure est t^2+1, avec la dérivée $2t$. Puisqu'il y a un facteur de t dans l'intégrande, on présume que

$$w = t^2 + 1.$$

Ensuite,

$$dw = w'(t)\,dt = 2t\,dt.$$

On remarque toutefois que l'intégrande originale a seulement $t\,dt$ et non $2t\,dt$. On écrit donc

$$\frac{1}{2}\,dw = t\,dt$$

et on fait la substitution :

$$\int te^{(t^2+1)}\,dt = \int e^{\overbrace{(t^2+1)}^{w}}\cdot \underbrace{t\,dt}_{\frac{1}{2}\,dw} = \int e^w\,\frac{1}{2}\,dw = \frac{1}{2}\int e^w\,dw = \frac{1}{2}e^w + C = \frac{1}{2}e^{(t^2+1)} + C.$$

Cette opération donne la même réponse que celle qui a été trouvée par la méthode par tâtonnements et vérification.

On reprend maintenant l'exemple 3 qu'on a résolu précédemment par tâtonnements et vérification.

Exemple 6   Trouvez $\displaystyle\int x^3\sqrt{x^4+5}\,dx$.

Solution   La fonction intérieure est x^4+5 et sa dérivée est $4x^3$. L'intégrande a un facteur de x^3 et, puisque le seul élément qui manque est un facteur constant, on présume que

$$w = x^4 + 5.$$

Ensuite,

$$dw = w'(x)\,dx = 4x^3\,dx,$$

ce qui donne

$$\frac{1}{4}\,dw = x^3\,dx.$$

Par conséquent,

$$\int x^3\sqrt{x^4+5}\,dx = \int \sqrt{w}\,\frac{1}{4}\,dw = \frac{1}{4}\int w^{1/2}\,dw = \frac{1}{4}\cdot\frac{w^{3/2}}{\frac{3}{2}} + C = \frac{1}{6}(x^4+5)^{3/2} + C.$$

Une fois de plus, on obtient le même résultat qu'avec la méthode par tâtonnements et vérification.

Avertissement

On a vu dans les exemples précédents qu'on pouvait appliquer la méthode de substitution lorsqu'un facteur *constant* était absent de la dérivée de la fonction intérieure. Cependant, on peut ne pas être en mesure d'utiliser la substitution si un élément autre que le facteur constant est absent. Par exemple, poser $w = x^4 + 5$ pour trouver

$$\int x^2 \sqrt{x^4 + 5}\, dx$$

est inutile, car on ne peut facilement obtenir $x^2\, dx$ en fonction de w. Afin d'utiliser la substitution, l'intégrande doit contenir la dérivée de la fonction intérieure *à un facteur constant près*.

Exemple 7   Trouvez $\int e^{\cos \theta} \sin \theta\, d\theta$.

Solution   Soit $w = \cos \theta$, puisque sa dérivée est $-\sin \theta$ et qu'il y a un facteur de $\sin \theta$ dans l'intégrande. On obtient

$$dw = w'(\theta)\, d\theta = -\sin \theta\, d\theta,$$

et donc

$$-dw = \sin \theta\, d\theta.$$

Par suite,

$$\int e^{\cos \theta} \sin \theta\, d\theta = \int e^w\, (-dw) = (-1) \int e^w\, dw = -e^w + C = -e^{\cos \theta} + C.$$

Pourquoi $(-1) \int e^w\, dw = -e^w - C$ n'a-t-elle pas été insérée dans l'exemple 7 ? Puisque la constante C est arbitraire, cela n'a pas vraiment d'importance si on l'additionne ou si on la soustrait. Cependant, la convention veut qu'on l'ajoute à toute primitive déjà calculée. Si on considère $-e^{\cos \theta}$ comme l'une des primitives de $e^{\cos \theta} \sin \theta$, alors on écrit

$$-e^{\cos \theta} + C$$

pour se rappeler qu'il existe bon nombre d'autres primitives.

Exemple 8   Trouvez $\int \dfrac{e^t}{1 + e^t}\, dt$.

Solution   En observant que la dérivée de $1 + e^t$ est e^t, on constate que $w = 1 + e^t$ est un bon choix. Ensuite, $dw = e^t\, dt$, tel que

$$\int \frac{e^t}{1 + e^t}\, dt = \int \frac{1}{1 + e^t}\, e^t\, dt = \int \frac{1}{w}\, dw = \ln|w| + C.$$
$$= \ln\left|1 + e^t\right| + C$$
$$= \ln\left(1 + e^t\right) + C \quad \text{(Puisque } (1 + e^t) \text{ est toujours positif.)}$$

Puisque le numérateur est $e^t\, dt$, on aurait également pu essayer $w = e^t$. Cette substitution conduit à l'intégrale $\int (1/(1 + w))\, dw$, qui est meilleure que l'intégrale initiale mais qui exige une autre substitution, soit $u = 1 + w$, pour terminer. Il existe souvent différentes manières d'effectuer une intégrale par substitution.

Il convient de remarquer le modèle de l'exemple 8 : une fonction qui se trouve dans le dénominateur (et sa dérivée qui se trouve dans le numérateur) conduit à un logarithme naturel. L'exemple 9 suit le même modèle.

Exemple 9   Trouvez $\displaystyle\int \tan \theta \, d\theta$.

Solution   On se rappellera que $\tan \theta = (\sin \theta)/(\cos \theta)$. Si $w = \cos \theta$, alors $dw = -\sin \theta \, d\theta$. Ainsi,

$$\int \tan \theta \, d\theta = \int \frac{\sin \theta}{\cos \theta} \, d\theta = \int \frac{-dw}{w} = -\ln|w| + C = -\ln|\cos \theta| + C.$$

Certaines personnes préfèrent la méthode de substitution à la méthode par tâtonnements et vérification parce qu'elle est plus systématique. Toutefois, ces deux méthodes permettent d'atteindre les mêmes résultats. Pour les problèmes simples, la méthode par tâtonnements et vérification peut être plus rapide.

Problèmes de la section 7.1

1. a) Trouvez les dérivées de $\sin(x^2 + 1)$ et de $\sin(x^3 + 1)$.
    b) Utilisez vos réponses à la partie a) pour trouver les primitives des expressions ci-après.

    i) $x \cos(x^2 + 1)$ ii) $x^2 \cos(x^3 + 1)$

    c) Trouvez les primitives des expressions ci-après.

    i) $x \sin(x^2 + 1)$ ii) $x^2 \sin(x^3 + 1)$

Pour chacune des fonctions des problèmes 2 à 10, trouvez les primitives générales.

2. $p(t) = \pi t^3 + 4t$

3. $f(x) = \sin 3x$

4. $f(x) - 2x \cos(x^2)$

5. $r(t) = 12t^2 \cos(t^3)$

6. $f(x) = \sin(2 - 5x)$

7. $f(x) = e^{\sin x} \cos x$

8. $g(t) = te^{t^2}$

9. $f(x) = \dfrac{x}{x^2 + 1}$

10. $f(x) = \dfrac{1}{3 \cos^2(2x)}$

Trouvez les primitives générales des problèmes 11 à 41. N'oubliez pas que vous pouvez vérifier vos réponses.

11. $\displaystyle\int y(y^2 + 5)^8 \, dy$

12. $\displaystyle\int t^2(t^3 - 3)^{10} \, dt$

13. $\displaystyle\int x(x^2 - 4)^{7/2} \, dx$

14. $\displaystyle\int \frac{1}{\sqrt{4 - x}} \, dx$

15. $\displaystyle\int x(x^2 + 3)^2 \, dx$

16. $\displaystyle\int \frac{dy}{y + 5}$

17. $\displaystyle\int (2t - 7)^{73} \, dt$

18. $\displaystyle\int (x^2 + 3)^2 \, dx$

19. $\displaystyle\int \sin \theta (\cos \theta + 5)^7 \, d\theta$

20. $\displaystyle\int \sqrt{\cos 3t} \, \sin 3t \, dt$

21. $\displaystyle\int xe^{-x^2} \, dx$

22. $\displaystyle\int \sin^6 \theta \cos \theta \, d\theta$

23. $\displaystyle\int \sin^6(5\theta) \cos(5\theta) \, d\theta$

24. $\displaystyle\int x^2 e^{x^3 + 1} \, dx$

25. $\displaystyle\int \sin^3 \alpha \cos \alpha \, d\alpha$

26. $\int \dfrac{(\ln z)^2}{z}\, dz$

27. $\int \dfrac{e^t + 1}{e^t + t}\, dt$

28. $\int \dfrac{y}{y^2 + 4}\, dy$

29. $\int \tan(2x)\, dx$

30. $\int \dfrac{\cos\sqrt{x}}{\sqrt{x}}\, dx$

31. $\int \dfrac{e^{\sqrt{y}}}{\sqrt{y}}\, dy$

32. $\int \dfrac{1 + e^x}{\sqrt{x + e^x}}\, dx$

33. $\int \dfrac{e^x}{2 + e^x}\, dx$

34. $\int \dfrac{x + 1}{x^2 + 2x + 19}\, dx$

35. $\int y^2 (1 + y)^2\, dy$

36. $\int x^2 (1 + 2x^3)^2\, dx$

37. $\int \dfrac{t}{1 + 3t^2}\, dt$

38. $\int \dfrac{e^x - e^{-x}}{e^x + e^{-x}}\, dx$

39. $\int \dfrac{(t + 1)^2}{t^2}\, dt$

40. $\int \dfrac{x\cos(x^2)}{\sqrt{\sin(x^2)}}\, dx$

41. $\int (2x + 1)e^{x^2} e^x\, dx$ [Conseil : Réécrivez $e^{x^2}\, e^x = e^?$.]

42. Utilisez l'identité $\cos^2 x + \sin^2 x = 1$ pour trouver $\int \sin^3 x\, dx$.

43. Trouvez $\int 4x(x^2 + 1)\, dx$ en utilisant deux méthodes.

   a) Effectuez la multiplication d'abord et l'intégration ensuite.
   b) Calculez maintenant l'intégrale en utilisant la substitution $w = x^2 + 1$.
   c) Expliquez la raison pour laquelle les deux expressions formées dans les parties a) et b) sont différentes. Sont-elles toutes les deux bonnes ?

44. Au cours du 20ᵉ siècle, la consommation annuelle d'électricité aux États-Unis a augmenté de manière exponentielle à un taux continu de 7 % par année. Supposez que cette tendance s'est poursuivie et que l'énergie électrique consommée en 1900 s'élevait à 1,4 million de mégawatts par heure (un mégawatt par heure est une mesure d'énergie électrique).

   a) Écrivez une expression pour la consommation annuelle d'électricité en fonction du temps t mesuré en années depuis 1900.
   b) Trouvez la consommation annuelle d'électricité moyenne au cours du siècle.
   c) En quelle année la consommation d'électricité était-elle la plus proche de la moyenne du siècle ?
   d) Sans avoir effectué les calculs pour la partie c), comment auriez-vous pu prévoir dans quelle moitié du siècle la réponse se trouvait ?

45. Si on suppose que la résistance de l'air est proportionnelle à la vitesse, alors la vitesse v d'un corps de masse m chutant verticalement est donnée par

$$v = \frac{mg}{k}\left(1 - e^{-kt/m}\right),$$

où g est l'accélération causée par la gravité et k est une constante. Trouvez la hauteur h au-dessus de la surface de la Terre en fonction du temps. Supposez que le corps commence à la hauteur h_0.

46. a) Durant les années 1970, l'entreprise Gadget Tremblay a vendu des gadgets à un taux continu $R = R_0 e^{0,15t}$ par année, où t est le temps (en années) depuis le 1ᵉʳ janvier 1970. Supposez qu'elle a réalisé des ventes à un taux de 1000 gadgets par année au cours de la première journée de la décennie. Combien de gadgets a-t-elle vendus durant la décennie ? Combien en a-t-elle vendu si le taux au 1ᵉʳ janvier 1970 s'élevait à 150 000 000 de gadgets par année ?
   b) Dans le premier cas (1000 gadgets par année au 1ᵉʳ janvier 1970), combien de temps a été nécessaire pour vendre la moitié des gadgets des années 1970 ? Dans le deuxième cas (150 000 000 de gadgets par année au 1ᵉʳ janvier 1970), à quel moment la moitié des gadgets des années 1970 ont-ils été vendus ?
   c) En 1980, Gadget Tremblay a lancé une campagne publicitaire dans laquelle elle affirmait que la moitié des gadgets qu'elle avait vendus au cours des 10 années précédentes étaient toujours utilisés. En vous basant sur votre réponse à la partie b), combien de temps un gadget doit-il durer pour que cette affirmation soit juste ?

7.2   L'INTÉGRATION PAR SUBSTITUTION : PARTIE II

Dans la présente section, on utilisera la substitution pour évaluer les intégrales *définies*. Ensuite, on présentera quelques exemples où il est plus difficile de déterminer quelle substitution il faut utiliser, mais où cette méthode fonctionne quand même.

Substitution dans les intégrales définies

Exemple 1   Calculez $\displaystyle\int_0^2 xe^{x^2}\, dx$.

Solution   Pour évaluer cette intégrale définie en appliquant le théorème fondamental du calcul, on doit d'abord trouver une primitive de $f(x) = xe^{x^2}$. La fonction intérieure est x^2, donc on pose $w = x^2$. Ensuite, $dw = 2x\, dx$, donc $\frac{1}{2}\, dw = x\, dx$. Par suite,

$$\int xe^{x^2}\, dx = \int e^w \frac{1}{2}\, dw = \frac{1}{2} e^w + C = \frac{1}{2} e^{x^2} + C.$$

À présent, on trouve l'intégrale définie

$$\int_0^2 xe^{x^2}\, dx = \frac{1}{2}\, e^{x^2}\, \bigg|_0^2 = \frac{1}{2}(e^4 - e^0) = \frac{1}{2}(e^4 - 1).$$

Il existe une autre manière d'analyser le même problème. Après avoir établi que

$$\int xe^{x^2}\, dx = \frac{1}{2} e^w + C,$$

les deux étapes suivantes consistent à remplacer w par x^2 et ensuite x par 2 et 0. On aurait pu directement remplacer les bornes initiales d'intégration $x = 0$ et $x = 2$ par les bornes w correspondantes. Puisque $w = x^2$, les bornes w sont $w = 0^2 = 0$ (quand $x = 0$) et $w = 2^2 = 4$ (quand $x = 2$). Ainsi, on obtient

$$\int_{x=0}^{x=2} xe^{x^2}\, dx = \frac{1}{2}\int_{w=0}^{w=4} e^w\, dw = \frac{1}{2}\, e^w\, \bigg|_0^4 = \frac{1}{2}(e^4 - e^0) = \frac{1}{2}(e^4 - 1).$$

Comme on l'avait prévu, les deux méthodes donnent la même réponse.

La substitution pour trouver les intégrales définies

- On peut calculer l'intégrale définie en exprimant une primitive en fonction de la variable originale et en évaluant le résultat aux bornes initiales ;

ou

- On peut convertir les bornes originales en nouvelles bornes en fonction de la nouvelle variable, mais on ne reconvertit pas la primitive en la variable originale.

Exemple 2   Évaluez $\displaystyle\int_0^{\pi/4} \frac{\tan^3\theta}{\cos^2\theta}\,d\theta$.

Solution   Pour utiliser la substitution, on doit décider ce que w devrait être. Il existe deux fonctions intérieures possibles, $\tan\theta$ et $\cos\theta$. Maintenant,

$$\frac{d}{d\theta}(\tan\theta) = \frac{1}{\cos^2\theta} \quad \text{et} \quad \frac{d}{d\theta}(\cos\theta) = -\sin\theta,$$

et puisque l'intégrale contient un facteur de $1/\cos^2\theta$ mais pas de $\sin\theta$, on pose $w = \tan\theta$. Ensuite, $dw = (1/\cos^2\theta)d\theta$. Quand $\theta = 0$, $w = \tan 0 = 0$, et quand $\theta = \pi/4$, $w = \tan(\pi/4) = 1$. Donc,

$$\int_0^{\pi/4} \frac{\tan^3\theta}{\cos^2\theta}\,d\theta = \int_0^{\pi/4} (\tan\theta)^3 \cdot \frac{1}{\cos^2\theta}\,d\theta = \int_0^1 w^3\,dw = \frac{1}{4}w^4\Big|_0^1 = \frac{1}{4}.$$

Exemple 3   Évaluez $\displaystyle\int_1^3 \frac{dx}{5-x}$.

Solution   Soit $w = 5 - x$, donc $dw = -dx$. Quand $x = 1$, $w = 4$ et quand $x = 3$, $w = 2$. Donc,

$$\int_1^3 \frac{dx}{5-x} = \int_4^2 \frac{-dw}{w} = -\ln|w|\Big|_4^2 = -(\ln 2 - \ln 4) = \ln\left(\frac{4}{2}\right) = \ln 2 \approx 0{,}69.$$

À noter qu'on écrit la borne $w = 4$ en bas, même si elle est supérieure à $w = 2$, car $w = 4$ correspond à la borne inférieure $x = 1$.

Des substitutions plus complexes

Dans les exemples de substitution qui ont été présentés jusqu'à maintenant, il fallait présumer une expression pour w et on devait avoir suffisamment de chance pour que dw (ou un multiple constant de celui-ci) se trouve à proximité de l'intégrande. Mais, que se produit-il si on n'a pas cette chance ? Il s'avère qu'on peut souvent obtenir une bonne réponse en laissant w être une expression compliquée contenant par exemple un cosinus à l'intérieur ou une racine au-dessous, même si on ne peut pas immédiatement voir en quoi une telle substitution peut être utile.

Exemple 4   Trouvez $\displaystyle\int (x+7)\sqrt[3]{3-2x}\,dx$.

Solution   Dans ce cas, plutôt que d'avoir la dérivée de la fonction intérieure (qui est -2), on a le facteur $(x+7)$. Cependant, la substitution de $w = 3 - 2x$ est utile. Alors, $dw = -2\,dx$, donc $(-1/2)\,dw = dx$. On doit maintenant tout convertir en w, y compris $x + 7$. Si $w = 3 - 2x$, alors $2x = 3 - w$. Donc, $x = 3/2 - w/2$, et on peut écrire $x + 7$ en fonction de w. Ainsi,

$$\int (x+7)\sqrt[3]{3-2x}\,dx = \int \left(\frac{3}{2} - \frac{w}{2} + 7\right)\sqrt[3]{w}\left(-\frac{1}{2}\right)dw$$

$$= -\frac{1}{2}\int \left(\frac{17}{2} - \frac{w}{2}\right)w^{1/3}\,dw$$

$$= -\frac{1}{4}\int (17-w)w^{1/3}\,dw$$

$$= -\frac{1}{4} \int (17w^{1/3} - w^{4/3}) \, dw$$

$$= -\frac{1}{4} \left(17\frac{w^{4/3}}{4/3} - \frac{w^{7/3}}{7/3} \right) + C$$

$$= -\frac{1}{4} \left(\frac{51}{4}(3 - 2x)^{4/3} - \frac{3}{7}(3 - 2x)^{7/3} \right) + C.$$

En revoyant la solution, on s'aperçoit que cette substitution fonctionne, car elle convertit $\sqrt[3]{3 - 2x}$ (la partie la plus compliquée de l'intégrande) en $\sqrt[3]{w}$, qu'on peut combiner avec l'autre terme et ensuite intégrer.

Les identités permettent parfois de simplifier une intégrale, comme l'illustre l'exemple 5.

Exemple 5   Trouvez $\int \cos^3 \theta \, d\theta$.

Solution   On peut simplifier cette intégrale en utilisant l'identité de Pythagore $\cos^2 \theta + \sin^2 \theta = 1$ pour réécrire l'intégrande

$$\int \cos^3 \theta = \int \cos^2 \theta \cdot \cos \theta \, d\theta = \int (1 - \sin^2 \theta) \cos \theta \, d\theta$$

$$= \int \cos \theta \, d\theta - \int \sin^2 \theta \cos \theta \, d\theta.$$

La première intégrale est directe ; pour la deuxième, on utilise la substitution, soit $w = \sin \theta$ et $dw = \cos \theta \, d\theta$. On obtient

$$\int \sin^2 \theta \cos \theta \, d\theta = \int w^2 \, dw = \frac{1}{3} w^3 + C = \frac{1}{3} \sin^3 \theta + C.$$

En combinant les constantes des deux intégrales en C, on obtient

$$\int \cos^3 \theta \, d\theta = \int \cos \theta \, d\theta - \int \sin^2 \theta \cos \theta \, d\theta = \sin \theta - \frac{1}{3} \sin^3 \theta + C.$$

Exemple 6   Trouvez $\int \sqrt{1 + \sqrt{x}} \, dx$.

Solution   Cette fois, la dérivée de la fonction intérieure ne se trouve nulle part. Néanmoins, on présume que $w = 1 + \sqrt{x}$. Ensuite, $w - 1 = \sqrt{x}$, donc $(w - 1)^2 = x$. Ainsi, $2(w - 1) \, dw = dx$. Ensuite, on obtient

$$\int \sqrt{1 + \sqrt{x}} \, dx = \int \sqrt{w} \, 2(w - 1) \, dw = 2 \int w^{1/2}(w - 1) \, dw$$

$$= 2 \int (w^{3/2} - w^{1/2}) \, dw = 2 \left(\frac{2}{5} w^{5/2} - \frac{2}{3} w^{3/2} \right) + C$$

$$= 2 \left(\frac{2}{5}(1 + \sqrt{x})^{5/2} - \frac{2}{3}(1 + \sqrt{x})^{3/2} \right) + C.$$

À noter que la substitution de l'exemple 6 permet une fois de plus de convertir l'intérieur de la fonction la plus compliquée en un élément simple. De plus, puisque la dérivée de la fonction intérieure ne se trouve nulle part, il faut résoudre pour x de manière à obtenir dx entièrement en fonction de w et de dw.

La substitution peut servir à exprimer une intégrale définie en fonction d'une autre, même dans les cas où on ne connaît pas l'intégrale définie.

Exemple 7   Dérivez une formule pour l'aire de l'ellipse

$$\frac{x^2}{a^2} + \frac{y^2}{b^2} = 1,$$

en supposant que $a, b > 0$.

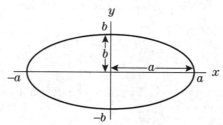

Figure 7.1 : Ellipse $\frac{x^2}{a^2} + \frac{y^2}{b^2} = 1$

Solution   En résolvant pour y, on obtient

$$y = \pm b \sqrt{1 - \frac{x^2}{a^2}},$$

où la racine carrée positive donne la moitié supérieure de l'ellipse et la racine carrée négative donne sa moitié inférieure (voir la figure 7.1). Ainsi, l'aire de l'ellipse est donnée par

$$\text{Aire} = 2 \int_{-a}^{a} b \sqrt{1 - \frac{x^2}{a^2}}\, dx.$$

Grâce à la substitution, on peut convertir cette intégrale en une intégrale dont la valeur est connue. Soit $w = x/a$ telle que $dx = a\, dw$. Quand $x = -a$, $w = -1$ et quand $x = a$, $w = 1$. Par conséquent,

$$2 \int_{-a}^{a} b \sqrt{1 - \frac{x^2}{a^2}}\, dx = 2 \int_{-1}^{1} b \sqrt{1 - w^2}\, a\, dw = 2ab \int_{-1}^{1} \sqrt{1 - w^2}\, dw.$$

À présent, l'intégrale $\int_{-1}^{1} \sqrt{1 - w^2}\, dw$ est l'aire d'un demi-cercle de rayon 1 (car $y = \sqrt{1 - w^2}$ est la moitié supérieure du cercle $w^2 + y^2 = 1$). Ainsi,

$$\int_{-1}^{1} \sqrt{1 - w^2}\, dw = \frac{\pi}{2}.$$

Donc,

$$\text{Aire de l'ellipse} = 2ab \int_{-1}^{1} \sqrt{1 - w^2}\, dw = \pi ab.$$

Problèmes de la section 7.2

1. Utilisez la substitution pour exprimer chacune des intégrales suivantes en un multiple de $\int_a^b \frac{1}{w}\, dw$ pour un a et un b quelconques. Ensuite, évaluez les intégrales.

   a) $\displaystyle\int_0^1 \frac{x}{1 + x^2}\, dx$

   b) $\displaystyle\int_0^{\pi/4} \frac{\sin x}{\cos x}\, dx$

Pour les problèmes 2 à 10, appliquez le théorème fondamental pour calculer les intégrales définies. Présentez vos calculs.

2. $\displaystyle\int_0^\pi \cos(x + \pi)\, dx$

3. $\displaystyle\int_0^{1/2} \cos(\pi x)\, dx$

4. $\displaystyle\int_0^{\pi/2} e^{-\cos\theta} \sin\theta\, d\theta$

5. $\displaystyle\int_1^2 2x e^{x^2}\, dx$

6. $\displaystyle\int_1^8 \frac{e^{\sqrt[3]{x}}}{\sqrt[3]{x^2}}\, dx$

7. $\displaystyle\int_{-1}^{e-2} \frac{1}{t + 2}\, dt$

8. $\displaystyle\int_1^4 \frac{\cos\sqrt{x}}{\sqrt{x}}\, dx$

9. $\displaystyle\int_0^2 \frac{x}{(1 + x^2)^2}\, dx$

10. $\displaystyle\int_{-\pi/4}^{\pi/4} \cos^2\theta \sin^5\theta\, d\theta$

    [Conseil : Considérez que $\cos^2\theta + \sin^2\theta = 1$.]

Pour les problèmes 11 à 16, évaluez les intégrales définies. Lorsque vous le pouvez, appliquez le théorème fondamental du calcul, et ce si possible après la substitution. Sinon, utilisez des méthodes numériques.

11. $\displaystyle\int_{-1}^3 (x^3 + 5x)\, dx$

12. $\displaystyle\int_{-1}^1 \frac{1}{1 + y^2}\, dy$

13. $\displaystyle\int_1^3 \frac{1}{x}\, dx$

14. $\displaystyle\int_1^3 \frac{dt}{(t + 7)^2}$

15. $\displaystyle\int_{-1}^2 \sqrt{x + 2}\, dx$

16. $\displaystyle\int_1^2 \frac{\sin t}{t}\, dt$

Pour les problèmes 17 à 27, évaluez les intégrales définies. Lorsque vous le pouvez, appliquez le théorème fondamental du calcul, et ce si possible après la substitution. Sinon, utilisez des méthodes numériques.

17. $\displaystyle\int_0^1 x(1 + x^2)^{20}\, dx$

18. $\displaystyle\int_0^\pi \sin\theta(\cos\theta + 5)^7\, d\theta$

19. $\displaystyle\int_0^{\pi/12} \sin(3\alpha)\, d\alpha$

20. $\displaystyle\int_0^1 \frac{x}{1 + 5x^2}\, dx$

21. $\displaystyle\int_1^2 \frac{x^2 + 1}{x}\, dx$

22. $\displaystyle\int_0^1 \frac{1}{x^2 + 2x + 1}\, dx$

23. $\displaystyle\int_0^1 \frac{(x + 2)}{(x + 2)^2 + 1}\, dx$

24. $\displaystyle\int_4^1 x\sqrt{x^2 + 4}\, dx$

25. $\displaystyle\int_0^{1/\sqrt{2}} \frac{x}{\sqrt{1 - x^4}}\, dx$

26. $\displaystyle\int_{1/4}^1 \sin\frac{1}{t}\, dt$

27. $\displaystyle\int_{-2}^0 \frac{2x + 4}{x^2 + 4x + 5}\, dx$

Pour les problèmes 28 à 32, expliquez pourquoi les deux primitives sont véritablement, en dépit de leur dissimilitudes apparentes, des expressions différentes du même problème. Vous n'avez pas à évaluer les intégrales.

28. $\displaystyle\int \frac{e^x\, dx}{1 + e^{2x}}$ et $\displaystyle\int \frac{\cos x\, dx}{1 + \sin^2 x}$

29. $\displaystyle\int \frac{\ln x}{x}\, dx$ et $\displaystyle\int x\, dx$

30. $\displaystyle\int e^{\sin x} \cos x\, dx$ et $\displaystyle\int \frac{e^{\arcsin x}}{\sqrt{1 - x^2}}\, dx$

31. $\displaystyle\int \sqrt{x + 1}\, dx$ et $\displaystyle\int \frac{\sqrt{1 + \sqrt{x}}}{\sqrt{x}}\, dx$

32. $\displaystyle\int (\sin x)^3 \cos x\, dx$ et $\displaystyle\int (x^3 + 1)^3 x^2\, dx$

33. Trouvez $\displaystyle\int \frac{dx}{x^2 + 4x + 5}$ en complétant le carré et en utilisant la substitution $x + 2 = \tan\theta$.

34. Intégrez les expressions ci-après.

a) $\displaystyle\int \frac{1}{\sqrt{x}}\, dx$ b) $\displaystyle\int \frac{1}{\sqrt{x}+1}\, dx$ c) $\displaystyle\int \frac{1}{\sqrt{x+1}}\, dx$

35. Trouvez l'aire exacte sous le graphe de $f(x) = xe^{x^2}$ entre $x = 0$ et $x = 2$.

36. Trouvez la valeur exacte de l'aire sous une arche de la courbe $V(t) = V_0 \sin(\omega t)$.

37. a) Calculez précisément $\displaystyle\int_{-\pi}^{\pi} \cos^2 \theta \sin \theta \, d\theta$.

     b) Calculez l'aire exacte sous la courbe $y = \cos^2 \theta \sin \theta$ entre $\theta = 0$ et $\theta = \pi$.

38. Supposez que $\displaystyle\int_0^1 f(t)\, dt = 3$. Calculez chacune des intégrales ci-après.

a) $\displaystyle\int_0^{0,5} f(2t)\, dt$ b) $\displaystyle\int_0^1 f(1-t)\, dt$ c) $\displaystyle\int_1^{1,5} f(3-2t)\, dt$

39. Trouvez la valeur moyenne de $f(x) = \dfrac{1}{x+1}$ sur l'intervalle $x = 0$ à $x = 2$. Tracez le graphe montrant la fonction et la valeur moyenne.

40. a) Trouvez $\displaystyle\int \sin \theta \cos \theta \, d\theta$.

     b) Vous avez sans doute résolu la partie a) en faisant la substitution $w = \sin \theta$ ou $w = \cos \theta$ (sinon, reprenez la partie a) de cette façon). Maintenant, trouvez $\int \sin \theta \cos \theta \, d\theta$ en faisant l'*autre* substitution.

     c) Il existe une autre manière de trouver cette intégrale, laquelle fait intervenir les identités trigonométriques

$$\sin(2\theta) = 2 \sin \theta \cos \theta \quad \text{et} \quad \cos(2\theta) = \cos^2 \theta - \sin^2 \theta.$$

     Trouvez $\int \sin \theta \cos \theta \, d\theta$ en utilisant l'une de ces identités et puis la substitution $w = 2\theta$.

     d) Vous devriez maintenant avoir trois expressions différentes pour l'intégrale définie $\int \sin \theta \cos \theta \, d\theta$. Sont-elles vraiment différentes? Sont-elles toutes exactes? Justifiez vos réponses.

41. On dit que Charles Dickens était payé 1 penny par mot pour ses romans. On peut exprimer le paiement d'un roman contenant L mots par $\int_0^L 1 \, dw$. Au lieu de la constante de 1 penny par mot, supposez que, pour chaque nouveau manuscrit qu'il écrivit, il fut payé $\int_0^L f(w) \, dw$, où L est la longueur du roman (en mots) et f est une fonction qui dépend de w (le nombre de mots). La fonction $f(w)$ représente le taux de paiement

$$f(w) = \begin{cases} (1/2) + w/2000 & 0 \le w \le 2000 \\ 3/2 & 2000 \le w \le 20\,000 \\ (3/2)e^{20-w/1000} & w \ge 20\,000. \end{cases}$$

     a) Combien de pennies aurait reçu Dickens pour un roman de 60 000 mots?

     b) Aurait-il reçu une somme plus élevée en écrivant un roman de 50 000 mots ou deux romans de 25 000 mots? Essayez de répondre à la partie b) sans calculer d'intégrales. [Indice: La partie décroissante exponentiellement de la définition $f(w)$ aurait-elle encouragé ou non Dickens à écrire de longs romans?]

42. Le débit auquel s'écoule l'eau dans un réservoir est de $r(t)$ gal/min, où t est en minutes.

     a) Écrivez une expression qui mesure approximativement la quantité d'eau (en gallons) qui entre dans le réservoir durant l'intervalle du temps t au temps $t + \Delta t$, où Δt est petit.

     b) Écrivez une somme de Riemann qui mesure approximativement la quantité totale d'eau entrant dans le réservoir entre $t = 0$ et $t = 5$. Donnez une expression exacte pour cette quantité.

     c) De combien de gallons la quantité d'eau dans le réservoir a-t-elle varié entre $t = 0$ et $t = 5$ si $r(t) = 20e^{0,02t}$?

     d) Si $r(t)$ est donné dans la partie c) et si le réservoir contient 3000 gal d'eau au départ, trouvez une formule pour $Q(t)$, la quantité d'eau dans le réservoir au temps t.

43. En supposant que la résistance de l'air est proportionnelle au carré de la vitesse, alors la vitesse vers le bas v d'un corps qui chute est donnée par

$$v = \sqrt{\frac{g}{k}} \left(\frac{e^{t\sqrt{gk}} - e^{-t\sqrt{gk}}}{e^{t\sqrt{gk}} + e^{-t\sqrt{gk}}} \right).$$

Utilisez la substitution $w = e^{t\sqrt{gk}} + e^{-t\sqrt{gk}}$ pour trouver la hauteur h du corps au-dessus de la surface de la Terre en fonction du temps. Supposez que le corps commence sa chute à la hauteur h_0.

7.3   L'INTÉGRATION PAR PARTIES

On a vu comment la méthode de substitution permet d'inverser la règle de la dérivée en chaîne. On présentera maintenant une méthode appelée l'*intégration par parties*, qui est basée sur la règle du produit.

Exemple 1   Trouvez $\int xe^x \, dx$.

Solution   On recherche une fonction dont la dérivée est xe^x. Si on songe au fonctionnement de la règle du produit, on peut être tenté de présumer xe^x, car on sait que, lorsqu'on prend la dérivée, on obtient deux termes dont l'un sera xe^x

$$\frac{d}{dx}(xe^x) = \frac{d}{dx}(x)e^x + x\frac{d}{dx}(e^x) = e^x + xe^x.$$

Évidemment, la réponse est incorrecte à cause du e^x supplémentaire. On peut possiblement corriger la réponse en soustrayant de xe^x une expression qui annulera le e^x supplémentaire. On essaie donc $xe^x - e^x$. Maintenant, on fait la vérification :

$$\frac{d}{dx}(xe^x - e^x) = \frac{d}{dx}(xe^x) - \frac{d}{dx}(e^x) = e^x + xe^x - e^x = xe^x.$$

Cela fonctionne, donc $\int xe^x \, dx = xe^x - e^x + C$.

Exemple 2   Trouvez $\int \theta \cos \theta \, d\theta$.

Solution   On présume que la primitive est $\theta \sin \theta$ et on utilise la règle du produit pour vérifier :

$$\frac{d}{d\theta}(\theta \sin \theta) = \frac{d(\theta)}{d\theta} \sin \theta + \theta \frac{d}{d\theta}(\sin \theta) = \sin \theta + \theta \cos \theta.$$

Pour corriger le terme $\sin \theta$ additionnel, on doit soustraire de la réponse initiale un élément dont la dérivée est $\sin \theta$. Puisque $\frac{d}{d\theta}(\cos \theta) = -\sin \theta$, on essaie

$$\frac{d}{d\theta}(\theta \sin \theta + \cos \theta) = \frac{d}{d\theta}(\theta \sin \theta) + \frac{d}{d\theta}(\cos \theta) = \sin \theta + \theta \cos \theta - \sin \theta = \theta \cos \theta.$$

Par conséquent, $\int \theta \cos \theta \, d\theta = \theta \sin \theta + \cos \theta + C$.

La formule générale pour l'intégration par parties

On peut formaliser le processus illustré dans les deux derniers exemples de la manière décrite ci-après. On commence en appliquant la règle du produit :

$$\frac{d}{dx}(uv) = u'v + uv',$$

où u et v sont des fonctions de x avec les dérivées u' et v', respectivement. On réécrit comme suit :

$$uv' = \frac{d}{dx}(uv) - u'v.$$

Ensuite, on intègre les deux côtés :

$$\int uv' \, dx = \int \frac{d}{dx}(uv) \, dx - \int u'v \, dx.$$

Puisque la primitive de $\frac{d}{dx}(uv)$ est simplement uv, on obtient la formule suivante :

Intégration par parties

$$\int uv' \, dx = uv - \int u'v \, dx.$$

Cette formule est utile quand l'intégrande peut être perçue sous forme de produit et quand l'intégrande du côté droit est plus simple que celle du côté gauche. En effet, on a utilisé l'intégration par parties dans les deux exemples précédents. Dans l'exemple 1, on pose $xe^x = (x) \cdot (e^x) = uv'$ et on choisit $u = x$ et $v' = e^x$. Ainsi, $u' = 1$ et $v = e^x$. Donc,

$$\int \underbrace{(x)}_{u} \underbrace{(e^x)}_{v'} \, dx = \underbrace{(x)}_{u} \underbrace{(e^x)}_{v} - \int \underbrace{(1)}_{u'} \underbrace{(e^x)}_{v} \, dx = xe^x - e^x + C.$$

Par conséquent, uv représente la première tentative et $\int u'v \, dx$ est la correction de la première tentative.

À remarquer ce qui se serait produit dans l'exemple 1 si on avait pris $u = x$ et $v = e^x + C_1$. On aurait obtenu

$$\int xe^x \, dx = x(e^x + C_1) - \int (e^x + C_1) \, dx$$

$$= xe^x + C_1 x - e^x - C_1 x + C$$

$$= xe^x - e^x + C,$$

comme précédemment. Il n'est pas nécessaire d'inclure une constante arbitraire dans la primitive pour v ; n'importe quelle primitive fait l'affaire.

Que se serait-il produit dans l'exemple 1 si on avait choisi d'inverser u et v' ? Si $u = e^x$ et $v' = x$, alors $u' = e^x$ et $v = x^2/2$. La formule pour l'intégration par parties donne

$$\int xe^x \, dx = \frac{x^2}{2} e^x - \int \frac{x^2}{2} \cdot e^x \, dx,$$

ce qui est vrai mais peu utile puisque l'intégrale du côté droit est plus compliquée que celle du côté gauche. Pour utiliser cette méthode, il faut choisir u et v' pour rendre l'intégrale de droite plus facile à trouver que l'intégrale de gauche.

Conseils sur la manière de choisir u et v'

- Peu importe ce qu'est v', il faut pouvoir trouver v.

- Cela est plus facile quand u' est plus simple que u (ou du moins pas plus compliqué que u).

- Cela est plus facile quand v est plus simple que v' (ou du moins pas plus compliqué que v').

Si on choisit $v' = x$ dans l'exemple 1, alors $v = x^2/2$, ce qui est certainement « plus compliqué » que v'.

Certains exemples ne constituent pas d'emblée de bons candidats à l'intégration par parties, car ils ne semblent pas comporter de produits, mais l'opération fonctionne bien tout de même. Dans de tels exemples, on a souvent $\ln x$ ou des fonctions trigonométriques inverses.

Exemple 3 Trouvez $\displaystyle\int_2^3 \ln x\, dx$.

Solution Cela ne ressemble pas à un produit à moins qu'on écrive $\ln x = (1)(\ln x)$. Alors, on peut dire que $u = 1$, donc $u' = 0$, ce qui rend certainement les choses plus simples. Mais si $v' = \ln x$, que vaut v ? Si on le savait, on n'aurait pas besoin d'utiliser l'intégration par parties. On essaie l'autre méthode : si $u = \ln x$, $u' = 1/x$ et si $v' = 1$, $v = x$, alors

$$\int_2^3 \underbrace{(\ln x)}_{u}\underbrace{(1)}_{v'}\,dx = \underbrace{(\ln x)}_{u}\underbrace{(x)}_{v}\Big|_2^3 - \int_2^3 \underbrace{\left(\frac{1}{x}\right)}_{u'} \cdot \underbrace{(x)}_{v}\,dx$$

$$= x\ln x\Big|_2^3 - \int_2^3 1\,dx = (x\ln x - x)\Big|_2^3$$

$$= 3\ln 3 - 3 - 2\ln 2 + 2 = 3\ln 3 - 2\ln 2 - 1.$$

À noter que lorsqu'on effectue une intégrale définie par parties, il ne faut pas oublier d'insérer les bornes d'intégration (ici 2 et 3) sur le terme uv (dans ce cas $x\ln x$) ainsi que sur l'intégrale $\int u'v\,dx$.

Exemple 4 Trouvez $\displaystyle\int x^6 \ln x\, dx$.

Solution On considère $x^6 \ln x$ comme uv', où $u = \ln x$ et $v' = x^6$. Ensuite, $v = \frac{1}{7}x^7$ et $u' = 1/x$, donc l'intégration par parties donne

$$\int x^6 \ln x\,dx = \int (\ln x)\, x^6\,dx = (\ln x)\left(\frac{1}{7}x^7\right) - \int \frac{1}{7}x^7 \cdot \frac{1}{x}\,dx$$

$$= \frac{1}{7}x^7 \ln x - \frac{1}{7}\int x^6\,dx$$

$$= \frac{1}{7}x^7 \ln x - \frac{1}{49}x^7 + C.$$

Dans l'exemple 4, on n'a pas choisi $v' = \ln x$, car on ne peut voir immédiatement ce que serait v. En fait, on a utilisé l'intégration par parties dans l'exemple 3 pour trouver ce qu'était la primitive de $\ln x$. De plus, en utilisant $u = \ln x$ comme on l'a fait, on obtient $u' = 1/x$, ce que la plupart des gens considèrent comme étant plus simple que $u = \ln x$. Cela montre que u ne doit pas être nécessairement le premier facteur dans l'intégrande (ici x^6).

Exemple 5 Trouvez $\displaystyle\int x^2 \sin 4x \, dx$.

Solution Soit $v' = \sin 4x$, alors $v = -\frac{1}{4} \cos 4x$, ce qui n'est pas plus compliqué que v'. De plus, soit $u = x^2$. On obtient $u' = 2x$, ce qui est plus simple que $u = x^2$. En utilisant l'intégration par parties, on a

$$\int x^2 \sin 4x \, dx = x^2 \left(-\frac{1}{4} \cos 4x\right) - \int 2x \left(-\frac{1}{4} \cos 4x\right) dx$$

$$= -\frac{1}{4} x^2 \cos 4x + \frac{1}{2} \int x \cos 4x \, dx.$$

Le problème est qu'il faut toujours résoudre $\int x \cos 4x \, dx$. Cela peut se faire en utilisant de nouveau l'intégration par parties avec de nouveau u et v, notamment $u = x$ et $v' = \cos 4x$:

$$\int x \cos 4x \, dx = x \left(\frac{1}{4} \sin 4x\right) - \int 1 \cdot \frac{1}{4} \sin 4x \, dx$$

$$= \frac{1}{4} x \sin 4x - \frac{1}{4} \cdot \left(-\frac{1}{4} \cos 4x\right) + C$$

$$= \frac{1}{4} x \sin 4x + \frac{1}{16} \cos 4x + C.$$

Par suite,

$$\int x^2 \sin 4x \, dx = -\frac{1}{4} x^2 \cos 4x + \frac{1}{2} \int x \cos 4x \, dx$$

$$= -\frac{1}{4} x^2 \cos 4x + \frac{1}{2} \left(\frac{1}{4} x \sin 4x + \frac{1}{16} \cos 4x + C\right)$$

$$= -\frac{1}{4} x^2 \cos 4x + \frac{1}{8} x \sin 4x + \frac{1}{32} \cos 4x + C_1,$$

où C_1 est la constante arbitraire $\frac{1}{2} C$. À noter que, dans cet exemple, chaque fois qu'on utilisait l'intégration par parties, l'exposant de x diminuait de 1.

Exemple 6 Trouvez $\displaystyle\int \cos^2 \theta \, d\theta$.

Solution L'intégration par parties avec $u = \cos\theta$, $v' = \cos\theta$ donne $u' = -\sin\theta$, $v = \sin\theta$. Donc, on obtient

$$\int \cos^2 \theta \, d\theta = \cos\theta \sin\theta + \int \sin^2 \theta \, d\theta.$$

En substituant $\sin^2 \theta = 1 - \cos^2 \theta$, on obtient

$$\int \cos^2 \theta \, d\theta = \cos\theta \sin\theta + \int (1 - \cos^2 \theta) \, d\theta$$

$$= \cos\theta \sin\theta + \int 1 \, d\theta - \int \cos^2 \theta \, d\theta.$$

En observant le côté droit, on réalise que l'intégrale originale est réapparue. Si on la déplace vers la gauche, on obtient

$$2\int \cos^2 \theta \, d\theta = \cos \theta \sin \theta + \int 1 \, d\theta = \cos \theta \sin \theta + \theta + C.$$

En divisant par 2, on a

$$\int \cos^2 \theta \, d\theta = \frac{1}{2}\cos \theta \sin \theta + \frac{1}{2}\theta + C_1,$$

où C_1 est la constante arbitraire $\frac{1}{2}C$. Dans le problème 38, on effectue cette intégrale grâce à une autre méthode.

On peut vérifier ces résultats à l'aide de la différentiation.

Problèmes de la section 7.3

1. En écrivant arctan $x = (1) \cdot (\arctan x)$, trouvez $\int \arctan x \, dx$.

Trouvez les intégrales indéfinies des problèmes 2 à 27.

2. $\int t e^{5t} \, dt$ 3. $\int t^2 e^{5t} \, dt$ 4. $\int p e^{-0{,}1p} \, dp$

5. $\int t \sin t \, dt$ 6. $\int y \ln y \, dy$ 7. $\int x^3 \ln x \, dx$

8. $\int (z+1)e^{2z} \, dz$ 9. $\int \frac{z}{e^z} \, dz$ 10. $\int t^2 \sin t \, dt$

11. $\int \theta^2 \cos 3\theta \, d\theta$ 12. $\int \sin^2 \theta \, d\theta$ 13. $\int (\theta+1)\sin(\theta+1) \, d\theta$

14. $\int \cos^2(3\alpha+1) \, d\alpha$ 15. $\int \frac{\ln x}{x^2} \, dx$ 16. $\int q^5 \ln 5q \, dq$

17. $\int y\sqrt{y+3} \, dy$ 18. $\int (t+2)\sqrt{2+3t} \, dt$ 19. $\int \frac{y}{\sqrt{5-y}} \, dy$

20. $\int \frac{t+7}{\sqrt{5-t}} \, dt$ 21. $\int (\ln t)^2 \, dt$ 22. $\int x(\ln x)^4 \, dx$

23. $\int \arcsin w \, dw$ 24. $\int \arctan 7z \, dz$ 25. $\int x \arctan x^2 \, dx$

26. $\int x^3 e^{x^2} \, dx$ 27. $\int x^5 \cos x^3 \, dx$

Évaluez les intégrales des problèmes 28 à 36 avec exactitude [par exemple $\ln(3\pi)$] et numériquement [par exemple $\ln(3\pi) \approx 2{,}243$].

28. $\int_1^5 \ln t \, dt$ 29. $\int_3^5 x \cos x \, dx$ 30. $\int_0^{10} z e^{-z} \, dz$

31. $\int_1^3 t \ln t \, dt$ 32. $\int_0^1 \arctan y \, dy$ 33. $\int_0^5 \ln(1+t) \, dt$

34. $\displaystyle\int_0^1 x \arctan x^2 \, dx$ 35. $\displaystyle\int_0^1 \arcsin z \, dz$ 36. $\displaystyle\int_0^1 u \arcsin u^2 \, du$

37. Dans le problème 12, vous avez évalué $\int \sin^2 \theta \, d\theta$ en utilisant l'intégration par parties. (Si vous ne l'avez pas fait de cette façon, faites-le maintenant !) Effectuez de nouveau cette intégrale en changeant la forme de l'intégrande à l'aide de l'identité $\sin^2 \theta = (1 - \cos 2\theta)/2$. Expliquez toutes les différences apparues dans la forme de la réponse obtenue par les deux méthodes.

38. Calculez $\int \cos^2 \theta \, d\theta$ de deux manières différentes et expliquez les différences entre vos réponses. (L'identité $\cos^2 \theta = (1 + \cos 2\theta)/2$ peut être utile.)

39. Utilisez deux fois l'intégration par parties pour trouver $\displaystyle\int e^x \sin x \, dx$.

40. Utilisez deux fois l'intégration par parties pour trouver $\displaystyle\int e^\theta \cos \theta \, d\theta$.

41. Utilisez les résultats des problèmes 39 et 40 et l'intégration par parties pour trouver $\displaystyle\int x e^x \sin x \, dx$.

42. Utilisez les résultats des problèmes 39 et 40 et l'intégration par parties pour trouver $\displaystyle\int \theta e^\theta \cos \theta \, d\theta$.

43. Montrez que $\displaystyle\int x^n e^x \, dx = x^n e^x - n \int x^{n-1} e^x \, dx$.

44. Montrez que $\displaystyle\int x^n \cos ax \, dx = \frac{1}{a} x^n \sin ax - \frac{n}{a} \int x^{n-1} \sin ax \, dx$.

45. Montrez que $\displaystyle\int x^n \sin ax \, dx = -\frac{1}{a} x^n \cos ax + \frac{n}{a} \int x^{n-1} \cos ax \, dx$.

46. Montrez que $\displaystyle\int \cos^n x \, dx = \frac{1}{n} \cos^{n-1} x \sin x + \frac{n-1}{n} \int \cos^{n-2} x \, dx$.

47. Trouvez la valeur exacte de l'aire sous la première arche de $f(x) = x \sin x$.

48. Soit f une fonction deux fois différentiable telle que $f(0) = 6$, $f(1) = 5$ et $f'(1) = 2$. Évaluez l'intégrale $\displaystyle\int_0^1 x f''(x) \, dx$.

49. Supposez que $F(a)$ représente l'aire sous le graphe de $y = x^2 e^{-x}$ entre $x = 0$ et $x = a$. (Supposez que $a > 0$.)

   a) Trouvez une formule pour $F(a)$.
   b) La fonction F est-elle croissante ou décroissante ?
   c) La fonction F est-elle concave vers le haut ou vers le bas pour $0 < a < 2$?

50. La tension V d'un circuit électrique est donnée en fonction du temps t par

$$V = V_0 \cos(\omega t + \phi).$$

Supposez qu'on augmente, à tour de rôle, une des constantes positives, V_0, ω et ϕ (les deux autres sont maintenues constantes). Quel est l'effet de chaque augmentation sur chacune des quantités ci-après ?

   a) La valeur maximale de V.
   b) La valeur maximale de dV/dt.
   c) La valeur moyenne de V^2 sur une période.

51. L'intégration par parties à deux reprises de $e^{ax} \sin bx$ donne un résultat ayant la forme

$$\int e^{ax} \sin bx \, dx = e^{ax}(A \sin bx + B \cos bx) + C.$$

a) Trouvez les constantes A et B en fonction de a et de b. [Conseil : N'effectuez pas l'intégration par parties.]

b) Évaluez $\int e^{ax} \cos bx \, dx$ en modifiant les résultats de la partie a). [Conseil : Encore une fois, il n'est pas nécessaire d'effectuer l'intégration par parties, car le résultat a la même forme que dans la partie a).]

52. Lors d'une hausse de la demande d'électricité, le taux r auquel l'énergie est utilisée peut être mesuré approximativement par

$$r = te^{-at},$$

où t est le temps (en heures) et a est une constante positive.

a) Trouvez l'énergie totale E utilisée durant les T premières heures. Donnez votre réponse en fonction de a.

b) Qu'arrive-t-il à E quand $T \to \infty$?

53. En décrivant le comportement d'un électron, on utilise des fonctions d'ondes ψ_1, ψ_2, ψ_3, ... de la forme

$$\psi_n(x) = C_n \sin(n\pi x) \quad \text{pour } n = 1, 2, 3, \ldots,$$

où x est la distance depuis un point fixe et C_n est une constante positive.

a) Trouvez C_1 telle que ψ_1 satisfait à

$$\int_0^1 (\psi_1(x))^2 \, dx = 1.$$

Ce processus s'appelle la normalisation de la fonction d'ondes.

b) Pour tout entier n, trouvez C_n de telle sorte que ψ_n soit normalisée.

7.4 LES TABLES D'INTÉGRALES

Puisque très peu de fonctions ont des primitives élémentaires, on a dressé une liste qu'on appelle une table d'intégrales. Certaines tables étant disponibles[1], si on a besoin d'une primitive, il suffit de consulter la table. On fournit une table abrégée des intégrales indéfinies à la fin de ce manuel. Pour utiliser ces tables, il faut être en mesure de reconnaître les classes de fonctions générales qu'on tente d'intégrer pour ainsi savoir dans quelle section de la table effectuer la recherche.

Avertissement : Comme la présente section comporte de longue divisions de polynômes et des complétions de carré, il pourrait être nécessaire de revoir d'abord ces sujets !

L'emploi de la table d'intégrales

La **partie I** de la table d'intégrales donne la liste des primitives des fonctions de base x^n, a^x, $\ln x$, $\sin x$, $\cos x$ et $\tan x$. (La primitive de $\ln x$ se trouve au moyen de l'intégration par parties et constitue un cas particulier de la formule plus générale de la partie III, n° 13.) La plupart de ces primitives sont déjà connues.

La **partie II** de la table contient les primitives des fonctions comprenant des produits de e^x, $\sin x$ et $\cos x$. Toutes ces primitives ont été obtenues à l'aide de l'intégration par parties.

---

1. Voir, par exemple, *CRC Standard Mathematical Tables*, Boca Raton, F1, CRC Press. Il existe également des logiciels et des calculatrices qui permettent de calculer les primitives.

Exemple 1 Trouvez $\displaystyle\int \sin 7z \sin 3z \, dz$.

Solution Puisque l'intégrande est le produit de deux sinus, on doit utiliser la formule II, n° 10 de la table, soit

$$\int \sin 7z \sin 3z \, dz = -\frac{1}{40}(7\cos 7z \sin 3z - 3\cos 3z \sin 7z) + C.$$

La **partie III** de la table contient les primitives des produits d'un polynôme et e^x, $\sin x$ ou $\cos x$. Elle comporte également une primitive pour $x^n \ln x$, qui peut servir à trouver les primitives du produit d'un polynôme général et $\ln x$. Chaque *formule de réduction* est utilisée de manière répétitive pour réduire le degré du polynôme jusqu'à ce qu'on obtienne un polynôme de degré zéro.

Exemple 2 Trouvez $\displaystyle\int (x^5 + 2x^3 - 8)e^{3x} \, dx$.

Solution Puisque $p(x) = x^5 + 2x^3 - 8$ est un polynôme multiplié par e^{3x}, il a la forme de la formule III, n° 14. Maintenant, $p'(x) = 5x^4 + 6x^2$ et $p''(x) = 20x^3 + 12x$ et ainsi de suite, ce qui donne

$$\int (x^5 + 2x^3 - 8)e^{3x}\, dx = e^{3x}\left[\frac{1}{3}(x^5 + 2x^3 - 8) - \frac{1}{9}(5x^4 + 6x^2) + \frac{1}{27}(20x^3 + 12x)\right.$$
$$\left. - \frac{1}{81}(60x^2 + 12) + \frac{1}{243}(120x) - \frac{1}{729} \cdot 120\right] + C.$$

Ici on a les dérivées successives du polynôme original $x^5 + 2x^3 - 8$, apparaissant avec des signes alternés et multipliées par des puissances successives de $1/3$.

La **partie IV** de la table contient des formules de réduction pour les primitives de $\cos^n x$ et de $\sin^n x$, qu'on peut obtenir au moyen de l'intégration par parties. Quand n est un entier positif, on peut utiliser les formules de la partie IV, n°s 17 et 18 de manière répétitive pour réduire la puissance n jusqu'à ce qu'elle soit égale à 0 ou à 1.

Exemple 3 Trouvez $\displaystyle\int \sin^6 \theta \, d\theta$.

Solution On utilise la formule de la partie IV, n° 17 de manière répétitive :

$$\int \sin^6 \theta \, d\theta = -\frac{1}{6}\sin^5 \theta \cos \theta + \frac{5}{6}\int \sin^4 \theta \, d\theta$$

$$\int \sin^4 \theta \, d\theta = -\frac{1}{4}\sin^3 \theta \cos \theta + \frac{3}{4}\int \sin^2 \theta \, d\theta$$

$$\int \sin^2 \theta \, d\theta = -\frac{1}{2}\sin \theta \cos \theta + \frac{1}{2}\int 1 \, d\theta.$$

On calcule d'abord $\int \sin^2 \theta \, d\theta$, puis on utilise ce résultat pour trouver $\int \sin^4 \theta \, d\theta$; ensuite, on calcule $\int \sin^6 \theta \, d\theta$. En les combinant, on obtient

$$\int \sin^6 \theta \, d\theta = -\frac{1}{6}\sin^5 \theta \cos \theta - \frac{5}{24}\sin^3 \theta \cos \theta - \frac{15}{48}\sin \theta \cos \theta + \frac{15}{48}\theta + C.$$

Le dernier élément de la **partie IV** de la table n'est pas une formule ; il s'agit plutôt d'un conseil sur la manière d'intégrer les produits des puissances entières de $\sin x$ et de $\cos x$. On peut choisir parmi différentes techniques, selon la nature des exposants (pairs ou impairs, positifs ou négatifs).

Exemple 4   Trouvez $\displaystyle\int \cos^3 t \sin^4 t\, dt$.

Solution   Ici l'exposant de $\cos t$ est impair, donc la formule de la partie IV, n° 23 recommande de faire la substitution $w = \sin t$. Ensuite, $dw = \cos t\, dt$. Pour que cela fonctionne, on doit diviser l'un des cosinus pour qu'il fasse partie de dw. De plus, on peut réécrire le reste de la puissance paire de $\cos t$ en fonction de $\sin t$ en utilisant $\cos^2 t = 1 - \sin^2 t = 1 - w^2$, de sorte que

$$\int \cos^3 t \sin^4 t\, dt = \int \cos^2 t \sin^4 t \cos t\, dt$$

$$= \int (1 - w^2)w^4\, dw = \int (w^4 - w^6)\, dw$$

$$= \frac{1}{5}w^5 - \frac{1}{7}w^7 + C = \frac{1}{5}\sin^5 t - \frac{1}{7}\sin^7 t + C.$$

Exemple 5   Trouvez $\displaystyle\int \cos^2 x \sin^4 x\, dx$.

Solution   Dans cet exemple, les deux exposants sont pairs. Les conseils donnés dans la partie IV, n° 23 consistent à convertir tous les sinus ou tous les cosinus. On convertit donc tous les sinus en substituant $\cos^2 x = 1 - \sin^2 x$, et ensuite on effectue les produits dans l'expression à intégrer :

$$\int \cos^2 x \sin^4 x\, dx = \int (1 - \sin^2 x) \sin^4 x\, dx = \int \sin^4 x\, dx - \int \sin^6 x\, dx.$$

Dans l'exemple 3, on a trouvé $\int \sin^4 x\, dx$ et $\int \sin^6 x\, dx$. En les combinant, on obtient

$$\int \cos^2 x \sin^4 x\, dx = -\frac{1}{4}\sin^3 x \cos x - \frac{3}{8}\sin x \cos x + \frac{3}{8}x$$

$$- \left(-\frac{1}{6}\sin^5 x \cos x - \frac{5}{24}\sin^3 x \cos x - \frac{15}{48}\sin x \cos x + \frac{15}{48}x\right) + C$$

$$= \frac{1}{6}\sin^5 x \cos x - \frac{1}{24}\sin^3 x \cos x - \frac{3}{48}\sin x \cos x + \frac{3}{48}x + C.$$

Les deux dernières parties de la table concernent les fonctions quadratiques : la **partie V** comporte des expressions avec des dénominateurs quadratiques ; la **partie VI** contient les racines carrées des quadratiques. Les quadratiques qui apparaissent dans ces formules ont la forme $x^2 \pm a^2$ ou $a^2 - x^2$ ou ont la forme factorisée $(x - a)(x - b)$, où a et b sont des constantes. Bon nombre d'intégrandes contenant des quadratiques sont soit dans l'une de ces formes ou peuvent être transformées en l'une de ces formes en complétant le carré ou en les factorisant.

La factorisation

Exemple 6   Trouvez $\displaystyle\int \frac{3x+7}{x^2+6x+8}\, dx$.

Solution   Dans ce cas, le dénominateur se factorise :

$$x^2 + 6x + 8 = (x+2)(x+4).$$

Maintenant, à la formule de la partie V, n° 27, on a $a = -2$, $b = -4$, $c = 3$ et $d = 7$. On obtient alors

$$\int \frac{3x+7}{x^2+6x+8}\, dx = \frac{1}{2}\left(\ln|x+2| - (-5)\ln|x+4|\right) + C.$$

La complétion du carré pour réécrire la quadratique sous la forme $w^2 + a^2$

Exemple 7   Trouvez $\displaystyle\int \frac{1}{x^2+6x+14}\, dx$.

Solution   En complétant le carré, on obtient

$$x^2 + 6x + 14 = (x^2 + 6x + 9) - 9 + 14$$
$$= (x+3)^2 + 5.$$

Soit $w = x + 3$. Alors, $dw = dx$ et la substitution donne donc

$$\int \frac{1}{x^2+6x+14}\, dx = \int \frac{1}{w^2+5}\, dw = \frac{1}{\sqrt{5}}\arctan\frac{w}{\sqrt{5}} + C = \frac{1}{\sqrt{5}}\arctan\frac{x+3}{\sqrt{5}} + C,$$

où l'intégration utilise la formule de la partie V, n° 24 avec $a^2 = 5$.

La préparation en vue d'utiliser la table : la transformation de l'intégrande

Certains problèmes d'intégration se présentent sous des formes qui ressemblent beaucoup aux formules de la table, ce qui n'est pas le cas pour bon nombre d'autres problèmes. Afin d'utiliser la table, on doit souvent manipuler ou former de nouveau les intégrandes pour qu'elles correspondent aux entrées de la table. Les types de manipulation qui peuvent être utiles sont les expansions, les factorisations, les divisions longues, les complétions de carrés et les substitutions.

Exemple 8   Trouvez $\displaystyle\int \frac{x^2}{x^2+4}\, dx$.

Solution   En règle générale, lorsqu'il faut intégrer une fonction rationnelle dont le numérateur a un degré supérieur ou égal à celui du dénominateur, il faut commencer par effectuer une *longue division*. Le résultat de cette opération est la somme d'un polynôme et d'une fonction rationnelle plus simple (le reste). En effectuant une division longue pour ce problème, on obtient

$$\frac{x^2}{x^2+4} = 1 - \frac{4}{x^2+4}.$$

Ensuite, selon la formule de la partie V, n° 24 avec $a = 2$, on obtient

$$\int \frac{x^2}{x^2 + 4}\, dx = \int 1\, dx - 4 \int \frac{1}{x^2 + 4}\, dx = x - 4 \cdot \frac{1}{2} \arctan \frac{x}{2} + C = x - 2 \arctan \frac{x}{2} + C.$$

Exemple 9 Trouvez $\displaystyle\int e^t \sin(5t + 7)\, dt.$

Solution Ce problème ressemble beaucoup à la formule de la partie II, n° 8. Pour que la concordance soit plus complète, on substitue $w = 5t + 7$. Alors, $dw = 5\, dt$, donc $dt = \frac{1}{5} dw$. De plus, $t = (w - 7)/5$. Alors, l'intégrale devient

$$\int e^t \sin(5t + 7)\, dt = \int e^{(w-7)/5} \sin w \frac{dw}{5}$$

$$= \frac{e^{-7/5}}{5} \int e^{w/5} \sin w\, dw \qquad \text{(Puisque } e^{(w-7)/5} = e^{w/5} e^{-7/5} \text{ et } e^{-7/5} \text{ est une constante.)}$$

Maintenant, on peut utiliser la formule de la partie II, n° 8 avec $a = \frac{1}{5}$ et $b = 1$ pour écrire

$$\int e^{w/5} \sin w\, dw = \frac{1}{\left(\frac{1}{5}\right)^2 + 1^2} e^{w/5} \left(\frac{\sin w}{5} - \cos w \right) + C.$$

Donc,

$$\int e^t \sin(5t + 7)\, dt = \frac{e^{-7/5}}{5} \left(\frac{25}{26} e^{(5t+7)/5} \left(\frac{\sin(5t + 7)}{5} - \cos(5t + 7) \right) \right) + C$$

$$= \frac{5e^t}{26} \left(\frac{\sin(5t + 7)}{5} - \cos(5t + 7) \right) + C.$$

La méthode des fractions partielles

Dans la table, les formules qui comportent des fonctions rationnelles du même type que les formules de la partie V, n°s 26 et 27 ont été obtenues en effectuant l'intégrale par *fractions partielles*. Par exemple, pour trouver

$$\int \frac{1}{(x - 2)(x - 5)}\, dx,$$

l'intégrande est divisée en fractions partielles avec les dénominateurs $(x - 2)$ et $(x - 5)$. On écrit

$$\frac{1}{(x - 2)(x - 5)} = \frac{A}{x - 2} + \frac{B}{x - 5}.$$

En multipliant par $(x - 2)(x - 5)$, on obtient

$$1 = A(x - 5) + B(x - 2).$$

Donc,

$$1 = (A + B)x - 5A - 2B.$$

Puisque l'équation est valable pour tout x, les termes constants des deux côtés doivent s'égaler. De même, le coefficient de x des deux côtés doit être égal. Par conséquent,

$$-5A - 2B = 1 \quad \text{et} \quad A + B = 0.$$

En résolvant ces équations, on obtient $A = -1/3$, $B = 1/3$.

Exemple 10 Utilisez des fractions partielles afin de réécrire l'intégrande pour que $\displaystyle\int \frac{1}{(x-2)(x-5)}\,dx$ puisse être intégré.

Solution Les calculs qu'on vient d'effectuer donnent

$$\int \frac{1}{(x-2)(x-5)}\,dx = \int \left(\frac{-1/3}{x-2} + \frac{1/3}{x-5} \right) dx = -\frac{1}{3}\ln|x-2| + \frac{1}{3}\ln|x-5| + C.$$

On peut vérifier que, en utilisant la formule de la partie V, n° 26, on obtient le même résultat.

On peut recourir à une généralisation de cette méthode afin de trouver une primitive pour toute fonction rationnelle.

Exemple 11 Trouvez $\displaystyle\int \frac{x+2}{x^2+x}\,dx$.

Solution On factorise le dénominateur et on fait l'expansion de l'intégrande en fractions partielles :

$$\frac{x+2}{x^2+x} = \frac{x+2}{x(x+1)} = \frac{A}{x} + \frac{B}{x+1}.$$

En multipliant par $x(x+1)$, on obtient

$$x + 2 = A(x+1) + Bx$$
$$= (A+B)x + A.$$

En mettant sous forme d'équation les termes constants et les coefficients de x, on doit obtenir $A = 2$ et $A + B = 1$, donc $B = -1$. Ensuite,

$$\int \frac{x+2}{x^2+x}\,dx = \int \left(\frac{2}{x} - \frac{1}{x+1} \right) dx = 2\ln|x| - \ln|x+1| + C.$$

Problèmes de la section 7.4

Pour les problèmes 1 à 30, effectuez une intégration en utilisant la table d'intégrales et une substitution, au besoin.

1. $\displaystyle\int e^{-3\theta}\cos\theta\,d\theta$ 2. $\displaystyle\int x^5 \ln x\,dx$ 3. $\displaystyle\int \sin w \cos^4 w\,dw$ 4. $\displaystyle\int \sin^4 x\,dx$

5. $\displaystyle\int \frac{1}{3+y^2}\,dy$ 6. $\displaystyle\int \frac{1}{\cos^3 x}\,dx$ 7. $\displaystyle\int x^3 e^{2x}\,dx$ 8. $\displaystyle\int \sin 3\theta \cos 5\theta\,d\theta$

9. $\displaystyle\int \sin 3\theta \sin 5\theta\,d\theta$ 10. $\displaystyle\int x^2 e^{3x}\,dx$ 11. $\displaystyle\int x^2 e^{x^3}\,dx$ 12. $\displaystyle\int x^4 e^{3x}\,dx$

13. $\displaystyle\int u^5 \ln(5u)\,du$ 14. $\displaystyle\int \frac{t^2+1}{t^2-1}\,dt$ 15. $\displaystyle\int x^3 \sin x^2\,dx$ 16. $\displaystyle\int \cos 2y \cos 7y\,dy$

17. $\displaystyle\int y^2 \sin 2y\,dy$ 18. $\displaystyle\int e^{5x} \sin 3x\,dx$ 19. $\displaystyle\int \frac{1}{\sin^2 2\theta}\,d\theta$ 20. $\displaystyle\int \frac{1}{\sin^3 3\theta}\,d\theta$

21. $\displaystyle\int \frac{1}{\cos^4 7x}\, dx$ 22. $\displaystyle\int \frac{1}{x^2 + 4x + 3}\, dx$ 23. $\displaystyle\int \tan^4 x\, dx$ 24. $\displaystyle\int \frac{dz}{z(z-3)}$

25. $\displaystyle\int \frac{dy}{4 - y^2}$ 26. $\displaystyle\int \frac{1}{1 + (z+2)^2}\, dz$ 27. $\displaystyle\int \frac{1}{y^2 + 4y + 5}\, dy$ 28. $\displaystyle\int \frac{1}{x^2 + 4x + 4}\, dx$

29. $\displaystyle\int \sin^3 3\theta \cos^2 3\theta\, d\theta$ 30. $\displaystyle\int z e^{2z^2} \cos(2z^2)\, dz$

31. Montrez que, pour tous les entiers m et n, avec $m \neq \pm n$, $\displaystyle\int_{-\pi}^{\pi} \sin m\theta \sin n\theta\, d\theta = 0$.

32. Montrez que, pour tous les entiers m et n, avec $m \neq \pm n$, $\displaystyle\int_{-\pi}^{\pi} \cos m\theta \cos n\theta\, d\theta = 0$.

33. a) Montrez comment la combinaison des termes dans l'expression $\dfrac{2}{x} + \dfrac{1}{x+3}$ donne $\dfrac{3x+6}{x^2+3x}$, puis évaluez $\displaystyle\int \frac{3x+6}{x^2+3x}\, dx$.

    b) Démontrez que votre réponse à la partie a) concorde avec la réponse que vous obtenez en utilisant les tables d'intégrales.

34. Réécrivez $\dfrac{1}{x^2 - 1}$ en utilisant des fractions partielles et trouvez $\displaystyle\int \frac{1}{x^2 - 1}\, dx$.

35. a) Utilisez des fractions partielles pour trouver $\displaystyle\int \frac{1}{x^2 - x}\, dx$.

    b) Montrez que votre réponse à la partie a) concorde avec la réponse que vous obtenez en utilisant les tables d'intégrales.

36. Utilisez des fractions partielles pour trouver $\displaystyle\int \frac{1}{x(L-x)}\, dx$, où L est une constante.

37. Utilisez la méthode des fractions partielles pour évaluer $\displaystyle\int \frac{dP}{3P - 3P^2}$.

38. Utilisez la méthode des fractions partielles pour évaluer $\displaystyle\int \frac{3x+1}{x^2 - 3x + 2}\, dx$.

39. La tension V d'une prise électrique est donnée en fonction du temps t par la fonction $V = V_0 \cos(120\pi t)$, où V est en volts et t est en secondes, et V_0 est une constante représentant la tension maximale.

    a) Quelle est la valeur moyenne de la tension pour 1 s ?

    b) Les ingénieurs n'utilisent pas la tension moyenne, mais la *moyenne quadratique* de la tension définie par $\overline{V} = \sqrt{\text{moyenne de } (V^2)}$. Trouvez $\overline{V}$ en fonction de V_0. (Prenez la moyenne sur 1 s.)

    c) La tension standard d'un foyer américain est de 110 V, ce qui signifie que $\overline{V} = 110$. Qu'est-ce que V_0 ?

40. Un économiste qui étudie le taux de production $R(t)$ de pétrole dans un nouveau puits a proposé le modèle suivant :

$$R(t) = A + Be^{-t} \sin(2\pi t),$$

où t est le temps (en années), A est le taux d'équilibre (une constante) et B est le coefficient de « variabilité » (une constante).

    a) Trouvez la quantité totale de pétrole produite au cours des N premières années d'exploitation, où N est un entier.

    b) Trouvez la quantité moyenne de pétrole produite par année au cours des N premières années, où N est un entier.

    c) À partir de votre réponse à la partie b), trouvez la quantité moyenne de pétrole produite par année quand $N \to \infty$.

d) En observant la fonction $R(t)$, expliquez comment vous auriez pu présumer la réponse à la partie c) sans faire de calculs.

e) Croyez-vous qu'il est raisonnable de prévoir que ce modèle s'appliquera au cours d'une très longue période ? Justifiez votre réponse.

41. Supposez que n est un entier positif et $\psi_n = C_n \sin(n\pi x)$ est la fonction d'ondes utilisée pour décrire le comportement d'un électron. Si n et m sont des entiers différents, trouvez

$$\int_0^1 \psi_n(x) \cdot \psi_m(x)\, dx.$$

7.5 L'APPROXIMATION DES INTÉGRALES DÉFINIES

Les méthodes qu'on a étudiées dans les dernières sections permettent d'obtenir des réponses exactes pour les intégrales définies dans une variété de cas particuliers. Cependant, bon nombre de fonctions ne comportent pas de primitives élémentaires. Pour évaluer les intégrales définies de ces fonctions, on ne peut appliquer le théorème fondamental ; on doit donc avoir recours aux méthodes numériques. De plus, plusieurs applications concrètes de calcul n'exigent pas de réponses exactes.

On sait déjà comment effectuer l'approximation numérique d'une intégrale définie en utilisant les sommes de Riemann de gauche et de droite. Dans les deux prochaines sections, on présentera des méthodes plus efficaces pour effectuer l'approximation des intégrales définies — elles sont plus efficaces car elles donnent des résultats plus précis que lorsqu'on utilise les sommes de gauche et de droite et elles exigent moins de travail.

La règle du point milieu

Dans les sommes de Riemann de gauche et de droite, les hauteurs des rectangles sont trouvées en utilisant les extrémités de gauche ou de droite, respectivement, des sous-intervalles. En ce qui concerne la *règle du point milieu*, on utilise le point milieu pour chaque sous-intervalle.

Par exemple, pour approximer $\int_1^2 f(x)\, dx$ à l'aide de la somme de Riemann avec deux subdivisions, on divise d'abord l'intervalle $1 \le x \le 2$ en deux composantes. Le point milieu du premier sous-intervalle est 1,25 et le point milieu du deuxième est 1,75. Les hauteurs des deux rectangles sont $f(1,25)$ et $f(1,75)$, respectivement (voir la figure 7.2). La somme de Riemann est

$$f(1,25)0,5 + f(1,75)0,5.$$

La figure 7.2 montre que l'évaluation de f au point milieu de chaque subdivision donne normalement une approximation plus juste de l'aire sous la courbe que l'évaluation de f en une extrémité ou l'autre. Pour ce f particulier, il semble que chaque rectangle se situe en partie au-dessus et au-dessous du graphe sur chaque sous-intervalle. De plus, l'aire sous la courbe qui ne se trouve pas sous le rectangle semble être presque égale à l'aire sous le rectangle qui se trouve au-dessus de la courbe. En fait, cette nouvelle somme de Riemann du point milieu constitue généralement une meilleure approximation de l'intégrale définie que la somme de gauche ou de droite avec le même nombre de subdivisions n.

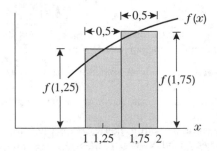

Figure 7.2 : Règle du point milieu avec deux subdivisions

Actuellement, on connaît trois manières d'estimer une intégrale à l'aide d'une somme de Riemann :

1. La **règle de gauche** utilise l'extrémité gauche de chaque sous-intervalle.
2. La **règle de droite** utilise l'extrémité droite de chaque sous-intervalle.
3. La **règle du point milieu** utilise le point milieu de chaque sous-intervalle.

On écrit GAUCHE(n), DROITE(n) et MI(n) pour noter les résultats obtenus en employant ces règles avec n subdivisions.

Exemple 1 Pour $\displaystyle\int_1^2 \frac{1}{x}\,dx$, calculez GAUCHE(2), DROITE(2) et MI(2) et comparez vos réponses à la valeur exacte de l'intégrale.

Solution Pour $n = 2$ subdivisions de l'intervalle [1, 2], on utilise $\Delta x = 0{,}5$. Ensuite,

$$\text{GAUCHE}(2) = f(1)(0{,}5) + f(1{,}5)(0{,}5) = \frac{1}{1}(0{,}5) + \frac{1}{1{,}5}(0{,}5) = 0{,}8333\ldots$$

$$\text{DROITE}(2) = f(1{,}5)(0{,}5) + f(2)(0{,}5) = \frac{1}{1{,}5}(0{,}5) + \frac{1}{2}(0{,}5) = 0{,}5833\ldots$$

$$\text{MI}(2) = f(1{,}25)(0{,}5) + f(1{,}75)(0{,}5) = \frac{1}{1{,}25}(0{,}5) + \frac{1}{1{,}75}(0{,}5) = 0{,}6857\ldots$$

Les trois sommes de Riemann permettent l'approximation de

$$\int_1^2 \frac{1}{x}\,dx = ln\ x \bigg|_1^2 = \ln 2 - \ln 1 = \ln 2 = 0{,}6931\ldots$$

Avec deux subdivisions seulement, les règles de gauche et de droite donnent des approximations peu précises, mais la règle du point milieu est déjà relativement proche de la réponse exacte.

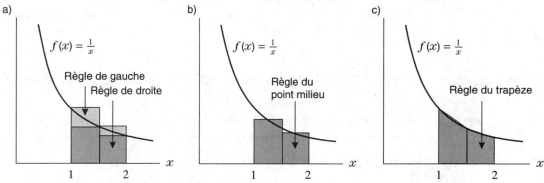

Figure 7.3 : Approximations de gauche, de droite, du point milieu et du trapèze de $\int_1^2 \frac{1}{x}\,dx$

La figure 7.3 a) illustre la raison pour laquelle les règles de gauche et de droite sont si imprécises. Puisque $f(x) = 1/x$ est décroissante de 1 à 2, la règle de gauche surestime chaque subdivision tandis que la règle de droite la sous-estime. Cependant, la règle du point milieu permet d'effectuer une approximation avec des rectangles de chaque subdivision qui se trouve chacune partiellement au-dessus et partiellement au-dessous du graphe, donc les erreurs tendent à se contrebalancer (voir la figure 7.3 b), page précédente).

La règle du trapèze

On vient de voir comment la règle du point milieu peut contrebalancer les erreurs des règles de gauche et de droite. Il existe une autre manière de contrebalancer ces erreurs : on calcule la moyenne des résultats des règles de gauche et de droite. Cette approximation s'appelle la *règle du trapèze* :

$$\text{TRAP}(n) = \frac{\text{GAUCHE }(n) + \text{DROITE }(n)}{2}$$

La règle du trapèze permet d'effectuer la moyenne des valeurs de f aux extrémités gauche et droite de chaque sous-intervalle et la multiplie par Δx. Il s'agit de la même opération que lorsqu'on effectue l'approximation de l'aire sous le graphe de f sur chaque sous-intervalle par un trapèze (voir la figure 7.4).

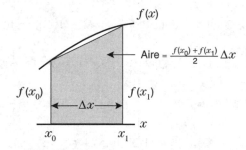

Figure 7.4 : Aire utilisée dans la règle du trapèze

Exemple 2   Pour $\int_{1}^{2} \frac{1}{x}\, dx$, comparez la règle du trapèze avec deux subdivisions aux règles de gauche, de droite et du point milieu.

Solution   Dans l'exemple 1, on a obtenu GAUCHE(2) = 0,8333... et DROITE(2) = 0,5833... La règle du trapèze constitue la moyenne de ceux-ci, donc TRAP(2) = 0,7083... [voir la figure 7,3 c)]. Comme la valeur exacte de l'intégrale est 0,6931..., la règle du trapèze est donc plus efficace que les règles de gauche et de droite. Toutefois, la règle du point milieu est encore plus efficace, puisque MI(2) = 0,6857...

L'approximation constitue-t-elle une sous-estimation ou une surestimation ?

Il peut être utile de savoir quand une règle produit une surestimation et quand elle produit une sous-estimation. Dans le chapitre 5, on a vu que la relation suivante s'applique.

> Si f est croissante sur $[a, b]$, alors
>
> $$\text{GAUCHE}(n) \leq \int_{a}^{b} f(x)\, dx \leq \text{DROITE}(n).$$
>
> Si f est décroissante sur $[a, b]$, alors
>
> $$\text{DROITE}(n) \leq \int_{a}^{b} f(x)\, dx \leq \text{GAUCHE}(n).$$

La règle du trapèze

Si le graphe de la fonction est concave vers le bas sur $[a, b]$, alors chaque trapèze se trouve sous le graphe et la règle du trapèze donne une sous-estimation. Si le graphe est concave vers le haut sur $[a, b]$, la règle du trapèze donne une surestimation (voir la figure 7.5).

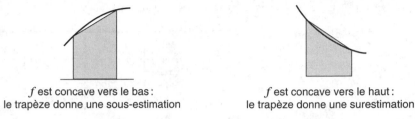

f est concave vers le bas :
le trapèze donne une sous-estimation

f est concave vers le haut :
le trapèze donne une surestimation

Figure 7.5 : Erreur de la règle du trapèze

La règle du point milieu

Pour comprendre la relation qui existe entre la règle du point milieu et la concavité, on prend un rectangle dont le dessus croise la courbe au point milieu d'un sous-intervalle. On dessine une tangente à la courbe au point milieu, ce qui donne un trapèze (voir la figure 7.6). (Il *ne s'agit pas* du même trapèze que dans la règle du trapèze.) Le rectangle du point milieu et le nouveau trapèze ont la même aire, car les triangles ombrés de la figure 7.6 sont congrus. Ainsi, si le graphe de la fonction est concave vers le bas, la règle du point milieu donne une surestimation ; si le graphe est concave vers le haut, la règle du point milieu donne une sous-estimation (voir la figure 7.7).

> Si le graphe de f est concave vers le bas sur $[a, b]$, alors
> $$\text{TRAP}(n) \leq \int_a^b f(x)\, dx \leq \text{MI}(n).$$
> Si le graphe de f est concave vers le haut sur $[a, b]$, alors
> $$\text{MI}(n) \leq \int_a^b f(x)\, dx \leq \text{TRAP}(n).$$

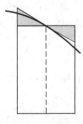

f est concave vers le bas :
le point milieu donne
une surestimation

f est concave vers le haut :
le point milieu donne
une sous-estimation

Figure 7.6 : Rectangle du point milieu et trapèze avec la même aire

Figure 7.7 : Erreur de la règle du point milieu

Problèmes de la section 7.5

1. a) À la main, trouvez GAUCHE(2) et DROITE(2) pour $\int_0^4 (x^2 + 1)\, dx$. Justifiez votre réponse.
   b) Illustrez graphiquement vos réponses à la partie a). Chaque estimation est-elle une surestimation ou une sous-estimation ?

2. a) À la main, trouvez MI(2) et TRAP(2) pour $\int_0^4 (x^2 + 1)\, dx$. Justifiez votre réponse.
    b) Illustrez graphiquement vos réponses à la partie a). Chaque estimation est-elle une surestimation ou une sous-estimation ?

3. La table suivante contient des approximations de $\int_0^4 \sqrt{100 + x^3}\, dx$. Remplissez le reste de la table avec les valeurs arrondies à quatre décimales près.

	$n = 1$	$n = 2$	$n = 4$
GAUCHE			
DROITE	51,2250		
TRAP		43,5909	
MI			

4. a) Estimez $\int_0^1 \dfrac{dx}{1 + x^2}$ en subdivisant l'intervalle en huit parties ; utilisez :
    i) la somme de gauche de Riemann.   ii) la somme de droite de Riemann.
    iii) la règle du trapèze.

    b) Puisque la valeur exacte de l'intégrale est $\pi/4$, vous pouvez estimer la valeur de π. Expliquez pourquoi votre première estimation est trop grande et pourquoi votre deuxième estimation est trop petite.

5. Considérez les intégrales ci-après.

    $$\text{i) } \int_1^{10} \ln x\, dx \qquad \text{ii) } \int_0^4 e^x\, dx$$

    a) Pour chaque intégrale, trouvez GAUCHE(32), DROITE(32) et TRAP(32). De plus, trouvez la valeur exacte de chaque intégrale.
    b) Pour chaque intégrale, mettez GAUCHE(32), DROITE(32), TRAP(32) et la valeur véritable en ordre ascendant. Expliquez, à l'aide de diagrammes, comment vous pourriez prévoir cette disposition sans faire les calculs de la partie a).

6. Considérez les données sur la vitesse et le temps du tableau ci-contre. Estimez la distance parcourue entre le temps $t = 0$ et le temps $t = 6$ en utilisant GAUCHE, DROITE et TRAP.

t	0	1	2	3	4	5	6
v	3	4	5	4	7	8	11

7. Le graphe de g est présenté à la figure 7.8. Les résultats des règles de gauche, de droite, du trapèze et du point milieu utilisés pour trouver l'approximation de $\int_0^1 g(t)\, dt$, avec le même nombre de subdivisions pour chaque règle, sont les suivants : 0,601, 0,632, 0,633, 0,664.

    a) Faites correspondre chaque règle avec son approximation.
    b) Quelles sont les deux approximations consécutives entre lesquelles se trouve la valeur exacte de l'intégrale ?

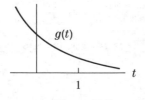

Figure 7.8

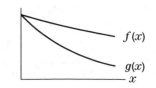

Figure 7.9

8. Calculez approximativement la valeur des intégrales des fonctions de la figure 7.9 sur l'intervalle illustré, en utilisant un nombre fixe de subdivisions.

    a) Pour quelle fonction f ou g, GAUCHE est-elle plus précise ? DROITE ? Justifiez votre réponse.
    b) Pour quelle fonction f ou g, TRAP est-elle plus précise ? MI ? Justifiez votre réponse.

9. Considérez les valeurs de $y = f(x)$ dans le tableau ci-après.

   a) Laquelle des quatre méthodes d'approximation de cette section donnera sans doute les meilleures estimations de $\int_0^{12} f(x)\, dx$? Estimez l'intégrale en utilisant cette méthode.

   b) Supposez que $f(x)$ est continue sans points critiques ou points d'inflexion sur l'intervalle $0 \le x \le 12$. L'estimation trouvée en a) constitue-t-elle une surestimation ou une sous-estimation ? Justifiez votre réponse.

x	0	3	6	9	12
$f(x)$	100	97	90	78	55

Supposez que vous voulez trouver l'approximation de $\int_0^5 f(x)\, dx$ pour les fonctions tracées aux problèmes 10 à 13. Dans chaque cas, choisissez l'approximation — gauche, droite, trapèze ou point milieu — garantissant une surestimation pour l'intégrale et celle qui garantit une sous-estimation. (Il peut y avoir plus d'une réponse.)

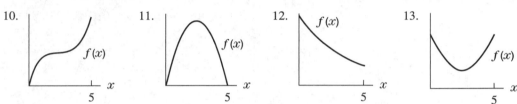

10. 11. 12. 13.

14. a) Trouvez la valeur exacte de $\int_0^{2\pi} \sin\theta\, d\theta$.

   b) Expliquez, au moyen de dessins, pourquoi les approximations MI(1) et MI(2) de cette intégrale donnent la valeur exacte.

   c) MI(3) donne-t-elle la valeur exacte de cette intégrale ? et MI(n) ? Justifiez votre réponse.

15. a) Montrez que $\int_0^1 \sqrt{2 - x^2}\, dx = \dfrac{\pi}{4} + \dfrac{1}{2}$. [Conseil : Divisez l'aire sous $y = \sqrt{2 - x^2}$ entre $x = 0$ et $x = 1$ en deux composantes : un secteur d'un cercle et un triangle rectangle.]

   b) Trouvez l'approximation de $\int_0^1 \sqrt{2 - x^2}\, dx$ pour $n = 5$ en utilisant les règles de gauche, de droite, du trapèze et du point milieu. Calculez l'erreur dans chaque cas en utilisant votre réponse à la partie a) et comparez les erreurs.

16. Tracez le graphe d'une fonction pour laquelle GAUCHE(2) est plus précise que MI(2). (Vous n'avez pas à donner de formule pour la fonction, simplement un graphe.)

17. La largeur (en pieds) à divers points le long d'une allée d'un terrain de golf est donnée à la figure 7.10. Si 1 lb d'engrais couvre 200 pi^2 de surface, estimez la quantité d'engrais nécessaire pour fertiliser l'allée.

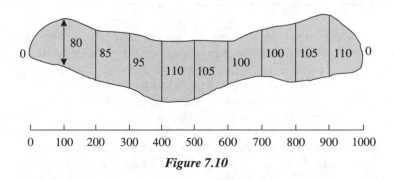

Figure 7.10

18. a) Expliquez pourquoi le trapèze de la figure 7.11 est $h \cdot (l_1 + l_2)/2$.

   b) Sur un graphe similaire à celui de la figure 7.12, tracez les aires représentant chacune des quantités suivantes :

$$E = h \cdot f(0), \quad F = h \cdot f(h), \quad R = h \cdot f\left(\frac{h}{2}\right), \quad C = h \cdot \frac{f(0) + f(h)}{2} = \frac{E + F}{2}$$

$$N = \frac{h}{2} \cdot \frac{f(0) + f\left(\frac{h}{2}\right)}{2} + \frac{h}{2} \cdot \frac{f\left(\frac{h}{2}\right) + f(h)}{2} = \frac{R + C}{2}.$$

   c) Soit A l'aire sous la fonction présentée à la figure 7.12. Écrivez les valeurs A, E, F, R, C et N en ordre croissant.

   d) Laquelle est la meilleure approximation de A : E ou F ?

   e) Laquelle est la meilleure approximation de A : R ou C ?

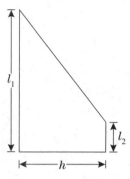

Figure 7.11

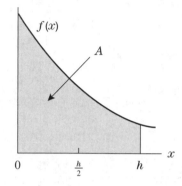

Figure 7.12

Les problèmes 19 à 23 comportent l'approximation de $\int_a^b f(x)\,dx$.

19. Montrez que DROITE(n) = GAUCHE$(n) + f(b)\Delta x - f(a)\Delta x$.

20. Montrez que TRAP(n) = GAUCHE$(n) + \frac{1}{2}\left(f(b) - f(a)\right)\Delta x$.

21. Montrez que GAUCHE$(2n) = \frac{1}{2}\left(\text{GAUCHE}(n) + \text{MI}(n)\right)$.

22. À l'aide d'un ordinateur ou d'une calculatrice, vérifiez que les équations données aux problèmes 19 et 20 s'appliquent à $\int_1^2 (1/x)\,dx$ quand $n = 10$.

23. Supposez que $a = 2$, $b = 5$, $f(2) = 13$, $f(5) = 21$ et que GAUCHE$(10) = 3{,}156$ et MI$(10) = 3{,}242$. Utilisez les équations données aux problèmes 19 à 21 pour calculer DROITE(10), TRAP(10), GAUCHE(20), DROITE(20) et TRAP(20).

7.6 LES ERREURS D'APPROXIMATION ET LA RÈGLE DE SIMPSON

Lorsqu'on calcule une approximation, on se soucie toujours de l'erreur engendrée, notamment de la différence entre la réponse exacte et l'approximation. On ne connaît habituellement pas l'erreur exacte ; le cas échéant, on connaîtrait aussi la réponse exacte. En général, le meilleur résultat qu'on peut obtenir est un majorant sur l'erreur et une vague idée de la quantité de travail nécessaire pour rendre l'erreur la plus petite possible. L'étude de l'approximation numérique constitue véritablement l'étude des erreurs. Les erreurs liées à certaines méthodes sont beaucoup plus petites que celles liées à d'autres méthodes. Les erreurs pour les règles du point milieu et du trapèze sont reliées entre elles de manière à suggérer l'existence d'une méthode encore plus efficace, qu'on appelle la règle de Simpson. On travaillera avec l'exemple $\int_1^2 \frac{1}{x}\,dx$, car on connaît la valeur exacte de cette intégrale ($\ln 2$) et on peut analyser le comportement des erreurs.

L'erreur avec les règles de gauche et de droite

Pour toute approximation, soit

$$\text{Erreur} = \text{Valeur véritable} - \text{Valeur approximative}.$$

TABLEAU 7.1 *Erreur de l'approximation avec la règle de gauche et de droite de $\int_1^2 \frac{1}{x}\,dx$ $= \ln 2 \approx 0,693\ 147\ 180\ 6$*

n	Erreur avec la règle de gauche	Erreur avec la règle de droite
2	−0,1402	0,1098
10	−0,0256	0,0244
50	−0,0050	0,0050
250	−0,0010	0,0010

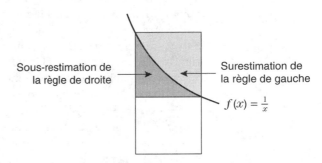

Figure 7.13 : Erreurs des sommes de gauche et de droite

On verra ce qu'il advient de l'erreur avec les règles de gauche et de droite quand on augmente n. On augmente n chaque fois d'un facteur de 5 en commençant à $n = 2$. Les résultats sont présentés au tableau 7.1. Une erreur positive indique que la somme de Riemann est inférieure à la valeur exacte, soit $\ln 2$. À noter que les erreurs avec les règles de gauche et de droite ont des signes opposés mais qu'elles ont approximativement la même valeur (voir la figure 7.13). La meilleure manière d'essayer d'annuler des erreurs consiste à faire la moyenne des règles de gauche et de droite ; cette moyenne constitue la règle du trapèze. Si on n'avait pas déjà établi la règle du trapèze, on y aurait sans doute été conduit à partir de cette observation.

Un autre modèle apparaît dans les erreurs du tableau 7.1. Si on calcule le *rapport* des erreurs au tableau 7.2, on constate que l'erreur[2] avec les règles de gauche et de droite diminue d'un facteur d'environ 5 quand n augmente d'un facteur de 5.

Le nombre 5 n'a rien de particulier ; la même chose s'applique pour tous les facteurs. Afin d'obtenir un chiffre exact additionnel pour tout calcul, il faut rendre l'erreur aussi grande que $1/10$; il faut donc augmenter n d'un facteur de 10. En fait, *pour les règles de gauche ou de droite, chaque chiffre exact additionnel exige environ 10 fois plus de travail*. Le calculateur qu'on a utilisé pour produire ces tableaux a pris environ une demi-seconde pour calculer l'approximation de la règle de gauche pour $n = 50$, ce qui a donné $\ln 2$ avec 2 chiffres exacts. Pour obtenir 3 chiffres exacts, n doit se situer autour de 500 et le temps exigé serait d'environ 5 s. Obtenir 4 chiffres exacts exige $n = 5000$ et 50 s. Donc, 10 chiffres demandent $n = 5 \times 10^9$ et 5×10^7 s, ce qui est plus d'une année ! De toute évidence, les erreurs associées aux règles de gauche et de droite ne diminuent pas assez rapidement quand n augmente.

TABLEAU 7.2 *Rapport des erreurs quand n augmente pour $\int_1^2 \frac{1}{x}\,dx$*

	Rapport des erreurs liées à la règle de gauche	Rapport des erreurs liées à la règle de droite
Erreur(2)/Erreur(10)	5,47	4,51
Erreur(10)/Erreur(50)	5,10	4,90
Erreur(50)/Erreur(250)	5,02	4,98

2. Les valeurs du tableau 7.1 sont arrondies à 4 décimales près ; celles du tableau 7.2 ont été calculées en utilisant plus de décimales et en les arrondissant.

L'erreur liée aux règles du trapèze et du point milieu

Le tableau 7.3 montre que les règles du trapèze et du point milieu produisent des approximations plus précises de $\int_1^2 \frac{1}{x}\,dx$ que les règles de gauche et de droite.

Une fois de plus, on peut déceler un modèle dans les erreurs. Pour chaque n, la règle du point milieu est nettement plus précise que la règle du trapèze ; l'erreur associée à la règle du point milieu, en valeur absolue, semble être environ égale à la moitié de l'erreur liée à la règle du trapèze. Pour en comprendre la raison, on compare les aires ombrées de la figure 7.14. De plus, il convient de noter que dans le tableau 7.3, les erreurs liées aux deux règles ont des signes opposés à cause de la concavité.

On s'intéresse au comportement des erreurs quand n augmente. Le tableau 7.4 donne les rapports des erreurs pour chaque règle. En effet, on voit que quand n augmente d'un facteur de 5, l'erreur diminue d'un facteur d'environ $25 = 5^2$. En fait, on peut démontrer que cette relation d'élévation au carré s'applique à tout facteur. Donc, si on augmente n d'un facteur de 10, on diminue l'erreur d'un facteur environ égal à $100 = 10^2$. La réduction de l'erreur d'un facteur de 100 équivaut à ajouter deux décimales exactes de plus au résultat.

TABLEAU 7.3 *Erreurs associées aux règles du trapèze et du point milieu pour* $\int_1^2 \frac{1}{x}\,dx$

n	Erreur liée à la règle du trapèze	Erreur liée à la règle du point milieu
2	−0,015 2	0,007 4
10	−0,000 62	0,000 31
50	−0,000 025 0	0,000 012 5
250	−0,000 001 0	0,000 000 5

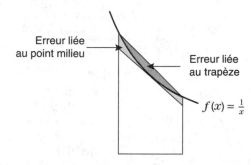

Figure 7.14 : Erreurs associées aux règles du point milieu et du trapèze

En d'autres mots, *avec les règles du trapèze et du point milieu, pour obtenir 2 chiffres exacts supplémentaires, il faut environ 10 fois plus de travail.*

Ce résultat montre les avantages des règles du point milieu et du trapèze par rapport aux règles de gauche et de droite, car elles exigent moins de travail pour obtenir une décimale exacte supplémentaire. Le calculateur utilisé pour produire ces tableaux a, une fois de plus, pris environ une demi-seconde afin de calculer la règle du point milieu pour $\int_1^2 \frac{1}{x}\,dx$ avec $n = 50$, ce qui donne 4 chiffres exacts. Ainsi, pour obtenir 6 chiffres, il faudrait $n = 500$ et 5 s ; pour 8 chiffres exacts, il faudrait 50 s et pour 10 chiffres exacts, il faudrait 500 s ou environ 10 min. C'est encore long, mais c'est mieux qu'une année complète, soit le temps requis pour appliquer règles de gauche et de droite.

TABLEAU 7.4 *Rapport des erreurs quand n augmente pour* $\int_1^2 \frac{1}{x}\,dx$

	Rapport des erreurs liées à la règle du trapèze	Rapport des erreurs liées à la règle du point milieu
Erreur(2)/Erreur(10)	24,33	23,84
Erreur(10)/Erreur(50)	24,97	24,95
Erreur(50)/Erreur(250)	25,00	25,00

La règle de Simpson

Il est encore possible d'améliorer ces résultats. On constate que l'erreur liée à la règle du trapèze a le signe opposé et elle a environ deux fois la valeur de l'erreur du point milieu. On peut penser que la moyenne pondérée des deux règles, où la règle du point milieu est pondérée deux fois par rapport à la règle du trapèze, permettra d'obtenir une erreur beaucoup plus faible. Cette approximation s'appelle la *règle de Simpson*[3] :

$$\text{SIMP}(n) = \frac{2 \cdot \text{MI}(n) + \text{TRAP}(n)}{3}.$$

Le tableau 7.5 présente les erreurs liées à la règle de Simpson. On note à quel point l'erreur est plus faible que dans les cas précédents. Évidemment, il est n'est pas très approprié de comparer la règle de Simpson à $n = 50$ avec les règles précédentes, car la règle de Simpson doit calculer la valeur de f au point milieu et aux extrémités de chaque sous-intervalle et implique donc l'évaluation de la fonction en un nombre de points deux fois plus élevé. Cependant, d'après l'analyse précédente, on sait que même si on a appliqué les autres règles avec $n = 100$ pour les comparer à la règle de Simpson avec $n = 50$, les autres erreurs ne diminueraient que d'un facteur de 2 pour les règles de gauche et de droite, et d'un facteur de 4 pour les règles du trapèze et du point milieu.

Dans le tableau 7.5, on observe que lorsque n augmente d'un facteur de 5, les erreurs diminuent d'un facteur approximativement égal à 600, ou d'environ 5^4. Encore une fois, ce comportement s'applique à tout facteur. Donc, augmenter n d'un facteur de 10 diminue l'erreur d'un facteur environ égal à 10^4. En d'autres mots, *avec la règle de Simpson, pour obtenir 4 chiffres exacts supplémentaires, il faut environ 10 fois plus de travail.*

TABLEAU 7.5 *Erreurs avec la règle de Simpson et rapport des erreurs*

n	Erreur	Rapport
2	−0,000 106 787 7	
10	−0,000 000 194 0	550,15
50	−0,000 000 000 3	632,27

Il s'agit d'une très grande amélioration par rapport aux règles du point milieu et du trapèze, qui ne donnent que deux chiffres exacts supplémentaires quand on augmente n d'un facteur de 10. La règle de Simpson est si efficace qu'on obtient 9 chiffres exacts avec $n = 50$, et ce environ 1 s plus tard avec le calculateur. En doublant n, on diminue l'erreur d'un facteur approximatif de $2^4 = 16$ et on obtient donc le dixième chiffre. Le temps est de 2 s, ce qui est très acceptable.

En général, la règle de Simpson donne un degré de précision raisonnable lorsqu'on utilise des valeurs relativement petites de n. Elle demeure un bon choix pour une méthode générale visant à estimer les intégrales définies.

Le point de vue analytique des règles du trapèze et de Simpson

L'approche utilisée pour effectuer l'approximation numérique de $\int_a^b f(x)\, dx$ était empirique : on essaie une méthode, on examine la manière dont se comporte l'erreur et on tente d'améliorer le processus. On peut également élaborer différentes règles pour l'intégration numérique en faisant des approximations de plus en plus exactes de l'intégrande f. Les règles de gauche, de droite et du point milieu constituent toutes des exemples de l'approximation de f par une fonction constante (plate) sur chaque sous-intervalle. La règle du trapèze s'applique en calculant l'approximation de f à l'aide d'une fonction linéaire sur chaque sous-intervalle. La règle de Simpson peut, dans le même esprit, s'appliquer en faisant l'approximation de f à l'aide de fonctions quadratiques. Les détails seront donnés aux problèmes 20 et 21.

---

3. Certains manuels et logiciels utilisent une terminologie légèrement différente pour la règle de Simpson, où $n = 50$ devient $n = 100$.

Comment l'erreur dépend de l'intégrande

D'autres facteurs, en plus de la taille de n, influent sur l'importance de l'erreur dans chaque règle. Plutôt que d'observer le comportement de l'erreur quand n augmente, on laisse n fixe et on essaie les méthodes d'approximation sur différentes fonctions. On observe que l'erreur liée à la règle de gauche ou de droite dépend de la raideur de la pente croissante ou décroissante du graphe de f. Une courbe raide rend les aires des régions triangulaires qui sont omises par les rectangles gauche ou droit plus hautes et donc plus larges. Cette observation laisse entendre que l'erreur associée aux règles de gauche ou de droite dépend de la grandeur de la dérivée de f (voir la figure 7.15).

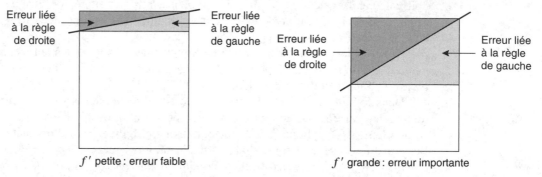

Figure 7.15 : L'erreur liée aux règles de gauche et de droite dépend de la raideur de la courbe

D'après la figure 7.16, il semble que les erreurs liées aux règles du trapèze et du point milieu sont fonction de l'ampleur de la courbure vers le haut ou vers le bas de la courbe. En d'autres mots, la concavité, et donc la grandeur de la dérivée seconde de f, a un effet sur les erreurs associées à ces deux règles. Finalement, on peut démontrer[4] que l'erreur liée à la règle de Simpson dépend de la grandeur de la dérivée *quatrième* de f, qui s'écrit $f^{(4)}$.

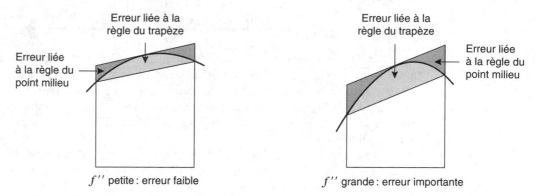

Figure 7.16 : L'erreur liée aux règles du trapèze et du point milieu dépend de la courbure

Problèmes de la section 7.6

1. a) À l'aide des résultats du problème 2 de la section 7.5, calculez SIMP(2) pour $\int_0^4 (x^2 + 1)\, dx$.
    b) Appliquez le théorème fondamental du calcul pour trouver $\int_0^4 (x^2 + 1)\, dx$ exactement.
    c) Quelle est l'erreur de SIMP(2) pour cette intégrale ?

Pour les problèmes 2 à 7, appliquez la règle de Simpson avec différentes valeurs de n afin d'évaluer les intégrales définies avec une erreur inférieure à 0,001. Expliquez pourquoi vous croyez avoir atteint une valeur de n suffisamment grande.

2. $\displaystyle\int_0^1 \frac{1}{4 + x^2}\, dx$ 3. $\displaystyle\int_0^2 e^{\sin t}\, dt$ 4. $\displaystyle\int_0^3 \cos^2 \theta\, d\theta$

4. Voir ATKINSON, Kendall E., *An Introduction to Numerical Analysis*, New York, John Wiley and Sons, 1978.

5. $\displaystyle\int_0^1 \sqrt{1+x^4}\,dx$ 6. $\displaystyle\int_0^{10} \ln(z^2+1)\,dz$ 7. $\displaystyle\int_0^1 \cos(t^2)\,dt$

8. Dans ce problème, vous analyserez le comportement des erreurs dans l'approximation de l'intégrale

$$\int_1^2 \frac{1}{x}\,dx \approx 0,693\ 147\ 180\ 6\ldots$$

   a) Pour $n = 2, 4, 8, 16, 32, 64, 128$ subdivisions, calculez les approximations de gauche et de droite et les erreurs de chacune.
   b) Quels sont les signes des erreurs des approximations de gauche et de droite ? Comment les erreurs changent-elles si n est doublé ?
   c) Pour les valeurs de n de la partie a), calculez les approximations du point milieu et du trapèze et les erreurs de chacune.
   d) Quels sont les signes des erreurs des approximations du point milieu et du trapèze ? Comment les erreurs changent-elles si n est doublé ?
   e) Pour $n = 2, 4, 8, 16, 32$, calculez l'approximation de la règle de Simpson et l'erreur de chacune. Comment les erreurs changent-elle si n est doublé ?

9. a) Quelle est la valeur exacte de $\int_0^4 e^x\,dx$?
   b) Trouvez GAUCHE(2), DROITE(2), TRAP(2), MI(2) et SIMP(2). Calculez l'erreur de chacune.
   c) Répétez le problème de la partie b) avec $n = 4$ (plutôt que $n = 2$).
   d) Pour chaque règle de la partie b), quand n passe de $n = 2$ à $n = 4$, l'erreur diminue-t-elle approximativement du nombre attendu ? Justifiez votre réponse.

10. Considérez les approximations de la règle de Simpson de $\int_0^2 (x^3 + 3x^2)\,dx$.

    a) Quelle est la valeur exacte de cette intégrale ?
    b) Trouvez SIMP(n) pour $n = 2, 4$ et 100. Que remarquez-vous ?

11. Supposez que l'approximation d'une intégrale définie donnée en utilisant $n = 10$ est $2,346$ et que la valeur exacte est $4,0$. Si l'approximation a été trouvée en utilisant chacune des règles suivantes, utilisez la même règle pour estimer l'intégrale avec $n = 30$.

    a) GAUCHE   b) TRAP   c) SIMP

12. a) Supposez qu'un ordinateur prend 2 s pour calculer une intégrale définie donnée avec 4 chiffres exacts à la droite de la décimale au moyen de la règle du rectangle gauche. Combien d'années seront nécessaires pour obtenir 8 chiffres exacts avec la règle du rectangle gauche ? 12 chiffres ? 20 chiffres ?
    b) Répétez le problème de la partie a) mais cette fois-ci, supposez qu'on a utilisé la règle du trapèze.

13. Supposez qu'un ordinateur prend 3 s pour calculer une intégrale définie donnée avec 2 décimales exactes. Combien d'années seront nécessaires pour obtenir une réponse avec 10 décimales exactes en utilisant la règle présentée ci-dessous ? Donnez votre réponse en secondes et en unités de temps appropriées (minutes, heures, jours ou années).

    a) GAUCHE   b) MI   c) SIMP

14. Supposez que, pour une intégrale définie donnée, GAUCHE(10) $= 0,387\ 45$ et GAUCHE(20) $= 0,365\ 17$. Estimez l'erreur véritable pour GAUCHE(10) (et donc la valeur véritable de l'intégrale) en supposant que l'erreur est réduite d'un facteur de 2 en passant de GAUCHE(10) à GAUCHE(20).

15. Supposez que, pour une intégrale définie donnée, MI(10) $= 35,619$ et MI(20) $= 35,415$. Estimez l'erreur véritable pour MI(10) en supposant que l'erreur pour MI(10) est réduite d'un facteur de 4 en passant à MI(20).

16. Supposez que, pour une intégrale définie donnée, TRAP(10) $= 12,676$ et TRAP(30) $= 10,420$. Utilisez ces données pour estimer la valeur véritable de l'intégrale. Justifiez votre réponse.

17. Supposez que, pour une intégrale définie donnée, MI(10) $= 5,364$ et MI(20) $= 4,926$. Estimez avec le plus de précision possible les valeurs ci-après.

    a) La valeur véritable de l'intégrale.   b) La valeur de MI(60).

18. Certaines approximations pour une intégrale définie donnée sont fournies dans le tableau suivant. Considérez le fait que la valeur exacte de l'intégrale est de 0,693 15 afin de trouver les erreurs pour $n = 2$. Puis, utilisez vos connaissances sur ces erreurs pour estimer les erreurs quand $n = 20$.

	Approximation $n = 2$	Erreur $n = 2$	Erreur $n = 20$
GAUCHE	0,833 33		
DROITE	0,583 33		
TRAP	0,708 33		
MI	0,685 71		
SIMP	0,693 25		

19. Certaines approximations d'une intégrale avec $n = 3$ sont données au tableau 7.6. La valeur véritable de l'intégrale est de 7,621 372.

   a) L'expression à intégrer semble-t-elle croissante ou décroissante ? concave vers le haut ou vers le bas ? Justifiez votre réponse.

   b) Trouvez l'erreur pour chaque approximation et remplissez la première colonne vierge du tableau 7.6.

   c) Utilisez vos connaissances sur les erreurs en général et les erreurs pour $n = 3$ afin d'estimer les erreurs pour $n = 30$. Remplissez la deuxième colonne vierge du tableau 7.6.

TABLEAU 7.6

	Approximation $n = 3$	Erreur $n = 3$	Erreur $n = 30$
GAUCHE	5,416 101		
DROITE	9,307 921		
TRAP	7,362 011		
MI	7,742 402		
SIMP	7,615 605		

Les problèmes 20 à 21 montrent comment la règle de Simpson peut être obtenue en trouvant l'approximation de l'intégrande f à l'aide de fonctions quadratiques.

20. Supposez que $a < b$ et que m est le point milieu $m = (a + b)/2$. Soit $h = b - a$. Ce problème a pour objectif de démontrer que si f est une fonction quadratique, alors

$$\int_a^b f(x)\, dx = \frac{h}{3}\left(\frac{f(a)}{2} + 2f(m) + \frac{f(b)}{2} \right).$$

   a) Montrez que cette équation s'applique aux fonctions $f(x) = 1$, $f(x) = x$ et $f(x) = x^2$.

   b) En vous référant à la partie a) et à la section 5.4 au sujet des propriétés sur les sommes et les multiples constants pour l'intégrande, montrez que l'équation s'applique à toute fonction quadratique $f(x) = Ax^2 + Bx + C$.

21. Considérez la méthode suivante pour trouver l'approximation de $\int_a^b f(x)\, dx$. Divisez l'intervalle $[a, b]$ en n sous-intervalles égaux. Sur chaque sous-intervalle, trouvez l'approximation de f au moyen d'une fonction quadratique qui concorde avec f aux deux extrémités et au point milieu du sous-intervalle.

   a) Expliquez la raison pour laquelle l'intégrale de f sur le sous-intervalle $[x_i, x_{i+1}]$ est approximativement égale à l'expression

$$\frac{h}{3}\left(\frac{f(x_i)}{2} + 2f(m_i) + \frac{f(x_{i+1})}{2} \right),$$

   où m_i est le point milieu du sous-intervalle $m_i = (x_i + x_{i+1})/2$ (voir le problème 20).

   b) Montrez que si on additionne ces approximations pour chaque sous-intervalle, on obtient la règle de Simpson :

$$\int_a^b f(x)\, dx \approx \frac{2 \cdot \text{MID}(n) + \text{TRAP}(n)}{3}.$$

7.7 LES INTÉGRALES IMPROPRES

La première discussion qu'on a eue sur l'intégrale définie $\int_a^b f(x)\,dx$ supposait que l'intervalle $a \le x \le b$ avait une longueur finie et que f était continue. Les intégrales qui se produisent dans les applications n'ont pas nécessairement ces propriétés. Dans la présente section, on analysera une classe d'intégrales, appelée intégrales *impropres*, dans laquelle une borne d'intégration est infinie ou l'intégrande n'est pas bornée. Par exemple, pour estimer la masse de l'atmosphère de la Terre, on peut calculer une intégrale qui fait la somme de la masse de l'air à différentes hauteurs. Afin de représenter le fait que l'atmosphère ne se termine pas à une hauteur précise, on laisse la borne supérieure de l'intégration devenir de plus en plus grande ou tendre vers l'infini.

On ne considère généralement que les intégrales impropres avec des intégrandes positives puisqu'elles sont les plus courantes.

Un type d'intégrale impropre : quand la borne d'intégration est infinie

Voici un exemple d'intégrale impropre :

$$\int_1^\infty \frac{1}{x^2}\,dx.$$

Pour évaluer cette intégrale, on calcule d'abord l'intégrale définie $\int_1^b \frac{1}{x^2}\,dx$:

$$\int_1^b \frac{1}{x^2}\,dx = -x^{-1}\Big|_1^b = -\frac{1}{b} + \frac{1}{1}.$$

Maintenant, on prend la limite quand $b \to \infty$. Puisque

$$\lim_{b \to \infty} \int_1^b \frac{1}{x^2}\,dx = \lim_{b \to \infty}\left(-\frac{1}{b} + 1\right) = 1,$$

on dit que l'intégrale impropre $\int_1^\infty \frac{1}{x^2}\,dx$ *converge* vers 1.

En fonction des aires, il peut sembler étrange que la région dont l'aire est calculée par $\int_1^\infty \frac{1}{x^2}\,dx$ s'étende de $x = 1$ à l'infini vers la droite. Comment peut-elle avoir une aire finie (voir la figure 7.17 a))? Selon les calculs des limites,

$$\text{quand } b = 10: \qquad \int_1^{10} \frac{1}{x^2}\,dx = -\frac{1}{x}\Big|_1^{10} = -\frac{1}{10} + 1 = 0{,}9,$$

$$\text{quand } b = 100: \qquad \int_1^{100} \frac{1}{x^2}\,dx = -\frac{1}{100} + 1 = 0{,}99,$$

$$\text{quand } b = 1000: \qquad \int_1^{1000} \frac{1}{x^2}\,dx = -\frac{1}{1000} + 1 = 0{,}999.$$

et ainsi de suite. En d'autres mots, quand b devient de plus en plus grand, l'aire entre $x = 1$ et $x = b$ tend vers 1 (voir la figure 7.17 b)). Ainsi, il est logique de déclarer que $\int_1^\infty \frac{1}{x^2}\,dx = 1$.

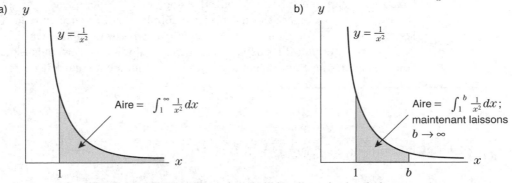

Figure 7.17 : Représentation de l'aire d'une intégrale impropre

Évidemment, dans un autre exemple, on pourrait ne pas obtenir une limite finie quand b devient de plus en plus grand. Dans ce cas, on dit que l'intégrale impropre *diverge*.

On suppose que $f(x)$ est positive pour $x \geq a$.

Si $\lim\limits_{b \to \infty} \int_a^b f(x)\,dx$ est un nombre fini, on dit que $\int_a^\infty f(x)\,dx$ **converge** et on définit

$$\int_a^\infty f(x)\,dx = \lim_{b \to \infty} \int_a^b f(x)\,dx.$$

Sinon, on dit que $\int_a^\infty f(x)\,dx$ **diverge**. On définit $\int_{-\infty}^b f(x)\,dx$ de la même manière.

Exemple 1 L'intégrale impropre $\int_1^\infty \dfrac{1}{\sqrt{x}}\,dx$ converge-t-elle ou diverge-t-elle ?

Solution On considère

$$\int_1^b \frac{1}{\sqrt{x}}\,dx = \int_1^b x^{-1/2}\,dx = 2x^{1/2}\Big|_1^b = 2b^{1/2} - 2.$$

On constate que $\int_1^b \frac{1}{\sqrt{x}}\,dx$ augmente sans borne quand $b \to \infty$. Ainsi, on dit que l'intégrale $\int_1^\infty \frac{1}{\sqrt{x}}\,dx$ *diverge*. On a montré que l'aire sous la courbe à la figure 7.18 n'est pas finie.

À noter que $f(x) \to 0$ quand $x \to \infty$ ne garantit pas la convergence.

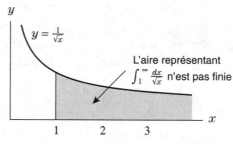

Figure 7.18 : $\int_1^\infty \dfrac{1}{\sqrt{x}}\,dx$ diverge

---

Quelle est la différence entre les fonctions $1/x^2$ et $1/\sqrt{x}$ qui fait que l'aire sous le graphe de $1/x^2$ tend vers 1 quand $x \to \infty$, alors que l'aire sous $1/\sqrt{x}$ devient très grande ? Les deux fonctions s'approchent de zéro quand x augmente ; donc, quand b augmente, de plus petites parties de l'aire sont ajoutées à l'intégrale définie. La différence entre les fonctions est subtile ; les valeurs de la fonction $1/\sqrt{x}$ *ne diminuent pas assez rapidement* pour que l'intégrale ait une valeur finie. Parmi les deux fonctions, $1/x^2$ diminue à zéro plus rapidement que $1/\sqrt{x}$, et cette caractéristique empêche l'aire sous $1/x^2$ d'augmenter au-delà de 1.

Exemple 2 Trouvez $\int_0^\infty e^{-5x}\,dx$.

Solution D'abord, on considère $\int_0^b e^{-5x}\,dx$:

$$\int_0^b e^{-5x}\,dx = -\frac{1}{5}e^{-5x}\Big|_0^b = -\frac{1}{5}e^{-5b} + \frac{1}{5}.$$

Puisque $e^{-5b} = \dfrac{1}{e^{5b}}$, ce terme tend vers zéro quand b tend vers l'infini, donc $\int_0^\infty e^{-5x}\, dx$ converge. Sa valeur est

$$\int_0^\infty e^{-5x}\, dx = \lim_{b \to \infty} \int_0^b e^{-5x}\, dx = \lim_{b \to \infty} \left(-\frac{1}{5} e^{-5b} + \frac{1}{5} \right) = 0 + \frac{1}{5} = \frac{1}{5}.$$

Puisque e^{5x} augmente très rapidement, on s'attend à ce que e^{-5x} tende vers zéro très rapidement. Le fait que l'aire tende vers $\frac{1}{5}$ plutôt que d'augmenter sans borne provient de la vitesse à laquelle l'intégrande e^{-5x} tend vers zéro.

Exemple 3   Déterminez pour quelles valeurs de l'exposant p l'intégrale impropre $\displaystyle\int_1^\infty \frac{1}{x^p}\, dx$ diverge.

Solution   Pour $p \neq 1$,

$$\int_1^b x^{-p}\, dx = \frac{1}{-p + 1} x^{-p+1} \Big|_1^b = \left(\frac{1}{-p+1} b^{-p+1} - \frac{1}{-p+1} \right).$$

Le point important consiste à déterminer si l'exposant de b est positif ou négatif. S'il est négatif, alors quand b tend vers l'infini, b^{-p+1} tend vers zéro. Si l'exposant est positif, alors b^{-p+1} augmente sans borne quand b tend vers l'infini.

Que se produit-il si $p = 1$? Dans ce cas, on obtient

$$\int_1^\infty \frac{1}{x}\, dx = \lim_{b \to \infty} \ln x \Big|_1^b = \lim_{b \to \infty} \ln b - \ln 1.$$

Puisque $\ln b$ devient arbitrairement grand quand b tend vers l'infini, l'intégrale augmente sans borne. On conclut que $\int_1^\infty \frac{1}{x^p}\, dx$ diverge précisément quand $p \leq 1$. Pour $p > 1$, l'intégrale a la valeur

$$\int_1^\infty \frac{1}{x^p}\, dx = \lim_{b \to \infty} \int_1^b \frac{1}{x^p}\, dx = \lim_{b \to \infty} \left(\frac{1}{-p+1} b^{-p+1} - \frac{1}{-p+1} \right) = -\left(\frac{1}{-p+1} \right) = \frac{1}{p-1}.$$

L'application des intégrales impropres au calcul de l'énergie

L'énergie E requise pour séparer deux particules chargées (au départ à une distance a l'une de l'autre) d'une distance b est donnée par l'intégrale

$$E = \int_a^b \frac{kq_1 q_2}{r^2}\, dr,$$

où q_1 et q_2 sont les magnitudes des charges et k est une constante. Si q_1 et q_2 sont en coulombs, a et b sont en mètres et E en joules, la valeur de la constante k est 9×10^9.

Exemple 4   Un atome d'hydrogène est constitué d'un proton et d'un électron ayant des charges opposées de magnitude de $1,6 \times 10^{-19}$ coulombs. Trouvez l'énergie requise pour éloigner l'atome d'hydrogène (autrement dit, pour le faire déplacer de son orbite à une distance infinie du proton). Supposez que la distance initiale entre l'électron et le proton est le rayon de Bohr, soit $R_B = 5,3 \times 10^{-11}$ m.

Solution   Puisqu'on se déplace à partir d'une distance initiale de R_B vers une distance finale de ∞, l'énergie est représentée par l'intégrale impropre

$$E = \int_{R_B}^\infty k \frac{q_1 q_2}{r^2}\, dr = kq_1 q_2 \lim_{b \to \infty} \int_{R_B}^b \frac{1}{r^2}\, dr$$

$$= kq_1q_2 \lim_{b \to \infty} \left. -\frac{1}{r} \right|_{R_B}^{b} = kq_1q_2 \lim_{b \to \infty} \left(-\frac{1}{b} + \frac{1}{R_B} \right) = \frac{kq_1q_2}{R_B}.$$

En substituant les valeurs numériques, on obtient (en joules)

$$E = \frac{(9 \times 10^9)(1{,}6 \times 10^{-19})^2}{5{,}3 \times 10^{-11}} \approx 4{,}35 \times 10^{-18} \text{ J}.$$

Il s'agit de la quantité approximative d'énergie nécessaire pour soulever un nuage de poussière de 0,000 000 025 po du sol. (En d'autres mots, très peu d'énergie !)

Que se produit-il si les bornes de l'intégration sont $-\infty$ et ∞ ? Dans ce cas, on divise l'intégrale à un point quelconque et on écrit l'intégrale originale sous forme de la somme de deux nouvelles intégrales impropres.

> On peut utiliser tout nombre (fini) c pour définir
>
> $$\int_{-\infty}^{\infty} f(x) \, dx = \int_{-\infty}^{c} f(x) \, dx + \int_{c}^{\infty} f(x) \, dx.$$
>
> Si *l'une ou l'autre* des deux intégrales impropres diverge, on dit que l'intégrale originale diverge. Si les deux nouvelles intégrales ont une valeur finie, alors l'intégrale originale converge et sa valeur est la somme de ces deux valeurs.

Il n'est pas difficile de montrer que la définition précédente ne dépend pas du choix de c.

Un autre type d'intégrale impropre : quand l'intégrande devient infinie

Il existe une autre manière pour qu'une intégrale soit impropre. L'intervalle peut être fini, mais la fonction peut ne pas être bornée à proximité de certains points sur l'intervalle, par exemple si on considère $\int_0^1 \frac{1}{\sqrt{x}} \, dx$. Puisque le graphe de $y = 1/\sqrt{x}$ a une asymptote verticale en $x = 0$, la région entre le graphe, l'axe des x et les droites $x = 0$ et $x = 1$ n'est pas bornée. Plutôt que de tendre vers l'infini dans la direction horizontale comme pour les intégrales impropres précédentes, cette région tend vers l'infini dans la direction verticale (voir la figure 7.19 a)). On traite cette intégrale impropre d'une manière semblable à la précédente ; on calcule $\int_a^1 \frac{1}{\sqrt{x}} \, dx$ pour des valeurs de a légèrement plus grandes que zéro et on observe ce qui se produit quand a tend vers zéro du côté positif. (Cela s'écrit $a \to 0^+$.)

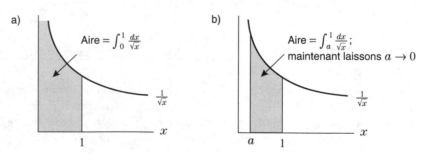

Figure 7.19 : Représentation par l'aire d'une intégrale impropre

D'abord, on calcule l'intégrale :

$$\int_a^1 \frac{1}{\sqrt{x}} \, dx = \left. 2x^{1/2} \right|_a^1 = 2 - 2a^{1/2}.$$

Ensuite, on prend la limite :

$$\lim_{a \to 0^+} \int_a^1 \frac{1}{\sqrt{x}} \, dx = \lim_{a \to 0^+} (2 - 2a^{1/2}) = 2.$$

Puisque la limite est finie, on dit que l'intégrale impropre converge et que

$$\int_0^1 \frac{1}{\sqrt{x}} \, dx = 2.$$

Géométriquement, on a calculé l'aire finie entre $x = a$ et $x = 1$ et on a pris la limite quand a tend vers zéro à partir de la droite (voir la figure 7.19 b)). Puisque la limite existe, l'intégrale converge vers 2. Si la limite n'existait pas, on dirait que l'intégrale impropre diverge.

Exemple 5   Analysez la convergence de $\displaystyle\int_0^2 \frac{1}{(x-2)^2} \, dx$.

Solution   Il s'agit d'une intégrale impropre puisque l'intégrande tend vers l'infini quand x tend vers 2 et qu'elle est indéfinie en $x = 2$. Puisque le problème se situe à l'extrémité droite, on remplace la borne supérieure par b et on laisse b tendre vers 2 à partir de la gauche. Cela s'écrit $b \to 2^-$, où le signe moins signifie que 2 est abordé par en dessous (voir la figure 7.20).

$$\int_0^2 \frac{1}{(x-2)^2} \, dx = \lim_{b \to 2^-} \int_0^b \frac{1}{(x-2)^2} \, dx = \lim_{b \to 2^-} (-1)(x-2)^{-1} \Big|_0^b = \lim_{b \to 2^-} \left(-\frac{1}{b-2} - \frac{1}{2} \right).$$

Ainsi, puisque $\displaystyle\lim_{b \to 2^-} \left(-\frac{1}{b-2} \right)$ n'existe pas, l'intégrale diverge.

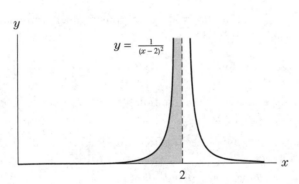

Figure 7.20 : Aire ombrée représentant $\int_0^2 \frac{1}{(x-2)^2} \, dx$

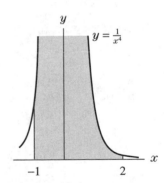

Figure 7.21 : Aire ombrée représentant $\int_{-1}^2 \frac{1}{x^4} \, dx$

Supposez que $f(x)$ est positive et continue sur $a \le x < b$ et qu'elle tend vers l'infini quand $x \to b$.

Si $\displaystyle\lim_{c \to b^-} \int_a^c f(x) \, dx$ est un nombre fini, on dit que $\displaystyle\int_a^b f(x) \, dx$ **converge** et on définit

$$\int_a^b f(x) \, dx = \lim_{c \to b^-} \int_a^c f(x) \, dx.$$

Sinon, on dit que $\displaystyle\int_a^b f(x) \, dx$ **diverge**.

Lorsque $f(x)$ tend vers l'infini quand x tend vers a, on définit la convergence de manière similaire. De plus, une intégrale peut être impropre si l'intégrande tend vers l'infini *à l'intérieur* de l'intervalle d'intégration plutôt qu'à une extrémité. Dans ce cas, on divise l'intégrale donnée en deux (ou plusieurs) intégrales impropres de manière telle que l'intégrande tend vers l'infini aux extrémités seulement.

On suppose que $f(x)$ est positive et continue sur $[a, b]$ sauf au point c. Si $f(x)$ tend vers l'infini quand $x \to c$, alors on définit

$$\int_a^b f(x)\, dx = \int_a^c f(x)\, dx + \int_c^b f(x)\, dx.$$

Si *l'une ou l'autre* des deux intégrales impropres diverge, on dit que l'intégrale originale diverge. Si les *deux* nouvelles intégrales ont une valeur finie, on dit que l'intégrale originale converge et sa valeur est la somme de ces deux valeurs.

Exemple 6   Analysez la convergence de $\displaystyle\int_{-1}^2 \frac{1}{x^4}\, dx$.

Solution   On examine le graphe de la figure 7.21 (page précédente). La zone problématique est $x = 0$ plutôt que $x = -1$ ou $x = 2$. Pour traiter cet cas, on divise l'intégrale impropre donnée en deux intégrales impropres de plus, dont chacune d'elles a $x = 0$ comme extrémités :

$$\int_{-1}^2 \frac{1}{x^4}\, dx = \int_{-1}^0 \frac{1}{x^4}\, dx + \int_0^2 \frac{1}{x^4}\, dx.$$

On peut maintenant utiliser la technique précédente pour évaluer les nouvelles intégrales si elles convergent. Puisque

$$\int_0^2 \frac{1}{x^4}\, dx = \lim_{a \to 0^+} \left. -\frac{1}{3} x^{-3} \right|_a^2 = \lim_{a \to 0^+} \left(-\frac{1}{3}\right)\left(\frac{1}{8} - \frac{1}{a^3}\right),$$

l'intégrale $\int_0^2 \frac{1}{x^4}\, dx$ n'existe pas. Un calcul semblable montre que $\int_{-1}^0 \frac{1}{x^4}\, dx$ diverge également. Ainsi, l'intégrale initiale diverge.

Il est facile de ne pas reconnaître une intégrale importante quand l'intégrande tend vers l'infini à l'intérieur de l'intervalle.

Par exemple, il est fondamentalement incorrect de dire que $\int_{-1}^2 \frac{1}{x^4}\, dx = \left. -\frac{1}{3} x^{-3} \right|_{-1}^2 = -\frac{1}{24} - \frac{1}{3} = -\frac{3}{8}$.

Exemple 7   Trouvez $\displaystyle\int_0^6 \frac{1}{(x-4)^{2/3}}\, dx$.

Solution   La figure 7.22 montre que la zone problématique se trouve en $x = 4$, donc on divise l'intégrale en $x = 4$ et on considère les parties distinctes.

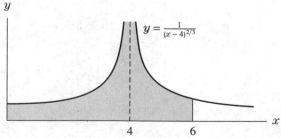

Figure 7.22 : Aire ombrée représentant $\int_0^6 \frac{1}{(x-4)^{2/3}}\, dx$

On obtient

$$\int_0^4 \frac{1}{(x-4)^{2/3}} \, dx = \lim_{b \to 4^-} \left. 3(x-4)^{1/3} \right|_0^b = \lim_{b \to 4^-} \left(3(b-4)^{1/3} - 3(-4)^{1/3} \right) = 3(4)^{1/3}.$$

De même,

$$\int_4^6 \frac{1}{(x-4)^{2/3}} \, dx = \lim_{a \to 4^+} \left. 3(x-4)^{1/3} \right|_a^6 = \lim_{a \to 4^+} \left(3 \cdot 2^{1/3} - 3(a-4)^{1/3} \right) = 3(2)^{1/3}.$$

Puisque ces deux intégrales convergent, l'intégrale originale converge. On a

$$\int_0^6 \frac{1}{(x-4)^{2/3}} \, dx = 3(4)^{1/3} + 3(2)^{1/3} \approx 8{,}54.$$

Finalement, on peut se demander quoi faire quand une intégrale est impropre aux deux extrémités de l'intervalle. Dans ce cas, on divise simplement l'intégrale en tout point intérieur de l'intervalle. L'intégrale originale diverge si l'une ou l'autre ou les deux intégrales divergent.

Exemple 8   Analysez la convergence de $\displaystyle\int_0^\infty \frac{1}{x^2} \, dx$.

Solution   Cette intégrale est impropre à la fois parce que la borne supérieure est ∞ et parce que la fonction est indéfinie en $x = 0$. On divise l'intégrale en deux parties, par exemple en $x = 1$. On sait, d'après l'exemple 3, que $\int_1^\infty \frac{1}{x^2} \, dx$ a une valeur finie. Cependant, l'autre partie, $\int_0^1 \frac{1}{x^2} \, dx$, diverge puisque

$$\int_0^1 \frac{1}{x^2} \, dx = \lim_{a \to 0^+} \left. -x^{-1} \right|_a^1 = \lim_{a \to 0^+} \left(\frac{1}{a} - 1 \right).$$

Donc, $\displaystyle\int_0^\infty \frac{1}{x^2} \, dx$ diverge également.

Problèmes de la section 7.7

Calculez les valeurs des intégrales des problèmes 1 à 24 si elles convergent.

1. $\displaystyle\int_1^\infty e^{-2x} \, dx$

2. $\displaystyle\int_0^\infty \frac{x}{e^x} \, dx$

3. $\displaystyle\int_1^\infty \frac{x}{4+x^2} \, dx$

4. $\displaystyle\int_{-\infty}^0 \frac{e^x}{1+e^x} \, dx$

5. $\displaystyle\int_{-\infty}^\infty \frac{dz}{z^2+25}$

6. $\displaystyle\int_0^4 \frac{dx}{\sqrt{16-x^2}}$

7. $\displaystyle\int_{\pi/4}^{\pi/2} \frac{\sin x}{\sqrt{\cos x}} \, dx$

8. $\displaystyle\int_{-1}^1 \frac{1}{v} \, dv$

9. $\displaystyle\int_0^1 \frac{x^4+1}{x} \, dx$

10. $\displaystyle\int_1^\infty \frac{1}{x^2+1} \, dx$

11. $\displaystyle\int_1^\infty \frac{1}{\sqrt{x^2+1}} \, dx$

12. $\displaystyle\int_0^4 \frac{1}{u^2-16} \, du$

13. $\displaystyle\int_1^\infty \frac{y}{y^4+1} \, dy$

14. $\displaystyle\int_2^\infty \frac{dx}{x \ln x}$

15. $\displaystyle\int_0^1 \frac{\ln x}{x} \, dx$

16. $\displaystyle\int_{16}^{20} \frac{1}{y^2-16} \, dy$

17. $\displaystyle\int_1^2 \frac{dx}{x \ln x}$

18. $\displaystyle\int_0^\pi \frac{1}{\sqrt{x}} e^{-\sqrt{x}} \, dx$

19. $\int_3^\infty \dfrac{dx}{x(\ln x)^2}$ 20. $\int_0^2 \dfrac{x}{\sqrt{4-x^2}}\, dx$ 21. $\int_4^\infty \dfrac{dx}{(x-1)^2}$

22. $\int_4^\infty \dfrac{dx}{x^2-1}$ 23. $\int_7^\infty \dfrac{dy}{\sqrt{y-5}}$ 24. $\int_\pi^\infty \sin y\, dy$

25. Trouvez l'aire sous la courbe $y = xe^{-x}$ pour $x \geq 0$.

26. Trouvez l'aire sous la courbe $y = 1/\cos^2 t$ entre $t = 0$ et $t = \pi/2$.

27. Supposez qu'une fonction h est définie par $h(x) = \dfrac{1}{x\sqrt{x}} - \dfrac{1}{16}$, $0 < x \leq 4$ et $h(x) = \dfrac{1}{x^2}$, $x > 4$.

    a) Évaluez $\int_0^\infty h(x)\, dx$.

    b) h est-elle différentiable en $x = 4$? Sinon, expliquez pourquoi. Si oui, trouvez $h'(4)$.

28. Étant donné $\displaystyle\int_{-\infty}^\infty e^{-x^2}\, dx = \sqrt{\pi}$, calculez la valeur exacte de

$$\int_{-\infty}^\infty e^{-(x-a)^2/b}\, dx$$

29. La fonction gamma est définie pour tout $x > 0$ par la règle

$$\Gamma(x) = \int_0^\infty t^{x-1} e^{-t}\, dt.$$

    a) Trouvez $\Gamma(1)$ et $\Gamma(2)$.

    b) Faites l'intégration par parties en fonction de t pour montrer que, pour un n positif,

$$\Gamma(n+1) = n\Gamma(n).$$

    c) Trouvez une expression simple de $\Gamma(n)$ pour les entiers positifs n.

30. Le taux r auquel les gens tombent malades durant une épidémie de grippe peut être évalué par

$$r = 1000te^{-0,5t},$$

où r est mesuré en personnes par jour et t est mesuré en jours depuis le début de l'épidémie.

    a) Tracez un graphe de r en fonction de t.
    b) À quel moment les gens tombent-ils malades le plus rapidement ?
    c) Au total, combien de gens tombent malades ?

31. Trouvez l'énergie requise (en coulombs) pour séparer des charges électriques opposées d'une magnitude de 1 C. Supposez que les charges sont, au départ, à 1 m de distance l'une de l'autre et que l'une est déplacée à une distance infiniment éloignée de l'autre. (La définition pertinente de l'énergie est donnée dans la section précédente, « L'application des intégrales impropres au calcul de l'énergie ».)

32. Pour quelles valeurs de p l'intégrale suivante converge-t-elle ?

$$\int_e^\infty x^p \ln x\, dx$$

Quelle est la valeur de l'intégrale quand elle converge ?

33. Pour quelles valeurs de p l'intégrale suivante converge-t-elle ?

$$\int_0^e x^p \ln x\, dx$$

Quelle est la valeur de l'intégrale quand elle converge ?

7.8   D'AUTRES NOTIONS SUR LES INTÉGRALES IMPROPRES

Les comparaisons

Parfois, il est difficile de trouver la valeur exacte d'une intégrale impropre par intégration, mais on peut déterminer si une intégrale converge ou diverge. La solution consiste à comparer l'intégrale donnée à une intégrale dont on connaît déjà le comportement.

Exemple 1   Déterminez si $\displaystyle\int_1^\infty \frac{1}{\sqrt{x^3+5}}\,dx$ converge.

Solution   D'abord, on vérifie comment se comporte cet intégrande quand $x \to \infty$. Pour un grand x, le 5 devient insignifiant si on le compare à x^3. Donc,

$$\frac{1}{\sqrt{x^3+5}} \approx \frac{1}{\sqrt{x^3}} = \frac{1}{x^{3/2}}.$$

Puisque

$$\int_1^\infty \frac{1}{\sqrt{x^3}}\,dx = \int_1^\infty \frac{1}{x^{3/2}}\,dx = \lim_{b \to \infty}\int_1^b \frac{1}{x^{3/2}}\,dx = \lim_{b \to \infty} -2x^{-1/2}\Big|_1^b = \lim_{b \to \infty}\left(2 - 2b^{-1/2}\right) = 2,$$

l'intégrale $\int_1^\infty \frac{1}{x^{3/2}}\,dx$ converge. On s'attend donc à ce que l'intégrale originale converge également.

Afin de confirmer cette assertion, on observe que, pour $0 \le x^3 \le x^3 + 5$, on obtient

$$\frac{1}{\sqrt{x^3+5}} \le \frac{1}{\sqrt{x^3}},$$

et donc pour $b \ge 1$,

$$\int_1^b \frac{1}{\sqrt{x^3+5}}\,dx \le \int_1^b \frac{1}{\sqrt{x^3}}\,dx.$$

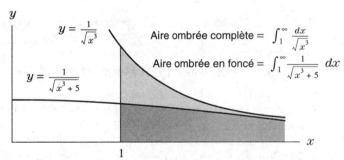

Figure 7.23 : Graphe montrant $\int_1^\infty \frac{1}{\sqrt{x^3+5}}\,dx \le \int_1^\infty \frac{dx}{\sqrt{x^3}}$

(Voir la figure 7.23.) Puisque $\int_1^b \frac{1}{\sqrt{x^3+5}}\,dx$ augmente quand b tend vers l'infini mais qu'elle est toujours plus petite que $\int_1^b \frac{1}{x^{3/2}}\,dx < \int_1^\infty \frac{1}{x^{3/2}}\,dx = 2$, on sait que $\int_1^\infty \frac{1}{\sqrt{x^3+5}}\,dx$ doit avoir une valeur finie inférieure à 2. Par suite,

$$\int_1^\infty \frac{1}{\sqrt{x^3+5}} \quad \text{converge vers une valeur inférieure à 2.}$$

À noter qu'on a d'abord observé le comportement de l'intégrande quand $x \to \infty$. Cela est utile, car la convergence ou la divergence de l'intégrale est déterminée par ce qui se produit quand $x \to \infty$.

Test de comparaison pour $\displaystyle\int_a^\infty f(x)\, dx$

On suppose que $f(x)$ est positive. La comparaison se fait en deux étapes :

1. On présume, en observant le comportement de l'intégrande pour un grand x, si l'intégrale converge ou non. (Il s'agit du principe du comportement.)

2. On vérifie la réponse au moyen d'une comparaison :

   - si $0 \le f(x) \le g(x)$ et $\int_a^\infty g(x)\, dx$ converge, alors $\int_a^\infty f(x)\, dx$ converge ;
   - si $0 \le g(x) \le f(x)$ et $\int_a^\infty g(x)\, dx$ diverge, alors $\int_a^\infty f(x)\, dx$ diverge.

Exemple 2   Précisez si $\displaystyle\int_4^\infty \frac{dt}{(\ln t) - 1}$ converge ou diverge.

Solution   Puisque $\ln t$ augmente sans borne quand $t \to \infty$, le -1 finira par être insignifiant par rapport à $\ln t$. Ainsi, en ce qui concerne la convergence,

$$\int_4^\infty \frac{1}{(\ln t) - 1}\, dt \text{ se comporte comme } \int_4^\infty \frac{1}{\ln t}\, dt.$$

Est-ce que $\int_4^\infty \frac{1}{\ln t}\, dt$ converge ou diverge ? Puisque $\ln t$ augmente très lentement, $1/\ln t$ passe à zéro très lentement ; donc, l'intégrale ne converge sans doute pas. On sait que $(\ln t) - 1 < \ln t < t$ pour tout t positif. Donc, si $t > e$, on prend les réciproques

$$\frac{1}{(\ln t) - 1} > \frac{1}{\ln t} > \frac{1}{t}.$$

Puisque $\int_4^\infty \frac{1}{t}\, dt$ diverge, on conclut que

$$\int_4^\infty \frac{1}{(\ln t) - 1}\, dt \text{ diverge.}$$

Comment savoir avec quel élément effectuer la comparaison

Dans les exemples 1 et 2, on a analysé la convergence d'une intégrale en la comparant avec une intégrale plus simple. Comment a-t-on choisi l'intégrale plus simple ? Tout bonnement par tâtonnements, et ce en étant guidé par toutes les données obtenues en observant l'intégrande originale quand $x \to \infty$. On veut que l'intégrande de comparaison soit simple et, en particulier, qu'elle ait une primitive simple.

Intégrales utiles pour la comparaison

- $\displaystyle\int_1^\infty \frac{1}{x^p}\, dx$ converge pour $p > 1$ et diverge pour $p \le 1$.

- $\displaystyle\int_0^1 \frac{1}{x^p}\, dx$ converge pour $p < 1$ et diverge pour $p \ge 1$.

- $\displaystyle\int_0^\infty e^{-ax}\, dx$ converge pour $a > 0$.

Évidemment, on peut utiliser n'importe quelle fonction à des fins de comparaison s'il est possible de déterminer son comportement.

Exemple 3   Analysez la convergence de $\displaystyle\int_1^\infty \frac{(\sin x) + 3}{\sqrt{x}}\, dx$.

Solution   Puisqu'il semble difficile de trouver une primitive pour cette fonction, on procède par comparaison. Qu'advient-il de cette intégrande quand $x \to \infty$? Puisque $\sin x$ oscille entre -1 et 1,

$$\frac{2}{\sqrt{x}} = \frac{-1+3}{\sqrt{x}} \leq \frac{(\sin x)+3}{\sqrt{x}} \leq \frac{1+3}{\sqrt{x}} = \frac{4}{\sqrt{x}},$$

et l'intégrande oscille entre $2/\sqrt{x}$ et $4/\sqrt{x}$ (voir la figure 7.24).

Que font $\int_1^\infty \frac{2}{\sqrt{x}}\, dx$ et $\int_1^\infty \frac{4}{\sqrt{x}}\, dx$? En ce qui concerne la convergence, elles font certainement la même chose et, peu importe ce dont il s'agit, l'intégrale originale le fait aussi. Il est important de remarquer que $\sqrt{x}$ augmente très lentement. Cela signifie que $1/\sqrt{x}$ diminue très lentement, ce qui veut dire que la convergence est improbable. Puisque $\sqrt{x} = x^{1/2}$, le résultat dans l'encadré précédent (avec $p = \frac{1}{2}$) indique que $\int_1^\infty \frac{dx}{\sqrt{x}}$ diverge. Donc, le test de comparaison montre que l'intégrale originale diverge.

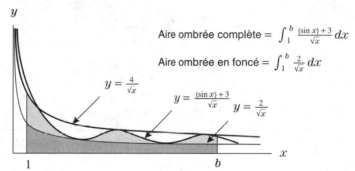

Figure 7.24 : Graphe montrant $\int_1^b \frac{2}{\sqrt{x}}\, dx \leq \int_1^b \frac{(\sin x)+3}{\sqrt{x}}\, dx$, pour $b \geq 1$

À noter qu'on aurait pu effectuer deux comparaisons dans l'exemple 3 :

$$\frac{2}{\sqrt{x}} \leq \frac{(\sin x)+3}{\sqrt{x}} \quad \text{ou} \quad \frac{(\sin x)+3}{\sqrt{x}} \leq \frac{4}{\sqrt{x}}.$$

Puisque $\int_1^\infty \frac{2}{\sqrt{x}}\, dx$ et $\int_1^\infty \frac{4}{\sqrt{x}}\, dx$ divergent, seule la première comparaison est utile. Le fait de savoir qu'une intégrale est plus *petite* qu'une intégrale divergente est complètement inutile !

L'exemple 4 montre ce qu'on doit faire si la comparaison ne s'applique pas à l'intervalle d'intégration.

Exemple 4   Montrez que $\displaystyle\int_1^\infty e^{-x^2/2}\, dx$ converge vers une valeur finie.

Solution   On sait que $e^{-x^2/2}$ tend très rapidement vers zéro quand $x \to \infty$. Donc, on s'attend à ce que cette intégrale converge. Ainsi, on recherche une intégrande plus grande qui a une intégrale convergente. Il y a notamment $\int_1^\infty e^{-x}\, dx$, car e^{-x} a une primitive élémentaire et $\int_1^\infty e^{-x}\, dx$ converge. Quelle est la relation entre $e^{-x^2/2}$ et e^{-x} ? On sait que pour $x \geq 2$,

$$x \leq \frac{x^2}{2}. \quad \text{Donc,} \quad -\frac{x^2}{2} \leq -x,$$

et ainsi, pour $x \geq 2$,

$$e^{-x^2/2} \leq e^{-x}.$$

Puisque cette inégalité s'applique uniquement pour $x \geq 2$, on divise l'intervalle d'intégration en deux composantes :

$$\int_1^\infty e^{-x^2/2}\, dx = \int_1^2 e^{-x^2/2}\, dx + \int_2^\infty e^{-x^2/2}\, dx.$$

Maintenant $\int_1^2 e^{-x^2/2}\, dx$ est finie (elle n'est pas impropre) et $\int_2^\infty e^{-x^2/2}\, dx$ est finie par rapport à $\int_2^\infty e^{-x}\, dx$. Ainsi, $\int_1^\infty e^{-x^2/2}\, dx$ est la somme de deux éléments finis et doit donc être finie.

Problèmes de la section 7.8

1. Les graphes de $y = 1/x$, $y = 1/x^2$ et les fonctions $f(x)$, $g(x)$, $h(x)$ et $k(x)$ sont montrés à la figure 7.25.

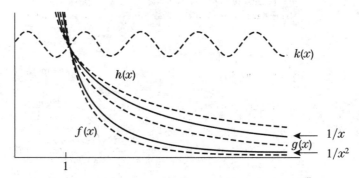

Figure 7.25

  a) Quelle est l'aire entre $y = 1/x$ et $y = 1/x^2$ de $x = 1$ à $x = \infty$? Justifiez votre réponse.
  b) À l'aide du graphe, décidez si l'intégrale de chacune des fonctions $f(x)$, $g(x)$, $h(x)$ et $k(x)$ de $x = 1$ en $x = \infty$ converge, diverge ou s'il est impossible de le déterminer.

Pour les problèmes 2 à 16, décidez si l'intégrale impropre converge ou diverge. Justifiez votre réponse.

2. $\displaystyle\int_{50}^\infty \frac{dz}{z^3}$ 3. $\displaystyle\int_{0,5}^1 \frac{1}{x^{(19/20)}}\, dx$ 4. $\displaystyle\int_1^\infty \frac{dx}{1 + x}$ 5. $\displaystyle\int_1^\infty \frac{dx}{x^3 + 1}$

6. $\displaystyle\int_2^\infty \frac{d\theta}{\sqrt{\theta^3 + 1}}$ 7. $\displaystyle\int_{-1}^5 \frac{dt}{(t + 1)^2}$ 8. $\displaystyle\int_0^\infty \frac{dy}{1 + e^y}$ 9. $\displaystyle\int_1^\infty \frac{2 + \cos\phi}{\phi^2}\, d\phi$

10. $\displaystyle\int_{-\infty}^\infty \frac{du}{1 + u^2}$ 11. $\displaystyle\int_1^\infty \frac{du}{u + u^2}$ 12. $\displaystyle\int_1^\infty \frac{d\theta}{\sqrt{\theta^2 + 1}}$ 13. $\displaystyle\int_0^1 \frac{d\theta}{\sqrt{\theta^3 + \theta}}$

14. $\displaystyle\int_0^\infty \frac{dz}{e^z + 2^z}$ 15. $\displaystyle\int_0^\pi \frac{2 - \sin\phi}{\phi^2}\, d\phi$ 16. $\displaystyle\int_4^\infty \frac{3 + \sin\alpha}{\alpha}\, d\alpha$

Estimez les valeurs des intégrales des problèmes 17 et 18 à deux décimales près en intégrant les fonctions sur votre calculatrice ou votre ordinateur et en prenant de grandes valeurs pour la borne supérieure de l'intégrale.

17. $\displaystyle\int_1^\infty e^{-x^2}\, dx$ 18. $\displaystyle\int_0^\infty e^{-x^2}\cos^2 x\, dx$

19. La courbe en forme de cloche propre aux statistiques a l'équation

$$f(x) = ae^{-x^2/2}.$$

Trouvez la valeur de a (avec trois décimales exactes) qui donne

$$\int_{-\infty}^{\infty} f(x)\, dx = 1.$$

20. Les statisticiens utilisent souvent la fonction

$$g(x) = ae^{-(x-k)^2/2}.$$

a) Avec trois décimales exactes, quelle valeur de a devriez-vous choisir pour vous assurer que

$$\int_{-\infty}^{\infty} g(x)\, dx = 1\,?$$

b) Votre réponse est-elle la même ou diffère-t-elle de votre réponse au problème 19 ? Pourquoi ?

21. a) Trouvez un majorant pour

$$\int_{3}^{\infty} e^{-x^2}\, dx.$$

[Conseil : Considérez que $e^{-x^2} \le e^{-3x}$ pour $x \ge 3$.]

b) Pour tout n positif, généralisez le résultat de la partie a) afin de trouver un majorant pour

$$\int_{n}^{\infty} e^{-x^2}\, dx.$$

en notant que $nx \le x^2$ pour $x \ge n$.

22. Pour quelles valeurs de p l'intégrale $\displaystyle\int_{2}^{\infty} \frac{dx}{x(\ln x)^p}$ converge-t-elle ?

23. Pour quelles valeurs de p l'intégrale $\displaystyle\int_{1}^{2} \frac{dx}{x(\ln x)^p}$ converge-t-elle ?

24. Les intégrales suivantes convergent-elles ? Le cas échéant, donnez un majorant pour la valeur de l'intégrale.

a) $\displaystyle\int_{1}^{\infty} \frac{2x^2 + 1}{4x^4 + 4x^2 - 2}\, dx$ b) $\displaystyle\int_{1}^{\infty} \left(\frac{2x^2 + 1}{4x^4 + 4x^2 - 2} \right)^{1/4} dx$

25. Selon la loi de radiation de Planck, on peut obtenir l'intégrale

$$\int_{1}^{\infty} \frac{dx}{x^5(e^{1/x} - 1)}.$$

a) Expliquez pourquoi un graphe de la droite tangente à e^t en $t = 0$ indique que pour tout t, on a

$$1 + t \le e^t.$$

b) En substituant $t = 1/x$, montrez que pour tout x, on a

$$e^{1/x} - 1 > \frac{1}{x}.$$

c) Utilisez le test de comparaison pour montrer que l'intégrale originale converge.

SOMMAIRE DU CHAPITRE

- **Techniques d'intégration**
  Substitution, parties, fractions partielles, utilisation des tables d'intégrales.

- **Intégrales impropres**
  Convergence et divergence, test de comparaison des intégrales.

- **Approximations numériques**
  Sommes de Riemann (règles de gauche, de droite et du point milieu), règle du trapèze, règle de Simpson, erreurs d'approximation.

PROBLÈMES DE RÉVISION DU CHAPITRE SEPT

Pour chaque région des problèmes 1 à 3, écrivez une intégrale définie qui représente son aire. Évaluez l'intégrale afin de dériver une formule pour l'aire.

1. Un rectangle avec la base b et la hauteur h:

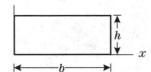

2. Un triangle rectangle avec la base b et la hauteur h:

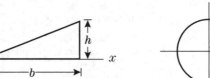

3. Un cercle de rayon r:

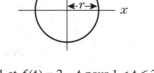

4. Supposez que la fonction f est définie par $f(t) = t^2$ pour $0 \le t \le 1$ et $f(t) = 2 - t$ pour $1 < t \le 2$. Calculez $\displaystyle\int_0^2 f(t)\, dt$.

5. a) Trouvez la valeur moyenne des fonctions suivantes sur un cycle.

   i) $f(t) = \cos t$ ii) $g(t) = |\cos t|$ iii) $k(t) = (\cos t)^2$

   b) Écrivez les moyennes que vous venez de trouver en ordre ascendant. Expliquez clairement, en langage courant et à l'aide de graphes, pourquoi les moyennes doivent apparaître dans cet ordre.

6. Intégrez les expressions ci-après.

   a) $\displaystyle\int \frac{e^x}{1 + e^x}\, dx$ b) $\displaystyle\int \frac{e^x}{1 + e^{2x}}\, dx$ c) $\displaystyle\int \frac{1}{1 + e^x}\, dx$

7. a) À l'aide d'une substitution, trouvez $\displaystyle\int \frac{dx}{\sqrt{1 - 4x^2}}$ à partir de la table d'intégrales.

   b) Utilisez votre réponse à la partie a) pour trouver $\displaystyle\int_0^{\pi/8} \frac{dx}{\sqrt{1 - 4x^2}}$.

   c) Vérifiez votre réponse à la partie b) au moyen de l'intégration numérique.

8. a) Expliquez la raison pour laquelle vous pouvez réécrire x^x comme étant $x^x = e^{x \ln x}$ pour $x > 0$.

   b) Utilisez votre réponse à la partie a) pour trouver $\dfrac{d}{dx}(x^x)$.

   c) Trouvez $\displaystyle\int x^x (1 + \ln x)\, dx$.

d) Trouvez $\displaystyle\int_1^2 x^x(1 + \ln x)\,dx$ en utilisant la partie c) et vérifiez votre réponse à l'aide de méthodes numériques.

Pour les problèmes 9 à 12, expliquez pourquoi les paires suivantes de primitives sont véritablement, en dépit de leur dissimilitudes apparentes, différentes expressions du même problème. Il n'est pas nécessaire d'évaluer les intégrales.

9. $\displaystyle\int \frac{dx}{x^2 + 4x + 4}$ et $\displaystyle\int \frac{x}{(x^2 + 1)^2}\,dx$ **10.** $\displaystyle\int \frac{1}{\sqrt{1 - x^2}}\,dx$ et $\displaystyle\int \frac{x\,dx}{\sqrt{1 - x^4}}$

11. $\displaystyle\int \frac{x}{1 - x^2}\,dx$ et $\displaystyle\int \frac{1}{x \ln x}\,dx$ **12.** $\displaystyle\int \frac{x}{x + 1}\,dx$ et $\displaystyle\int \frac{1}{x + 1}\,dx$

Pour les problèmes 13 à 21, décidez si l'intégrale converge ou diverge. Si l'intégrale converge, trouvez sa valeur.

13. $\displaystyle\int_4^\infty \frac{dt}{t^{3/2}}$ **14.** $\displaystyle\int_{10}^\infty \frac{dx}{x \ln x}$ **15.** $\displaystyle\int_0^\infty we^{-w}\,dw$

16. $\displaystyle\int_{-1}^1 \frac{1}{x^4}\,dx$ **17.** $\displaystyle\int_{-\pi/4}^{\pi/4} \tan \theta\,d\theta$ **18.** $\displaystyle\int_2^\infty \frac{1}{4 + z^2}\,dz$

19. $\displaystyle\int_{10}^\infty \frac{1}{z^2 - 4}\,dz$ **20.** $\displaystyle\int_{-5}^{10} \frac{dt}{\sqrt{t + 5}}$ **21.** $\displaystyle\int_0^{\pi/2} \frac{1}{\sin \phi}\,d\phi$

Pour les problèmes 22 à 26, déterminez si l'intégrale converge ou diverge. Si l'intégrale converge, trouvez sa valeur ou donnez un majorant pour la valeur.

22. $\displaystyle\int_0^{\pi/4} \tan 2\theta\,d\theta$ **23.** $\displaystyle\int_1^\infty \frac{x}{x + 1}\,dx$ **24.** $\displaystyle\int_0^\infty \frac{\sin^2 \theta}{\theta^2 + 1}\,d\theta$

25. $\displaystyle\int_0^\pi \tan^2 \theta\,d\theta$ **26.** $\displaystyle\int_0^1 (\sin x)^{-3/2}\,dx$

27. Trouvez la hauteur moyenne (verticale) de l'aire ombrée de la figure 7.26.

28. Trouvez la largeur moyenne (horizontale) de l'aire ombrée de la figure 7.26.

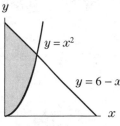

Figure 7.26

29. Les courbes $y = \sin x$ et $y = \cos x$ se croisent infiniment souvent. Quelle est l'aire de la région bornée par ces deux courbes entre deux points d'intersection consécutifs ?

Les énoncés des problèmes 30 à 33 sont-ils vrais ou faux ? Justifiez votre réponse.

30. L'approximation par la règle du point milieu pour $\displaystyle\int_0^1 (y^2 - 1)\,dy$ est toujours plus petite que la valeur exacte de l'intégrale.

31. L'approximation par la règle du trapèze n'est jamais exacte.

32. Si GAUCHE(2) $< \int_a^b f(x)\,dx$, alors GAUCHE(4) $< \int_a^b f(x)\,dx$.

33. Si $0 < f' < g'$ partout, alors l'erreur d'approximation de $\int_a^b f(x)\,dx$ par GAUCHE(n) est inférieure à l'erreur d'approximation de $\int_a^b g(x)\,dx$ par GAUCHE(n).

34. L'intégrale impropre $\int_0^1 \dfrac{e^x}{x}\,dx$ converge-t-elle ou diverge-t-elle ?

35. Supposez que vous estimez $\int_0^{0,5} f(x)\,dx$ à l'aide des règles du trapèze et du point milieu en 100 étapes. Expliquez laquelle des deux estimations constitue une surestimation et laquelle est une sous-estimation de la valeur véritable de l'intégrale dans les cas ci-après.

    a) $f(x) = 1 + e^{-x}$ b) $f(x) = e^{-x^2}$ c) $f(x)$ est une ligne droite.

36. Supposez que, pour une intégrale définie donnée, TRAP(10) = 4,6891 et TRAP(50) = 4,6966. Estimez l'erreur véritable pour TRAP(10) [et donc la valeur véritable de l'intégrale] en supposant que l'erreur est réduite d'un facteur approximatif de 25 en passant de TRAP(10) à TRAP(50).

37. Supposez que, pour une intégrale définie donnée, SIMP(5) = 7,415 62 et SIMP(10) = 7,417 38. Estimez la valeur véritable de l'intégrale en considérant le fait que l'erreur est réduite d'un facteur approximatif de 16 en passant de SIMP(5) à SIMP(10).

38. En 1987, le revenu moyen par habitant aux États-Unis s'élevait à 26 000 $. Supposez que le revenu moyen par habitant augmente continuellement à un taux (en dollars par année) donné par

$$r(t) = 480(1{,}024)^t,$$

où t est le nombre d'années depuis 1987.

    a) Estimez le revenu moyen par habitant en 1995.
    b) Trouvez une formule pour le revenu moyen par habitant en fonction du temps après 1987.

39. En 1990, les humains produisaient $1{,}4 \times 10^{20}$ joules d'énergie par la combustion du pétrole. On estime que la quantité totale de pétrole sur Terre produirait environ 10^{22} J. Si on suppose que l'utilisation de l'énergie produite par la combustion du pétrole augmente de 2 % par année, dans combien d'années peut-on prévoir que nos ressources pétrolifères seront entièrement consommées ?

GROS PLAN SUR LA PRATIQUE

L'INTÉGRATION

Pour les problèmes 1 à 113, évaluez les intégrales. Supposez que a, b, c et k sont des constantes. Évaluez les intégrales définies à l'aide du théorème fondamental du calcul, si possible, et vérifiez vos réponses numériquement. Vous pouvez résoudre les problèmes 1 à 75 ainsi que certains autres problèmes sans utiliser la table d'intégrales.

1. $\int \sin t \, dt$

2. $\int \cos 2t \, dt$

3. $\int e^{5z} \, dz$

4. $\int (3w + 7) \, dw$

5. $\int \sin 2\theta \, d\theta$

6. $\int (x^3 - 1)^4 x^2 \, dx$

7. $\int (x^{3/2} + x^{2/3}) \, dx$

8. $\int (e^x + 3^x) \, dx$

9. $\int (r + 1)^3 \, dr$

10. $\int \left(\dfrac{4}{x^2} - \dfrac{3}{x^3} \right) dx$

11. $\int \left(\dfrac{x^3 + x + 1}{x^2} \right) dx$

12. $\int \dfrac{(1 + \ln x)^2}{x} \, dx$

13. $\int t e^{t^2} \, dt$

14. $\int x \cos x \, dx$

15. $\int \sin x \left(\sqrt{2 + 3 \cos x} \right) dx$

16. $\int x^2 e^{2x} \, dx$

17. $\int x \sqrt{1 - x} \, dx$

18. $\int x \ln x \, dx$

19. $\int y \sin y \, dy$

20. $\int (\ln x)^2 \, dx$

21. $\int \ln(x^2) \, dx$

22. $\int e^{0,5 - 0,3t} \, dt$

23. $\int \sin^2 \theta \cos \theta \, d\theta$

24. $\int x \sqrt{4 - x^2} \, dx$

25. $\int \dfrac{(u + 1)^3}{u^2} \, du$

26. $\int \dfrac{\cos \sqrt{y}}{\sqrt{y}} \, dy$

27. $\int \dfrac{1}{\cos^2 z} \, dz$

28. $\int \cos^2 \theta \, d\theta$

29. $\int t^{10} (t - 10) \, dt$

30. $\int \tan(2x - 6) \, dx$

31. $\int_1^3 \ln(x^3) \, dx$

32. $\int_1^e (\ln x)^2 \, dx$

33. $\int_{-\pi}^{\pi} e^{2x} \sin 2x \, dx$

34. $\int_0^{10} z e^{-z} \, dz$

35. $\int_{-\pi/3}^{\pi/4} \sin^3 \theta \cos \theta \, d\theta$

36. $\int_{-\pi/4}^{\pi/4} x^3 \cos x^2 \, dx$

37. $\int_1^4 \dfrac{e^{\sqrt{x}}}{\sqrt{x}} \, dx$

38. $\int_0^1 \dfrac{dx}{x^2 + 1}$

39. $\int \dfrac{(\ln x)^2}{x} \, dx$

40. $\int \dfrac{(t + 2)^2}{t^3} \, dt$

41. $\int \left(x^2 + 2x + \dfrac{1}{x} \right) dx$

42. $\int \dfrac{t + 1}{t^2} \, dt$

43. $\int t e^{t^2 + 1} \, dt$

44. $\int \tan \theta \, d\theta$

45. $\int \sin(5\theta) \cos(5\theta) \, d\theta$

46. $\int \dfrac{x}{x^2 + 1} \, dx$

47. $\int \dfrac{dz}{1 + z^2}$

48. $\int \dfrac{dz}{1 + 4z^2}$

49. $\displaystyle\int \cos^3 2\theta \sin 2\theta \, d\theta$

50. $\displaystyle\int \sin 5\theta \cos^3 5\theta \, d\theta$

51. $\displaystyle\int \sin^3 z \cos^3 z \, dz$

52. $\displaystyle\int t(t-10)^{10} \, dt$

53. $\displaystyle\int \cos\theta \sqrt{1 + \sin\theta} \, d\theta$

54. $\displaystyle\int xe^x \, dx$

55. $\displaystyle\int t^3 e^t \, dt$

56. $\displaystyle\int_1^3 x(x^2+1)^{70} \, dx$

57. $\displaystyle\int (3z+5)^3 \, dz$

58. $\displaystyle\int \frac{du}{9+u^2}$

59. $\displaystyle\int \frac{\cos w}{1+\sin^2 w} \, dw$

60. $\displaystyle\int \frac{1}{x}\tan(\ln x) \, dx$

61. $\displaystyle\int \frac{1}{x}\sin(\ln x) \, dx$

62. $\displaystyle\int \frac{dx}{\sqrt{1-4x^2}}$

63. $\displaystyle\int \frac{w\,dw}{\sqrt{16-w^2}}$

64. $\displaystyle\int \frac{e^{2y}+1}{e^{2y}} \, dy$

65. $\displaystyle\int \frac{\sin w \, dw}{\sqrt{1-\cos w}}$

66. $\displaystyle\int \frac{dx}{x\ln x}$

67. $\displaystyle\int \frac{du}{3u+8}$

68. $\displaystyle\int \frac{x\cos\sqrt{x^2+1}}{\sqrt{x^2+1}} \, dx$

69. $\displaystyle\int \frac{t^3}{\sqrt{1+t^2}} \, dt$

70. $\displaystyle\int ue^{ku} \, du$

71. $\displaystyle\int (w+5)^4 w \, dw$

72. $\displaystyle\int e^{\sqrt{2x+3}} \, dx$

73. $\displaystyle\int r(\ln r)^2 \, dr$

74. $\displaystyle\int (e^x+x)^2 \, dx$

75. $\displaystyle\int u^2 \ln u \, du$

76. $\displaystyle\int \frac{5x+6}{x^2+4} \, dx$

77. $\displaystyle\int \frac{1}{\sin^3(2x)} \, dx$

78. $\displaystyle\int \frac{dr}{r^2-100}$

79. $\displaystyle\int y^2 \sin(cy) \, dy$

80. $\displaystyle\int e^{-ct}\sin kt \, dt$

81. $\displaystyle\int e^{5x}\cos(3x) \, dx$

82. $\displaystyle\int \left(x^{\sqrt{k}} + \sqrt{k}^{\,x}\right) dx$

83. $\displaystyle\int \sqrt{3+12x^2} \, dx$

84. $\displaystyle\int (x^2-3x+2)e^{-4x} \, dx$

85. $\displaystyle\int \frac{dx}{x^2+5x+4}$

86. $\displaystyle\int \frac{1}{\sqrt{x^2-3x+2}} \, dx$

87. $\displaystyle\int \frac{x^3}{x^2+3x+2} \, dx$

88. $\displaystyle\int \frac{x^2+1}{x^2-3x+2} \, dx$

89. $\displaystyle\int \frac{dx}{ax^2+bx}$

90. $\displaystyle\int \frac{ax+b}{ax^2+2bx+c} \, dx$

91. $\displaystyle\int \frac{dz}{z^2+z}$

92. $\displaystyle\int \left(\frac{x}{3}+\frac{3}{x}\right)^2 dx$

93. $\displaystyle\int \frac{2^t}{2^t+1} \, dt$

94. $\displaystyle\int 10^{1-x} \, dx$

95. $\displaystyle\int (x^2+5)^3 \, dx$

96. $\displaystyle\int v \arcsin v \, dv$

97. $\displaystyle\int \sin^2(2\theta)\cos^3(2\theta) \, d\theta$

98. $\displaystyle\int \cos(2\sin x)\cos x \, dx$

99. $\displaystyle\int \sqrt{4-x^2} \, dx$

100. $\displaystyle\int \frac{z^3}{z-5} \, dz$

101. $\displaystyle\int \frac{\sin w \cos w}{1+\cos^2 w} \, dw$

102. $\displaystyle\int \frac{1}{\tan(3\theta)} \, d\theta$

103. $\displaystyle\int \frac{x}{\cos^2 x} \, dx$

104. $\displaystyle\int \frac{x+1}{\sqrt{x}} \, dx$

105. $\displaystyle\int \frac{x}{\sqrt{x+1}} \, dx$

106. $\displaystyle\int \frac{\sqrt{\sqrt{x}+1}}{\sqrt{x}} \, dx$

107. $\displaystyle\int \frac{e^{2y}}{e^{2y}+1} \, dy$

108. $\displaystyle\int \frac{z}{(z^2-5)^3} \, dz$

109. $\displaystyle\int \frac{z}{(z-5)^3} \, dz$

110. $\displaystyle\int \frac{(1+\tan x)^3}{\cos^2 x} \, dx$

111. $\displaystyle\int \frac{(2x-1)e^{x^2}}{e^x} \, dx$

112. $\displaystyle\int (x+\sin x)^3 (1+\cos x) \, dx$

113. $\displaystyle\int (2x^3+3x+4)\cos(2x) \, dx$

CHAPITRE HUIT

LES APPLICATIONS DE L'INTÉGRALE DÉFINIE

Dans le chapitre 5, on a vu comment on pouvait utiliser une intégrale définie pour calculer une aire, une valeur moyenne ou une variation totale. Dans le chapitre 7, on a analysé différents moyens d'évaluer les intégrales. Dans le présent chapitre, on utilisera les intégrales définies pour résoudre des problèmes de géométrie, de physique, d'économique et de probabilité. Dans chaque section, on utilise la même méthode pour représenter une quantité sous forme d'intégrale définie : on divise la quantité et on trouve son approximation au moyen d'une somme de Riemann.

8.1   LES APPLICATIONS À LA GÉOMÉTRIE

L'établissement des sommes de Riemann

Il existe bon nombre de situations dans lesquelles on peut exprimer une quantité sous forme d'intégrale définie. En général, c'est le cas quand on peut trouver l'approximation d'une quantité en la divisant en petites sections. Ensuite, on résout approximativement le problème pour chaque élément et on additionne les résultats obtenus.

Par exemple, dans la section 5.1, on a appris que la distance parcourue correspondait à l'intégrale définie de la vitesse en additionnant les distances parcourues au cours de petits intervalles de temps. Pour une particule qui se déplace à une vitesse $v = f(t)$ au temps t, on trouve la distance nette parcourue entre $t = a$ et $t = b$ en divisant l'intervalle temporel en n petits sous-intervalles de longueur Δt chacun. On calcule l'approximation de la distance parcourue durant chaque sous-intervalle Δt en supposant que la vitesse est constante durant le sous-intervalle. On suppose que la vitesse durant le i-ième est $v = f(t_i)$, c'est-à-dire la vitesse au début de l'intervalle. La distance parcourue durant ce temps correspond approximativement à

$$\text{Vitesse} \times \text{Temps} = f(t_i)\, \Delta t.$$

Par conséquent, la variation nette de la position est donnée approximativement par la somme de toutes ces petites distances. Donc,

$$\text{Variation de position} \approx \sum_{i=0}^{n-1} f(t_i)\, \Delta t.$$

Dans la limite, quand Δt tend vers zéro, cette somme devient une intégrale :

$$\text{Variation de position} = \lim_{\Delta t \to 0} \sum_{i=0}^{n-1} f(t_i)\, \Delta t = \int_a^b f(t)\, dt.$$

Bien que dt dans l'intégrale définie ne soit pas un nombre, il se comporte comme s'il était une très petite version de Δt. Officieusement, on peut considérer $f(t)\, dt$ comme la distance parcourue par la particule durant un très petit intervalle de temps, puisque qu'il s'agit de la vitesse $f(t)$ multipliée par le temps dt. On peut considérer l'intégrale comme la somme de toutes ces petites distances.

Dans le présent chapitre, on apprendra comment utiliser cette même stratégie de subdivision et de sommation pour calculer d'autres quantités. Dans la présente section, on montrera comment utiliser l'intégrale définie pour calculer le volume d'un solide et la longueur d'une courbe.

Comment calculer le volume ou la longueur au moyen d'une intégrale

- On divise le solide (ou la courbe) en petites sections pour lesquelles on peut facilement calculer l'approximation du volume (ou de la longueur) ;
- On additionne les résultats obtenus pour chaque section, ce qui donne une somme de Riemann qui mesure l'approximation du volume total (ou de la longueur totale) ;
- On prend la limite quand le nombre de termes dans la somme tend vers l'infini, ce qui donne une intégrale définie pour le volume total (ou la longueur totale).

Trouver les volumes à l'aide de la section

Lorsqu'on calcule le volume d'un solide à l'aide des sommes de Riemann, on divise le solide en plusieurs petites sections dont on peut estimer les volumes.

Figure 8.1 : Cône divisé en sections verticales

Figure 8.2 : Cône divisé en sections horizontales

Comment sectionner un cône

On apprendra comment sectionner un cône qui repose sur sa base et dont le sommet est orienté vers le haut. On pourrait diviser le cône en sections verticales parallèles. Ces sections auront la forme d'un arc (il s'agit en fait d'hyperboles) [voir la figure 8.1]. On pourrait également diviser le cône horizontalement, ce qui donnerait des sections en forme de pièce de monnaie (voir la figure 8.2).

Pour obtenir une somme de Riemann, il est préférable de diviser le cône en sections horizontales (circulaires), car il serait difficile d'estimer les volumes des sections en forme d'arche.

Exemple 1

Calculez le volume (en pieds cubes) de la Grande pyramide d'Égypte, dont la base mesure 755 pi sur 755 pi et dont la hauteur est de 410 pi.

Solution

On se réfère à la formule $V = \frac{1}{3} b^2 \cdot h$ pour calculer le volume V d'une pyramide de hauteur h et de longueur de base b. On n'utilisera pas la formule, mais on se basera sur cette approche pour prouver que $V = \frac{1}{3} b^2 h$.

On considère la pyramide comme si elle avait été construite par couches à partir de la base. Chaque couche est un carré dont l'épaisseur est de Δh. La couche de la base est une plaque carrée de 755 pi sur 755 pi et dont le volume correspond approximativement à $(755)^2 \Delta h$ pi^3. Quand on se déplace vers le haut de la pyramide, les couches ont des longueurs latérales plus courtes. On choisit des points, h_0, h_1, ..., h_n, lesquels divisent la hauteur en n sous-intervalles de longueur Δh, avec $h_0 = 0$ et $h_n = 410$. Si s_i est la longueur latérale de la i-ième couche, alors le volume de cette couche correspond approximativement à $s_i^2 \, \Delta h$ pi^3. (Le volume correspond seulement à environ $s_i^2 \, \Delta h$ parce que les côtés de la couche ne sont pas verticaux [voir la figure 8.3]).

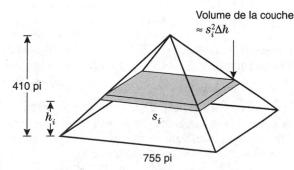
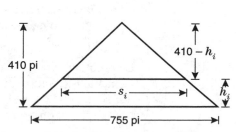

Figure 8.3 : La Grande pyramide d'Égypte

Figure 8.4 : Section transversale reliant s_i et h_i

Le volume total de la pyramide correspond à la somme des volumes $s_i^2 \, \Delta h$ de chaque couche. On exprime s_i en fonction de h_i en utilisant la section transversale triangulaire de la figure 8.4 (page précédente). Au moyen de triangles semblables, on obtient $s_i/755 = (410 - h_i)/410$. Ainsi, $s_i = (755/410) \, (410 - h_i)$ et on trouve l'approximation du volume total V en additionnant les volumes des n couches :

$$V \approx \sum_{i=0}^{n-1} s_i^2 \, \Delta h = \sum_{i=0}^{n-1} \left[\left(\frac{755}{410} \right) (410 - h_i) \right]^2 \Delta h \text{ pi}^3$$

Quand l'épaisseur de chaque couche tend vers zéro, la somme devient une intégrale définie. Finalement, puisque h varie entre 0 et 410, qui est la hauteur de la pyramide, on obtient

$$V = \int_{h=0}^{h=410} \left[\left(\frac{755}{410} \right) (410 - h) \right]^2 dh = \left(\frac{755}{410} \right)^2 \int_0^{410} (410 - h)^2 \, dh$$

$$= \left(\frac{755}{410} \right)^2 \left[-\frac{(410 - h)^3}{3} \right] \Bigg|_0^{410} = \left(\frac{755}{410} \right)^2 \frac{(410)^3}{3} = \frac{1}{3} (755)^2 (410) \approx 78 \text{ millions pi}^3.$$

À noter que $V = \frac{1}{3} (755)^2 (410) = \frac{1}{3} b^2 \cdot h$, tel qu'on l'avait prévu.

On remarque que les bornes de l'intégrale définie sont les limites de la variable h. Lorsqu'on a décidé de découper la pyramide horizontalement, on savait qu'une couche type a une épaisseur de Δh, donc h est la variable de l'intégrale définie et les limites doivent être des valeurs de h.

Exemple 2   Trouvez le volume d'un hémisphère dont le rayon est de 7 po.

Solution   Une fois de plus, bien que l'on connaisse la formule $\frac{4}{3} \pi r^3$ pour le volume d'une sphère, on ne l'utilisera pas ici.

On suppose que l'hémisphère repose à plat sur un plan et on le divise en sections horizontales dont l'épaisseur est de Δh po (voir la figure 8.5). Chaque section est une plaque circulaire dont le rayon est r, où r varie entre 7 po pour la section inférieure et 0 po pour la section supérieure. Le volume de chaque section est d'approximativement $\pi r^2 \, \Delta h$ po^3.

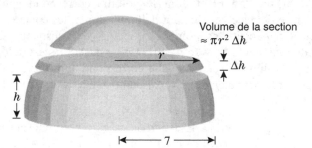

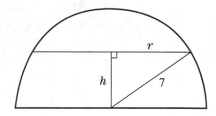

Figure 8.5 : Découpage pour trouver le volume d'un hémisphère

Figure 8.6 : Section verticale découpée dans le centre de l'hémisphère et montrant la relation qui existe entre r et h

Le problème consiste à exprimer r en fonction de h pour qu'on puisse écrire une somme de Riemann (dont les termes dépendent uniquement de h) qui représente la somme des volumes des sections. D'après la figure 8.6 présentant une section verticale qui traverse le centre de l'hémisphère, on trouve que $r^2 = 7^2 - h^2$. Donc, à la hauteur h,

$$\text{Volume de la section} \approx \pi r^2 \, \Delta h = \pi (7^2 - h^2) \, \Delta h \text{ po}^3.$$

En calculant la somme de toutes les sections, on obtient

$$\text{Volume} = V \approx \sum \pi r^2 \, \Delta h = \sum \pi (7^2 - h^2) \, \Delta h \text{ po}^3.$$

Quand l'épaisseur de chaque section tend vers zéro, la somme devient une intégrale définie. Puisque le rayon de l'hémisphère h varie entre 0 et 7, on a

$$V = \int_{h=0}^{h=7} \pi r^2 \, dh = \pi \int_0^7 (7^2 - h^2) \, dh = \pi \left(7^2 h - \frac{1}{3} h^3\right) \bigg|_0^7 = \pi \left(7^3 - \frac{1}{3} \cdot 7^3\right) = \frac{2}{3} \pi 7^3 \text{ po}^3.$$

À noter que V représente la moitié de $\frac{4}{3} \pi 7^3$ po^3, comme on l'avait prévu.

On remarque que la somme représentée par le symbole Σ se trouve sur toutes les sections. Dans cet exemple, on n'a pas inscrit les points h_0, h_1, ... qui sont nécessaires pour écrire la somme de Riemann avec précision. Cette mesure n'est pas utile puisqu'on recherche uniquement l'expression finale de l'intégrale définie.

Dans les exemples 1 et 2, toutes les sections transversales du solide qui sont perpendiculaires à une direction donnée représentaient la même figure géométrique — un carré dans le cas de la pyramide et un cercle dans le cas de l'hémisphère. On peut calculer les volumes des autres solides dont les sections transversales sont connues au moyen d'une méthode similaire.

Exemple 3   Trouvez le volume du solide dont la base est la région du plan des xy bornée par les courbes $y = x^2$ et $y = 8 - x^2$ et dont les sections transversales perpendiculaires à l'axe des x sont des carrés ayant un côté dans le plan des xy (voir la figure 8.7).

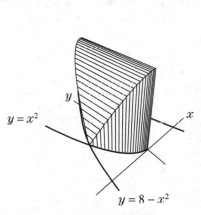

Figure 8.7 : Solide pour l'exemple 3

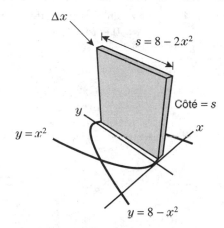

Figure 8.8 : Section du solide
pour l'exemple 3

Solution   On considère le solide comme un pain reposant dans le plan des xy et constitué de tranches carrées. Ces tranches sont semblables aux sections carrées qui composent la pyramide dans l'exemple 1. La figure 8.8 présente une tranche type. L'épaisseur de chaque tranche est de Δx. La longueur latérale s de la face carrée correspond à la distance (dans la direction de y) entre les deux courbes. Ainsi, en fonction de x, on a $s = (8 - x^2) - x^2 = 8 - 2x^2$.

À noter que cette longueur intérieure augmente, passant de $s = 0$ en $x = -2$ à $s = 8$ en $x = 0$, puis diminue pour retourner à $s = 0$ en $x = 2$. On obtient le volume du solide en additionnant les volumes de toutes les tranches. Chaque tranche a un volume de $s^2 \Delta x = (8 - 2x^2)^2 \Delta x$, donc le volume total est

$$V \approx \sum s^2 \Delta x = \sum (8 - 2x^2)^2 \Delta x.$$

Quand l'épaisseur Δx de chaque tranche tend vers zéro, la somme devient une intégrale définie. Puisque x varie entre -2 et 2, on a

$$V = \int_{-2}^{2} (8 - 2x^2)^2 \, dx$$

$$= \int_{-2}^{2} (64 - 32x^2 + 4x^4)\, dx$$

$$= 64x - \frac{32}{3}x^3 + 4\frac{x^5}{5} \Big|_{-2}^{2}$$

$$= \frac{2048}{15} \approx 136,5.$$

Pour vérifier la vraisemblance de cette réponse, on considère le fait que le solide donné est en quelque sorte plus large que le solide obtenu en combinant deux pyramides dont les bases mesurent 8×8 en $x = 0$ et les sommets (les points les plus élevés) se trouvent en $x = 2$ et en $x = -2$. Le volume total de ces deux pyramides est $2(\frac{1}{3})b^2h = 2(\frac{1}{3})8^2 \cdot 2 \approx 85,3$, qui est, tel qu'on l'avait prévu, inférieur à la réponse 136,5.

Les volumes de révolution

On peut également créer un solide dont les sections transversales sont connues en faisant tourner dans l'espace autour d'une droite une région du plan ; le volume ainsi créé est appelé un *solide de révolution*, comme le montrent les exemples suivants.

Exemple 4   On fait tourner autour de l'axe des x la région bornée par la courbe $y = e^{-x}$ et l'axe des x entre $x = 0$ et $x = 1$. Trouvez le volume de ce solide de révolution.

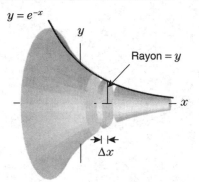

Figure 8.9 : Une bande mince tourne autour de l'axe des x pour former un disque

Solution   On suppose que la région du plan est divisée en minces sections perpendiculaires à l'axe des x. Chaque section a une largeur Δx. Quand on fait tourner toute la région autour de l'axe des x, chaque section engendre un disque d'épaisseur Δx (voir la figure 8.9). Le rayon du disque, comme on peut le voir à la figure 8.9, représente la distance entre l'axe des x et la courbe, qui constitue simplement la valeur de $y = e^{-x}$ sur le disque. Ainsi, le volume du disque est $\pi y^2\, \Delta x = \pi(e^{-x})^2\, \Delta x$ et le volume total V du solide est donné par

$$V \approx \sum \pi y^2\, \Delta x = \sum \pi(e^{-x})^2\, \Delta x.$$

Quand l'épaisseur de chaque disque tend vers zéro, on obtient

$$V = \int_0^1 \pi(e^{-x})^2\, dx = \pi \int_0^1 e^{-2x}\, dx = \pi\left(-\frac{1}{2}\right)e^{-2x} \Big|_0^1$$

$$= \pi\left(-\frac{1}{2}\right)(e^{-2} - e^0) = \frac{\pi}{2}(1 - e^{-2}) \approx 1,36.$$

Exemple 5   La région bornée par les courbes $y = x$ et $y = x^2$ tourne autour de la droite $y = 3$. Calculez le volume du solide qui en résulte.

Solution   Encore une fois, on suppose que la région est divisée en minces sections verticales d'épaisseur Δx, comme le montre la figure 8.10.

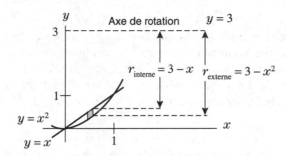

Figure 8.10 : Région pour l'exemple 5

Quand chaque section tourne autour de la droite $y = 3$, elle engendre un disque du solide total qui a la forme d'un disque avec un trou (voir les figures 8.11 et 8.12). Le disque percé a deux rayons : un rayon interne r_{interne} qui représente la distance entre la droite $y = 3$ et la courbe la plus proche $y = x$, et un rayon externe r_{externe} qui est la distance entre la droite $y = 3$ et la courbe la plus éloignée $y = x^2$. Donc, le disque en x a un rayon interne de $r_{\text{interne}} = 3 - x$ et un rayon externe de $r_{\text{externe}} = 3 - x^2$. On considère le disque comme s'il s'agissait d'un disque de rayon r_{externe} duquel on a retiré un disque circulaire plus petit de rayon r_{interne} Par conséquent, le volume du disque est

$$\pi r^2_{\text{externe}}\,\Delta x - \pi r^2_{\text{interne}}\Delta x = \pi(3 - x^2)^2\,\Delta x - \pi(3 - x)^2\,\Delta x.$$

Si on additionne les volumes de tous les disques, on obtient

$$V \approx \sum \left(\pi r^2_{\text{externe}} - \pi r^2_{\text{interne}}\right)\Delta x = \sum \left[\pi(3 - x^2)^2 - \pi(3 - x)^2\right]\Delta x.$$

On laisse Δx, l'épaisseur de chaque disque, tendre vers zéro pour obtenir l'intégrale définie. Puisque les courbes $y = x$ et $y = x^2$ se croisent en $x = 0$ et en $x = 1$, on a

$$V = \int_0^1 \left[\pi(3 - x^2)^2 - \pi(3 - x)^2\right] dx = \pi \int_0^1 \left[(9 - 6x^2 + x^4) - (9 - 6x + x^2)\right] dx$$

$$= \pi \int_0^1 (6x - 7x^2 + x^4)\, dx = \pi\left(3x^2 - \frac{7x^3}{3} + \frac{x^5}{5}\right)\Bigg|_0^1 \approx 2,72.$$

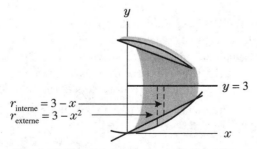

Figure 8.11 : Coupe transversale du volume montrant les rayons interne et externe

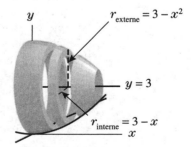

Figure 8.12 : Disque avec un trou

La longueur de l'arc

On peut également utiliser l'intégrale définie pour calculer les longueurs de différentes courbes. On suppose qu'on veut calculer la *longueur de l'arc* d'une courbe $y = f(x)$ de $x = a$ à $x = b$, où $a < b$. Comme d'habitude, on divise la courbe en plusieurs petits segments ; chacun de ces segments est à peu près droit.

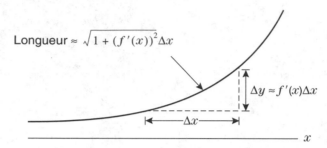

Figure 8.13 : Longueur d'un petit segment de la courbe dont l'approximation est mesurée à l'aide du théorème de Pythagore

La figure 8.13 montre qu'une faible variation Δx de la coordonnée de x produit une faible variation correspondante de la coordonnée de y d'environ $\Delta y \approx f'(x)\,\Delta x$. On calcule ensuite l'approximation de la longueur du petit segment de la courbe

$$\Delta L \approx \sqrt{(\Delta x)^2 + (\Delta y)^2} \approx \sqrt{(\Delta x)^2 + (f'(x)\Delta x)^2} = \sqrt{1 + (f'(x))^2}\,\Delta x.$$

Par conséquent, on trouve l'approximation pour $a < b$ de la longueur de l'arc de la courbe $y = f(x)$ de $x = a$ à $x = b$ au moyen d'une somme de Riemann :

$$\text{Longueur de l'arc} = L \approx \sum \sqrt{1 + (f'(x))^2}\,\Delta x.$$

En laissant Δx tendre vers zéro, la somme engendre une intégrale définie. Puisque x varie entre a et b, on obtient l'expression suivante pour la longueur de l'arc :

$$\boxed{\text{Longueur de l'arc} = L = \int_a^b \sqrt{1 + (f'(x))^2}\,dx.}$$

Exemple 6   Établissez et évaluez l'intégrale pour calculer la longueur de la courbe $y = x^3$ de $x = 0$ à $x = 5$.

    Solution   Si $f(x) = x^3$, alors $f'(x) = 3x^2$. Donc,

$$L = \int_0^5 \sqrt{1 + (3x^2)^2}\,dx.$$

Bien que la formule de la longueur de l'arc d'une courbe soit simple à appliquer, les intégrandes qu'elle engendre n'ont pas souvent de primitives élémentaires. À l'aide de méthodes numériques, on obtient $L = 125{,}68$. La courbe commence en $(0, 0)$ et va jusqu'à $(5, 125)$. Donc, sa longueur doit avoir au moins la longueur d'une droite entre ces points ou $\sqrt{5^2 + 125^2}$ $= 125{,}10$ (voir la figure 8.14).

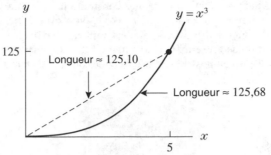

Figure 8.14 : Longueur de l'arc de $y = x^3$ (Note : Le dessin est déformé, car les échelles sur les deux axes sont différentes.)

Problèmes de la section 8.1

1. Supposez qu'un œuf dur qui repose sur le côté est coupé en tranches. Considérez d'abord des tranches verticales et ensuite des tranches horizontales. À quoi ressembleraient ces tranches ? Dessinez-les.

2. Trouvez, en le sectionnant, le volume d'un cône dont la hauteur est de 3 cm et dont le rayon à la base est de 1 cm. Sectionnez le cône comme l'illustre la figure 8.2.

3. Trouvez, par découpage, une formule pour le volume d'un cône de hauteur h et de rayon à la base r.

4. Trouvez le volume d'une sphère de rayon r en la sectionnant vers le haut. Établissez une somme de Riemann qui permet de calculer l'approximation du volume tout en obtenant une intégrale définie qui laisse l'épaisseur de chaque disque tendre vers zéro.

5. Lorsque l'ellipse $x^2/a^2 + y^2/b^2 = 1$ tourne autour de l'axe des x, elle engendre un *ellipsoïde*. Calculez son volume.

Pour les problèmes 6 à 8, tracez le solide obtenu en faisant tourner chaque région autour de l'axe indiqué. À l'aide de ce graphe, montrez comment calculer l'approximation du volume du solide au moyen d'une somme de Riemann, puis trouvez le volume.

6. Une région est bornée par $y = x^3$, $x = 1$ et $y = -1$. L'axe est $y = -1$.

7. Une région est bornée par $y = \sqrt{x}$, $x = 1$ et $y = 0$. L'axe est $x = 1$.

8. Une région est bornée par la première arche de $y = \sin x$ et $y = 0$. L'axe est l'axe des x.

Pour les problèmes 9 à 13, considérez la région bornée par $y = e^x$, l'axe des x et les droites $x = 0$ et $x = 1$. Trouvez le volume des solides ci-après.

9. Le solide est obtenu en faisant tourner la région autour de l'axe des x.

10. Le solide est obtenu en faisant tourner la région autour de la droite horizontale $y = -3$.

11. Le solide est obtenu en faisant tourner la région autour de la droite horizontale $y = 7$.

12. Le solide dont la base est la région donnée et dont les sections transversales perpendiculaires à l'axe des x sont des carrés.

13. Le solide dont la base est la région donnée et dont les sections transversales perpendiculaires à l'axe des x sont des demi-cercles.

14. La conception des bateaux est basée sur le principe d'Archimède, lequel énonce que la force flottante qui est exercée sur un objet plongé dans l'eau est égale au poids de l'eau déplacée.

Supposez que vous voulez construire un bateau à voiles dont la coque est parabolique et dont la section transversale est $y = ax^2$, où a est une constante. Votre bateau aura la longueur L et son tirant maximal (la profondeur verticale maximale de tout point du bateau au-dessous de la ligne de flottaison) sera H (voir la figure 8.15). Chaque mètre cube d'eau pèse 10 000 N. Quel est le poids maximal possible du bateau et de son chargement ?

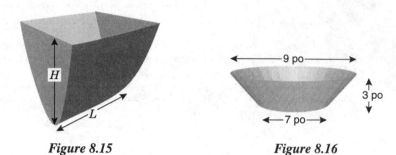

Figure 8.15   **Figure 8.16**

15. a) Une assiette à tarte mesure 9 po de largeur sur une base de 7 po de largeur, et elle a 3 po de profondeur (voir la figure 8.16). Calculez le volume de cette assiette.

 b) Donnez une estimation approximative du volume (en pouces cubes) d'une seule pomme découpée en morceaux et estimez le nombre de pommes nécessaires pour faire une tarte en remplissant cette assiette.

16. Plusieurs communautés prévoient bientôt manquer d'espace pour recevoir leurs ordures. À Staten Island, les ordures solides sont déposées dans un dépotoir en forme de pyramide dont la base carrée a une longueur de 100 verges. À 1 verge verticalement au-dessus de la base, la longueur parallèle à la base est de 99 verges ; le dépotoir peut avoir une hauteur verticale maximale de 20 verges. (Le dessus de la pyramide n'est jamais atteint.) Si 65 verges cubes d'ordures sont déposées dans le dépotoir tous les jours, dans combien de temps le dépotoir sera-t-il plein ?

17. La circonférence d'un arbre à différentes hauteurs au-dessus du sol est donnée dans le tableau ci-dessous. Supposez que toutes les sections transversales de l'arbre sont des cercles. Estimez le volume de l'arbre.

Hauteur (po)	0	20	40	60	80	100	120
Circonférence (po)	31	28	21	17	12	8	2

18. La coque d'un bateau a les largeurs données dans le tableau suivant. En lisant une rangée du tableau, on obtient des largeurs aux points 0, 10, …, 60 pi du devant à l'arrière du bateau, à un niveau donné au-dessous de la ligne de flottaison. Si on lit des données d'une colonne du tableau (vers le bas), on obtient des largeurs aux niveaux 0, 2, 4, 6, 8 pi au-dessus de la ligne de flottaison à une distance donnée du devant. Utilisez la règle du trapèze pour estimer le volume de la coque au-dessous du niveau de flottaison.

		Devant du bateau → Arrière du bateau						
		0	10	20	30	40	50	60
Profondeur	0	2	8	13	16	17	16	10
sous la	2	1	4	8	10	11	10	8
ligne de	4	0	3	4	6	7	6	4
flottaison	6	0	1	2	3	4	3	2
(pi)	8	0	0	1	1	1	1	1

Pour les problèmes 19 et 20, trouvez la longueur de l'arc de la fonction donnée entre $x = 0$ et $x = 2$.

19. $f(x) = \sqrt{4 - x^2}$ 20. $f(x) = \sqrt{x^3}$

21. a) Écrivez une intégrale qui représente la circonférence d'un cercle de rayon r.
    b) Évaluez l'intégrale et montrez que vous avez obtenu la réponse attendue.

22. Calculez, avec une erreur maximale de 0,001, le périmètre de la région utilisée pour la base des solides des problèmes 9 à 13.

23. Le graphe de la fonction $y = \cosh x = \frac{1}{2}(e^x + e^{-x})$ s'appelle une caténaire et représente la forme d'un câble suspendu. Trouvez la longueur de cette caténaire entre $x = -1$ et $x = 1$.

24. Établissez une intégrale pour la circonférence d'une ellipse ayant un grand demi-axe $a = 2$ et un petit demi-axe $b = 1$. L'évaluation numérique de cette intégrale (en utilisant une calculatrice ou un ordinateur) pose un problème. Décrivez ce problème et trouvez une manière de le résoudre.

25. Il existe très peu de fonctions élémentaires $y = f(x)$ pour lesquelles la longueur de l'arc peut être calculée en termes élémentaires à l'aide de la formule

$$\int_a^b \sqrt{1 + \left(\frac{dy}{dx}\right)^2}\, dx.$$

Vous avez vu de telles fonctions f dans les problèmes 19, 20 et 23. On a $f(x) = \sqrt{4 - x^2}$, $f(x) = \sqrt{x^3}$ et $f(x) = \frac{1}{2}(e^x + e^{-x})$. Essayez de trouver une autre fonction efficace, c'est-à-dire une fonction pour laquelle vous pouvez trouver la longueur de l'arc en utilisant cette formule et l'intégration.

26. Après avoir fait le problème 25, vous vous demandez sans doute quel type de fonction peut représenter la longueur de l'arc. Si $g(0) = 0$ et si g est différentiable et croissante, alors $g(x)$, $x \geq 0$, peut-elle représenter une longueur de l'arc ? Autrement dit, pouvez-vous trouver une fonction $f(t)$ telle que

$$\int_0^x \sqrt{1 + (f'(t))^2}\, dt = g(x)?$$

    a) Montrez que $f(x) = \int_0^x \sqrt{(g'(t))^2 - 1}\ dt$ fonctionne pourvu que $g'(x) \geq 1$. En d'autres mots, montrez que la longueur de l'arc du graphe de f entre 0 et x est $g(x)$.
    b) Montrez que si $g'(x) < 1$ pour un certain x, alors $g(x)$ ne peut représenter la longueur de l'arc du graphe de toute fonction.
    c) Trouvez une fonction f dont la longueur de l'arc de 0 à x est $2x$.

8.2   LA DENSITÉ ET LE CENTRE DE MASSE

La densité et la façon de découper une région

Les exemples de la présente section font intervenir la notion de *densité*. Par exemple,

- la densité d'une population est mesurée, par exemple, en personnes par mille (le long d'une route), en personnes par unité de surface (dans une ville) ou en bactéries par centimètre cube (dans une éprouvette) ;
- la densité d'une substance (comme l'air, le bois ou le métal) est la masse par unité de volume de la substance et est mesurée, par exemple, en grammes par centimètre cube.

On suppose qu'on veut calculer la masse totale ou la population totale, mais que la densité n'est pas constante dans la région. Alors, pour trouver la quantité totale :

> On divise la région en petites sections, de telle sorte que la densité est à peu près constante pour chaque section, puis on additionne les résultats obtenus.

Exemple 1   La Massachusetts Turnpike (une autoroute) commence au milieu de la ville de Boston et se dirige vers l'ouest. Le nombre de personnes qui vivent à proximité de cette autoroute varie au fur et à mesure qu'elle s'éloigne de la ville. Supposez que, à x mi à l'extérieur de la ville, la densité de la population adjacente à cette autoroute est $P = f(x)$ personnes/mi. Exprimez la population globale vivant à proximité de l'autoroute dans un rayon de 5 mi de Boston en tant qu'intégrale définie.

Solution   Pour estimer la population, on divise l'autoroute en segments de longueur Δx. La densité de la population au centre de Boston est de $f(0)$; on utilise cette densité pour le premier segment et on obtient l'estimation suivante :

Personnes habitant dans le premier segment $\approx f(0)$ personnes/mi $\cdot\ \Delta x$ mi $= f(0)\ \Delta x$ personnes.

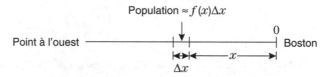

Figure 8.17 : Population le long de la Massachussetts Turnpike

De même, la population dans un segment typique correspond à la densité de la population multipliée par la longueur de l'intervalle ou environ $f(x)\ \Delta x$ (voir la figure 8.17). La somme de toutes ces estimations donne l'estimation

$$\text{Population totale} \approx \sum f(x)\ \Delta x.$$

Soit $\Delta x \to 0$. On voit que

$$\text{Population totale} = \lim_{\Delta x \to \infty} \sum f(x)\ \Delta x = \int_0^5 f(x)\ dx.$$

Le 5 et le 0 dans les bornes de l'intégrale sont les bornes supérieure et inférieure de l'intervalle sur lequel on effectue l'intégration.

Exemple 2   La densité de l'air (en kilogrammes par mètre cube) à h m au-dessus de la surface de la Terre est $P = f(h)$. Trouvez la masse d'une colonne cylindrique d'air ayant 2 m de diamètre et 25 km de hauteur.

Solution   La colonne d'air représente un cylindre circulaire de 2 m de diamètre et de 25 km (ou 25 000 m) de hauteur. Tout d'abord, on décide de la manière dont on sectionnera la colonne. Puisque la densité de l'air varie de pair avec l'altitude mais demeure constante horizontalement, on utilise des sections d'air horizontales (sous la forme de disques). Ainsi, la densité sera plus ou moins constante sur tout le disque, se rapprochant ainsi de sa valeur au bas du disque (voir la figure 8.18).

Figure 8.18 : Découpage horizontal d'une colonne d'air

Un disque est un cylindre de hauteur Δh et de 2 m de diamètre, donc son rayon est de 1 m. On trouve la masse approximative du disque en multipliant son volume et sa densité. Si l'épaisseur du disque est de Δh, alors son volume (en mètres cubes) est $\pi r^2 \cdot \Delta h = \pi 1^2 \cdot \Delta h = \pi \Delta h$ m^3. La densité du disque est d'environ $f(h)$. Par suite,

Masse du disque $\approx$ Volume $\cdot$ Densité approximative $= (\pi \Delta h$ m$^3)(f(h)$ kg/m$^3) = \pi \Delta h \cdot f(h)$ kg.

Si on additionne ces disques, on obtient une somme de Riemann :

$$\text{Masse totale} \approx \sum \pi f(h)\, \Delta h \text{ kg.}$$

Quand $\Delta h \to 0$, cette somme permet de calculer l'approximation de l'intégrale définie :

$$\text{Masse totale} = \int_0^{25\,000} \pi f(h)\, dh \text{ kg.}$$

Afin d'obtenir une valeur numérique pour la masse d'air, il faut utiliser une formule explicite pour la densité en fonction de la hauteur, comme dans l'exemple 3.

Exemple 3   Trouvez la masse de la colonne d'air de l'exemple 2 si la densité de l'air à la hauteur h est donnée par

$$P = f(h) = 1{,}28e^{-0{,}000\,124h} \text{ kg/m}^3.$$

Solution   En utilisant les résultats de l'exemple précédent, on obtient

$$\text{Masse} = \int_0^{25\,000} \pi 1{,}28e^{-0{,}000\,124h}\, dh = \frac{-1{,}28\pi}{0{,}000\,124} \left(e^{-0{,}000\,124h} \Big|_0^{25\,000} \right)$$

$$\approx 32{,}429(e^0 - e^{-0{,}000\,124(25\,000)}) \approx 31\,000 \text{ kg.}$$

Parfois, il faut réfléchir pour trouver la manière de diviser une quantité donnée. Il ne faut pas oublier que la densité doit être presque constante à l'intérieur de chaque section.

Exemple 4   La densité de la population à Annobourg est une fonction de la distance par rapport au centre de la ville. À r mi du centre, la densité est égale à $P = f(r)$ personnes/mi^2. Annobourg a un rayon de 5 mi. Trouvez une intégrale définie qui exprime la population totale de Annobourg.

Solution   On veut diviser la ville d'Annobourg et estimer la population de chaque section. Si on devait utiliser des sections droites, la densité de la population varierait pour chaque section, puisqu'elle dépend de la distance à partir du centre de la ville. On veut que la densité de la population soit très proche d'une constante pour chaque section. On prend donc des sections qui constituent de minces anneaux autour du centre (voir la figure 8.19, page suivante). Puisque l'anneau est très mince, on peut mesurer l'approximation de son aire en le déroulant en un rectangle mince (voir la figure 8.20, page suivante). La largeur du rectangle est de Δr mi et sa longueur est approximativement égale à la circonférence de l'anneau, soit $2\pi r$ mi. Donc, son aire est d'environ $2\pi r \Delta r$ mi^2. Puisque

$$\text{Population sur l'anneau} \approx \text{Densité} \cdot \text{Aire,}$$

on obtient

Population sur l'anneau $\approx (f(r)$ personnes/mi$^2)(2\pi r \Delta r$ mi$^2) = f(r) \cdot 2\pi r \Delta r$ personnes.

En additionnant les résultats obtenus pour chaque anneau, on obtient

$$\text{Population totale} \approx \sum 2\pi r f(r)\,\Delta r \text{ personnes.}$$

Donc,

$$\text{Population totale} = \int_0^5 2\pi r f(r)\,dr \text{ personnes.}$$

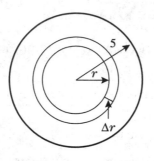

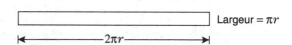

Figure 8.19 : Annobourg   **Figure 8.20 :** Anneau de Annobourg (déroulé)

Note : On peut se demander ce qui se produit si on calcule l'aire de l'anneau en soustrayant l'aire du cercle intérieur (πr^2) de l'aire du cercle extérieur $\left[\pi(r+\Delta r)^2\right]$, ce qui donne

$$\text{Aire} = \pi(r+\Delta r)^2 - \pi r^2.$$

En multipliant et en soustrayant, on obtient

$$\text{Aire} = \pi\left[r^2 + 2r\,\Delta r + (\Delta r)^2\right] - \pi r^2$$
$$= 2\pi r\,\Delta r + \pi(\Delta r)^2.$$

Cette expression diffère de celle qu'on a utilisée auparavant à cause du terme $\pi(\Delta r)^2$. Cependant, quand Δr devient très petit, $\pi(\Delta r)^2$ devient beaucoup, beaucoup plus petit. On dit qu'il est dans le *deuxième ordre* de grandeur, puisque la puissance du petit facteur Δr est 2. Dans la limite, quand $\Delta r \to 0$, on ignore $\pi(\Delta r)^2$.

Le centre de masse

On peut considérer le *centre de masse* d'un système mécanique comme étant son point d'équilibre. Pour un système constitué de n masses discrètes m_i le long de l'axe des x, chacune étant située sur la coordonnée x_i, le centre de masse est défini par le point dont la coordonnée x est $\overline{x}$, où

$$\overline{x} = \frac{\sum_{i=1}^{n} x_i m_i}{\sum_{i=1}^{n} m_i}$$

(voir la figure 8.21). Les termes $x_i m_i$ du numérateur sont appelés les *moments* des masses m_i ; le dénominateur est la masse totale du système. Si le système mécanique n'est pas composé de masses discrètes, mais qu'il s'agit plutôt d'un objet qui repose sur l'axe des x entre $x = a$ et $x = b$, avec une densité de masse $\delta(x)$, alors le centre de masse est donné par

$$\overline{x} = \frac{\int_a^b x\delta(x)\,dx}{\int_a^b \delta(x)\,dx}.$$

Encore une fois, le dénominateur est la masse totale du système.

On peut voir comment cette dernière formule se rapporte à la formule des masses discrètes en utilisant les sommes de Riemann. Si on divise l'objet en n petits morceaux, chacun de longueur Δx, alors le i-ème morceau a une masse de $m_i \approx \delta(x_i)\Delta x$ (où x_i est un point dans le i-ème morceau). Alors le numérateur de la formule pour $\overline{x}$ est $\sum_{i=1}^{n} x_i \delta(x_i)\Delta x$, qui tend vers $\int_a^b x\delta(x)dx$ quand $n \to \infty$. De même, le dénominateur $\sum_{i=1}^{n} m_i \approx \sum_{i=1}^{n} \delta(x_i)\Delta x$ tend vers $\int_a^b \delta(x)\ dx$ quand $n \to \infty$.

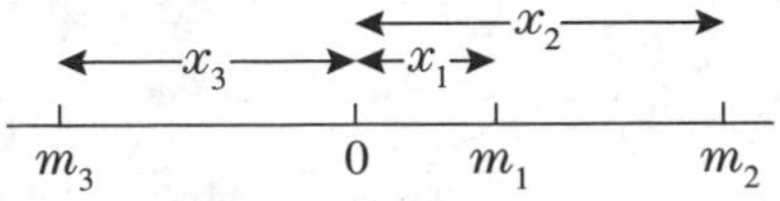

Figure 8.21 : Centre de masse m_i des masses discrètes

Exemple 5   Trouvez le centre de masse d'une tige de 2 m reposant sur l'axe des x dont l'extrémité gauche se trouve à l'origine si :

a)   La densité est constante et la masse totale est de 5 kg.

b)   La densité est $\delta(x) = 15x^2$ kg/m.

Solution   a)   On s'attend à ce que le point d'équilibre se trouve dans le centre, autrement dit, $\overline{x} = 1$. Pour le vérifier, on calcule la densité, qui est la masse totale divisée par la longueur, ou $\delta(x) = 5/2$ kg/m. Par conséquent,

$$\overline{x} = \frac{\int_0^2 x \cdot \frac{5}{2}\ dx}{5} = \frac{1}{5} \cdot \frac{5}{2} \cdot \frac{x^2}{2}\bigg|_0^2 = 1 \text{ m.}$$

b)   Puisque la tige est plus lourde sur l'intervalle $[1, 2]$ que sur l'intervalle $[0, 1]$, on s'attend à ce que le centre de masse se situe entre $x = 1$ et $x = 2$. On a maintenant

$$\text{Masse totale} = \int_0^2 15x^2\ dx = 5x^3\bigg|_0^2 = 40 \text{ kg.}$$

Par conséquent,

$$\overline{x} = \frac{\int_0^2 x \cdot 15x^2\ dx}{40} = \frac{15}{40} \cdot \frac{x^4}{4}\bigg|_0^2 = \frac{3}{2} \text{ m.}$$

On peut utiliser la définition de $\overline{x}$ pour trouver la coordonnée de x du centre de masse des objets qui ne reposent pas entièrement le long de l'axe des x. La clé, dans ces cas, consiste à trouver une expression pour la masse d'un petit morceau de l'objet situé à la position x_i.

Exemple 6   Un triangle isocèle dont l'altitude est de 1 unité et dont la base est de 1 unité a une base le long de l'axe des y, et l'axe des x positifs passe par son sommet (voir la figure 8.22). Si la masse du triangle est m et que le triangle a une densité constante, trouvez la coordonnée x du centre de masse.

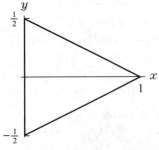

Figure 8.22 : Trouvez le centre de masse de ce triangle

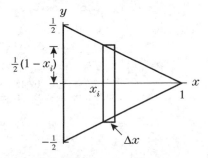

Figure 8.23 : Triangle sectionné

Solution   Puisque la masse du triangle est symétriquement distribuée par rapport à l'axe des x, le centre de masse se situe sur l'axe des x. On s'attend à ce que le centre de masse soit plus près de l'origine que du sommet en $x = 1$, puisque le triangle est plus large près de l'origine.

L'aire du triangle est $\frac{1}{2} \cdot 1 \cdot 1 = \frac{1}{2}$. Ainsi, Densité = Masse/Aire = $2m$. Si on sectionne le triangle en sections de largeur Δx, alors la section à la position x_i a la hauteur $2 \cdot \frac{1}{2}(1 - x_i) = (1 - x_i)$ [voir la figure 8.23, page précédente]. Par conséquent,

$$\text{Aire de la section} \approx (1 - x_i)\Delta x,$$

ce qui donne

$$\text{Masse} = \text{Aire} \times \text{Densité} \approx 2m \cdot (1 - x_i)\Delta x.$$

Donc, le centre de masse est

$$\overline{x} \approx \frac{\sum x_i 2m \cdot (1 - x_i)\Delta x}{m}.$$

Quand $n \to \infty$, on obtient

$$\overline{x} \approx \frac{\int_0^1 2mx(1 - x)\,dx}{m} = 2\left(\frac{x^2}{2} - \frac{x^3}{3}\right)\Bigg|_0^1 = \frac{1}{3}.$$

Des notions similaires sont utilisées pour trouver les coordonnées du centre de masse d'objets dans le plan des xy.

Problèmes de la section 8.2

1. Une tige a une longueur de 2 m. À une distance de x m depuis son extrémité gauche, la densité de la tige est donnée par

   $$\rho(x) = 2 + 6x \text{ g/m}.$$

   a) Trouvez une somme de Riemann qui permet de calculer l'approximation de la masse totale de la tige.
   b) Trouvez la masse exacte en convertissant la somme en intégrale.

2. On peut mesurer l'approximation de la densité des voitures (en voitures par mille) sur une distance de 20 mi sur l'autoroute de Pennsylvanie par

   $$\rho(x) = 300\left(2 + \sin\left(4\sqrt{x + 0{,}15}\right)\right),$$

   où x est la distance (en milles) depuis le poste de péage de Breezewood.

   a) Tracez le graphe de cette fonction pour $0 \le x \le 20$.
   b) Trouvez une somme qui mesure l'approximation du nombre total de voitures sur cette distance de 20 mi.
   c) Trouvez le nombre total de voitures sur cette distance de 20 mi.

3. Supposez que vous voulez trouver la masse totale d'une feuille rectangulaire de 3 sur 5, dont la densité par unité de surface à une distance x de l'un des côtés de longueur 5 correspond à $1/(1 + x^4)$.

   a) Trouvez une somme de Riemann qui permet de mesurer l'approximation de la masse totale.
   b) Trouvez la masse à une décimale près. Comment savez-vous que votre réponse est suffisamment précise ?

4. La densité du pétrole d'une nappe de pétrole circulaire à la surface de l'océan à une distance de r m du centre de la nappe est donnée par $\rho(r) = 50/(1 + r)$ kg/m^2.

   a) Si la nappe de pétrole va de $r = 0$ à $r = 10\,000$ m, trouvez une somme de Riemann permettant de mesurer l'approximation de la masse totale de la nappe de pétrole.

b) Trouvez la valeur exacte de la masse de pétrole sur la nappe en transformant votre somme en intégrale et en l'évaluant.

c) À l'intérieur de quelle distance r la moitié de la nappe de pétrole est-elle contenue ?

5. La suie produite par un incinérateur de déchets s'étend en un nuage de forme circulaire. La profondeur $H(r)$ [en millimètres] de la suie qui se dépose chaque mois à une distance de r km de l'incinérateur donnée par $H(r) = 0{,}115e^{-2r}$.

   a) Écrivez une intégrale définie donnant le volume total de la suie qui se dépose chaque mois à moins de 5 km de l'incinérateur.

   b) Évaluez l'intégrale que vous avez trouvée en a) et donnez votre réponse en mètres cubes.

6. Si une tige se trouve sur l'axe des x entre a et b, le moment de la tige est $\int_a^b x\rho(x)\,dx$, où $\rho(x)$ est sa densité à une position x. Trouvez le moment de la tige du problème 1.

7. Une tige de longueur 3 ayant une densité $\delta(x) = 1 + x^2$ est située le long de l'axe des x positifs et son extrémité gauche se trouve à l'origine. Trouvez la masse totale et le centre de masse de la tige.

8. Considérez une tige de longueur 1, avec une densité de $\delta(x) = 1 + kx^2$, où k est une constante positive. Supposez que la tige se situe sur l'axe des x positifs et qu'une extrémité se trouve sur l'origine.

   a) Trouvez le centre de masse en fonction de k.

   b) Montrez que le centre de masse de la tige satisfait $0{,}5 < \overline{x} < 0{,}75$.

9. Une tige d'une longueur de 2 m et d'une densité de $\delta(x) = 3 - e^{-x}$ kg/m est placée sur l'axe des x et ses extrémités se trouvent en $x = \pm 1$.

   a) Le centre de masse de la tige se trouvera-t-il à gauche ou à droite de l'origine ? Justifiez votre réponse.

   b) Trouvez la coordonnée du centre de masse.

10. La moitié d'un disque uniforme de rayon 1 a son diamètre le long de l'axe des y et son centre à l'origine. La masse du demi-disque est de 1. Trouvez l'emplacement du centre de masse $\overline{x}$.

11. Supposez qu'un triangle isocèle ayant une densité uniforme, une hauteur de a et une base b est placé dans le plan des xy (voir la figure 8.24). Montrez que le centre de masse se trouve en $\overline{x} = a/3$. Ainsi, montrez que le centre de masse est indépendant de la base du triangle.

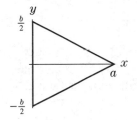

Figure 8.24

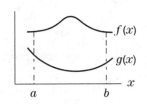

Figure 8.25

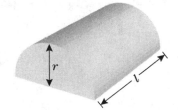

Figure 8.26

12. Une figure de carton a la forme illustrée à la figure 8.25. La région est bornée du côté gauche par la droite $x = a$, du côté droit par la droite $x = b$, au-dessus par $f(x)$ et au-dessous par $g(x)$. Si la densité $\rho(x)$ g/cm^2 varie seulement de pair avec x, trouvez une expression pour la masse totale de la figure, en fonction de $f(x)$, de $g(x)$ et de $\rho(x)$.

13. L'entrepôt à la figure 8.26 a la forme d'un demi-cylindre de rayon r et de longueur l.

   a) Quel est le volume de l'entrepôt ?

   b) Supposez que l'entrepôt est rempli de bran de scie dont la densité en tout point est proportionnelle à la distance de ce point à partir du sol. La constante de proportionnalité est k. Calculez la masse totale du bran de scie dans l'entrepôt.

14. Le tableau suivant donne la densité D (en grammes par centimètre cube) de la Terre à une profondeur de x km au-dessous de la surface de la Terre. Le rayon de la Terre est d'environ 6370 km. Trouvez un majorant et un minorant pour la masse de la Terre tel que le majorant est inférieur au double du minorant. Expliquez votre raisonnement ; en particulier, quelles hypothèses avez-vous émises concernant la densité ?

x	0	1000	2000	2900	3000	4000	5000	6000	6370
D	3,3	4,5	5,1	5,6	10,1	11,4	12,6	13,0	13,0

15. Selon un modèle exponentiel pour la densité de l'atmosphère de la Terre, si la température de l'atmosphère était constante, alors la densité de l'atmosphère en fonction de la hauteur h (en mètres) au-dessus de la surface de la Terre serait donnée par

$$\rho(h) = 1{,}28 e^{-0{,}000\,124h} \text{ kg/m}^3.$$

a) Écrivez (mais n'évaluez pas) une somme qui mesure l'approximation de la masse de la portion de l'atmosphère entre $h = 0$ et $h = 100$ m (c'est-à-dire les 100 premiers m au-dessus du niveau de la mer.) Supposez que le rayon de la Terre est de 6370 km.

b) Trouvez la réponse exacte en transformant votre somme à la partie a) en intégrale. Évaluez l'intégrale.

16. L'eau circule dans un tuyau cylindrique dont le rayon est de 1 po. Puisque l'eau est visqueuse et adhère au tuyau, le taux de circulation varie par rapport à la distance du centre. La vitesse de l'eau à une distance de r po du centre est de $10(1 - r^2)$ po/s. Quel est le taux (en pouces cubes par seconde) de circulation de l'eau dans le tuyau ?

8.3 LES APPLICATIONS EN PHYSIQUE

Bien que les problèmes géométriques de l'aire, de la longueur et du volume aient motivé l'élaboration du calcul différentiel et intégral au 17e siècle, c'est Newton, avec ses remarquables applications du calcul à la physique, qui a le plus clairement démontré la puissance de ces nouvelles mathématiques.

Le travail

La première application fait intervenir la notion de travail. En physique, le terme *travail* a une signification technique qui est différente de sa signification courante. Les physiciens disent que si une force constante F est appliquée sur un objet donné pour le déplacer d'une distance d, alors la force a effectué un travail sur l'objet. La force doit être appliquée dans la même direction que le mouvement. Soit la définition suivante :

$$\text{Travail effectué} = \text{Force} \times \text{Distance}$$
$$W = F \cdot d$$

À noter que si on traverse une pièce en tenant un livre, on n'accomplit aucun travail sur le livre, puisque la seule force qu'on exerce sur le livre est verticale, et que le mouvement du livre est horizontal. Par ailleurs, si on prend le livre sur le plancher et qu'on le lève à une hauteur de 3 pi au-dessus du sol, on accomplit un travail.

Les unités de masse et de poids

Lorsqu'on parle du poids d'un objet, on parle de la force que la gravité exerce sur cet objet. Un morceau de fer, par exemple, peut peser 10 lb à la surface de la Terre. C'est parce que le champ de gravité de la Terre exerce 10 lb de force sur ce morceau de fer. Cependant, si le même morceau flotte dans l'espace interstellaire, il n'a pas de poids, car aucun champ de gravité autour de la masse n'exerce de force sur celui-ci. Évidemment, la quantité de fer présente n'a pas changé ; il n'y a pas moins de fer qu'il n'y en avait au départ. Donc, on fait une distinction entre la *masse* du morceau de fer (la quantité de matière qu'il contient) et le *poids* de cette masse (la force qu'exerce la gravité sur ce morceau).

Dans le système des unités de mesure britannique, la *livre* est une unité de poids. Dans le système métrique, cependant, le *kilogramme* est une unité de masse et non de poids. Ainsi, en sachant qu'on a un morceau de fer de 1 kg, cela veut dire que l'on connaît la masse de fer présente dans ce morceau. Pour trouver le poids du fer, il faut trouver la force qu'exerce la gravité sur celui-ci. Puisque la deuxième loi de Newton énonce que la Force = Masse × Accélération, on sait qu'il faut multiplier la masse du fer par l'accélération provoquée par la gravité qui, à la surface de la Terre, est de 9,8 m/s^2. Ainsi, le kilogramme de fer pèse 1 kg · 9,8 m/s^2 = 9,8 kg m/s^2, qu'on écrit presque toujours 9,8 newtons. (Un newton (N) = 1 kg · m/s^2 et est une unité de force ou de poids.)

Exemple 1 Quelle quantité de travail faut-il pour soulever

   a) un livre de 5 lb à 3 pi du sol ?   b) un livre de 1,5 kg à 2 m du sol ?

Solution a) $W = F \cdot d = (5 \text{ lb})(3 \text{ pi}) = 15$ lb-pi

   b) Dans ce cas, on n'a pas fait $(1,5)(2) = 3$ unités de travail. On doit utiliser le poids du livre (et non sa masse), notamment $(1,5 \text{ kg})(g \text{ m/s}^2) = (1,5)(9,8)$ N. Ainsi, le travail accompli est

   $$W = F \cdot d = \big[(1,5 \text{ kg})(9,8 \text{ m/s}^2)\big] \cdot (2 \text{ m}) = 29,4 \text{ N} \cdot \text{m}.$$

Un newton-mètre est normalement appelé un *joule*. Donc, on a effectué 29,4 J de travail dans le système métrique d'unités de mesure. Dans le système britannique, l'unité de travail est le livre-pied, le travail accompli quand 1 lb de force déplace un objet d'une distance de 1 pi.

Le calcul du travail accompli

Dans les exemples suivants, on calcule le travail accompli où la force et la distance déplacées varient. Pour trouver le travail accompli sur un objet complexe, *on découpe l'objet de telle sorte qu'on peut trouver le travail accompli sur chaque morceau.* On calcule le travail pour chaque morceau en utilisant $W = Fd$ et on calcule la somme pour trouver l'approximation du travail total en tant que somme de Riemann. En laissant la grandeur de chaque morceau tendre vers zéro, on obtient une intégrale définie qui représente le travail total.

Exemple 2 Une chaîne uniforme de 28 m dont la masse est de 20 kg est suspendue du toit d'un édifice. Quelle quantité de travail faut-il pour remonter la chaîne jusqu'au toit de l'édifice ?

Solution Puisqu'une chaîne de 20 kg pèse $(20 \text{ kg})(9,8 \text{ m/s}^2) = 196$ N, il semble que la réponse soit $(196 \text{ N})(28 \text{ m}) = 5488$ J. Il faut se souvenir que toute la chaîne ne doit pas se déplacer de 28 m, car les liens à proximité de l'extrémité supérieure de la chaîne se déplacent moins.

On sépare la chaîne en petits segments de longueur Δy, chacun pesant $7 \Delta y$ N. (Une longueur de 28 m pèse 196 N. Donc, 1 m pèse 7 N.) [Voir la figure 8.27, page suivante.] Si Δy est petit, tout ce segment est tiré vers le haut d'environ la même distance, soit y, par rapport à la force de la gravité de $7 \Delta y$ N. Par conséquent,

Travail accompli sur un petit segment $\approx (7 \Delta y \text{ N})(y \text{ m}) = 7y \Delta y$ J.

Le travail accompli sur toute la chaîne est donné par le total du travail accompli sur chaque segment :

$$W \approx \sum 7y \, \Delta y \text{ J.}$$

Quand $\Delta y \to 0$, on obtient une intégrale définie. Puisque y varie de 0 à 28 mètres, le total du travail accompli est

$$W = \int_0^{28} (7y) \, dy = \frac{7}{2} y^2 \Big|_0^{28} = 2744 \text{ J.}$$

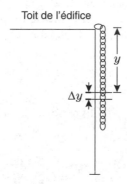

Figure 8.27 : Chaîne pour l'exemple 2

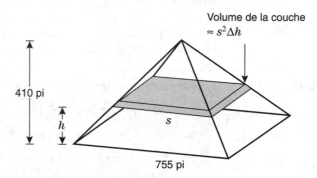

Figure 8.28 : Pyramide pour l'exemple 3

Exemple 3   On dit qu'il a fallu 20 ans pour construire la Grande pyramide d'Égypte. Si les blocs de pierre qui constituent la pyramide ont une densité de 200 lb/pi^3, trouvez la quantité totale de travail accompli en construisant la pyramide. Supposez que la pyramide mesure 410 pi de hauteur et qu'elle comporte une base de 755 pi sur 755 pi. Estimez le nombre de travailleurs nécessaires pour construire la pyramide.

Solution   On suppose que les blocs de pierre se trouvaient à la hauteur approximative du chantier de construction. Supposez que la pyramide ait été construite par couches, comme dans l'exemple 1 au début du chapitre.

On a trouvé, à l'aide de triangles semblables, que la couche à la hauteur h a une longueur latérale de $s = \frac{755}{410}(410 - h)$ pi. La couche à la hauteur h a un volume de $s^2 \, \Delta h$ pi^3 et donc un poids de $200 s^2 \, \Delta h$ lb. Pour construire cette couche, on a dû soulever un poids de $200 s^2 \, \Delta h$ en passant par une hauteur de h. Donc, le travail requis est de $(200 s^2 \, \Delta h \text{ lb})(h \text{ pi})$ $= 200 s^2 h \, \Delta h$ lb-pi (voir la figure 8.28). Le total du travail W de la construction de toutes les couches est alors

$$W \approx \sum 200 s^2 \, h \Delta h = \sum 200 \left(\frac{755}{410}\right)^2 (410 - h)^2 h \Delta h \text{ lb-pi.}$$

Quand l'épaisseur de chaque couche Δh tend vers zéro, on obtient une intégrale définie. Puisque h varie, passant de 0 à 410, on obtient

$$W = \int_0^{410} 200 s^2 \, h \, dh = 200 \int_0^{410} \left(\frac{755}{410}\right)^2 (410 - h)^2 h \, dh = 200 \left(\frac{755}{410}\right)^2 \int_0^{410} (410 - h)^2 h \, dh$$

$$= 200 \left(\frac{755}{410}\right)^2 \left(410^2 \frac{h^2}{2} - 2(410)\frac{h^3}{3} + \frac{h^4}{4}\right)\Big|_0^{410} = 200 \left(\frac{755}{410}\right)^2 (410)^4 \left(\frac{1}{12}\right)$$

$$\approx 1\,597\,020\,000\,000 \approx 1,6 \times 10^{12} \text{ lb-pi.}$$

On a calculé le travail complet effectué pour construire la pyramide ; on veut maintenant estimer le nombre total d'ouvriers requis. On suppose que chaque ouvrier a travaillé 10 h/jour, 300 jours par année, pendant 20 ans. On suppose qu'en général un ouvrier soulève, chaque heure, 10 blocs de 50 lb sur une distance de 4 pi, effectuant ainsi 2000 lb-pi de travail par heure (il s'agit d'une estimation très approximative). Alors, chaque ouvrier a effectué $(10)(300)(20)(2000) = 1,2 \times 10^8$ lb-pi de travail sur une période de 20 ans. Par conséquent, le nombre d'ouvriers nécessaire était d'environ $(1,6 \times 10^{12})/(12 \times 10^7)$ ou d'environ 13 000.

Le champ de gravité de la Terre

Si on lance un objet dans les airs, on s'attend à ce que la gravité le ramène sur Terre. Cependant, plus on le lance avec force, plus on s'attend à ce qu'il mette du temps à retomber. On peut se demander s'il est possible de lancer un objet suffisamment fort pour qu'il ne revienne jamais sur Terre. On calculera la quantité de travail effectué pour déplacer un objet à une distance infinie de la Terre. Chose surprenante, cette quantité totale de travail est finie et il *est* possible de lancer un objet avec suffisamment de force pour qu'il ne revienne jamais sur Terre.

Précédemment, lorsqu'on a analysé le mouvement d'un corps en chute libre, on a supposé que la force gravitationnelle était constante. Maintenant, puisque l'on considère un corps qui se déplace dans l'espace, il faut tenir compte du fait que, au fur et à mesure qu'on s'éloigne de la Terre, sa force gravitationnelle s'affaiblit. La loi de la gravité de Newton énonce que la force F exercée sur une masse m à une distance r du centre de la Terre est donnée par

$$F = \frac{GMm}{r^2}.$$

Ici M est la masse de la Terre et G est la constante gravitationnelle, dont la valeur est d'environ $6,67 \times 10^{-11}$ si la masse est mesurée en kilogrammes, la distance en mètres et la force en newtons. On prend $r > R$, le rayon de la Terre.

Exemple 4   Trouvez le travail accompli pour déplacer un objet de masse m à une distance infiniment éloignée de la Terre.

Solution   La force qui ramène l'objet vers la Terre est de GMm/r^2. Par conséquent,

Travail nécessaire pour déplacer un objet à une distance Δr plus éloignée $\approx \left(\dfrac{GMm}{r^2} \right) \Delta r.$

Ainsi, le travail accompli pour déplacer un objet de la surface de la Terre $r = R$ vers un point infiniment éloigné est donné approximativement par

$$W \approx \sum \frac{GMm}{r^2} \, \Delta r,$$

où la valeur de r passe de $r = R$ (à la surface de la Terre) à $r = \infty$ (à une distance très éloignée). Quand Δr tend vers zéro, on obtient l'intégrale définie

$$W = \int_R^\infty \frac{GMm}{r^2} \, dr = \lim_{b \to \infty} \left. -\frac{GMm}{r} \right|_R^b = \frac{GMm}{R}.$$

On suppose qu'un objet est lancé vers le haut et que sa vitesse initiale est v. L'énergie du corps en vertu de ce mouvement s'appelle l'*énergie cinétique* et elle est égale à $\frac{1}{2} mv^2$. Lorsque l'objet se déplace vers le haut, il ralentit, perdant ainsi de l'énergie cinétique quand un travail est accompli en direction inverse de la force de gravité. Le corps se déplace vers le haut jusqu'à ce que toute l'énergie cinétique soit dépensée ; il s'arrête à la hauteur à laquelle

$$\text{Énergie cinétique initiale} = \text{Travail accompli contre la gravité.}$$

Puisque le travail accompli pour déplacer un objet à une distance infiniment éloignée de la Terre est fini, une vitesse de départ finie peut donner à l'objet suffisamment d'énergie cinétique pour le déplacer à une distance infinie. La *vitesse d'échappement* à partir de la Terre est définie comme la vitesse verticale minimale qui doit être donnée à un objet pour qu'il ne soit jamais attiré de nouveau vers la Terre par la force de gravité.

Exemple 5   Trouvez la vitesse d'échappement d'un objet à partir de la Terre.

Solution   Si v est la vitesse initiale, alors en définissant l'énergie cinétique initiale pour qu'elle soit égale au travail accompli pour se diriger infiniment loin de la Terre, on obtient

$$\frac{1}{2} m v^2 = \frac{GMm}{R} \, .$$

La résolution pour v donne

$$v = \sqrt{\frac{2GM}{R}} \, .$$

Puisque la masse de la Terre est de $M \approx 6 \times 10^{24}$ kg et que son rayon est de $R \approx 6,4 \times 10^6$ m, la vitesse d'échappement est d'environ 11 000 m/s $\approx$ 25 000 mi/h ou d'environ 30 fois la vitesse du son. Ainsi, la vitesse d'échappement est finie, bien qu'elle soit beaucoup plus élevée que celle qu'on pourrait obtenir en lançant ou en tirant un objet avec un fusil. (La vitesse d'une balle est légèrement supérieure à celle du son.)

La force et la pression

On peut utiliser l'intégrale définie pour calculer la force exercée par un liquide sur une surface, par exemple, la force de l'eau sur un barrage. Il s'agit d'obtenir la force de la *pression*. La pression d'un liquide est la force par unité de surface exercée par un liquide.

- En tout point, la pression est exercée également dans toutes les directions — vers le haut, vers le bas et latéralement.
- La pression s'accroît de pair avec la profondeur. (C'est l'une des raisons pour lesquelles les plongeurs sous-marins doivent prendre beaucoup plus de précautions que les plongeurs en eaux moins profondes.)

À une profondeur de h pi, la pression p exercée par le liquide, mesurée en livres par pied carré, est donnée en calculant le poids total d'une colonne de liquide d'une hauteur de h pi avec une base de 1 pi^2. Le volume d'une telle colonne de liquide n'est que de h pi^3.

Si le liquide a une densité ρ (la masse par unité de volume), alors son poids par unité de volume est de ρg, où g est l'accélération provoquée par la gravité. Le poids de la colonne de liquide est de $\rho g h$. Donc,

$$\boxed{\text{Pression} = \text{Densité} \times g \times \text{Profondeur} \quad \text{ou} \quad p = \rho g h.}$$

Parfois, on peut connaître la densité du liquide en tant que poids par unité de volume plutôt que comme masse par unité de volume. Dans ce cas, on ne doit pas multiplier par g, car cela a déjà été fait. Puisque les livres sont des unités de poids et non de masse, en sachant que l'eau pèse 62,4 lb/pi^3, on sait que pour l'eau, $\rho g = 62,4$ lb/pi^3, et que la pression à la profondeur h est de $62,4h$ lb/pi^2 (voir la figure 8.29).

Ensuite, on doit connaître la relation qui existe entre la force et la pression. Étant donné que la pression est constante sur une aire donnée, on a la relation suivante :

$$\text{Force} = \text{Pression} \times \text{Aire.}$$

Lorsque la pression n'est pas constante sur une surface, on divise la surface en petites sections *de telle sorte que la pression est presque constante sur chacune d'elles.* Ensuite, on peut utiliser cette formule pour chaque section et obtenir une intégrale définie qui permettra de déterminer la force relative à la surface entière. Puisque la pression varie de pair avec la profondeur, il faut diviser la surface en bandes horizontales, chacune d'elles étant à une profondeur approximativement constante.

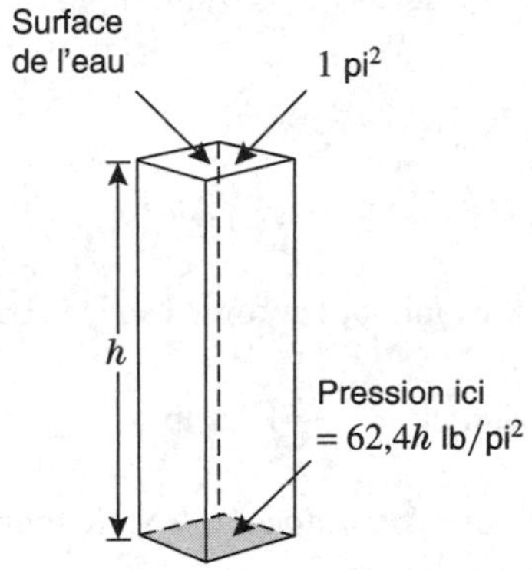

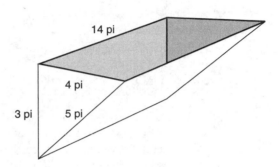

Figure 8.29 : Pression exercée par une colonne d'eau

Figure 8.30 : Dépression pour l'exemple 6

Exemple 6

Une dépression de 14 pi de longueur a un côté vertical rectangulaire de 14 pi sur 3 pi, un côté rectangulaire incliné de 14 pi sur 5 pi et deux extrémités rectangulaires dont les côtés mesurent 3 pi, 4 pi et 5 pi (voir la figure 8.30). Si la dépression est remplie d'eau à ras bord, calculez la force relative à chaque extrémité et à chaque côté.

Solution

On calcule le long côté vertical d'abord. On divise le côté en fines bandes horizontales de largeur Δh. Puisque la pression dépend uniquement de la profondeur h et que les bandes sont minces et horizontales, on peut supposer que la pression est la même en chaque point de la bande. L'aire de la bande est de $14 \, \Delta h \, \text{pi}^2$ et la force sur la bande à la profondeur h pi est la pression relative à cette profondeur multipliée par l'aire de la bande.

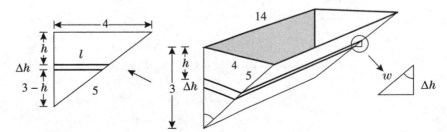

Figure 8.31 : Calcul des largeurs des bandes sur l'extrémité et sur le côté incliné

$$\text{Force sur la bande} = \text{Pression} \times \text{Aire} \approx (62{,}4h \, \text{lb/pi}^2)(14 \, \Delta h \, \text{pi}^2) = (62{,}4h) 14 \, \Delta h \, \text{lb.}$$

En faisant la somme des forces exercées sur ces bandes, on obtient une expression pour la force totale sur le côté vertical :

$$F_{\text{côté vertical}} \approx \sum (62{,}4h) \, 14 \, \Delta h \, \text{lb.}$$

Soit $\Delta h \to 0$; on obtient une intégrale définie. Puisque h varie de 0 à 3 pi, on obtient

$$F_{\text{côté vertical}} = \int_0^3 (62,4h)\,14\,dh = (62,4)\,(14)\frac{h^2}{2}\Big|_0^3 = (62,4)\,(14)\left(\frac{9}{2}\right) \approx 3930 \text{ lb.}$$

Pour calculer la force du côté incliné, on utilise une bande horizontale inclinée. Chaque bande a une longueur 14 mais sa largeur n'est pas Δh. Selon des triangles semblables (voir la figure 8.31, page précédente), la largeur w de la bande satisfait à

$$\frac{\Delta h}{w} = \frac{3}{5}. \quad \text{Donc,} \quad w = \frac{5}{3}\,\Delta h.$$

Par conséquent,

$$\text{Aire de la bande} = 14w = 14\left(\frac{5}{3}\right)\Delta h \text{ pi}^2.$$

Donc,

$$\text{Force sur la bande} = (62,4h)\,(14)\left(\frac{5}{3}\right)\Delta h \text{ lb.}$$

La force totale du côté incliné s'obtient en additionnant les forces sur les bandes, ce qui donne

$$F_{\text{côté incliné}} \approx \sum (62,4h)\,(14)\left(\frac{5}{3}\right)\Delta h \text{ lb.}$$

Soit $\Delta h \to 0$ pour engendrer une intégrale définie. De nouveau, h varie entre 0 et 3 pi. Donc,

$$F_{\text{côté incliné}} = \int_0^3 (62,4h)\,(14)\left(\frac{5}{3}\right)dh = \left(\frac{5}{3}\right)(62,4)\,(14)\left(\frac{9}{2}\right) \approx 6550 \text{ lb.}$$

À noter qu'il ne s'agit que du $\frac{5}{3}$ de la force du côté vertical.

Finalement, pour calculer la force sur chaque extrémité du triangle, on divise une fois de plus l'extrémité en bandes horizontales. La largeur de la bande est de Δh comme pour le côté vertical mais, cette fois-ci, la longueur de la bande varie, passant de 4 pi au-dessus de la dépression à 0 pi au-dessous. Selon des triangles semblables (voir la figure 8.31), la longueur l de la bande est reliée à la profondeur h par

$$\frac{l}{4} = \frac{3-h}{3}. \quad \text{Donc,} \quad l = \frac{4}{3}\,(3-h).$$

Ainsi, l'aire de la bande est $l\,\Delta h = \frac{4}{3}(3-h)\,\Delta h$ pi^2. Comme auparavant, cela signifie que la force totale est

$$F_{\text{extrémité}} \approx \sum (62,4h)\left(\frac{4}{3}(3-h)\right)\Delta h \text{ lb.}$$

Puisque h varie entre 0 et 3, quand $\Delta h \to 0$, on obtient

$$F_{\text{extrémité}} = \int_0^3 (62,4h)\left(\frac{4}{3}(3-h)\right)dh = (62,4)\left(\frac{4}{3}\right)\left(3\frac{h^2}{2} - \frac{h^3}{3}\right)\Big|_0^3$$

$$= (62,4)\left(\frac{4}{3}\right)\left(\frac{27}{6}\right) \approx 374 \text{ lb.}$$

Problèmes de la section 8.3

1. La figure 8.32 montre des courbes de poussée-temps pour deux modèles de fusée. La poussée ou la force F du moteur (en newtons) est tracée par rapport au temps t (en secondes). L'*impulsion totale* du moteur de la fusée est définie comme l'intégrale définie de F par rapport à t. L'impulsion totale est une mesure de la force du moteur.

   a) Pendant environ combien de secondes la poussée de la fusée B est-elle supérieure à 10 N ?

   b) Estimez l'impulsion totale pour la fusée de modèle A.

   c) Quelles sont les unités pour l'impulsion totale calculée dans la partie b) ?

   d) Quelle fusée a l'impulsion totale la plus élevée ?

   e) Quelle fusée a la poussée maximale la plus élevée ?

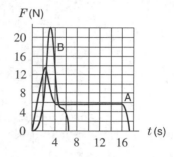

Figure 8.32

2. Un travailleur sur un échafaudage de 75 pi de hauteur doit faire monter un seau de ciment de 500 lb jusqu'à un point situé à 30 pi du sol au moyen d'une corde pesant 5 lb/pi. Quelle quantité de travail faut-il pour accomplir cette tâche ?

3. Un poids de 1000 lb est hissé à une hauteur de 10 pi. On le hisse à l'aide d'une corde qui pèse 4 lb/pi et qui est tirée par des ouvriers. Ceux-ci se tiennent debout sur un toit à une hauteur de 30 pi du sol. Trouvez le travail accompli pour soulever le poids.

4. Un réservoir d'eau rectangulaire a une longueur de 20 pi, une largeur de 10 pi et une profondeur de 15 pi. Si le réservoir est plein, quelle quantité de travail faut-il pour le vider en pompant toute l'eau à l'extérieur du réservoir ? (Notez que 1 pi^3 d'eau pèse 62,4 lb.)

5. Un réservoir a la forme d'un cylindre circulaire droit, une hauteur de 20 pi et un rayon de 6 pi. Si le réservoir est rempli d'eau à moitié, trouvez le travail requis pour pomper toute l'eau par-dessus l'extrémité supérieure du réservoir. (Notez que 1 pi^3 d'eau pèse 62,4 lb.)

6. Supposez que le réservoir d'eau du problème 5 est plein. Trouvez le travail requis pour pomper toute l'eau à 10 pi au-dessus de l'extrémité supérieure du réservoir.

7. Un réservoir de mazout de forme cylindrique est enfoui de telle sorte que son extrémité supérieure circulaire se trouve à 10 pi sous le sol. Le réservoir a un rayon de 5 pi et mesure 15 pi de hauteur. Le niveau de mazout actuel n'est que de 6 pi de profondeur. Calculez le travail à effectuer pour pomper tout le mazout à la surface. Supposez que le mazout pèse 50 lb/pi^3.

8. Une station-service stocke toute son essence dans un réservoir souterrain. Celui-ci est un cylindre couché horizontalement sur le côté. (En d'autres mots, le réservoir n'est pas placé verticalement sur l'une de ses extrémités plates.) Si le rayon du cylindre est de 4 pi, sa longueur de 12 pi et que son extrémité supérieure est enfouie à 10 pi sous terre, trouvez la quantité totale de travail nécessaire pour pomper le pétrole à l'extérieur du réservoir. (Le pétrole pèse 42 lb/pi^3.)

9. Quelle quantité de travail faut-il pour soulever un satellite de 1000 kg à une altitude de 2×10^6 m au-dessus de la surface de la Terre ? (Le rayon de la Terre est de $6,4 \times 10^6$ m, sa masse est de 6×10^{24} kg et dans ces unités, la constante gravitationnelle G est de $6,67 \times 10^{-11}$.)

10. Montrez que la vitesse d'échappement que nécessite un objet pour ne plus subir l'influence de la gravité d'une planète sphérique de densité ρ et de rayon R est proportionnelle à R et à $\sqrt{\rho}$.

11. Calculez la vitesse d'échappement d'un objet à partir de la Lune. L'accélération provoquée par la gravité sur la Lune est de 1,6 m/s^2, tandis que sur la Terre elle est de 9,8 m/s^2 ; le rayon de la Lune est d'environ 1740 km. [Conseil : Si g est l'accélération provoquée par la gravité, la force d'un objet est $F = mg = GMm/R^2$. Voir la section intitulée *Le champ de gravité de la Terre*.]

12. Un réservoir comporte un barrage à une extrémité. Le barrage est un mur rectangulaire de 1000 pi de longueur et de 50 pi de hauteur. Le problème consiste à trouver la force totale de l'eau agissant sur le barrage.

    a) Montrez comment mesurer l'approximation de cette force à l'aide d'une somme de Riemann et expliquez clairement votre raisonnement.
    b) Écrivez une intégrale qui représente la force et évaluez-la.

13. Avant de pomper de l'eau à l'extérieur du réservoir, quelle était la force totale exercée sur le fond et sur chaque côté du réservoir du problème 4 ?

14. Un casier à homards mesure 4 pi de longueur sur 3 pi de largeur sur 2 pi de profondeur. Trouvez la force de l'eau exercée sur le fond du casier et sur chacun des quatre côtés. (La densité de l'eau est de 62,4 lb/pi^3.)

Pour les problèmes 15 et 16, trouvez l'énergie cinétique d'un corps en rotation en vous basant sur le fait que l'énergie cinétique d'une particule de masse m qui se déplace à une vitesse v est de $\frac{1}{2}mv^2$. Découpez l'objet en sections afin que la vitesse soit approximativement constante pour chaque section.

15. Trouvez l'énergie cinétique d'une tige d'une masse de 10 kg et d'une longueur de 6 m qui tourne autour d'un axe perpendiculaire à la tige en son point milieu, avec une vitesse angulaire de 2 rad/s. (Imaginez une pale d'hélicoptère d'une épaisseur uniforme.)

16. Trouvez l'énergie cinétique d'un disque de phonographe de densité uniforme ayant une masse de 50 g et un rayon de 10 cm et tournant à $33\frac{1}{3}$ tours/min.

17. On définit le potentiel électrique à une distance r d'une charge électrique q par q/r. Le potentiel électrique d'une distribution de charge s'obtient en additionnant le potentiel de chaque point. Supposez qu'une charge électrique est vaporisée (avec une densité constante σ en unités de charge par unité de surface) sur un disque de rayon a. Considérez l'axe perpendiculaire au disque et traversant son centre. Trouvez le potentiel électrique au point P sur cet axe à une distance R du centre (voir la figure 8.33).

18. Par un après-midi chaud d'été à Pétionville, à Haïti, Lubonga tente de se rafraîchir en buvant à petites gorgées un verre de vin de palme (voir la figure 8.34). Quelle quantité de travail faut-il pour vider le verre ? (La densité du vin de palme est de 1,2 g/cm^3. Au départ, le verre est rempli à une profondeur verticale de 8 cm. À noter que la force (en dynes) provoquée par la gravité qui agit sur 1 g est de 980 dynes et que, dans ces unités de mesure, le travail est mesuré en ergs. Le travail accompli pour soulever une petite partie de fluide dépend de la différence de hauteur entre les positions initiale et finale.)

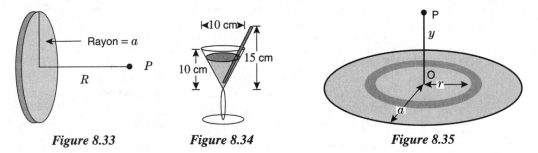

Figure 8.33   **Figure 8.34**   **Figure 8.35**

19. Un disque uniforme et mince, de rayon a et de masse M, est posé à plat sur un plan horizontal. Le point P se situe à une distance y directement au-dessus de O, le centre du disque. Calculez la force gravitationnelle exercée sur une masse m au point P (voir la figure 8.35). Considérez le fait que la force de gravité exercée sur la masse m par un mince anneau horizontal de rayon r, de masse μ et de centre O se dirige vers O et est donné par

$$F = \frac{G\mu m y}{(r^2 + y^2)^{3/2}}, \quad \text{où } G \text{ est la constante gravitationnelle.}$$

Pour les problèmes 20 et 21, trouvez la force de gravité entre deux objets. Considérez le fait que la gravité entre deux particules de masse m_1 et m_2 à une distance r entre eux est de Gm_1m_2/r^2. Pour chaque problème, découpez les objets en sections, utilisez cette formule pour chacune des sections et calculez la somme en utilisant une intégrale définie.

20. Quelle est la force de gravité entre une mince tige uniforme de masse M et de longueur l et une particule de masse m reposant sur la même ligne que la tige à une distance a d'une des extrémités ?

21. Deux longues tiges minces et uniformes de longueur l_1 et l_2 reposent sur une ligne droite et sont séparées entre elles par une longueur a. Supposez que leurs masses sont respectivement M_1 et M_2 et que la constante gravitationnelle est G. Quelle est la force de gravité entre les tiges ? (Utilisez le résultat du problème 20.)

8.4 LES APPLICATIONS EN ÉCONOMIQUE

La valeur actualisée et la valeur capitalisée

Bon nombre d'opérations commerciales comportent des paiements qui se feront dans le futur. Si on achète une voiture ou des meubles, par exemple, on peut les acheter à crédit ou les payer en plusieurs versements échelonnés sur une période donnée. Ou encore, si on accepte de se faire payer par versements en vertu d'un contrat, on doit évidemment connaître le montant qu'on recevra. Pour plusieurs raisons, il est clairement moins payant de recevoir 100 $ dans le futur que maintenant. Si on reçoit l'argent aujourd'hui, on peut l'utiliser, le mettre à la banque, l'investir ou le dépenser. Ainsi, même sans tenir compte de l'inflation, si on accepte de se faire payer plus tard, on s'attend sans doute à recevoir une somme d'argent supplémentaire pour compenser une perte de revenu potentielle. La question consiste donc à savoir quelle est cette somme d'argent supplémentaire.

Pour simplifier les choses, on considérera uniquement l'argent qu'on pourrait perdre en ne gagnant pas d'intérêt ; on ne tiendra pas compte des effets de l'inflation. On examinera des chiffres précis. Par exemple, on dépose 100 $ dans un compte en banque qui permet de gagner 7 % d'intérêt composé annuellement pour que, en l'espace d'un an, on ait 107 $. Par conséquent, ces 100 $ dans le présent vaudront 107 $ dans un an. On dit que les 107 $ constituent la *valeur capitalisée* des 100 $ et que les 100 $ représentent la *valeur actualisée* des 107 $. En général, on avance ce qui suit :

> • La **valeur capitalisée** B $ d'un paiement P $ est le montant auquel P $ aurait augmenté s'il avait été déposé dans un compte en banque à intérêt.
>
> • La **valeur actualisée** P $ d'un paiement effectué dans le futur B $ est le montant qui devrait être déposé à la banque aujourd'hui pour produire exactement B $ dans le compte au moment pertinent dans le futur.

Comme on peut le prévoir, la valeur actualisée sera toujours inférieure à la valeur capitalisée. À l'annexe B, on voit que, avec un taux d'intérêt de r, composé annuellement, et une période de t années, un dépôt de P $ augmente pour se chiffrer à un solde futur de B $, où

$$B = P(1 + r)^t \quad \text{ou, de manière équivalente,} \quad P = \frac{B}{(1 + r)^t}.$$

> Si l'intérêt est composé n fois par année pendant t années à un taux r, et si B \$ est la *valeur capitalisée* de P \$ après t années et que P \$ est la *valeur actualisée* de B \$, alors
>
> $$B = P\left(1 + \frac{r}{n}\right)^{nt}, \quad \text{ou, de manière équivalente,} \quad P = \frac{B}{(1 + r/n)^{nt}}.$$

À noter que, pour un taux d'intérêt de 7 %, $r = 0{,}07$. De plus, comme on le verra à l'annexe B, quand n tend vers l'infini, on dit que la composition devient continue et on obtient le résultat suivant :

> $$B = Pe^{rt} \quad \text{ou, de manière équivalente,} \quad P = \frac{B}{e^{rt}} = Be^{-rt}.$$

Exemple 1   Vous gagnez à la loterie et on vous offre deux possibilités de versement : on peut vous payer 1 million de dollars en quatre versements annuels de 250 000 \$ chacun dès maintenant, ou on peut vous verser immédiatement une somme forfaitaire de 920 000 \$. En supposant que le taux d'intérêt est de 6 %, composé continuellement, et en ne tenant pas compte des impôts, quel mode de paiement devriez-vous choisir ?

Solution   On effectuera le problème de deux manières. Tout d'abord, on suppose que l'option choisie est celle dont la valeur actualisée est la plus grande. Le premier des quatre versements est payé maintenant. Donc,

$$\text{Valeur actualisée du premier versement} = 250\ 000\ \$.$$

Le deuxième versement est effectué dans un an. Donc,

$$\text{Valeur actualisée du deuxième versement} = 250\ 000e^{-0,06(1)}\ \$.$$

En calculant la valeur actualisée des troisième et quatrième versements, on trouve

$$\text{Valeur actualisée totale} = 250\ 000\ \$ + 250\ 000e^{-0,06(1)}\ \$ + 250\ 000e^{-0,06(2)}\ \$ + 250\ 000e^{-0,06(3)}\ \$$$

$$\approx 250\ 000\ \$ + 235\ 441\ \$ + 221\ 730\ \$ + 208\ 818\ \$$$

$$= 915\ 989\ \$.$$

Puisque la valeur actualisée des quatre versements est inférieure à 920 000 \$, il est préférable d'accepter immédiatement les 920 000 \$.

Par ailleurs, on peut résoudre le problème en comparant les valeurs capitalisées des deux modes de paiement. La solution avec la valeur capitalisée la plus élevée est la meilleure d'un point de vue purement financier. On calcule la valeur capitalisée des deux modes de paiement d'ici trois ans, à la date du dernier versement de 250 000 \$. À ce moment,

$$\text{Valeur capitalisée de la somme forfaitaire} = 920\ 000e^{0,06(3)}\ \$ \approx 1\ 101\ 440\ \$.$$

Maintenant, on calcule la valeur capitalisée du premier versement de 250 000 \$:

$$\text{Valeur capitalisée du premier versement} = 250\ 000e^{0,06(3)}\ \$.$$

En calculant la valeur capitalisée des autres versements de la même manière, on trouve

$$\text{Valeur capitalisée totale} = 250\ 000e^{0,06(3)}\ \$ + 250\ 000e^{0,06(2)}\ \$ + 250\ 000e^{0,06(1)}\ \$ + 250\ 000\ \$$$

$$\approx 299\ 304\ \$ + 281\ 874\ \$ + 265\ 459\ \$ + 250\ 000\ \$$$

$$= 1\ 096\ 637\ \$.$$

La valeur capitalisée du paiement de 920 000 \$ étant supérieure, il est donc préférable d'accepter les 920 000 \$ immédiatement. Évidemment, puisque la valeur actualisée du paiement de 920 000 $ est supérieure à celle de la valeur actualisée des quatre versements distincts, on s'attend à ce que la valeur capitalisée du paiement de 920 000 $ soit supérieure à la valeur capitalisée des quatre paiements distincts.

(Note : En lisant les clauses des loteries, on verra que bon nombre d'entre elles n'effectuent pas leur paiement immédiatement, mais elles les échelonnent souvent et parfois sur une longue période. Cette mesure est adoptée en vue de réduire la valeur actualisée des paiements effectués pour que la valeur des prix soit inférieure à celle qu'on pourrait croire au tout début !)

La source de revenus continus

Lorsque l'on considère les versements effectués à une personne ou par celle-ci, on pense normalement aux versements *discrets*, autrement dit aux paiements versés à des moments précis dans le temps. Cependant, on peut considérer les paiements effectués par une entreprise comme étant *continus*. Le revenu gagné par une grande entreprise, par exemple, entre de manière continue et peut donc être représenté par un apport de *revenu* continu. Puisque le taux auquel le revenu est gagné peut varier de temps à autre, le revenu est décrit par l'expression

$$P(t) \text{ \$/année.}$$

À noter que $P(t)$ est le *taux* auquel les dépôts sont effectués (ses unités sont des dollars par année, par exemple) et que le taux dépend du temps t normalement mesuré en années à partir de maintenant.

La valeur actualisée et la valeur capitalisée d'un revenu continu

Tout comme il est possible de trouver la valeur actualisée et la valeur capitalisée d'un paiement unique, on peut trouver ces valeurs pour un revenu continu. Comme auparavant, la valeur capitalisée représente le montant total d'argent obtenu en déposant le revenu dans un compte en banque et en le laissant rapporter des intérêts. La valeur actualisée représente le montant d'argent qu'on devrait déposer aujourd'hui (dans un compte en banque avec intérêt) afin d'obtenir le montant qu'on obtiendrait à partir d'un revenu continu.

Lorsqu'on travaille en bénéficiant d'un revenu continu, on suppose que l'intérêt est composé continuellement. La raison en est que les approximations qu'on effectuera (des sommes par des intégrales) sont beaucoup plus simples si les paiements et les intérêts sont continus.

On suppose qu'on veut calculer la valeur actualisée du revenu décrit par un taux de $P(t)$ \$/année et qu'on s'intéresse à la période comprise entre ce jour et T années dans le futur. Pour utiliser nos connaissances sur les dépôts uniques afin de calculer les valeurs actualisées d'un revenu continu, on doit d'abord diviser le revenu en plusieurs petits dépôts, chacun étant fait à un moment précis. On divise l'intervalle $0 \le t \le T$ en sous-intervalles de longueur Δt :

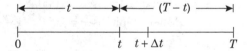

Si on suppose que Δt est petit, le taux $P(t)$ auquel les dépôts sont faits ne variera pas beaucoup à l'intérieur d'un sous-intervalle. Ainsi, entre t et $t + \Delta t$,

$$\text{Montant payé} \approx \text{Taux de dépôts} \times \text{Temps}$$
$$\approx (P(t) \text{ \$/année})(\Delta t \text{ années})$$
$$= P(t) \, \Delta t \text{ \$.}$$

Mesuré dans le présent, le dépôt de $P(t) \, \Delta t$ se fait dans t années dans le futur. Ainsi,

$$\begin{matrix} \text{Valeur actualisée de l'argent déposé} \\ \text{sur l'intervalle } t \text{ à } t + \Delta t \end{matrix} \approx P(t)\Delta t e^{-rt}.$$

La somme de tous ces intervalles donne

$$\text{Valeur actualisée totale} \approx \sum P(t)e^{-rt}\,\Delta t \ \$.$$

Dans la limite, quand $\Delta t \to 0$, on obtient l'intégrale suivante :

$$\boxed{\ \text{Valeur actualisée} = \int_0^T P(t)e^{-rt}\,dt.\ }$$

En calculant la valeur capitalisée, le dépôt de $P(t)\Delta t$ a une période de $(T-t)$ années pour produire de l'intérêt. Donc,

$$\text{Valeur capitalisée de l'argent déposé sur l'intervalle } t \text{ à } t + \Delta t \approx [P(t)\Delta t]\,e^{r(T-t)}.$$

La somme de tous les intervalles donne

$$\text{Valeur capitalisée totale} \approx \sum P(t)\Delta te^{r(T-t)} \ \$.$$

Au fur et à mesure que la longueur des subdivisions tend vers zéro, la somme se transforme en intégrale :

$$\boxed{\ \text{Valeur capitalisée} = \int_0^T P(t)e^{r(T-t)}\,dt.\ }$$

Exemple 2   Trouvez la valeur actualisée et la valeur capitalisée d'un revenu continu de 100 \$ par année sur une période de 20 ans, en supposant un taux d'intérêt de 10 % composé continuellement.

Solution   En utilisant $P(t) = 100$ et $r = 0,1$, on obtient

$$\text{Valeur actualisée} = \int_0^{20} 100e^{-0,1t}\,dt = 100\left(-\frac{e^{-0,1t}}{0,1}\right)\Bigg|_0^{20} = 1000(1 - e^{-2}) \approx 864,66 \ \$.$$

$$\text{Valeur capitalisée} = \int_0^{20} 100e^{0,1(20-t)}\,dt = \int_0^{20} 100e^2 e^{-0,1t}\,dt$$

$$= 100e^2\left(-\frac{e^{-0,1t}}{0,1}\right)\Bigg|_0^{20} = 1000e^2(1 - e^{-2}) \approx 6389,06 \ \$.$$

Exemple 3   Quelle est la relation qui existe entre la valeur actualisée et la valeur capitalisée de l'exemple précédent ? Expliquez cette relation.

Solution   Puisque

$$\text{Valeur actualisée} = 1000(1 - e^{-2}) \approx 864,66 \ \$,$$

$$\text{Valeur capitalisée} = 1000e^2(1 - e^{-2}) \approx 6389,06 \ \$,$$

on peut voir que

$$\text{Valeur capitalisée} = (\text{Valeur actualisée})e^2.$$

La raison en est que les paiements continus équivalent à un seul paiement de 864,66 \$ au moment $t = 0$. Avec un taux d'intérêt de 10 %, au bout de 20 ans ce paiement unique se sera accru pour atteindre une valeur capitalisée de

$$864,66e^{0,1(20)} = 864,66e^2 \approx 6389,02 \ \$.$$

En tenant compte des erreurs d'arrondissement, il s'agit de la valeur capitalisée calculée précédemment.

La courbe de l'offre et la courbe de la demande

Sur un marché libre, la quantité d'un certain article produit et vendu peut être décrite par la courbe de l'offre et la courbe de la demande de cet article. La *courbe de l'offre* montre quelle quantité de l'article les producteurs offriront à différents niveaux de prix. On suppose normalement que, au fur et à mesure que les prix augmentent, la quantité offerte s'accroîtra également. Le comportement des consommateurs est reflété par la *courbe de la demande*, qui montre quelle quantité de biens sont achetés à différents niveaux de prix. On suppose généralement qu'une hausse des prix provoque une diminution de la quantité achetée (voir la figure 8.36).

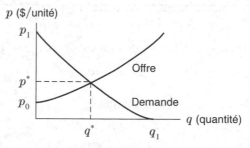

Figure 8.36 : Courbe de l'offre et courbe de la demande

On suppose que le marché s'établira au *prix d'équilibre p** et à la *quantité d'équilibre q**, là où les graphes se croisent. Cela signifie que, au point d'équilibre, une quantité q^* d'un article sera produite et vendue pour un prix de p^* chacun.

Le surplus du consommateur et le surplus du producteur

À noter que, au point d'équilibre, un certain nombre de consommateurs ont acheté l'article à un prix inférieur à celui qu'ils auraient été prêts à payer. (Par exemple, certains consommateurs auraient été prêts à payer des prix allant jusqu'à p_1.) De même, certains fournisseurs auraient été prêts à produire l'article à un prix inférieur (en fait, jusqu'à p_0). Soit les définitions suivantes :

- Le **surplus du consommateur** mesure les gains que réalise le consommateur grâce à l'échange. C'est le montant total que gagne le consommateur en achetant l'article au prix courant plutôt qu'au prix qu'il aurait été prêt à payer.

- Le **surplus du producteur** mesure les gains que tire le fournisseur de l'échange. C'est le montant total que réalisent les producteurs en vendant les articles qu'ils produisent au prix courant plutôt qu'au prix qu'ils auraient été prêts à accepter.

En l'absence de contrôle des prix, on suppose que le prix courant est le prix d'équilibre.

Les consommateurs et les producteurs s'enrichissent en tirant profit de l'échange. Le surplus du consommateur et celui du producteur mesurent leur richesse supplémentaire.

On suppose que tous les consommateurs achètent des biens au prix maximal qu'ils sont prêts à payer. On divise l'intervalle de 0 à q^* en sous-intervalles de longueur Δq. La figure 8.37 (voir page suivante) montre qu'une quantité Δq d'articles se vend à un prix d'environ p_1, et que d'autres articles Δq se vendent à un prix légèrement inférieur d'environ p_2, d'autres articles Δq se vendent à un prix d'environ p_3, et ainsi de suite. Ainsi, les dépenses totales du consommateur atteignent environ

$$p_1\Delta q + p_2\Delta q + p_3\Delta q + \cdots = \sum p_i\Delta q.$$

Si D est la fonction de demande donnée par $p = D(q)$ et si tous les consommateurs qui étaient prêts à payer plus de p^* payaient autant qu'ils étaient prêts à le faire, alors quand $\Delta q \to 0$, on aurait

$$\begin{matrix} \text{Dépense de} \\ \text{consommation} \end{matrix} = \int_0^{q^*} D(q)\,dq = \begin{matrix} \text{Aire sous la courbe} \\ \text{de demande de 0 à } q^*. \end{matrix}$$

Maintenant, si tous les biens se vendent au prix d'équilibre, les dépenses de consommation véritables sont p^*q^* ; l'aire du rectangle entre les axes et les droites $q = q^*$ et $p = p^*$. Ainsi, le surplus du consommateur peut se calculer comme suit :

$$\boxed{\begin{matrix} \text{Surplus du} \\ \text{consommateur} \end{matrix} = \left(\int_0^{q^*} D(q)\,dq \right) - p^* q^* = \begin{matrix} \text{Aire sous la courbe} \\ \text{de demande au-dessus de } p = p^*. \end{matrix}}$$

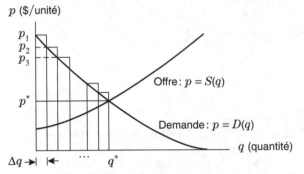

Figure 8.37 : Calcul du surplus du consommateur

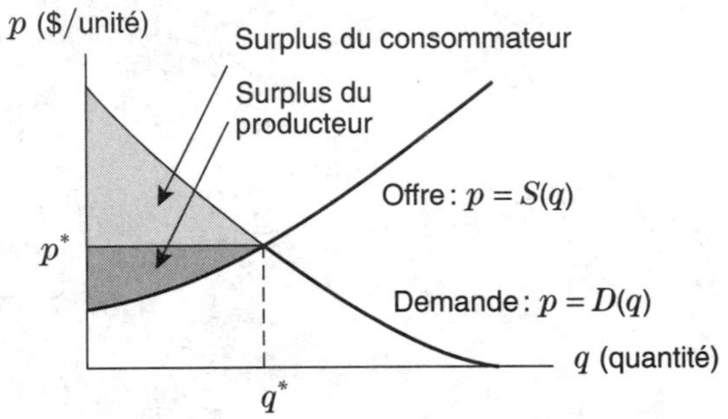

Figure 8.38 : Surplus du consommateur et surplus du producteur

(Voir la figure 8.38.) De même, si la courbe d'offre est donnée par la fonction $p = S(q)$, on définit le surplus du producteur comme suit :

$$\boxed{\begin{matrix} \text{Surplus du} \\ \text{producteur} \end{matrix} = p^* q^* - \left(\int_0^{q^*} S(q)\,dq \right) = \begin{matrix} \text{Aire entre la courbe} \\ \text{d'offre et la droite } p = p^*. \end{matrix}}$$

Problèmes de la section 8.4

1. Tracez le graphe, avec le temps en années sur l'axe horizontal, de ce à quoi ressemblerait une source de revenu pour une entreprise qui vend de la lotion solaire dans le nord-est des États-Unis.

2. L'associé d'une entreprise qui vous doit 3000 $ vous offre de payer 2800 $ maintenant ou de payer cette somme en trois versement annuels de 1000 $ chacun, en faisant le premier versement maintenant. Si vous prenez votre décision d'un point de vue financier seulement, quelle option devriez-vous choisir ? Justifiez votre réponse, en supposant que le taux d'intérêt sur le marché est de 6 %, composé continuellement.

3. Jack Tremblay négocie actuellement son contrat avec une équipe de basket-ball professionnel. L'équipe a accepté de signer un contrat de trois ans, en vertu duquel elle devra verser à Jack un montant fixe à la fin de chacune des trois années, en plus d'une prime au début de la première année. Les deux parties négocient encore les montants et Jack doit décider s'il choisit de recevoir une prime importante à la signature du contrat et des paiements fixes par année ou une plus petite prime à la signature du contrat avec des paiements augmentant chaque année. Le tableau suivant présente un résumé des deux options. Toutes les valeurs sont données en millions de dollars.

	Prime à la signature	Année 1	Année 2	Année 3
Option 1	6,0	2,0	2,0	2,0
Option 2	1,0	2,0	4,0	6,0

a) Jack décide d'investir tous ses revenus dans des actions qui, selon ses prévisions, augmenteront à un taux de 10 % par année, composé continuellement. Il aimerait choisir une option qui lui permettra d'obtenir la valeur la plus élevée à la fin de la période de trois ans, lorsque le dernier paiement sera effectué. Quelle option devrait-il choisir ? Justifiez votre réponse.

b) Le journal de la région publie un article sur le contrat de Jack. Il souhaite mentionner la valeur actualisée de chacune des offres du contrat. Calculez ces valeurs actualisées.

4. Trouvez la valeur actualisée et la valeur capitalisée d'une source de revenu constante de 3000 $ par année sur une période de 15 ans, en supposant un taux d'intérêt annuel de 6 %, composé annuellement.

5. a) Un compte en banque produit 10 % d'intérêt composé continuellement. À quel taux (constant, continu) une mère doit-elle déposer de l'argent dans ce compte afin d'épargner 100 000 $ en 10 ans pour couvrir les dépenses universitaires de son enfant ?

b) Si cette mère décide plutôt de déposer une somme forfaitaire maintenant afin d'atteindre l'objectif des 100 000 $ dans 10 ans, combien d'argent doit-elle déposer maintenant ?

6. a) Si vous déposez de l'argent continuellement à un taux constant de 1000 $ par année dans un compte en banque qui produit 5 % d'intérêt, dans combien d'années votre solde atteindra-t-il 10 000 $?

b) Dans combien d'années votre compte atteindra-t-il 10 000 $ si le montant initial dans le compte est de 2000 $?

7. Supposez que les ventes d'un logiciel de version 6.0 sont élevées au départ et diminuent par la suite de manière exponentielle. Au temps t (en années), les ventes sont $s(t) = 50e^{-t}$ mille dollars par année. Deux ans plus tard, la version 7.0 du logiciel remplace la version 6.0. Supposez que tous les revenus provenant de la vente des logiciels sont immédiatement investis dans des obligations d'épargne qui produisent un intérêt de 6 %, composé continuellement. Calculez la valeur totale des ventes de la version 6.0 au cours de la période de 2 ans.

8. La valeur d'une bonne bouteille de vin augmente avec les années. Si vous êtes un vendeur de vin, devriez-vous vendre votre vin maintenant, à un prix de P $ par bouteille ou le vendre plus tard à un prix plus élevé ? Vous savez que le montant qu'un connaisseur serait prêt à payer pour une bouteille de ce vin dans t années est de $P(1 + 20\sqrt{t})$ $. En supposant une composition continue et un taux d'intérêt de 5 % par année, à quel moment est-il préférable de vendre votre vin ?

9. Une entreprise pétrolière découvre une réserve de pétrole de 100 millions de barils. Supposez que pour le temps $t > 0$ (en années), les plans d'extraction de l'entreprise représentent une fonction du temps déclinante de manière linéaire comme suit :

$$q(t) = a - bt,$$

où $q(t)$ est le taux d'extraction du pétrole (en millions de barils par année) au temps t, $b = 0,1$ et $a = 10$.

a) Dans combien d'années l'entreprise aura-t-elle épuisé toutes les réserves de pétrole ?

b) Si le prix du pétrole est constant à 20 $ par baril, le coût d'extraction du pétrole par baril est constant à 10 $ et que le taux d'intérêt sur le marché est de 10 %, quelle est la valeur actualisée des profits de l'entreprise ?

10. En 1980, l'Allemagne de l'Ouest a octroyé un emprunt de 20 milliards de marks à l'Union soviétique, somme qui devait servir à construire un gazoduc reliant la Sibérie à la Russie de l'Est et se poursuivant jusqu'en Allemagne de l'Ouest (Urengoi, Uschgorod, Berlin). Supposez que les clauses du contrat étaient les suivantes : en 1985, après avoir terminé le gazoduc, l'Union soviétique livrerait du gaz naturel à l'Allemagne de l'Ouest, à un taux futur constant. En supposant que le gaz naturel a un prix constant de 0,10 mark/m^3 et que l'Allemagne de l'Ouest prévoit un taux d'intérêt annuel de 10 % sur son investissement (composé continuellement), à quel taux l'Union soviétique doit-elle livrer le gaz (en milliards de mètres cubes par année) ? N'oubliez pas que la livraison du gaz ne pourra être entreprise avant que le gazoduc soit achevé. Ainsi, l'Allemagne de l'Ouest n'obtiendra aucun rendement sur son investissement avant cinq ans. (Note : Un contrat semblable mais plus complexe a véritablement été signé entre les deux pays.)

11. En mai 1991, le magazine *Car and Driver* a décrit une Jaguar qui se vendait 980 000 $. À ce prix, seulement 50 de ces voitures ont été vendues. On estime qu'on aurait pu en vendre 350 si son prix avait été de 560 000 $. En supposant que la courbe de la demande est une droite et que 560 000 $ et 350 voitures sont respectivement le prix d'équilibre et la quantité d'équilibre, trouvez le surplus du consommateur.

12. En utilisant des sommes de Riemann, expliquez la signification, sur le plan économique, de
$$\int_0^{q*} S(q)\, dq \text{ pour les producteurs.}$$

13. En utilisant des sommes de Riemann, donnez une interprétation du surplus du producteur
$$\int_0^{q*} (p* - S(q))\, dq$$
analogue à l'interprétation du surplus du consommateur.

14. À la figure 8.38, trouvez les régions dont les aires sont données ci-après.

   a) $p*\, q*$

   b) $\int_0^{q*} D(q)\, dq$

   c) $\int_0^{q*} S(q)\, dq$

   d) $\left(\int_0^{q*} D(q)\, dq \right) - p*\, q*$

   e) $p*\, q* - \int_0^{q*} S(q)\, dq$

   f) $\int_0^{q*} (D(q) - S(q))\, dq$

15. L'industrie laitière est un exemple de fixation de prix d'un cartel : le gouvernement fixe le prix à des niveaux artificiellement élevés. Sur un graphe des courbes de l'offre et de la demande, inscrivez p^+, un prix au-dessus du prix d'équilibre. À l'aide du graphe, décrivez l'effet d'une augmentation forcée des prix en p^+ sur

   a) le surplus du consommateur.

   b) le surplus du producteur.

   c) les gains totaux réalisés à l'échange (Surplus du consommateur + Surplus du producteur).

16. Le contrôle des loyers est un exemple du contrôle des prix sur les marchandises. Il permet de maintenir les prix des marchandises artificiellement bas (au-dessous du prix d'équilibre). Tracez un graphe des courbes de l'offre et de la demande et inscrivez un prix p^- au-dessous du prix d'équilibre. Quel effet la baisse forcée des prix en p^- a-t-elle sur

   a) le surplus du producteur ?

   b) le surplus du consommateur ?

   c) les gains totaux réalisés à l'échange (Surplus du consommateur + Surplus du producteur) ?

SOMMAIRE DU CHAPITRE

- **Géométrie**
  Volume, longueur de l'arc.

- **Densité**
  Trouver la quantité totale à partir de la densité, centre de masse.

- **Physique**
  Travail, vitesse d'échappement, force et pression.

- **Économique**
  Valeur actualisée et valeur capitalisée d'un revenu continu, surplus du consommateur et surplus du producteur.

PROBLÈMES DE RÉVISION DU CHAPITRE HUIT

1. a) Tracez le graphe du solide obtenu en faisant tourner la région bornée par $y = \sqrt{x}$, $x = 1$ et $y = 0$ autour de la droite $y = 0$.
   b) Mesurez l'approximation de son volume au moyen des sommes de Riemann, en montrant le volume représenté par chaque terme de votre somme sur le graphe.
   c) Maintenant, trouvez le volume de ce solide au moyen d'une intégrale.

2. En vous référant à la région du problème 1, trouvez le volume lorsqu'il tourne autour

    a) de la droite $y = 1$.   b) de l'axe des y.

3. Le réflecteur du phare d'une voiture a la forme d'une parabole $x = \frac{4}{9} y^2$ avec une coupe transversale circulaire, comme le montre la figure 8.39.

    a) Trouvez une somme de Riemann qui donne l'approximation du volume contenu par ce phare.
    b) Trouvez le volume exact.

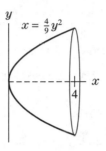

Figure 8.39

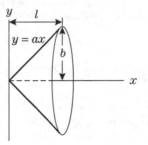

Figure 8.40

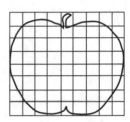

Figure 8.41

4. Dans ce problème, vous devez trouver la formule pour le volume d'un cône circulaire droit dont la hauteur est l et le rayon de base b en tournant la droite $y = ax$ de $x = 0$ à $x = l$ autour de l'axe des x (voir la figure 8.40).

    a) Quelle valeur devriez-vous choisir pour a afin que le cône ait la hauteur l et un rayon de base b ?
    b) Étant donné cette valeur de a, trouvez le volume du cône.

5. La figure 8.41 montre la coupe transversale d'une pomme. (Échelle : une section égale 1/2 po.)

    a) Donnez une estimation approximative du volume de cette pomme (en pouces cubes).
    b) La densité d'une pomme est d'environ 0,03 lb/po³ (un peu moins que la densité de l'eau, car comme vous le savez, les pommes flottent). Estimez combien coûterait cette pomme (elles se vendent 80 ¢/lb).

6. Si le cercle $x^2 + y^2 = 1$ tourne autour de la droite $y = 3$, il forme un tore (une figure en forme de beignet). Trouvez le volume de ce tore.

Pour les courbes décrites aux problèmes 7 et 8, écrivez l'intégrale qui donne la longueur exacte de la courbe ; vous ne devez pas évaluer l'intégrale.

7. Une arche de la courbe sinus, de $x = 0$ à $x = \pi$.

8. L'ellipse dont l'équation est $(x^2/a^2) + (y^2/b^2) = 1$.

9. Une centrale nucléaire produit du strontium 90 à un taux de 1 kg/année. Quelle quantité de strontium produite depuis 1971 (lorsque la centrale a ouvert ses portes) se trouvait toujours présente en 1992 ? (La demi-vie du strontium 90 est de 28 ans.)

10. Un poids de 200 lb doit être hissé avec une corde jusque sur le toit d'un édifice à 20 pi du sol. Si la corde pèse 2 lb/pi, trouvez le travail accompli pour soulever le poids.

11. On doit sortir l'eau d'un puits de 40 pi de profondeur au moyen d'un seau attaché à une corde. Lorsque le seau est plein, il pèse 30 lb ; cependant, le seau est perforé et l'eau s'écoule à un taux constant de 1/4 lb/pi lorsqu'il est hissé. En omettant le poids de la corde, trouvez le travail accompli en hissant le seau jusqu'en haut du puits.

12. Un réservoir d'eau a la forme d'un cône circulaire droit avec une hauteur de 18 pi et un rayon de 12 pi sur le dessus. S'il est rempli jusqu'à une profondeur de 15 pi, trouvez le travail accompli pour pomper toute l'eau par le dessus du réservoir. (La densité de l'eau est $\rho = 62{,}4$ lb/pi³.)

13. Le barrage de Hannawa Falls sur la rivière Raquette, dans l'État de New York, mesure environ 60 pi de large et 25 pi de haut. Trouvez la force de l'eau exercée sur le barrage. (La densité de l'eau est $\rho = 62,4$ lb/pi^3.)

14. a) Trouvez la valeur actualisée et la valeur capitalisée d'un revenu continu de 100 $ par année sur une période de 20 ans, en supposant un taux d'intérêt annuel de 10 %, composé continuellement.

b) Combien d'années seront nécessaires pour que le solde atteigne 5000 $?

15. Supposez que vous fabriquez un article quelconque et que le taux auquel vous réalisez un profit sur cet article diminue avec le temps selon la formule

$$\text{Taux de profit gagné} = (2 - 0{,}1t) \text{ milliers de dollars par année}$$

après t années. (Un profit négatif représente une perte.) Supposez que l'intérêt est de 10 %, composé continuellement.

a) Trouvez une somme de Riemann mesurant l'approximation de la valeur actualisée du profit réalisé jusqu'à un temps de T années dans le futur.

b) Écrivez une intégrale représentant la valeur actualisée de la partie a). (Il n'est pas nécessaire d'évaluer cette intégrale.)

c) Pour quel T la valeur actualisée de la source de profit de cet article est-elle à son maximum ? Quelle est la valeur actualisée de la somme du profit gagné jusqu'à ce temps ?

16. Une voiture se déplaçant à une vitesse de v mi/h fait $25 + 0{,}1v$ milles par gallon pour v entre 20 et 60 mi/h. Supposez que votre vitesse en fonction du temps, t (en heures) est donnée par

$$v = 50 \, \frac{t}{t+1} \text{ mi/h.}$$

Combien de gallons consommez-vous entre $t = 2$ et $t = 3$?

17. Le mont Shasta est un volcan en forme de cône dont le rayon, à une élévation de h pi au-dessus du niveau de la mer est d'environ $(3{,}5 \cdot 10^5)/\sqrt{h + 600}$ pi. Sa base se trouve à 400 pi au-dessus du niveau de la mer, et son sommet à 14 400 pi au-dessus du niveau de la mer (voir la figure 8.42).

a) Trouvez une somme de Riemann qui mesure l'approximation du volume du mont Shasta.

b) Trouvez le volume en pieds cubes. (Note : Ces données sur le mont Shasta sont plus ou moins précises. Le mont Shasta se trouve dans le nord de la Californie et pendant un certain temps, on a cru qu'il s'agissait du point le plus élevé des États-Unis à l'extérieur de l'Alaska.)

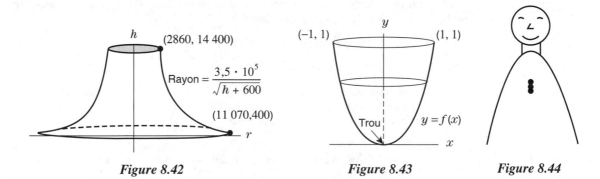

Figure 8.42   *Figure 8.43*   *Figure 8.44*

18. La figure 8.43 montre une ancienne horloge à eau grecque appelée une clepsydre, laquelle est conçue de sorte que la profondeur de l'eau diminue à un taux constant quand l'eau s'écoule par un trou situé au fond de l'horloge. Ce concept permet l'inscription des heures selon une échelle uniforme. Le réservoir de la clepsydre est un volume de révolution autour de l'axe vertical. Selon la loi de Torricelli, la vitesse de l'eau qui s'écoule par le trou est proportionnelle à la racine carrée de la profondeur de l'eau. Utilisez cette information pour trouver la formule $y = f(x)$ pour ce profil, en supposant que $f(1) = 1$.

19. Trouvez le volume du bonhomme de neige présenté à la figure 8.44. Si x et y sont en mètres, que l'origine se trouve sur le sol, que l'axe des x est horizontal et que l'axe des y est vertical, alors on mesure l'approximation du corps en faisant tourner la courbe $y = 1 - 4x^2$ autour de l'axe des y. Le cou est un cylindre ayant un rayon de 0,1 m et une longueur de 0,15 m ; la tête est sphérique et a un rayon de 0,2 m.

20. Un vaisseau sanguin cylindrique a un rayon R et une longueur l. Le sang à proximité de la paroi se déplace lentement ; le sang au centre se déplace le plus rapidement. Supposez que la vitesse v du sang à une distance r du centre de l'artère est donnée par

$$v = \frac{P}{4\eta l}(R^2 - r^2),$$

où P est la différence de pression entre les extrémités du vaisseau sanguin et η est la viscosité du sang.

    a) Trouvez le taux auquel le sang circule dans le vaisseau sanguin. (Donnez votre réponse en volume par unité de temps.)

    b) Démontrez que votre résultat concorde avec la loi de Poseuille qui énonce que le taux auquel le sang circule dans le vaisseau sanguin est proportionnel au rayon du vaisseau sanguin à la puissance quatre.

21. Considérez un bol fabriqué en faisant tourner la courbe $y = ax^2$ autour de l'axe des y (a est une constante).

    a) Supposez que le bol est rempli d'eau à une profondeur h. Quel est le volume de l'eau dans le bol ? (Votre réponse doit contenir a et h.)

    b) Quelle est l'aire de la surface de l'eau si le bol est rempli à la profondeur h ? (Votre réponse doit contenir a et h.)

    c) Supposez que l'eau s'évapore à la surface du bol à un taux proportionnel à l'aire de la surface, avec une constante de proportionnalité k. Trouvez une équation différentielle qui satisfait h en fonction du temps t. (Autrement dit, trouvez une équation pour dh/dt.)

    d) Si la profondeur de l'eau est h_0, trouvez le temps nécessaire pour que toute l'eau s'évapore.

22. Une centrifugeuse cylindrique ayant un rayon de 1 m et dont la hauteur est de 2 m est remplie d'eau à une profondeur de 1 m (voir la figure 8.45 I)). Quand la centrifugeuse accélère, le niveau d'eau s'élève le long de la paroi et chute au centre ; la coupe transversale est une parabole (voir la figure 8.45 II)).

    a) Trouvez l'équation de la parabole de la figure 8.45 II) en fonction de h, la profondeur de l'eau à son niveau le plus bas.

    b) Quand la vitesse de la centrifugeuse augmente, l'eau déborde sur le dessus, comme le montre la figure 8.45 III) ou le fond de la centrifugeuse est découvert, comme le montre la figure 8.45 IV). Qu'est-ce qui se produit d'abord ?

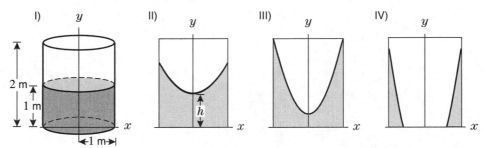

Figure 8.45

Les problèmes 23 et 24 se rapportent aux figures 8.46 et 8.47. Dans chaque problème, on vous donne deux objets qui ont la même masse M, le même rayon R et la même vitesse angulaire autour des axes indiqués (soit un tour par minute). Pour chaque problème, déterminez quel objet possède l'énergie cinétique la plus élevée. (L'énergie cinétique d'une particule de masse m à une vitesse v est de $\frac{1}{2}mv^2$.) N'essayez pas de calculer l'énergie cinétique des objets pour résoudre ce problème ; procédez simplement par raisonnement.

23.

Axe
2R
Sphère solide autour d'un diamètre
Axe
2R
Mince coquille sphérique autour d'un diamètre

Figure 8.46

24.

Axe
R
Cercle autour d'un diamètre
Axe
R
Cercle autour de l'axe cylindrique

Figure 8.47

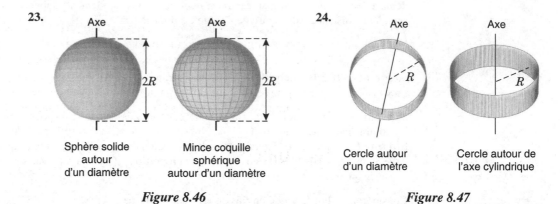

GROS PLAN SUR LA MODÉLISATION

LES FONCTIONS DE DISTRIBUTION

Pour les décideurs, il est important de comprendre comment sont distribuées les diverses quantités dans la population. Par exemple, la distribution du revenu permet d'obtenir des renseignements utiles sur la structure économique d'une société. Dans la présente section, on étudiera la distribution de l'âge aux États-Unis. Pour allouer des fonds à l'éducation, aux services de santé et à la sécurité sociale, le gouvernement doit connaître le nombre de personnes dans chaque groupe d'âge. On verra comment représenter ce type de données au moyen d'une fonction de densité.

La distribution de l'âge aux États-Unis

TABLEAU 8.1   *Répartition de l'âge aux États-Unis en 1995*

Groupe d'âge	Pourcentage de la population totale
0 à 20	29 %
20 à 40	31 %
40 à 60	24 %
60 à 80	13 %
80 à 100	3 %

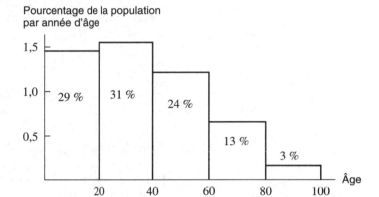

Figure 8.48 : Distribution de l'âge aux États-Unis en 1995

On considère les données du tableau 8.1 qui montrent comment l'âge de la population des États-Unis était distribué en 1995. Pour représenter graphiquement ces données, on utilise un type[1] d'*histogramme* en plaçant une barre verticale au-dessus de chaque groupe d'âge de manière à ce que l'*aire* de chaque barre représente le pourcentage pour ce groupe d'âge. L'aire totale de tous les rectangles correspond à 100 % = 1. On ne considère que les personnes qui sont âgées de moins de 100 ans[2]. Pour le groupe d'âge compris entre 0 et 20 ans, la base du rectangle est 20, et comme on veut que l'aire soit de 29 %, la hauteur doit donc être de 29 %/20 = 1,45 %. On traite l'âge comme s'il était distribué de manière continue. La catégorie des 0 à 20 ans, par exemple, comprend des personnes qui ne sont qu'à un jour près de leur vingtième anniversaire de naissance. À noter que l'axe vertical est mesuré en pourcentage par année (voir la figure 8.48).

Exemple 1   En 1995, estimez quel était le pourcentage de la population des États-Unis qui avait

   a)   entre 20 et 60 ans ?   b)   moins de 10 ans ?

   c)   entre 75 et 80 ans ?   d)   entre 80 et 85 ans ?

---

1. Il existe d'autres types d'histogrammes qui ont une fréquence sur l'axe vertical.
2. En fait, 0,02 % de la population est âgée de plus de 100 ans, mais cette quantité est trop petite pour apparaître sur l'histogramme.

Solution

a) En additionnant les pourcentages, on obtient 31 % + 24 % = 55 %.

b) Pour trouver le pourcentage de la population âgée de moins de 10 ans, on peut supposer, par exemple, que la population était distribuée uniformément dans le groupe des 0 à 20 ans. (Cela veut dire qu'on suppose que les bébés sont nés à un taux relativement constant au cours des 20 dernières années, ce qui est sans doute raisonnable.) Si on émet cette hypothèse, alors on peut dire que la population des personnes âgées de moins de 10 ans était égale à environ la moitié de celle du groupe des 0 à 20 ans, soit 14,5 %. On remarque qu'on obtient le même résultat en calculant l'aire du rectangle de 0 à 10 (voir la figure 8.49).

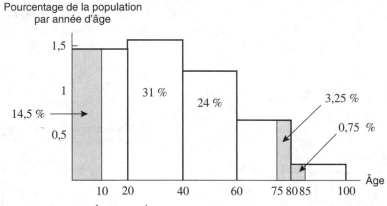

Figure 8.49 : Âge aux États-Unis en 1995 de divers sous-groupes
(pour l'exemple 1)

c) Pour trouver la population âgée entre 75 et 80 ans, puisque 13 % des Américains en 1990 étaient compris dans le groupe des 60 à 80 ans, on peut appliquer le même raisonnement et dire que $\frac{1}{4}$ (13 %) = 3,25 % de la population faisait partie de ce groupe d'âge. Ce résultat est représenté par une aire dans la figure 8.49. Donc, dans ce cas, l'hypothèse selon laquelle la population était distribuée uniformément n'est pas juste ; il y avait certainement plus de personnes comprises dans le groupe des 60 à 65 ans que dans le groupe des 75 à 80 ans. Par conséquent, l'estimation de 3,25 % est sans doute trop élevée.

d) En se basant une fois de plus sur l'hypothèse (erronée) selon laquelle l'âge de chaque groupe était distribué uniformément, on trouverait que le pourcentage compris entre 80 et 85 ans était $\frac{1}{4}$ (3 %) = 0,75 % (voir la figure 8.49). Cette estimation est également faible — il y avait certainement plus de personnes dans le groupe des 80 à 85 ans que, par exemple, dans le groupe des 95 à 100 ans. Donc, l'estimation de 0,75 % est trop faible.

L'aplanissement de l'histogramme

On pourrait obtenir de meilleures estimations si les groupes d'âge étaient plus petits (chaque groupe de la figure 8.48 s'étale sur 20 ans, ce qui est assez élevé) ou si l'histogramme était plus plat. On considère les données plus détaillées du tableau 8.2, ce qui donne le nouvel histogramme de la figure 8.50. Plus les données sont détaillées, plus la courbe supérieure de l'histogramme s'aplanit. Cependant, l'aire de n'importe laquelle des barres représente toujours le pourcentage de la population de ce groupe d'âge. On imagine, dans une certaine mesure, qu'on remplace la courbe supérieure de l'histogramme par une courbe plane de manière que l'aire sous la courbe au-dessus d'un groupe d'âge soit la même que l'aire dans le rectangle

TABLEAU 8.2 *Âge de la population des États-Unis en 1995 (plus détaillé)*

Groupe d'âge	Pourcentage de la population totale
0 à 10	15 %
10 à 20	14 %
20 à 30	14 %
30 à 40	17 %
40 à 50	14 %
50 à 60	10 %
60 à 70	8 %
70 à 80	5 %
80 à 90	2 %
90 à 100	1 %

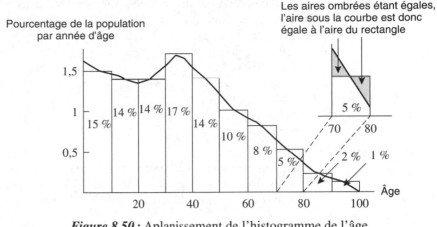

Figure 8.50 : Aplanissement de l'histogramme de l'âge

correspondant. L'aire totale sous toute la courbe correspond encore une fois à 100 % = 1 (voir la figure 8.50).

La fonction de densité de l'âge

Si t est l'âge (en années), on définit $p(t)$, la *fonction de densité* de l'âge, comme une fonction qui aplanit l'histogramme de l'âge. Cette fonction a la propriété suivante :

$$\text{Fraction de la population comprise entre les âges } a \text{ et } b = \begin{array}{c}\text{Aire sous le}\\\text{graphe de } p\\\text{entre } a \text{ et } b\end{array} = \int_a^b p(t)dt.$$

Si a et b sont les âges les plus petits et les plus grands possible (par exemple $a = 0$ et $b = 100$) de telle sorte que les âges de toute la population sont compris entre a et b, alors

$$\int_a^b p(t)dt = \int_0^{100} p(t)dt = 1.$$

Que révèle la fonction de densité de l'âge p ? À noter qu'on n'a pas parlé de la signification de $p(t)$ en tant que telle, mais *seulement* de l'intégrale $\int_a^b p(t)dt$. On analysera cette signification de manière plus approfondie. On suppose, par exemple, que $p(10) = 0,015 = 1,5\ \%$ par année. Cela *n'indique pas* que $1,5\ \%$ de la population est âgée précisément de 10 ans (où 10 ans signifie exactement 10, et non pas $10\frac{1}{2}$, $10\frac{1}{4}$ ou 10,1). Cependant, $p(10) = 0,015$ révèle que pour un petit intervalle Δt autour de 10, la fraction de la population dont l'âge se trouve sur cet intervalle est environ $p(10)\ \Delta t = 0,015\ \Delta t$. À noter que les unités de $p(t)$ sont en *pourcentage par année*. Donc, $p(t)$ doit être multipliée par un nombre d'années pour produire un pourcentage de la population.

La fonction de densité

On suppose qu'on s'intéresse de savoir comment une certaine caractéristique x est distribuée au sein d'une population. Par exemple, x peut représenter la taille ou l'âge si la population est constituée de personnes ou, si la population est composée d'ampoules, la puissance (en watts). Puis, on définit une fonction de densité générale ayant les propriétés suivantes :

> La fonction $p(x)$ est une **fonction de densité** si
>
> $$\text{Fraction de la population pour laquelle } x \text{ se situe entre } a \text{ et } b = \begin{array}{c}\text{Aire sous le graphe de } p\\\text{entre } a \text{ et } b\end{array} = \int_a^b p(x)\,dx.$$
>
> $$\int_{-\infty}^{\infty} p(x)\,dx = 1 \quad \text{et} \quad p(x) \geq 0 \quad \text{pour tout } x.$$

La fonction de densité doit être non négative si son intégrale donne toujours une fraction de la population. De plus, la fraction de la population avec x entre $-\infty$ et ∞ est 1 parce que la population en entier possède la caractéristique x entre $-\infty$ et ∞. La fonction p qu'on a utilisée pour aplanir l'histogramme de l'âge satisfait cette définition d'une fonction de densité. On n'attribue pas directement de signification à la valeur $p(x)$; on interprète plutôt $p(x)\,\Delta x$ comme la fraction de la population ayant cette caractéristique sur un court intervalle de longueur Δx autour de x.

On trouve souvent l'approximation de la fonction de densité au moyen de formules, comme dans l'exemple 2.

Exemple 2   Trouvez des formules qui permettent d'obtenir l'approximation de la fonction de densité p pour la distribution de l'âge aux États-Unis. Supposez que p est continue, qu'elle est constante à 1,5 % jusqu'à l'âge de 40 ans puisqu'elle chute ensuite de manière linéaire.

Solution   On a $p(t) = 0{,}015$ pour $0 \leq t < 40$. Pour $t \geq 40$, on a besoin d'une fonction linéaire dont la pente est décroissante. Puisque p est continue, on a $p(40) = 1{,}5\ \% = 0{,}015$. Parce que p est une fonction de densité, on a $\int_0^{100} p(t)\,dt = 1$. On suppose que b est tel qu'il est présenté dans la figure 8.51. Alors,

$$\int_0^{100} p(t)\,dt = \int_0^{40} p(t)\,dt + \int_{40}^{100} p(t)\,dt = 40(0{,}015) + \frac{1}{2}(0{,}015)b = 1,$$

où $\int_{40}^{100} p(t)\,dt$ est donné par l'aire du triangle. On obtient

$$\frac{0{,}015}{2}\,b = 0{,}4, \quad \text{et alors} \quad b \approx 53{,}3.$$

Par suite, la pente de la droite est $-0{,}015/53{,}3 \approx -0{,}000\,28$. Donc, pour $40 \leq t \leq 40 + 53{,}3 = 93{,}3$, on a

$$p(t) - 0{,}015 = -0{,}000\,28\,(t - 40),$$
$$p(t) = 0{,}0262 - 0{,}000\,28\,t.$$

Selon cette méthode d'aplanissement des données, aucune personne n'est âgée de plus de 93,3 ans. Donc, $p(t) = 0$ pour $t > 93{,}3$.

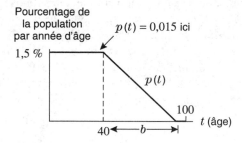

Figure 8.51 : Fonction de densité de l'âge

La fonction de répartition de l'âge

Pour montrer comment l'âge est distribué aux États-Unis, on peut également utiliser la *fonction de répartition $P(t)$*, définie par

$$P(t) = \frac{\text{Fraction de la population}}{\text{âgée de moins de } t \text{ ans}} = \int_0^t p(x)\,dx.$$

Ainsi, P est la primitive de p avec $P(0) = 0$ et $P(t)$ donne l'aire sous la courbe de densité entre 0 et t.

À noter que la fonction de répartition est non négative et croissante (ou du moins non décroissante), puisque le nombre de personnes plus jeunes que l'âge t augmente quand t augmente. On peut aussi faire cette constatation en remarquant que $P' = p$ et que p est positive (ou non négative). Ainsi, la répartition cumulative de l'âge est une fonction qui commence avec $P(0) = 0$ et augmente quand t augmente. $P(t) = 0$ pour $t < 0$, car quand $t < 0$, il n'y a personne dont l'âge est inférieur à t. La valeur limite de P, quand $t \to \infty$, est 1 puisque quand t devient très grand (par exemple 100), tout le monde aura moins de t. Donc, la fraction des personnes dont l'âge est inférieur à t tend vers 1 (voir la figure 8.52). À noter que pour t inférieur à 40, le graphe de P est une ligne droite, car p est constante ici. Pour $t > 40$, le graphe de P s'aplanit quand p tend vers zéro.

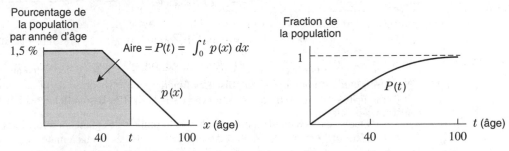

Figure 8.52 : $P(t)$, la fonction de répartition de l'âge et sa relation avec $p(x)$, la fonction de densité de l'âge

La fonction de répartition

Une **fonction de répartition** $P(t)$ d'une fonction de densité p est définie par

$$P(t) = \int_{-\infty}^{t} p(x)\,dx = \begin{array}{l} \text{Fraction de la population ayant} \\ \text{des valeurs de } x \text{ au-dessous de } t. \end{array}$$

Par suite, P est une primitive de p. Autrement dit, $P' = p$.
Toute répartition a les propriétés suivantes :
- P est croissante (ou non décroissante).
- $\lim_{t \to \infty} P(t) = 1$ et $\lim_{t \to -\infty} P(t) = 0$.
- Fraction de la population
  ayant des valeurs de x $= \int_{a}^{b} p(x)\,dx = P(b) - P(a).$
  entre a et b

Problèmes sur les fonctions de distribution

Pour les problèmes 1 à 3, tracez les graphes d'une fonction de densité et d'une fonction de répartition qui peuvent représenter la distribution du revenu d'une population ayant les caractéristiques ci-après.

1. Une importante classe de revenu moyen.

2. Une petite classe de revenu moyen, une petite classe de revenu élevé et une importante classe de faible revenu.

3. Une petite classe de revenu moyen, une importante classe de faible revenu et une importante classe de revenu élevé.

4. Un grand nombre de personnes passent un test normalisé et reçoivent des notes décrites par la fonction de densité p dont le graphe est présenté à la figure 8.53. La fonction de densité laisse-t-elle entendre que la plupart des gens obtiennent une note de près de 50 ? Justifiez votre réponse.

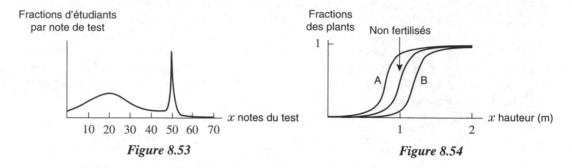

Figure 8.53   Figure 8.54

5. On effectue une expérience pour déterminer les effets des deux nouveaux engrais A et B sur la croissance d'une espèce de pois. Les fonctions de répartition de la hauteur des plants de pois à maturité qui ont été traités ou non avec les engrais A et B sont illustrées à la figure 8.54.

    a) Quelle est la hauteur approximative de la plupart des plants non fertilisés ?
    b) Expliquez l'effet des engrais A et B sur la taille des plants à maturité.

6. Supposez que $F(x)$ est la fonction de répartition pour la taille (en mètres) des arbres d'une forêt.

    a) Expliquez, en fonction des arbres, la signification de l'énoncé $F(7) = 0,6$.
    b) Laquelle est la plus grande, $F(6)$ ou $F(7)$? Justifiez votre réponse en fonction des arbres.

7. Supposez que $p(x)$ est la fonction de densité pour la taille (en pouces) des hommes américains. Quelles est la signification de l'énoncé $p(68) = 0,2$?

8. Supposez que $P(t)$ est la fraction de la population américaine âgée de moins de t. En utilisant le tableau 8.2, construisez une table des valeurs pour $P(t)$.

9. La figure 8.55 montre une fonction de densité et la fonction de répartition correspondante[3].

    a) Quelle courbe représente la fonction de densité et laquelle représente la fonction de répartition ? Justifiez votre réponse.
    b) Mettez des valeurs raisonnables sur les traits pour chacun des axes.

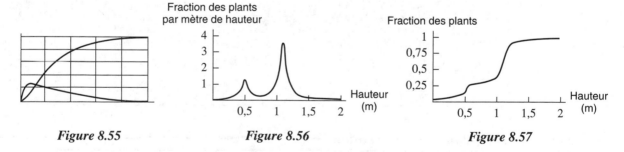

Figure 8.55   Figure 8.56   Figure 8.57

10. La hauteur des herbes d'un pré a été mesurée, et la fonction de densité de même que la fonction de répartition sont tracées dans le graphe des figures 8.56 et 8.57, respectivement.

    a) En sachant qu'il y a deux espèces d'herbes dans le pré, soit une herbe courte et une herbe longue, expliquez comment le graphe de la fonction de densité reflète ce fait.
    b) Expliquez comment le graphe de la fonction de répartition reflète le fait qu'il existe deux espèces d'herbes dans le pré.
    c) Environ quel pourcentage des herbes du pré appartient à l'espèce d'herbe courte ?

---

3. Adapté de SMITH, David A. et Lawrence C. Moore, *Calculus*, Lexington, D.C. Heath, 1994.

11. Après avoir mesuré la durée de nombreux appels téléphoniques, une compagnie de téléphone s'aperçoit qu'elle obtient une bonne approximation de ses données au moyen de la fonction de densité $p(x) = 0,4e^{-0,4x}$, où x est la durée d'un appel (en minutes).

   a) Quel pourcentage d'appels durent de 1 à 2 min ?
   b) Quel pourcentage d'appels durent 1 min ou moins ?
   c) Quel pourcentage d'appels durent 3 min ou plus ?
   d) Trouvez la fonction de répartition.

12. Considérez une population de personnes atteintes d'une maladie. Supposez que t est le nombre d'années qui se sont écoulées depuis le début de la maladie. La fonction de densité de la mortalité, soit $f(t) = cte^{-kt}$, donne l'approximation de la fraction des personnes malades qui sont décédées sur l'intervalle de temps $[t, t + \Delta t]$ comme suit :

$$\text{Fraction de personnes décédées} \approx f(t)\Delta t = cte^{-kt}\Delta t,$$

où c et k sont des constantes positives dont les valeurs dépendent de cette maladie.

   a) Trouvez la valeur de c en fonction de k.
   b) Si 40 % de la population meurt à l'intérieur de 5 ans, trouvez c et k.
   c) Trouvez la fonction de répartition de la mortalité $C(t)$. Donnez votre réponse en fonction de k.

13. Supposez que le temps nécessaire pour effectuer une vérification de routine de l'entretien a une fonction de répartition $P(t)$, où $P(t)$ donne la fraction des vérifications de l'entretien achevées en t min ou moins. Les valeurs de $P(t)$ sont présentées au tableau 8.3.

TABLEAU 8.3

t (min)	0	5	10	15	20	25	30
$P(t)$ (fraction achevée)	0	0,03	0,08	0,21	0,38	0,80	0,98

   a) Quelle fraction des vérifications de l'entretien est achevée en 15 min ou moins ?
   b) Quelle fraction des vérifications de l'entretien prend plus de 30 min ?
   c) Quelle fraction prend de 10 à 15 min ?
   d) Dessinez un histogramme montrant la distribution des temps nécessaires pour effectuer les vérifications de l'entretien.
   e) Sur lequel des intervalles de 5 min la durée d'une vérification de l'entretien a-t-elle le plus de chance de diminuer ?
   f) Tracez un graphe approximatif de la fonction de densité.
   g) Tracez un graphe de la fonction de répartition.

14. On a mené une enquête auprès des étudiants de l'Université de la Californie et on leur a demandé leur moyenne. (La moyenne varie de 0 à 4, où 2 est la note de passage.) La distribution des moyennes est illustrée à la figure 8.58.

   a) Environ quelle fraction des étudiants réussissent ?
   b) Environ quelle fraction des étudiants réussissent avec mention (moyenne supérieure à 3) ?
   c) Selon vous, pourquoi y a-t-il un sommet autour de 2 ?
   d) Tracez un graphe de la fonction de répartition.

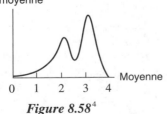

Fraction des étudiants par moyenne

Figure 8.58 [4]

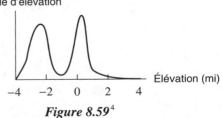

Fraction de la surface terrestre par mille d'élévation

Figure 8.59 [4]

4. Adapté de FREEDMAN, PISANI, PURVES et ADIKHARI, *Statistics*, New York, Norton, 1991.

15. La figure 8.59 (page précédente) montre la distribution de l'élévation (en milles) sur la surface terrestre. L'élévation positive signifie que le terrain est au-dessus du niveau de la mer ; l'élévation négative montre le terrain au-dessous du niveau de la mer (c'est-à-dire le fond de l'océan).

a) Décrivez l'élévation de la plus grande partie de la surface terrestre.

b) Environ quelle fraction de la surface terrestre se trouve au-dessous du niveau de la mer ?

16. Une personne qui voyage régulièrement dans l'autobus de 9 h d'Oakland à San Francisco rapporte que l'autobus est presque toujours en retard de quelques minutes, mais rarement de plus de 5 min. On apprend aussi que l'autobus n'a jamais plus de 2 min d'avance, mais qu'il n'est que très rarement en avance.

a) Tracez un graphe possible de la fonction de densité $p(t)$, où t est le nombre de minutes de retard de l'autobus. Ombrez la région sous le graphe entre $t = 2$ min et $t = 4$ min. Expliquez ce que représente cette région.

b) Maintenant, tracez la fonction de répartition $P(t)$ pour cette situation. Quelles mesures sur ce graphe correspondent à la région ombrée ? À quoi correspondent les points d'inflexion sur le graphe de P par rapport au graphe de p ? Comment pouvez-vous interpréter les points d'inflexion sur le graphe de P sans vous reporter au graphe de p ?

17. Supposez que la fonction de densité pour les rayons r (en millimètres) de gouttes de pluie sphériques durant un orage est constante sur l'intervalle de $0 < r < 5$ et de zéro ailleurs.

a) Trouvez la fonction de densité $f(r)$ pour les rayons.

b) Trouvez la fonction de répartition $F(r)$ pour les rayons.

c) Trouvez la fonction de répartition $G(v)$ pour les volumes v (en mm^3) des gouttes de pluie.

d) Trouvez la fonction de densité $g(v)$ pour les volumes.

18. Considérez un pendule dont le balancement a un petit angle. La coordonnée x du poids se déplace entre $-a$ et a, comme le montre la figure 8.60.

a) Tracez le graphe de la fonction de densité pour l'emplacement de la coordonnée x du poids du pendule (c'est-à-dire que vous ne devez pas tenir compte du mouvement vertical). Pour ce faire, imaginez un appareil photo qui prend des photos du pendule à des moments aléatoires. Où a-t-on le plus de chance de trouver le poids ? le moins de chance ? [Conseil : Considérez la vitesse du pendule en différents points sur son parcours. L'appareil photo a-t-il plus de chance de prendre une photo du poids en un point sur son parcours lorsque le poids se déplace rapidement ou lorsqu'il se déplace lentement ?]

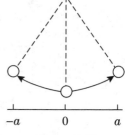

Figure 8.60

b) Maintenant, tracez le graphe de la fonction

$$f(x) = \begin{cases} \dfrac{1}{\pi\sqrt{a^2 - x^2}} & -a < x < a ; \\ \\ 0 & |x| \ge a. \end{cases}$$

Comment ce graphe se compare-t-il avec celui que vous avez tracé à la partie a) ?

c) Supposez que la fonction donnée à la partie b) est la fonction de densité du pendule. Selon vous, que devrait être

$$\int_{-a}^{a} \frac{1}{\pi\sqrt{a^2 - x^2}} \, dx \, ?$$

Vérifiez en calculant l'intégrale.

d) D'un point de vue physique, vous semble-t-il raisonnable que $f(x)$ devienne infinie en a et en $-a$? Justifiez votre réponse.

LA PROBABILITÉ ET LES AUTRES DONNÉES SUR LES DISTRIBUTIONS

La probabilité

On suppose qu'on choisit aléatoirement un membre de la population des États-Unis et qu'on se demande quelles sont les probabilités que cette personne soit âgée entre 70 et 80 ans. On a vu, au tableau 8.2, que 5 % de la population est comprise dans ce groupe d'âge. On dit que la probabilité (ou la chance) que cette personne ait entre 70 et 80 ans est de 0,05. En utilisant une fonction de densité $p(t)$, on peut définir les probabilités comme suit :

$$\text{Probabilité qu'une personne soit entre les âges } a \text{ et } b = \text{Fraction de la population entre les âges } a \text{ et } b = \int_a^b p(t)\, dt.$$

Puisque la fonction de répartition donne la fraction de la population plus jeune que l'âge t, on peut aussi utiliser la répartition cumulative pour calculer la probabilité qu'une personne choisie au hasard soit dans un groupe d'âge donné.

$$\text{Probabilité qu'une personne soit plus jeune que l'âge } t = \text{Fraction de la population plus jeune que l'âge } t = P(t) = \int_0^t p(x)\, dx.$$

Dans l'exemple 3, on utilise une fonction de densité et une fonction de répartition pour décrire la même situation.

Exemple 3   Supposez que vous voulez étudier la production de l'industrie de la pêche dans une petite ville. Chaque jour, les bateaux rapportent au moins 2 tonnes de poisson mais jamais plus de 8 tonnes.

a)   En utilisant la fonction de densité qui décrit les prises quotidiennes (en tonnes) à la figure 8.61, trouvez la fonction de répartition correspondante, tracez-en le graphe puis expliquez sa signification.

b)   Quelle est la probabilité que la prise se situe entre 5 et 7 tonnes ?

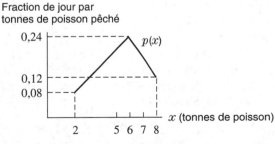

Figure 8.61 : Fonction de densité de la prise quotidienne

Solution   a)   La fonction de répartition $P(t)$ est égale à la fraction de jour pendant laquelle la prise est inférieure à t tonnes de poisson. Puisque la prise n'est jamais inférieure à 2 tonnes, on a $P(t) = 0$ pour $t \leq 2$. Puisque la prise est toujours inférieure à 8 tonnes, on a $P(t) = 1$ pour $t \geq 8$. Pour t dans la limite de $2 < t < 8$, on doit évaluer l'intégrale

$$P(t) = \int_{-\infty}^{t} p(x)\,dx = \int_{2}^{t} p(x)\,dx.$$

Cette intégrale est égale à l'aire sous le graphe de $p(x)$ entre $x = 2$ et $x = t$. On peut la calculer en notant que $p(x)$ est donnée par la formule

$$p(x) = \begin{cases} 0{,}04x & \text{pour } 2 \le x \le 6 \\ -0{,}06x + 0{,}6 & \text{pour } 6 < x \le 8 \end{cases}$$

et $p(x) = 0$ pour $x < 2$ ou $x > 8$. Par conséquent, pour $2 \le t \le 6$,

$$P(t) = \int_{2}^{t} 0{,}04x\,dx = 0{,}04\frac{x^2}{2}\bigg|_{2}^{t} = 0{,}02t^2 - 0{,}08.$$

Et pour $6 \le t \le 8$,

$$P(t) = \int_{2}^{t} p(x)\,dx = \int_{2}^{6} p(x)\,dx + \int_{6}^{t} p(x)\,dx$$

$$= 0{,}64 + \int_{6}^{t} (-0{,}06x + 0{,}6)\,dx = 0{,}64 + \left(-0{,}06\frac{x^2}{2} + 0{,}6x\right)\bigg|_{6}^{t}$$

$$= -0{,}03t^2 + 0{,}6t - 1{,}88.$$

Par conséquent,

$$P(t) = \begin{cases} 0{,}02t^2 - 0{,}08 & \text{pour } 2 \le t \le 6 \\ -0{,}03t^2 + 0{,}6t - 1{,}88 & \text{pour } 6 < t \le 8 \end{cases}$$

De plus, $P(t) = 0$ pour $t < 2$ et $P(t) = 1$ pour $8 < t$ (voir la figure 8.62).

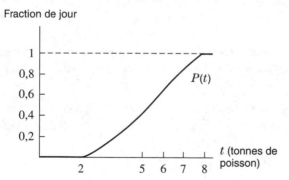

Figure 8.62 : Répartition cumulative de la prise quotidienne

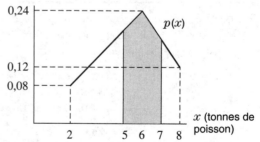

Figure 8.63 : L'aire ombrée représente la probabilité que la prise se situe entre 5 et 7 tonnes

b) On peut trouver la probabilité que la prise se situe entre 5 et 7 tonnes en utilisant la fonction de densité p ou la fonction de répartition P. Si on utilise la fonction de densité, cette probabilité peut être représentée par l'aire ombrée de la figure 8.63, qui est d'environ 0,43.

$$\begin{array}{c}\text{Probabilité que la prise} \\ \text{se situe entre 5 et 7 tonnes}\end{array} = \int_{5}^{7} p(x)\,dx = 0{,}43.$$

On peut trouver la probabilité à partir de la répartition cumulative comme suit :

$$\begin{array}{c}\text{Probabilité que la prise} \\ \text{se situe entre 5 et 7 tonnes}\end{array} = P(7) - P(5) = 0{,}85 - 0{,}42 = 0{,}43.$$

La médiane et la moyenne

Souvent, il est utile de pouvoir donner une valeur moyenne à une distribution. Deux mesures couramment utilisées sont la *médiane* et la *moyenne*.

La médiane

La **médiane** d'une quantité x distribuée sur une population est une valeur T telle que la moitié de la population a des valeurs de x inférieures (ou égales) à T et l'autre moitié a des valeurs de x supérieures (ou égales) à T. Ainsi, une médiane T satisfait

$$\int_{-\infty}^{T} p(x)\,dx = 0{,}5,$$

où p est la fonction de densité. En d'autres mots, la moitié de l'aire sous le graphe de p se trouve à la gauche de T.

Exemple 4   Trouvez l'âge médian de la population des États-Unis en 1995 en utilisant la fonction de densité de l'âge donnée par

$$p(t) = \begin{cases} 0{,}015 & \text{pour } 0 \le t \le 40 \\ 0{,}0262 - 0{,}000\,28\,t & \text{pour } 40 < t \le 93{,}3 \end{cases}$$

Solution   On veut trouver la valeur de T telle que

$$\int_{-\infty}^{T} p(t)\,dt = \int_{0}^{T} p(t)\,dt = 0{,}5.$$

Puisque $p(t) = 1{,}5\ \%$ jusqu'à l'âge de 40 ans, on a

$$\text{Médiane} = T = \frac{50\ \%}{1{,}5\ \%} \approx 33 \text{ ans.}$$

(Voir la figure 8.64.)

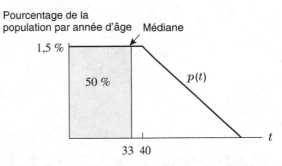

Figure 8.64 : Médiane de la distribution de l'âge

La moyenne

Une autre valeur moyenne couramment utilisée est la *moyenne*. Pour trouver la moyenne de N nombres, on additionne les chiffres et on divise la somme par N. Par exemple, la moyenne des nombres 1, 2, 7 et 10 est $(1 + 2 + 7 + 10)/4 = 5$. L'âge moyen de toute la population américaine est donc défini par

$$\text{Âge moyen} = \frac{\sum \text{âges de tous les habitants des États-Unis}}{\text{Nombre total des habitants des États-Unis}}$$

Le calcul direct de la somme de tous les âges représenterait une tâche énorme ; on trouvera donc l'approximation de la somme au moyen d'une intégrale. Il suffit de couper l'axe de l'âge et de considérer les personnes dont l'âge se situe entre t et $t + \Delta t$. Combien y en a-t-il ?

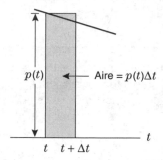

Figure 8.65 : L'aire ombrée est le pourcentage de la population dont l'âge se situe entre t et $t + \Delta t$

La fraction de la population dont l'âge se situe entre t et $t + \Delta t$ est l'aire sous le graphe de p entre ces points, laquelle est bien estimée par l'aire du rectangle $p(t)\Delta t$ (voir la figure 8.65). Si le nombre total de personnes de cette population est N, alors

$$\text{Nombre de personnes dont l'âge se situe entre } t \text{ et } t + \Delta t \approx p(t)\Delta t N.$$

L'âge de toutes les personnes est d'environ t :

$$\text{Somme des âges de toutes les personnes se situe entre } t \text{ et } t + \Delta t \approx tp(t)\Delta t N.$$

Ainsi, en additionnant et en factorisant un N, on obtient

$$\text{Somme des âges de toutes les personnes} \approx \left(\sum tp(t)\Delta t \right) N.$$

Dans la limite, quand on permet à Δt de diminuer à zéro, la somme devient une intégrale. Donc,

$$\text{Somme des âges de toutes les personnes} = \left(\int_0^{100} tp(t)dt \right) N.$$

Ainsi, quand N est égal au nombre total des habitants des États-Unis et si on suppose qu'aucune personne n'est âgée de plus de 100 ans,

$$\text{Âge moyen} = \frac{\text{Somme des âges de toutes les personnes des États-Unis}}{N} = \int_0^{100} tp(t)dt.$$

On peut présenter ce même argument pour n'importe quelle[5] fonction de densité $p(x)$.

Si une quantité a la densité de fonction $p(x)$,

$$\textbf{Valeur moyenne} \text{ de la quantité} = \int_{-\infty}^{\infty} xp(x)\, dx.$$

On peut démontrer que la moyenne est le point sur l'axe horizontal où la région sous le graphe de la fonction de densité (si elle était faite en carton) serait équilibrée.

---

5. À la condition que toutes les intégrales impropres et pertinentes convergent.

Exemple 5   Trouvez l'âge moyen de la population américaine en utilisant la fonction de densité de l'exemple 4.

Solution   La formule pour p est

$$p(t) = \begin{cases} 0,015 & \text{pour } 0 \le t \le 40 \\ 0,0262 - 0,000\,28\,t & \text{pour } 40 < t \le 93,3 \end{cases}$$

En utilisant ces formules, on calcule

$$\text{Âge moyen} = \int_0^{100} tp(t)\,dt = \int_0^{40} t(0,015)\,dt + \int_{40}^{93,3} t(0,0262 - 0,000\,28t)\,dt$$

$$= 0,015\frac{t^2}{2}\bigg|_0^{40} + 0,0262\frac{t^2}{2}\bigg|_{40}^{93,3} - 0,000\,28\frac{t^3}{3}\bigg|_{40}^{93,3} \approx 35 \text{ ans.}$$

La moyenne est illustrée à la figure 8.66.

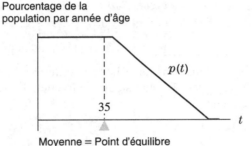

Figure 8.66 : Moyenne de la distribution de l'âge

Les distributions normales

Selon vous, quel sera le taux de précipitations annuel pour votre ville cette année ? Si vous vivez à Anchorage, en Alaska, la réponse varie autour de 15 po (incluant la neige). Bien sûr, vous ne vous attendez pas à ce qu'il tombe exactement 15 po de pluie ; certaines années, il en tombera plus et d'autres moins. Cependant, pour la plupart des années, le taux de précipitations annuel sera d'environ 15 po ; ce n'est que dans de rares cas que ce taux est de beaucoup inférieur ou de beaucoup supérieur à 15 po. À quoi ressemble la fonction de densité des précipitations ? Pour répondre à cette question, on doit observer les données sur les précipitations au cours de nombreuses années. Les données indiquent que la distribution des précipitations est bien approximée par une *distribution normale*. Son graphe a la forme d'une cloche qui atteint un sommet à 15 po et dont la pente est décroissante de manière asymétrique de chaque côté.

On utilise couramment les distributions normales pour modéliser des phénomènes réels allant des notes d'examen au nombre de passagers d'un avion. Une distribution normale est caractérisée par *sa moyenne μ* et son *écart type σ*. La moyenne indique l'emplacement du sommet central et l'écart type rend compte de la dispersion des données autour de la moyenne. Une petite valeur de σ indique que les données sont proches de la moyenne ; une grande valeur de σ révèle que les données sont dispersées. On donne la formule d'une distribution normale ci-dessous. Le facteur de $1/(\sigma\sqrt{2\pi})$ rend l'aire sous le graphe égale à 1.

Une **distribution normale** a une fonction de densité de la forme

$$p(x) = \frac{1}{\sigma\sqrt{2\pi}} e^{-(x-\mu)^2/(2\sigma^2)},$$

où μ est la moyenne de la distribution et σ est l'écart type avec $\sigma > 0$.

Pour modéliser les précipitations à Anchorage, on utilise une distribution normale avec $\mu = 15$. On peut évaluer l'écart type en observant les données ; on supposera qu'il est égal à 1 (voir la figure 8.67).

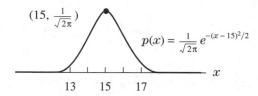

$$(15, \tfrac{1}{\sqrt{2\pi}})$$
$$p(x) = \frac{1}{\sqrt{2\pi}} e^{-(x-15)^2/2}$$

Figure 8.67 : Distribution normale avec $\mu = 15$ et $\sigma = 1$

Exemple 6   Pour les précipitations à Anchorage, utilisez la distribution normale et la fonction de densité avec $\mu = 15$ et $\sigma = 1$ pour calculer la fraction des années avec un taux de précipitations annuel se situant entre

    a)   14 et 16 po.   b)   13 et 17 po.   c)   12 et 18 po.

Solution   a)   La fraction des années avec un taux de précipitations annuel se situant entre 14 et 16 po est de $\int_{14}^{16} \frac{1}{\sqrt{2\pi}} e^{-(x-15)^2/2}\, dx$.

Puisqu'il n'y a pas de primitive élémentaire pour $e^{-(x-15)^2/2}$, on trouve numériquement l'intégrale. Sa valeur est d'environ 0,68.

$$\text{Fraction des années avec un taux de précipitations annuel se situant entre 14 et 16 po} = \int_{14}^{16} \frac{1}{\sqrt{2\pi}} e^{-(x-15)^2/2}\, dx \approx 0{,}68.$$

b)   De nouveau, pour trouver numériquement l'intégrale, on a

$$\text{Fraction des années avec un taux de précipitations annuel se situant entre 13 et 17 po} = \int_{13}^{17} \frac{1}{\sqrt{2\pi}} e^{-(x-15)^2/2}\, dx \approx 0{,}95.$$

c) $$\text{Fraction des années avec un taux de précipitations annuel se situant entre 12 et 18 po} = \int_{12}^{18} \frac{1}{\sqrt{2\pi}} e^{-(x-15)^2/2}\, dx \approx 0{,}997.$$

Puisque 0,95 est très proche de 1, on s'attend à ce que la plupart du temps, le taux de précipitations annuel varie entre 13 et 17 po.

Parmi les distributions normales, celle qui a $\mu = 0$ et $\sigma = 1$ est appelée la *normale centrée réduite*. Les valeurs de la fonction de répartition correspondante s'obtiennent à partir de tables.

Problèmes sur la probabilité et les distributions

1. Considérez les données concernant l'industrie de la pêche de l'exemple 3. Démontrez que l'aire sous la fonction de densité à la figure 8.61 est de 1. Pourquoi devriez-vous vous y attendre ?

2. Considérez encore les données de l'exemple 3 et trouvez la prise quotidienne moyenne.

3. La probabilité qu'un transistor tombe en panne entre $t = a$ mois et $t = b$ mois est donnée par $c \int_a^b e^{-ct} \, dt$ pour une constante c.

   a) Si la probabilité que le transistor tombe en panne dans les six premiers mois est de 10 %, quelle est la valeur de c ?

   b) Étant donné la valeur de c à la partie a), quelle est la probabilité que le transistor tombe en panne au cours du deuxième semestre ?

4. Supposez que x mesure le temps (en heures) que met un étudiant pour rédiger un examen. Supposez que tous les étudiants font l'examen en deux heures et que la fonction de densité pour x est donnée par

$$p(x) = \begin{cases} x^3/4 & \text{si } 0 < x < 2 \\ 0 & \text{autrement.} \end{cases}$$

   a) Quelle proportion d'étudiants prend entre 1,5 et 2,0 h pour rédiger l'examen ?

   b) Quel est le temps moyen des étudiants pour rédiger l'examen ?

   c) Calculez la médiane de cette distribution.

5. En 1950, on a fait une expérience pour mesurer combien de temps s'écoulait entre le passage des voitures sur l'autoroute Arroyo Seco[6]. Les données indiquent que la fonction de densité de ces laps de temps était donnée de manière approximative par

$$p(x) = ae^{-0,122x},$$

où x est le temps (en secondes) et a une constante.

   a) Trouvez a.

   b) Trouvez la fonction de répartition P.

   c) Trouvez la médiane et le laps de temps moyen.

   d) Tracez des graphes approximatifs de p et de P.

6. La répartition des scores des tests de Q.I. est souvent modélisée par la distribution normale avec une moyenne de 100 et un écart type de 15.

   a) Écrivez une formule pour la distribution de densité des scores des tests de Q.I.

   b) Estimez la fraction de la population qui a un Q.I. qui se situe entre 115 et 120.

7. Pour une population normale ayant une moyenne de zéro, démontrez que la fraction de la population à l'intérieur d'un écart type de la moyenne ne dépend pas de l'écart type.
   [Conseil : Utilisez la substitution $w = x/\sigma$.]

8. a) À l'aide d'une calculatrice ou d'un ordinateur, tracez les graphes de la fonction de densité de la distribution normale

$$p(x) = \frac{1}{\sigma \sqrt{2\pi}} e^{-(x-\mu)^2/(2\sigma^2)}.$$

   i)   pour un μ fixe (soit $\mu = 5$) et un σ variable (soit, $\sigma = 1, 2, 3$).

   ii) pour un μ variable (soit $\mu = 4, 5, 6$) et un σ fixe (soit, $\sigma = 1$).

   b) Expliquez comment les graphes confirment que μ est la moyenne de la distribution et que σ rend compte de la dispersion des données autour de la moyenne.

9. Considérez la distribution normale $p(x)$.

   a) Démontrez que $p(x)$ est un maximum quand $x = \mu$. Quelle est cette valeur maximale ?

   b) Démontrez que $p(x)$ a des points d'inflexion où $x = \mu + \sigma$ et $x = \mu - \sigma$.

   c) Décrivez, dans vos propres mots, ce que μ et σ vous indiquent sur la distribution.

10. Considérez un groupe de personnes qui ont reçu un traitement pour une maladie comme le cancer. Soit t le *temps de survie*, c'est-à-dire le nombre d'années qu'une personne vit après avoir reçu le

---

6. Rapporté par Daniel Furlough et Frank Barnes.

traitement. La fonction de densité qui donne la distribution de t est $p(t) = Ce^{-Ct}$ pour une constante positive C.

a) Quelle est la signification pratique de la fonction de répartition $P(t) = \int_0^t p(x)\, dx$?

b) La fonction de survie $S(t)$ est la probabilité qu'une personne choisie aléatoirement survive pendant au moins t années. Trouvez $S(t)$.

c) Supposez qu'un patient a 70 % de chances de survivre au moins deux ans. Trouvez C.

11. Au cours d'une promenade dans la rue où vous habitez, vous échappez votre gant par mégarde. Vous ne savez pas où vous l'avez échappé. Supposez que la densité de probabilité $p(x)$ d'avoir échappé votre gant à x km de la maison est

$$p(x) = 2e^{-2x} \quad \text{pour } x \geq 0.$$

a) Quelle est la probabilité que vous l'ayez échappé à 1 km de la maison ?

b) À quelle distance y de la maison la probabilité que vous l'ayez échappé à l'intérieur de y km de la maison est-elle égale à 0,95 ?

12. Laquelle des fonctions suivantes est la plus sensée en tant que modèle de la densité de probabilité représentant le temps (en minutes, si on débute à $t = 0$) que le prochain client entre dans un magasin ?

a) $p(t) = \begin{cases} \cos t & 0 \leq t \leq 2\pi \\ e^{t-2\pi} & t \geq 2\pi \end{cases}$ b) $p(t) = 3e^{-3t}$ pour $t \geq 0$

c) $p(t) = e^{-3t}$ pour $t \geq 0$ d) $p(t) = 1/4$ pour $0 \leq t \leq 4$

13. Soit $P(x)$ la fonction de répartition des revenus aux États-Unis en 1973 (le revenu est mesuré en milliers de dollars). Certaines valeurs de $P(x)$ sont dans le tableau suivant :

Revenu x (milliers de dollars)	1	4,4	7,8	12,6	20	50
$P(x)$ (%)	1	10	25	50	75	99

a) Quelle fraction de la population gagnait entre 20 000 $ et 50 000 $?

b) Quel était le revenu médian ?

c) Tracez le graphe d'une fonction de densité pour cette distribution. Approximativement, où votre fonction de densité atteint-elle un maximum ? Quelle est la signification de ce point, en ce qui concerne la répartition du revenu ? Comment pouvez-vous reconnaître ce point sur le graphe de la fonction de densité et sur le graphe de la répartition ?

14. Soit v la vitesse (en mètres par seconde) d'une molécule d'oxygène, et soit $p(v)$ la fonction de densité de la distribution de la vitesse des molécules d'oxygène à la température ambiante. Maxwell a démontré que

$$p(v) = av^2 e^{-mv^2/(2kT)},$$

où $k = 1,4 \times 10^{-23}$ est la constante de Boltzmann, T est la température (en degrés Kelvin) [à la température ambiante, $T = 293$] et $m = 5 \times 10^{-26}$ est la masse de la molécule d'oxygène (en kilogrammes).

a) Trouvez la valeur de a.

b) Estimez la médiane et la vitesse moyenne. Trouvez le maximum de $p(v)$.

c) Comment vos réponses à la partie b) pour la moyenne et le maximum de $p(v)$ varient-elles quand T varie ?

15. Si on considère un électron comme une particule, la fonction

$$P(r) = 1 - (2r^2 + 2r + 1)e^{-2r}$$

est la fonction de répartition de la distance r de l'électron dans un atome d'hydrogène à partir du centre de l'atome. La distance est mesurée en rayons Bohr (1 rayon Bohr = $5,29 \times 10^{-11}$ m). (Niels Bohr (1885–1962) était un physicien danois.)

Par exemple, $P(1) = 1 - 5e^{-2} \approx 0,32$ signifie que dans 32 % du temps, l'électron se situe à l'intérieur de 1 rayon Bohr à partir du centre de l'atome.

a) Trouvez une formule pour la fonction de densité de cette distribution. Tracez le graphe de la fonction de densité et de la fonction de répartition.
b) Trouvez la distance médiane et la distance moyenne. Près de quelle valeur de r a-t-on le plus de chances de trouver un électron ?
c) On appelle parfois le rayon Bohr « le rayon de l'atome hydrogène ». Pourquoi ?

CHAPITRE NEUF

LES APPROXIMATIONS ET LES SÉRIES

Dans le présent chapitre, on apprendra comment trouver l'approximation de fonctions au moyen de fonctions plus simples. Les approximations de Taylor utilisent des polynômes qui peuvent être considérés comme les fonctions les plus simples. Elles sont faciles à utiliser, car on peut les évaluer manuellement, contrairement aux fonctions transcendantes telles que e^x et $\ln x$.

Les approximations de Fourier ont recours à des sinus et à des cosinus, soit les fonctions périodiques les plus simples, plutôt qu'à des polynômes. Les approximations de Taylor constituent généralement de bonnes approximations locales de la fonction (autrement dit, près d'un point précis), tandis que les approximations de Fourier représentent habituellement de bonnes approximations sur un intervalle.

9.1   LES POLYNÔMES ET LES SÉRIES DE TAYLOR

Les approximations polynomiales de Taylor

On trouve l'approximation d'une fonction $f(x)$ près du point $x = a$ au moyen de polynômes. Pour obtenir plus de précision, on emploie des polynômes de degré plus élevé. L'approximation est normalement précise près du point $x = a$, mais elle n'est souvent pas très exacte à une distance plus éloignée de ce point.

Les approximations linéaires

On a déjà vu comment trouver l'approximation d'une fonction au moyen d'un polynôme de degré 1, notamment l'approximation par la droite tangente

$$f(x) \approx f(a) + f'(a)(x - a).$$

La droite tangente constitue la meilleure approximation linéaire de la fonction près de $x = a$. La droite tangente et la courbe partagent la même pente en $x = a$ (voir la figure 9.1). Si $a = 0$, cette approximation s'appelle un *polynôme de Taylor de degré 1*.

> **Polynôme de Taylor de degré 1 permettant de trouver l'approximation de $f(x)$ pour x près de zéro**
>
> $$f(x) \approx P_1(x) = f(0) + f'(0)x$$

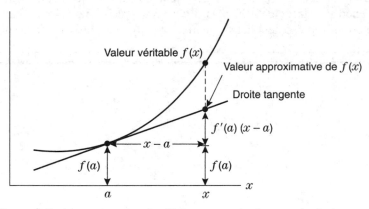

Figure 9.1 : Approximation de $f(x)$ pour x près de a par la droite tangente

Exemple 1   Trouvez l'approximation de $f(x) = \cos x$, où x est en radians, au moyen de sa droite tangente en $x = 0$.

Solution   La droite tangente en $x = 0$ est simplement la droite horizontale $y = 1$, comme le montre la figure 9.2. Par conséquent,

$$f(x) = \cos x \approx 1 \quad \text{pour } x \text{ près de zéro.}$$

Si on prend $x = 0{,}05$, alors

$$f(0{,}05) = \cos(0{,}05) = 0{,}999\ldots,$$

ce qui est relativement proche de l'approximation $\cos x \approx 1$. De même, si $x = -0{,}1$, alors

$$f(-0{,}1) = \cos(-0{,}1) = 0{,}995\ldots$$

est proche de l'approximation $\cos x \approx 1$. Cependant, si $x = 0,4$, alors

$$f(0,4) = \cos(0,4) = 0,921\ldots$$

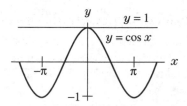

Figure 9.2 : Graphe de $\cos x$ et de sa droite tangente en $x = 0$

Donc, l'approximation $\cos x \approx 1$ est moins précise. Le graphe suggère que plus le point x est éloigné de zéro, moins l'approximation aura tendance à être précise.

Les approximations quadratiques

On suppose qu'on veut obtenir une approximation plus précise de $f(x) = \cos x$ pour x près de zéro. Plutôt que d'utiliser une droite, on a recours à une fonction quadratique qui a non seulement la même pente, mais qui arque dans la même direction que la courbe originale. Il faut que, en $x = 0$, les graphes de la fonction originale f et de la fonction quadratique aient la même pente $f'(0)$, et qu'elles arquent au même taux — en d'autres mots, elles doivent avoir la même dérivée seconde $f''(0)$.

Exemple 2　Trouvez l'approximation quadratique de $f(x) = \cos x$ pour x près de zéro.

Solution　Il faut prendre un polynôme quadratique

$$P_2(x) = C_0 + C_1 x + C_2 x^2$$

et déterminer les valeurs de C_0, de C_1 et de C_2. En $x = 0$, les deux fonctions ainsi que leurs dérivées première et seconde doivent concorder ; autrement dit, $P_2(0) = f(0)$, $P_2'(0) = f'(0)$ et $P_2''(0) = f''(0)$.

Puisque

$$P_2(x) = C_0 + C_1 x + C_2 x^2 \qquad \text{et} \qquad f(x) = \cos x$$
$$P_2'(x) = C_1 + 2C_2 x \qquad\qquad\qquad f'(x) = -\sin x$$
$$P_2''(x) = 2C_2 \qquad\qquad\qquad\qquad f''(x) = -\cos x,$$

on obtient

$$C_0 = P_2(0) = f(0) = \cos 0 = 1 \qquad \text{Donc,} \qquad C_0 = 1$$
$$C_1 = P_2'(0) = f'(0) = -\sin 0 = 0 \qquad\qquad\qquad C_1 = 0$$
$$2C_2 = P_2''(0) = f''(0) = -\cos 0 = -1 \qquad\qquad C_2 = -\tfrac{1}{2}.$$

Par conséquent, l'approximation quadratique est

$$\cos x \approx P_2(x) = 1 + 0 \cdot x - \frac{1}{2} x^2 = 1 - \frac{x^2}{2} \qquad \text{pour } x \text{ près de zéro.}$$

À partir de la figure 9.3 (page suivante), on peut voir que l'approximation quadratique $\cos x \approx P_2(x)$ est plus précise que l'approximation linéaire $\cos x \approx P_1(x)$ pour x près de zéro. On compare maintenant numériquement la précision des deux approximations. En $x = 0,4$,

$\cos(0,4) = 0,921\ldots$ et $P_2(0,4) = 0,920$. Donc, l'approximation quadratique constitue une nette amélioration par rapport à l'approximation linéaire. (L'importance de l'erreur correspond environ à 0,001 plutôt qu'à 0,08.) De plus, l'approximation quadratique est beaucoup plus précise que l'approximation linéaire pour des valeurs de x près de zéro : $\cos(0,1) = 0,995\,004\ldots$ et $P_2(0,1) = 0,995$.

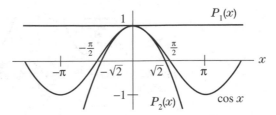

Figure 9.3 : Graphe de $\cos x$ et de ses approximations linéaire $P_1(x)$ et quadratique $P_2(x)$ pour x près de zéro

On généralise les calculs de l'exemple 2 et on obtient la définition suivante :

Polynôme de Taylor de degré 2 permettant de trouver l'approximation de $f(x)$ pour x près de zéro

$$f(x) \approx P_2(x) = f(0) + f'(0)x + \frac{f''(0)}{2}x^2$$

Les polynômes de degré plus élevé

En principe, sur un petit intervalle autour de $x = 0$, l'approximation quadratique d'une fonction constitue une approximation plus précise que l'approximation linéaire (la droite tangente). Cependant, la figure 9.3 montre que, même si on a fait concorder la fonction et la quadratique en fonction de leurs valeurs, de leurs pentes, et de leur concavité au point $x = 0$, la quadratique peut tout de même s'éloigner de la fonction pour un grand x. On peut en quelque sorte régler ce problème en utilisant un polynôme de degré plus élevé qui mesure l'approximation. On suppose qu'on veut trouver l'approximation d'une fonction $f(x)$ pour x près de zéro au moyen d'un polynôme de degré n :

$$f(x) \approx P_n(x) = C_0 + C_1x + C_2x^2 + \cdots + C_{n-1}x^{n-1} + C_nx^n.$$

On doit trouver les valeurs des constantes $C_0, C_1, C_2, \ldots, C_n$. Pour ce faire, la fonction $f(x)$ et chacune de ces n dérivées premières doivent concorder avec celles du polynôme $P_n(x)$ au point $x = 0$. À noter que les dérivées d'ordre supérieur d'une fonction contribuent à fournir des données plus précises sur son graphe que les deux premières dérivées. (Par exemple, la dérivée troisième mesure la vitesse de variation de la concavité.) Plus le nombre de dérivées qui concordent en $x = 0$ est élevé, plus la fonction et le polynôme auront tendance à demeurer près l'un de l'autre longtemps.

Pour savoir comment trouver les constantes, on prend, par exemple,

$$f(x) \approx P_3(x) = C_0 + C_1x + C_2x^2 + C_3x^3.$$

En substituant $x = 0$, on obtient

$$f(0) = P_3(0) = C_0.$$

La différentiation de $P_3(x)$ conduit à

$$P_3'(x) = C_1 + 2C_2x + 3C_3x^2.$$

Donc, la substitution de $x = 0$ démontre que

$$f'(0) = P_3'(0) = C_1.$$

En différentiant et en substituant de nouveau, on obtient

$$P_3''(x) = 2 \cdot 1 C_2 + 3 \cdot 2 \cdot 1 C_3 x,$$

ce qui donne

$$f''(0) = P_3''(0) = 2 C_2$$

et donc

$$C_2 = \frac{f''(0)}{2}.$$

La dérivée troisième, notée P_3''', est

$$P_3'''(x) = 3 \cdot 2 \cdot 1 C_3.$$

Par conséquent,

$$f'''(0) = P_3'''(0) = 3 \cdot 2 \cdot 1 C_3,$$

et donc

$$C_3 = \frac{f'''(0)}{3 \cdot 2 \cdot 1}.$$

On peut imaginer un calcul similaire en commençant par $P_4(x)$ et en utilisant la dérivée quatrième $f^{(4)}$, ce qui donnerait

$$C_4 = \frac{f^{(4)}(0)}{4 \cdot 3 \cdot 2 \cdot 1},$$

et ainsi de suite. En utilisant la notation factorielle[1], on écrit ces expressions comme

$$C_3 = \frac{f'''(0)}{3!}, \quad C_4 = \frac{f^{(4)}(0)}{4!}.$$

En général, pour tout entier positif n,

$$C_n = \frac{f^{(n)}(0)}{n!},$$

où $f^{(n)}$ désigne la dérivée n-ième de f. On obtient alors la définition suivante :

Polynôme de Taylor de degré n permettant de calculer l'approximation de $f(x)$ pour x près de zéro

$$f(x) \approx P_n(x)$$

$$= f(0) + f'(0)x + \frac{f''(0)}{2!}x^2 + \frac{f'''(0)}{3!}x^3 + \frac{f^{(4)}(0)}{4!}x^4 + \cdots + \frac{f^{(n)}(0)}{n!}x^n.$$

C'est ce qu'on appelle un polynôme de Taylor centré en $x = 0$ ou un polynôme de Taylor autour de $x = 0$.

---

1. Par définition, 3! (on dit *trois factorielles* pour signifier la *factorielle de trois*) est égal à $3 \cdot 2 \cdot 1 = 6$. De même, $4! = 4 \cdot 3 \cdot 2 \cdot 1 = 24$ et $k! = k(k-1) \cdots 2 \cdot 1$. De plus, $0! = 1$.

Exemple 3   Construisez le polynôme de Taylor de degré 7 permettant de calculer l'approximation de la fonction $f(x) = \sin x$ pour x près de zéro. Comparez la valeur de l'approximation de Taylor à la valeur véritable de f en $x = \pi/3$.

Solution   On obtient

$$
\begin{array}{lll}
f(x) = & \sin x & \text{ce qui donne} \qquad f(0) = 0 \\
f'(x) = & \cos x & f'(0) = 1 \\
f''(x) = & -\sin x & f''(0) = 0 \\
f'''(x) = & -\cos x & f'''(0) = -1 \\
f^{(4)}(x) = & \sin x & f^{(4)}(0) = 0 \\
f^{(5)}(x) = & \cos x & f^{(5)}(0) = 1 \\
f^{(6)}(x) = & -\sin x & f^{(6)}(0) = 0 \\
f^{(7)}(x) = & -\cos x & f^{(7)}(0) = -1.
\end{array}
$$

En utilisant ces valeurs, on voit que l'approximation du polynôme de Taylor de degré 7 est

$$\sin x \approx P_7(x) = 0 + x + 0 \cdot \frac{x^2}{2!} - \frac{x^3}{3!} + 0 \cdot \frac{x^4}{4!} + \frac{x^5}{5!} + 0 \cdot \frac{x^6}{6!} - \frac{x^7}{7!}$$

$$= x - \frac{x^3}{3!} + \frac{x^5}{5!} - \frac{x^7}{7!}, \quad \text{pour } x \text{ près de zéro.}$$

À la figure 9.4, on montre les graphes de la fonction sinus et du polynôme de degré 7 qui permet de calculer l'approximation pour x près de zéro. Ces graphes sont indiscernables là où x se trouve près de zéro. Cependant, en observant les valeurs de x à une distance plus éloignée de zéro dans une direction ou dans l'autre, les deux graphes divergent. Pour vérifier numériquement la précision de cette approximation, il faut analyser la précision avec laquelle elle permet de calculer l'approximation de $\sin(\pi/3) = \sqrt{3}/2 = 0{,}866\ 025\ 4\ldots$

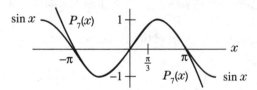

Figure 9.4 : Graphe de $\sin x$ et de son polynôme de Taylor de degré 7, soit $P_7(x)$, pour x près de zéro

Lorsqu'on substitue $\pi/3 = 1{,}047\ 197\ 6\ldots$ dans l'approximation polynomiale, on obtient $P_7(\pi/3) = 0{,}866\ 021\ 3\ldots$, ce qui est extrêmement précis — à environ quatre parties par million près.

Exemple 4   Tracez le graphe du polynôme de Taylor de degré 8 permettant de calculer l'approximation de $f(x) = \cos x$ pour x près de zéro.

Solution   On peut trouver les coefficients du polynôme de Taylor en utilisant la méthode de l'exemple précédent. On obtient

$$\cos x \approx P_8(x) = 1 - \frac{x^2}{2!} + \frac{x^4}{4!} - \frac{x^6}{6!} + \frac{x^8}{8!}.$$

La figure 9.5 montre que $P_8(x)$ se trouve à proximité de la fonction cosinus pour un intervalle plus grand des valeurs de x que l'approximation quadratique $P_2(x) = 1 - x^2/2$ qu'on a trouvée à l'exemple 2.

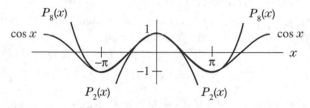

Figure 9.5 : $P_8(x)$ permet de trouver l'approximation de $\cos x$
mieux que $P_2(x)$ pour x près de zéro

Exemple 5   Construisez le polynôme de Taylor de degré 10 autour de $x = 0$ pour la fonction $f(x) = e^x$.

Solution   On a $f(0) = 1$. Puisque la dérivée de e^x est égale à e^x, toutes les dérivées d'ordre supérieur seront égales à e^x. Par conséquent, pour tout $k = 1, 2, ..., 10$, $f^{(k)}(x) = e^x$ et $f^{(k)}(0) = e^0 = 1$. Par suite, l'approximation du polynôme de Taylor de degré 10 est donnée par

$$e^x \approx P_{10}(x) = 1 + x + \frac{x^2}{2!} + \frac{x^3}{3!} + \frac{x^4}{4!} + \cdots + \frac{x^{10}}{10!}, \quad \text{pour } x \text{ près de zéro.}$$

Pour vérifier la précision de cette approximation, on suppose qu'on l'utilise pour mesurer l'approximation de $e = e^1$, qui est 2,718 281 828 à neuf décimales près. Si on substitue $x = 1$ dans le polynôme qui permet de mesurer l'approximation, on obtient $P_{10}(1) = 2,718\ 281\ 801$. Ainsi, ce polynôme de degré 10 produit les sept premières décimales de e. Pour les grandes valeurs de x, cependant, la précision doit diminuer, car e^x augmente beaucoup plus rapidement que tout polynôme quand $x \to \infty$. La figure 9.6 montre les graphes de $f(x) = e^x$ et les polynômes de Taylor de degré $n = 0, 1, 2, 3, 4$. À noter que chaque approximation successive demeure à proximité de la courbe exponentielle pour un intervalle plus grand des valeurs de x.

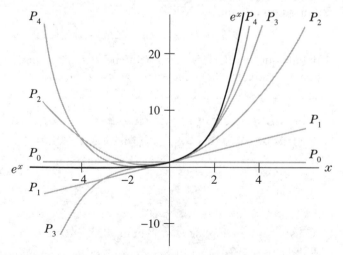

Figure 9.6 : Pour x près de zéro, les polynômes de Taylor de degré
supérieur donnent une approximation plus précise de e^x

Exemple 6   Construisez le polynôme de Taylor de degré n permettant de calculer l'approximation de $f(x)$ $= \dfrac{1}{1-x}$ pour x près de zéro.

Solution   On peut vérifier, par la différentiation, que $f(0) = 1$, $f'(0) = 1$, $f''(0) = 2$, $f'''(0) = 3\,!$, $f^{(4)}(0) = 4\,!$, et ainsi de suite. Cela signifie que

$$\frac{1}{1-x} \approx P_n(x) = 1 + x + x^2 + x^3 + x^4 + x^5 + \cdots + x^n, \quad \text{pour } x \text{ près de zéro.}$$

Il s'agit d'un exemple de séries géométriques qu'on étudiera à la section 9.4.

Les polynômes de Taylor autour de $x = a$

On suppose qu'on veut calculer l'approximation de $f(x) = \ln x$ au moyen d'un polynôme de Taylor. Cette fonction n'a pas de polynôme de Taylor autour de $x = 0$, car la fonction n'est pas définie pour $x = 0$ ou pour $x < 0$. Est-il possible de trouver un autre polynôme de Taylor pour $f(x) = \ln x$?

Plutôt que de construire une approximation polynomiale pour $f(x)$ autour de $x = 0$, on construit un polynôme centré autour d'un autre point, soit $x = a$. D'abord, on observe l'équation de la droite tangente en $x = a$. Il ne faut pas oublier que, puisque la droite tangente passe par le point $(a, f(a))$ et qu'elle a la pente $f'(a)$, son équation est

$$y = f(a) + f'(a)(x - a).$$

Cela donne l'approximation

$$f(x) \approx f(a) + f'(a)(x - a) \quad \text{pour } x \text{ près de } a.$$

Le terme $f'(a)(x - a)$ est un terme de correction qui permet de trouver l'approximation de la distance du déplacement entre $f(x)$ et $f(a)$ quand x s'éloigne de a.

Le polynôme permettant de calculer l'approximation de $P_n(x)$ centré en $x = a$ sera établi comme $f(a)$ en plus des termes de correction qui dépendent des dérivées de $f(x)$ et qui sont zéro pour $x = a$. Cette opération s'effectue en écrivant le polynôme en puissances de $(x - a)$ plutôt qu'en puissances de x :

$$f(x) \approx P_n(x) = C_0 + C_1(x - a) + C_2(x - a)^2 + \cdots + C_n(x - a)^n.$$

S'il faut que les dérivées du polynôme $P_n(x)$ qui permet de mesurer l'approximation et la fonction originale $f(x)$ concordent en $x = a$, on obtient le résultat suivant :

Polynôme de Taylor de degré *n* permettant de calculer l'approximation de $f(x)$ pour x près de a

$$f(x) \approx P_n(x)$$

$$= f(a) + f'(a)(x - a) + \frac{f''(a)}{2!}(x - a)^2 + \cdots + \frac{f^{(n)}(a)}{n!}(x - a)^n$$

C'est ce qu'on appelle un polynôme de Taylor centré en $x = a$ ou un polynôme de Taylor autour de $x = a$.

On peut dériver la formule pour ces coefficients de la même manière qu'on l'a fait pour $a = 0$ (voir le problème 33 un peu plus loin).

Exemple 7   Construisez le polynôme de Taylor de degré 4 permettant de calculer l'approximation de la fonction $f(x) = \ln x$ pour x près de 1.

Solution   On a

$$f(x) = \ln x, \qquad \text{donc} \qquad f(1) = \ln(1) = 0$$
$$f'(x) = 1/x \qquad\qquad\qquad f'(1) = 1$$
$$f''(x) = -1/x^2 \qquad\qquad\qquad f''(1) = -1$$
$$f'''(x) = 2/x^3 \qquad\qquad\qquad f'''(1) = 2$$
$$f^{(4)}(x) = -6/x^4 \qquad\qquad\qquad f^{(4)}(1) = -6.$$

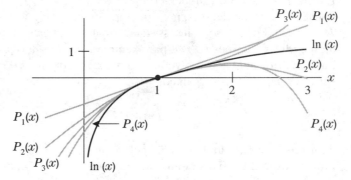

Figure 9.7 : Approximation par les polynômes de Taylor de $\ln x$ pour x près de 1 mais pas nécessairement plus loin

Le polynôme de Taylor est alors

$$\ln x \approx P_4(x) = 0 + (x-1) - \frac{(x-1)^2}{2!} + 2\frac{(x-1)^3}{3!} - 6\frac{(x-1)^4}{4!}$$

$$= (x-1) - \frac{(x-1)^2}{2} + \frac{(x-1)^3}{3} - \frac{(x-1)^4}{4}, \quad \text{pour } x \text{ près de 1.}$$

La figure 9.7 présente $\ln x$ et différents polynômes de Taylor. À noter que $P_4(x)$ demeure relativement près de $\ln x$ pour x près de 1, mais s'éloigne quand x s'éloigne de 1. De plus, les polynômes de Taylor sont définis pour $x \leq 0$, mais $\ln x$ ne l'est pas.

Les exemples dans la présente section suggèrent que les résultats suivants sont généralement vrais :

- Les polynômes de Taylor constituent une approximation précise de x près de a ; plus loin, ils peuvent ou non être précis.
- Plus le degré du polynôme de Taylor est élevé, plus l'intervalle sur lequel il concorde de près avec la fonction est grand.

Les approximations par les séries de Taylor

On vient de voir comment calculer l'approximation d'une fonction près d'un point à l'aide des polynômes de Taylor. On définit maintenant la série de Taylor, qu'on peut considérer comme un polynôme de Taylor qui se poursuit à l'infini. Dans la section suivante, on verra en quels points une telle série sert d'approximation précise à une fonction.

Les polynômes de Taylor suivants sont centrés en $x = 0$ pour $\cos x$:

$$\cos x \approx P_0(x) = 1$$

$$\cos x \approx P_2(x) = 1 - \frac{x^2}{2!}$$

$$\cos x \approx P_4(x) = 1 - \frac{x^2}{2!} + \frac{x^4}{4!}$$

$$\cos x \approx P_6(x) = 1 - \frac{x^2}{2!} + \frac{x^4}{4!} - \frac{x^6}{6!}$$

$$\cos x \approx P_8(x) = 1 - \frac{x^2}{2!} + \frac{x^4}{4!} - \frac{x^6}{6!} + \frac{x^8}{8!}.$$

Ici on a la suite de polynômes $P_0(x)$, $P_2(x)$, $P_4(x)$, $P_6(x)$, $P_8(x)$, ... et chacun de ceux-ci constitue une meilleure approximation de $\cos x$ que le précédent, du moins pour x près de zéro. À noter que lorsqu'on passe à un polynôme de degré plus élevé (par exemple de P_6 à P_8), on ajoute plus de termes ($x^8/8!$, par exemple), mais les termes de degré inférieur ne varient pas. Par conséquent, chaque polynôme comporte les données de tous les polynômes précédents. On écrit la *série de Taylor* pour $\cos x$:

$$T(x) = 1 - \frac{x^2}{2!} + \frac{x^4}{4!} - \frac{x^6}{6!} + \frac{x^8}{8!} - \cdots$$

pour représenter toute la suite de polynômes de Taylor.

Que signifient les trois points de suspension ($\cdots$) ? Les trois points indiquent que les termes de la série se poursuivent plus loin, sans doute à l'infini. Il s'agit de la même notion que pour $\pi = 3,1415...$, où les trois points de suspension signifient que les chiffres se poursuivent à l'infini après le 5. Par exemple,

$$1 - \frac{x^2}{2!} + \frac{x^4}{4!} \qquad \text{est un polynôme fini de degré 4,}$$

tandis que

$$1 - \frac{x^2}{2!} + \frac{x^4}{4!} - \cdots \qquad \text{est une série infinie et se poursuit infiniment.}$$

Les séries de Taylor pour $\sin x$, $\cos x$ et e^x

On peut définir les séries de Taylor pour $\sin x$ et e^x d'une manière semblable à la définition qu'on a attribuée aux séries de Taylor pour $\cos x$. Dans la section suivante, on discutera de la convergence des séries. En fait, pour tout x, on peut écrire ce qui suit :

$$\sin x = x - \frac{x^3}{3!} + \frac{x^5}{5!} - \frac{x^7}{7!} + \frac{x^9}{9!} - \cdots$$

$$\cos x = 1 - \frac{x^2}{2!} + \frac{x^4}{4!} - \frac{x^6}{6!} + \frac{x^8}{8!} - \cdots$$

$$e^x = 1 + x + \frac{x^2}{2!} + \frac{x^3}{3!} + \frac{x^4}{4!} + \cdots$$

Ces séries s'appellent également des *expansions de Taylor* des fonctions $\sin x$, $\cos x$ et e^x autour de $x = 0$.

Les séries de Taylor en général

Toute fonction f, dont toutes les dérivées existent en zéro, possède une série de Taylor. Cependant, pour bon nombre de fonctions f, la série ne converge pas vers $f(x)$ pour toutes les valeurs de x. En supposant que les séries convergent vers $f(x)$, on obtient la formule générale suivante :

Série de Taylor pour $f(x)$ autour de $x = 0$

$$f(x) = f(0) + f'(0)x + \frac{f''(0)}{2!}x^2 + \frac{f'''(0)}{3!}x^3 + \cdots + \frac{f^{(n)}(0)}{n!}x^n + \cdots$$

De plus, tout comme pour les polynômes de Taylor centrés en des points différents de zéro, la série de Taylor peut également être centrée en $x = a$ (pourvu que toutes les dérivées existent en $x = a$). En supposant que la série converge vers $f(x)$, on obtient le résultat suivant :

Série de Taylor pour $f(x)$ autour de $x = a$

$$f(x) = f(a) + f'(a)(x-a) + \frac{f''(a)}{2!}(x-a)^2 + \frac{f'''(a)}{3!}(x-a)^3 + \cdots + \frac{f^{(n)}(a)}{n!}(x-a)^n + \cdots$$

Pour bon nombre de fonctions f, la série de Taylor converge vers $f(x)$ seulement pour x près de a.

Problèmes de la section 9.1

Pour les problèmes 1 à 10, trouvez les polynômes de Taylor de degré n qui permettent de calculer l'approximation des fonctions données pour x près de zéro.

1. $\dfrac{1}{1+x}$, $\quad n = 4, 6, 8$

2. $\dfrac{1}{1-x}$, $\quad n = 3, 5, 7$

3. $\sqrt{1+x}$, $\quad n = 2, 3, 4$

4. $\cos x$, $\quad n = 2, 4, 6$

5. $\arctan x$, $\quad n = 3, 4$

6. $\tan x$, $\quad n = 3, 4$

7. $\sqrt[3]{1-x}$, $\quad n = 2, 3, 4$

8. $\ln(1+x)$, $\quad n = 5, 7, 9$

9. $\dfrac{1}{\sqrt{1+x}}$, $\quad n = 2, 3, 4$

10. $(1+x)^p$, $\quad n = 2, 3, 4$ $\quad$ (p est une constante.)

11. Supposez que le polynôme de Taylor de degré 6 suivant permet de calculer l'approximation de la fonction $f(x)$ près de $x = 0$:

$$P_6(x) = 3x - 4x^3 + 5x^6.$$

Donnez la valeur des nombres ci-après.

a) $f(0)$ $\qquad$ b) $f'(0)$ $\qquad$ c) $f'''(0)$ $\qquad$ d) $f^{(5)}(0)$ $\qquad$ e) $f^{(6)}(0)$

12. Supposez que g est une fonction qui possède des dérivées continues et que $g(5) = 3$, $g'(5) = -2$, $g''(5) = 1$ et $g'''(5) = -3$.

a) Quel est le polynôme de Taylor de degré 2 pour g près de 5 ? Quel est le polynôme de Taylor de degré 3 pour g près de 5 ?

b) Utilisez les deux polynômes que vous avez trouvés dans la partie a) pour calculer l'approximation de $g(4,9)$.

Pour les problèmes 13 à 16, trouvez le polynôme de Taylor de degré n pour x près du point donné a.

13. $\sin x$, $a = \pi/2$, $n = 4$
14. $\cos x$, $a = \pi/4$, $n = 3$

15. e^x, $a = 1$, $n = 4$
16. $\sqrt{1 + x}$, $a = 1$, $n = 3$

Pour les problèmes 17 à 20, supposez que $P_2(x) = a + bx + cx^2$ est le polynôme de Taylor de degré 2 pour la fonction f autour de $x = 0$. Que pouvez-vous dire au sujet des signes de a, de b et de c si f a le graphe ci-dessous ?

17.   18. 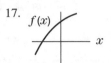   19.    20.

Pour les problèmes 21 à 24, trouvez les quatre premiers termes de la série de Taylor pour la fonction autour du point a.

21. $\sin x$, $a = \pi/4$
22. $\cos \theta$, $a = \pi/4$
23. $\sin \theta$, $a = -\pi/4$

24. $\tan x$, $a = \pi/4$

25. Supposez qu'on vous dit que la série de Taylor de $f(x) = x^2 e^{x^2}$ autour de $x = 0$ est

$$x^2 + x^4 + \frac{x^6}{2!} + \frac{x^8}{3!} + \frac{x^{10}}{4!} + \cdots.$$

Trouvez $\dfrac{d}{dx}\left(x^2 e^{x^2}\right)\bigg|_{x=0}$ et $\dfrac{d^6}{dx^6}\left(x^2 e^{x^2}\right)\bigg|_{x=0}$.

26. Supposez que vous savez que toutes les dérivées d'une fonction f existent en zéro et que la série de Taylor pour f autour de $x = 0$ est

$$x + \frac{x^2}{2} + \frac{x^3}{3} + \frac{x^4}{4} + \cdots + \frac{x^n}{n} + \cdots.$$

Trouvez $f'(0)$, $f''(0)$, $f'''(0)$ et $f^{(10)}(0)$.

27. Trouvez le polynôme de Taylor de degré 2 pour $f(x) = 4x^2 - 7x + 2$ autour de $x = 0$. Que remarquez-vous ?

28. Trouvez le polynôme de Taylor de degré 3 pour $f(x) = x^3 + 7x^2 - 5x + 1$ autour de $x = 0$. Que remarquez-vous ?

29. a) D'après vos observations pour les problèmes 27 et 28, faites des conjectures pour les approximations de Taylor dans le cas où f est un polynôme.

b) Démontrez la véracité de votre conjecture.

30. Montrez comment vous pouvez utiliser l'approximation de Taylor $\sin x \approx x - \dfrac{x^3}{3!}$ pour x près de zéro afin d'expliquer la raison pour laquelle $\displaystyle\lim_{x \to 0} \frac{\sin x}{x} = 1$.

31. Utilisez l'approximation de Taylor de degré 4, $\cos x \approx 1 - \dfrac{x^2}{2!} + \dfrac{x^4}{4!}$, pour x près de zéro afin d'expliquer la raison pour laquelle $\displaystyle\lim_{x \to 0} \frac{1 - \cos x}{x^2} = \frac{1}{2}$.

32. Utilisez une approximation de Taylor de degré 4 pour e^h, pour h près de zéro, afin d'évaluer les limites suivantes. Votre réponse serait-elle différente si vous aviez utilisé un polynôme de Taylor de degré plus élevé ?

a) $\displaystyle\lim_{h \to 0} \frac{e^h - 1 - h}{h^2}$

b) $\displaystyle\lim_{h \to 0} \frac{e^h - 1 - h - \frac{h^2}{2}}{h^3}$

33. Dérivez les formules données dans l'encadré situé après l'exemple 6 pour les coefficients du polynôme de Taylor qui permet de calculer l'approximation d'une fonction f pour x près de a.

34. a) Trouvez l'approximation du polynôme de Taylor de degré 4 autour de $x = 0$ pour la fonction $f(x) = e^{x^2}$.
    b) Comparez ce résultat avec l'approximation du polynôme de Taylor de degré 2 autour de $x = 0$ pour la fonction $f(x) = e^x$. Que remarquez-vous ?
    c) Utilisez vos observations concernant la partie b) afin d'écrire l'approximation du polynôme de Taylor de degré 20 pour la fonction de la partie a).
    d) Quelle est l'approximation du polynôme de Taylor de degré 5 pour la fonction $f(x) = e^{-2x}$?

35. a) Trouvez les termes allant jusqu'au degré 6 de la série de Taylor pour $f(x) = \sin(x^2)$ autour de $x = 0$ en prenant des dérivées.
    b) Comparez vos résultats de la partie a) à la série pour $\sin x$. Comment auriez-vous pu obtenir votre réponse à la partie a) à partir de la série pour $\sin x$?

36. Il est difficile de mesurer l'approximation de l'intégrale $\int_0^1 (\sin t/t)\, dt$ en utilisant, par exemple, les sommes de Riemann de gauche ou la règle du trapèze, car l'intégrande $(\sin t)/t$ n'est pas défini en $t = 0$. Cependant, cette intégrale converge : sa valeur est de $0{,}946\,08\ldots$ Estimez l'intégrale au moyen des polynômes de Taylor de $\sin t$ autour de $t = 0$ en prenant le polynôme de

a) degré 3.

b) degré 5.

9.2   LA CONVERGENCE DES SÉRIES

Les séries de puissances

Dans la présente section, on analysera la convergence des séries de Taylor. On verra les expansions de Taylor pour d'autres fonctions, notamment $\ln(1 + x)$ et $(1 + x)^p$ et on déterminera pour quelles valeurs de x on peut utiliser ces séries afin de calculer des approximations avec certitude.

Tout d'abord, la notion de *séries de puissances* sera présentée. Les séries de Taylor constituent un type particulier de série de puissances, tout comme les polynômes de Taylor sont un type particulier de polynôme.

> Une **série de puissances** est la somme de constantes multipliées par des puissances de x :
>
> $$P(x) = C_0 + C_1 x + C_2 x^2 + \cdots + C_n x^n + \cdots = \sum_{n=0}^{\infty} C_n x^n.$$

On introduit les polynômes $P_n(x) = C_0 + C_1 x + C_2 x^2 + \cdots + C_n x^n$. Pour toute valeur particulière de x et de n, le polynôme $P_n(x)$ correspond à la somme de $n + 1$ nombres ; c'est un nombre et il existe toujours. On fixe x et on considère la suite

$$P_0(x), \quad P_1(x), \quad P_2(x), \quad P_3(x), \quad \ldots, \quad P_n(x), \ldots$$

> Si cette suite converge vers une limite L, autrement dit si $\displaystyle\lim_{n \to \infty} P_n(x) = L$, alors on dit que la série de puissances $P(x)$ **converge** vers L pour cette valeur de x.

Dans la présente section, on verra aussi que certaines séries de puissances convergent pour tout x, alors que d'autres convergent uniquement pour $x = 0$ et que certaines convergent seulement sur un intervalle. Pour une fonction donnée f et le point x, les polynômes de Taylor peuvent ou non converger vers une limite quand $n \rightarrow \infty$ et, s'ils convergent, ce ne pourrait être vers la fonction originale $f(x)$, bien que ce soit normalement le cas. Heureusement, les polynômes de Taylor pour e^x, $\cos x$ et $\sin x$ convergent vers la fonction originale pour tout x.

La convergence des séries de Taylor pour cos x

On a déjà vu que les polynômes de Taylor centrés en $x = 0$ pour $\cos x$ constituent de bonnes approximations de x près de zéro (voir la figure 9.8). Chose surprenante, pour toute valeur de x, si on prend un polynôme de Taylor centré en $x = 0$ de degré suffisamment élevé, son graphe est presque indiscernable du graphe du cosinus près de ce même point.

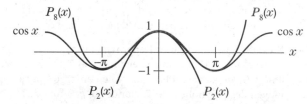

Figure 9.8 : Graphe de $\cos x$ et de deux polynômes de Taylor pour x près de zéro

On verra ce qui se produit sur le plan numérique. On suppose qu'on prend $x = \pi/2$. Les approximations successives des polynômes de Taylor de $\cos(\pi/2) = 0$ sont

$$
\begin{aligned}
P_2(\pi/2) &= & 1 - (\pi/2)^2/2! & & &= -0{,}233\ 70\dots \\
P_4(\pi/2) &= & 1 - (\pi/2)^2/2! + (\pi/2)^4/4! & & &= 0{,}019\ 97\dots \\
P_6(\pi/2) &= & \cdots & & &= -0{,}000\ 89\dots \\
P_8(\pi/2) &= & \cdots & & &= 0{,}000\ 02\dots,
\end{aligned}
$$

et il semble que les approximations convergent rapidement vers la vraie valeur. Si on prend une valeur de x plus éloignée de zéro, par exemple $x = \pi$, alors $\cos \pi = -1$ et

$$
\begin{aligned}
P_2(\pi) &= & 1 - (\pi)^2/2! & &= -3{,}934\ 80\dots \\
P_4(\pi) &= & \cdots & &= 0{,}123\ 91\dots \\
P_6(\pi) &= & \cdots & &= -1{,}211\ 35\dots \\
P_8(\pi) &= & \cdots & &= -0{,}976\ 02\dots \\
P_{10}(\pi) &= & \cdots & &= -1{,}001\ 83\dots \\
P_{12}(\pi) &= & \cdots & &= -0{,}999\ 90\dots \\
P_{14}(\pi) &= & \cdots & &= -1{,}000\ 004\dots
\end{aligned}
$$

On voit que la vitesse de convergence est en quelque sorte plus lente ; un polynôme de degré 14 est nécessaire pour calculer l'approximation de $\cos(\pi)$ et un polynôme de degré 8 pour calculer l'approximation de $\cos(\pi/2)$. Si on prenait x encore plus loin de zéro, alors on aurait besoin de plus de termes pour obtenir l'approximation la plus précise possible de $\cos x$. Cependant, il s'avère que, peu importe la grandeur de x, qu'il soit positif ou négatif, les approximations de $P_n(x)$ convergent vers $\cos x$ quand $n \rightarrow \infty$.

Dans ce cas, on a raison d'écrire une égalité, soit

$$
\cos x = 1 - \frac{x^2}{2!} + \frac{x^4}{4!} - \frac{x^6}{6!} + \frac{x^8}{8!} - \cdots, \quad \text{pour tout } x.
$$

On dit que la série de Taylor converge vers $\cos x$ pour tout x, car pour tout x, les nombres

$$P_1(x), \; P_2(x), \; P_3(x), \; ..., \; P_n(x), \; ...$$

ont une limite de $\cos x$ quand $n \to \infty$.

Les intervalles de convergence

On examine de nouveau les polynômes de Taylor pour $\ln x$ autour de $x = 1$ qu'on a dérivés précédemment.

Le point de vue graphique

Que se produit-il si on tente d'améliorer l'approximation de $\ln x$ au moyen de polynômes de Taylor de degré plus élevé ? La figure 9.9 suggère que, pour $0 < x < 2$, les polynômes concordent bien avec la courbe quoique, à l'extérieur de cet intervalle, ils ne sont pas proches du tout. En fait, pour $0 < x < 2$, plus le degré du polynôme est élevé, mieux il concorde avec la courbe. On peut démontrer que pour $0 < x < 2$, les polynômes

$$P_5(x), \; P_6(x), \; P_7(x), \; ..., \; P_n(x), \; ...$$

convergent vers $\ln x$ quand $n \to \infty$. Pour de telles valeurs de x, un polynôme de degré plus élevé produira, en général, une meilleure approximation (voir la figure 9.9).

Cependant, quand $x > 2$, les polynômes s'éloignent de la courbe et les approximations deviennent moins précises au fur et à mesure que le degré du polynôme augmente. Pour de telles valeurs de x, on dit que les polynômes *divergent* de la fonction originale.

Les approximations des polynômes de Taylor autour de $x = 1$ sont efficaces seulement comme approximations de $\ln x$ pour des valeurs de x comprises entre 0 et 2 ; au-delà de ces valeurs, elles ne devraient définitivement pas être utilisées. On dit que l'*intervalle de convergence* (sans les extrémités) des séries de Taylor est $0 < x < 2$. Quand x se rapproche de 0 ou de 2, les polynômes convergent très lentement. Cela signifie qu'il est possiblement nécessaire de prendre un polynôme de degré très élevé pour obtenir une valeur précise pour $\ln x$. Aux extrémités de l'intervalle de convergence, dans ce cas $x = 0$ et $x = 2$, les séries peuvent converger ou non ; on examinera cette question à la fin de la présente section.

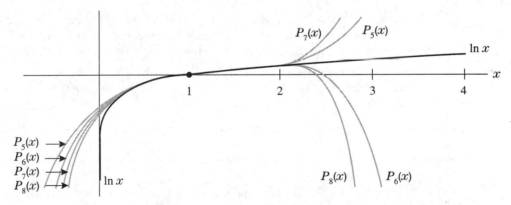

Figure 9.9 : Les polynômes de Taylor $P_5(x), P_6(x), P_7(x), P_8(x), ...$ convergent vers $\ln x$ pour $0 < x < 2$ et divergent à l'extérieur de cet intervalle

Le point de vue numérique

Pour illustrer numériquement l'intervalle de convergence, on considère les approximations successives du polynôme de Taylor :

$$\ln x \approx (x-1) - \frac{(x-1)^2}{2} + \frac{(x-1)^3}{3} - \frac{(x-1)^4}{4} + \cdots + (-1)^{n-1} \frac{(x-1)^n}{n} \qquad \text{pour } x \text{ près de 1.}$$

Si $x = 1,4$, on obtient la valeur de la fonction $\ln 1,4 = 0,336\ 47\ldots$ et les approximations

$$P_2(1,4) = 0,32, \qquad\qquad P_6(1,4) = 0,336\ 30\ldots,$$

$$P_4(1,4) = 0,334\ 93\ldots, \qquad P_8(1,4) = 0,336\ 45\ldots.$$

Par conséquent, on constate que la convergence est très rapide.

Au tableau 9.1, on montre les résultats obtenus lorsqu'on utilise $x = 1,9$ et $x = 2,3$ dans la série de Taylor pour $\ln x$. À noter que, pour $x = 1,9$, qui se trouve à l'intérieur de l'intervalle de convergence mais près d'une extrémité, les approximations convergent, quoique lentement. Pour $x = 2,3$, qui se trouve à l'extérieur de l'intervalle de convergence de la série de Taylor, les « approximations » divergent : plus la valeur de n est grande, moins les « approximations » seront précises. En fait, la contribution du vingt-cinquième terme correspond à environ 28 ; celle du centième terme représente environ $-2\ 500\ 000\ 000$. Ainsi, à l'extérieur de l'intervalle de convergence, les « approximations » oscilleront de plus en plus loin de la valeur souhaitée. Il ne s'agit donc absolument pas d'approximations !

TABLEAU 9.1   *Approximations pour*
$\ln 1,9 = 0,641\ 85$ et $\ln 2,3 = 0,832\ 91$

n	$P_n(1,9)$	n	$P_n(2,3)$
2	0,495	2	0,455
5	0,690 21	5	1,215 89
8	0,618 02	8	0,288 17
11	0,654 73	11	1,717 10
14	0,634 40	14	−0,707 01

Puisque la série de Taylor autour de $x = 1$ pour $\ln x$ converge vers $\ln x$ pour $0 < x < 2$, on écrit

$$\ln x = (x - 1) - \frac{(x-1)^2}{2} + \frac{(x-1)^3}{3} - \frac{(x-1)^4}{4} + \cdots \quad \text{pour } 0 < x < 2.$$

Pour $x < 0$ ou $x > 2$, la série ne converge pas. À noter que l'intervalle de convergence est centré en $x = 1$. Pour la plupart des fonctions f qu'on abordera, une série de Taylor autour de $x = a$ converge pour tout x ou possède un intervalle de convergence centré en $x = a$.

Exemple 1   Trouvez la série de Taylor pour $\ln(1 + x)$ autour de $x = 0$ et estimez son intervalle de convergence.

Solution   En prenant les dérivées de $\ln(1 + x)$ et en substituant $x = 0$, on obtient la série de Taylor

$$\ln(1 + x) = x - \frac{x^2}{2} + \frac{x^3}{3} - \frac{x^4}{4} + \cdots.$$

À noter qu'il s'agit de la même série qu'on obtient en substituant $(1 + x)$ par x dans la série pour $\ln x$:

$$\ln x = (x - 1) - \frac{(x-1)^2}{2} + \frac{(x-1)^3}{3} - \frac{(x-1)^4}{4} + \cdots \quad \text{pour } 0 < x < 2.$$

Puisque la série de $\ln x$ autour de $x = 1$ converge pour $0 < x < 2$, il ne faut pas être surpris de voir à la figure 9.10 que l'intervalle de convergence pour la série de Taylor pour $\ln(1 + x)$ autour de $x = 0$ est $-1 < x < 1$. Donc, on écrit

$$\ln(1 + x) = x - \frac{x^2}{2} + \frac{x^3}{3} - \frac{x^4}{4} + \cdots \quad \text{pour } -1 < x < 1.$$

Soit dit en passant, il devrait être clair que la série ne peut converger vers $\ln(1+x)$ pour $x \leq -1$ puisque $\ln(1+x)$ n'est pas défini ici.

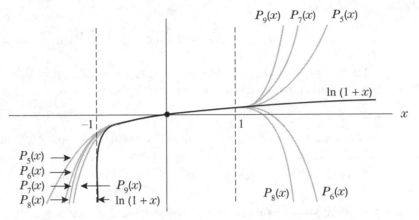

Figure 9.10 : L'intervalle de convergence pour la série de Taylor pour $\ln(1+x)$ est $-1 < x < 1$

L'expansion de la série du binôme

On trouve maintenant la série de Taylor autour de $x = 0$ pour la fonction $f(x) = (1+x)^p$, où p est une constante mais pas nécessairement un entier. En prenant les dérivées

$$f(x) = (1+x)^p \qquad\qquad \text{alors} \qquad f(0) = 1$$
$$f'(x) = p(1+x)^{p-1} \qquad\qquad\qquad f'(0) = p$$
$$f''(x) = p(p-1)(1+x)^{p-2} \qquad\qquad f''(0) = p(p-1)$$
$$f'''(x) = p(p-1)(p-2)(1+x)^{p-3}, \qquad f'''(0) = p(p-1)(p-2).$$

Par conséquent, le polynôme de Taylor de degré 3 pour x près de zéro est

$$(1+x)^p \approx P_3(x) = 1 + px + \frac{p(p-1)}{2!}x^2 + \frac{p(p-1)(p-2)}{3!}x^3.$$

En traçant le graphe de $P_3(x)$, $P_4(x)$, ... pour différentes valeurs précises de p, on comprend que les polynômes de Taylor convergent vers $f(x)$ pour $-1 < x < 1$ (voir les problèmes 13 à 15). La série de Taylor pour $f(x) = (1+x)^p$ est comme suit.

Série du binôme

$$(1+x)^p = 1 + px + \frac{p(p-1)}{2!}x^2 + \frac{p(p-1)(p-2)}{3!}x^3 + \cdots \quad \text{pour } -1 < x < 1.$$

Comme on le verra dans l'exemple 2, la série du binôme donne le même résultat que la multiplication de $(1+x)^p$ quand p est un entier positif. Pour plus de détails, voir la sous-section sur le théorème binomial dans la section Un gros plan sur la théorie du chapitre 1. (Newton a découvert qu'on pouvait utiliser la série binomiale pour les exposants non entiers.)

Exemple 2   Utilisez la série du binôme avec $p = 3$ pour calculer l'expansion de $(1 + x)^3$.

Solution   La série est

$$(1 + x)^3 = 1 + 3x + \frac{3 \cdot 2}{2!} x^2 + \frac{3 \cdot 2 \cdot 1}{3!} x^3 + \frac{3 \cdot 2 \cdot 1 \cdot 0}{4!} x^4 + \cdots.$$

Le terme x^4 et tous les termes au-delà de celui-ci sont des zéros, car chaque coefficient comporte un facteur zéro. La simplification donne

$$(1 + x)^3 = 1 + 3x + 3x^2 + x^3,$$

ce qui est l'expansion qu'on obtient habituellement en multipliant $(1 + x)(1 + x)(1 + x)$.

Exemple 3   Trouvez la série de Taylor autour de $x = 0$ pour $\dfrac{1}{1 + x}$.

Solution   Puisque $\dfrac{1}{1 + x} = (1 + x)^{-1}$, soit $p = -1$. Par conséquent,

$$\frac{1}{1 + x} = (1 + x)^{-1} = 1 + (-1)x + \frac{(-1)(-2)}{2!} x^2 + \frac{(-1)(-2)(-3)}{3!} x^3 + \cdots$$

$$= 1 - x + x^2 - x^3 + \cdots \quad \text{pour} -1 < x < 1.$$

Cette série constitue un cas particulier de la série du binôme et converge donc pour $-1 < x < 1$. Il s'agit également d'un exemple de *série géométrique* qu'on étudiera plus en détail dans la section 9.4.

Comment calcule-t-on des intervalles de convergence de manière analytique ?

Un graphe peut suggérer un intervalle de convergence; les résultats suivants montrent comment l'intervalle peut être calculé avec exactitude.

Théorème : Test de rapport

Pour la série de puissances

$$P(x) = C_0 + C_1 x + C_2 x^2 + \cdots + C_n x^n + \cdots,$$

on suppose que

$$\lim_{n \to \infty} \frac{|C_n|}{|C_{n+1}|} = R.$$

Ensuite,
- si[2] $R = \infty$, alors la série converge pour tout x ;
- si $0 < R < \infty$, alors la série converge pour $|x| < R$;
- si $R = 0$, alors la série converge uniquement pour $x = 0$.

On dit que R est le **rayon de convergence**.

À noter que le test de rapport n'indique rien si $\lim_{n \to \infty} |C_n|/|C_{n+1}|$ n'existe pas.

---

2. Autrement dit, si la suite $|C_n|/|C_{n+1}|$ tend vers l'infini.

Exemple 4 Montrez que la série de Taylor pour e^x converge pour tout x.

Solution La série de Taylor pour e^x est

$$e^x = 1 + x + \frac{x^2}{2!} + \frac{x^3}{3!} + \cdots + \frac{x^n}{n!} + \cdots.$$

On a

$$\lim_{n \to \infty} \frac{|C_n|}{|C_{n+1}|} = \lim_{n \to \infty} \frac{1/n!}{1/(n+1)!} = \lim_{n \to \infty} \frac{(n+1)!}{n!} = \lim_{n \to \infty} (n+1) = \infty.$$

Puisque $(n+1)$ est croissante et non majorée, la série pour e^x converge pour tout x.

La démonstration que les séries de $\sin x$ et de $\cos x$ convergent pour tout x exige une prolongation du test de rapport, car chaque série ne contient que des termes pairs ou que des termes impairs (voir l'exemple 4 de la section « Gros plan sur la théorie » du présent chapitre).

Exemple 5 Déterminez le rayon de convergence exact de la série de Taylor pour $\ln(1 + x)$ autour de $x = 0$. Qu'est-ce que cela révèle sur la convergence de cette série ?

Solution Le terme général de la série pour $\ln(1 + x)$ est x^n/n si n est impair et $-x^n/n$ si n est pair. On peut donc écrire

$$\ln(1 + x) = x - \frac{x^2}{2} + \frac{x^3}{3} - \frac{x^4}{4} + \cdots + (-1)^{n-1} \frac{x^n}{n} + \cdots.$$

On a

$$\lim_{n \to \infty} \frac{|C_n|}{|C_{n+1}|} = \lim_{n \to \infty} \frac{|(-1)^n/n|}{|(-1)^{n-1}/(n+1)|} = \lim_{n \to \infty} \frac{n+1}{n} = 1.$$

Donc, le rayon de convergence est $R = 1$, ce qui indique que la série de Taylor pour $\ln(1 + x)$ converge pour $|x| < 1$ et ne converge pas pour $|x| > 1$. À noter que le rayon de convergence ne révèle pas ce qui se produit aux extrémités $x = \pm 1$.

Pour une série de Taylor centrée en $x = a$, on calcule le rayon de convergence au moyen du test de rapport. L'intervalle de convergence avec ce rayon est alors centré en $x = a$.

Exemple 6 Que révèle le test de rapport au sujet de la convergence de la série de Taylor pour $\ln x$ autour de $x = 1$?

Solution La série est

$$\ln x = (x - 1) - \frac{(x-1)^2}{2} + \frac{(x-1)^3}{3} - \frac{(x-1)^4}{4} + \cdots + (-1)^{n-1} \frac{(x-1)^n}{n} + \cdots.$$

Les coefficients C_n sont les mêmes que les coefficients de la série pour $\ln(1 + x)$ dans l'exemple précédent. Donc, selon les mêmes calculs, $R = 1$, ce qui indique que la série pour $\ln x$

Converge pour $|x - 1| < 1$, autrement dit $0 < x < 2$.

Ne converge pas pour $|x - 1| > 1$, autrement dit $x < 0$ et $x > 2$.

À noter que le test de rapport ne révèle pas ce qui se produit aux points $x = 0$ et $x = 2$ qui sont les extrémités de l'intervalle.

Que se produit-il aux extrémités de l'intervalle de convergence ?

Le test de rapport n'indique pas si la série converge aux extrémités de l'intervalle de convergence $x = \pm R$. Aucun théorème simple ne peut répondre à cette question. Puisque la substitution de $x = \pm R$ convertit la série de puissances en une série de nombres, les résultats suivants sont souvent utiles.

La divergence de la série harmonique

On définit la *série harmonique* comme la série infinie de constantes

$$1 + \frac{1}{2} + \frac{1}{3} + \frac{1}{4} + \frac{1}{5} + \cdots + \frac{1}{n} + \cdots .$$

La convergence de cette somme signifierait que la suite de *sommes partielles*

$$S_1 = 1, \quad S_2 = 1 + \frac{1}{2}, \quad S_3 = 1 + \frac{1}{2} + \frac{1}{3}, \quad \cdots, \quad S_n = 1 + \frac{1}{2} + \frac{1}{3} + \cdots + \frac{1}{n}, \quad \cdots$$

tend vers une limite quand $n \to \infty$. On observe certaines valeurs, soit

$$S_1 = 1, \quad S_{10} \approx 2,93, \quad S_{100} \approx 5,19, \quad S_{1000} \approx 7,49, \quad S_{10\,000} \approx 9,79.$$

La croissance de ces sommes partielles est lente, mais ces sommes augmentent sans majorant. Par conséquent, les séries harmoniques ne convergent pas (voir l'exemple 7 et le problème 21.)

Exemple 7   Montrez que la série $1 + 1/2 + 1/3 + 1/4 + \ldots$ ne converge pas.

Solution   On considère les termes 1, 1/2, 1/3, ... comme les hauteurs des rectangles supérieurs de base 1 qu'on utilise pour calculer l'approximation de $\int_1^\infty (1/x)\, dx$ (voir la figure 9.11).

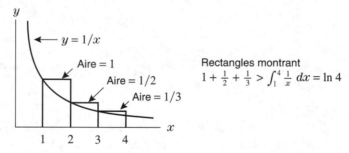

Figure 9.11 : Comparaison de la série harmonique à $\int_1^\infty 1/x\, dx$

Puisque la somme des aires des rectangles est plus grande que l'aire sous la courbe, on a

$$S_n = 1 + \frac{1}{2} + \frac{1}{3} + \cdots + \frac{1}{n} > \int_1^{n+1} \frac{1}{x}\, dx = \ln(n+1)$$

pour la n-ième somme partielle. Puisque $\ln(n+1)$ devient arbitrairement grand quand $n \to \infty$, la somme partielle doit le devenir également. Ainsi, les sommes partielles n'ont aucune limite. Donc, la série ne converge pas.

La convergence d'une série alternée

Lorsqu'on substitue x dans une série de puissances, on obtient souvent une *série alternée* telle que

$$1 - \frac{1}{2} + \frac{1}{3} - \frac{1}{4} + \cdots + \frac{(-1)^n}{n} + \cdots$$

$$2 - \frac{2}{3} + \frac{2}{9} - \frac{2}{27} + \cdots + (-1)^n \frac{2}{3^n} + \cdots .$$

Il est facile de vérifier la convergence des séries alternées au moyen du test suivant :

Test de la série alternée

Une séric de la forme

$$a_0 - a_1 + a_2 - a_3 + \cdots + (-1)^n a_n + \cdots \quad \text{avec } a_n \geq 0 \text{ pour tout } n,$$

converge si $a_{n+1} < a_n$ pour tout n et

$$\lim_{n \to \infty} a_n = 0.$$

Bien que ce résultat ne soit pas prouvé, on peut comprendre pourquoi il est acceptable. La première somme partielle, $S_0 = a_0$, est positive. La deuxième $S_1 = a_0 - a_1$ est encore positive car $a_1 < a_0$. La somme suivante, $S_2 = a_0 - a_1 + a_2$ se trouve à la droite de S_1 mais elle est plus petite que S_0 (voir la figure 9.12). Les sommes partielles continuent d'osciller vers l'avant et vers l'arrière, et puisque la distance entre elles tend vers zéro, elles finissent par converger.

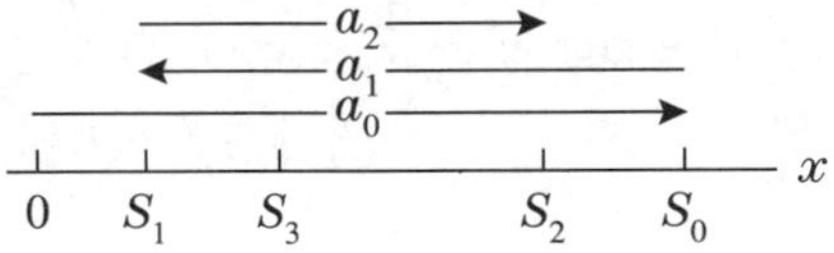

Figure 9.12 : Sommes partielles S_0, S_1, S_2, S_3 d'une série alternée

---

Exemple 8 Analysez la convergence aux extrémités de l'intervalle de convergence de la série de Taylor pour $\ln(1+x)$ autour de $x = 0$.

Solution Dans l'exemple 5, on a montré que le rayon de convergence de la série

$$x - \frac{x^2}{2} + \frac{x^3}{3} - \frac{x^4}{4} + \cdots + (-1)^{n-1} \frac{x^n}{n} + \cdots$$

est $R = 1$. Les extrémités de l'intervalle sont $x = \pm 1$. En $x = 1$, on a la série

$$1 - \frac{1}{2} + \frac{1}{3} - \frac{1}{4} + \cdots + \frac{(-1)^{n-1}}{n} + \cdots.$$

Il s'agit d'une série alternée avec $a_n = 1/n$. Donc, selon le test de la série alternée, elle converge. En $x = -1$, on a la série

$$-1 - \frac{1}{2} - \frac{1}{3} - \frac{1}{4} - \cdots - \frac{1}{n} - \cdots.$$

Il s'agit de la valeur négative de la série harmonique, donc elle ne converge pas. Ainsi, l'extrémité droite est comprise (mais l'extrémité gauche ne l'est pas) sur l'intervalle de convergence qui est $-1 < x \leq 1$.

Problèmes de la section 9.2

Parmi les séries des problèmes 1 à 4, lesquelles sont des séries de puissances ?

1. $x - x^3 + x^6 - x^{10} + x^{15} - \cdots$

2. $\dfrac{1}{x} + \dfrac{1}{x^2} + \dfrac{1}{x^3} + \dfrac{1}{x^4} + \cdots$

3. $1 + x + (x-1)^2 + (x-2)^3 + (x-3)^4 + \cdots$

4. $x^7 + x + 2$

Pour les problèmes 5 à 8, trouvez les quatre premiers termes de la série de Taylor pour la fonction donnée autour de zéro.

5. $\dfrac{1}{1-x}$
6. $\sqrt{1+x}$
7. $\dfrac{1}{\sqrt{1+x}}$
8. $\sqrt[3]{1-y}$

Pour les problèmes 9 à 11, trouvez les quatre premiers termes de la série de Taylor pour la fonction autour du point a.

9. $1/x$, $a = 1$
10. $1/x$, $a = 2$
11. $1/x$, $a = -1$

12. a) Trouvez la série de Taylor pour $f(x) = \ln(1 + 2x)$ autour de $x = 0$ en prenant des dérivées.
    b) Comparez vos résultats de la partie a) avec la série pour $\ln(1 + x)$. Comment auriez-vous pu obtenir votre réponse à la partie a) à partir de la série pour $\ln(1 + x)$?
    c) Selon vous, quel sera l'intervalle de convergence de la série pour $\ln(1 + 2x)$?

13. En traçant le graphe de la fonction $f(x) = \dfrac{1}{1-x}$ et plusieurs de ses polynômes de Taylor, estimez l'intervalle de convergence de la série que vous avez trouvée au problème 5.

14. En traçant le graphe de la fonction $f(x) = \sqrt{1+x}$ et plusieurs de ses polynômes de Taylor, estimez l'intervalle de convergence de la série que vous avez trouvée au problème 6.

15. En traçant le graphe de la fonction $f(x) = \dfrac{1}{\sqrt{1+x}}$ et plusieurs de ses polynômes de Taylor, estimez l'intervalle de convergence de la série que vous avez trouvée au problème 7.

Utilisez le test de rapport pour trouver le rayon de convergence de la série de puissances des problèmes 16 à 20.

16. $x + 4x^2 + 9x^3 + 16x^4 + 25x^5 + \ldots$

17. $x - \dfrac{x^2}{4} + \dfrac{x^3}{9} - \dfrac{x^4}{16} + \dfrac{x^5}{25} - \cdots$

18. $1 + 2x + \dfrac{4x^2}{2!} + \dfrac{8x^3}{3!} + \dfrac{16x^4}{4!} + \dfrac{32x^5}{5!} + \cdots$

19. $\dfrac{x}{3} + \dfrac{2x^2}{5} + \dfrac{3x^3}{7} + \dfrac{4x^4}{9} + \dfrac{5x^5}{11} + \cdots$

20. $1 + 2x + \dfrac{4!x^2}{(2!)^2} + \dfrac{6!x^3}{(3!)^2} + \dfrac{8!x^4}{(4!)^2} + \dfrac{10!x^5}{(5!)^2} + \cdots$

21. Considérez le regroupement de termes dans la série harmonique

$$1 + \left(\dfrac{1}{2}\right) + \left(\dfrac{1}{3} + \dfrac{1}{4}\right) + \left(\dfrac{1}{5} + \dfrac{1}{6} + \dfrac{1}{7} + \dfrac{1}{8}\right) + \left(\dfrac{1}{9} + \dfrac{1}{10} + \cdots + \dfrac{1}{16}\right) + \cdots.$$

   a) Montrez que la somme de chaque groupe de fractions est supérieure à $1/2$.
   b) Expliquez pourquoi cela montre que la série harmonique ne converge pas.

22. Estimez la somme des 100 000 premiers termes de la série harmonique

$$\sum_{k=1}^{100\,000} \dfrac{1}{k}$$

à l'entier le plus près. [Conseil : Utilisez les sommes de gauche et de droite de la fonction $f(x) = 1/x$ sur l'intervalle allant de 1 à 100 000 avec $\Delta x = 1$.]

23. Bien que la série harmonique ne converge pas, les sommes partielles augmentent extrêmement lentement. Prenez une somme de droite de $f(x) = 1/x$ avec $\Delta x = 1$ sur l'intervalle $[1, n]$ pour montrer que

$$\dfrac{1}{2} + \dfrac{1}{3} + \dfrac{1}{4} + \cdots + \dfrac{1}{n} < \ln n.$$

Chaque seconde, si un ordinateur pouvait additionner un million de termes de la série harmonique, estimez quelle serait cette somme au bout d'un an.

Utilisez un ordinateur ou une calculatrice pour analyser le comportement des sommes partielles des séries alternées des problèmes 24 à 26. Lesquelles convergent ? Le cas échéant, estimez leur somme.

24. $1 - 0,1 + 0,01 - 0,001 + \cdots + (-1)^n 10^{-n} + \cdots$

25. $1 - 2 + 3 - 4 + 5 + \cdots + (-1)^n (n + 1) + \cdots$

26. $1 - \dfrac{1}{1!} + \dfrac{1}{2!} - \dfrac{1}{3!} + \cdots + (-1)^n \dfrac{1}{n!} + \cdots$

En reconnaissant chaque série des problèmes 27 à 31 en tant que série de Taylor évaluée pour une valeur particulière de x, trouvez la somme de chacune des séries convergentes suivantes.

27. $1 + \dfrac{2}{1!} + \dfrac{4}{2!} + \dfrac{8}{3!} + \cdots + \dfrac{2^n}{n!} + \cdots$ 28. $1 - \dfrac{1}{3!} + \dfrac{1}{5!} - \dfrac{1}{7!} + \cdots + \dfrac{(-1)^n}{(2n + 1)!} + \cdots$

29. $1 + \dfrac{1}{4} + \left(\dfrac{1}{4}\right)^2 + \left(\dfrac{1}{4}\right)^3 + \cdots + \left(\dfrac{1}{4}\right)^n + \cdots$ 30. $1 - \dfrac{100}{2!} + \dfrac{10\,000}{4!} + \cdots + \dfrac{(-1)^n \cdot 10^{2n}}{(2n)!} + \cdots$

31. $\dfrac{1}{2} - \dfrac{\left(\frac{1}{2}\right)^2}{2} + \dfrac{\left(\frac{1}{2}\right)^3}{3} - \dfrac{\left(\frac{1}{2}\right)^4}{4} + \cdots + \dfrac{(-1)^n \cdot \left(\frac{1}{2}\right)^{n + 1}}{(n + 1)} + \cdots$

9.3 L'OBTENTION ET L'UTILISATION DES SÉRIES DE TAYLOR

Afin d'obtenir une série de Taylor pour une fonction, il faut trouver les coefficients. En supposant que toutes les dérivées d'une fonction sont définies, on peut toujours effectuer la recherche des coefficients, théoriquement du moins, par différentiation. C'est ainsi qu'on a dérivé les quatre séries de Taylor les plus importantes, celles pour les fonctions e^x, $\sin x$, $\cos x$ et $(1 + x)^p$.

Pour plusieurs fonctions, cependant, le calcul des coefficients des séries de Taylor par la différentiation peut constituer une tâche très laborieuse. Cette section a pour objectif de trouver des manières plus simples de rechercher les séries de Taylor, du moins si la série qu'on recherche est étroitement liée à une série déjà connue.

Les nouvelles séries obtenues par substitution

On suppose qu'on veut trouver la série de Taylor pour e^{-x^2} autour de $x = 0$. On pourrait trouver les coefficients par la différentiation. En différentiant e^{-x^2} au moyen de la règle de la dérivée en chaîne, on obtient $-2x e^{-x^2}$ et, par la différentiation, on obtient $-2e^{-x^2} + 4x^2 e^{-x^2}$. Maintenant, chaque fois qu'on différentie, on aura besoin d'appliquer la règle du produit, et le nombre de termes augmentera. La recherche de la dérivée dixième ou douzième de e^{-x^2}, et donc de la série pour e^{-x^2} jusqu'au terme x^{10} ou x^{20} au moyen de cette méthode, sera une tâche fastidieuse (du moins sans ordinateur ou calculatrice pour la différentiation).

Heureusement, il existe une méthode plus rapide. On se souviendra que

$$e^y = 1 + y + \frac{y^2}{2!} + \frac{y^3}{3!} + \frac{y^4}{4!} + \cdots, \quad \text{pour tout } y.$$

En substituant $y = -x^2$, on sait que

$$e^{-x^2} = 1 + (-x^2) + \frac{(-x^2)^2}{2!} + \frac{(-x^2)^3}{3!} + \frac{(-x^2)^4}{4!} + \cdots, \quad \text{pour tout } x.$$

La simplification montre que la série de Taylor pour e^{-x^2} est

$$e^{-x^2} = 1 - x^2 + \frac{x^4}{2!} - \frac{x^6}{3!} + \frac{x^8}{4!} + \cdots, \quad \text{pour tout } x.$$

En utilisant cette méthode, il est facile de trouver la série jusqu'au terme x^{10} ou x^{20}.

Exemple 1   Trouvez la série de Taylor autour de $x = 0$ pour $f(x) = \dfrac{1}{1 + x^2}$.

Solution   La série du binôme indique que

$$\frac{1}{1 + y} = (1 + y)^{-1} = 1 - y + y^2 - y^3 + y^4 + \cdots, \quad \text{pour } -1 < y < 1.$$

La substitution de $y = x^2$ donne

$$\frac{1}{1 + x^2} = 1 - x^2 + x^4 - x^6 + x^8 + \cdots \quad \text{pour } -1 < x < 1,$$

ce qui est la série de Taylor pour $\dfrac{1}{1 + x^2}$.

Ces exemples montrent qu'on peut obtenir de nouvelles séries à partir des anciennes au moyen de la substitution. Il est plus difficile de prouver que la nouvelle série obtenue est la même que celle qu'on aurait eue au moyen du calcul direct des dérivées. C'est d'ailleurs une opération qu'on effectue dans des manuels plus avancés.

Dans l'exemple 1, on a fait la substitution $y = x^2$. On peut également substituer une série entière dans une autre, comme dans l'exemple 2.

Exemple 2   Trouvez la série de Taylor autour de $\theta = 0$ pour $g(\theta) = e^{\sin \theta}$.

Solution   Pour tout y et θ, on sait que

$$e^y = 1 + y + \frac{y^2}{2!} + \frac{y^3}{3!} + \frac{y^4}{4!} + \cdots$$

et

$$\sin \theta = \theta - \frac{\theta^3}{3!} + \frac{\theta^5}{5!} - \cdots.$$

On substitue la série pour $\sin \theta$ pour y :

$$e^{\sin \theta} = 1 + \left(\theta - \frac{\theta^3}{3!} + \frac{\theta^5}{5!} - \cdots\right) + \frac{1}{2!}\left(\theta - \frac{\theta^3}{3!} + \frac{\theta^5}{5!} - \cdots\right)^2 + \frac{1}{3!}\left(\theta - \frac{\theta^3}{3!} + \frac{\theta^5}{5!} - \cdots\right)^3 + \cdots.$$

Afin de simplifier, on multiplie et on réunit les termes. Le seul terme constant est 1, et il n'existe qu'un terme θ. Le seul terme θ^2 est le premier terme qu'on obtient en développant le carré et c'est $\theta^2/2!$. Deux éléments contribuent au terme θ^3 : $-\theta^3/3!$ à l'intérieur des premières parenthèses et le premier terme obtenu en développant le cube, soit $\theta^3/3!$. Ainsi, la série commence par

$$e^{\sin \theta} = 1 + \theta + \frac{\theta^2}{2!} + \left(-\frac{\theta^3}{3!} + \frac{\theta^3}{3!}\right) + \cdots$$

$$= 1 + \theta + \frac{\theta^2}{2!} + 0 \cdot \theta^3 + \cdots \quad \text{pour tout } \theta.$$

Les nouvelles séries obtenues par intégration

Tout comme on peut obtenir de nouvelles séries par substitution, on peut également en obtenir par intégration. Une fois encore, on trouve la preuve que la nouvelle série ainsi obtenue est véritablement la série de Taylor qu'on recherche et qu'elle a le même intervalle de convergence que la série originale, ce qu'on peut voir dans des manuels de calcul plus avancés.

Exemple 3   Trouvez la série de Taylor autour de $x = 0$ pour arctan x à partir de la série pour $\dfrac{1}{1 + x^2}$.

Solution   On sait que $\dfrac{d(\arctan x)}{dx} = \dfrac{1}{1 + x^2}$. Donc, on commence par la série de l'exemple 1 :

$$\frac{d(\arctan x)}{dx} = \frac{1}{1 + x^2} = 1 - x^2 + x^4 - x^6 + x^8 - \cdots \quad \text{pour} -1 < x < 1.$$

L'intégration terme à terme (laquelle est permise) donne

$$\arctan x = C + x - \frac{x^3}{3} + \frac{x^5}{5} - \frac{x^7}{7} + \frac{x^9}{9} - \cdots \quad \text{pour} -1 < x < 1,$$

où C est la constante d'intégration. Le fait que arctan $0 = 0$ indique qu'il faut avoir $C = 0$. Ainsi,

$$\arctan x = x - \frac{x^3}{3} + \frac{x^5}{5} - \frac{x^7}{7} + \frac{x^9}{9} - \cdots \quad \text{pour} -1 < x < 1.$$

Les applications des séries de Taylor

Exemple 4   Utilisez une série pour estimer la valeur numérique de π.

Solution   Puisque arctan $1 = \pi/4$, on utilise la série pour arctan x qu'on a trouvée à l'exemple 3. On peut démontrer que la série converge vers $\pi/4$ en $x = 1$; on suppose que ce fait est établi. On substitue donc $x = 1$ dans la série pour arctan x et on obtient

$$\pi = 4 \arctan 1 = 4\left(1 - \frac{1}{3} + \frac{1}{5} - \frac{1}{7} + \frac{1}{9} - \cdots\right).$$

Le tableau 9.2 montre la valeur de la somme S_n, obtenue en calculant la somme des termes de 1 à n. Les valeurs de S_n semblent converger vers $\pi = 3,141\ldots$ Malheureusement, par contre, cette série converge très lentement, ce qui signifie qu'on doit utiliser un grand nombre de termes pour obtenir une estimation précise de π. Donc, cette manière de calculer π n'est pas très pratique (une meilleure méthode est fournie au problème 30). Cependant, l'expression pour π donnée par cette série est surprenante et élégante.

TABLEAU 9.2   *Approximation de π en utilisant la série pour* arctan x

n	7	9	25	100	500	1000	10 000
S_n	2,895	3,340	3,218	3,122	3,138	3,140	3,141

L'une des questions les plus fondamentales qu'on peut se poser concernant deux fonctions consiste à savoir laquelle est la plus grande. Les quelque premiers termes de la série de Taylor pour les deux fonctions peuvent souvent servir à répondre à cette question sur un petit intervalle. Si les termes constants des deux séries sont les mêmes, on doit comparer les termes linéaires ; si les termes linéaires sont les mêmes, on doit comparer les termes quadratiques, et ainsi de suite.

Exemple 5 En observant leur série de Taylor, décidez laquelle des fonctions suivantes est la plus grande et laquelle est la plus petite pour un petit θ positif.

a) $1 + \sin \theta$ b) e^θ c) $\dfrac{1}{\sqrt{1 - 2\theta}}$

Solution L'expansion de Taylor autour de $\theta = 0$ pour $\sin \theta$ est

$$\sin \theta = \theta - \frac{\theta^3}{3!} + \frac{\theta^5}{5!} - \frac{\theta^7}{7!} + \cdots.$$

Par conséquent,

$$1 + \sin \theta = 1 + \theta - \frac{\theta^3}{3!} + \frac{\theta^5}{5!} - \frac{\theta^7}{7!} + \cdots.$$

L'expansion de Taylor autour de $\theta = 0$ pour e^θ est

$$e^\theta = 1 + \theta + \frac{\theta^2}{2!} + \frac{\theta^3}{3!} + \frac{\theta^4}{4!} + \cdots.$$

L'expansion de Taylor autour de $\theta = 0$ pour $1/\sqrt{1 + \theta}$ est

$$\frac{1}{\sqrt{1 + \theta}} = (1 + \theta)^{-1/2} = 1 - \frac{1}{2}\theta + \frac{\left(-\frac{1}{2}\right)\left(-\frac{3}{2}\right)}{2!}\theta^2 + \frac{\left(-\frac{1}{2}\right)\left(-\frac{3}{2}\right)\left(-\frac{5}{2}\right)}{3!}\theta^3 + \cdots$$

$$= 1 - \frac{1}{2}\theta + \frac{3}{8}\theta^2 - \frac{5}{16}\theta^3 + \cdots.$$

Donc, la substitution de -2θ par θ donne

$$\frac{1}{\sqrt{1 - 2\theta}} = 1 - \frac{1}{2}(-2\theta) + \frac{3}{8}(-2\theta)^2 - \frac{5}{16}(-2\theta)^3 + \cdots$$

$$= 1 + \theta + \frac{3}{2}\theta^2 + \frac{5}{2}\theta^3 + \cdots.$$

Pour θ près de zéro, on peut négliger les termes d'ordre supérieur dans ces expansions. En maintenant les termes constants, linéaires et de deuxième degré, il reste trois approximations valables pour θ près de zéro :

$$1 + \sin \theta \approx 1 + \theta$$

$$e^\theta \approx 1 + \theta + \frac{\theta^2}{2}$$

$$\frac{1}{\sqrt{1 - 2\theta}} \approx 1 + \theta + \frac{3}{2}\theta^2.$$

Puisque

$$1 + \theta < 1 + \theta + \frac{1}{2}\theta^2 < 1 + \theta + \frac{3}{2}\theta^2,$$

on conclut que, pour un petit θ positif,

$$1 + \sin \theta < e^\theta < \frac{1}{\sqrt{1 - 2\theta}}.$$

Exemple 6   Deux charges électriques de magnitudes égales et de signes opposés qui sont situées à proximité l'une de l'autre s'appellent un doublet électrique (dipôle). Supposez que les charges Q et $-Q$ se trouvent à une distance r l'une de l'autre (voir la figure 9.13). Le champ électrique E au point P est donné par

$$E = \frac{Q}{R^2} - \frac{Q}{(R+r)^2}.$$

Utilisez des séries pour analyser le comportement du champ électrique à une distance éloignée du doublet. Montrez que quand R est grand par rapport à r, le champ électrique est approximativement proportionnel à $1/R^3$.

Figure 9.13 : Dipôle

Solution   Pour utiliser une approximation par une série, il faut choisir une variable pour laquelle on sait que la valeur est petite. Bien qu'on sache que r est beaucoup plus petite que R, on ne sait pas que r est en elle-même très petite. Cependant, la quantité r/R est très petite — beaucoup plus petite que 1. Ainsi, on calcule l'expansion de $1/(R+r)^2$ en fonction de r/R ; on peut donc utiliser uniquement les premiers termes avec assurance :

$$\frac{1}{(R+r)^2} = \frac{1}{R^2(1+r/R)^2} = \frac{1}{R^2}\left(1+\frac{r}{R}\right)^{-2}$$

$$= \frac{1}{R^2}\left(1+(-2)\left(\frac{r}{R}\right)+\frac{(-2)(-3)}{2!}\left(\frac{r}{R}\right)^2+\frac{(-2)(-3)(-4)}{3!}\left(\frac{r}{R}\right)^3+\cdots\right)$$

$$= \frac{1}{R^2}\left(1-2\frac{r}{R}+3\frac{r^2}{R^2}-4\frac{r^3}{R^3}+\cdots\right).$$

En conséquence,

$$E = \frac{Q}{R^2} - \frac{Q}{(R+r)^2} = Q\left[\frac{1}{R^2}-\frac{1}{R^2}\left(1-2\frac{r}{R}+3\frac{r^2}{R^2}-4\frac{r^3}{R^3}+\cdots\right)\right]$$

$$= \frac{Q}{R^2}\left(2\frac{r}{R}-3\frac{r^2}{R^2}+4\frac{r^3}{R^3}-\cdots\right).$$

Puisque r/R est plus petite que 1, l'expansion binomiale de $(1+r/R)^{-2}$ convergera. On s'intéresse au champ électrique qui se trouve très loin du dipôle. La quantité r/R est petite et $(r/R)^2$ et les puissances plus élevées sont encore plus petites. Ainsi, on trouve l'approximation en omettant tous les termes sauf le premier, ce qui donne

$$E \approx \frac{Q}{R^2}\left(\frac{2r}{R}\right). \quad \text{Par conséquent,} \quad E \approx \frac{2Qr}{R^3}.$$

Puisque Q et r sont des constantes, cela signifie que E est presque proportionnel à $1/R^3$.

Dans l'exemple 6, on a dit que l'*expansion de E a été faite en fonction de r/R*, ce qui signifie que la variable indépendante dans l'expansion est r/R.

Problèmes de la section 9.3

Trouvez les quatre premiers termes non nuls de la série de Taylor autour de zéro pour les fonctions des problèmes 1 à 12.

1. $\sqrt{1-2x}$

2. $\cos(\theta^2)$

3. e^{-x}

4. $\dfrac{t}{1+t}$

5. $\ln(1-2y)$

6. $\arcsin x$

7. $\dfrac{1}{\sqrt{1-z^2}}$

8. $\phi^3 \cos(\phi^2)$

9. $\dfrac{z}{e^{z^2}}$

10. $\sqrt{(1+t)}\sin t$

11. $e^t \cos t$

12. $\sqrt{1+\sin\theta}$

13. En observant la série de Taylor, décidez laquelle des fonctions suivantes est la plus grande et laquelle est la plus petite pour un petit θ positif.

   a) $1+\sin\theta$

   b) $\cos\theta$

   c) $\dfrac{1}{1-\theta^2}$

14. Pour les valeurs de y près de zéro, placez les fonctions suivantes en ordre croissant, en utilisant leurs expansions de Taylor.

   a) $\ln(1+y^2)$

   b) $\sin(y^2)$

   c) $1-\cos y$

15. La figure 9.14 montre les graphes des quatre fonctions ci-dessous pour leurs valeurs de x près de zéro. Utilisez des séries de Taylor pour faire concorder les graphes et les formules.

   a) $\dfrac{1}{1-x^2}$

   b) $(1+x)^{1/4}$

   c) $\sqrt{1+\dfrac{x}{2}}$

   d) $\dfrac{1}{\sqrt{1-x}}$

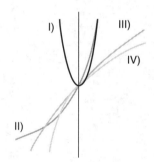

Figure 9.14

16. Considérez les deux fonctions $y=e^{-x^2}$ et $y=1/(1+x^2)$.

   a) Écrivez les expansions de Taylor pour les deux fonctions autour de $x=0$. Quelle similitude y a-t-il entre les deux séries ? Quelle est la différence ?

   b) En observant les séries, déterminez quelle fonction sera la plus grande sur l'intervalle $(-1, 1)$. Tracez le graphe des deux fonctions et donnez votre réponse.

   c) Ces fonctions sont-elles paires ou impaires ? Pourriez-vous le déterminer en observant les expansions des deux séries ?

   d) En observant les coefficients, expliquez pourquoi il est raisonnable que la série pour $y=e^{-x^2}$ converge pour toutes les valeurs de x, mais que la série pour $y=1/(1+x^2)$ converge seulement sur l'intervalle ouvert $(-1, 1)$.

Pour les problèmes 17 et 18, faites l'expansion de la quantité autour de zéro en fonction de la variable donnée. Indiquez quatre termes non nuls.

17. $\dfrac{1}{2+x}$ en fonction de $\dfrac{x}{2}$

18. $\dfrac{a}{\sqrt{a^2+x^2}}$ en fonction de $\dfrac{x}{a}$, où $a>0$

19. Les approximants de Padé sont des fonctions rationnelles utilisées pour calculer l'approximation des fonctions plus complexes. Dans ce problème, vous devez dériver l'approximant de Padé par rapport à la fonction exponentielle.

a) Soit $f(x) = (1 + ax)/(1 + bx)$, où a et b sont des constantes. Écrivez les trois premiers termes de la série de Taylor pour $f(x)$ autour de $x = 0$.

b) En résolvant les trois premiers termes de la série de Taylor autour de $x = 0$ pour $f(x)$ et pour e^x, trouvez a et b tels que $f(x)$ permet de calculer l'approximation de e^x le plus près possible de $x = 0$.

20. Un doublet électrique (dipôle) sur l'axe des x est constitué d'une charge Q en $x = 1$ et d'une charge $-Q$ en $x = -1$. Le champ électrique E au point $x = R$ sur l'axe des x est donné (pour $R > 1$) par

$$E = \frac{kQ}{(R - 1)^2} - \frac{kQ}{(R + 1)^2},$$

où k est une constante positive dont la valeur dépend des unités. Trouvez l'expansion de E en tant que série en $1/R$, en donnant les deux premiers termes non nuls.

21. Supposez que a est une constante positive et que z est donné par l'expression

$$z = \sqrt{a^2 + x^2} - \sqrt{a^2 - x^2}.$$

Trouvez l'expansion de z en tant que série en fonction de x aussi loin que le deuxième terme non nul.

22. Le potentiel électrique V à une distance R le long de l'axe perpendiculaire au centre d'un disque chargé de rayon a et de densité de charge constante σ est donné par

$$V = 2\pi\sigma(\sqrt{R^2 + a^2} - R).$$

Montrez que, pour un grand R,

$$V \approx \frac{\pi a^2 \sigma}{R}.$$

23. Selon l'une des prévisions les plus surprenantes d'Einstein, la lumière provenant d'étoiles éloignées fléchirait autour du soleil en se dirigeant vers la Terre. Ses calculs faisaient intervenir la résolution en fonction de ϕ dans l'équation

$$\sin\phi + b(1 + \cos^2\phi + \cos\phi) = 0,$$

où b est une très petite constante positive.

a) Expliquez la raison pour laquelle l'équation pourrait avoir une solution pour ϕ qui est près de zéro.

b) Trouvez l'expansion du côté gauche de l'équation en série de Taylor autour de $\phi = 0$, en ne tenant pas compte des termes d'ordre ϕ^2 et d'ordre supérieur. Résolvez pour ϕ (votre réponse doit contenir b).

24. L'expérience de Michelson-Morley, qui a contribué à la formulation de la théorie de la relativité, faisait intervenir la différence entre les deux temps t_1 et t_2 que prenait la lumière pour voyager entre deux points. Si v est la vitesse de la lumière, l_1, l_2 et c sont des constantes et $v < c$, alors les temps t_1 et t_2 sont donnés par

$$t_1 = \frac{2l_2}{c(1 - v^2/c^2)} - \frac{2l_1}{c\sqrt{1 - v^2/c^2}} \qquad t_2 = \frac{2l_2}{c\sqrt{1 - v^2/c^2}} - \frac{2l_1}{c(1 - v^2/c^2)}.$$

a) Trouvez une expression pour $\Delta t = t_1 - t_2$ et donnez l'expansion de Taylor en fonction de v^2/c^2 jusqu'au deuxième terme non nul.

b) Pour un petit v, Δt est proportionnel à quelle puissance de v? Quelle est la constante de proportionnalité?

25. Un atome d'hydrogène est composé d'un électron (de masse m) qui tourne autour d'un proton (de masse M), où m est beaucoup plus petite que M. La *masse réduite* μ de l'atome d'hydrogène est définie par

$$\mu = \frac{mM}{m + M}.$$

a) Montrez que $\mu \approx m$.

b) Pour obtenir une approximation plus précise de μ, exprimez μ en fonction de m multiplié par une série en m/M.

c) L'approximation $\mu \approx m$ s'obtient en ignorant tout sauf le terme constant dans la série. La correction de premier ordre s'obtient en incluant le terme linéaire mais pas de termes plus élevés. Si $m \approx M/1836$, par quel pourcentage l'inclusion de la correction de premier ordre change-t-elle l'estimation $\mu \approx m$?

26. Un mince disque de rayon a et de masse M repose horizontalement ; une particule de masse m se trouve à la hauteur h directement au-dessus du centre du disque. La force de gravitation F exercée par le disque sur la masse m est donnée par

$$F = \frac{2GMmh}{a^2} \left(\frac{1}{h} - \frac{1}{(a^2 + h^2)^{1/2}} \right).$$

Supposez que $a < h$ et considérez F comme une fonction de a, les autres quantités demeurant constantes.

a) Calculez l'expansion de F comme une série en a/h. Donnez les deux premiers termes non nuls.

b) Montrez que l'approximation de F obtenue en utilisant uniquement le premier terme non nul de la série est indépendant du rayon a.

c) Si $a = 0{,}02h$, de quel pourcentage l'approximation de la partie a) diffère-t-elle de l'approximation de b) ?

27. Lorsqu'un corps se trouve à proximité de la surface de la Terre, on suppose normalement que la force provoquée par la gravité sur ce dernier est une constante mg, où m est la masse du corps et g est l'accélération provoquée par la gravité au niveau de la mer. Pour un corps à une distance h au-dessus de la surface de la Terre, une expression plus précise pour la force F est donnée par

$$F = \frac{mgR^2}{(R + h)^2},$$

où R est le rayon de la Terre. Considérez la situation où le corps se trouve à proximité de la surface de la Terre de manière telle que h est beaucoup plus petite que R.

a) Montrez que $F \approx mg$.

b) Exprimez F sous la forme mg multiplié par une série en h/R.

c) La correction de premier ordre apportée à l'approximation $F \approx mg$ s'obtient en prenant le terme linéaire dans la série mais pas de termes plus élevés. Jusqu'à quelle distance au-dessus de la surface de la Terre pouvez-vous vous rendre avant que la correction de premier ordre ne fasse changer l'estimation $F \approx mg$ de plus de 10 % ? (Supposez que $R = 6400$ km.)

28. a) Estimez la valeur de $\int_0^1 e^{-x^2}\, dx$ en utilisant des sommes de Riemann pour les sommes de gauche et de droite avec $n = 5$ subdivisions.

b) Calculez l'approximation de la fonction $f(x) = e^{-x^2}$ avec un polynôme de Taylor de degré 6.

c) Estimez l'intégrale de la partie a) en intégrant le polynôme de Taylor de la partie b).

d) Indiquez brièvement la manière dont vous pourriez améliorer vos résultats dans chaque cas.

29. Utilisez des séries de Taylor pour justifier les égalités ci-après.

a) $\dfrac{1}{0{,}98} = 1{,}020\ 408\ 163\ 264\ldots$ b) $\left(\dfrac{1}{0{,}99} \right)^2 = 1{,}020\ 304\ 050\ 607\ldots$

30. La formule de Machin énonce que $\pi/4 = 4 \arctan(1/5) - \arctan(1/239)$.

a) Vérifiez si $\pi/4$ et la quantité $4 \arctan(1/5) - \arctan(1/239)$ concordent avec le même nombre de décimales affichées sur votre calculatrice.

b) Utilisez l'approximation du polynôme de Taylor de degré 5 de la fonction arctan pour calculer l'approximation de la valeur de π. (Note : En 1873, William Shanks a utilisé cette approche pour calculer π à 707 décimales près. Malheureusement, en 1946, on a découvert qu'il avait commis une erreur à la 528e décimale.)

c) Pouvez-vous expliquer la raison pour laquelle les deux séries pour l'arctangente convergent si rapidement ici alors que la série utilisée dans l'exemple 4 converge si lentement ?

9.4 LES SÉRIES GÉOMÉTRIQUES

Dans les deux dernières sections, on a exprimé une fonction donnée au moyen d'une série de Taylor. On a commencé par la fonction et on a dérivé la série. Dans la présente section, on travaillera dans le sens inverse, en commençant par une série et en trouvant sa somme, la fonction. Cela peut se faire pour la plupart des séries ; cependant, pour certains types de séries, cette opération est impossible.

La posologie des médicaments

On recommande à une personne souffrant d'une otite de prendre un antibiotique régulièrement pendant plusieurs jours. Puisque ce médicament est excrété par le corps entre les doses, comment peut-on calculer la quantité de médicament qui demeure dans le corps à n'importe quel moment donné ?

Pour être plus précis, on suppose que le médicament est l'ampicilline (un antibiotique commun) absorbé en doses de 250 mg quatre fois par jour (c'est-à-dire toutes les six heures). On sait que, à la fin de la période de 6 h, environ 4 % du médicament se trouve toujours dans le corps. Quelle quantité du médicament se trouve dans le corps après la dixième dose ? la quarantième ?

Soit Q_n la quantité (en milligrammes) d'ampicilline dans le sang tout de suite après l'absorption du n-ième comprimé. Par conséquent,

$$Q_1 = 250 \qquad\qquad\qquad\qquad\qquad\qquad\qquad = 250 \text{ mg}$$

$$Q_2 = \underbrace{250(0,04)}_{\text{Reste du premier comprimé}} + \underbrace{250}_{\text{Nouveau comprimé}} \qquad = 260 \text{ mg}$$

$$Q_3 = Q_2(0,04) + 250 = (250(0,04) + 250)\,(0,04) + 250$$
$$= \underbrace{250(0,04)^2 + 250(0,04)}_{\text{Reste du premier et du deuxième comprimés}} + \underbrace{250}_{\text{Nouveau comprimé}} \qquad = 260,4 \text{ mg}$$

$$Q_4 = Q_3(0,04) + 250 = \left(250(0,04)^2 + 250(0,04) + 250\right)(0,04) + 250$$
$$= \underbrace{250(0,04)^3 + 250(0,04)^2 + 250(0,04)}_{\text{Reste du premier, du deuxième et du troisième comprimés}} + \underbrace{250}_{\text{Nouveau comprimé}} \qquad = 260,416 \text{ mg}$$

En observant le modèle qui en ressort, on peut sans doute deviner que

$$Q_5 = 250(0,04)^4 + 250(0,04)^3 + 250(0,04)^2 + 250(0,04) + 250$$

$$Q_{10} = 250(0,04)^9 + 250(0,04)^8 + \cdots + 250(0,04) + 250.$$

À noter qu'il y a 10 termes dans cette somme — un pour chaque comprimé — mais que la puissance la plus élevée de 0,04 est la neuvième, car aucun comprimé ne s'est trouvé dans le corps pendant plus de 9 périodes de 6 h chacune. (Faites-en la vérification : pouvez-vous expliquer pourquoi ?) On suppose maintenant qu'on veut véritablement trouver la valeur numérique de Q_{10}. Il semble qu'il soit nécessaire d'ajouter 10 termes — et si on veut la valeur de Q_{40}, il faut ajouter 40 termes :

$$Q_{40} = 250(0,04)^{39} + 250(0,04)^{38} + \cdots + 250(0,04) + 250.$$

Heureusement, il existe une méthode plus efficace. On commence par Q_{10}.

$$Q_{10} = 250(0,04)^9 + 250(0,04)^8 + 250(0,04)^7 + \cdots + 250(0,04)^2 + 250(0,04) + 250.$$

On remarque que si on soustrait $(0,04)Q_{10}$ de Q_{10}, un très grand nombre de termes (en fait, tous sauf deux) s'éliminent. En multipliant d'abord par 0,04, on obtient

$$(0,04)Q_{10} = 250(0,04)^{10} + 250(0,04)^9 + 250(0,04)^8 + \cdots + 250(0,04)^3 + 250(0,04)^2 + 250(0,04).$$

En soustrayant, on obtient

$$Q_{10} - (0,04)Q_{10} = 250 - 250(0,04)^{10}.$$

En factorisant Q_{10} à la gauche et en résolvant pour Q_{10}, on a

$$Q_{10}(1 - 0,04) = 250\left(1 - (0,04)^{10}\right)$$

$$Q_{10} = \frac{250\left(1 - (0,04)^{10}\right)}{1 - 0,04}.$$

C'est ce qu'on appelle la *forme close* pour Q_{10}. Elle est facile à évaluer à l'aide d'une calculatrice ; on obtient $Q_{10} = 260,42$ (à deux décimales près). De même, Q_{40} est donné en forme close par

$$Q_{40} = \frac{250\left(1 - (0,04)^{40}\right)}{1 - 0,04}.$$

En l'évaluant à l'aide d'une calculatrice, on constate que $Q_{40} = 260,42$, ce qui équivaut à Q_{10} (à deux décimales près). Ainsi, après 10 comprimés, la valeur de Q_n semble s'être stabilisée à un peu plus de 260 mg.

En observant les formes closes de Q_{10} et de Q_{40}, on peut voir qu'en général, Q_n doit être donné par

$$Q_n = \frac{250\left(1 - (0,04)^n\right)}{1 - 0,04}.$$

Que se produit-il quand $n \to \infty$?

Qu'est-ce que cette forme close pour Q_n prédit en ce qui concerne le niveau d'ampicilline à long terme dans le corps tout de suite après l'absorption d'un comprimé, si on suppose qu'on continue à prendre 250 mg toutes les 6 h ? Quand $n \to \infty$, la quantité $(0,04)^n \to 0$. Donc, à long terme,

$$Q_n = \frac{250\left(1 - (0,04)^n\right)}{1 - 0,04} \to \frac{250(1 - 0)}{1 - 0,04} \approx 260,42.$$

Les séries géométriques en général

Dans l'exemple précédent, on a obtenu des sommes de la forme $a + ax + ax^2 + \cdots + ax^8 + ax^9$ (où $a = 250$ et $x = 0,04$). De telles sommes s'appellent des *séries géométriques*. En général, on définit une série géométrique comme une série dans laquelle chaque terme est un multiple constant de celui qui le précède. (Dans notre exemple, le multiple constant était 0,04.) On suppose que $a \neq 0$ et $x \neq 0$.

Une **série géométrique finie** a la forme

$$a + ax + ax^2 + \cdots + ax^{n-2} + ax^{n-1}$$

Une **série géométrique infinie** a la forme

$$a + ax + ax^2 + \cdots + ax^{n-2} + ax^{n-1} + ax^n + \cdots$$

Les trois points de suspension à la fin de la deuxième série indiquent que celle-ci se poursuit à l'infini — en d'autres mots, qu'elle est infinie.

La somme d'une série géométrique finie

On peut utiliser la même méthode remarquable qui a permis de trouver la forme close de Q_{10} pour trouver la somme d'une série géométrique finie. On suppose que S_n est la somme des n premiers termes, ce qui signifie jusqu'au terme en x^{n-1}.

$$S_n = a + ax + ax^2 + \cdots + ax^{n-2} + ax^{n-1}.$$

On multiplie S_n par x:

$$xS_n = ax + ax^2 + ax^3 + \cdots + ax^{n-1} + ax^n.$$

Maintenant, on soustrait xS_n de S_n, ce qui annule tous les termes sauf deux. On obtient

$$S_n - xS_n = a - ax^n.$$
$$(1-x)S_n = a(1-x^n).$$

Ainsi, étant donné que $x \neq 1$, on peut résoudre en fonction de S_n comme suit.

> La **somme d'une série géométrique finie** est donnée par
> $$S_n = a + ax + ax^2 + \cdots + ax^{n-1} = \frac{a(1-x^n)}{1-x}, \qquad x \neq 1.$$

Il ne faut pas oublier que la valeur de n qui apparaît dans la forme close de S_n est le nombre de termes dans la somme S_n.

La somme d'une série géométrique infinie

On définit la convergence pour une série géométrique infinie de la même manière qu'on définit la convergence pour une série de puissances. Dans l'exemple au début de la section 9.4, on a trouvé la somme Q_n et on a laissé $n \to \infty$. On fait la même chose ici. On suppose qu'on veut trouver la somme S de la série infinie $a + ax + ax^2 + \cdots + ax^{n-1} + \cdots$. On considère la *somme partielle S_n*, soit

$$S_n = a + ax + ax^2 + \cdots + ax^{n-1} = \frac{a(1-x^n)}{1-x},$$

et on observe ce qui se produit avec S_n quand $n \to \infty$. Tout dépend de la valeur de x. Si $|x| < 1$, alors $x^n \to 0$ quand $n \to \infty$ et, par conséquent,

$$\lim_{n \to \infty} S_n = \lim_{n \to \infty} \frac{a(1-x^n)}{1-x} = \frac{a(1-0)}{1-x} = \frac{a}{1-x}.$$

Par suite, si $|x| < 1$, les sommes partielles s'approchent d'une limite quand $n \to \infty$ et on dit que la série géométrique infinie *converge*.

> Pour $|x| < 1$, la **somme d'une série géométrique infinie** est donnée par
> $$S = a + ax + ax^2 + \cdots + ax^n + \cdots = \frac{a}{1-x}.$$

Par ailleurs, si $|x| > 1$, alors x^n et les sommes partielles n'ont aucune limite quand $n \to \infty$ et on dit que la série ne converge pas. Cela correspond au fait que quand $x > 1$, les termes dans la série deviennent de plus en plus grands, donc l'ajout d'une quantité de plus en plus grande de ceux-ci ne pourrait absolument pas donner une somme finie. Quand $x < -1$, les sommes partielles oscillent de plus en plus librement et ne convergent donc pas.

Que se produit-il quand $x = 1$? La série est

$$a + a + a + a \cdots,$$

et, puisque $a \neq 0$, les sommes partielles augmentent sans être bornées et la série ne converge pas. Quand $x = -1$, la série est

$$a - a + a - a + a \cdots,$$

et, puisque $a \neq 0$, les sommes partielles oscillent entre a et 0 et la série ne converge pas.

Exemple 1   Pour chacune des séries infinies suivantes, trouvez plusieurs sommes partielles et la somme (si celle-ci existe).

a) $1 + \dfrac{1}{2} + \dfrac{1}{4} + \dfrac{1}{8} + \cdots$ b) $1 + 2 + 4 + 8 + \cdots$ c) $6 - 2 + \dfrac{2}{3} - \dfrac{2}{9} + \dfrac{2}{27} - \cdots$

Solution   a)   Cette série peut s'écrire

$$1 + \frac{1}{2} + \left(\frac{1}{2}\right)^2 + \left(\frac{1}{2}\right)^3 + \cdots$$

et on peut l'identifier comme une série géométrique avec $a = 1$ et $x = \frac{1}{2}$. Donc,
$$S = \frac{1}{1 - (1/2)} = 2.$$

On vérifie en trouvant les sommes partielles :

$$S_1 = 1$$
$$S_2 = 1 + \frac{1}{2} = \frac{3}{2} = 2 - \frac{1}{2}$$
$$S_3 = 1 + \frac{1}{2} + \frac{1}{4} = \frac{7}{4} = 2 - \frac{1}{4}$$
$$S_4 = 1 + \frac{1}{2} + \frac{1}{4} + \frac{1}{8} = \frac{15}{8} = 2 - \frac{1}{8}$$
$$S_5 = 1 + \frac{1}{2} + \frac{1}{4} + \frac{1}{8} + \frac{1}{16} = \frac{31}{16} = 2 - \frac{1}{16}.$$

Clairement, les sommes partielles se rapprochent de la somme $S = 2$. Donc, $S_n \to 2$ quand $n \to \infty$.

b)   Comme les sommes partielles de cette série géométrique (avec $a = 1$ et $x = 2$) augmentent de manière incontrôlable, la série n'a donc pas de somme :

$$S_1 = 1$$
$$S_2 = 1 + 2 = 3$$
$$S_3 = 1 + 2 + 4 = 7$$
$$S_4 = 1 + 2 + 4 + 8 = 15$$
$$S_5 = 1 + 2 + 4 + 8 + 16 = 31.$$

c)   Il s'agit d'une série géométrique infinie avec $a = 6$ et $x = -\frac{1}{3}$. Les sommes partielles,

$$S_1 = 6{,}00, \quad S_2 = 4{,}00, \quad S_3 \approx 4{,}67, \quad S_4 \approx 4{,}44, \quad S_5 \approx 4{,}52, \quad S_6 \approx 4{,}49,$$

semblent converger en 4,5 alternativement du dessus et du dessous. La somme de la série est la limite des sommes partielles,

$$S = \frac{6}{1 - (-1/3)} = 4{,}5.$$

La relation entre les séries géométriques et les séries de Taylor

La série géométrique *est* une série de Taylor. Par exemple, le fait que

$$1 + x + x^2 + x^3 + \cdots = \frac{1}{1-x}$$

suggère que cette série géométrique est l'expansion de Taylor de $f(x) = 1/(1-x)$ pour x près de zéro. On peut vérifier que la série géométrique est véritablement la série de Taylor en calculant les dérivées. Par ailleurs, on peut également obtenir cette série géométrique à partir de la série du binôme

$$(1+x)^p = 1 + px + \frac{p(p-1)}{2!}x^2 + \frac{p(p-1)(p-2)}{3!}x^3 + \cdots.$$

Tout d'abord, on substitue $p = -1$:

$$\frac{1}{1+x} = (1+x)^{-1} = 1 + (-1)x + \frac{(-1)(-2)}{2!}x^2 + \frac{(-1)(-2)(-3)}{3!}x^3 + \cdots$$
$$= 1 - x + x^2 - x^3 + \cdots.$$

On remplace maintenant x par $-x$:

$$\frac{1}{1-x} = (1-x)^{-1} = 1 - (-x) + (-x)^2 - (-x)^3 + \cdots$$
$$= 1 + x + x^2 + x^3 + \cdots.$$

Les dépôts réguliers dans un compte d'épargne

Les gens qui épargnent de l'argent le font notamment en mettant une somme fixe de côté régulièrement. Pour être plus précis, on suppose que la somme de 1000 \$ est déposée chaque année dans un compte d'épargne produisant 5 % d'intérêt par année, composé annuellement. Quel est le solde B_n (en dollars) dans le compte d'épargne immédiatement après le n-ième dépôt ?

Comme précédemment, on commence par observer les premières années :

$$B_1 = 1000$$

$$B_2 = B_1(1,05) + 1000 = \underbrace{1000(1,05)}_{\text{Dépôt initial}} + \underbrace{1000}_{\text{Nouveau dépôt}}$$

$$B_3 = B_2(1,05) + 1000 = \underbrace{1000(1,05)^2 + 1000(1,05)}_{\text{Deux premiers dépôts}} + \underbrace{1000}_{\text{Nouveau dépôt}}$$

$$B_4 = B_3(1,05) + 1000 = \underbrace{1000(1,05)^3 + 1000(1,05)^2 + 1000(1,05)}_{\text{Trois premiers dépôts}} + \underbrace{1000}_{\text{Nouveau dépôt}}$$

En observant le modèle, on voit que

$$B_n = 1000(1,05)^{n-1} + 1000(1,05)^{n-2} + \cdots + 1000(1,05) + 1000.$$

Donc, B_n est une série géométrique finie, où $a = 1000$ et $x = 1,05$. Ainsi, on a

$$B_n = \frac{1000\left(1 - (1,05)^n\right)}{1 - 1,05}.$$

En réécrivant cette expression pour que le numérateur et le dénominateur de la fraction soient positifs, on obtient

$$B_n = \frac{1000\left((1,05)^n - 1\right)}{1,05 - 1}.$$

Que se produit-il quand $n \to \infty$?

Logiquement, si on continue à déposer 1000 $ dans un compte et que cette somme continue à accumuler de l'intérêt, le solde croîtra sans limite. C'est ce que la formule pour B_n montre également : $(1,05)^n \to \infty$ quand $n \to \infty$, donc B_n n'a aucune limite. (Par ailleurs, il est à noter que la série géométrique infinie pour laquelle B_n est une somme partielle a $x > 1$ et ne converge donc pas.)

Problèmes de la section 9.4

Pour les problèmes 1 à 10, déterminez lesquelles des séries suivantes sont des séries géométriques. Pour celles qui le sont, donnez le premier terme et le rapport entre les termes successifs. Pour celles qui ne le sont pas, expliquez pourquoi.

1. $1 - \dfrac{1}{2} + \dfrac{1}{4} - \dfrac{1}{8} + \dfrac{1}{16} + \cdots$

2. $1 + \dfrac{1}{2} + \dfrac{1}{3} + \dfrac{1}{4} + \dfrac{1}{5} + \cdots$

3. $5 - 10 + 20 - 40 + 80 - \cdots$

4. $2 + 1 + \dfrac{1}{2} + \dfrac{1}{4} + \dfrac{1}{8} + \cdots$

5. $1 + x + 2x^2 + 3x^3 + 4x^4 + \cdots$

6. $y^2 + y^3 + y^4 + y^5 + \cdots$

7. $1 - x + x^2 - x^3 + x^4 - \cdots$

8. $1 - y^2 + y^4 - y^6 + \cdots$

9. $3 + 3z + 6z^2 + 9z^3 + 12z^4 + \cdots$

10. $1 + 2z + (2z)^2 + (2z)^3 + \cdots$

11. Trouvez la somme de la série du problème 6.
12. Trouvez la somme de la série du problème 7.

13. Trouvez la somme de la série du problème 8.
14. Trouvez la somme de la série du problème 10.

15. Trouvez une valeur exacte pour chacune des sommes ci-après.

a) $7(1,02)^3 + 7(1,02)^2 + 7(1,02) + 7 + \dfrac{7}{(1,02)} + \dfrac{7}{(1,02)^2} + \cdots + \dfrac{7}{(1,02)^{100}}$

b) $7 + 7(0,1)^2 + \dfrac{7(0,1)^4}{2!} + \dfrac{7(0,1)^6}{3!} + \cdots$

Trouvez la somme des séries des problèmes 16 à 19.

16. $-2 + 1 - \dfrac{1}{2} + \dfrac{1}{4} - \dfrac{1}{8} + \dfrac{1}{16} - \cdots$

17. $3 + \dfrac{3}{2} + \dfrac{3}{4} + \dfrac{3}{8} + \cdots + \dfrac{3}{2^{10}}$

18. $\displaystyle\sum_{n=4}^{\infty} \left(\dfrac{1}{3}\right)^n$

19. $\displaystyle\sum_{n=0}^{\infty} \dfrac{3^n + 5}{4^n}$

20. La figure 9.15 montre la quantité d'aténolol dans le sang en fonction du temps, où la première dose est prise au temps $t = 0$. Il faut prendre des comprimés de 50 mg d'aténolol une fois par jour pour réduire la pression sanguine.

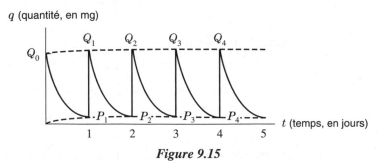

Figure 9.15

a) Si la demi-vie de l'aténolol dans le sang est de 6,3 h, quel pourcentage d'aténolol présent au début de la période de 24 h se trouve toujours dans le sang à la fin de cette période ?

b) Trouvez les expressions pour les quantités Q_0, Q_1, Q_2, Q_3, ... et Q_n présentées à la figure 9.15. Écrivez l'expression pour Q_n sous forme close.

c) Trouvez les expressions pour les quantités P_1, P_2, P_3, ... et P_n présentées à la figure 9.15. Écrivez l'expression pour P_n sous forme close.

21. Au début de la section 9.4, on a vu comment calculer la quantité Q_n mg d'ampicilline dans le corps tout de suite après la prise du n-ième comprimé de 250 mg, qu'on prend une fois toutes les 6 h.

a) Effectuez un calcul similaire pour P_n, la quantité d'ampicilline (en milligrammes) dans le corps immédiatement *avant* de prendre le n-ième comprimé.

b) Exprimez P_n sous forme close.

c) Qu'est-ce que $\lim\limits_{n \to \infty} P_n$? Cette limite est-elle la même que $\lim\limits_{n \to \infty} Q_n$? Expliquez en termes simples la raison pour laquelle votre réponse est logique.

22. Dessinez un graphe comme celui de la figure 9.15 pour une posologie de 250 mg d'ampicilline toutes les 6 h, en commençant au temps $t = 0$. Mettez sur le graphe les valeurs de Q_1, Q_2, Q_3, ... présentées au début de la section 9.4 et les valeurs de P_1, P_2, P_3, ... calculées au problème 21.

23. On laisse tomber une balle à 10 pi du sol et elle rebondit. La hauteur de chaque rebondissement correspond aux trois quarts de la hauteur du rebondissement précédent. Ainsi, après que la balle a frappé le sol pour la première fois, elle s'élève à $10\left(\frac{3}{4}\right) = 7{,}5$ pi, et après qu'elle a frappé le sol pour la deuxième fois, elle s'élève à une hauteur de $7{,}5\left(\frac{3}{4}\right) = 10\left(\frac{3}{4}\right)^2 = 5{,}625$ pi.

a) Trouvez une expression pour la hauteur à laquelle la balle s'élève après qu'elle a frappé le sol pour la n-ième fois.

b) Trouvez une expression pour la distance verticale complète qu'a parcourue la balle lorsqu'elle frappe le sol pour la première, la deuxième, la troisième et la quatrième fois.

c) Trouvez une expression pour la distance verticale totale que la balle franchit lorsqu'elle frappe le sol pour la n-ième fois. Exprimez votre réponse sous forme close.

24. Vous pourriez croire que la balle au problème 23 continue à rebondir indéfiniment puisqu'elle effectue un nombre infini de rebondissements. Ce n'est pas vrai !

a) Montrez qu'une balle qu'on laisse tomber à h pi du sol atteint le sol en $\frac{1}{4}\sqrt{h}$ s.

b) Montrez que la balle du problème 23 cesse de rebondir après

$$\frac{1}{4}\sqrt{10} + \frac{1}{2}\sqrt{10}\sqrt{\frac{3}{4}}\left(\frac{1}{1 - \sqrt{3/4}}\right) \text{ secondes,}$$

ou environ 11 s.

25. Ce problème illustre la manière dont les banques créent le crédit et peuvent ainsi prêter plus d'argent qu'elles ne reçoivent de dépôts. Supposez, au départ, que 100 $ sont déposés à la banque. Les banquiers ont appris par l'expérience que les déposants ne retirent en moyenne que 8 % de leurs dépôts en tout temps. Par conséquent, les banquiers peuvent prêter 92 % de leurs dépôts. Ainsi, la somme de 92 $ sur les dépôts initiaux de 100 $ est prêtée aux autres clients (pour démarrer une entreprise, par exemple). Ces 92 $ représenteront les revenus d'une autre personne et, tôt ou tard, ils seront déposés de nouveau à la banque. Ensuite, 92 % des 92 $ ou 92 $(0,92) = 84,64 $ seront prêtés de nouveau et seront finalement déposés de nouveau. Sur la somme de 84,64 $, la banque en prêtera de nouveau 92 %, et ainsi de suite.

a) Trouvez la somme totale d'argent déposée à la banque à la suite de ces opérations.

b) Le quotient de la somme totale d'argent déposée et du dépôt initial s'appelle le *multiplicateur du crédit*. Calculez le multiplicateur du crédit pour cet exemple et expliquez ce que révèle ce montant.

26. Ce problème traite de l'estimation de l'effet cumulatif d'une réduction d'impôt sur l'économie d'un pays. Supposez que le gouvernement propose une réduction d'impôt qui totalise 100 millions de dollars. Supposez également que toutes les personnes qui disposent d'une somme d'argent supplémentaire à dépenser en épargnant 20 % et en dépensent 80 %. Ainsi, sur la somme des revenus supplémentaires engendrés par la réduction d'impôt, 100(0,8) millions de dollars = 80 millions de dollars seraient dépensés et donc deviendraient un revenu supplémentaire pour

une autre personne. Supposez que ces personnes dépensent également 80 % de leur revenu supplémentaire ou 80(0,8) millions de dollars, et ainsi de suite. Calculez la somme des dépenses additionnelles engendrées par cette réduction d'impôt.

27. Supposez que le gouvernement propose une réduction d'impôt de 100 millions de dollars tout comme dans le problème 26, mais que les économistes prédisent maintenant que les gens seront prêts à dépenser 90 % de leur revenu supplémentaire mais qu'ils n'en épargneront que 10 %. Selon ces hypothèses, quel serait le montant des dépenses supplémentaires engendrées par la réduction d'impôt ?

28. Deux trains se déplacent à une vitesse de 10 km/h l'un vers l'autre. Au départ, les trains se trouvent à 30 km de distance l'un de l'autre. Au même moment, une mouche, dont la vitesse est de 20 km/h, quitte un train et vole jusqu'à ce qu'elle rencontre l'autre train, change de direction et vole de nouveau jusqu'à ce qu'elle rencontre le premier train, et ainsi de suite.

   a) Quelle distance la mouche a-t-elle parcourue la première fois qu'elle a changé de direction ? la deuxième ? la troisième ? la quatrième ?
   b) Quelle distance la mouche aura-t-elle parcourue lorsqu'elle se retournera pour la n-ième fois ? Donnez votre réponse sous forme close.
   c) À l'aide de votre réponse à la partie b), déterminez la distance que la mouche aura parcourue lorsque les trains se rencontreront au milieu de la voie ferrée et l'écraseront.
   d) En combien de temps les trains se rencontreront-ils au centre de la voie ferrée ? Utilisez cette réponse pour répondre à la partie c) sans trouver la somme d'une série.

9.5 LES SÉRIES DE FOURIER

On a vu comment calculer l'approximation d'une fonction à l'aide d'un polynôme de degré fixe. Un tel polynôme se trouve normalement très près de la valeur véritable de la fonction à proximité d'un point (le point sur lequel le polynôme de Taylor est centré), mais il ne se situe pas nécessairement à proximité de la fonction ailleurs. En d'autres mots, les polynômes de Taylor constituent *localement* de bonnes approximations de la fonction mais pas nécessairement *globalement*. Dans la présente section, une autre approche sera adoptée : on calculera l'approximation d'une fonction à l'aide de fonctions trigonométriques, qu'on appelle des *approximations de Fourier*. L'approximation résultante peut ne pas se trouver, en certains points, aussi près de la fonction originale que le polynôme de Taylor. Cependant, l'approximation de Fourier se situe, en général, à proximité de la fonction sur un grand intervalle. En d'autres mots, une approximation de Fourier peut constituer globalement une meilleure approximation. De plus, contrairement aux approximations de Taylor, les approximations de Fourier sont périodiques ; elles sont donc utiles lorsqu'il s'agit de calculer l'approximation des fonctions périodiques.

Bon nombre de processus sont de nature périodique ou répétitive ; il est donc logique de calculer leur approximation au moyen de fonctions périodiques. Par exemple, les ondes sonores sont constituées d'oscillations périodiques des molécules d'air. Les battements du cœur, le mouvement des poumons et le courant électrique qui alimente les maisons sont tous des phénomènes périodiques. Parmi les fonctions périodiques les plus simples, il y a l'onde carrée (voir la figure 9.16) et l'onde triangulaire (voir la figure 9.17). Les ingénieurs en électricité utilisent l'onde carrée comme modèle du passage d'un courant électrique lorsqu'on allume et qu'on ferme un commutateur de manière répétitive.

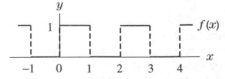

Figure 9.16 : Onde carrée

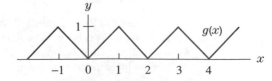

Figure 9.17 : Onde triangulaire

Les polynômes de Fourier

On peut exprimer l'onde carrée et l'onde triangulaire à l'aide des formules qui suivent.

$$f(x) = \begin{cases} \vdots & \vdots \\ 0 & -1 \leq x < 0 \\ 1 & 0 \leq x < 1 \\ 0 & 1 \leq x < 2 \\ 1 & 2 \leq x < 3 \\ 0 & 3 \leq x < 4 \\ \vdots & \vdots \end{cases} \qquad g(x) = \begin{cases} \vdots & \vdots \\ -x & -1 \leq x < 0 \\ x & 0 \leq x < 1 \\ 2-x & 1 \leq x < 2 \\ x-2 & 2 \leq x < 3 \\ 4-x & 3 \leq x < 4 \\ \vdots & \vdots \end{cases}$$

Cependant, ces formules ne sont pas faciles à utiliser. Pis encore, les fonctions ne sont pas différentiables en divers points. Ici on montre comment calculer l'approximation de telles fonctions au moyen de fonctions différentiables et périodiques.

On utilisera le sinus et le cosinus, car ils constituent les fonctions périodiques les plus simples. Puisqu'ils se répètent chaque 2π, on suppose que la fonction f, dont on veut calculer l'approximation, se répète chaque 2π. (Plus loin, on étudiera le cas où f a une autre période.) On commence par considérer l'onde carrée de la figure 9.18. À cause de la périodicité de toutes les fonctions concernées, il ne faut que tenir compte de ce qui se produit au cours d'une seule période ; le même comportement se répète dans toute autre période.

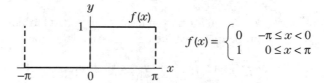

$$f(x) = \begin{cases} 0 & -\pi \leq x < 0 \\ 1 & 0 \leq x < \pi \end{cases}$$

Figure 9.18 : Onde carrée sur $[-\pi, \pi]$

On tentera de mesurer l'approximation de f avec une somme de fonctions trigonométriques ayant la forme

$$f(x) \approx F_n(x)$$
$$= a_0 + a_1 \cos x + a_2 \cos(2x) + a_3 \cos(3x) + \cdots + a_n \cos(nx)$$
$$\quad + b_1 \sin x + b_2 \sin(2x) + b_3 \sin(3x) + \cdots + b_n \sin(nx)$$
$$= a_0 + \sum_{k=1}^{n} a_k \cos(kx) + \sum_{k=1}^{n} b_k \sin(kx).$$

L'expression $F_n(x)$ s'appelle un *polynôme de Fourier de degré n*, du nom du mathématicien français Joseph Fourier (1768-1830) qui fut l'un des premiers à l'analyser[3]. Les coefficients a_k et b_k s'appellent des *coefficients de Fourier*. Puisque chacune des fonctions composantes $\cos(kx)$ et $\sin(kx)$, $k = 1, 2, \ldots, n$ se répète chaque 2π, $F_n(x)$ doit se répéter chaque 2π et représente donc une concordance potentielle pour $f(x)$, qui se répète également chaque 2π. Le problème consiste à déterminer les valeurs des coefficients de Fourier qui atteignent une bonne concordance entre $f(x)$ et $F_n(x)$. On choisit les valeurs suivantes :

---

3. Les polynômes de Fourier ne sont pas des polynômes dans le sens habituel du terme.

Coefficients de Fourier pour une fonction périodique f de période 2π

$$a_0 = \frac{1}{2\pi} \int_{-\pi}^{\pi} f(x)\,dx,$$

$$a_k = \frac{1}{\pi} \int_{-\pi}^{\pi} f(x) \cos(kx)\,dx \quad \text{pour } k > 0,$$

$$b_k = \frac{1}{\pi} \int_{-\pi}^{\pi} f(x) \sin(kx)\,dx \quad \text{pour } k > 0.$$

À noter que a_0 représente simplement la valeur moyenne de f sur l'intervalle $[-\pi, \pi]$

La justification informelle de l'emploi de ces valeurs est présenté un peu plus loin dans ce chapitre.

Exemple 1   Construisez des polynômes de Fourier successifs pour la fonction d'onde carrée f, avec la période 2π, donnée par

$$f(x) = \begin{cases} 0 & -\pi \le x < 0 \\ 1 & 0 \le x < \pi. \end{cases}$$

Solution   Puisque a_0 est la valeur moyenne de f sur $[-\pi, \pi]$, d'après le graphe de f, on s'attend à ce que $a_0 = \frac{1}{2}$, ce qui peut être vérifié de manière analytique :

$$a_0 = \frac{1}{2\pi} \int_{-\pi}^{\pi} f(x)\,dx = \frac{1}{2\pi} \int_{-\pi}^{0} 0\,dx + \frac{1}{2\pi} \int_{0}^{\pi} 1\,dx = 0 + \frac{1}{2\pi}(\pi) = \frac{1}{2}.$$

De plus,

$$a_1 = \frac{1}{\pi} \int_{-\pi}^{\pi} f(x) \cos x\,dx = \frac{1}{\pi} \int_{0}^{\pi} 1 \cos x\,dx = 0$$

et

$$b_1 = \frac{1}{\pi} \int_{-\pi}^{\pi} f(x) \sin x\,dx = \frac{1}{\pi} \int_{0}^{\pi} 1 \sin x\,dx = \frac{2}{\pi}.$$

Par conséquent, le polynôme de Fourier de degré 1 est donné par

$$f(x) \approx F_1(x) = \frac{1}{2} + \frac{2}{\pi} \sin x,$$

et les graphes de la fonction ainsi que de la première approximation de Fourier sont présentés à la figure 9.19.

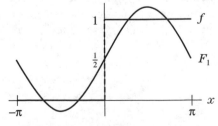

Figure 9.19 : Première approximation de Fourier de l'onde carrée

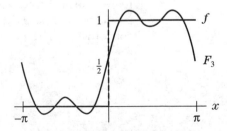

Figure 9.20 : Troisième approximation de Fourier de l'onde carrée

On construit ensuite le polynôme de Fourier de degré 2. Les coefficients a_0, a_1 et b_1 sont les mêmes qu'auparavant. De plus,

$$a_2 = \frac{1}{\pi} \int_{-\pi}^{\pi} f(x) \cos(2x)\, dx = \frac{1}{\pi} \int_0^{\pi} 1 \cos(2x)\, dx = 0$$

et

$$b_2 = \frac{1}{\pi} \int_{-\pi}^{\pi} f(x) \sin(2x)\, dx = \frac{1}{\pi} \int_0^{\pi} 1 \sin(2x)\, dx = 0.$$

Puisque $a_2 = b_2 = 0$, le polynôme de Fourier de degré 2 est identique au polynôme de Fourier de degré 1. On observe le polynôme de Fourier de degré 3 :

$$a_3 = \frac{1}{\pi} \int_{-\pi}^{\pi} f(x) \cos(3x)\, dx = \frac{1}{\pi} \int_0^{\pi} 1 \cos(3x)\, dx = 0$$

et

$$b_3 = \frac{1}{\pi} \int_{-\pi}^{\pi} f(x) \sin(3x)\, dx = \frac{1}{\pi} \int_0^{\pi} 1 \sin(3x)\, dx = \frac{2}{3\pi}.$$

Par conséquent, l'approximation est donnée par

$$f(x) \approx F_3(x) = \frac{1}{2} + \frac{2}{\pi} \sin x + \frac{2}{3\pi} \sin(3x).$$

Le graphe de F_3 est montré à la figure 9.20. Cette approximation est meilleure que $F_1(x) = \frac{1}{2} + \frac{2}{\pi} \sin x$, comme le montre la comparaison de la figure 9.20 à la figure 9.19.

Sans analyser les détails, on peut calculer les coefficients des approximations de Fourier de degré plus élevé :

$$F_5(x) = \frac{1}{2} + \frac{2}{\pi} \sin x + \frac{2}{3\pi} \sin(3x) + \frac{2}{5\pi} \sin(5x)$$

$$F_7(x) = \frac{1}{2} + \frac{2}{\pi} \sin x + \frac{2}{3\pi} \sin(3x) + \frac{2}{5\pi} \sin(5x) + \frac{2}{7\pi} \sin(7x).$$

La figure 9.21 montre que les approximations de degré plus élevé concordent de plus en plus avec la fonction d'onde carrée.

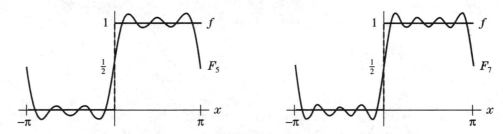

Figure 9.21 : Cinquième et septième approximations de Fourier de l'onde carrée

On aurait pu utiliser une série de Taylor pour calculer l'approximation de l'onde carrée, dans le cas où on ne centrerait pas la série en un point de discontinuité. Puisque l'onde carrée est une fonction constante sur chaque intervalle, toutes ses dérivées sont zéro et ses approximations des séries de Taylor sont donc les fonctions constantes, soit 0 ou 1, selon l'endroit où la série de Taylor est centrée. Ces fonctions permettent de calculer parfaitement l'approximation de l'onde carrée sur chaque composante, mais elles ne sont pas très efficaces sur tout l'intervalle de longueur 2π. C'est ce que les polynômes de Fourier parviennent à faire : ils permettent de calculer relativement bien l'approximation d'une courbe partout plutôt qu'à proximité d'un point en particulier. Les approximations de Fourier ci-dessus ressemblent beaucoup à des ondes carrées ; elles permettent donc de bien calculer les approximations *globalement*. Cependant, elles peuvent ne pas donner de bonnes valeurs à proximité de points de discontinuité. (Par exemple, près de $x = 0$, elles produisent toutes des valeurs près de $1/2$, lesquelles sont imprécises.) En conséquence, les polynômes de Fourier peuvent ne pas constituer des approximations *locales* précises.

> Les polynômes de Taylor produisent de bonnes approximations *locales* d'une fonction ;
> les polynômes de Fourier produisent de bonnes approximations *globales* d'une fonction.

Les séries de Fourier

Tout comme pour les polynômes de Taylor, plus le degré de l'approximation de Fourier est élevé, plus cette dernière est précise. Ainsi, on exécute cette procédure indéfiniment en laissant $n \to \infty$, et on appelle la série infinie résultante une *série de Fourier*.

> ### La série de Fourier pour f sur $[-\pi, \pi]$
>
> $$f(x) = a_0 + a_1 \cos x + a_2 \cos 2x + a_3 \cos 3x + \cdots$$
> $$+ b_1 \sin x + b_2 \sin 2x + b_3 \sin 3x + \cdots,$$
>
> où a_k et b_k sont des coefficients de Fourier.

Par conséquent, la série de Fourier pour l'onde carrée est

$$f(x) = \frac{1}{2} + \frac{2}{\pi} \sin x + \frac{2}{3\pi} \sin 3x + \frac{2}{5\pi} \sin 5x + \frac{2}{7\pi} \sin 7x + \cdots.$$

Les harmoniques

Soit la fonction $f(x)$, laquelle est périodique avec la période 2π et pour laquelle on effectue l'expansion en une série de Fourier :

$$f(x) = a_0 + a_1 \cos x + a_2 \cos 2x + a_3 \cos 3x + \cdots$$
$$+ b_1 \sin x + b_2 \sin 2x + b_3 \sin 3x + \cdots.$$

La fonction

$$a_k \cos kx + b_k \sin kx$$

est appelée la k-ième *harmonique* de f et, en règle générale, on dit que la série de Fourier exprime f en fonction de ses harmoniques. La première harmonique, soit $a_1 \cos x + b_1 \sin x$, est parfois appelée l'*harmonique fondamentale* de f.

Exemple 2   Trouvez a_0 et les quatre premières harmoniques de la fonction du *train d'impulsions* f de période 2π présenté à la figure 9.22.

Solution   Tout d'abord, a_0 est la valeur moyenne de la fonction. Donc,

$$a_0 = \frac{1}{2\pi} \int_{-\pi}^{\pi} f(x)\, dx = \frac{1}{2\pi} \int_{0}^{\pi/2} 1\, dx = \frac{1}{4}.$$

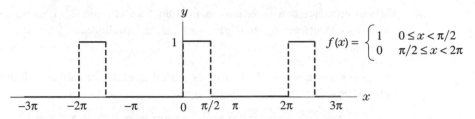

Figure 9.22 : Train d'impulsions avec la période 2π

Ensuite, on calcule a_k et b_k, $k = 1, 2, 3$ et 4. Les formules

$$a_k = \frac{1}{\pi} \int_{-\pi}^{\pi} f(x) \cos(kx)\, dx = \frac{1}{\pi} \int_{0}^{\pi/2} \cos(kx)\, dx$$

$$b_k = \frac{1}{\pi} \int_{-\pi}^{\pi} f(x) \sin(kx)\, dx = \frac{1}{\pi} \int_{0}^{\pi/2} \sin(kx)\, dx$$

produisent les harmoniques

$$a_1 \cos x + b_1 \sin x = \frac{1}{\pi} \cos x + \frac{1}{\pi} \sin x,$$

$$a_2 \cos(2x) + b_2 \sin(2x) = \frac{1}{\pi} \sin(2x),$$

$$a_3 \cos(3x) + b_3 \sin(3x) = -\frac{1}{3\pi} \cos(3x) + \frac{1}{3\pi} \sin(3x),$$

$$a_4 \cos(4x) + b_4 \sin(4x) = 0.$$

La figure 9.23 montre le graphe de la somme de a_0 et de ces harmoniques qui représente la quatrième approximation de Fourier de f.

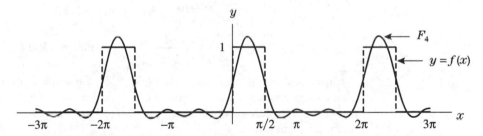

Figure 9.23 : La quatrième approximation de Fourier du train d'impulsions f est égale à la somme de a_0 et des quatre premières harmoniques

---

L'énergie et le théorème de l'énergie

La quantité $A_k = \sqrt{a_k^2 + b_k^2}$ s'appelle l'amplitude de la k-ième harmonique. Le carré de l'amplitude a une interprétation utile. En adoptant la terminologie de l'étude des ondes périodiques, on définit l'*énergie E* d'une fonction périodique f de la période 2π, comme le nombre

$$E = \frac{1}{\pi} \int_{-\pi}^{\pi} [f(x)]^2\, dx.$$

Dans le problème 16 présenté un peu plus loin, il faudra vérifier cette assertion pour tout entier positif k,

$$\frac{1}{\pi} \int_{-\pi}^{\pi} (a_k \cos(kx) + b_k \sin(kx))^2\, dx = a_k^2 + b_k^2 = A_k^2.$$

Cela montre que la k-ième harmonique de f a l'énergie A_k^2. L'énergie du terme constant a_0 de la série de Fourier est $\frac{1}{\pi}\int_{-\pi}^{\pi} a_0^2\, dx = 2a_0^2$, d'où la définition

$$A_0 = \sqrt{2}\, a_0.$$

Il s'avère que pour toutes fonctions périodiques raisonnables f, l'énergie de f est égale à la somme de l'énergie de ses harmoniques :

Théorème de l'énergie pour une fonction périodique f de période 2π

$$E = \frac{1}{\pi}\int_{-\pi}^{\pi} \left[f(x)\right]^2 dx = A_0^2 + A_1^2 + A_2^2 + \cdots,$$

où $A_0 = \sqrt{2}\, a_0$ et $A_k = \sqrt{a_k^2 + b_k^2}$ (pour tous les entiers $k \geq 1$).

Le graphe de A_k^2 par rapport à k s'appelle le *spectre d'énergie* de f. Il montre la manière dont l'énergie de f est distribuée entre ses harmoniques.

Exemple 3   a)   Tracez le graphe du spectre d'énergie de l'onde carrée de l'exemple 1.

b)   Quelle fraction de l'énergie de l'onde carrée est contenue dans le terme constant et les trois premières harmoniques de sa série de Fourier ?

Solution   a)   On sait, d'après l'exemple 1, que $a_0 = 1/2$, $a_k = 0$ pour $k \geq 1$, $b_k = 0$ pour k pair et $b_k = 2/(k\pi)$ pour k impair. Par conséquent,

$$A_0^2 = 2a_0^2 = \frac{1}{2}$$

$$A_k^2 = 0 \quad \text{si } k \text{ est pair}, \quad k \geq 1,$$

$$A_k^2 = \left(\frac{2}{k\pi}\right)^2 = \frac{4}{k^2\pi^2} \quad \text{si } k \text{ est impair}, \quad k \geq 1.$$

Le spectre d'énergie est tracé à la figure 9.24. En général, on représente l'énergie A_k^2 de la k-ième harmonique au moyen d'une droite verticale de longueur A_k^2. Le graphe montre que le terme constant et la première harmonique transportent la plus grande quantité d'énergie de f.

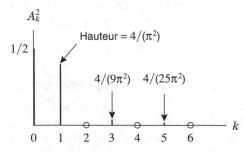

Figure 9.24 : Spectre d'énergie de l'onde carrée

b)   L'énergie de l'onde carrée $f(x)$ est

$$E = \frac{1}{\pi}\int_{-\pi}^{\pi}\left[f(x)\right]^2 dx = \frac{1}{\pi}\int_0^{\pi} 1\, dx = 1.$$

L'énergie du terme constant et des trois premières harmoniques de la série de Fourier est

$$A_0^2 + A_1^2 + A_2^2 + A_3^2 = \frac{1}{2} + \frac{4}{\pi^2} + 0 + \frac{4}{9\pi^2} = 0{,}950.$$

La fraction de l'énergie transportée par le terme constant et les trois premières harmoniques est

$$0{,}95/1 = 0{,}95 \text{ ou } 95 \text{ %.}$$

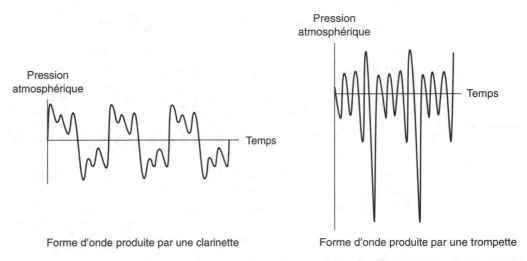

Figure 9.25 : Ondes sonores produites par une clarinette et une trompette

Les instruments de musique

On peut se demander pourquoi le son de différents instruments de musique varie d'un instrument à l'autre, même lorsqu'on joue la même note. Pour le savoir, la première étape consiste à tracer le graphe des variations périodiques de la pression d'air qui forment les ondes sonores produites. C'est ce qu'on a fait pour la clarinette et la trompette à la figure 9.25[4]. Cependant, il est plus utile de tracer le graphe des spectres d'énergie de ces fonctions, comme on l'a fait à la figure 9.26. La différence la plus frappante entre les spectres est la faiblesse relative des deuxième, quatrième et sixième harmoniques de la clarinette, avec l'absence complète de la deuxième harmonique. La trompette joue la deuxième harmonique avec autant d'énergie qu'elle le fait pour la fondamentale.

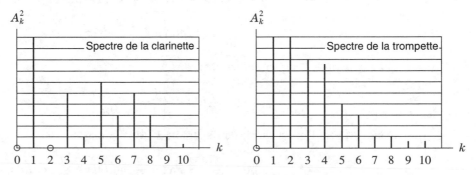

Figure 9.26 : Spectres d'énergie de la clarinette et de la trompette

---

4. Adapté de CULVER, C.A., *Musical Acoustics*, New York, McGraw-Hill, 1956, p. 204, 220.

Que doit-on faire si la fonction ne possède pas la période 2π ?

On peut facilement adapter ce qu'on a déjà fait en changeant des variables. Soit la fonction $f(x)$ périodique avec la période b. Si on définit $x = bt/(2\pi)$, alors x varie sur l'intervalle $[-b/2, b/2]$ quand t varie sur l'intervalle $[-\pi, \pi]$. Ainsi, si on substitue $x = bt/(2\pi)$ dans f et qu'on définit une nouvelle fonction g par

$$g(t) = f\left(\frac{bt}{2\pi}\right) = f(x),$$

alors g a la période 2π. On peut trouver la série de Fourier pour g de la même manière, ce qui donne

$$g(t) = a_0 + a_1 \cos t + a_2 \cos(2t) + a_3 \cos(3t) + \cdots$$

$$+ b_1 \sin t + b_2 \sin(2t) + b_3 \sin(3t) + \cdots.$$

En substituant $t = 2\pi x/b$, on peut reconvertir et on obtient

$$f(x) = g\left(\frac{2\pi x}{b}\right) = a_0 + a_1 \cos\left(\frac{2\pi x}{b}\right) + a_2 \cos\left(\frac{4\pi x}{b}\right) + a_3 \cos\left(\frac{6\pi x}{b}\right) + \cdots$$

$$+ b_1 \sin\left(\frac{2\pi x}{b}\right) + b_2 \sin\left(\frac{4\pi x}{b}\right) + b_3 \sin\left(\frac{6\pi x}{b}\right) + \cdots.$$

À noter que les termes de la série de Fourier d'une fonction périodique de période b ne sont pas $\cos(kx)$ et $\sin(kx)$, mais plutôt $\cos(2\pi kx/b)$ et $\sin(2\pi kx/b)$.

De plus, pour une fonction périodique de période 2π, on peut remplacer les intégrales sur $[-\pi, \pi]$ par des intégrales sur tout intervalle de longueur 2π. Par conséquent, on peut évaluer les intégrales de a_k et de b_k sur tout intervalle de longueur 2π, et pas seulement $[-\pi, \pi]$.

Exemple 4   Trouvez le polynôme de Fourier de degré 5 de l'onde carrée $f(x)$ dont le graphe est tracé à la figure 9.27.

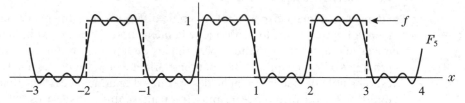

Figure 9.27 : Onde carrée de f et sa cinquième approximation de Fourier F_5

Solution   Puisque f a la période $b = 2$, soit $x = bt/(2\pi) = t/\pi$. De plus, on considère la fonction

$$g(t) = f\left(\frac{t}{\pi}\right) = f(x)$$

qui a la période 2π. Par conséquent,

$$g(t) = \begin{cases} 0 & -\pi \leq t < 0 \\ 1 & 0 \leq t < \pi. \end{cases}$$

Donc, $g(t)$ est l'onde carrée de l'exemple 1. Ainsi, on a

$$g(t) \approx \frac{1}{2} + \frac{2}{\pi} \sin t + \frac{2}{3\pi} \sin(3t) + \frac{2}{5\pi} \sin(5t).$$

Par conséquent, en substituant $t = \pi x$,

$$f(x) = g(t) = g(\pi x) \approx \frac{1}{2} + \frac{2}{\pi} \sin(\pi x) + \frac{2}{3\pi} \sin(3\pi x) + \frac{2}{5\pi} \sin(5\pi x).$$

La variation saisonnière de l'incidence de la rougeole

Exemple 5   On a utilisé les approximations de Fourier pour analyser la variation saisonnière de l'incidence des maladies. Au cours d'une étude[5] effectuée à Baltimore, au Maryland, pour les années 1901 à 1931, on a mené une enquête sur $I(t)$, le nombre moyen de cas de rougeoles sur 10 000 enfants susceptibles de contracter la maladie durant le t-ième mois de l'année. Les points de données à la figure 9.28 montrent $f(t) = \log I(t)$. La courbe de la figure 9.28 montre la deuxième approximation de Fourier de $f(t)$. La figure 9.29 contient les graphes des première et deuxième harmoniques de $f(t)$, tracés séparément comme des déviations par rapport à a_0, le taux d'incidence logarithmique moyen. Expliquez ce que signifient ces deux harmoniques au sujet de l'incidence de la rougeole.

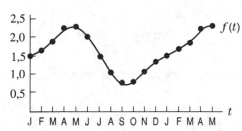

Figure 9.28 : Logarithme de l'incidence de la rougeole par mois (les points) et deuxième approximation de Fourier (la courbe)

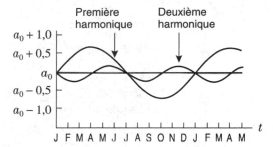

Figure 9.29 : Première et deuxième harmoniques de $f(t)$ tracées comme les déviations du taux du logarithme d'incidence moyen a_0

Solution   Le log de $I(t)$ a pour effet de réduire l'amplitude des oscillations. Cependant, puisque le logarithme d'une fonction augmente quand la fonction augmente et qu'il diminue quand la fonction diminue, les oscillations de $f(t)$ correspondent aux oscillations de $I(t)$.

La figure 9.29 montre que la première harmonique de la série de Fourier a une période d'un an (la même période que la fonction originale) ; la deuxième harmonique a une période de six mois. Le graphe de la figure 9.29 montre que la première harmonique est approximativement un sinus dont l'amplitude varie autour de 0,7 ; la deuxième harmonique est approximativement le négatif d'un sinus dont l'amplitude varie autour de 0,2. Ainsi, pour t (en mois), où $t = 0$ en janvier,

$$\log I(t) = f(t) \approx a_0 + 0{,}7 \sin\left(\frac{\pi}{6}t\right) - 0{,}2 \sin\left(\frac{\pi}{3}t\right),$$

où $\pi/6$ et $\pi/3$ sont introduits pour produire les périodes de 12 et de 6 mois, respectivement. On peut estimer a_0 à partir du graphe original de f : il s'agit de la valeur moyenne d'environ 1,5. Par conséquent,

$$f(t) \approx 1{,}5 + 0{,}7 \sin\left(\frac{\pi}{6}t\right) - 0{,}2 \sin\left(\frac{\pi}{3}t\right).$$

5. Tiré de BLISS C. I. et D. L. BLEVINS, *The Analysis of Seasonal Variation in Measles* (Am. J. Hyg. 70, 1959), cité dans BATSCHELET, Edward, *Introduction to Mathematics for the Life Sciences*, Berlin, Springer-Verlag, 1979.

La figure 9.28 montre que la deuxième approximation de Fourier de $f(t)$ est relativement bonne. Les harmoniques de $f(t)$ au-delà de la deuxième harmonique doivent être plutôt insignifiantes. Cela laisse entendre que la variation sur le plan de l'incidence de la rougeole provient de deux sources, l'une ayant un cycle annuel qui est reflété par la première harmonique, et l'autre dont le cycle est de 6 mois qui est représenté dans la deuxième harmonique. À ce point, les mathématiques ne peuvent en révéler davantage ; il faut se tourner vers l'épidémiologie pour obtenir plus d'explications.

La justification informelle des formules des coefficients de Fourier

Il ne faut pas oublier que les coefficients d'une série de Taylor (lesquels constituent une bonne approximation locale) se trouvent par la différentiation. Par contraste, les coefficients d'une série de Fourier (laquelle constitue une bonne approximation globale) se trouvent par l'intégration.

On utilise le symbole $\sum$ avec ∞ au-dessus pour noter une série infinie :

$$f(x) = a_0 + \sum_{k=1}^{\infty} a_k \cos(kx) + \sum_{k=1}^{\infty} b_k \sin(kx).$$

On considère l'intégrale

$$\int_{-\pi}^{\pi} f(x)\,dx = \int_{-\pi}^{\pi} \left[a_0 + \sum_{k=1}^{\infty} a_k \cos(kx) + \sum_{k=1}^{\infty} b_k \sin(kx) \right] dx.$$

En séparant l'intégrale en termes distincts et en supposant qu'on peut intervertir l'intégration et la sommation, on obtient

$$\int_{-\pi}^{\pi} f(x)\,dx = \int_{-\pi}^{\pi} a_0\,dx + \int_{-\pi}^{\pi} \sum_{k=1}^{\infty} a_k \cos(kx)\,dx + \int_{-\pi}^{\pi} \sum_{k=1}^{\infty} b_k \sin(kx)\,dx$$

$$= \int_{-\pi}^{\pi} a_0\,dx + \sum_{k=1}^{\infty} \int_{-\pi}^{\pi} a_k \cos(kx)\,dx + \sum_{k=1}^{\infty} \int_{-\pi}^{\pi} b_k \sin(kx)\,dx.$$

Cependant, pour $k \geq 1$, si on considère l'intégrale comme une aire, on constate que

$$\int_{-\pi}^{\pi} \sin(kx)\,dx = 0 \quad \text{et} \quad \int_{-\pi}^{\pi} \cos(kx)\,dx = 0.$$

Donc, tous les termes sont éliminés sauf le premier, ce qui donne

$$\int_{-\pi}^{\pi} f(x)\,dx = \int_{-\pi}^{\pi} a_0\,dx = a_0 x \Big|_{-\pi}^{\pi} = 2\pi a_0$$

et on obtient alors le résultat suivant :

$$\boxed{a_0 = \frac{1}{2\pi} \int_{-\pi}^{\pi} f(x)\,dx.}$$

Par conséquent, a_0 est la valeur moyenne de f sur l'intervalle $[-\pi, \pi]$.

Pour déterminer les valeurs de n'importe lequel des autres a_k (pour un k positif), on utilise une méthode plutôt astucieuse qui dépend des éléments suivants. Pour tous les entiers k et m,

$$\int_{-\pi}^{\pi} \sin(kx) \cos(mx)\,dx = 0$$

et, pourvu que $k \neq m$,

$$\int_{-\pi}^{\pi} \cos(kx)\cos(mx)\,dx = 0.$$

(Voir les problèmes 23 à 27.) De plus, si $m \neq 0$, on a

$$\int_{-\pi}^{\pi} \cos^2(mx)\,dx = \pi.$$

Pour utiliser ces éléments, on multiplie la série de Fourier par $\cos(mx)$, où m est un entier positif. On a

$$f(x)\cos(mx) = a_0\cos(mx) + \sum_{k=1}^{\infty} a_k\cos(kx)\cos(mx) + \sum_{k=1}^{\infty} b_k\sin(kx)\cos(mx).$$

On intègre cette expression entre $-\pi$ et π, terme par terme :

$$\int_{-\pi}^{\pi} f(x)\cos(mx)\,dx = \int_{-\pi}^{\pi} \left(a_0\cos(mx) + \sum_{k=1}^{\infty} a_k\cos(kx)\cos(mx) \right.$$

$$\left. + \sum_{k=1}^{\infty} b_k\sin(kx)\cos(mx) \right)\,dx$$

$$= a_0 \int_{-\pi}^{\pi} \cos(mx)\,dx + \sum_{k=1}^{\infty} \left(a_k \int_{-\pi}^{\pi} \cos(kx)\cos(mx)\,dx \right)$$

$$+ \sum_{k=1}^{\infty} \left(b_k \int_{-\pi}^{\pi} \sin(kx)\cos(mx)\,dx \right).$$

Si $m \neq 0$, on a $\int_{-\pi}^{\pi} \cos(mx)\,dx = 0$. Puisque l'intégrale $\int_{-\pi}^{\pi} \sin(kx)\cos(mx)\,dx = 0$, tous les termes de la deuxième somme sont zéro. Puisque $\int_{-\pi}^{\pi} \cos kx \cos mx\,dx = 0$ si $k \neq m$, tous les termes de la première somme sont zéro sauf où $k = m$. Par conséquent, le côté droit est réduit à un terme :

$$\int_{-\pi}^{\pi} f(x)\cos(mx)\,dx = a_m \int_{-\pi}^{\pi} \cos(mx)\cos(mx)\,dx = \pi a_m.$$

On obtient, pour chaque valeur de $m = 1, 2, 3\ldots$, la formule suivante :

$$\boxed{a_m = \frac{1}{\pi} \int_{-\pi}^{\pi} f(x)\cos(mx)\,dx.}$$

En utilisant un argument similaire, on multiplie le tout par $\sin(mx)$ plutôt que par $\cos(mx)$ et on finit par obtenir, pour chaque valeur de $m = 1, 2, 3, \ldots$, les résultats suivants :

$$\boxed{b_m = \frac{1}{\pi} \int_{-\pi}^{\pi} f(x)\sin(mx)\,dx\,dx.}$$

Problèmes de la section 9.5

Parmi les séries des problèmes 1 à 4, lesquelles sont des séries de Fourier ?

1. $1 + \cos x + \cos^2 x + \cos^3 x + \cos^4 x + \cdots$

2. $\sin x + \sin(x + 1) + \sin(x + 2) + \cdots$

3. $\cos x + \sin x - \cos(2x) - \dfrac{\sin(2x)}{2} + \cos(3x) + \dfrac{\sin(3x)}{3} - \cdots$

4. $\dfrac{1}{2} - \sin x + \sin(2x) - \sin(3x) + \cdots$

5. Construisez les trois premières approximations de Fourier de la fonction d'onde carrée

$$f(x) = \begin{cases} -1 & -\pi \le x < 0 \\ 1 & 0 \le x < \pi. \end{cases}$$

Utilisez une calculatrice ou un ordinateur pour tracer le graphe de chacune des approximations.

6. Reprenez le problème 5 avec la fonction

$$f(x) = \begin{cases} -x & -\pi \le x < 0 \\ x & 0 \le x < \pi. \end{cases}$$

7. Quelle fraction de l'énergie de la fonction du problème 6 est contenue dans le terme constant et dans les trois premières harmoniques de sa série de Fourier ?

Pour les problèmes 8 à 10, trouvez le n-ième polynôme de Fourier pour les fonctions données, en supposant qu'elles sont périodiques avec la période 2π. Tracez le graphe des trois premières approximations avec la fonction originale.

8. $f(x) = x^2, \quad -\pi < x \le \pi.$ 9. $h(x) = \begin{cases} 0 & -\pi < x \le 0 \\ x & 0 < x \le \pi. \end{cases}$ 10. $g(x) = x, \quad -\pi < x \le \pi.$

11. a) Trouvez et tracez le graphe de la troisième approximation de Fourier de l'onde carrée $g(x)$ de la période 2π :

$$g(x) = \begin{cases} 0 & -\pi \le x < \pi/2 \\ 1 & -\pi/2 \le x < \pi/2 \\ 0 & \pi/2 \le x < \pi. \end{cases}$$

    b) Comment le résultat de la partie a) diffère-t-il de celui de l'onde carrée de l'exemple 1 ?

12. Supposez qu'on a une fonction périodique f avec la période 1 définie par $f(x) = x$ pour $0 \le x < 1$. Trouvez le polynôme de Fourier de quatrième degré pour f et tracez son graphe sur l'intervalle $0 \le x < 1$. [Conseil : N'oubliez pas que, puisque la période n'est pas 2π, vous devez commencer pas faire une substitution. Notez que les termes de la somme ne sont pas $\sin(nx)$ et $\cos(nx)$ mais plutôt $\sin(2\pi nx)$ et $\cos(2\pi nx)$.]

13. Supposez que f a la période 2 et $f(x) = x$ pour $0 \le x < 2$. Trouvez le polynôme de Fourier de quatrième degré et tracez son graphe sur $0 \le x < 2$. [Conseil : Référez-vous au problème 12.]

14. Supposez qu'un engin spatial qui se trouve à proximité de Neptune ait mesuré une quantité A et ait envoyé cette information sur Terre sous forme de signal périodique $A \cos t$ d'amplitude A. En se dirigeant vers la Terre, le signal détecte un bruit périodique qui contient uniquement des harmoniques secondes et des harmoniques plus élevées. Supposez que le graphe du signal $h(t)$ effectivement reçu sur Terre est tracé à la figure 9.30. Déterminez le signal que l'engin spatial a initialement transmis et, ainsi, la valeur A de la mesure.

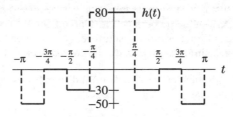

Figure 9.30

15. Les figures 9.31 et 9.32 montrent les formes d'onde et les spectres d'énergie des notes produites par la flûte et le basson[6]. Décrivez les principales différences entre les deux spectres.

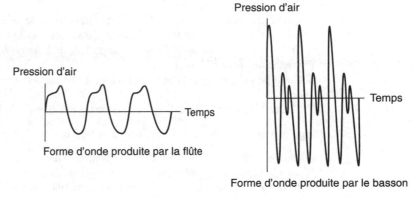

Figure 9.31

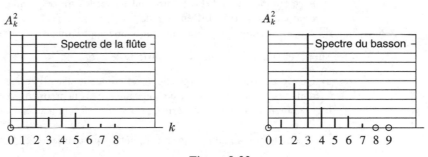

Figure 9.32

16. Montrez que pour des entiers positifs k, la fonction périodique $f(x) = a_k \cos kx + b_k \sin kx$ de la période 2π a l'énergie $a_k^2 + b_k^2$.

17. Étant donné le graphe de f de la figure 9.33, trouvez numériquement les deux premières approximations de Fourier.

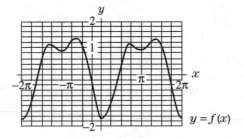

Figure 9.33

6. Adapté de CULVER, C.A., *Musical Acoustics*, New York, McGraw-Hill, 1956, p. 200, 213.

18. Justifiez la formule $b_k = \frac{1}{\pi} \int_{-\pi}^{\pi} f(x) \sin(kx)\, dx$ pour les coefficients de Fourier b_k d'une fonction périodique de période 2π. L'argument est similaire à celui du texte pour a_k. En plus de certaines des formules qui y sont utilisées, vous aurez besoin des formules suivantes : $\int_{-\pi}^{\pi} \sin^2(kx)\, dx = \pi$ et $\int_{-\pi}^{\pi} \sin(kx) \sin(mx)\, dx = 0$ pour $k \neq m$.

Pour les problèmes 19 à 22, le train d'impulsions de largeur c est la fonction périodique f de la période 2π donnée par

$$f(x) = \begin{cases} 0 & -\pi \leq x < -c/2 \\ 1 & -c/2 \leq x < c/2 \\ 0 & c/2 \leq x < \pi. \end{cases}$$

19. Supposez que f est le train d'impulsions de largeur 1.

   a) Quelle fraction de l'énergie de f est contenue dans le terme constant de sa série de Fourier ? dans la combinaison du terme constant et de la première harmonique ?
   b) Trouvez la formule pour l'énergie de la k-ième harmonique de f. Utilisez-la pour tracer le graphe du spectre d'énergie de f.
   c) Combien de termes de la série de Fourier de f sont nécessaires pour capturer 90 % de l'énergie de f ?
   d) Tracez le graphe de f et de sa cinquième approximation de Fourier sur l'intervalle $[-3\pi, 3\pi]$.

20. Supposez que f est le train d'impulsions de largeur 0,4.

   a) Quelle fraction de l'énergie de f est contenue dans le terme constant de sa série de Fourier ? dans la combinaison du terme constant et de la première harmonique ?
   b) Trouvez une formule pour l'énergie de la k-ième harmonique de f. Utilisez-la pour tracer le graphe du spectre d'énergie de f.
   c) Quelle fraction de l'énergie de f est contenue dans le terme constant et dans les cinq premières harmoniques de f ? (Le terme constant et les treize premières harmoniques sont nécessaires pour capturer 90 % de l'énergie de f.)
   d) Tracez le graphe de f et de sa cinquième approximation de Fourier sur l'intervalle $[-3\pi, 3\pi]$.

21. Supposez que f est le train d'impulsions de largeur 2.

   a) Quelle fraction de l'énergie de f est contenue dans le terme constant de sa série de Fourier ? dans la combinaison du terme constant et dans la première harmonique ?
   b) Combien de termes de la série de Fourier de f sont nécessaires pour capturer 90 % de l'énergie de f ?
   c) Tracez le graphe de f et de sa cinquième approximation de Fourier sur l'intervalle $[-3\pi, 3\pi]$.

22. Après avoir effectué les problèmes 19 à 21, rédigez un court texte sur l'approximation des trains d'impulsion au moyen de polynômes de Fourier. Expliquez la manière dont le spectre d'énergie d'un train d'impulsions de largeur c varie quand c se rapproche de plus en plus de zéro et la manière dont cela influe sur le nombre de termes requis pour obtenir une approximation précise.

Pour les problèmes 23 à 27, utilisez la table d'intégrales fournie à la fin du manuel pour montrer que les énoncés suivants sont vrais pour des entiers positifs véritables k et m.

23. $\int_{-\pi}^{\pi} \cos(kx) \cos(mx)\, dx = 0$,   si $k \neq m$.   24. $\int_{-\pi}^{\pi} \cos^2(mx)\, dx = \pi$.

25. $\int_{-\pi}^{\pi} \sin^2(mx)\, dx = \pi$.   26. $\int_{-\pi}^{\pi} \sin(kx) \cos(mx)\, dx = 0$.

27. $\int_{-\pi}^{\pi} \sin(kx) \sin(mx)\, dx = 0$,   si $k \neq m$.

SOMMAIRE DU CHAPITRE

- **Séries et polynômes de Taylor**
  Expansion générale autour de $x = 0$ ou $x = a$; séries spécifiques pour e^x, $\sin x$, $\cos x$, $(1 + x)^p$; utilisation des séries de Taylor connues pour en trouver d'autres par substitution, intégration et différentiation ; intervalle de convergence.

- **Séries géométriques**
  Somme finie, somme infinie.
- **Séries de puissances**
  Test de rapport pour le rayon de convergence.
- **Séries de constantes**
  Séries harmoniques, séries alternées.
- **Séries de Fourier**

PROBLÈMES DE RÉVISION DU CHAPITRE NEUF

Pour les problèmes 1 à 3, trouvez le polynôme de Taylor de degré 2 autour du point donné.

1. e^x, $x = 1$ **2.** $\ln x$, $x = 2$ **3.** $\sin x$, $x = -\pi/4$

4. Trouvez le polynôme de Taylor de degré 3 pour $f(x) = x^3 + 7x^2 - 5x + 1$ en $x = 1$.

Pour les problèmes 5 à 8, trouvez les quatre premiers termes non nuls de la série de Taylor autour de l'origine des fonctions données.

5. $\theta^2 \cos \theta^2$ **6.** $\sin t^2$ **7.** $\dfrac{1}{\sqrt{4 - x}}$ **8.** $\dfrac{1}{1 - 4z^2}$

Pour les problèmes 9 et 10, trouvez l'expansion de la quantité en série de Taylor autour de l'origine en fonction de la variable donnée. Donnez les quatre premiers termes non nuls.

9. $\dfrac{a}{a + b}$ en fonction de $\dfrac{b}{a}$ **10.** $\sqrt{R - r}$ en fonction de $\dfrac{r}{R}$

Trouvez la valeur exacte des sommes des séries des problèmes 11 à 14.

11. $1 - \dfrac{1}{3} + \dfrac{1}{9} - \dfrac{1}{27} + \dfrac{1}{81} - \cdots$ **12.** $8 + 4 + 2 + 1 + \dfrac{1}{2} + \dfrac{1}{4} + \cdots + \dfrac{1}{2^{10}}$

13. $3 + 3 + \dfrac{3}{2!} + \dfrac{3}{3!} + \dfrac{3}{4!} + \dfrac{3}{5!} + \cdots$ **14.** $(0,1)^2 - \dfrac{(0,1)^4}{3!} + \dfrac{(0,1)^6}{5!} - \dfrac{(0,1)^8}{7!} + \cdots$

15. Supposez que x est positif mais très petit. Disposez les expressions suivantes en ordre croissant.

$$x, \quad \sin x, \quad \ln(1 + x), \quad 1 - \cos x, \quad e^x - 1, \quad \arctan x, \quad x\sqrt{1 - x}.$$

16. Considérez l'expansion de Taylor

$$f(x) = \frac{1}{1 + x} = 1 - x + x^2 - x^3 + x^4 - \cdots.$$

En traçant différents polynômes de Taylor et la fonction $f(x) = 1/(1 + x)$, confirmez que l'intervalle de convergence de cette série est $-1 < x < 1$.

17. Utilisez des séries de Taylor pour évaluer $\displaystyle\lim_{x \to 0} \frac{\ln(1 + x + x^2) - x}{\sin^2 x}$.

18. a) Trouvez $\displaystyle\lim_{\theta \to 0} \frac{\sin(2\theta)}{\theta}$. Justifiez votre réponse.

b) Utilisez les séries pour expliquer la raison pour laquelle $f(\theta) = \dfrac{\sin(2\theta)}{\theta}$ ressemble à une parabole près de $\theta = 0$. Quelle est l'équation de la parabole ?

19. a) Trouvez la série de Taylor pour $f(t) = te^t$ autour de $t = 0$.

b) À l'aide de votre réponse à la partie a), trouvez une expansion de la série de Taylor autour de $x = 0$ pour

$$\int_0^x te^t \, dt.$$

c) À l'aide de votre réponse à la partie b), montrez que

$$\frac{1}{2} + \frac{1}{3} + \frac{1}{4(2!)} + \frac{1}{5(3!)} + \frac{1}{6(4!)} + \cdots = 1.$$

20. La théorie de la relativité prédit que lorsqu'un objet se déplace à une vitesse qui se rapproche de celle de la lumière, l'objet semble plus lourd. La masse apparente (ou relativiste) m de l'objet lorsqu'il se déplace à la vitesse v est donnée par la formule

$$m = \frac{m_0}{\sqrt{1 - v^2/c^2}},$$

où c est la vitesse de la lumière et m_0 est la masse de l'objet lorsqu'il est au repos.

a) Utilisez la formule de m pour décider quelles valeurs de v sont possibles.
b) Tracez un graphe approximatif de m en fonction de v, en indiquant les intersections avec les axes et les asymptotes.
c) Écrivez les trois premiers termes non nuls de la série de Taylor pour m en fonction de v.
d) Pour quelles valeurs de v vous attendez-vous à ce que la série converge ?

21. L'énergie potentielle V de deux molécules de gaz séparées par une distance r est donnée par

$$V = -V_0 \left(2\left(\frac{r_0}{r}\right)^6 - \left(\frac{r_0}{r}\right)^{12} \right),$$

où V_0 et r_0 sont des constantes positives.

a) Montrez que si $r = r_0$, alors V prend sa valeur minimale, $-V_0$.
b) Écrivez V sous forme de série en $(r - r_0)$ jusqu'au terme quadratique.
c) Pour r près de r_0, montrez que la différence entre V et sa valeur minimale est approximativement proportionnelle à $(r - r_0)^2$. En d'autres mots, montrez que $V - (-V_0) = V + V_0$ est approximativement proportionnelle à $(r - r_0)^2$.
d) La force F entre les molécules est donnée par $F = -dV/dr$. Qu'est-ce que F quand $r = r_0$? Pour r près de r_0, montrez que F est approximativement proportionnelle à $(r - r_0)$.

22. Le *champ de gravitation* en un point dans l'espace correspond à la force de gravitation qui serait exercée sur une masse unité qui serait placée en ce point. Supposez que la force du champ de gravitation à une distance d de la masse M est

$$\frac{GM}{d^2},$$

où G est une constante. Dans ce problème, vous analysez la force du champ de gravitation F exercée par un système constitué d'une grande masse M et d'une petite masse m séparées par une distance r (voir la figure 9.34).

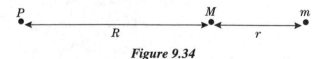

Figure 9.34

a) Écrivez une expression pour la force du champ de gravitation F au point P.
b) En supposant que r est petite en comparaison à R, faites l'expansion de F en série de r/R.
c) En éliminant des termes en $(r/R)^2$ et des puissances plus élevées, expliquez la raison pour laquelle vous pouvez visualiser le champ sous forme du résultat d'une seule particule de masse $M + m$, en plus d'un terme de correction. Quelle est la position de la particule de masse $M + m$? Expliquez le signe du terme de correction.

23. Une décimale qui se répète peut toujours s'exprimer comme fraction. Ce problème montre comment l'écriture d'une décimale répétitive comme série géométrique permet de trouver la fraction. Considérez la décimale 0,232 323…

  a) Considérez le fait que 0,232 323… = 0,23 + 0,0023 + 0,000 023 + ⋯ pour écrire 0,232 323… sous forme de série géométrique.
  b) Utilisez la formule pour la somme d'une série géométrique pour montrer que 0,232 323… = 23/99.

24. La céfalexine est un antibiotique dont la demi-vie dans le corps est de 0,9 h et doit être prise en comprimés de 250 mg toutes les 6 h.

  a) Quel pourcentage de la céfalexine dans le corps au début de la période de 6 h se trouve toujours dans le corps à la fin de cette même période (en supposant qu'aucun autre comprimé n'est absorbé durant cette période) ?
  b) Écrivez une expression pour Q_1, Q_2, Q_3, Q_4, où Q_n mg est la quantité de céfalexine dans le corps tout de suite après l'absorption du n-ième comprimé.
  c) Exprimez Q_3 et Q_4 sous forme close et évaluez-les.
  d) Écrivez une expression pour Q_n et exprimez-la sous forme close.
  e) Si le patient continue à prendre des comprimés, utilisez votre réponse à la partie d) pour trouver la quantité de céfalexine dans le corps à long terme, tout de suite après l'absorption d'un comprimé.

25. Faites l'expansion de $f(x + h)$ et de $g(x + h)$ dans des séries de Taylor et prenez une limite pour confirmer la règle du produit :

$$\frac{d}{dx}\big(f(x)g(x)\big) = f'(x)g(x) + f(x)g'(x).$$

26. Utilisez les expansions de Taylor pour $f(y + k)$ et $g(x + h)$ pour confirmer la règle de la dérivée en chaîne :

$$\frac{d}{dx}\big(f(g(x))\big) = f'(g(x)) \cdot g'(x).$$

27. Supposez que toutes les dérivées de g existent en $x = 0$ et que g a un point critique en $x = 0$.

  a) Écrivez le n-ième polynôme de Taylor pour g en $x = 0$.
  b) Que révèle le test de la dérivée seconde pour les maximums et les minimums locaux ?
  c) Utilisez le polynôme de Taylor pour expliquer la raison pour laquelle le test de la dérivée seconde fonctionne.

28. (Suite du problème 27.) Vous vous souvenez sans doute que le test de la dérivée seconde n'indique rien lorsque la dérivée seconde est nulle au point critique. Dans ce problème, vous analysez un cas particulier.

  Supposez que g a les mêmes propriétés que dans le problème 27 et que, de plus, $g''(0) = 0$. Que vous révèle le polynôme de Taylor pour savoir si g a un maximum local ou un minimum local en $x = 0$?

29. Utilisez les polynômes de Fourier pour l'onde carrée

$$f(x) = \begin{cases} -1 & -\pi < x \le 0 \\ 1 & 0 < x \le \pi. \end{cases}$$

afin d'expliquer la raison pour laquelle

$$1 - \frac{1}{3} + \frac{1}{5} - \frac{1}{7} + \cdots + (-1)^{2n+1}\frac{1}{2n+1}$$

doit s'approcher de $\frac{\pi}{4}$ quand $n \to \infty$.

30. Trouvez un polynôme de Fourier de degré 3 pour $f(x) = e^{2\pi x}$, pour $0 \le x < 1$.

31. Supposez que $f(x)$ est une fonction périodique différentiable de période 2π. Supposez que la série de Fourier de f est différentiable terme par terme.

a) Si les coefficients de Fourier de f sont a_k et b_k, montrez que les coefficients de Fourier de sa dérivée f' sont kb_k et $-ka_k$.

b) Comment les amplitudes des harmoniques de f et de f' sont-elles reliées ?

c) Comment les spectres d'énergie de f et de f' sont-ils reliés ?

32. Supposez que les coefficients de Fourier de f sont a_k et b_k, que les coefficients de Fourier de g sont c_k et d_k, et que A et B sont des réels. Montrez que les coefficients de Fourier de $Af + Bg$ sont $Aa_k + Bc_k$ et $Ab_k + Bd_k$.

33. Supposez que f est une fonction périodique de période 2π et que g est une translation horizontale de f, par exemple $g(x) = f(x + c)$. Montrez que f et g ont la même énergie.

GROS PLAN SUR LA THÉORIE

LES THÉORÈMES DE CONVERGENCE

Dans la présente section[7], on étudiera certaines méthodes d'analyse de la convergence des séries de puissances

$$\sum_{n=0}^{\infty} C_n x^n = C_0 + C_1 x + C_2 x^2 + \cdots + C_n x^n + \cdots.$$

Pour toute valeur particulière de x, la série de puissances est une série de constantes de la forme

$$\sum_{n=1}^{\infty} a_n = a_1 + a_2 + a_3 + \cdots + a_n + \cdots.$$

Donc, on considère d'abord la convergence de la série de constantes. On peut tracer le graphe des termes d'une série de constantes comme celle de la figure 9.35. Si $a_n \geq 0$ pour tout n, alors chaque rectangle a l'aire a_n.

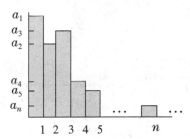

Figure 9.35 : La hauteur et l'aire du n-ième rectangle sont a_n

Convergence de séries de constantes

On définit la n-ième somme partielle S_n comme

$$S_n = a_1 + a_2 + \cdots + a_n,$$

et on dit que

> Si $S = \lim_{n \to \infty} S_n$ existe, alors la série $\sum a_n$ **converge** et sa somme est S. Si une série ne converge pas, on dit qu'elle **diverge**.

Si $a_n \geq 0$ pour tout n, la série converge quand l'aire totale des rectangles à la figure 9.35 est finie. Dans ce cas, la somme des séries est l'aire totale de tous les rectangles, ce qui est similaire à une intégrale impropre $\int_0^{\infty} f(x)\,dx$ où on a vu qu'il était possible pour l'aire sous le graphe de f d'être finie, même sur un intervalle infini.

Voici certaines propriétés qui sont utiles pour déterminer si une série converge ou non.

---

7. Basée sur des notes de Lynne Small.

Théorème : Propriétés de convergence d'une série

1. Si $\sum a_n$ et $\sum b_n$ convergent et si k est une constante, alors
   - $\sum (a_n + b_n)$ converge vers $\sum a_n + \sum b_n$;
   - $\sum k a_n$ converge vers $k \sum a_n$.

2. Le changement d'un nombre fini de termes dans une série ne change pas le fait qu'elle converge ou non, bien que cela puisse changer sa somme si elle converge.

3. Si $\sum a_n$ converge, alors $\lim\limits_{n \to \infty} a_n = 0$.

Pour obtenir les preuves de ces propriétés, il faut se reporter aux problèmes 1 à 3. À noter qu'on peut souvent utiliser la propriété 3 pour savoir si une série *ne converge pas*. Selon cette propriété, si les termes ne tendent pas vers zéro, alors la série n'a aucune chance de converger. Cependant, le fait de savoir que $\lim\limits_{n \to \infty} a_n = 0$ *ne suffit pas* pour assurer la convergence. Par exemple, dans l'exemple 7 de la section 9.2, on a montré que la série harmonique

$$1 + \frac{1}{2} + \frac{1}{3} + \frac{1}{4} + \cdots + \frac{1}{n} + \cdots$$

ne converge pas, même si

$$\lim_{n \to \infty} a_n = \lim_{n \to \infty} \frac{1}{n} = 0.$$

Exemple 1   Montrez que la série géométrique

$$1 + x + x^2 + \cdots$$

ne converge pas si $x = \pm 1$.

Solution   On peut utiliser la propriété 3 pour voir que la série ne converge pas quand $x = \pm 1$. Quand $x = 1$, le n-ième terme est $a_n = 1$, donc $\lim_{n \to \infty} a_n = 1 \neq 0$. Quand $x = -1$, alors $a_n = (-1)^{n-1}$, donc $\lim_{n \to \infty} a_n$ n'existe pas. Par conséquent, dans les deux cas, $\sum a_n$ ne converge pas.

Le calcul des sommes partielles confirme ce résultat. Si $x = 1$, la série est $1 + 1 + \cdots$. Ainsi, la n-ième somme partielle est $S_n = n$, les sommes partielles n'ont donc pas de limite. Par conséquent, la série diverge. Si $x = -1$, la série est $1 - 1 + 1 - \cdots$. La n-ième somme partielle est 1 si n est impair et 0 si n est pair. Donc, une fois de plus les sommes partielles n'ont aucune limite et la série diverge.

La comparaison des séries

Lorsqu'on a étudié les intégrales impropres au chapitre 7, on a vu qu'il était parfois utile de comparer une intégrale à une autre en déterminant si l'intégrale convergeait. De la même manière, on peut déterminer si une série converge en la comparant à une série qui, on le sait, converge ou diverge.

Théorème : Test de comparaison

On suppose que $0 \leq a_n \leq b_n$ pour tout n.
- Si $\sum b_n$ converge, alors $\sum a_n$ converge.
- Si $\sum a_n$ ne converge pas, alors $\sum b_n$ ne converge pas.

Puisque $a_n \leq b_n$, le graphe de a_n se trouve sous le graphe de b_n (voir la figure 9.36). Le test de comparaison énonce que si l'aire totale de $\sum b_n$ est finie, alors l'aire totale de $\sum a_n$ est également finie ; et si l'aire totale de $\sum a_n$ n'est pas finie, alors l'aire totale de $\sum b_n$ ne l'est pas non plus.

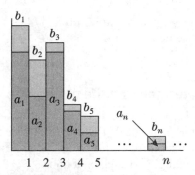

Figure 9.36 : Chaque a_n est représenté par l'aire d'un rectangle foncé et chaque b_n par un rectangle foncé et un rectangle pâle

Exemple 2   Montrez que si $0 < p < 1$, alors $\sum_{n=1}^{\infty} 1/n^p$ diverge.

Solution   Puisque $p < 1$, on a $n^p \leq n$, donc $1/n^p \geq 1/n$. Puisque la série harmonique $\sum 1/n$ diverge, $\sum 1/n^p$ diverge également.

Les séries infinies et les intégrales impropres

Tout comme on compare une série à une autre série, on peut aussi comparer une série à une intégrale impropre (comme on l'a fait dans l'exemple 7 à la section 9.2) pour montrer que la série harmonique diverge. Voici un exemple dans lequel ce type de comparaison sert à prouver la convergence.

Exemple 3   Montrez que la série

$$\sum_{n=1}^{\infty} \frac{1}{n^2} = 1 + \frac{1}{4} + \frac{1}{9} + \cdots$$

converge en la comparant à l'intégrale impropre $\int_1^{\infty} (1/x^2)\, dx$.

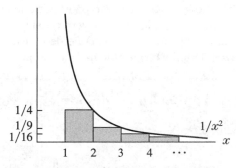

Figure 9.37 : $\int_1^{\infty} (1/x^2)\, dx$ est plus grande que $\sum_{n=2}^{\infty} 1/n^2$

Solution   La figure 9.37 montre que l'aire sous le graphe de $1/x^2$ pour $x \geq 1$ est plus grande que $1/4 + 1/9 + \cdots$. Puisque

$$\int_1^\infty \frac{1}{x^2}\, dx = \lim_{b \to \infty} \int_1^b \frac{1}{x^2}\, dx = \lim_{b \to \infty}\left(\frac{-1}{b} + 1\right) = 1,$$

l'aire sous le graphe est finie, donc $1/4 + 1/9 + \cdots$ converge. Donc, $1 + 1/4 + 1/9 + \cdots$ converge également.

La série à termes positifs et négatifs

Si $\sum_n a_n$ a des termes positifs et négatifs, alors son graphe a des rectangles qui reposent au-dessus et au-dessous de l'axe des x. L'aire totale des rectangles n'est dorénavant plus égale à $\sum a_n$. Cependant, il demeure vrai que si l'aire totale est finie, alors la série converge. L'aire du n-ième rectangle est $|a_n|$, on a donc :

> Si $\sum |a_n|$ converge, alors $\sum a_n$ converge également.

Le problème 10 montre la méthode qu'il faut utiliser pour prouver ce résultat.

Exemple 4   Expliquez la raison pour laquelle la série de $\cos x$ converge.

Solution   La série de $\cos x$ peut s'écrire

$$1 + 0x - \frac{x^2}{2!} + 0x^3 + \frac{x^4}{4!} + 0x^5 - \frac{x^6}{6!} + \cdots,$$

où les termes zéros ont été inclus pour permettre une comparaison avec la série pour e^x. On considère la série

$$1 + 0|x| + \frac{|x^2|}{2!} + 0|x^3| + \frac{|x^4|}{4!} + 0|x^5| + \frac{|x^6|}{6!} + \cdots.$$

Cette série converge en comparaison avec la série de $e^{|x|}$. Ainsi, la série de $\cos x$ converge.

Le test de rapport

Dans une série géométrique, le rapport entre le $(n+1)$-ième terme et le n-ième terme est une constante r. Si $|r| < 1$, la série converge et si $|r| \geq 1$, la série diverge. On énonce maintenant un test similaire pour une série générale de constantes où on fait intervenir la limite du rapport entre le $(n+1)$-ième terme et le n-ième terme.

> **Test de rapport pour des séries de constantes**
>
> Pour une série $\sum a_n$, on suppose que
>
> $$\lim_{n \to \infty} \frac{|a_{n+1}|}{|a_n|} = L.$$
>
> - Si $L < 1$, alors $\sum a_n$ converge.
> - Si $L > 1$, alors $\sum a_n$ ne converge pas.
> - Si $L = 1$, le test n'indique rien.

Preuve   La notion de base consiste à comparer la série à une série géométrique.

On suppose que $L < 1$. Soit r un nombre compris entre L et 1, tel que $L < r < 1$. Puisque

$$\lim_{n \to \infty} \frac{|a_{n+1}|}{|a_n|} = L,$$

pour un n suffisamment grand, on a

$$\frac{|a_{n+1}|}{|a_n|} < r.$$

Alors,

$$|a_{n+1}| < |a_n|r,$$
$$|a_{n+2}| < |a_{n+1}|r < |a_n|r^2,$$
$$|a_{n+3}| < |a_{n+2}|r < |a_n|r^3,$$

et ainsi de suite. Par conséquent, pour un n suffisamment grand, on obtient

$$|a_n| + |a_{n+1}| + |a_{n+2}| + \cdots < |a_n| + |a_n|r + |a_n|r^2 + |a_n|r^3 + \cdots$$
$$= |a_n|(1 + r + r^2 + r^3 + \cdots).$$

Ainsi, $|a_n| + |a_{n+1}| + |a_{n+2}| + \cdots$ converge en comparaison avec la série géométrique convergente $|a_n|(1 + r + r^2 + r^3 + \cdots)$. Ainsi, $\sum |a_n|$ converge et donc $\sum a_n$ converge.

Si $L > 1$, alors on choisit r tel que $1 < r < L$. Alors, au moyen d'un argument similaire, les termes de $\sum a_n$ finissent par avoir une plus grande magnitude que les termes d'une série géométrique ayant un rapport r commun. Puisque $r > 1$, la série géométrique ne converge pas, donc $\sum a_n$ ne converge pas.

Les séries de puissances

On peut maintenant démontrer les résultats de la convergence des séries de puissances qu'on a utilisées dans la section 9.2.

Intervalle de convergence

Pour une série de puissances $\sum C_n x^n$:
- si la série converge pour $x = b$, alors elle converge pour tout x avec $|x| < |b|$;
- si la série ne converge pas pour $x = b$, alors elle ne converge pas pour tout x avec $|x| > |b|$.

Preuve   On suppose[8] que $b \neq 0$. Si $\sum C_n b^n$ converge, alors

$$\lim_{n \to \infty} C_n b^n = 0.$$

En particulier, pour un n suffisamment grand, on a

$$|C_n b^n| < 1.$$

---

8. Si $b = 0$, il n'y a pas de x où $|x| < |b|$ et $\sum C_n b^n$ doit converger.

Pour les valeurs de x avec $|x| < |b|$, on a $|x|/|b| < 1$. Soit $r = |x|/|b|$. Alors, pour un n suffisamment grand,

$$|C_n x^n| = |C_n b^n| \left| \frac{x^n}{b^n} \right| < \left| \frac{x}{b} \right|^n = r^n.$$

Ainsi, pour x avec $|x| < |b|$, la série $\sum |C_n x^n|$ converge en comparaison avec la série géométrique convergente $\sum r^n$. Donc, $\sum C_n x^n$ converge également.

Pour la deuxième partie du théorème, on dit que $\sum C_n b^n$ ne converge pas. On suppose qu'il y a une valeur de x, avec $|x| > |b|$, pour laquelle la série $\sum C_n x^n$ converge. Alors, la première partie du théorème, où les rôles de x et de b sont inversés, énonce que la série $\sum C_n b^n$ doit converger. Cependant, cela contredit l'hypothèse et complète la preuve.

> ### Test de rapport pour les séries de puissances
>
> Pour la série de puissances $\sum C_n x^n$, on suppose que
>
> $$\lim_{n \to \infty} \frac{|C_n|}{|C_{n+1}|} = R \quad \text{et } 0 < R < \infty.$$
>
> Alors, la série de puissances converge pour x avec $|x| < R$ et ne converge pas pour x avec $|x| > R$.

Preuve Pour $x = 0$, la série de puissances ne comporte qu'un terme non nul et est donc convergente. Pour tout x fixe avec $|x| \neq 0$, la série $\sum C_n x^n$ est une série de constantes. On applique le test de rapport :

$$\lim_{n \to \infty} \frac{|a_{n+1}|}{|a_n|} = \lim_{n \to \infty} \frac{|C_{n+1} x^{n+1}|}{|C_n x^n|} = \lim_{n \to \infty} \frac{|C_{n+1}||x|}{|C_n|} = |x| \lim_{n \to \infty} \frac{|C_{n+1}|}{|C_n|} = \frac{|x|}{R}.$$

Selon le test de rapport,

- si $|x|/R < 1$, autrement dit si $|x| < R$, alors la série converge ;
- si $|x|/R > 1$, autrement dit si $|x| > R$, alors la série ne converge pas.

Problèmes sur les théorèmes de convergence

1. Montrez que si $\sum a_n$ et $\sum b_n$ convergent et si k est une constante, alors $\sum (a_n + b_n)$, $\sum (a_n - b_n)$ et $\sum k a_n$ convergent.

2. Soit N un entier positif. Montrez que si $a_n = b_n$ pour $n \geq N$, alors $\sum a_n$ et $\sum b_n$ convergent ou divergent simultanément. En d'autres mots, le changement d'un nombre fini de termes dans une série ne modifie pas le fait qu'elle converge ou non.

3. Montrez que si $\sum a_n$ converge, alors $\lim_{n \to \infty} a_n = 0$. [Conseil : Utilisez $\lim_{n \to \infty} (S_n - S_{n-1})$, où S_n est la n-ième somme partielle.]

Utilisez le test de comparaison pour déterminer si les séries des problèmes 4 et 5 convergent.

4. $\displaystyle \sum_{n=1}^{\infty} \frac{1}{n^3}$

5. $\displaystyle \sum_{n=2}^{\infty} \frac{1}{\ln n}$

En effectuant une comparaison avec une intégrale impropre, déterminez si les séries des problèmes 6 à 9 convergent.

6. $1 + \dfrac{1}{5} + \dfrac{1}{9} + \dfrac{1}{13} + \dfrac{1}{17} + \cdots + \dfrac{1}{4n-3} + \cdots$ 7. $\dfrac{1}{2} + \dfrac{2}{5} + \dfrac{3}{10} + \dfrac{4}{17} + \dfrac{5}{26} + \cdots + \dfrac{n}{n^2+1} + \cdots$

8. $1 + \dfrac{1}{2^{3/2}} + \dfrac{1}{3^{3/2}} + \dfrac{1}{4^{3/2}} + \dfrac{1}{5^{3/2}} + \cdots + \dfrac{1}{n^{3/2}} + \cdots$

9. $1 + \dfrac{1}{2^p} + \dfrac{1}{3^p} + \cdots + \dfrac{1}{n^p} + \cdots$, où $p > 1$.

10. a) Pour la série $\sum a_n$; montrez que $0 \le a_n + |a_n| \le 2|a_n|$.
    b) Pour la même série qu'en a), montrez que si $\sum |a_n|$ converge, alors $\sum a_n$ converge.

11. Montrez que si $C_0 + C_1 x + C_2 x^2 + C_3 x^3 + \cdots$ converge selon le test de rapport avec un rayon de convergence R, alors $C_1 + 2C_2 x + 3C_3 x^2 + \cdots$ converge également.

L'ERREUR DANS LES APPROXIMATIONS DE TAYLOR

Pour utiliser une approximation de manière intelligente, il faut être en mesure d'estimer l'importance de l'erreur qui représente la différence entre la réponse exacte (qu'on ne connaît habituellement pas) et la valeur approximative. En général, on ne peut trouver la valeur exacte de l'erreur ; si on le pouvait, on n'aurait pas besoin de l'approximation. Cependant, il est utile de trouver une valeur maximale possible pour l'erreur, car cela donne une idée du degré de précision de l'approximation.

On analyse maintenant une manière d'évaluer l'importance de l'erreur reliée à l'emploi de $P_n(x)$, le polynôme de Taylor de n-ième degré afin de calculer l'approximation de $f(x)$ pour les valeurs de x près de a. L'erreur est la différence

$$E_n(x) = f(x) - P_n(x).$$

Si E_n est positif, l'approximation est plus petite que la valeur réelle. Si E_n est négatif, l'approximation est trop élevée. Souvent, on s'intéresse à la valeur absolue de l'erreur $|E_n|$.

L'erreur dans $P_1(x)$

Ici on essaie de borner l'erreur de l'approximation de Taylor de degré 1 d'une fonction $f(x)$. Pour simplifier, on suppose que le polynôme de Taylor est centré en $x = 0$. On a

$$f(x) \approx P_1(x) = f(0) + f'(0)x.$$

L'erreur liée à l'utilisation de $P_1(x)$ dépend de la linéarité et de la courbure du graphe de f pour les valeurs de x près de zéro. Plus f est courbée, plus l'approximation est mauvaise. Ainsi, on s'attend donc à ce que la taille de la dérivée seconde $f''(x)$ soit importante. Si on connaît la taille de $f''(x)$, on devrait être en mesure de déterminer la précision de l'approximation.

On suppose qu'on sait que $f''(x)$ est majorée par M et minorée par L pour les valeurs de x près de 0, par exemple pour $0 \le x \le d$. Puisque $f''(x) < M$, on a

$$\int_0^x f''(t)\, dt \le \int_0^x M\, dt, \quad \text{pour } 0 \le x \le d.$$

Puisque l'intégration de la dérivée seconde donne la dérivée première, le théorème fondamental du calcul énonce que $\int_0^x f''(t)\, dt = f'(x) - f'(0)$. L'inégalité précédente produit

$$f'(x) - f'(0) \le M(x - 0).$$

Donc,

$$f'(x) \leq f'(0) + Mx.$$

La nouvelle intégration donne

$$\int_0^x f'(t)\, dt \leq \int_0^x (f'(0) + Mt)\, dt.$$

Du côté gauche, on utilise le théorème fondamental. Du côté droit, on observe que $f'(0)$ est seulement une constante, donc $\int_0^x f'(0)\, dt = f'(0)(x - 0)$. On a maintenant

$$f(x) - f(0) \leq f'(0)x + \frac{M}{2} x^2.$$

Ainsi, on a montré que si $f''(x) \leq M$ pour $0 \leq x \leq d$, alors

$$f(x) \leq f(0) + f'(0)x + \frac{M}{2} x^2.$$

On considère maintenant le minorant. En inversant les inégalités, on peut montrer que si $L \leq f''(x)$ pour $0 \leq x \leq d$, alors

$$f(0) + f'(0)x + \frac{L}{2} x^2 \leq f(x).$$

Si on soustrait $P_1(x) = f(0) + f'(0)x$ des deux côtés de ces deux dernières inégalités, on obtient une borne sur l'erreur $E_1 = f(x) - P_1(x)$:

Calcul de l'erreur dans $P_1(x)$

Si $L \leq f''(x) \leq M$ pour $0 \leq x \leq d$,   alors

$$\frac{L}{2} x^2 \leq f(x) - P_1(x) \leq \frac{M}{2} x^2 \quad \text{pour} \quad 0 \leq x \leq d.$$

L'erreur dans $P_2(x)$

On suppose maintenant qu'on veut borner l'erreur dans l'approximation du polynôme de Taylor de degré 2. Par analogie avec l'estimation de l'erreur dans $P_1(x)$, on s'attend à ce que la taille de $f'''(x)$ contrôle la taille de l'erreur dans $P_2(x)$. On suppose qu'on sait que

$$f'''(x) \leq M \quad \text{pour} \quad 0 \leq x \leq d$$

et qu'on tente de trouver une borne sur $E = f(x) - P_2(x)$. En effectuant une intégration comme on l'a fait ci-dessus, on obtient

$$\int_0^x f'''(t)\, dt \leq \int_0^x M\, dt$$
$$f''(x) - f''(0) \leq M(x - 0)$$
$$f''(x) \leq f''(0) + Mx.$$

On intègre de nouveau. On obtient

$$\int_0^x f''(t)\, dt \leq \int_0^x (f''(0) + Mt)\, dt$$
$$f'(x) - f'(0) \leq f''(0)x + \frac{M}{2} x^2$$
$$f'(x) \leq f'(0) + f''(0)x + \frac{M}{2} x^2,$$

et

$$\int_0^x f'(t)\, dt \le \int_0^x \left(f'(0) + f''(0)\, t + \frac{M}{2}\, t^2 \right) dt$$

$$f(x) - f(0) \le f'(0)x + \frac{f''(0)}{2}\, x^2 + \frac{M}{3 \cdot 2}\, x^3.$$

On conclut que si $f'''(x) \le M$ pour $0 \le x \le d$, alors

$$f(x) \le f(0) + f'(0)x + \frac{f''(0)}{2}\, x^2 + \frac{M}{3!}\, x^3.$$

De même, si $L \le f'''(x)$ pour $0 \le x \le d$, alors

$$f(0) + f'(0)x + \frac{f''(0)}{2!}\, x^2 + \frac{L}{3!}\, x^3 \le f(x).$$

Ainsi, l'erreur de l'approximation de $P_2(x)$ est bornée comme suit :

Calcul de l'erreur dans $P_2(x)$

Si $\quad L \le f'''(x) \le M \quad$ pour $\quad 0 \le x \le d, \quad$ alors

$$\frac{L}{3!}\, x^3 \le f(x) - P_2(x) \le \frac{M}{3!}\, x^3 \quad \text{pour} \quad 0 \le x \le d.$$

L'erreur dans $P_n(x)$

L'erreur des polynômes de Taylor de degré plus élevé suit le même modèle. Si $L \le f^{(n+1)}(x) \le M$ pour $0 \le x \le d$, alors

$$\frac{L}{(n+1)!}\, x^{n+1} \le f(x) - P_n(x) \le \frac{M}{(n+1)!}\, x^{n+1}.$$

La formule générale pour l'erreur

Quand x se trouve à gauche de zéro, tel que $-d \le x \le 0$ et quand la série de Taylor est centrée en $a \ne 0$, des calculs semblables permettent d'obtenir l'énoncé suivant :

Calcul de l'erreur pour les approximations du polynôme de Taylor

Si $\quad |f^{(n+1)}(x)| \le M \quad$ pour $\quad |x - a| \le d, \quad$ alors

$$|E_n(x)| = |f(x) - P_n(x)| \le \frac{M}{(n+1)!}\, |x - a|^{n+1} \quad \text{pour} \quad |x - a| \le d.$$

Exemple 5   Donnez une borne pour l'erreur E_4 lorsque e^x est estimé par son polynôme de Taylor de degré 4 pour $-0{,}5 \le x \le 0{,}5$.

Solution   Soit $f(x) = e^x$. Alors la dérivée cinquième est $f^{(5)}(x) = e^x$. Puisque e^x est croissant,

$$|f^{(5)}(x)| \le e^{0{,}5} = \sqrt{e} < 2 \quad \text{pour} \quad -0{,}5 \le x \le 0{,}5.$$

Par conséquent,

$$|E_4| = |f(x) - P_4(x)| \le \frac{2}{5!}\, |x|^5.$$

Cela signifie, par exemple, que pour $-0,5 \leq x \leq 0,5$, l'approximation

$$e^x \approx 1 + x + \frac{x^2}{2!} + \frac{x^3}{3!} + \frac{x^4}{4!}$$

a une erreur d'au plus $\frac{2}{120}(0,5)^5 < 0,0006$.

L'importance de la borne d'erreur des polynômes de Taylor

On peut utiliser la formule d'erreur des polynômes de Taylor pour borner l'erreur dans une approximation numérique particulière ou pour voir comment la précision de l'approximation dépend de la valeur de x ou de la valeur de n. On observe que l'erreur d'un polynôme de Taylor de degré n dépend de la $(n+1)$-ième puissance de x. Cela signifie que, avec un polynôme de Taylor de degré n centré en zéro par exemple, si on diminue x d'un facteur de 2, la borne d'erreur diminue d'un facteur de 2^{n+1}.

Exemple 6   Comparez les erreurs dans les approximations

$$e^{0,1} \approx 1 + 0,1 + \frac{1}{2!}(0,1)^2 \quad \text{et} \quad e^{0,05} \approx 1 + (0,05) + \frac{1}{2!}(0,05)^2.$$

Solution   On calcule l'approximation de e^x au moyen de son polynôme de Taylor de degré 2, d'abord en $x = 0,1$ puis en $x = 0,05$. Puisqu'on a diminué x d'un facteur de 2, on s'attend à ce que l'erreur ait diminué d'un facteur de $2^3 = 8$. On va voir ce qui se produit en réalité. Voici les valeurs approximatives des deux erreurs :

$$e^{0,1} - \left(1 + 0,1 + \frac{1}{2!}(0,1)^2\right) = 1,105\,171 - 1,105\,000 = 0,000\,171,$$

$$e^{0,05} - \left(1 + 0,05 + \frac{1}{2!}(0,05)^2\right) = 1,051\,271 - 1,051\,250 = 0,000\,021.$$

Ainsi, l'erreur a diminué d'un facteur de $(0,000\,171)/(0,000\,021) = 8,1$, ce qui est à peu près la valeur prévue.

La convergence des séries de Taylor

La borne sur l'erreur permet de montrer que, dans la plupart des cas, la série de Taylor pour une fonction converge vers *cette* fonction. Puisque l'erreur représente la différence entre le polynôme de Taylor et la fonction, la démonstration de la convergence de la série vers la fonction pour une valeur particulière de x équivaut au fait de démontrer que l'erreur dans l'approximation de Taylor de n-ième degré tend vers zéro quand $n \to \infty$ pour cette valeur de x. On illustre cette notion en démontrant que la série de Taylor pour e^x converge vers e^x pour tout x.

La démonstration que la série de Taylor pour e^x converge vers e^x

Lorsqu'on écrit l'équation

$$e^x = 1 + x + \frac{x^2}{2!} + \frac{x^3}{3!} + \cdots,$$

le signe d'égalité et les trois points de suspension signifient que, à mesure qu'on ajoute une quantité de plus en plus grande de termes de la série à droite, on finit par se rapprocher arbitrairement de e^x. Puisque

$$E_n(x) = e^x - P_n(x) = e^x - \left(1 + x + \frac{x^2}{2!} + \cdots + \frac{x^n}{n!}\right),$$

on peut écrire

$$e^x = 1 + x + \frac{x^2}{2!} + \cdots + \frac{x^n}{n!} + E_n(x).$$

Par conséquent, pour que la série de Taylor converge vers e^x, on doit avoir $E_n(x) \to 0$ quand $n \to \infty$. On a supposé que cela était vrai lorsqu'on a défini la série de Taylor à la section 9.2 ; on le prouve maintenant pour tout x fixe.

La démonstration que $E_n(x) \to 0$ quand $n \to \infty$

Preuve   Puisque $f(x) = e^x$, la $(n+1)$-ième dérivée $f^{(n+1)}(x)$ est également e^x, peu importe n. Donc, si $M = e^x$, alors $\left|f^{(n+1)}\right| \le M$ sur l'intervalle entre 0 et x. (Cela fonctionne pour $x \ge 0$; si $x < 0$, alors on doit prendre $M = 1$.) Il faut retenir que pour tout x le *même* nombre M borne toutes les dérivées $f^{(n+1)}(x)$ plus élevées.

Selon la formule de la borne sur l'erreur, on a maintenant

$$\left|E_n(x)\right| = \left|e^x - P_n(x)\right| \le \frac{M|x|^{n+1}}{(n+1)!} \quad \text{pour tout } n.$$

Pour montrer que les erreurs tendent vers zéro, il faut démontrer que pour un x fixe et un nombre fixe M,

$$\frac{M}{(n+1)!}|x|^{n+1} \to 0 \quad \text{quand} \quad n \to \infty.$$

Puisque M est fixe, il faut simplement montrer que

$$\frac{1}{(n+1)!}|x|^{n+1} \to 0 \quad \text{quand} \quad n \to \infty.$$

Pour savoir pourquoi cela est vrai, il faut songer à ce qui se produit quand n est beaucoup plus grand que x. On suppose, par exemple, que $x = 17,3$. On observe la valeur de

$$\frac{1}{(n+1)!}(17,3)^{n+1}$$

pour un n au moins deux fois plus grand que 17,3, c'est-à-dire $n = 35$ ou $n = 36$ ou $n = 37, \ldots$ On obtient les valeurs

$$\frac{1}{35!}(17,3)^{35},$$

$$\frac{1}{36!}(17,3)^{36} = \frac{17,3}{36} \cdot \frac{1}{35!}(17,3)^{35},$$

$$\frac{1}{37!}(17,3)^{37} = \frac{17,3}{37} \cdot \frac{17,3}{36} \cdot \frac{1}{35!}(17,3)^{35}, \ldots$$

Le terme $n = 38$ sera $17,3/38$ fois le terme $n = 37$, et ainsi de suite. Chaque fois qu'on augmente n de 1, la valeur de $\frac{1}{(n+1)!}(17,3)^{n+1}$ est multipliée par un nombre inférieur à $\frac{1}{2}$. Peu importe la valeur de $\frac{1}{35!}(17,3)^{35}$, si on continue à le diviser par deux, le résultat tendra de plus en plus vers zéro. Ainsi, $\frac{1}{(n+1)!}(17,3)^{n+1}$ tend vers zéro quand n tend vers l'infini.

On peut faire une généralisation en remplaçant 17,3 par un $|x|$ arbitraire. Pour $n > 2|x|$, quand on augmente n, on continue à multiplier $\frac{1}{(n+1)!}|x|^{n+1}$ par des facteurs de $\frac{|x|}{n+1} < \frac{1}{2}$. En conséquence,

$$\frac{M}{(n+1)!}|x|^{n+1} \to 0 \quad \text{quand} \quad n \to \infty.$$

Par conséquent, la série de Taylor $1 + x + x^2/2! + \cdots$ converge vers e^x.

La plupart des fonctions ont des séries de Taylor qui convergent vers la fonction originale pour x à l'intérieur de l'intervalle de convergence. Ces fonctions sont appelées des *fonctions analytiques*. On peut interpréter la série de Taylor d'une telle fonction quand x est remplacé par un nombre complexe. Cela augmente le domaine de la fonction (voir le problème 16).

Problèmes sur l'erreur dans les approximations de Taylor

1. Supposez que vous calculez l'approximation $f(t) = e^t$ à l'aide d'un polynôme de Taylor de degré zéro autour de $t = 0$ sur l'intervalle $[0, 0{,}5]$.

    a) L'approximation constitue-t-elle une surestimation ou une sous-estimation ?
    b) Estimez la valeur absolue de la plus grande erreur possible. Vérifiez votre réponse graphiquement à l'aide d'un ordinateur ou d'une calculatrice.

2. Reprenez le problème 1 en utilisant l'approximation de Taylor de degré 2, soit $P_2(t)$ en e^t.

3. Considérez l'erreur lorsque vous utilisez l'approximation $\sin\theta \approx \theta$ sur l'intervalle $[-1, 1]$.

    a) En quel point l'approximation est-elle une surestimation et est-elle une sous-estimation ?
    b) Estimez la valeur absolue de la plus grande erreur possible. Vérifiez votre réponse graphiquement à l'aide d'un ordinateur ou d'une calculatrice.

4. Reprenez le problème 3 en utilisant l'approximation $\sin\theta \approx \theta - \theta^3/3!$

Utilisez les méthodes présentées dans la présente section pour montrer comment vous pouvez estimer l'importance de l'erreur en calculant l'approximation des quantités des problèmes 5 à 8 à l'aide d'un polynôme de Taylor de degré 3 autour de $x = 0$.

5. $\tan 1$ 6. $0{,}5^{1/3}$ 7. $\ln(1{,}5)$ 8. $1/\sqrt{3}$

9. Calculez l'erreur maximale possible pour le polynôme de Taylor de n-ième degré autour de $x = 0$ qui permet de calculer l'approximation de $\cos x$ sur l'intervalle $[0, 1]$. Quelle est la borne pour $\sin x$?

10. De quel degré de polynôme de Taylor autour de $x = 0$ avez-vous besoin pour calculer $\cos 1$ à quatre décimales près ? à six décimales près ? Justifiez vos réponses en utilisant les résultats du problème 9.

11. Montrez que la série de Taylor autour de zéro pour $\sin x$ converge vers $\sin x$ pour tout x.

12. Montrez que la série de Taylor autour de zéro pour $\cos x$ converge vers $\cos x$ pour tout x.

13. a) À l'aide d'une calculatrice, construisez une table des valeurs à quatre décimales de $\sin x$ pour
    $$x = -0{,}5,\ -0{,}4,\ \ldots,\ -0{,}1,\ 0,\ 0{,}1,\ \ldots,\ 0{,}4,\ 0{,}5.$$

    b) Ajoutez à votre table les valeurs de l'erreur $E_1 = \sin x - x$ pour ces valeurs de x.
    c) À l'aide d'une calculatrice ou d'un ordinateur, tracez un graphe de la quantité $E_1 = \sin x - x$ montrant que
    $$|E_1| < 0{,}03 \quad \text{pour} \quad -0{,}5 \le x \le 0{,}5.$$

14. Dans ce problème, vous devez analyser l'erreur dans l'approximation de Taylor de n-ième degré de e^x pour diverses valeurs de n.

    a) Soit $E_1 = e^x - P_1(x) = e^x - (1 + x)$. À l'aide d'une calculatrice ou d'un ordinateur, tracez le graphe de E_1 pour $-0{,}1 \le x \le 0{,}1$. Quelle forme a le graphe de E_1 ? Utilisez le graphe pour confirmer que
    $$|E_1| \le x^2 \quad \text{pour} \quad -0{,}1 \le x \le 0{,}1.$$

b) Soit $E_2 = e^x - P_2(x) = e^x - (1 + x + x^2/2)$. Choisissez une image appropriée et tracez le graphe de E_2 pour $-0,1 \le x \le 0,1$. Quelle forme a le graphe de E_2 ? Utilisez le graphe afin de confirmer que

$$|E_2| \le x^3 \quad \text{pour} \quad -0,1 \le x \le 0,1.$$

c) Expliquez la raison pour laquelle les graphes de E_1 et E_2 ont ces formes.

15. Tracez le graphe de l'erreur

$$E_0 = \cos x - P_0(x) = \cos x - 1$$

pour $|x| \le 0,1$. Expliquez la forme du graphe en utilisant l'information donnée par l'expansion de Taylor de $\cos x$ et trouvez une borne pour $|E_0|$ si $|x| \le 0,1$.

16. Soit $i = \sqrt{-1}$. On définit $e^{i\theta}$ en substituant $i\theta$ dans la série de Taylor de e^x. Utilisez cette définition[9] pour expliquer la formule d'Euler

$$e^{i\theta} = \cos \theta + i \sin \theta.$$

---

9. On discute des nombres complexes à l'annexe D.

ANNEXES

ANNEXE A   LES RACINES, LA PRÉCISION ET LES BORNES

Souvent, il est nécessaire de trouver les zéros d'un polynôme ou les points d'intersection de deux courbes. Jusqu'à maintenant, on a utilisé des méthodes algébriques, comme la formule quadratique, pour résoudre de tels problèmes. Malheureusement, les recherches de solutions similaires pour des équations plus compliquées n'ont pas toujours été très fructueuses. Les formules pour résoudre les équations de degré 3 et de degré 4 sont tellement compliquées qu'on préférerait ne jamais devoir les utiliser. Au début du 19e siècle, on a prouvé qu'il n'existait pas de formule algébrique pour résoudre les équations de degré 5 et plus. La plupart des équations non polynomiales ne peuvent être résolues au moyen d'une formule.

Cependant, on peut encore trouver des racines d'équations, à la condition d'utiliser des méthodes d'approximation et non des formules. Dans la présente section, on discutera de trois manières de trouver des racines : algébrique, graphique et numérique. Parmi celles-ci, seule la méthode algébrique donne des solutions exactes.

Premièrement, on définit clairement la terminologie. Soit l'équation $x^2 = 4$. On appelle $x = -2$ et $x = 2$ les *racines* ou *solutions de l'équation*. Si on a la fonction $f(x) = x^2 - 4$, alors on appelle -2 et 2 les *zéros de la fonction* ; ainsi, les zéros de la fonction f sont les racines de l'équation $f(x) = 0$.

Le point de vue algébrique : trouver les racines grâce à la factorisation

Si le produit de deux nombres est zéro, alors l'un ou l'autre ou les deux doivent être zéro. Autrement dit, si $AB = 0$, alors $A = 0$ ou $B = 0$. Cette observation est à la base de la recherche de racines à l'aide de la factorisation. Peut-être que le lecteur a déjà passé beaucoup de temps à factoriser les polynômes. Ici il faut encore factoriser des expressions comportant des fonctions trigonométriques et exponentielles.

Exemple 1   Trouvez les racines de $x^2 - 7x = 8$.

Solution   On réécrit l'équation comme suit : $x^2 - 7x - 8 = 0$. Puis, on factorise le côté gauche : $(x + 1)(x - 8) = 0$. Selon l'observation qu'on peut faire sur les produits, soit $x + 1 = 0$ ou $x - 8 = 0$. Donc, les racines sont $x = -1$ et $x = 8$.

Exemple 2   Trouvez les racines de $\dfrac{1}{x} - \dfrac{x}{(x + 2)} = 0$.

Solution   On réécrit le côté gauche avec un dénominateur commun :

$$\frac{x + 2 - x^2}{x(x + 2)} = 0.$$

Quand une fraction est zéro, le numérateur doit être zéro. Par suite, on doit obtenir

$$x + 2 - x^2 = (-1)(x^2 - x - 2) = (-1)(x - 2)(x + 1) = 0.$$

On conclut que $x - 2 = 0$ ou $x + 1 = 0$. Donc, 2 et -1 sont les racines. On peut le vérifier par substitution.

Exemple 3   Trouvez les racines de $e^{-x} \sin x - e^{-x} \cos x = 0$.

Solution   On factorise le côté gauche : $e^{-x}(\sin x - \cos x) = 0$. Le facteur e^{-x} n'est jamais zéro. Il est impossible d'élever e à une puissance et d'obtenir zéro. Par conséquent, la seule possibilité est que $\sin x - \cos x = 0$. Cette équation est équivalente à $\sin x = \cos x$. Si on divise les deux côtés par $\cos x$, on obtient

$$\frac{\sin x}{\cos x} = \frac{\cos x}{\cos x}, \quad \text{alors} \quad \tan x = 1.$$

Les racines de cette équation sont

$$\ldots, \frac{-7\pi}{4}, \frac{-3\pi}{4}, \frac{\pi}{4}, \frac{5\pi}{4}, \frac{9\pi}{4}, \frac{13\pi}{4}, \ldots$$

Avertissement : La factorisation permet de résoudre une équation seulement quand un côté de l'équation est zéro. Il est faux de dire que, par exemple, si $AB = 7$ alors $A = 7$ ou $B = 7$. On *ne peut pas* résoudre $x^2 - 4x = 2$ en factorisant $x(x - 4) = 2$, puis en supposant que $x = 2$ ou $x - 4 = 2$.

Le problème avec la factorisation est que les facteurs ne sont pas faciles à trouver. Par exemple, le côté gauche de l'équation quadratique $x^2 - 4x - 2 = 0$ ne se factorise pas, du moins pas en facteurs simples avec des coefficients entiers. Pour l'équation quadratique générale

$$ax^2 + bx + c = 0,$$

on a la formule quadratique pour les racines, soit

$$x = \frac{-b \pm \sqrt{b^2 - 4ac}}{2a}.$$

Par conséquent, les racines $x^2 - 4x - 2 = 0$ sont $(4 \pm \sqrt{24})/2$ ou $2 + \sqrt{6}$ et $2 - \sqrt{6}$.

À noter que dans chacun de ces exemples, on a trouvé les racines de façon exacte.

Le point de vue graphique : trouver les racines par agrandissement

Pour trouver les racines d'une équation $f(x) = 0$, il peut être utile de tracer le graphe de f. Les racines de l'équation, soit les zéros de f, sont *les valeurs de x où le graphe de f croise l'axe des x*. Même un graphe très approximatif peut être utile pour déterminer le nombre de zéros et leur valeur approximative. À l'aide d'une calculatrice ou d'un ordinateur, la méthode la plus facile consiste à trouver la solution au moyen d'un graphe, notamment si on utilise la fonction d'agrandissement. Cependant, un graphe ne peut jamais révéler la valeur exacte de la racine, seulement une approximation de celle-ci.

Exemple 4   Trouvez les racines de $x^3 - 4x - 2 = 0$.

Solution   Si on essaie de factoriser le côté gauche avec des coefficients entiers, on constatera que ce n'est pas possible. Donc, on ne peut trouver facilement les racines avec l'algèbre. On sait que le graphe de $f(x) = x^3 - 4x - 2$ aura la forme cubique habituelle (voir la figure A.1, page suivante).

On trouve exactement trois racines : une entre $x = -2$ et $x = -1$, une autre entre $x = -1$ et $x = 0$ et une troisième entre $x = 2$ et $x = 3$. En agrandissant la plus grosse racine à l'aide d'une calculatrice ou d'un ordinateur graphique, on voit qu'elle se trouve sur l'intervalle

$$2{,}213 < x < 2{,}215.$$

Par conséquent, la racine est $x = 2{,}21$, avec deux décimales exactes. En agrandissant les deux autres racines, on constate que $x = -1{,}68$ et $x = -0{,}54$, avec deux décimales exactes.

Conseil pratique : On suppose qu'on veut résoudre graphiquement l'équation $\sin x - \cos x = 0$. Plutôt que de tracer le graphe de $f(x) = \sin x - \cos x$ et de rechercher les zéros, il sera plus facile de réécrire l'équation comme $\sin x = \cos x$ et de tracer le graphe de $g(x) = \sin x$ et $h(x) = \cos x$. (Après tout, on sait déjà à quoi ressemblent ces deux graphes [voir la figure A.2, page suivante]). Les racines de l'équation originale sont alors précisément les abscisses des points d'intersection des graphes de $g(x)$ et de $h(x)$.

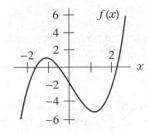

Figure A.1 : Fonction cubique
$f(x) = x^3 - 4x - 2$

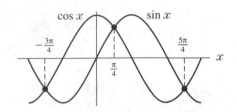

Figure A.2 : Recherche des racines
de $\sin x - \cos x = 0$

Exemple 5   Trouvez les racines de $2 \sin x - x = 0$.

Solution   On réécrit l'équation comme suit : $2 \sin x = x$. Puis, on trace le graphe des deux côtés de l'équation. Puisque $g(x) = 2 \sin x$ est toujours située entre -2 et 2, il n'y a pas de racine de $2 \sin x = x$ pour $x > 2$ ou pour $x < -2$. On doit considérer seulement les graphes entre -2 et 2 (ou entre $-\pi$ et π, ce qui facilite le tracé de la fonction sinus). La figure A.3 montre ces graphes. Il y a trois points d'intersection : un semble être en $x = 0$, un autre entre $x = \pi/2$ et $x = \pi$ et un troisième entre $x = -\pi/2$ et $x = -\pi$. On peut dire que $x = 0$ est la valeur exacte d'une racine, car il satisfait exactement l'équation d'origine. En agrandissant, on voit qu'il y a une deuxième racine $x \approx 1,9$, et la troisième racine est $x \approx -1,9$ par symétrie.

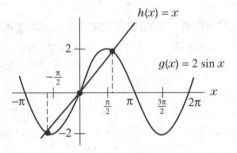

Figure A.3 : Recherche des racines de $2 \sin x - x = 0$

Le point de vue numérique : trouver les racines par la bissection

On analyse maintenant une méthode numérique d'approximation des solutions d'une équation. Cette méthode relève de l'idée que, si la valeur d'une fonction $f(x)$ change de signe sur un intervalle et si on croit qu'il n'y a pas de cassure dans le graphe de cette fonction, alors il y a une racine pour l'équation $f(x) = 0$ sur cet intervalle.

On reprend maintenant le problème qui consiste à trouver la racine de $f(x) = x^3 - 4x - 2 = 0$ entre 2 et 3. Pour repérer la racine, on se concentre sur celle-ci en évaluant la fonction au point milieu de l'intervalle, soit $x = 2,5$. Puisque $f(2) = -2$, $f(2,5) = 3,625$ et $f(3) = 13$, la fonction change de signe entre $x = 2$ et $x = 2,5$, alors la racine se situe entre ces points. On analyse maintenant $x = 2,25$.

Puisque $f(2,25) = 0,39$, la fonction est négative en $x = 2$ et positive en $x = 2,25$, donc il y a une racine entre 2 et 2,25. On examine maintenant 2,125. On trouve $f(2,125) = -0,90$, donc il y a une racine entre 2,125 et 2,25, ..., et ainsi de suite. (On peut arrondir les décimales en travaillant.) [Voir la figure A.4.] Les intervalles renfermant la racine figurent dans la liste du tableau A.1 et montrent que la racine est $x = 2,21$ à deux décimales près.

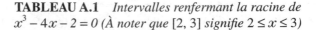

TABLEAU A.1 *Intervalles renfermant la racine de*
$x^3 - 4x - 2 = 0$ *(À noter que* [2, 3] *signifie* $2 \le x \le 3$*)*

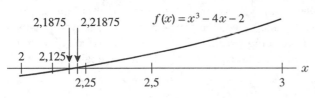

Figure A.4 : Recherche d'une racine de $x^3 - 4x - 2 = 0$

[2, 3]
[2, 2,5]
[2, 2,25]
[2,125, 2,25]
[2,1875, 2,25]   Alors $x = 2,2$, arrondi à une décimale près
[2,1875, 2,218 75]
[2,203 125, 2,218 75]
[2,210 937 5, 2,218 75]
[2,210 937 5, 2,214 843 8]   Alors $x = 2,21$, arrondi à deux décimales près

Cette méthode d'estimation des racines s'appelle la **méthode de la bissection** :

- Pour résoudre une équation $f(x) = 0$ en utilisant la méthode de la bissection, on a besoin de deux valeurs de départ pour x, par exemple $x = a$ et $x = b$, de sorte que $f(a)$ et $f(b)$ ont des signes opposés et f est continue sur $[a, b]$.

- On évalue f au point milieu de l'intervalle $[a, b]$ et on décide sur quel demi-intervalle se trouve la racine.

- On répète en utilisant le nouveau demi-intervalle plutôt que $[a, b]$.

La méthode de la bissection pose certains problèmes :

- La fonction peut ne pas changer de signe lorsqu'elle est proche de la racine. Par exemple, $f(x) = x^2 - 2x + 1 = 0$ a une racine en $x = 1$, mais $f(x)$ n'est jamais négative parce que $f(x) = (x - 1)^2$ et un carré ne peut être négatif (voir la figure A.5).
- La fonction f doit être continue entre les valeurs de départ $x = a$ et $x = b$.
- S'il y a plus d'une racine entre les valeurs de départ $x = a$ et $x = b$, la méthode ne trouvera qu'une seule des racines. Par exemple, si on avait essayé de résoudre $x^3 - 4x - 2 = 0$ en commençant en $x = -12$ et en $x = 10$, la méthode de la bissection permettrait de trouver la racine entre $x = -2$ et $x = -1$ et non entre $x = 2$ et $x = 3$ comme précédemment. (Il convient de l'essayer pour voir ce qui se produit si on utilise $x = -10$ plutôt que $x = -12$.)
- La méthode de la bissection est lente et pas très efficace. Si on applique la bissection trois fois de suite, on ne fera que coincer la racine sur un intervalle $\left(\frac{1}{2}\right)^3 = \frac{1}{8}$ aussi grand que l'intervalle de départ. Par conséquent, si on sait au départ qu'une racine se situe entre par exemple 2 et 3, alors il serait nécessaire d'appliquer la méthode de la bissection au moins quatre fois pour connaître le premier chiffre après la décimale.

Il existe de nombreuses méthodes plus efficaces pour trouver des racines, telle la méthode de Newton, qui sont plus compliquées, mais qui permettent de contourner certaines de ces difficultés.

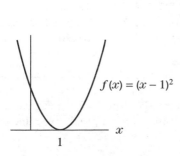

Figure A.5 : f ne change pas de signe à la racine

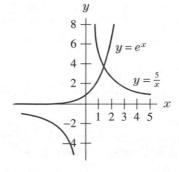

Figure A.6 : Intersection de $y = e^x$ et de $y = 5/x$

TABLEAU A.2 *Méthode de la bissection pour* $f(x) = xe^x - 5 = 0$ *(À noter que* [1, 2] *signifie l'intervalle* $1 \le x \le 2$*)*

Intervalle contenant des racines
[1, 2]
[1, 1,5]
[1,25, 1,5]
[1,25, 1,375]
[1,3125, 1,375]
[1,3125, 1,343 75]

Exemple 6   Trouvez toutes les racines de $xe^x = 5$ à au moins une décimale près.

Solution   Si on réécrit l'équation comme $e^x = 5/x$ et qu'on trace le graphe des deux côtés (voir la figure A.6, page précédente), il est évident qu'il y a exactement une racine et qu'elle se trouve quelque part entre 1 et 2. Le tableau A.2 (page précédente) montre les intervalles obtenus au moyen de la méthode de la bissection. Après cinq itérations, on obtient la racine qui se trouve entre 1,3125 et 1,343 75. Alors, on peut dire que la racine est $x = 1,3$ à une décimale près.

L'itération

L'agrandissement et la méthode de la bissection qu'on vient d'examiner sont des exemples de méthodes *itératives*, dans lesquelles on répète une série d'étapes en utilisant les résultats d'une étape dans la suivante. On peut aussi avoir recours à de telles méthodes pour trouver une racine avec n'importe quel degré de précision. Avec la bissection, chaque itération coince la racine sur un intervalle qui a la moitié de la longueur de l'intervalle précédent. Chaque fois qu'on effectue un agrandissement à l'aide d'une calculatrice, on coince la racine sur un plus petit intervalle ; la taille de cet intervalle est fonction des réglages de la calculatrice.

La précision et l'erreur

Dans la discussion précédente, on a utilisé l'expression avec deux décimales exactes. Pour un processus itératif où on obtient une estimation de plus en plus proche d'une quantité donnée, on aborde la précision avec une approche logique : on observe attentivement les nombres et lorsqu'un chiffre demeure inchangé pendant plusieurs itérations, on suppose qu'il s'est stabilisé et qu'il est exact, particulièrement si les chiffres à la droite de ce nombre restent également inchangés. Par exemple, on suppose que 2,214 29 et 2,214 31 sont deux estimations successives pour un zéro de $f(x) = x^3 - 4x - 2$. Puisque ces deux estimations concordent jusqu'au troisième chiffre après la décimale, on peut dire que trois décimales sont sans doute exactes.

Cependant, cette situation pose un problème. On suppose qu'on estime une racine dont la valeur réelle est de 1 et que les estimations convergent vers la valeur par en-dessous, par exemple 0,985, 0,991, 0,997, et ainsi de suite. Dans ce cas, la première décimale n'est même pas exacte, bien que la différence entre les estimations et la réponse vraie soit très petite (bien inférieure à 0,1). Pour éviter ce problème, on dit qu'une estimation a pour une quantité r a p *décimales exactes* si l'erreur, qui est la valeur absolue de la différence entre a et r, ou $|r - a|$, se présente comme suit :

Approximation avec p décimales exactes	signifie	une erreur inférieure à
$p = 1$		0,05
2		0,005
3		0,0005
$\vdots$		$\vdots$
n		$\underbrace{0,000\ldots05}_{n}$

Cela revient à dire que r doit se trouver sur un intervalle dont la longueur est deux fois plus grande que l'erreur maximale, centré en a. Par exemple, si a est précis avec une décimale exacte, r doit se trouver sur l'intervalle suivant :

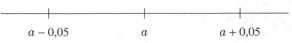

$$a - 0{,}05 \qquad\qquad a \qquad\qquad a + 0{,}05$$

Puisque la calculatrice graphique et la méthode de la bissection donnent un intervalle sur lequel se trouve la racine, cette définition de la précision des décimales est naturelle pour ces processus.

Exemple 7   Supposez que les nombres $\sqrt{10}$, 22/7 et 3,14 sont donnés pour les approximations de $\pi = 3,1415\ldots$ Combien de décimales exactes chaque approximation possède-t-elle ?

Solution   En utilisant $\sqrt{10} = 3,1622\ldots$,

$$|\sqrt{10} - \pi| = |3,1622\ldots - 3,1415\ldots| = 0,0206\ldots < 0,05,$$

alors $\sqrt{10}$ est une approximation à une décimale exacte. De la même façon, en utilisant 22/7 = 3,1428 ,

$$\left|\frac{22}{7} - \pi\right| = |3,1428\ldots - 3,1415\ldots| = 0,0013\ldots < 0,005.$$

Par conséquent, 22/7 est une approximation avec deux décimales exactes. Finalement,

$$|3,14 - 3,1415\ldots| = 0,0015\ldots < 0,005,$$

alors 3,14 est une approximation avec deux décimales exactes.

Avertissement :

- Si on dit qu'une approximation a, par exemple, deux décimales exactes, ses deux premières décimales *ne seront pas* nécessairement *correctes*, et les deux chiffres de l'approximation ne seront pas nécessairement les mêmes que les deux chiffres correspondants dans la valeur réelle. Par exemple, une valeur approximative de 5,997 possède deux décimales exactes si la valeur réelle est 6,001, mais aucun des 9 dans l'approximation ne concorde avec les zéros de la valeur réelle (pas plus que le chiffre 5 ne concorde avec le chiffre 6).
- Lorsqu'on recherche une racine r d'une équation, le nombre de décimales exactes de précision fait référence au nombre de chiffres qui ont permis de stabiliser la racine. Il *ne fait pas* référence au nombre de chiffres de $f(r)$ qui sont zéro. Par exemple, le tableau A.1 montre que $x = 2,2$ est une racine de $f(x) = x^3 - 4x - 2 = 0$, avec une décimale exacte. Par ailleurs, $f(2,2) = -0,152$, donc $f(2,2)$ n'a pas un zéro après la décimale. De la même façon, $x = 2,21$ est la racine avec deux décimales exactes, mais $f(2,21) = -0,046$ ne comporte pas deux zéros après la décimale.

Exemple 8 $x = 2,2143$ est-il un zéro de $f(x) = x^3 - 4x - 2$ avec quatre décimales exactes ?

Solution   On veut savoir si r, la valeur exacte de la racine, se trouve sur l'intervalle

$$2,2143 - 0,000\,05 < r < 2,2143 + 0,000\,05,$$

ce qui est pareil à

$$2,214\,25 < r < 2,214\,35.$$

Puisque $f(2,214\,25) < 0$ et $f(2,214\,35) > 0$, le zéro se trouve effectivement sur cet intervalle, et alors l'approximation $r = 2,2143$ a quatre décimales exactes.

Comment écrire une réponse décimale

La calculatrice graphique et la méthode de la bissection donnent naturellement un intervalle pour une racine ou un zéro. Cependant, d'autres techniques numériques ne donnent pas une paire de chiffres qui bornent la valeur réelle, mais plutôt un chiffre simple près de la valeur réelle. Que faudrait-il faire si on désirait obtenir un chiffre simple, plutôt qu'un intervalle, pour une réponse ? En général, le calcul de la moyenne des extrémités de l'intervalle constitue la meilleure solution.

Quand on donne un chiffre simple comme réponse et qu'on l'interprète, il faut être prudent en arrondissant la réponse. Par exemple, on suppose qu'on sait qu'une racine se trouve sur l'intervalle 0,81 et 0,87. En faisant la moyenne, on obtient 0,84 comme chiffre simple pour estimer la racine. Mais il serait faux d'arrondir 0,84 à 0,8 et de prétendre que la réponse est 0,8, avec une décimale exacte ; la valeur réelle pourrait être 0,86, laquelle ne se situe pas à une distance 0,05 de 0,8. La bonne réponse serait 0,84, avec une décimale exacte. De la même façon, pour donner une réponse, par exemple avec deux décimales exactes, on devrait peut-être donner trois décimales dans la réponse.

Les bornes d'une fonction

Le fait de savoir combien petite ou grande est une fonction peut parfois être utile, particulièrement quand on ne peut trouver les valeurs exactes de la fonction. On peut dire, par exemple, que $\sin x$ reste toujours entre -1 et 1 et que $2 \sin x + 10$ reste toujours entre 8 et 12. Mais 2^x n'est pas confiné entre deux chiffres, parce que 2^x dépassera n'importe quel chiffre qu'on peut nommer si x est suffisamment grand. On dit que $\sin x$ et $2 \sin x + 10$ sont des fonctions *bornées*, et que 2^x est une fonction *non bornée*.

Une fonction f est **bornée** sur un intervalle s'il y a des nombres L et U tels que

$$L \leq f(x) \leq U$$

pour tout x sur cet intervalle. Sinon, f est **non bornée** sur cet intervalle.

On dit que L est un **minorant** pour f sur cet intervalle et que U est un **majorant** pour f sur cet intervalle.

Exemple 9   Utilisez les figures A.7 et A.8 pour décider lesquelles des fonctions suivantes sont bornées.

a) x^3 sur $-\infty < x < \infty$; sur $0 \leq x \leq 100$.

b) $2/x$ sur $0 < x < \infty$; sur $1 \leq x < \infty$.

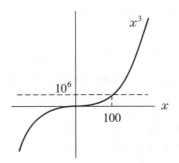

Figure A.7 : x^3 est-il borné ?

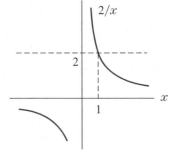

Figure A.8 : $2/x$ est-il borné ?

Solution   a)   Le graphe de x^3 à la figure A.7 montre que x^3 dépassera tout nombre, peu importe sa grandeur, si x est assez grand. Donc, x^3 n'a pas de majorant sur $-\infty < x < \infty$. Ainsi, x^3 n'est pas borné sur $-\infty < x < \infty$. Mais sur l'intervalle $0 \leq x \leq 100$, x^3 reste entre 0 (un minorant) et $100^3 = 1\ 000\ 000$ (un majorant). Par conséquent, x^3 est borné sur l'intervalle $0 \leq x \leq 100$. À noter que les majorants et les minorants, lorsqu'ils existent, ne sont pas uniques. Par exemple, -100 est un autre minorant et 2 000 000 un autre majorant pour x^3 sur $0 \leq x \leq 100$.

b) $2/x$ n'est pas borné sur $0 < x < \infty$, puisqu'il n'a pas de majorant sur cet intervalle. Toutefois, $0 \leq 2/x \leq 2$ pour $1 \leq x < \infty$. Donc, $2/x$ est borné, avec un minorant 0 et un majorant 2, sur $1 \leq x < \infty$ (voir la figure A.8).

Les meilleures bornes possible

On considère un groupe de personnes dont la taille h (en pieds) varie entre 5 et 6 pi. On suppose que 5 pi est un minorant pour les personnes de ce groupe et que 6 pi est un majorant :

$$5 \leq h \leq 6.$$

Toutefois, certaines personnes de ce groupe mesurent aussi entre 4 et 7 pi. Donc, il est également vrai que

$$4 \leq h \leq 7.$$

Par conséquent, il y a plusieurs minorants et plusieurs majorants. Cependant, le 5 et le 6 sont considérés comme les meilleures bornes possible parce qu'elles sont le plus proche ensemble de toutes les paires de bornes possibles.

Les **meilleures bornes possible** d'une fonction f sur un intervalle sont les nombres A et B, tels que pour tout x sur l'intervalle

$$A \leq f(x) \leq B$$

et où A et B sont aussi près l'un de l'autre que possible. A est appelé l'**infimum** et B le **supremum**.

Que signifient les bornes du point de vue graphique ?

On peut représenter les majorants et les minorants sur un graphe au moyen de droites horizontales (voir la figure A.9).

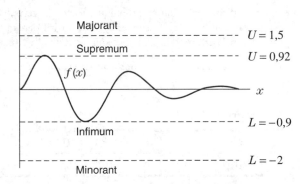

Figure A.9 : Majorants et minorants pour la fonction f

Problèmes de l'annexe A

1. Utilisez le graphe de $f(x) = 13 - 20x - x^2 - 3x^4$ tracé à l'aide d'une calculatrice ou d'un ordinateur graphique pour déterminer :

   a) l'image de cette fonction.
   b) le nombre de zéros de cette fonction.

Pour les problèmes 2 à 12, déterminez les racines ou les points d'intersection à une précision de une décimale exacte.

2. a) La racine de $x^3 - 3x + 1 = 0$ entre 0 et 1.
    b) La racine de $x^3 - 3x + 1 = 0$ entre 1 et 2.
    c) La plus petite racine de $x^3 - 3x + 1 = 0$.

3. La racine de $x^4 - 5x^3 + 2x - 5 = 0$ entre -2 et -1.

4. La racine de $x^5 + x^2 - 9x - 3 = 0$ entre -2 et -1.

5. La plus grande racine réelle de $2x^3 - 4x^2 - 3x + 1 = 0$.

6. Toutes les racines réelles de $x^4 - x - 2 = 0$.

7. Toutes les racines réelles de $x^5 - 2x^2 + 4 = 0$.

8. La plus petite racine positive de $x \sin x - \cos x = 0$.

9. Le point d'intersection le plus à gauche entre $y = 2x$ et $y = \cos x$.

10. Le point d'intersection le plus à gauche entre $y = 1/2^x$ et $y = \sin x$.

11. Le point d'intersection entre $y = e^{-x}$ et $y = \ln x$.

12. Toutes les racines de $\cos t = t^2$.

13. Estimez tous les zéros réels des polynômes suivants, avec deux décimales exactes.

    a) $f(x) = x^3 - 2x^2 - x + 3$
    b) $f(x) = x^3 - x^2 - 2x + 2$

14. Trouvez le plus grand zéro de

$$f(x) = 10xe^{-x} - 1$$

à deux décimales près, en utilisant la méthode de la bissection. Assurez-vous de démontrer que votre approximation est bonne.

15. a) Trouvez la plus petite valeur positive de x, où les graphes de $f(x) = \sin x$ et de $g(x) = 2^{-x}$ se croisent.
    b) Reprenez la partie a) avec $f(x) = \sin 2x$ et $g(x) = 2^{-x}$.

16. À l'aide d'une calculatrice graphique, tracez le graphe de $y = 2 \cos x$ et de $y = x^3 + x^2 + 1$ sur le même ensemble d'axes. Trouvez le zéro positif de $f(x) = 2 \cos x - x^3 - x^2 - 1$. Votre ami affirme qu'il y a un zéro réel de plus. Cet ami a-t-il raison ? Justifiez votre réponse.

17. Utilisez la table ci-dessous pour trouver les zéros de la fonction

$$f(\theta) = (\sin 3\theta)(\cos 4\theta) + 0{,}8$$

sur l'intervalle $0 \leq \theta \leq 1{,}8$.

θ	0	0,2	0,4	0,6	0,8	1,0	1,2	1,4	1,6	1,8
$f(\theta)$	0,80	1,19	0,77	0,08	0,13	0,71	0,76	0,12	−0,19	0,33

a) Déterminez le nombre de zéros que contient la fonction sur l'intervalle $0 \leq \theta \leq 1{,}8$.
b) Localisez chaque zéro ou un petit intervalle contenant chaque zéro.
c) Êtes-vous sûr d'avoir trouvé tous les zéros sur l'intervalle $0 \leq \theta \leq 1{,}8$? Tracez le graphe de la fonction à l'aide d'une calculatrice ou d'un ordinateur pour vous en assurer.

18. a) Utilisez le tableau A.3 pour localiser la ou les solutions de

$$(\sin 3x)(\cos 4x) = \frac{x^3}{\pi^3}$$

sur l'intervalle $1,07 \le x \le 1,15$. Donnez un intervalle de longueur 0,01 sur lequel se trouve chaque solution.

b) Faites une estimation pour chaque solution avec deux décimales exactes.

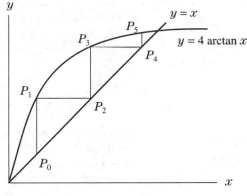

TABLEAU A.3

x	x^3/π^3	$(\sin 3x)(\cos 4x)$
1,07	0,0395	0,0286
1,08	0,0406	0,0376
1,09	0,0418	0,0442
1,10	0,0429	0,0485
1,11	0,0441	0,0504
1,12	0,0453	0,0499
1,13	0,0465	0,0470
1,14	0,0478	0,0417
1,15	0,0491	0,0340

Figure A.10

19. a) À l'aide d'une calculatrice en mode radian, prenez l'arctangente de 1 et multipliez ce nombre par 4. Puis, prenez l'arctangente du résultat et multipliez-le par 4. Répétez ce processus environ 10 fois et notez chaque résultat dans le tableau suivant. À chaque étape, vous obtenez 4 fois l'arctangente du résultat de l'étape précédente.

1
3,141 59...
5,050 50...
5,501 29...
⋮

b) Votre tableau permet de trouver une solution pour l'équation

$$4 \arctan x = x.$$

Pourquoi ? Quelle est cette solution ?

c) Quel lien existe-t-il entre le tableau de la partie a) et la figure A.10 ?
[Conseil : Les coordonnées de P_0 sont $(1, 1)$. Trouvez les coordonnées de $P_1, P_2, P_3, \ldots$]

d) À la partie a), que se produit-il si vous commencez avec un point de départ de 10 ? de -10 ? Quels types de comportement observez-vous ? (Pour quels points de départ la suite augmente-t-elle et pour lesquels diminue-t-elle ? La suite s'approche-t-elle d'une limite ?) Expliquez graphiquement vos réponses, comme à la partie c).

20. En utilisant des radians, appliquez la méthode d'itération du problème 19 à l'équation

$$\cos x = x.$$

Représentez graphiquement vos résultats, comme à la figure A.10.

Pour les problèmes 21 à 23, tracez un graphe pour déterminer si la fonction est bornée sur l'intervalle donné. Déterminez les meilleurs minorants et majorants possible pour toute fonction qui est bornée.

21. $f(x) = 4x - x^2$ sur $[-1, 4]$

22. $h(\theta) = 5 + 3 \sin \theta$ sur $[-2\pi, 2\pi]$

23. $f(t) = \dfrac{\sin t}{t^2}$ sur $[-10, 10]$

ANNEXE B L'INTÉRÊT COMPOSÉ

Si on dispose d'une somme d'argent, on pourrait décider de l'investir pour toucher des intérêts. Ceux-ci pourraient être versés de différentes manières, par exemple une ou plusieurs fois par année. S'ils sont versés plus d'une fois par année et s'ils ne sont pas dépensés, l'investisseur en tire profit, car ces intérêts lui permettent d'accumuler des intérêts supplémentaires. C'est ce qu'on appelle la *capitalisation*. On a sans doute remarqué que des banques offrent des comptes qui diffèrent sur le plan des taux d'intérêt et des méthodes de capitalisation. Plusieurs proposent un intérêt composé annuellement, alors que d'autres proposent un taux d'intérêt composé trimestriellement et d'autres encore, un taux d'intérêt composé quotidiennement. Certaines banques offrent même la capitalisation continue.

Quelle est la différence entre un compte bancaire offrant 8 % d'intérêt composé annuellement (une fois par année) et 8 % d'intérêt composé trimestriellement (quatre fois par année) ? Dans les deux cas, 8 % est un taux d'intérêt annuel. L'expression 8 % d'intérêt *composé annuellement* signifie que, à la fin de chaque année, on ajoute 8 % au solde courant de votre compte, comme si on multipliait le solde courant par 1,08. Ainsi, si on dépose 100 $, le solde B (en dollars) s'élèvera à

$$B = 100(1,08) \qquad \text{après un an,}$$

$$B = 100(1,08)^2 \qquad \text{après deux ans,}$$

$$B = 100(1,08)^t \qquad \text{après } t \text{ années.}$$

L'expression 8 % d'intérêt *composé trimestriellement* signifie qu'on touche de l'intérêt quatre fois par année (tous les trois mois) et qu'on ajoute chaque fois $\frac{8}{4}$ % = 2 % du solde courant. Ainsi, si on dépose 100 $, un an plus tard, quatre capitalisations seront calculées et le compte contiendra 100 \$$(1,02)^4$. Par conséquent, le solde atteindra

$$B = 100(1,02)^4 \qquad \text{après un an,}$$

$$B = 100(1,02)^8 \qquad \text{après deux ans,}$$

$$B = 100(1,02)^{4t} \qquad \text{après } t \text{ années.}$$

À noter que 8 % *n'est pas* le taux utilisé pour chaque période de trois mois ; le taux annuel est divisé en quatre versements de 2 %. Le calcul du solde total un an plus tard au moyen de chaque méthode présentée montre que

$$\text{Capitalisation annuelle : } B = 100(1,08) = 108,00,$$

$$\text{Capitalisation trimestrielle : } B = 100(1,02)^4 = 108,24.$$

Ainsi, la capitalisation trimestrielle permet de gagner plus d'argent, car l'intérêt produit de l'intérêt durant l'année. En général, plus l'intérêt est composé souvent, plus vous ferez de l'argent (bien que l'augmentation puisse ne pas être très importante).

On peut mesurer l'effet de la capitalisation en présentant la notion de *rendement annuel réel*. Si on place 100 $ à 8 % d'intérêt composé trimestriellement, on possèdera 108,24 $ un an plus tard. Dans ce cas, on dit que le *rendement annuel réel* correspond à 8,24 %. On dispose maintenant de deux taux d'intérêt pour décrire le même placement : le taux d'intérêt de 8 % composé annuellement et le rendement annuel réel de 8,24 %.

Les banques appellent le taux de 8 % le *taux de pourcentage annuel*. On peut également l'appeler le *taux nominal* (nominal signifie *qui se rapporte au nom*). Cependant, c'est le rendement réel qui indique exactement le montant d'intérêt que les placements permettent réellement de gagner. Par conséquent, pour comparer deux comptes bancaires, il suffit de comparer simplement les rendements annuels réels. La prochaine fois que vous irez à la banque, consultez la publicité, qui doit, en vertu de la loi, comporter le taux de pourcentage annuel (ou taux nominal) et le rendement annuel réel. On abrège souvent le *taux de pourcentage annuel* par *taux annuel*.

L'emploi du rendement annuel réel

Exemple 1   Quelle situation est préférable : la banque X versant un taux annuel de 7 % composé mensuellement ou la banque Y offrant un taux annuel de 6,9 % composé quotidiennement ?

Solution   On trouve le rendement annuel réel pour chacune des banques.

Banque X : Il y a 12 versements d'intérêt dans une année, chaque versement atteignant $0,07/12 = 0,005\ 833$ fois le solde courant. Si le dépôt initial s'élève à 100 $, alors le solde B sera de

$$B = 100(1,005\ 833) \qquad \text{un mois plus tard,}$$
$$B = 100(1,005\ 833)^2 \qquad \text{deux mois plus tard,}$$
$$B = 100(1,005\ 833)^t \qquad t \text{ mois plus tard.}$$

Pour trouver le rendement annuel réel, on calcule pour une année (ou 12 mois), ce qui donne $B = 100(1,005\ 833)^{12} = 100(1,072\ 286)$. Donc, le rendement annuel réel $\approx 7,23$ %.

Banque Y : Il y a 365 versements d'intérêt dans une année (en supposant qu'il ne s'agisse pas d'une année bissextile), chacun se chiffrant à $0,069/365 = 0,000\ 189$ fois le solde courant. Alors, le solde est de

$$B = 100(1,000\ 189) \qquad \text{un jour plus tard,}$$
$$B = 100(1,000\ 189)^2 \qquad \text{deux jours plus tard,}$$
$$B = 100(1,000\ 189)^t \qquad t \text{ jours plus tard.}$$

Donc, à la fin d'une année, on multiplie le dépôt initial par

$$(1,000\ 189)^{365} = 1,071\ 413.$$

Ainsi, le rendement annuel réel pour la banque Y $\approx 7,14$ %.

En comparant les rendements annuels réels des banques, on constate que la banque X offre un placement légèrement supérieur.

Exemple 2   Si vous investissez 1000 $ dans chaque banque de l'exemple 1, trouvez une expression pour le solde dans chaque banque après t années.

Solution   Pour la banque X, le rendement annuel réel $\approx 7,23$ %. Donc, après t années, le solde (en dollars) s'élèvera à

$$B = 1000(1,0723)^t.$$

Pour la banque Y, le rendement annuel réel $\approx 7,14$ %. Donc, après t années le solde (en dollars) atteindra

$$B = 1000(1,0714)^t.$$

(De nouveau, on ne tient pas compte des années bissextiles.)

Si l'intérêt à un taux annuel de r est composé n fois par année, alors on ajoute r/n fois le solde courant n fois par année. Par conséquent, avec un dépôt initial de P $, le solde t années plus tard est

$$B = P\left(1 + \frac{r}{n}\right)^{nt}.$$

À noter que r est le taux nominal ; par exemple, $r = 0,05$ quand le taux annuel est de 5 %.

L'augmentation de la fréquence de la capitalisation : la capitalisation continue

Exemple 3   Trouvez le rendement annuel réel pour un taux d'intérêt annuel de 7 % composé

a)   1000 fois par année.   b)   10 000 fois par année.

Solution   a)

$$\left(1 + \frac{0,07}{1000}\right)^{1000} \approx 1,072\ 505\ 6,$$

ce qui donne un rendement annuel réel d'environ 7,250 56 %.

$$\left(1 + \frac{0,07}{10,000}\right)^{10,000} \approx 1,072\ 507\ 9,$$

ce qui donne un rendement annuel réel d'environ 7,250 79 %.

On peut voir qu'il n'y a pas beaucoup de différence entre une capitalisation qui est effectuée 1000 fois par année (environ trois fois par jour) et 10 000 fois par année (environ 30 fois par jour). Que se produit-il si on capitalise l'intérêt encore plus souvent ? toutes les minutes, par exemple ? On pourrait être surpris d'apprendre que le rendement annuel réel ne s'accroît pas indéfiniment, mais qu'il tend plutôt vers une valeur finie. Les avantages de l'augmentation de la fréquence de la capitalisation deviennent négligeables au-delà d'un certain point.

Par exemple, si on calcule le rendement annuel réel sur un placement de 7 % composé n fois par années pour des valeurs de n plus grandes que 100 000, on trouvera que

$$\left(1 + \frac{0,07}{n}\right)^{n} \approx 1,072\ 508\ 2.$$

Ainsi, le rendement annuel réel est d'environ 7,250 82 %. Même si on prend $n = 1\ 000\ 000$ ou $n = 10^{10}$, le rendement annuel réel ne variera pas de manière appréciable. La valeur 7,250 82 % est un majorant qu'on atteint quand la fréquence de la capitalisation augmente.

Lorsque le rendement annuel réel atteint ce majorant, on dit que l'intérêt est *composé continuellement*. (On utilise le terme *continuellement*, car le majorant est approché par une capitalisation de plus en plus fréquente.) Ainsi, lorsque la fréquence à laquelle un taux annuel nominal de 7 % est composé s'avère si importante que le rendement annuel réel atteint 7,250 82 %, on dit que le taux de 7 % est composé continuellement. Cela représente le montant maximal qu'on peut obtenir d'un taux nominal de 7 %.

Où le nombre *e* s'insère-t-il ?

Il s'avère que le nombre e est intimement lié à une capitalisation continue. Pour comprendre, on utilise une calculatrice pour vérifier que $e^{0,07} \approx 1,072\ 508\ 2$, ce qui représente le même montant qu'on a obtenu lorsqu'on a composé le taux de 7 % un grand nombre de fois. On a donc découvert que pour un très grand n,

$$\left(1 + \frac{0,07}{n}\right)^{n} \approx e^{0,07}.$$

Quand n augmente, l'approximation devient de plus en plus précise et on écrit

$$\left(1 + \frac{0,07}{n}\right)^{n} \to e^{0,07},$$

ce qui signifie que quand n augmente, la valeur $(1 + 0,07/n)^{n}$ tend vers $e^{0,07}$.

Si on dépose P \$ à un taux annuel de 7 % composé continuellement, le solde B \$ sera donné par

$$B = P\,(1{,}072\ 508\ 2) = Pe^{0{,}07} \qquad \text{un an plus tard,}$$
$$B = P\,(1{,}072\ 508\ 2)^2 = P\left(e^{0{,}07}\right)^2 = Pe^{(0{,}07)2} \quad \text{deux ans plus tard,}$$
$$B = P\,(1{,}072\ 508\ 2)^t = P\left(e^{0{,}07}\right)^t = Pe^{0{,}07t} \quad t \text{ années plus tard.}$$

Si l'intérêt sur un dépôt initial de P \$ est composé continuellement à un taux annuel r, on peut calculer le solde t années plus tard en utilisant la formule

$$B = Pe^{rt}.$$

Une fois de plus, r est le taux nominal et, par exemple, $r = 0{,}05$ quand le taux annuel est de 5 %.

En résolvant le problème du taux d'intérêt composé, il est important de bien préciser s'il s'agit de taux d'intérêt nominal ou de taux à rendement réel et s'il s'agit d'une capitalisation continue ou non.

Exemple 4   Trouvez le rendement annuel réel d'un taux annuel de 6 %, composé continuellement.

Solution   En une année, un placement de P devient $Pe^{0{,}06}$. À l'aide d'une calculatrice, on apprend que

$$Pe^{0{,}06} = P\,(1{,}061\ 836\ 5).$$

Donc, le rendement annuel réel est d'environ 6,18 %.

Exemple 5   Supposez que vous voulez placer de l'argent dans un certificat de dépôt pour les études de votre enfant. Vous voulez que ce certificat vaille 120 000 \$ dans 10 ans. Combien devrez-vous placer d'argent si le certificat de dépôt produit de l'intérêt à un taux d'intérêt annuel de 9 % composé trimestriellement ? continuellement ?

Solution   On suppose qu'on place au départ P \$. Un taux d'intérêt annuel de 9 % composé trimestriellement a un rendement annuel réel donné par $(1 + 0{,}09/4)^4 = 1{,}093\ 083\ 3$ ou 9,308 33 %. Donc, après 10 années, on aura

$$P\,(1{,}093\ 083\ 3)^{10} = 120\ 000.$$

Ainsi, vous devriez investir

$$P = \frac{120\ 000}{(1{,}093\ 083\ 3)^{10}} = \frac{120\ 000}{2{,}435\ 188\ 5} = 49\ 277{,}50.$$

Par ailleurs, si le certificat de dépôt produit 9 % d'intérêt composé continuellement, après 10 années on aura

$$Pe^{(0{,}09)10} = 120\ 000.$$

Il faut donc placer

$$P = \frac{120\ 000}{e^{(0{,}09)10}} = \frac{120\ 000}{2{,}459\ 603\ 1} = 48\ 788{,}36.$$

À noter que pour atteindre le même résultat, la capitalisation continue exige un placement initial plus petit que la capitalisation trimestrielle. Il fallait s'y attendre puisque le rendement annuel réel est plus élevé pour la capitalisation continue que pour la capitalisation trimestrielle.

Problèmes de l'annexe B

1. Utilisez un graphe de $y = (1 + 0,07/x)^x$ pour trouver la valeur de $(1 + 0,07/x)^x$ quand $x \to \infty$. Confirmez que la valeur obtenue est de $e^{0,07}$.

2. Si vous déposez 10 000 $ dans un compte produisant de l'intérêt à un taux annuel de 8 % composé continuellement, combien d'argent se trouve dans le compte après cinq ans ?

3. a) Trouvez le rendement annuel réel d'un taux d'intérêt annuel de 5 % composé
   i) 1000 fois/année.   ii) 10 000 fois/année.   iii) 100 000 fois/année.
   b) Observez les réponses à la partie a) et déduisez le rendement annuel réel pour un taux annuel de 5 % composé continuellement.
   c) Calculez $e^{0,05}$. Comment cela confirme-t-il votre réponse à la partie b) ?

4. a) Trouvez $(1 + 0,04/n)^n$ pour $n = 10\,000$, 100 000 et 1 000 000. Utilisez les résultats pour déduire le rendement annuel réel d'un taux annuel de 4 % composé continuellement.
   b) Confirmez votre réponse en calculant $e^{0,04}$.

5. Utilisez le nombre e pour trouver le rendement annuel réel d'un taux annuel de 6 %, composé continuellement.

6. Un compte bancaire produit de l'intérêt à 6 % par année composé continuellement.
   a) Par quel pourcentage le solde a-t-il augmenté sur une période d'un an ? (Il s'agit du rendement annuel réel.)
   b) Combien de temps sera-t-il nécessaire pour que le solde double ?
   c) En supposant maintenant que le taux d'intérêt est de r, trouvez une formule qui donne le temps de doublement en fonction du taux d'intérêt.

7. Supposez que vous investissez 1000 $ à un taux d'intérêt annuel de 6 % composé continuellement.
   a) Combien de temps sera-t-il nécessaire pour que le placement double ?
   b) Utilisez votre réponse à la partie a) pour exprimer la valeur du placement après t années en fonction d'une fonction exponentielle en base 2.

8. Quel est le rendement annuel réel d'un placement produisant un taux annuel de 12 %, composé continuellement ?

9. a) La Banque Commerciale Congolaise verse un taux d'intérêt nominal de 100 % sur les dépôts, composé mensuellement. Vous placez 1 million de zaïres (le zaïre est l'unité monétaire de la République démocratique du Congo.) Combien d'argent aurez-vous un an plus tard ?
   b) Combien d'argent aurez-vous un an plus tard si vous placez 1 million de zaïres à un taux d'intérêt composé quotidiennement ? toutes les heures ? toutes les minutes ?
   c) Ce montant augmente-t-il sans borne quand l'intérêt est composé de plus en plus souvent ou finit-il par se stabiliser ? S'il se stabilise, donnez une estimation précise à la hausse du total un an plus tard.

10. Expliquez la manière dont vous pouvez faire concorder les taux d'intérêt a) à e) aux rendements annuels réels I) à V) sans faire de calcul.

a)	Taux annuel de 5,5 %, composé continuellement.	I)	5 %
b)	Taux annuel de 5,5 %, composé trimestriellement	II)	5,06 %
c)	Taux annuel de 5,5 %, composé hebdomadairement.	III)	5,61 %
d)	Taux annuel de 5 %, composé annuellement.	IV)	5,651 %
e)	Taux annuel de 5 %, composé deux fois par année.	V)	5,654 %

11. Lorsque vous louez un logement, vous devez parfois remettre au propriétaire un dépôt de garantie qui vous est rendu si vous quittez le logement sans l'avoir endommagé. Au Massachusetts, le propriétaire doit verser au locataire un intérêt sur ce dépôt une fois par année, à un taux annuel de 5 %, composé annuellement. Le propriétaire, toutefois, peut placer cet argent à un taux d'intérêt plus élevé (ou plus bas). Supposez que le propriétaire place le dépôt de 1000 $ à un taux annuel de :
    a) 6 %, composé continuellement.   b) 4 %, composé continuellement.
    Dans chaque cas, déterminez le gain ou la perte nette du propriétaire à la fin de la première année. (Donnez votre réponse au cent près.)

ANNEXE C   LES COORDONNÉES POLAIRES

On peut désigner un point P ayant les coordonnées cartésiennes (x, y) par ses *coordonnées polaires*, r et θ. Le nombre r correspond à la distance entre P et l'origine, et θ est l'angle entre l'axe des x positifs et la droite reliant P à l'origine (avec la convention que le sens contraire des aiguilles d'une montre est positif). La figure C.11 montre le lien qui existe entre les coordonnées cartésiennes et polaires.

Relation entre les coordonnées cartésiennes et polaires

$$x = r \cos \theta \qquad\qquad r = \sqrt{x^2 + y^2}$$

$$y = r \sin \theta \qquad\qquad \tan \theta = \frac{y}{x}$$

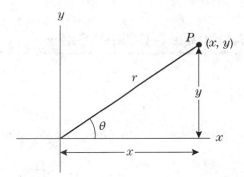

Figure C.11 : Coordonnées cartésiennes et polaires

Exemple 1   Convertissez le point $(x, y) = (-3, 4)$ en coordonnées polaires.

Solution   La formule pour r donne

$$r = \sqrt{x^2 + y^2} = \sqrt{(-3)^2 + 4^2} = 5.$$

La formule comprenant l'angle θ est

$$\tan \theta = \frac{y}{x} = -\frac{4}{3}.$$

Cela signifie que $\theta = \arctan(-4/3) \approx -0{,}927$ ou $\theta = \arctan(-4/3) + \pi \approx 2{,}21$. Puisque le point se trouve dans le deuxième quadrant, on choisit $\theta \approx 2{,}21$.

Problèmes de l'annexe C

Pour les problèmes 1 à 7, donnez les coordonnées cartésiennes des points ayant les coordonnées polaires (r, θ) ci-après. Les angles sont mesurés en radians.

1. $(1, 0)$ 2. $(0, 1)$ 3. $(2, \pi)$ 4. $(\sqrt{2}, 5\pi/4)$

5. $(5, -\pi/6)$ 6. $(3, \pi/2)$ 7. $(1, 1)$

Pour les problèmes 8 à 15, donnez les coordonnées polaires des points ayant les coordonnées cartésiennes ci-après. Choisissez $0 \leq \theta < 2\pi$.

8. $(1, 0)$ 9. $(0, 2)$ 10. $(1, 1)$ 11. $(-1, 1)$

12. $(-3, -3)$ 13. $(0{,}2, -0{,}2)$ 14. $(3, 4)$ 15. $(-3, 1)$

Pour les problèmes 16 à 21, tracez le graphe de la fonction $r = g(\theta)$ sur le plan xy en utilisant une calculatrice. Expliquez en quoi les équations sont reliées aux formes des graphes obtenus.

16. $r = 1$ 17. $\theta = \dfrac{\pi}{3}$ 18. $r = \dfrac{\theta}{10}$

19. $r = \dfrac{2}{\cos \theta}$ 20. $r = 2\cos \theta$ 21. $r = \dfrac{\sin \theta}{\cos^2 \theta}$

22. Vous pouvez représenter tous les points sur le plan par une paire donnée de coordonnées polaires, mais les coordonnées polaires (r, θ) sont-elles uniquement déterminées par les coordonnées cartésiennes (x, y) ? Autrement dit, pour chaque paire de coordonnées cartésiennes, y a-t-il uniquement une paire de coordonnées polaires pour ce point ? Justifiez votre réponse.

ANNEXE D   LES NOMBRES COMPLEXES

L'équation quadratique

$$x^2 - 2x + 2 = 0$$

n'est pas satisfaite par un nombre réel x. Si on tente d'appliquer la formule quadratique, on obtient

$$x = \frac{2 \pm \sqrt{4 - 8}}{2} = 1 \pm \frac{\sqrt{-4}}{2}.$$

Apparemment, on doit prendre une racine carrée de -4. Cependant, -4 n'a pas de racine carrée, du moins pas une racine carrée qui est un nombre réel. On va donc lui donner une racine carrée.

Soit le nombre imaginaire i, un nombre tel que

$$i^2 = -1.$$

En utilisant ce i, on voit que $(2i)^2 = -4$. Donc,

$$x = 1 \pm \frac{\sqrt{-4}}{2} = 1 \pm \frac{2i}{2} = 1 \pm i.$$

On peut ainsi résoudre l'équation quadratique. Les nombres $1 + i$ et $1 - i$ sont des exemples de nombres complexes.

Un **nombre complexe** se définit comme tout nombre qu'on peut écrire sous la forme

$$z = a + bi,$$

où a et b sont des nombres réels et $i = \sqrt{-1}$.
La *partie réelle* de z est le nombre a ; la *partie imaginaire* est le nombre b.

En qualifiant le nombre i d'imaginaire, on a l'impression que i n'existe pas de la même manière que les nombres réels. Dans certains cas, il est utile de faire de telles distinctions entre des nombres réels et imaginaires. Par exemple, si on mesure la masse ou la position, on veut que la réponse soit donnée avec des nombres réels. Cependant, les nombres imaginaires sont tout aussi légitimes sur le plan mathématique que les nombres réels.

Par analogie, on considère la distinction entre les nombres positifs et négatifs. Au départ, on considérait les nombres uniquement comme des outils avec lesquels on pouvait compter ; la manière de concevoir le 5 ou le 10 ne différait pas beaucoup de celle de percevoir 5 flèches ou 10 cailloux. On ne savait pas que les nombres négatifs existaient. Lorsqu'on a introduit les nombres négatifs, on les considérait uniquement comme des moyens pratiques pour résoudre les équations telle $x + 2 = 1$. On les considérait comme des *non-nombres* ou, en latin, comme des *nombres négatifs*. Ainsi, même quand on a commencé à utiliser des nombres négatifs, on ne les considérait pas de la même manière que les nombres positifs. À l'époque, le mathématicien raisonnait ainsi : le nombre 5 existe, car je peux tenir 5 pièces de monnaie dans la main. Mais comment puis-je tenir −5 pièces de monnaie dans la main ? Aujourd'hui, on connaît la réponse : « j'ai −5 pièces de monnaie » signifie que je dois 5 pièces de monnaie à quelqu'un. On s'est rendu compte que les nombres négatifs sont tout aussi réels que les nombres positifs et que, dans certains cas, les nombres négatifs peuvent avoir une signification concrète, même s'ils ne permettent pas de mesurer des longueurs ou de tenir compte des résultats d'une partie de base-ball. Comme on le verra, les nombres complexes peuvent également avoir une signification physique. Par exemple, les nombres complexes sont utilisés pour étudier le mouvement des ondes dans les circuits électriques.

L'algèbre des nombres complexes

Les nombres tels que 0, 1, $\frac{1}{2}$, π et $\sqrt{2}$ s'appellent des nombres *purement réels*, car ils ne contiennent aucune composante imaginaire. Les nombres tels que i, $2i$ et $\sqrt{2}i$ s'appellent des nombres *purement imaginaires*, car ils ne contiennent que le nombre i multiplié par un coefficient réel non nul.

Deux nombres complexes s'appellent des *conjugués* si leurs parties réelles sont égales et si leurs parties imaginaires sont des opposés. Le conjugué complexe du nombre complexe $z = a + bi$ est noté $\overline{z}$ (prononcé « z barre »). Donc, on a

$$\overline{z} = a - bi.$$

(À noter que z est réel si et seulement si $z = \overline{z}$.) Des conjugués complexes ont la remarquable propriété suivante : si $f(x)$ est un quelconque polynôme ayant des coefficients réels ($x^3 + 1$, par exemple) et $f(z) = 0$, alors $f(\overline{z}) = 0$. Cela signifie que si z est une solution à une équation polynomiale avec des coefficients réels, alors $\overline{z}$ l'est également.

- L'ajout de deux nombres complexes se fait en ajoutant des parties réelles et imaginaires séparément :

$$(a + bi) + (c + di) = (a + c) + (b + d)i.$$

- La soustraction est similaire :

$$(a + bi) - (c + di) = (a - c) + (b - d)i.$$

- La multiplication fonctionne tout comme pour les polynômes ; on utilise $i^2 = -1$:

$$(a + bi)(c + di) = a(c + di) + bi(c + di)$$
$$= ac + adi + bci + bdi^2$$
$$= ac + adi + bci - bd = (ac - bd) + (ad + bc)i.$$

- Les puissances de i : on sait que $i^2 = -1$; alors $i^3 = i \cdot i^2 = -i$ et $i^4 = (i^2)^2 = (-1)^2 = 1$. Alors $i^5 = i \cdot i^4 = i$, et ainsi de suite. Par conséquent, on a

$$(bi)^n = b^n i^n = \begin{cases} b^n i & \text{pour } n = 1, 5, 9, 13, \ldots \\ -b^n & \text{pour } n = 2, 6, 10, 14, \ldots \\ -b^n i & \text{pour } n = 3, 7, 11, 15, \ldots \\ b^n & \text{pour } n = 4, 8, 12, 16, \ldots \end{cases}$$

- Le produit d'un nombre et de son conjugué est toujours réel et non négatif :

$$z \cdot \overline{z} = (a + bi)(a - bi) = a^2 - abi + abi - b^2 i^2 = a^2 + b^2.$$

- La division s'effectue en multipliant le dénominateur par son conjugué, ce qui rend donc le dénominateur réel :

$$\frac{a + bi}{c + di} = \frac{a + bi}{c + di} \cdot \frac{c - di}{c - di} = \frac{ac - adi + bci - bdi^2}{c^2 + d^2} = \frac{ac + bd}{c^2 + d^2} + \frac{bc - ad}{c^2 + d^2} i.$$

Exemple 1   Calculez $(2 + 7i)(4 - 6i) - i$.

Solution   On a $(2 + 7i)(4 - 6i) - i = 8 + 28i - 12i - 42i^2 - i = 8 + 15i + 42 = 50 + 15i$.

Exemple 2   Calculez $\dfrac{2 + 7i}{4 - 6i}$.

Solution   On a $\dfrac{2 + 7i}{4 - 6i} = \dfrac{2 + 7i}{4 - 6i} \cdot \dfrac{4 + 6i}{4 + 6i} = \dfrac{8 + 12i + 28i + 42i^2}{4^2 + 6^2} = \dfrac{-34 + 40i}{52} = \dfrac{-17}{26} + \dfrac{10}{13}i$.

Le plan complexe et les coordonnées polaires

Souvent, il est utile de visualiser un nombre complexe $z = x + iy$ sur le plan, avec x le long de l'axe horizontal et y le long de l'axe vertical. Le plan xy s'appelle alors le *plan complexe*. La figure D.12 montre les nombres complexes $-2i$, $1 + i$ et $-2 + 3i$.

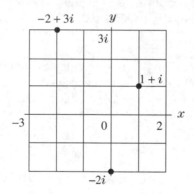

Figure D.12 : Points dans le plan complexe

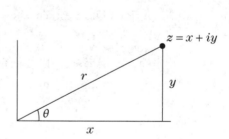

Figure D.13 : Le point $z = x + iy$ dans le plan complexe, qui montre les coordonnées polaires

Le triangle à la figure D.13 montre qu'un nombre complexe peut s'écrire en utilisant des coordonnées polaires comme suit :

$$z = x + iy = r \cos \theta + ir \sin \theta.$$

Exemple 3   Exprimez $z = -2i$ et $z = -2 + 3i$ en utilisant des coordonnées polaires (voir la figure D.12).

Solution   Pour $z = -2i$, la distance de z à partir de l'origine est 2, donc $r = 2$. De plus, une valeur pour θ est $\theta = 3\pi/2$. À l'aide de coordonnées polaires, $-2i = 2 \cos(3\pi/2) + i2(\sin 3\pi/2)$.

Pour $z = -2 + 3i$, on a $x = -2$, $y = 3$. Donc, $r = \sqrt{(-2)^2 + 3^2} \approx 3{,}61$ et l'une des solutions de $\tan \theta = 3/(-2)$ est $\theta \approx 2{,}16$. Par conséquent, $-2 + 3i \approx 3{,}61 \cos(2{,}16) + i\,3{,}61 \sin(2{,}16)$.

Exemple 4   Considérez le point ayant les coordonnées polaires $r = 5$ et $\theta = 3\pi/4$. Quel nombre complexe ce point représente-t-il ?

Solution   Puisque $x = r \cos \theta$ et $y = r \sin \theta$, on voit que $x = 5 \cos 3\pi/4 = -5/\sqrt{2}$ et $y = 5 \sin 3\pi/4 = 5/\sqrt{2}$, donc $z = -5/\sqrt{2} + i\,5/\sqrt{2}$.

La formule d'Euler

On considère le nombre complexe z qui repose sur le cercle unité de la figure D.14. En écrivant z en coordonnées polaires et en se basant sur le fait que $r = 1$, on a

$$z = f(\theta) = \cos \theta + i \sin \theta.$$

Il existe une manière particulièrement jolie et compacte de réécrire $f(\theta)$ en utilisant des exponentielles complexes. On prend la dérivée de f, en traitant i comme toute autre constante mais en considérant le fait que $i^2 = -1$:

$$f'(\theta) = -\sin \theta + i \cos \theta = i \cos \theta + i^2 \sin \theta.$$

La factorisation de i donne

$$f'(\theta) = i(\cos \theta + i \sin \theta) = i \cdot f(\theta).$$

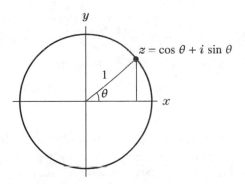

Figure D.14 : Nombre complexe représenté par un point sur le cercle unité

La seule fonction à valeur réelle dont la dérivée est proportionnelle à la fonction elle-même est la fonction exponentielle. En d'autres mots, on sait que si

$$g'(x) = k \cdot g(x), \quad \text{alors } g(x) = Ce^{kx}$$

pour une constante C. Si on suppose qu'un résultat semblable s'applique aux fonctions à valeurs complexes, alors on a

$$f'(\theta) = i \cdot f(\theta), \quad \text{alors } f(\theta) = Ce^{i\theta}$$

pour une constante C. Pour trouver C, on substitue $\theta = 0$. À présent, $f(0) = Ce^{i \cdot 0} = C$, et puisque $f(0) = \cos 0 + i \sin 0 = 1$, on doit avoir $C = 1$. Par conséquent, $f(\theta) = e^{i\theta}$. Ainsi, on obtient la *formule d'Euler* :

$$\boxed{e^{i\theta} = \cos \theta + i \sin \theta}$$

Cette relation élégante et surprenante a été découverte par le mathématicien suisse Leonhard Euler au 18e siècle. Elle est particulièrement utile lorsqu'il s'agit de résoudre les équations différentielles de second ordre. Le problème 16, à la fin du chapitre 9, présente une autre dérivation de la formule d'Euler (où sont utilisées les séries de Taylor). La formule d'Euler permet d'écrire le nombre complexe représenté par le point avec des coordonnées polaires (r, θ) sous la forme suivante :

$$z = r(\cos \theta + i \sin \theta) = re^{i\theta}.$$

De même, puisque $\cos(-\theta) = \cos \theta$ et $\sin(-\theta) = -\sin \theta$, on a

$$re^{-i\theta} = r\left(\cos(-\theta) + i \sin(-\theta)\right) = r\left(\cos \theta - i \sin \theta\right).$$

Exemple 5   Évaluez $e^{i\pi}$.

   Solution   On utilise la formule d'Euler, $e^{i\pi} = \cos \pi + i \sin \pi = -1$.

Exemple 6   Exprimez le nombre complexe représenté par le point $r = 8$, $\theta = 3\pi/4$ sous forme cartésienne et sous forme polaire, $z = re^{i\theta}$.

   Solution   On emploie des coordonnées cartésiennes ; le nombre complexe est alors

$$z = 8 \left(\cos\left(\frac{3\pi}{4}\right) + i \sin\left(\frac{3\pi}{4}\right)\right) = \frac{-8}{\sqrt{2}} + i\frac{8}{\sqrt{2}}.$$

En utilisant les coordonnées polaires, on a

$$z = 8 e^{i\,3\pi/4}.$$

Parmi ses multiples avantages, la forme polaire des nombres complexes rend la recherche des puissances et des racines des nombres complexes beaucoup plus facile. En utilisant la forme polaire $z = re^{i\theta}$ pour un nombre complexe, on peut trouver toute puissance de z comme suit :

$$z^p = (re^{i\theta})^p = r^p e^{ip\theta}.$$

Pour trouver les racines, si p est une fraction, on procède comme dans l'exemple 7.

Exemple 7   Trouvez une racine cubique du nombre complexe représenté par le point avec les coordonnées polaires $(8, 3\pi/4)$.

   Solution   À l'exemple 6, on a vu que ce nombre complexe pouvait s'écrire $z = 8e^{i\,3\pi/4}$. Donc,

$$\sqrt[3]{z} = \left(8 e^{i\,3\pi/4}\right)^{1/3} = 8^{1/3} e^{i(3\pi/4)\cdot(1/3)} = 2e^{\pi i/4} = 2\left(\cos(\pi/4) + i \sin(\pi/4)\right).$$

$$= 2\left(1/\sqrt{2} + i/\sqrt{2}\right) = \sqrt{2}(1 + i).$$

Problèmes de l'annexe D

Pour les problèmes 1 à 8, exprimez le nombre complexe donné sous forme polaire, $z = re^{i\theta}$.

1. $2i$ 2. -5 3. $1 + i$ 4. $-3 - 4i$

5. 0 6. $-i$ 7. $-1 + 3i$ 8. $5 - 12i$

Pour les problèmes 9 à 18, effectuez les calculs indiqués. Donnez votre réponse sous forme cartésienne, $z = x + iy$.

9. $(2 + 3i) + (-5 - 7i)$ 10. $(2 + 3i)(5 + 7i)$

11. $(2 + 3i)^2$ 12. $(1 + i)^2 + (1 + i)$

13. $(0{,}5 - i)(1 - i/4)$ 14. $(2i)^3 - (2i)^2 + 2i - 1$

15. $(e^{i\pi/3})^2$ 16. $\sqrt{e^{i\pi/3}}$

17. $(5e^{i\pi 7/6})^3$ 18. $\sqrt[4]{10e^{i\pi/2}}$

En écrivant les nombres complexes sous forme polaire, $z = re^{i\theta}$, trouvez une valeur pour les quantités des problèmes 19 à 28. Donnez votre réponse sous forme cartésienne, $z = x + iy$.

19. $\sqrt{i}$ 20. $\sqrt{-i}$ 21. $\sqrt[3]{i}$ 22. $\sqrt{7i}$

23. $(1 + i)^{100}$ 24. $(1 + i)^{2/3}$ 25. $(-4 + 4i)^{2/3}$ 26. $(\sqrt{3} + i)^{1/2}$

27. $(\sqrt{3} + i)^{-1/2}$ 28. $(\sqrt{5} + 2i)^{\sqrt{2}}$

Résolvez les équations simultanées pour les problèmes 29 à 30 pour A_1 et A_2.

29. $A_1 + A_2 = 2$
$(1 - i)A_1 + (1 + i)A_2 = 3$

30. $A_1 + A_2 = 2$
$(i - 1)A_1 + (1 + i)A_2 = 0$

31. Soit $z_1 = -3 - i\sqrt{3}$ et $z_2 = -1 + i\sqrt{3}$.

a) Trouvez $z_1 z_2$ et z_1/z_2. Donnez votre réponse sous forme cartésienne, $z = x + iy$.
b) Mettez z_1 et z_2 sous forme polaire, $z = re^{i\theta}$. Trouvez $z_1 z_2$ et z_1/z_2 en utilisant la forme polaire et vérifiez si vous obtenez la même réponse que dans la partie a).

32. Si les racines de l'équation $x^2 + 2bx + c = 0$ sont des nombres complexes $p \pm iq$, trouvez les expressions pour p et q en fonction de b et de c.

Les énoncés des problèmes 33 à 38 sont-ils vrais ou faux ? Justifiez votre réponse.

33. Chaque nombre réel non négatif a une racine carrée réelle.

34. Pour tout nombre complexe z, le produit $z \cdot \overline{z}$ est un nombre réel.

35. Le carré de tout nombre complexe est un nombre réel.

36. Si f est un polynôme et $f(z) = i$, alors $f(\overline{z}) = i$.

37. Tout nombre complexe non nul z peut s'écrire sous la forme $z = e^w$, où w est un autre nombre complexe.

38. Si $z = x + iy$, où x et y sont positifs, alors $z^2 = a + ib$ a un a et un b positifs.

Pour les problèmes 39 à 43, utilisez la formule d'Euler pour dériver les relations suivantes. (Notez que si a, b, c et d sont des nombres réels, $a + bi = c + di$ signifie que $a = c$ et $b = d$.)

39. $\sin^2 \theta + \cos^2 \theta = 1$ 40. $\sin 2\theta = 2 \sin \theta \cos \theta$ 41. $\cos 2\theta = \cos^2 \theta - \sin^2 \theta$

42. $\dfrac{d}{d\theta} \sin \theta = \cos \theta$ 43. $\dfrac{d^2}{d\theta^2} \cos \theta = -\cos \theta$

ANNEXE E   LA MÉTHODE DE NEWTON

Bon nombre de problèmes mathématiques consistent à rechercher la racine d'une équation. Par exemple, il pourrait être nécessaire de repérer les zéros d'un polynôme ou de déterminer le point d'intersection des deux courbes. Ici on analysera une méthode numérique qui permet de calculer l'approximation des solutions qu'on ne peut calculer avec exactitude.

L'une de ces méthodes, la bissection, est décrite à l'annexe A. Bien qu'elle soit très simple, la méthode de bissection présente deux gros désavantages. Tout d'abord, elle ne peut repérer une racine où la courbe est tangente à l'axe des x mais ne le croise pas. Deuxièmement, elle est plutôt lente dans le sens qu'elle exige un nombre considérable d'itérations pour atteindre le niveau de précision souhaité. Bien que la vitesse puisse ne pas être importante pour résoudre une équation simple, un problème pratique peut exiger la résolution de milliers d'équations lorsqu'un paramètre varie. Dans un tel cas, toute réduction du nombre d'étapes peut être importante.

L'emploi de la méthode de Newton

On considère maintenant une méthode puissante de recherche de racine mise au point par Newton. On suppose qu'on a une fonction $y = f(x)$. L'équation $f(x) = 0$ a une racine en $x = r$, comme le montre la figure E.15. On commence par faire une estimation initiale x_0 pour cette racine. (Il peut s'agir d'une supposition.). Pour obtenir une meilleure estimation x_1, on construit la droite tangente au graphe de f au point $x = x_0$ et on le prolonge jusqu'à ce qu'il croise l'axe des x (voir figure E.15). Le point où il croise l'axe est normalement beaucoup plus près de r et on utilise ce point comme prochaine estimation x_1. En ayant trouvé x_1, on répète maintenant le processus en commençant par x_1 plutôt que par x_0. On construit la droite tangente à la courbe en $x = x_1$ et on la prolonge jusqu'à ce qu'elle croise l'axe des x. On utilise ensuite cette intersection avec l'axe des x comme l'approximation suivante, soit x_2, et ainsi de suite. Normalement, la suite résultante d'intersections avec l'axe des x converge rapidement vers la racine r.

On considère maintenant ce résultat de manière algébrique. On sait que la pente de la droite tangente, selon l'estimation initiale x_0, est $f'(x_0)$. Donc, l'équation de la droite tangente est

$$y - f(x_0) = f'(x_0)(x - x_0).$$

Au point où cette droite tangente croise l'axe des x, on a $y = 0$ et $x = x_1$, de telle sorte que

$$0 - f(x_0) = f'(x_0)(x_1 - x_0).$$

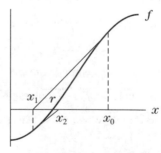

Figure E.15 : Méthode de Newton : approximations successives $x_0, x_1, x_2, \ldots$
de la racine r

En résolvant pour x_1, on obtient

$$x_1 = x_0 - \frac{f(x_0)}{f'(x_0)},$$

pourvu que $f'(x_0)$ ne soit pas zéro. On reprend maintenant ce raisonnement et on trouve que l'approximation suivante est

$$x_2 = x_1 - \frac{f(x_1)}{f'(x_1)}.$$

En bref, pour tout $n = 0, 1, 2, \ldots$, on obtient les résultats subséquents.

Méthode de Newton pour résoudre l'équation $f(x) = 0$

On choisit x_0 près d'une solution et on calcule la suite $x_1, x_2, x_3, \ldots$ en utilisant la règle

$$x_{n+1} = x_n - \frac{f(x_n)}{f'(x_n)},$$

pourvu que $f'(x_n)$ ne soit pas zéro. Pour un grand n, la solution est approchée par x_n.

Exemple 1   Utilisez la méthode de Newton pour trouver la racine cinquième de 23. (Avec une calculatrice, la réponse est 1,872 171 231, avec neuf décimales exactes.)

Solution   Pour utiliser la méthode de Newton, on a besoin d'une équation de la forme $f(x) = 0$ ayant $23^{1/5}$ comme racine. Puisque $23^{1/5}$ est une racine de $x^5 = 23$ ou $x^5 - 23 = 0$, on prend $f(x) = x^5 - 23$. Comme la racine de cette équation se situe entre 1 et 2 (puisque $1^5 = 1$ et $2^5 = 32$), on choisit donc $x_0 = 2$ pour l'estimation initiale. Maintenant, $f'(x) = 5x^4$; on peut donc établir, selon la méthode de Newton :

$$x_{n+1} = x_n - \frac{x_n^5 - 23}{5x_n^4}.$$

Dans ce cas, on peut simplifier en utilisant un dénominateur commun pour obtenir

$$x_{n+1} = \frac{4x_n^5 + 23}{5x_n^4}.$$

Par conséquent, en commençant par $x_0 = 2$, on trouve que $x_1 = 1{,}8875$. Cela conduit à $x_2 - 1{,}872\ 418\ 193$ et à $x_3 = 1{,}872\ 171\ 296$. Ces valeurs se trouvent dans le tableau E.4. Puisque $f(1{,}872\ 171\ 231) > 0$ et $f(1{,}872\ 171\ 230) < 0$, la racine se trouve entre 1,872 171 230 et 1,872 171 231. Ainsi, en seulement quatre itérations de la méthode de Newton, on atteint une précision de huit décimales.

TABLEAU E.4 *Méthode de Newton :* $x_0 = 2$

n	x_n	$f(x_n)$
0	2	9
1	1,8875	0,957 130 661
2	1,872 418 193	0,015 173 919
3	1,872 171 296	0,000 004 020
4	1,872 171 231	0,000 000 027

TABLEAU E.5 *Méthode de Newton :* $x_0 = 10$

n	x_n	n	x_n
0	10	6	2,679 422 313
1	8,000 460 000	7	2,232 784 753
2	6,401 419 079	8	1,971 312 452
3	5,123 931 891	9	1,881 654 220
4	4,105 818 871	10	1,872 266 333
5	3,300 841 811	11	1,872 171 240

Comme règle générale pour la méthode de Newton, une fois qu'on a trouvé la première décimale correcte, chaque itération successive double approximativement le nombre de chiffres exacts.

Que se produit-il si on sélectionne une estimation initiale très imprécise ? On reprend l'exemple précédent et on suppose que x_0 est 10 plutôt que 2. Les résultats se trouvent dans le tableau E.5 (page précédente). À noter que même avec $x_0 = 10$, la suite de valeurs se déplace raisonnablement vite vers la solution : on atteint une précision à six décimales dès la onzième itération.

Exemple 2   Trouvez le premier point d'intersection des courbes données par $f(x) = \sin x$ et $g(x) = e^{-x}$.

Solution   D'après les graphes de la figure E.16, il est clair qu'il existe un nombre infini de points d'intersection, tous avec $x > 0$. Pour trouver le premier numériquement, on considère la fonction

$$F(x) = f(x) - g(x) = \sin x - e^{-x},$$

dont la dérivée est $F'(x) = \cos x + e^{-x}$. En considérant le graphe, on constate que le point souhaité est relativement proche de $x = 0$, donc on commence par $x_0 = 0$. Les valeurs au tableau E.6 représentent des approximations de la racine. Puisque $F(0{,}588\ 532\ 744) > 0$ et $F(0{,}588\ 532\ 743) < 0$, la racine se trouve entre $0{,}588\ 532\ 743$ et $0{,}588\ 532\ 744$. (Il ne faut pas oublier de régler la calculatrice en radians.)

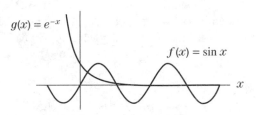

Figure E.16 : Racine de $\sin x = e^{-x}$

TABLEAU E.6 *Approximations successives de la racine de $\sin x = e^{-x}$*

n	x_n
0	0
1	0,5
2	0,585 643 817
3	0,588 529 413
4	0,588 532 744
5	0,588 532 744

Quand la méthode de Newton échoue-t-elle ?

Dans les situations les plus pratiques, la méthode de Newton fonctionne bien. Parfois, cependant, la suite $x_0, x_1, x_2, \ldots$ ne converge pas ou ne converge pas vers la racine souhaitée. Parfois, la suite peut notamment sauter d'une racine à l'autre. Cela peut se produire tout particulièrement si l'ampleur de la dérivée $f'(x_n)$ est petite pour un x_n. Dans ce cas, la droite tangente est presque horizontale et donc x_{n+1} sera loin de x_n (voir la figure E.17).

Si l'équation $f(x) = 0$ *n'a pas* de racine, alors la suite ne convergera pas. En fait, la suite obtenue en appliquant la méthode de Newton à $f(x) = 1 + x^2$ constitue l'un des exemples les plus connus de *comportement chaotique* et a récemment suscité l'intérêt d'un grand nombre de chercheurs (voir la figure E.18).

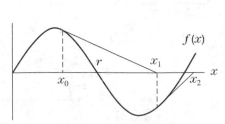

Figure E.17 : Problèmes de la méthode de Newton : convergence vers la mauvaise racine

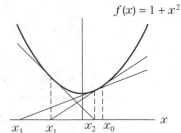

Figure E.18 : Problèmes de la méthode de Newton : comportement chaotique

Problèmes de l'annexe E

1. Supposez que vous souhaitez trouver une solution à l'équation

$$x^3 + 3x^2 + 3x - 6 = 0.$$

Considérez $f(x) = x^3 + 3x^2 + 3x - 6$.

a) Trouvez $f'(x)$ et utilisez la réponse obtenue pour montrer que $f(x)$ est partout croissante.
b) Combien de racines l'équation originale a-t-elle ?
c) Pour chaque racine, trouvez un intervalle qui la contient.
d) Trouvez chaque racine avec deux décimales exactes à l'aide de la méthode de Newton.

Pour les problèmes 2 à 4, utilisez la méthode de Newton pour trouver les quantités données avec deux décimales exactes.

2. $\sqrt[3]{50}$ 3. $\sqrt[4]{100}$ 4. $10^{-1/3}$

Pour les problèmes 5 à 8, résolvez chaque équation et donnez chaque réponse avec deux décimales exactes.

5. $\sin x = 1 - x$ 6. $\cos x = x$

7. $e^{-x} = \ln x$ 8. $e^x \cos x = 1$ pour $0 < x < \pi$

9. Trouvez, avec deux décimales exactes, toutes les solutions de $\ln x = 1/x$.

10. Combien de zéros les fonctions suivantes comportent-elles ? Pour chaque zéro, trouvez un majorant et un minorant qui ne diffère pas plus de 0,1.

a) $f(x) = x^3 + x - 1$ b) $f(x) = \sin x - \frac{2}{3}x$ c) $f(x) = 10xe^{-x} - 1$

11. Trouvez le plus grand zéro de

$$f(x) = x^3 + x - 1,$$

avec six décimales exactes, en utilisant la méthode de Newton. Comment pouvez-vous savoir que votre approximation est aussi précise que vous le soutenez ?

12. Pour tout nombre positif a, le problème qui consiste à calculer la racine carrée $\sqrt{a}$ se fait souvent en appliquant la méthode de Newton à la fonction $f(x) = x^2 - a$. Appliquez la méthode pour obtenir une expression pour x_{n+1} en fonction de x_n. Utilisez cette expression pour calculer l'approximation de $\sqrt{a}$ pour $a = 2$, 10, 1000 et π avec quatre décimales exactes, en commençant à $x_0 = a/2$ dans chaque cas.

ANNEXE F   LES ÉQUATIONS PARAMÉTRIQUES

Comment représente-t-on le mouvement ?

Pour représenter le mouvement d'une particule dans le plan xy, on utilise deux équations, l'une pour la coordonnée x de la particule, $x = f(t)$ et l'autre pour la coordonnée y, soit $y = g(t)$. Ainsi, au temps t, la particule se trouve au point $(f(t), g(t))$. L'équation de x décrit le mouvement de droite et de gauche ; l'équation de y décrit le mouvement vers le haut et vers le bas. Les deux équations de x et y sont appelées des *équations paramétriques* de *paramètre t*.

Exemple 1   Décrivez le mouvement de la particule dont les coordonnées au temps t sont $x = \cos t$ et $y = \sin t$.

Solution   Puisque $(\cos t)^2 + (\sin t)^2 = 1$, on a $x^2 + y^2 = 1$. Autrement dit, en tout temps t, la particule se trouve en un point (x, y) quelque part sur le cercle unité $x^2 + y^2 = 1$. On trace des points en différents temps pour voir comment la particule se déplace sur le cercle (voir la figure F.19 et le tableau F.7). La particule se déplace à une vitesse uniforme, exécutant un tour complet dans le sens inverse des aiguilles d'une montre autour du cercle chaque fois que 2π unités de temps s'écoulent. Il convient de noter la manière dont la coordonnée des x passe continuellement de gauche à droite de -1 à 1 tandis que la coordonnée des y passe continuellement du haut vers le bas entre -1 et 1. Les deux mouvements se combinent pour tracer un cercle.

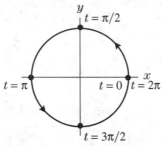

Figure F.19 : Cercle paramétrisé
par $x = \cos t$, $y = \sin t$

TABLEAU F.7   *Points sur le cercle avec $x = \cos t$, $y = \sin t$*

t	x	y
0	1	0
$\pi/2$	0	1
π	-1	0
$3\pi/2$	0	-1
2π	1	0

Exemple 2   La figure F.20 montre les graphes de deux fonctions, $f(t)$ et $g(t)$. Décrivez le mouvement de la particule dont les coordonnées au temps t sont $x = f(t)$ et $y = g(t)$.

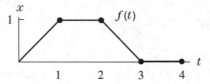 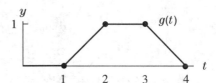

Figure F.20 : Graphes de $x = f(t)$ et $y = g(t)$ utilisés pour tracer le chemin $(f(t), g(t))$ à la figure F.21

Solution   Entre les temps $t = 0$ et $t = 1$, la coordonnée de x passe de 0 à 1, tandis que la coordonnée de y demeure fixe en 0. Donc, la particule se déplace le long de l'axe des x de $(0, 0)$ à $(1, 0)$. Ensuite, entre les temps $t = 1$ et $t = 2$, les coordonnées de x demeurent fixes en $x = 1$, tandis que les coordonnées de y passent de 0 à 1. Ainsi, la particule se déplace le long de la droite verticale de $(1, 0)$ à $(1, 1)$. De même, entre les tcmps $t = 2$ et $t = 3$, elles reviennent horizontalement en $(0, 1)$ et entre les temps $t = 3$ et $t = 4$ elles se déplacent vers le bas sur l'axe des y en $(0, 0)$. Ainsi, elles tracent le carré illustré à la figure F.21.

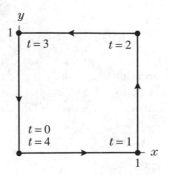

Figure F.21 : Carré paramétrisé par $(f(t), g(t))$

Les différents mouvements le long du même chemin

Exemple 3   Décrivez le mouvement de la particule dont les coordonnées x et y au temps t sont données par les équations

$$x = \cos(3t), \quad y = \sin(3t).$$

Solution   Puisque $(\cos(3t))^2 + (\sin(3t))^2 = 1$, on a $x^2 + y^2 = 1$, ce qui donne un mouvement autour du cercle unité. Cependant, si on trace des points en différents temps, on voit que dans ce cas, la particule se déplace trois fois plus vite que dans l'exemple 1 (voir la figure F.22 et le tableau F.8).

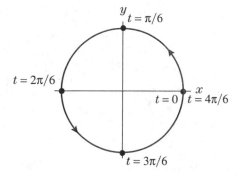

Figure F.22 : Cercle paramétrisé par
$x = \cos(3t), y = \sin(3t)$

TABLEAU F.8   *Points sur le cercle avec* $x = \cos(3t), y = \sin(3t)$

t	x	y
0	1	0
$\pi/6$	0	1
$2\pi/6$	−1	0
$3\pi/6$	0	−1
$4\pi/6$	1	0

L'exemple 3 est obtenu à partir de l'exemple 1 en remplaçant t par $3t$; c'est ce qu'on appelle une *variation de paramètre*. Si on change un paramètre, la particule trace le même cercle (ou une partie de celui-ci), mais à une vitesse différente ou dans une direction différente.

Exemple 4   Décrivez le mouvement de la particule dont les coordonnées x et y au temps t sont

$$x = \cos(e^{-t^2}), \quad y = \sin(e^{-t^2}).$$

Solution   Comme dans les exemples 1 et 3, on a $x^2 + y^2 = 1$. Donc, le mouvement se situe sur le cercle unité. Lorsque le temps t passe de $-\infty$ (très loin dans le passé) à 0 (le présent) à ∞ (très loin dans le futur), e^{-t^2} passe de près de 0 à 1 et retourne à près de 0. Ainsi, $(x, y) = (\cos(e^{-t^2}), \sin(e^{-t^2}))$ passe de près de $(1, 0)$ à $(\cos 1, \sin 1)$ et retourne à près de $(1, 0)$. La particule n'atteint jamais véritablement le point $(1, 0)$ [voir la figure F.23 et le tableau F.9].

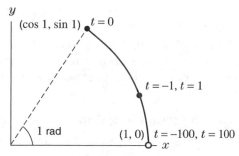

Figure F.23 : Cercle paramétrisé par
$x = \cos(e^{-t^2}), y = \sin(e^{-t^2})$

TABLEAU F.9   *Points sur le cercle avec* $x = \cos(e^{-t^2}), y = \sin(e^{-t^2})$

t	x	y
−100	~ 1	~ 0
−1	0,93	0,36
0	0,54	0,84
1	0,93	0,36
100	~ 1	~ 0

Les représentations paramétriques des courbes dans le plan

Parfois, on s'intéresse davantage à la courbe tracée par la particule qu'au mouvement en soi. Dans ce cas, on appelle les équations paramétriques la *paramétrisation* de la courbe. Comme on peut le constater en comparant les exemples 1 et 3, deux différentes paramétrisations peuvent décrire la même courbe dans le plan. Même si le paramètre (normalement noté t), peut ne pas avoir une signification concrète, il demeure utile de le considérer comme s'il s'agissait du temps.

Exemple 5   Donnez une paramétrisation du demi-cercle de rayon 1 présenté à la figure F.24.

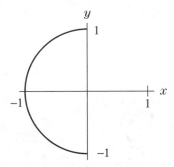

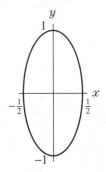

Figure F.24 : Trouvez une paramétrisation pour ce demi-cercle

Figure F.25 : Trouvez une paramétrisation de l'ellipse $4x^2 + y^2 = 1$

Solution   On peut utiliser les équations $x = \cos t$ et $y = \sin t$ pour le déplacement circulaire dans le sens inverse des aiguilles d'une montre, à partir de l'exemple 1. La particule passe par $(0, 1)$ en $t = \pi/2$, se déplace dans le sens contraire des aiguilles d'une montre le long du cercle et atteint $(0, -1)$ en $t = 3\pi/2$. Donc, une paramétrisation est

$$x = \cos t, \, y = \sin t, \quad \frac{\pi}{2} \leq t \leq \frac{3\pi}{2}.$$

Exemple 6   Donnez une paramétrisation de l'ellipse $4x^2 + y^2 = 1$ présentée à la figure F.25.

Solution   Puisque $(2x)^2 + y^2 = 1$, on adapte la paramétrisation du cercle dans l'exemple 1. En remplaçant x par $2x$, on obtient l'équation $2x = \cos t, y = \sin t$. Une paramétrisation de l'ellipse est donc

$$x = \tfrac{1}{2} \cos t, \quad y = \sin t, \quad 0 \leq t \leq 2\pi.$$

En général, la paramétrisation d'une courbe doit passer d'une extrémité de la courbe à l'autre sans retracer une portion de la courbe. Cela diffère de la paramétrisation du mouvement d'une particule où, par exemple, une particule peut se déplacer le long du même cercle plusieurs fois.

La paramétrisation du graphe d'une fonction

Le graphe d'une fonction $y = f(x)$ peut être paramétrisé en laissant le paramètre t être x :

$$x = t, \quad y = f(t).$$

Exemple 7   Donnez des équations paramétriques pour la courbe $y = x^3 - x$. Dans quelle direction cette paramétrisation trace-t-elle la courbe ?

Solution   Soit $x = t$, $y = t^3 - t$. Alors, $y = t^3 - t = x^3 - x$. Puisque $x = t$, à mesure que le temps augmente, la coordonnée des x se déplace de gauche à droite. Donc, la particule trace la courbe $y = x^3 - x$ de gauche à droite.

Les courbes données paramétriquement

On peut tracer certaines courbes complexes plus facilement en utilisant des équations paramétriques ; l'exemple 8 illustre une telle courbe.

Exemple 8   Supposez que t est le temps (en secondes). Tracez le graphe de la courbe dessinée par la particule dont le mouvement est donné par

$$x = \cos(3t), \quad y = \sin(5t).$$

Solution   La coordonnée des x oscille vers l'avant et vers l'arrière entre 1 et −1, effectuant ainsi 3 oscillations toutes les 2π secondes. La coordonnée des y oscille vers le haut et vers le bas entre 1 et −1, faisant ainsi 5 oscillations toutes les 2π secondes. Puisque les coordonnées des x et des y retournent vers leurs valeurs originales toutes les 2π secondes, la courbe est tracée de nouveau toutes les 2π secondes. Le résultat produit un modèle qu'on appelle la figure de Lissajous (voir la figure F.26). Les problèmes 23 à 26 concernent les figures de Lissajous $x = \cos(at)$, $y = \sin(bt)$ pour d'autres valeurs de a et de b.

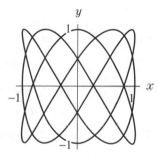

Figure F.26 : Figure de Lissajous : $x = \cos(3t)$, $y = \sin(5t)$

Problèmes de l'annexe F

Pour les problèmes 1 à 4, décrivez le mouvement d'une particule dont la position au temps t est $x = f(t)$, $y = g(t)$, où les graphes de f et g sont ceux qui sont présentés.

1.

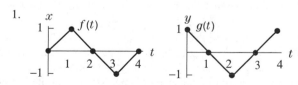

Figure F.27

2.

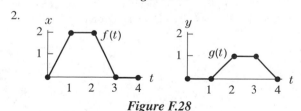

Figure F.28

3.

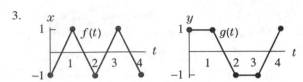

Figure F.29

4.

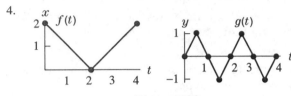

Figure F.30

Les problèmes 5 à 10 donnent les paramétrisations du cercle unité ou d'une partie de celui-ci. Dans chaque cas, décrivez en langage courant la manière dont le cercle est tracé, en incluant le moment et l'endroit où la particule se déplace dans le sens des aiguilles d'une montre et le moment et l'endroit où elle se déplace dans le sens inverse des aiguilles d'une montre.

5. $x = \cos t, \quad y = -\sin t$
6. $x = \sin t, \quad y = \cos t$

7. $x = \cos(t^2), \quad y = \sin(t^2)$
8. $x = \cos(t^3 - t), \quad y = \sin(t^3 - t)$

9. $x = \cos(\ln t), \quad y = \sin(\ln t)$
10. $x = \cos(\cos t), \quad y = \sin(\cos t)$

11. Décrivez les similitudes et les différences entre les mouvements dans le plan donné par les trois paires d'équations paramétriques suivantes.

   a) $x = t, \quad y = t^2$
   b) $x = t^2, \quad y = t^4$
   c) $x = t^3, \quad y = t^6$

Écrivez la paramétrisation de chacune des courbes dans le plan xy des problèmes 12 à18.

12. Un cercle de rayon 3 centré à l'origine et tracé dans le sens des aiguilles d'une montre.

13. Une droite verticale passant par le point $(-2, -3)$.

14. Un cercle de rayon 5 centré au point $(2, 1)$ et tracé dans le sens inverse des aiguilles d'une montre.

15. Un cercle de rayon 2 centré à l'origine et tracé dans le sens des aiguilles d'une montre en partant de $(-2, 0)$ quand $t = 0$.

16. La droite passant par les points $(2, -1)$ et $(1, 3)$.

17. Une ellipse centrée à l'origine et croisant l'axe des x en ± 5 et l'axe des y en ± 7.

18. Une ellipse centrée à l'origine et croisant l'axe des x en ± 3 et l'axe des y en ± 7. Commencez au point $(-3, 0)$ et tracez l'ellipse dans le sens inverse des aiguilles d'une montre.

19. Quand t varie, les équations paramétriques suivantes tracent une droite dans le plan

$$x = 2 + 3t, \quad y = 4 + 7t.$$

   a) Quelle portion de la droite s'obtient en limitant t à des nombres non négatifs ?
   b) Quelle portion de la droite s'obtient si t est limité à $-1 \leq t \leq 0$?
   c) Comment devriez-vous limiter t pour obtenir la portion de la droite à la gauche de l'axe des y ?

20. Supposez que $a, b, c, d, m, n, p, q > 0$. Faites correspondre chacune des paires d'équations paramétriques avec l'une des droites l_1, l_2, l_3, l_4 à la figure F.31.

   I. $\begin{cases} x = a + ct, \\ y = -b + dt. \end{cases}$

   II. $\begin{cases} x = m + pt, \\ y = n - qt. \end{cases}$

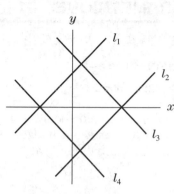

Figure F.31

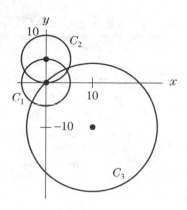

Figure F.32

21. Que pouvez-vous dire au sujet des valeurs de a, de b et de k si les équations

$$x = a + k \cos t, \quad y = b + k \sin t \quad \text{et} \quad 0 \le t \le 2\pi$$

tracent les cercles suivants des figures F.32 ?

a) C_1 b) C_2 c) C_3

22. Décrivez en langage courant la courbe représentée par les équations paramétriques

$$x = 3 + t^3, \quad y = 5 - t^3.$$

Tracez le graphe des figures de Lissajous des problèmes 23 à 26 en utilisant une calculatrice ou un ordinateur.

23. $x = \cos 2t, \quad y = \sin 5t$ 24. $x = \cos 3t, \quad y = \sin 7t$

25. $x = \cos 2t, \quad y = \sin 4t$ 26. $x = \cos 2t, \quad y = \sin \sqrt{3}\,t$

27. Le mouvement le long d'une droite est donné par une seule équation, par exemple $x = t^3 - t$, où x est la distance le long de la droite. Il est difficile de voir le mouvement à partir d'un graphe ; il ne fait que tracer la droite x, comme le montre la figure F.33. Pour visualiser le mouvement, on introduit une coordonnée y et on la laisse augmenter. Soit $y = t$; on obtient alors la figure F.34. Que révèle la figure F.34 au sujet du mouvement de la particule donné par $x = t^3 - t$, $y = t$?

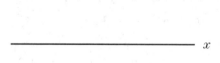

Figure F.33

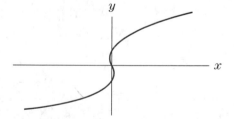

Figure F.34

Pour les problèmes 28 à 30, tracez le mouvement le long de la droite x avec la méthode utilisée au problème 27. Que vous indique le graphe au sujet du mouvement de la particule ?

28. $x = \cos t, \quad -10 \le t \le 10$ 29. $x = t^4 - 2t^2 + 3t - 7, \quad -3 \le t \le 2$

30. $x = t \ln t, \quad 0{,}01 \le t \le 10$

ANNEXE G   LES ÉQUATIONS PARAMÉTRIQUES ET LE CALCUL

Le mouvement sur une ligne droite

On considère un objet qui se déplace à une vitesse constante le long d'une droite passant par le point (x_0, y_0). Les coordonnées x et y ont un taux de variation constant. Soit $a = dx/dt$ et $b = dy/dt$. Puis, au temps t, l'objet a les coordonnées $x = x_0 + at$, $y = y_0 + bt$ (voir la figure G.35). À noter que a représente le parcours horizontal pendant une unité de temps et b, le parcours vertical. Ainsi, la droite a la pente $m = b/a$.

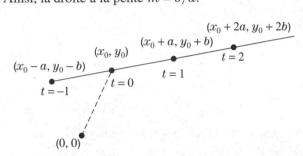

Figure G.35 : Droite $x = x_0 + at$, $y = y_0 + bt$

On obtient alors :

Équations paramétriques d'une droite

Un objet qui se déplace le long d'une droite passant par le point (x_0, y_0), avec $dx/dt = a$ et $dy/dt = b$, a les équations paramétriques

$$x = x_0 + at, \quad y = y_0 + bt.$$

La pente de la droite est $m = b/a$.

Exemple 1   Trouvez l'équation paramétrique

    a)   de la droite passant par les points $(2, -1)$ et $(-1, 5)$.

    b)   du segment de la droite de $(2, -1)$ à $(-1, 5)$.

Solution   a)   On imagine qu'un objet se déplace à une vitesse constante le long d'une droite de $(2, -1)$ à $(-1, 5)$, et que cet objet effectue le parcours du premier point au deuxième en une unité de temps. Ensuite, $dx/dt = ((-1) - 2)/1 = -3$ et $dy/dt = (5 - (-1))/1 = 6$. Ainsi, l'équation paramétrique est

$$x = 2 - 3t, \quad y = -1 + 6t.$$

    b)   Dans la paramétrisation de la partie a), $t = 0$ correspond au point $(2, -1)$ et $t = 1$ correspond au point $(-1, 5)$. Donc, la paramétrisation du segment est

$$x = 2 - 3t, \quad y = -1 + 6t, \quad 0 \le t \le 1.$$

La vitesse

On suppose qu'un objet se déplace le long d'une droite à une vitesse constante avec $dx/dt = a$ et $dy/dt = b$. En une unité de temps, l'objet se déplace de a unités horizontalement et de b

unités verticalement. Ainsi, selon le théorème de Pythagore, l'objet parcourt une distance $\sqrt{a^2 + b^2}$. Donc, sa vitesse est

$$\text{Vitesse} = \frac{\text{Distance parcourue}}{\text{Temps nécessaire}} = \frac{\sqrt{a^2 + b^2}}{1} = \sqrt{a^2 + b^2}.$$

Pour un mouvement général le long d'une courbe à des vitesses variables, on dit ce qui suit :

La *vitesse instantanée* d'un objet qui se déplace est définie par

$$v = \sqrt{\left(\frac{dx}{dt}\right)^2 + \left(\frac{dy}{dt}\right)^2}.$$

Exemple 2   Un enfant est assis dans une grande roue ayant un diamètre de 10 m et effectuant un tour toutes les 2 min. Trouvez la vitesse de l'enfant.

a)   Utilisez la géométrie.

b)   Utilisez une paramétrisation du mouvement.

Solution   a)   L'enfant se déplace à une vitesse constante autour d'un cercle dont le rayon est de 5 m et effectue un tour toutes les 2 min. Le tour du cercle de rayon 5 équivaut à une distance de 10π, donc la vitesse de l'enfant est de $10\pi/2 = 5\pi \approx 15{,}7$ m/min.

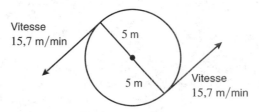

Figure G.36 : Vitesse de l'enfant dans la grande roue

b)   La grande roue a un rayon de 5 m et effectue un tour dans le sens contraire des aiguilles d'une montre toutes les 2 min. Le mouvement est paramétrisé par une équation de la forme

$$x = 5\cos(\omega t), \quad y = 5\sin(\omega t),$$

où ω est choisi pour rendre la période égale à 2 min. Puisque la période de $\cos(\omega t)$ et $\sin(\omega t)$ est de $2\pi/\omega$, on doit avoir

$$\frac{2\pi}{\omega} = 2. \quad \text{Ainsi, } \omega = \pi.$$

Par conséquent, le mouvement est décrit par l'équation

$$x = 5\cos(\pi t), \quad y = 5\sin(\pi t),$$

où t est en minutes. Donc, la vitesse est donnée par

$$v = \sqrt{\left(\frac{dx}{dt}\right)^2 + \left(\frac{dy}{dt}\right)^2}$$

$$= \sqrt{(-5\pi)^2 \sin^2(\pi t) + (5\pi)^2 \cos^2(\pi t)} = 5\pi\sqrt{\sin^2(\pi t) + \cos^2(\pi t)} = 5\pi \approx 15{,}7,$$

ce qui concorde avec la vitesse qu'on a calculée à la partie a).

Les droites tangentes

Pour trouver la droite tangente en un point (x_0, y_0) d'une courbe donnée paramétriquement, on trouve la droite passant par (x_0, y_0) et ayant la même vitesse dans les directions de x et de y.

Exemple 3   Trouvez la droite tangente au point $(1, 2)$ de la courbe définie par l'équation paramétrique

$$x = t^3, \quad y = 2t.$$

Solution   Au temps $t = 1$, la particule se trouve au point $(1, 2)$. La vitesse dans la direction x au temps t est $dx/dt = 3t^2$, et la vitesse dans la direction y est $dx/dt = 2$. Donc, en $t = 1$, la vitesse dans la direction x est 3 et la vitesse dans la direction y est 2. Ainsi, la droite tangente a les équations paramétriques

$$x = 1 + 3t, \quad y = 2 + 2t.$$

La longueur d'une courbe

La vitesse d'une particule est donnée par

$$v = \sqrt{\left(\frac{dx}{dt}\right)^2 + \left(\frac{dy}{dt}\right)^2}.$$

Comme pour une dimension, on peut trouver la distance parcourue par une particule le long de la courbe en intégrant sa vitesse. Par conséquent,

$$\text{Distance parcourue} = \int_a^b v(t)\, dt.$$

Si la particule ne s'arrête jamais et change de direction quand elle se déplace le long de la courbe, la distance parcourue sera la même que la longueur de la courbe. Ce raisonnement engendre la formule suivante, laquelle est justifiée dans le problème 16 :

Si la courbe C est donnée paramétriquement pour $a \leq t \leq b$ par des fonctions différentiables et si la vitesse v n'est pas zéro pour $a < t < b$, alors

$$\text{Longueur de } C = \int_a^b v\, dt = \int_a^b \sqrt{\left(\frac{dx}{dt}\right)^2 + \left(\frac{dy}{dt}\right)^2}\, dt.$$

Exemple 4   Trouvez la circonférence de l'ellipse donnée par les équations paramétriques

$$x = 2\cos t, \quad y = \sin t, \quad 0 \leq t \leq 2\pi.$$

Solution   La circonférence de cette courbe est donnée par une intégrale qu'on doit calculer numériquement :

$$\text{Circonférence} = \int_0^{2\pi} \sqrt{\left(\frac{dx}{dt}\right)^2 + \left(\frac{dy}{dt}\right)^2}\, dt = \int_0^{2\pi} \sqrt{(-2\sin t)^2 + (\cos t)^2}\, dt$$

$$= \int_0^{2\pi} \sqrt{4\sin^2 t + \cos^2 t}\, dt = 9{,}69.$$

Puisque l'ellipse est inscrite dans un cercle de rayon 2 et circonscrit un cercle de rayon 1, on s'attend à ce que la longueur de l'ellipse se situe entre $2\pi(2) \approx 12{,}57$ et $2\pi(1) \approx 6{,}28$. Donc, la valeur de 9,69 est raisonnable.

Problèmes de l'annexe G

1. a) Expliquez comment vous pouvez savoir que les deux paires d'équations suivantes, $x = 2 + t, y = 4 + 3t$ et $x = 1 - 2t, y = 1 - 6t$, paramétrisent la même droite.
   b) Quelles sont les pentes et l'intersection avec l'axe des y de cette droite ?

2. Les équations $x = 10 + t$ et $y = 2t$ paramétrisent une droite.

   a) Supposez qu'on se limite à $t < 0$. Quelle portion de la droite obtenez-vous ?
   b) Supposez qu'on se limite à $0 \leq t \leq 1$. Quelle portion de la droite obtenez-vous ?

3. a) Tracez la courbe paramétrisée $x = t \cos t, y = t \sin t$ pour $0 \leq t \leq 4\pi$.
   b) En calculant la position en $t = 2$ et en $t = 2,01$, estimez la vitesse en $t = 2$.
   c) Utilisez des dérivées pour calculer la vitesse en $t = 2$ et comparez votre réponse à la partie b).

Pour les problèmes 4 à 7, trouvez la vitesse pour le mouvement d'une particule donnée. De plus, trouvez les temps où la particule s'arrête.

4. $x = t^2, \quad y = t^3$

5. $x = \cos(t^2), \quad y = \sin(t^2)$

6. $x = \cos 2t, \quad y = \sin t$

7. $x = t^2 - 2t, \quad y = t^3 - 3t$

8. Trouvez des équations paramétriques pour la droite tangente en $t = 2$ pour le problème 4.

Trouvez la longueur des courbes des problèmes 9 à 11.

9. $x = 3 + 5t, y = 1 + 4t$ pour $1 \leq t \leq 2$. Justifiez votre réponse.

10. $x = \cos(e^t), y = \sin(e^t)$ pour $0 \leq t \leq 1$. Expliquez la raison pour laquelle votre réponse est raisonnable.

11. $x = \cos(3t), y = \sin(5t)$ pour $0 \leq t \leq 2\pi$.

12. Considérez le mouvement de la particule donnée par les équations paramétriques

$$x = t^3 - 3t, \quad y = t^2 - 2t,$$

où l'axe des y est vertical et l'axe des x est horizontal.

   a) La particule finit-elle par s'arrêter ? le cas échéant, quand et où ?
   b) La particule se déplace-t-elle parfois vers le haut ou vers le bas ? le cas échéant, quand et où ?
   c) La particule se déplace-t-elle parfois tout droit en ligne horizontale vers la gauche ou vers la droite ? le cas échéant, quand et où ?

13. Émilie se tient sur la bordure extérieure d'un manège, à 10 m du centre. Le manège exécute un tour complet toutes les 20 s. Quand Émilie passe au-dessus d'un point P sur le sol, elle laisse tomber une balle à 3 m du sol.

   a) À quelle vitesse Émilie va-t-elle ?
   b) À quelle distance de P la balle frappe-t-elle le sol ? (L'accélération provoquée par la gravité est de 9,8 m/s^2.)
   c) À quelle distance d'Émilie la balle frappe-t-elle le sol ?

14. Une lune hypothétique gravite autour d'une planète qui, à son tour, gravite autour d'une étoile. Supposez que les orbites sont circulaires et que la lune gravite autour de la planète 12 fois pendant que la planète gravite autour de l'étoile 1 fois. Dans ce problème, on essaie de savoir si la lune peut s'arrêter temporairement à un moment donné (voir la figure G.37, page suivante).

   a) Supposez que le rayon de l'orbite de la lune autour d'une planète soit de 1 unité et que le rayon de l'orbite de la planète autour de l'étoile soit de R unités. Expliquez la raison pour laquelle le mouvement de la lune par rapport à l'étoile peut être décrit par les équations paramétriques

$$x = R \cos t + \cos(12t), \quad y = R \sin t + \sin(12t).$$

b) Trouvez les valeurs de R et de t telles que la lune s'arrête par rapport à l'étoile au temps t.

c) À l'aide d'une calculatrice graphique, tracez le chemin de la lune pour la valeur de R que vous avez obtenue à la partie b). Faites des essais avec d'autres valeurs pour R.

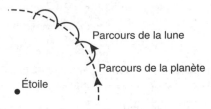

Parcours de la lune

Parcours de la planète

Étoile

Figure G.37

15. Supposez que $F(x, y) = 1/(x^2 + y^2 + 1)$ donne la température au point (x, y) dans le plan. Une coccinelle se déplace le long d'une parabole selon les équations paramétriques

$$x = t, \quad y = t^2.$$

Trouvez le taux de variation de la température de la coccinelle au temps t.

16. Dans ce problème, on justifiera la formule de la longueur d'une courbe donnée précédemment. Supposez que la courbe C est donnée par des équations paramétriques lisses $x = x(t)$, $y = y(t)$ pour $a \leq t \leq b$. En divisant l'intervalle du paramètre $a \leq t \leq b$ aux points $t_1, \ldots, t_{n-1}$ en petits segments de longueur $\Delta t = t_{i+1} - t_i$, on obtient une division correspondante de la courbe C en petits morceaux. Considérez la figure G.38, où les points $P_i = (x(t_i), y(t_i))$ sur la courbe C correspondent aux valeurs des paramètres $t = t_i$. Soit C_i la portion de la courbe C entre P_i et P_{i+1}.

a) Utilisez la linéarité locale pour montrer que

$$\text{Longueur de } C_i \approx \sqrt{x'(t_i)^2 + y'(t_i)^2}\, \Delta t.$$

b) Utilisez la partie a) et une somme de Riemann pour expliquer la raison pour laquelle

$$\text{Longueur de } C = \int_a^b \sqrt{x'(t)^2 + y'(t)^2}\, dt.$$

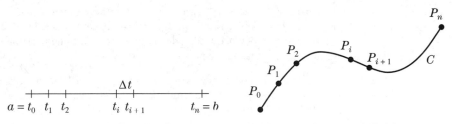

Figure G.38 : Subdivision de l'intervalle du paramètre et subdivision correspondante de la courbe C

RÉPONSES AUX PROBLÈMES IMPAIRS

Section 1.1

1. I)   Aucune
    II) b
    III) c
    IV) a

5. $F = k/d^2$

7. $V = kr^3$

15. p_1 = prix maximal que le consommateur est prêt à payer
    q_1 = quantité donnée si l'article est gratuit

17. Domaine : $0 \le x \le 5$
    Image : $0 \le y \le 4$

19. Domaine : tout x
    Image : $y \ge 2$

21. Domaine : tout x
    Image $0 < y \le 1/2$

23. Tout $x \ne 0, -1$
    $x = \pm 2$

Section 1.2

1. Pente : $-12/7$
    Intersection avec l'axe vertical : $2/7$

3. Pente : 2
    Intersection avec l'axe vertical : $-2/3$

5. $y = (1/2)x + 2$

7. $y = -\frac{1}{5}x + \frac{7}{5}$

9. Parallèle : $y = m(x - a) + b$
    Perpendiculaire : $y = (-1/m)(x - a) + b$

11. a) V
    b) VI
    c) I
    d) IV
    e) III
    f) II

13. $W = (5/3)R + 10$

15. a) $0,025$ \$/pi^3
    b) $c = 65 + 0,025w$
        c = coût de l'eau
        w = pi^3 d'eau
    c) $w = 2600$ pi^3

17. a) Pente = $1,8$
    b) °F = $1,8$(°C) $+ 32$
    c) $68°$ Fahrenheit
    d) $-40°$

19. $9 \cdot 10^9$ N/m^2

21. a) $d = 5t$
    b) Non, au cours des 200 der-nières années, la vitesse

moyenne est 700/200
= 3,5 mi/année.
c) Peu probable

23. a) $R = k(350 - H)$
    $(k \ge 0)$

Section 1.3

1. Concave vers le haut

3. Ni l'une ni l'autre

5. Croissance exponentielle

7. Croissance exponentielle $g(t) = 2^t$

9. Décroissance exponentielle
    $h(t) = 16\,768(1/2)^t$

15. $P = 5$

17. $Z = 3$

19. a) $1,05$
    b) $5\,\%$

21. $y = 4(2^{-x})$

23. $y = 4(1 - 2^{-x})$

25. $f(s) = 2(1,1)^s$
    $g(s) = 3(1,05)^s$
    $h(s) = (1,03)^s$

27. a) $Q = Q_0 \left(\frac{1}{2}\right)^{(t/1620)}$
    b) $80,7\,\%$

29. $25,5\,\%$

31. a) $47,3\,\%$
    b) $11\,054,4\,\%$

Section 1.4

1. 16

3. 100 000

5. 1/3

7. 1/4

9. $10 \cdot 2^x$

11. $0,25\sqrt{x}$

13. Quand $x \to \infty$, $y \to \infty$
    Quand $x \to -\infty$, $y \to -\infty$

17. $f(x) = x^3$

19. a) $1,3$ m^2
    b) $86,8$ kg
    c) $h = 112,6s^{4/3}$

21. $44,25$ pi et 708 pi

23. $h(t) = ab^t$
    $g(t) = kt^3$
    $f(t) = ct^2$

25. a) $0 \le x \le 5$,
        $0 \le y \le 9$

b) $0 \le x \le 5$,
    $0 \le y \le 625$
c) $0 \le x \le 10$,
    $0 \le y \le 50\,000$

Section 1.5

3. Longueur de la colonne de mercure lorsque la température se situe à $75\,°F$

5. Sans doute pas inversible

7. Pas inversible

9. Pas inversible

11. Pas inversible

13. a) $q = \frac{C - 100}{2} = f^{-1}(C)$
    b) Nombre d'articles produits au coût donné

17. a) -1

Section 1.6

3. $(\log 2)/(\log 17) \approx 0,24$

5. $(\log(2/5))/(\log 1,04) \approx -23,4$

7. $(\log(2/11))/(\log(7/5)) \approx -5,07$

9. $(\log a)/(\log b)$

11. $(\log Q - \log Q_0)/(n \log a)$

13. $(10/3)\log A + \log B$

15. 2

17. $(A/B)^2$

19. Le graphe est une droite, de pente 1, à la droite de l'origine.

21. $\log x$

23. $14,21$ années

25. 1990

27. a) $A = 10,32e^{-0,057\,762t}$
    b) $40,41$ jours

29. $p^{-1}(t) \approx 58,708 \log t$

Section 1.7

3. $-0,347$

5. $0,515$

7. $0,382, 1,82$

9. $\ln(P/P_0)/k$

11. $1/2$

13. $2AB$

15. $-1 + \ln A + \ln B$

17. $3 \ln A + \ln B$

19. $P = 2(0,61)^t$; décroissance

21. $P = 79(0,0821)^t$; décroissance

23. $P = 7(0,0432)^t$; décroissance

25. $P = 10e^{0,5306t}$

27. $P = 4e^{-0,6t}$

29. $f^{-1}(t) = 10 \ln\left(\frac{t}{50}\right)$

31. a) Décroissante
    b) $g^{-1}(x) = \ln\left(\frac{2}{x} - 5\right)$

33. a) $P = 10^6(e^{0,02t})$

35. a) 47,5 %
    b) 24 %

37. 2010

39. 7,925 h

41. a) 5 kg
    b) 38,2 années

43. a) $P = 3,6(1,034)^t$
    b) $P = 3,6e^{0,0334t}$
    c) Annuel = 3,4 %
       Continu = 3,3 %

45. Il s'agit d'un faux.

Section 1.8

3. $2 \ln(x+3) + 1$

5. $2e^{4x+7} + 1$

7. $\ln(e^{4x+7} + 3)$

9. $4x + 7$

11. $e^7(2x+4)^4$

13. Paire

15. Ni l'une ni l'autre

17. Ni l'une ni l'autre

19. $f(x) = x + 1$
    $g(x) = x^3$

21. $f(x) = x^3$
    $g(x) = \ln x$

23. $2zh + h^2$

25. $4hz$

27. $-60 < x < -40$
    $-25\ 100 < y < -24\ 000$

31. $g(f(2)) \approx 1,1$

Section 1.9

1. Négative
   0
   Indéfinie

3. Positive
   Positive
   Positive

5. Positive
   Positive
   Positive

7. Positive
   Négative
   Négative

9. Négative
   Positive
   Négative

11. 0,259

13. 0,966

15. 20,94 à 52,36 rad/s

17. Si $f(x) = \sin x$ et $g(x) = x^2$,
    alors $\sin x^2 = f(g(x))$
    $\sin^2 x = g(f(x))$
    $\sin(\sin x) = f(f(x))$

19. a) $h(t)$
    b) $f(t)$
    c) $g(t)$

21. $f(x) = 2 \sin(x/4)$

23. $f(x) = 2\sin(x/4) + 2$

25. $f(x) = \sin\left(2(\pi/5)x\right)$

27. $f(x) = 3 \sin(\pi x/9)$

29. a) $\frac{1}{60}$ s
    b) V_0 représente l'amplitude de l'oscillation.

31. $f(t) = 75 - 15 \cos\left(\frac{2\pi}{12}t\right)$

33. b) Domaine : $-1 \le x \le 1$
       Image :
       $-\frac{\pi}{2} \le x \le \frac{\pi}{2}$

35. $(0, 0)$, $(1,31, 2,29)$, $(-1,31, -2,29)$

37. $\theta = \pi/4$; $R = v_0^2/g$

Section 1.10

1. a) $f(x) \to \infty$ quand $x \to \infty$
      $f(x) \to -\infty$ quand $x \to -\infty$
   b) $f(x) \to -\infty$ quand $x \to \pm\infty$
   c) $f(x) \to 0$ quand $x \to \pm\infty$
   d) $f(x) \to 6$ quand $x \to \pm\infty$

7. a, c, f et h sont paires ; b, d et g sont impaires ; e et i ne sont ni l'un ni l'autre.

9. $x = 2$: asymptote verticale
   Aucune asymptote horizontale
   $y \to -\infty$ quand $x \to +\infty$
   $y \to +\infty$ quand $x \to -\infty$
   $y \to -\infty$ quand $x \to 2^+$
   $y \to +\infty$ quand $x \to 2^-$

11. $x = \pm 2$; asymptotes verticales
    $y = 1$: asymptote horizontale
    $y \to +\infty$ quand $x \to 2^+$
    $y \to -\infty$ quand $x \to 2^-$
    $y \to -\infty$ quand $x \to -2^+$
    $y \to +\infty$ quand $x \to -2^-$

13. a) 0
    b) $t = 2v_0/g$
    c) $t = v_0/g$
    d) $(v_0)^2/(2g)$

15. a) $1 = a + b + c$
    b) $b = -2a$ et $c = 1 + a$
    c) $c = 6$
    d) $y = 5x^2 - 10x + 6$

17. $y = -\frac{1}{2}(x+2)^2(x-2)$

19. a) $f(x) = kx(x+3)(x-4)$
       $(k < 0)$
    b) Croissante :
       $-1,5 < x < 2,5$
    c) Décroissante :
       $x < -1,5$ et $x > 2,5$

21. a) $f(x) = k(x+2)(x-2)^2(x-5)$
       $(k < 0)$
    b) Croissante :
       $x < -1$ et
       $2 < x < 4$
       Décroissante :
       $-1 < x < 2$ et
       $4 < x$

23. a) III
    b) IV
    c) I
    d) II

25. a) $a(v) = \frac{1}{m}(F_E - kv^2)$
       $(k > 0)$

27. a) $S = 2\pi r^2 + 2V/r$
    b) $S \to \infty$ quand $r \to \infty$

29. $y = x$

Section 1.11

1. Non

3. Oui

5. Non

7. Oui

9. Non continu.

Chapitre 1 – Révision

1. a) $[0, 7]$
   b) $[-2, 5]$
   c) 5
   d) $(1, 7)$
   e) Concave vers le haut
   f) 1
   g) Non

3. b) Concave vers le bas

7. $x = 3(1 - a^{-t})$, $a > 1$

9. $y = (x+1)^3 + 1$

11. a) $h(x) = 31 - 3x$
    b) $g(x) = 36(1,5^x)$

13. $Q(m) = T + L + Pm$
    T = carburant pour le décollage
    L = carburant pour l'atterrissage
    P = carburant par mille dans les airs
    m = distance du voyage (en milles)

15. a) $h^2 + 6h + 11$
    b) 11
    c) $h^2 + 6h$

17. a) $f(n) + g(n) = 3n^2 + n - 1$
    b) $f(n)g(n) = 3n^3 + 3n^2 - 2n - 2$

c) $n \neq -1$
d) $f(g(n)) = 3n^2 + 6n + 1$
e) $g(f(n)) = 3n^2 - 1$

19. Pas continu

21. Pas continu

23. $P = (5 \cdot 10^{-3})(0,9812)^t$

25. a) $Q = 25e^{0,5423t}$
b) 1,3 mois
c) 6,8 mois

27. 10 h

29. 38,87 h

31. a) 44 %
b) Environ deux ans

33. Mercure : 87,8 jours
Terre : 1 année
Pluton : 253 années

35. $y = e^{0,4621x}$

37. Le plus simple est $y = 1 - e^{-x}$.

39. $y = k(x^3 + 2x^2 - x - 2)$
$(k > 0)$

41. $y = 5 \sin (\pi t/20)$

43. $z = 1 - \cos \theta$

45. b) Cela devient une asymptote verticale à $x = -4$.

47. a) $f(15) \approx 48$
b) f est inversible parce que le graphe de f est coupé par une droite horizontale au plus une fois.
c) $f^{-1}(120) \approx 35$. À une profondeur de 120 m vers le bas, la roche a 35 millions d'années.

49. a) $R = k_1 - k_2 G$

51. a) Domaine : (0, 4000)
Image : $(0, 10^8)$
b) Domaine : (0, 3000)
Image : $(0, 10^7)$
c) Domaine : (0, 0,2)
Image : (0, 0,04)

Théorie : Théorème binomial

1. Doit être un entier.

Section 2.1

7. $F < B < E < 0 < D < A < C$

9. 27

11. 1,9…

Section 2.2

1. Négative

9. Du plus petit au plus grand :
$0, f'(3), f(3) - f(2), f'(2), 1$

11. a) $(f(b) - f(a))/(b - a)$
b) Les pentes sont identiques.
c) Oui

13. −1

15. 12

17. −1/4

19. $y = 12x + 16$

21. $y = x$

23. $f'(3) = 6, y = 6x - 8$

25. a) $f'(0) \approx 0,017\,45$

27. $f'(0) \approx -1$
$f'(1) \approx 3,5$

29. a) $\mathrm{erf}'(0) \approx 1,12$
b) $\mathrm{erf}'(0) \approx 1,1283$

31. 16,0 millions de personnes par année
16,4 millions de personnes par année

Section 2.3

11. $f'(x)$ est positive.
$4 \leq x \leq 8$
$f'(x)$ est négative.
$0 \leq x \leq 3$
$f'(x)$ est maximale.
à $x \approx 8$.

13. $4x$

15. $-2/x^3$

29. a) x_3
b) x_4
c) x_5
d) x_3

31. a) $t = 3$
b) $t = 9$
c) $t = 14$

Section 2.4

1. pi/mi ; négative

3. Dollars/année ; négative

5. Dollars/année

7. a) Litres ; dollars
b) Litres ; dollars/litre

11. a) Gallons/minute
b) i) 0
ii) négative
iii) 0

13. mpg/mph

15. a) $f'(a)$ est toujours positive.
c) $f'(100) = 2$; plus
$f'(100) = 0,5$; moins

Section 2.5

1. $f'(x) > 0$
$f''(x) > 0$

3. $f'(x) < 0$
$f''(x) = 0$

5. $f'(x) > 0$; $f''(x) < 0$

7. $0 \leq t \leq 1$
Accélération = 30 pi/s^2
$1 \leq t \leq 2$
Accélération = 22 pi/s^2

9. b) $\frac{dN}{dt}$ est positive.

11. $\frac{d^2N}{dt^2}$ est négative.

17. a) B et E
b) A et D

Chapitre 2 – Révision

3. b) 0,24
c) 0,22

5. $f'(1) = 1$
$f'(2) = 0,5$
$f'(5) = 0,2$
$f'(10) = 0,1$
$f'(x) = 1/x$

13. $10x + 1$

17. a) Négative
b) $^\circ$ F/min

19. b) Étudiant C
c) $f'(x) \approx \frac{f(x + h) - f(x - h)}{2h}$

23. a) 0,25
b) $y = 0,25x + 1$
c) $k = \frac{1}{8}$
d) $(-2, 0,5)$ et $(4, 2)$

25. b) Un
c) Doit être compris entre $x = 1$ et $x = 5$.
d) $\lim\limits_{x \to -\infty} f(x) = -\infty$
e) Oui
f) Non

27. a) Concave vers le bas
b) 135°
c) 138°
d) $t = 48$ min

Théorie : Limites

1. 0,05

3. 2

5. 0,017 45

7. La limite semble être 1.

9. a) $x = 1/(n\pi)$,
$n = 1, 2, 3, \ldots$
b) $x = 2/(n\pi)$,
$n = 1, 5, 9, \ldots$
c) $x = 2/(n\pi)$,
$n = 3, 7, 11, \ldots$

19. 0,46, 0,21, 0,09

Théorie : Différentiabilité

1. a) i) $x = 1$
   ii) $x = 1, 2, 3$
   b) i) Aucun
   ii) $x = 2, 4$

3. Oui

5. Oui

7. a) $B = B_0$ à $r = r_0$
   B_0 est maximal
   b) Oui
   c) Non

9. a) Oui
   b) Oui

11. a) $y = 2 + (x - 4)/4$
    b) $2{,}024\,85\ldots, 2{,}025$
    c) Valeur véritable $= 4$; approximation $= 5$

13. $2x - 1$

Section 3.1

3. a) -10
   b) $\dfrac{d}{dx}(f[g(x)]) = f'(x)\,g'(x)$

5. $12x^{11}$

7. $3{,}2x^{2,2}$

9. $4x^{1/3}/3$

11. $-3x^{-7/4}/4$

13. $x^{-3/4}/4$

15. $6x^{1/2} - \dfrac{5}{2}x^{-1/2}$

17. $-12x^3 - 12x^2 - 6$

19. $6t - 6/t^{\frac{3}{2}} + 2/t^3$

21. $1 - x^{-2}$

23. $-2t^{-3} - t^{-2} + 4t^{-5}$

25. Problèmes 8, 10, 11, 12, 13, 15

27. Sans objet

29. $-2/3z^3$
    (règle du produit et règle de la somme)

31. Sans objet

33. $12/\sqrt[6]{x^5} - 18/(x^{5/3})$

35. $f'(t) = 6t^2 - 8t + 3$
    $f''(t) = 12t - 8$

37. Pour $x < 0$ ou $2 < x < 3$

39. $r = 3\sqrt{2}$

41. $y = 2x - 1$

43. $n = 4, a = 3/32$

45. $y = 2x$ et $y = -6x$

47. $-2GMm/r^3$

49. En $x = 1$:
    $y = -x + 2$
    (approximation par la droite tangente)

$f(2) \approx 0$
En $x = 2$:
$y = -0{,}0001x + 0{,}02$
(approximation par la droite tangente)
$f(2) \approx 0{,}0198$

51. $V(r) = 4\pi r^3/3$
    $\dfrac{dV}{dr} = 4\pi r^2 = $ Aire de la surface de la sphère

Section 3.2

1. $2e^x + 2x$

3. $(\ln 5)5^x$

5. $10x + (\ln 2)2^x$

7. $4(\ln 10)10^x - 3x^2$

9. $((\ln 3)3^x)/3 - (33x^{-3/2})/2$

11. e^{1+x}

13. $e^{\theta - 1}$

15. $(\ln 4)^2 4^x$

17. $(\ln(\ln 3))(\ln 3)^t$

19. $5 \cdot 5^t \ln 5 + 6 \cdot 6^t \ln 6$

21. $\pi^2 x^{(\pi^2 - 1)} + (\pi^2)^x \ln(\pi^2)$

23. $1/(2\sqrt{x}) + \ln 2(1/2)^x$

25. Les règles ne s'appliquent pas ici.

27. $5e^{5x}$

29. $(\ln 2)2^z$

31. $\approx -444{,}3\ \dfrac{\text{personnes}}{\text{année}}$

33. $22{,}5\,(1{,}35)^t$

35. a) $f'(0) = -1$
    b) $y = -x$
    c) $y = x$

37. $g(x) = x^2/2 + x + 1$

39. $x = 1$ et $x = 2$

Section 3.3

1. $5x^4 + 10x$

3. $e^x(x + 1)$

5. $2^x/(2\sqrt{x}) + \sqrt{x}\,(\ln 2)2^x$

7. $4s^3 - 1$

9. $(3t^2 + 5)(t^2 - 7t + 2) + (t^3 + 5t)(2t - 7)$

11. $(1 - x)/e^x$

13. $(3{,}2w^{2,2} - (\ln 5)w^{3,2})/(5^w)$

15. $1/(5t + 2)^2$

17. $(x^2 - 3)/x^2$

19. $\dfrac{(t^2 + 1)/(2\sqrt{t}) - \sqrt{t}(2t)}{(t^2 + 1)^2}$

21. $17e^x(1 - \ln 2)/2^x$

23. $\dfrac{(-4x^2 - 8x - 1)}{(2 + 3x + 4x^2)^2}$

25. $x < 2$

27. $f'(t) = -e^{-t}$

29. $f'(x) = 3e^{3x}$

31. a) $\dfrac{d}{dx}\left(\dfrac{e^x}{x}\right) = \dfrac{e^x}{x} - \dfrac{e^x}{x^2}$

    $\dfrac{d}{dx}\left(\dfrac{e^x}{x^2}\right) = \dfrac{e^x}{x^2} - \dfrac{2e^x}{x^3}$

    $\dfrac{d}{dx}\left(\dfrac{e^x}{x^3}\right) = \dfrac{e^x}{x^3} - \dfrac{3e^x}{x^4}$

    b) $\dfrac{d}{dx}\left(\dfrac{e^x}{x^n}\right) = \dfrac{e^x}{x^n} - \dfrac{ne^x}{x^{n+1}}$

35. a) 19
    b) -11

37. a) $f(140) = 15\,000$:
    pour un coût de 140 \$ par planche, la vente sera de 15 000 unités.
    $f'(140) = -100$:
    pour chaque dollar de plus à partir de 140 \$, la vente décroîtra de 100 unités.

    b) $\left.\dfrac{dR}{dp}\right|_{p=140} = 1000$

    c) Positif
    Accroissement de 1000 \$

39. c) $-3776{,}63$

43. $f'(x) = f(x)\left(\dfrac{1}{x - r_1} + \dfrac{1}{x - r_2} + \cdots + \dfrac{1}{x - r_n}\right)$

Section 3.4

1. $99(x + 1)^{98}$

3. $200t(t^2 + 1)^{99}$

5. $50(\sqrt{t} + 1)^{99}/\sqrt{t}$

7. $(\ln 2)2^{(x+2)}$

9. $4(x^3 + e^x)^3(3x^2 + e^x)$

11. $(1 - 2z\ln 2)/(2^{z+1}\sqrt{z})$

13. $\dfrac{3}{2}e^{3w/2}$

15. $3s^2/(2\sqrt{s^3 + 1})$

17. $e^{-t^2}(1 - 2t^2)$

19. $e^{-z}/(2\sqrt{z}) - \sqrt{z}\,e^{-z}$

21. $e^{5-2t}(1 - 2t)$

23. $e^{-\theta}/(1 + e^{-\theta})^2$

25. $2we^{w^2}(5w^2 + 8)$

27. $-(\ln 10)(10^{\frac{5}{2} - \frac{y}{2}})/2$

29. $2ye^{[e^{(y^2)} + y^2]}$

31. $y = 4451{,}66x - 3560{,}81$

33. $f'(x) = [(2x + 1)^9(3x - 1)^6] \times (102x + 1)$
    $f''(x) = [9(2x + 1)^8(2)(3x - 1)^6 + (2x + 1)^9(6)(3x - 1)^5(3)] \times (102x + 1) + (2x + 1)^9(3x - 1)^6(102)$

35. a) $\pi\sqrt{2}$
    b) $7e$
    c) πe

37. a) $g'(1) = 3/4$
    b) $h'(1) = 3/2$

39. $e^{(x^6)}/6$

41. a) $dQ/dt = -0{,}000\,121e^{-0{,}000\,121t}$

43. a) $dB/dt = P(1 + r/100)^t \ln(1 + r/100)$
    b) $dB/dr = Pt(1 + r/100)^{t-1}/100$

45. a) $\dfrac{dm}{dv} = \dfrac{m_0 v}{c^2 \sqrt{(1 - v^2/c^2)^3}}$
    b) Le taux de variation de la masse en fonction de v

47. $T = RC$

Section 3.5

3. $\cos^2\theta - \sin^2\theta = \cos 2\theta$

5. $-4\sin(4\theta)$

7. $e^t \cos(e^t)$

9. $-(\sin x)e^{\cos x}$

11. $\sin x/(2\sqrt{1 - \cos x})$

13. $\cos x/\cos^2(\sin x)$

15. $(\ln 2)2^{\sin x}\cos x$

17. $e^{\cos\theta} - \theta(\sin\theta)e^{\cos\theta}$

19. $2\cos(2x)\sin(3x) + 3\sin(2x)\cos(3x)$

21. $e^{-2x}[\cos x - 2\sin x]$

23. $5\sin^4\theta\cos\theta$

25. $-3e^{-3\theta}/\cos^2(e^{-3\theta})$

27. $\cos t - t\sin t + 1/\cos^2 t$

29. $\theta^2\cos\theta$

31. $e^x/\sin x$

33. a) $dy/dt = -\dfrac{4{,}9\pi}{6}\sin\left(\dfrac{\pi}{6}t\right)$
    Taux de variation du niveau de la mer
    b) La situation se produit quand $\sin\left(\dfrac{\pi}{6}t\right) = 0$ ou à $t = 6$ h, 12 h, 18 h et minuit.
    $dy/dt = 0$ signifie que le niveau de la mer est soit en marée haute, soit en marée basse.

35. a) $t = (\pi/2)(m/k)^{\frac{1}{2}}$;
    $t = 0$;
    $t = (3\pi/2)(m/k)^{\frac{1}{2}}$
    b) $T = 2\pi(m/k)^{\frac{1}{2}}$
    c) $dT/dm = \pi/\sqrt{km}$;
    le signe positif signifie qu'un accroissement de la masse produit *un allongement de la période.*

37. $2/\cos^2\theta$

Section 3.6

1. $\dfrac{2t}{(t^2 + 1)}$

3. 2

5. $-1/(z(\ln z)^2)$

7. $\dfrac{e^{-x}}{1 - e^{-x}}$

9. $\dfrac{e^x}{e^x + 1}$

11. 7

13. $-\tan(w - 1)$

15. $2y/\sqrt{1 - y^4}$

17. 1

19. $-\sin(\ln t)/t$

21. $\arcsin w + \dfrac{w}{\sqrt{1 - w^2}}$

23. $-1 < x < 1$

25. $\dfrac{d}{dx}(\log x) = \dfrac{1}{(\ln 10)x}$

27. a) $10{,}59$ millions
    b) $-0{,}02$ million/année

29. a) $f'(x) = 0$
    b) f est une fonction constante.

31. a) $y = -x^2/2 + 2x - 3/2$
    b) En observant le graphe à proximité de $x = 1$, on note que les valeurs de $\ln x$ et de son approximation sont très proches.
    c) En $x = 1{,}1$, $y \approx 0{,}095$
    En $x = 2$, $y = 0{,}5$

33. a) $z = \sqrt{0{,}25 + x^2}$
    b) $0{,}693$ km/min
    c) $0{,}4$ rad/min

35. a) $k \approx 0{,}067$
    b) $t \approx 10{,}3$ h
    c) Formule :
    $T(24) \approx 74{,}1$ °F ;
    règle empirique : $73{,}6$ °F

Section 3.7

1. $dy/dx = -x/y$

3. $1/25$

5. $-y/(2x)$

7. $\dfrac{y^2 + x^4y^4 - 2xy}{x^2 - 2xy - 2x^5y^3}$

9. $dy/dx = \dfrac{2 - y\cos(xy)}{x\cos(xy)}$

11. $\dfrac{dy}{dx} = \dfrac{3x^2\arctan y}{-e^{\cos y}\sin y - x^3(1 + y^2)^{-1}}$

13. $y = x/2 - 3/2$

15. $y = 2$

17. $dy/dx = (m/n)x^{m/n - 1}$

19. a) $dy/dx = -9x/(25y)$
    b) La pente est indéfinie partout le long de la droite $y = 0$.

21. La droite est $y = 2x - 1$; le cercle est $(x - 8)^2 + y^2 = 45$.

Section 3.8

1. $1/x \approx 2 - x$

5. b) Cette estimation est assez juste.
   c) Ci-dessous

7. Positive

9. Négative

11. a) Indéfinie
    b) 0
    c) 0
    d) Indéfinie

13. $0{,}1x^7$

15. $x^{0{,}2}$

17. -2

19. $y = 2/3$

21. c) 0

Chapitre 3 – Révision

1. $2/3$

3. a) $h(4) = 1$
   b) $h'(4) = 2$
   c) $h(4) = 3$
   d) $h'(4) = 3$
   e) $h'(4) = -5/16$
   f) $h'(4) = 13$

5. Ces fonctions ressemblent à la droite $y = 0$:
   $\sin x - \tan x$, $\dfrac{x^2}{x^2 + 1}$,
   $x - \sin x$, $\dfrac{1 - \cos x}{\cos x}$.
   Ces fonctions ressemblent à la droite $y = x$:
   $\arcsin x$, $\dfrac{\sin x}{1 + \sin x}$,
   $\arctan x$, $e^x - 1$,
   $\dfrac{x}{x + 1}$, $\dfrac{x}{x^2 + 1}$.
   Cette fonction est indéfinie à l'origine :
   $\dfrac{\sin x}{x} - 1$, $-x\ln x$.
   Ces fonctions sont définies à l'origine mais avec une tangente verticale :
   $x^{10} + \sqrt[10]{x}$.

7. a) $dg/dr = -2GM/r^3$
   b) dg/dr est le taux de variation de l'accélération due à l'attraction de la gravité. Plus on se trouve loin du centre de la Terre, plus faible est l'attraction de la gravité.
   c) $-3{,}05 \cdot 10^{-6}$

d) Raisonnable parce que l'amplitude de $\frac{dg}{dr}$ est si petite (comparativement à $g = 9{,}8$) que pour r proche de 6400 km, g ne varie pour ainsi dire pas.

9. a) $v(t) = 10e^{t/2}$
   b) $v(t) = s(t)/2$

11. a) Descendante, 0,38 m/h
    b) Montante, 3,76 m/h
    c) Montante, 0,75 m/h
    d) Descendante, 1,12 m/h

13. a) $v = -2\pi\omega y_0 \sin(2\pi\omega t)$
      $a = -4\pi^2\omega^2 y_0 \cos(2\pi\omega t)$
    b) Amplitudes : différentes
      $(y_0, 2\pi\omega y_0, 4\pi^2\omega^2 y_0)$
      Périodes = $1/\omega$

15. $1/\pi \approx 0{,}32\,\mu\text{m/jour}$

17. 232,2 mi/h

19. a) Décroît
    b) $-0{,}25\ \text{cm}^3/\text{min}$

Gros plan sur la pratique : la dérivation

1. $6t - 4$

3. $-(5x^4 + 2)/2$

5. $20x^3 - 2/x^3$

7. $2e^{2x}(x^2 - x + 1)/(x^2 + 1)^2$

9. $4x\,(x^2 + 2)/9$

11. $-3\cos(2 - 3x)$

13. $(z^2 - 1)/(3z^2)$

15. $1/(\sqrt{\sin(2z)}\ \sqrt{\cos^3(2z)}\,)$

17. $ae^{ax}/(e^{ax} + b)$

19. $\cos(\tan\theta)/\cos^2\theta$

21. $\cos(\cos x + \sin x) \cdot (\cos x - \sin x)$

23. $5\sin^4\alpha \cos^4\alpha - 3\sin^6\alpha \cos^2\alpha$

25. $-2/(\sqrt{t}(3 + \sqrt{t}\,)^2)$

27. $-(3e^{3x} + 2x)/(e^{3x} + x^2)^2$

29. $\dfrac{(4\theta - 2\sin(2\theta)\cos(2\theta))}{\sqrt{4\theta^2 - \sin^2(2\theta)}}$

31. $3w^2\ln(10w) + w^2$

33. π

35. $2r^3/\sqrt{r^4 + 1}$

37. $\dfrac{\sqrt{x + 3}(x^2 + 6x - 9)}{2(x + 3)^2\sqrt{x^2 + 9}}$
   $= \dfrac{x^2 + 6x - 9}{2(x + 3)^{3/2}\sqrt{x^2 + 9}}$

39. $1/(1 + 2u + 2u^2)$

41. $(2t - ct^2)e^{-ct}$

43. $\ln x/(1 + \ln x)^2$

45. $8/\sin t$

47. $3\cos(3\theta)e^{\sin(3\theta)}$

49. $(\ln\pi)\pi^{(x + 2)}$

51. $(\cos\theta)e^{\sin\theta}$

53. $e^{2x}[2x^2 + 2x + (\ln 5 + 2)5^x]$

55. $-8/(4 + t)^2$

57. $-8b^4z/(a + z^2)^5$

59. $(\ln(\ln 2))(\ln 2)^z$

61. $-3\sin(\arctan 3x)/(1 + 9x^2)$

63. $6(1 + 3t)e^{(1 + 3t)^2}$

65. $2r(r + 1)/(2r + 1)^2$

67. $2e^t + 2te^t + 1/(2t^{3/2})$

69. $-\dfrac{2^w \ln 2 + e^w}{(2^w + e^w)^2}$

71. $x^2\ln x$

73. $6(3\theta - \pi)\cos[(3\theta - \pi)^2]$

75. $(-e^{-t} - 1)/(e^{-t} - t)$

77. $1/\sin^2\theta - 2\theta\cos\theta/\sin^3\theta$

79. $-1/(1 + (2 - x)^2)$

81. $e^n\cos(e^n)$

83. $\cos(\sqrt{t}e^t) - t\sin(\sqrt{t}e^t) \cdot (\sqrt{t}e^t + e^t/(2\sqrt{t}))$

85. 0

87. $e^{\tan x} + xe^{\tan x}/\cos^2 x$

89. $6x/(9x^4 + 6x^2 + 2)$

91. a

93. $ke^{k\theta}$

95. $e^{-4kt}(\cos t - 4k\sin t)$

97. $-4a^2x/(a^2 + x^2)^2$

99. $(-3a^2s - s^3)/(a^2 + s^2)^{3/2}$

101. $(-cat^2 + 2at - bc)e^{-ct}$

103. $-2/(x^2 + 4)$

105. $ae^{au}/(a^2 + b^2)$

107. $4/(e^x + e^{-x})^2$

109. $(-4 - 6x)(6x^e - 3\pi) + (2 - 4x - 3x^2)(6ex^{e-1})$

111. 0

113. $4x - 2 - 4x^{-2} + 8x^{-3}$

115. a) $f'(2) = 20$
     b) $f'(2) = 11/9$
     c) $f'(2) = -4$
     d) $f'(2) = -24$
     e) $f'(2) = \sin 3 - 8\cos 3$
     f) $f'(2) = 4\ln 3 - 16/3$

117. $(1 - y)/(x - 3)$

119. $ax/(by)$

121. $\dfrac{8xy - 3x^2}{3y^2 - 4x^2}$

Section 4.1

3. a) $x \approx 2{,}5$
     (ou tout $2 < x < 3$)
     $x \approx 6{,}5$

   (ou tout $6 < x < 7$)
   $x \approx 9{,}5$
   (ou tout $9 < x < 10$)
   b) $x \approx 2{,}5$: maximum local
      $x \approx 6{,}5$: minimum local
      $x \approx 9{,}5$: maximum local

7. $x = -1, 1/2$

9. Croissante pour tout x ;
   pas de point critique

11. Alternativement croissante et décroissante

13. Oscillante : $x < 0$
    Croissante : $x > 0$

15. Minimum local : $(0{,}37, -0{,}37)$

19. $a = -1/3$

21. a) Maximum local et maximum absolu
    b) Minimum local et minimum absolu
    c) Ni l'un ni l'autre
    d) Minimum local et minimum absolu

33. a) Décroissante
    b) Minimum local en x_1
    c) Concave vers le haut en x_2

Section 4.2

3. En augmentant $|a|$, on étire le graphe horizontalement.

5. a) $b = 20$ °C, $a = 180$ °C
   b) $k = \frac{1}{90}\ \text{min}^{-1}$

7. a) $x = 0$ et $\pm\sqrt{-a/2}$
   b) Pour tout a ou b, $x = 0$ est un point critique. Un point est critique seulement si $a \geq 0$. Minimum local
   c) Si a est négatif :
      $x = 0$ est un maximum local
      $x = \pm\sqrt{-\frac{a}{2}}$ sont des minimums locaux
   d) Non

11. $(1/b, 1/(be))$

13. A détermine l'intersection avec l'axe des y, ce qui étire ou aplatit le graphe en forme de cloche.
    B modifie la largeur.

17. a) $|A|$ plus grand, plus abrupte
    b) Fait la translation horizontalement par B ; à gauche pour $B > 0$ et à droite pour $B < 0$. Asymptote verticale $x = -B$

Section 4.3

3. a) $f(1)$ minimum local
      $f(0)$, $f(2)$ maximums locaux
   b) $f(1)$ minimum absolu
      $f(2)$ maximum absolu

5. a) $f\left(\frac{2\pi}{3}\right)$ maximum local

   $f(0)$ et $f(\pi)$ minimums locaux

   b) $f\left(\frac{2\pi}{3}\right)$ maximum absolu

   $f(0)$ minimum absolu

7. b) Oui, en $x = 0$

   c) $5 > g(0) > g(2)$

9. 44,1 pi

11. $r = \frac{2}{3}R$

13. $\theta = -\mu + \sqrt{\mu^2 + 1}$

15. Minimum : $x = -r_0/\sqrt{2}$

   Maximum : $x = r_0/\sqrt{2}$

17. c) Non

19. $0 \le y$; pas de majorant

21. $0 \le y \le 16$

23. a) 10

   b) 9

25. b) 160 mi/h ou 320 mi/h ;

   non ; oui

   c) 220 mi/h

Section 4.4

3. a) Coût fixe

   b) Diminue lentement,

   puis augmente

5. a) 0 \$

   b) 96,56 \$

   c) Augmente le prix de 5 \$.

7. b) i) $N'(x) = 20$

   ii) $\dfrac{N(x)}{x} = \dfrac{100}{x} + 20$

11. b) $q = [Fa/(K(1-a))]^a$

Section 4.5

1. $2000 - 1200/\sqrt{5}$

3. Minimum $v = \sqrt{2}\,k$;

   pas de maximum

5. a) $V = Ax/4 - x^3/2$

   c) $(A/6)^{3/2}$

7. 40 pi sur 80 pi

9. $h = \sqrt{50}$ m

11. $(0,59, 0,35)$

13. Quand le rectangle est un carré.

15. 15 mi/h

17. a) La moyenne arithmétique à moins que $a = b$, dans lequel cas les deux moyennes sont égales.

   b) La moyenne arithmétique à moins que $a = b = c$, dans lequel cas les deux moyennes sont égales.

19. a) $E = 500e\left(\dfrac{200 - \cos\theta}{\sin\theta}\right) + 2000e$

   $\left(\arctan\left(\dfrac{500}{2000}\right) \le \theta \le \dfrac{\pi}{2}\right)$

b) $\theta = \pi/3$

c) Indépendante de e, mais dépendante de $\overline{AB}\,/\,\overline{AL}$

21. a) $T = \sqrt{a^2 + (c-x)^2}\,/v_1$

   $+ \sqrt{b^2 + x^2}\,/v_2$

Section 4.6

5. $\cosh(2x) = \cosh^2 x + \sinh^2 x$

7. $2\sinh(2x)$

9. $2te^{t^2}\sinh(e^{t^2})$

11. $\tanh(1 + \theta)$

13. b) $A = 6{,}325$ (facteur d'étirement)

   $c = 0{,}458$ (translation horizontale)

15. b) Forme en U

   c) Croissante $(A > 0)$

   ou décroissante $(A < 0)$

   d) Maximum : $A < 0, B < 0$

   Minimum : $A > 0, B > 0$

17. $y \approx 715 - 100\cosh(x/100)$

Chapitre 4 – Révision

3. a) Croissante : $(0, \infty)$

   Décroissante : $(-\infty, 0)$

   b) Minimum local et absolu : $f(0)$

5. a) Croissante : $(0, 4)$

   Décroissante : $(-\infty, 0), (4, \infty)$

   b) Maximum local : $f(4)$

   Minimum local : $f(0)$

7. a) $f'(x) = 3x(x - 2)$

   $f''(x) = 6(x - 1)$

   b) $x = 0$

   $x = 2$

   c) Point d'inflexion : $x = 1$

   d) Aux extrémités :

   $f(-1) = -4$

   $f(3) = 0$

   Points critiques :

   $f(0) = 0$

   $f(2) = -4$

   Maximum absolu :

   $f(0) = 0$ et $f(3) = 0$

   Minimum absolu :

   $f(-1) = -4$ et

   $f(2) = -4$

   e) f croissante :

   pour $x < 0$ et $x > 2$

   f décroissante :

   pour $0 < x < 2$

   f concave vers le haut :

   pour $x > 1$

   f concave vers le bas :

   pour $x < 1$

9. a) $f'(x)$

   $= -e^{-x}\sin x + e^{-x}\cos x$

   $f''(x) = -2e^{-x}\cos x$

   b) Points critiques :

   $x = \frac{\pi}{4}$ et $\frac{5\pi}{4}$

c) Points d'inflexion :

   $x = \frac{\pi}{2}$ et $\frac{3\pi}{2}$

d) Extrémités :

   $f(0) = 0$

   $f(2\pi) = 0$

   Maximum absolu :

   $f\left(\frac{\pi}{4}\right) = \left(e^{-\frac{\pi}{4}}\right)\left(\frac{\sqrt{2}}{2}\right)$

   Minimum absolu :

   $f\left(\frac{5\pi}{4}\right) = -e^{\frac{-5\pi}{4}}\left(\frac{\sqrt{2}}{2}\right)$

   f croissante :

   $0 < x < \frac{\pi}{4}$ et

   $\frac{5\pi}{4} < x < 2\pi$

   f décroissante :

   $\frac{\pi}{4} < x < \frac{5\pi}{4}$

   f concave vers le bas :

   pour $0 \le x < \frac{\pi}{2}$

   et $\frac{3\pi}{2} < x \le 2\pi$

   f concave vers le haut :

   pour $\frac{\pi}{2} < x < \frac{3\pi}{2}$

11. $\displaystyle\lim_{x \to \infty} f(x) = \infty$

   $\displaystyle\lim_{x \to \infty} f(x) = -\infty$

   a) $f'(x) = 6(x - 2)(x - 1)$

   $f''(x) = 6(2x - 3)$

   b) $x = 1$ et $x = 2$

   c) $x = \frac{3}{2}$

   d) Points critiques :

   $f(1) = 6, f(2) = 5$

   Maximum local : $f(1) = 6$

   Minimum local : $f(2) = 5$

   Maximum et minimum

   absolus : aucun

   e) f croissante : $x < 1$ et $x > 2$

   Décroissante : $1 < x < 2$

   f concave vers le haut : $x > \frac{3}{2}$

   f concave vers le bas : $x < \frac{3}{2}$

13. $\displaystyle\lim_{x \to -\infty} f(x) = -\infty$

   $\displaystyle\lim_{x \to \infty} f(x) = 0$

   a) $f'(x) = (1 - x)e^{-x}$

   $f''(x) = (x - 2)e^{-x}$

   b) Le seul point critique est en $x = 1$.

   c) Point d'inflexion : $f(2) = \frac{2}{e^2}$

   d) Maximum absolu : $f(1) = \frac{1}{e}$

   Minimum local et absolu : aucun

   e) f croissante : $x < 1$

   f décroissante : $x > 1$

   f concave vers le haut : $x > 2$

   f concave vers le bas : $x < 2$

15. Maximum local : $f(-3) = 12$

   Minimum local : $f(1) = -20$

   Point d'inflexion : $x = -1$

   Maximum et minimum globaux : aucun

17. Minimum local et global : $x = 2$
Maximum local et global : aucun
Points d'inflexion : aucun

19. Maximum absolu et local :
$f(0) = 1$
Minimum local : aucun
Points d'inflexion : $x = \pm \frac{1}{\sqrt{2}}$

25. $x = \sqrt[3]{2V}$
$y = \sqrt[3]{V/4}$

27. $-4,81 \le f(x) \le 1,82$

29. g(e) est un maximum absolu.
Il n'y a pas de minimum.
   b) Il y a exactement deux
   solutions.
   c) $x = 5$ et $x \approx 1,75$

31. a) Intersection avec l'axe des x :
   $(a, 0)$
   Intersection avec l'axe des y :
   $(0, 1/(a^2 + 1))$
   b) Aire $= a/(2(a^2 + 1))$
   c) $a = 1$
   d) $A = 1/4$
   e) $a = 2$ et $a = \frac{1}{2}$

33. a) La concavité change en y_1 et
   en y_3.
   b) $f(t)$ augmente plus rapidement
   où le vase est le plus étroit et
   plus lentement où le vase est le
   plus large.

Section 5.1

1. a) Estimation inférieure : 122 pi
   Estimation supérieure : 298 pi

3. a) Estimation inférieure : 5,25 mi
   Estimation supérieure : 5,75 mi
   Estimation inférieure : 11,5 mi
   b) Estimation supérieure : 14,5 mi
   c) Toutes les 30 secondes

5. Somme de gauche : 46 m
   Somme de droite : 118 m
   Moyenne : 82 m

9. Entre 140 m et 150 m

11. a) 14,73 min
   15,93 min
   b) 0,60 min

Section 5.2

1. a) 224
   b) 96
   c) 200
   d) 136

3. Limite : $\frac{1}{4}$
   La valeur exacte se situe entre
   0,248 004 et 0,252 004.

5. Puisque $\sin(t^2)$ *n'est pas* monotone
   sur [2, 3], on ne peut être assuré de la
   valeur exacte.

7. Puisque $\sin(1/x)$ *n'est pas*
   monotone sur [0,2, 3], on ne peut
   être assuré de la valeur exacte.

9. Somme de gauche : 1,968 75
   Somme de droite : 2,718 75
   L'écart maximal de l'estimation
   pourrait être de 0,375.

11. 396

13. 24,7

15. 4,39

17. 0,0833

19. a) 3,08
   b) 2,50

21. Positive

23. 93,47

25. a) $\sum_{i=1}^{n} i^4/n^5$
   b) $(6n^4 + 15n^3 + 10n^2 - 1)/(30n^4)$
   c) 1/5

27. $a = 2$, $b = 6$, $f(x) = x^2$; autres
   réponses possibles

Section 5.3

1. a) Voiture 1 : 1031,25 pi
   Voiture 2 : 562,5 pi
   b) 1,6 min

3. b) Deux fois
   À chaque point d'intersection,
   la distance entre les deux
   véhicules se trouve en un
   extremum local.

5. Dollars

7. Montant total $= \int_0^{60} f(t)\, dt$

9. 15

11. a) 8,5
   b) 1,7

13. Environ 13 800 $

17. a) 0,79

19. a) 22 °C
   b) 183 °C
   c) Plus petit

21. a) 9,9 h
   b) 14,4 h
   c) 12,0 h

23. 12 N · m

25. a) III
   b) I
   c) II et IV

Section 5.4

3. $F(0) = 0$
   $F(1) = 1$
   $F(2) = 1,5$
   $F(3) = \frac{1}{2}$
   $F(4) = 0$

$F(5) = -1$
$F(6) = -1,5$

5. $f(3) - f(2)$,
   $\dfrac{f(4) - f(2)}{2}$,
   $f(4) - f(3)$

7. 45,8 °C

9. a) 0,375 milliers/h
   b) 1,75 milliers

15. 9

17. $8c$

19. 8

21. a) Positive, puisque $e^{x^2} > 0$

23. a) 0
   b) 0

25. 30/7

Chapitre 5 – Révision

1. a) 260 pi
   b) Toutes les 0,5 s

3. 60

5. 0,40

7. 2,00

9. $\pi - 2 \approx 1,14$

11. iii) < ii) < i) < iv)

15. b) Du plus grand au plus petit :
   $n = 1$, $n = 3$, $n = 4$ et $n = 2$.

17. a) $\approx 76,8$ millions
   b) $= 77,24$ millions

18. a) 18 appareils par mois
   b) 17 appareils par mois
   c) Près, mais pas égal
   d) L'intégrale est plus facile à
   calculer.

21. a) 300 m^3/s
   b) 250 m^3/s
   c) 1996 : 1250 m^3/s
   1957 : 3500 m^3/s
   d) 1996 : 10 jours
   1957 : 4 mois
   e) 10^9 m^3
   f) $2 \cdot 10^{10}$ m^3

23. a) En $t = 17, 23, 27$ s
   b) Droite : $t = 10$ s
   Gauche $t = 40$ s
   c) Droite : $t = 17$ s
   Gauche : $t = 40$ s
   d) $t = 10$ à 17 s, 20 à 23 s
   et 24 à 27 s
   e) En $t = 0$ et $t = 35$

25. a) $\int_0^5 f(x)\, dx - \frac{1}{2} \int_{-2}^2 f(x)\, dx$
   b) $\int_{-2}^5 f(x)\, dx - 2 \int_{-2}^0 f(x)\, dx$
   c) $\frac{1}{2} \left(\int_{-2}^5 f(x)\, dx - \int_2^5 f(x)\, dx \right)$

27. 0 ; positive ; 0 ; négative

Théorie : intégrale définie

5. $2,852$, $2,919$, $2,886$, $n = 30$

7. $0,465$, $0,474$, $0,470$, $n = 10$

9. $0,0045$, $0,0276$, $0,016$, $n = 10$

11. $0,825$, $0,905$, $0,865$, $n = 20$

Section 6.1

5. a) $x = 1$, $x = 3$
   b) Minimum local en $x = 1$, maximum local en $x = 3$

7. a) $x = 1$, $x = 4$
   b) Maximum local en $x = 1$, ni l'un ni l'autre en $x = 4$

11. a) $f(3) = 1$; $f(7) = 0$
    b) $x = 0, 5,5, 7$

15. L'accélération est zéro aux points A et C.

Section 6.2

1. $5x$

3. $x^3/3$

5. $\sin t$

7. $\ln |z|$

9. $-1/(2z^2)$

11. $-\cos t$

13. $t^4/4 - t^3/6 - t^2/2$

15. $5x^2/2 - 2x^{3/2}/3$

17. $-\cos 2\theta$

19. $(t + 1)^3/3$

21. $\sin t + \tan t$

23. $F(x) = x^2$
    (seule possibilité)

25. $F(x) = x^2/8$
    (seule possibilité)

27. $F(x) = \frac{2}{3}x^{3/2}$
    (seule possibilité)

29. $F(x) = -\cos x + 1$
    (seule possibilité)

31. $2t^2 + 7t + C$

33. $5e^z + C$

35. $-\cos t + C$

37. $2t^{5/2}/5 - 2t^{-1/2} + C$

39. $e^{2r}/2 + C$

41. $y^3/3 - 2y - 1/y + C$

43. $\frac{1}{2} \ln |2x - 1| + C$

45. $\frac{1}{2} \sin 2x + 2\cos x + C$

47. $1 - \cos 1 \approx 0,460$

49. $16/3 \approx 5,333$

51. $-8/9 \approx -0,889$

53. $\tan \frac{\pi}{4} = 1$

55. $1 - \frac{\sqrt{3}}{4} \approx 0,567$

57. $\sqrt{2} - 1$

59. $c = 3$

61. a) 0
    b) $2/\pi$

63. b) 7 ans
    c) $69\frac{1}{3}$ verges cubiques

Section 6.3

1. $x^4/4 + 5x + C$

3. $8t^{3/2}/3 + C$

5. $2x^3 + 2x^2 - 14$

7. $-16t^2 + 100t + 50$

11. $y = 2kt^{3/2}/3$

13. c) 200 pi
    d) 200 pi

15. a) 6 s
    b) Somme de gauche : 97,5 pi
       surestimation
       Somme de droite : 82,5 pi
       sous-estimation
    c) 90 pi
    d) $s(t) = 30t - \frac{5}{2}t^2$; $s(6) = 90$ pi
       Distance par intégration =
       Moyenne des sommes de droite
       et de gauche

17. c) Hauteur = 400 pi
    d) $v(t) = -32t + 160$
       Hauteur = 400 pi

19. a) $v(t) = 1,6t$
    b) $s(t) = 0,8t^2 + s_0$

21. 77 mi/h ; 113,1 pi/s

Section 6.4

1. 500

7. a) $\text{Si}(4) \approx 1,76$
      $\text{Si}(5) \approx 1,55$
   b) $(\sin x)/x$ est négative sur cet intervalle.

9. $(1 + x)^{200}$

11. $-\cos(t^3)$

13. $(2 \sin x^2)/x$

15. a) $F'(x) = 1/(\ln x)$
    b) $F(x)$ est croissante et concave vers le bas pour $x \geq 2$.

17. $\frac{1}{\sqrt{\pi x}} e^{-x}$

19. $\text{erf}(x_2/\sqrt{2}) - \text{erf}(x_1/\sqrt{2})$

Chapitre 6 – Révision

1. $\frac{5}{2}x^2 + 7x + C$

3. $e^x + 5x + C$

5. $\tan x + C$

7. $(x + 1)^3/3 + C$

9. $\frac{1}{10}(x + 1)^{10} + C$

11. $\frac{1}{2}x^2 + x + \ln|x| + C$

12. $3 \sin x + 7 \cos x + C$

15. $2e^x - 8 \sin x + C$

17. $\ln|x| - 1/x - 1/(2x^2) + C$

19. $G(t) = 5t + \sin t + C$

21. $H(r) = 4r^{3/2}/3 + r^{1/2} + C$

23. $H(t) = t - 2 \ln |t| - 1/t + C$

25. $F(z) = e^z + 3z + C$

27. $e^x + e^{1+x} + C$

29. $P(r) = \pi r^2 + C$

31. $(1 + \sin t)^{30}/30 + C$

33. $\sin(t^2)/2 + C$

35. $e^2 y + 2^y/\ln 2 + C$

37. $\frac{e^{x^2}}{2} + C$

39. $\sqrt{3} - \pi/9$

41. $c = 3/4$

49. a) 14 000 tours/min^2
    b) 180 tours

51. b) Altitude la plus élevée :
       $t = 2,5$ s
       Touche le sol : $t = 5$ s
    c) Somme de gauche :
          136 pi (une surestimation)
       Somme de droite :
          56 pi (une sous-estimation)
    d) 100 pi

53. b) $t = 6$ h
    c) $t = 11$ h

55. Positive, zéro, négative, positive, zéro

Modélisation : mouvement

1. $t = 5$; $v = -160$ pi/s

3. 400 pi

7. a) Première seconde : $-g/2$
      Deuxième : $-3g/2$
      Troisième : $-5g/2$
      Quatrième : $-7g/2$
   b) L'énoncé de Galilée semble avoir été juste.

Section 7.1

1. a) i) $2x \cos(x^2 + 1)$
      ii) $3x^2 \cos(x^3 + 1)$
   b) i) $\frac{1}{2} \sin(x^2 + 1) + C$
      ii) $\frac{1}{3} \sin(x^3 + 1) + C$
   c) i) $-\frac{1}{2} \cos(x^2 + 1) + C$
      ii) $-\frac{1}{3} \cos(x^3 + 1) + C$

3. $-\frac{1}{3} \cos 3x + C$

5. $4 \sin(t^3) + C$

7. $e^{\sin x} + C$

9. $\frac{1}{2} \ln(x^2 + 1) + C$

11. $\frac{1}{18} (y^2 + 5)^9 + C$

13. $\frac{1}{9} (x^2 - 4)^{9/2} + C$

15. $\frac{1}{6} (x^2 + 3)^3 + C$

17. $\frac{1}{148} (2t - 7)^{74} + C$

19. $-\frac{1}{8} (\cos \theta + 5)^8 + C$

21. $-\frac{1}{2} e^{-x^2} + C$

23. $\frac{1}{35} \sin^7 5\theta + C$

25. $\frac{1}{4} \sin^4 \alpha + C$

27. $\ln |e^t + t| + C$

29. $-\frac{1}{2} \ln |\cos 2x| + C$

31. $2e^{\sqrt{y}} + C$

33. $\ln(2 + e^x) + C$

35. $\frac{1}{5} y^5 + \frac{1}{2} y^4 + \frac{1}{3} y^3 + C$

37. $\frac{1}{6} \ln(1 + 3t^2) + C$

39. $t + 2 \ln |t| - \frac{1}{t} + C$

41. $e^{x^2 + x} + C$

43. a) $x^4 + 2x^2 + C$
    b) $(x^2 + 1)^2 + C$
    c) Toutes les deux sont exactes mais diffèrent d'une constante.

45. $\frac{mg}{k} t - \frac{m^2 g}{k^2} (1 - e^{-kt/m}) + h_0$

Section 7.2

1. a) $(\ln 2)/2$
   b) $(\ln 2)/2$

3. $1/\pi$

5. $e(e^3 - 1)$

7. 1

9. 2/5

11. 40

13. $\ln 3$

15. 14/3

17. $49\,932 \frac{1}{6}$

19. $\frac{1}{3} (1 - \frac{\sqrt{2}}{2})$

21. $3/2 + \ln 2$

23. $(\ln 2)/2$

25. $\pi/12$

27. $\ln 5$

29. Substituez $w = \ln x$.

31. Substituez $w = x + 1$, $w = 1 + \sqrt{x}$.

33. $\arctan (x + 2) + C$

35. $\frac{1}{2} (e^4 - 1)$

37. a) 0
    b) 2/3

39. $\frac{1}{2} \ln 3$

41. a)   30 500 pennies
    b)   Deux romans de 25 000 mots

43. $-\frac{1}{k} \ln \left(\frac{e^{t\sqrt{gk}} + e^{-t\sqrt{gk}}}{2} \right) + h_0$

Section 7.3

1. $x \cdot \arctan x$
   $- \frac{1}{2} \ln (1 + x^2) + C$

3. $\frac{1}{5} t^2 e^{5t} + \frac{2}{25} te^{5t}$
   $+ \frac{2}{125} e^{5t} + C$

5. $-t \cos t + \sin t + C$

7. $\frac{x^4}{4} \ln x - \frac{x^4}{16} + C$

9. $-(z + 1)e^{-z} + C$

11. $\frac{1}{3} \theta^2 \sin 3\theta + \frac{2}{9} \theta \cos 3\theta$
    $- \frac{2}{27} \sin 3\theta + C$

13. $- (\theta + 1) \cos(\theta + 1)$
    $+ \sin(\theta + 1) + C$

15. $-x^{-1} \ln x - x^{-1} + C$

17. $\frac{2}{3} y(y + 3)^{3/2}$
    $- \frac{4}{15} (y + 3)^{5/2} + C$

19. $-2y(5 - y)^{1/2}$
    $- \frac{4}{3} (5 - y)^{3/2} + C$

21. $t(\ln t)^2 - 2t \ln t + 2t + C$

23. $w \arcsin w + \sqrt{1 - w^2} + C$

25. $\frac{1}{2} x^2 \arctan x^2$
    $- \frac{1}{4} \ln(1 + x^4) + C$

27. $\frac{1}{3} x^3 \sin x^3 + \frac{1}{3} \cos x^3 + C$

29. $\cos 5 + 5 \sin 5 - \cos 3 - 3 \sin 3$
    $\approx -3{,}944$

31. $\frac{9}{2} \ln 3 - 2 \approx 2{,}944$

33. $6 \ln 6 - 5 \approx 5{,}751$

35. $\frac{\pi}{2} - 1 \approx 0{,}571$

37. $\frac{1}{2} \theta - \frac{1}{4} \sin 2\theta + C$

39. $\frac{1}{2} e^x (\sin x - \cos x) + C$

41. $\frac{1}{2} xe^x (\sin x - \cos x) + \frac{1}{2} e^x \cos x + C$

43. Intégrez par parties en choisissant $u = x^n$ et $v' = e^x$.

45. Intégrez par parties en choisissant $u = x^n$ et $v' = \sin ax$.

47. π

49. a) $-a^2 e^{-a} - 2ae^{-a} - 2e^{-a} + 2$
    b) Croissante
    c) Concave vers le haut

51. a) $A = a/(a^2 + b^2)$
       $B = -b/(a^2 + b^2)$
    b) $e^{ax} (b \sin bx + a \cos bx)/$
       $(a^2 + b^2) + C$

53. a) $C_1 = \sqrt{2}$
    b) $C_n = \sqrt{2}$

Section 7.4

1. $\frac{1}{10} e^{(-3\theta)} (\sin \theta - 3 \cos \theta) + C$

3. $-\frac{1}{5} \cos^5 w + C$

5. $\frac{1}{\sqrt{3}} \arctan \frac{y}{\sqrt{3}} + C$

7. $(\frac{1}{2} x^3 - \frac{3}{4} x^2 + \frac{3}{4} x - \frac{3}{8}) e^{2x} + C$

9. $\frac{3}{16} \cos 3\theta \sin 5\theta$
   $- \frac{5}{16} \sin 3\theta \cos 5\theta + C$

11. $\frac{1}{3} e^{x^3} + C$

13. $\frac{u^6}{6} \ln 5u - \frac{1}{36} u^6 + C$

15. $-\frac{1}{2} x^2 \cos x^2 + \frac{1}{2} \sin x^2 + C$

17. $-\frac{1}{2} y^2 \cos 2y + \frac{1}{2} y \sin 2y$
    $+ \frac{1}{4} \cos 2y + C$

19. $-\frac{1}{2 \tan 2\theta} + C$

21. $\frac{1}{21} \frac{\tan 7x}{\cos^2 7x} + \frac{2}{21} \tan 7x + C$

23. $\frac{1}{3} \frac{\sin x}{\cos^3 x} - \frac{4}{3} \frac{\sin x}{\cos x} + x + C$

25. $-\frac{1}{4} (\ln |y - 2| - \ln |y + 2|) + C$

27. $\arctan (y + 2) + C$

29. $-\frac{1}{9} (\cos^3 3\theta) + \frac{1}{15} (\cos^5 3\theta) + C$

33. $2 \ln |x| + \ln|x + 3| + C$

35. $\ln |x - 1| - \ln |x| + C$

37. $\frac{1}{3} \ln |P/(1 - P)| + C$

39. a) 0
    b) $V_0/\sqrt{2}$
    c) 156 volts

41. 0

Section 7.5

1. a) GAUCHE(2) = 12 ;
      DROITE(2) = 44
   b) GAUCHE(2) sous-estimation ;
      DROITE(2) surestimation

5. a) i) GAUCHE(32)
         = 13,6961
         DROITE(32) = 14,3437
         TRAP(32) = 14,0199
         Valeur exacte :
         $(x \ln x - x)|_1^{10}$
         $\approx 14{,}025\,850\,93$
      ii) GAUCHE(32)
         = 50,3180
         DROITE(32) = 57,0178
         TRAP(32) = 53,6679
         Valeur exacte : $e^x|_0^4$
         $\approx 53{,}598\,150\,03$
   b) i) Du plus petit au plus grand :
         GAUCHE(32)
         TRAP(32)
         Valeur véritable
         DROITE(32)
      ii) Du plus petit au plus grand :
         GAUCHE(32)
         Valeur véritable

TRAP(32)
DROITE(32)

7. a) 0,664 = GAUCHE
        0,633 = TRAP
        0,632 = MI
        0,601 = DROITE
   b) Entre 0,632 et 0,633

9. a) TRAP(4) ; 1027,5
   b) Sous-estimation

11. MI : au-dessus ; TRAP : au-dessous

13. TRAP : au-dessus ; MI : au-dessous

15. a) GAUCHE(5) ≈ 1,323 50
        Erreur ≈ −0,038 10
        DROITE(5) ≈ 1,240 66
        Erreur ≈ 0,044 74
        TRAP(5) ≈ 1,282 08
        Erreur ≈ 0,003 32
        MI(5) ≈ 1,287 05
        Erreur ≈ −0,001 656

17. 445 lb d'engrais

23. DROITE(10) = 5,556
    TRAP(10) = 4,356
    GAUCHE(20) = 3,199
    DROITE(20) = 4,399
    TRAP(20) = 3,799

Section 7.6

1. a) 76/3
   b) 76/3
   c) 0

3. 4,2365, $n = 10$

5. 1,0894, $n = 10$

7. 0,904 524, $n = 10$

9. a) ≈ 53,598
   b) GAUCHE(2) = 16,778 ;
       Erreur = 36,820
       DROITE(2) = 123,974 ;
       Erreur = −70,376
       TRAP(2) = 70,376 ;
       Erreur = −16,778
       MI(2) = 45,608 ;
       Erreur = 7,990
       SIMP(2) = 53,864 ;
       Erreur = −0,266
   c) GAUCHE(4) = 31,193 ;
       Erreur = 22,405
       DROITE(4) = 84,791 ;
       Erreur = −31,193
       TRAP(4) = 57,992 ;
       Erreur = −4,394
       MI(4) = 51,428 ;
       Erreur = 2,170
       SIMP(4) = 53,616 ;
       Erreur = −0,018

11. a) 3,449
    b) 3,816
    c) 3,980

13. a) 9,5 années
    b) 8,33 h
    c) 5 min

15. 0,272

17. a) ≈ 4,78
    b) ≈ 4,7962

19. a) Surtout croissante ; surtout
        concave vers le bas

Section 7.7

1. $e^{-2}/2$

3. Ne converge pas.

5. $\pi/5$

7. $2^{3/4}$

9. Ne converge pas.

11. Ne converge pas.

13. $\pi/8$

15. Ne converge pas.

17. Ne converge pas.

19. $\dfrac{1}{\ln 3}$

21. 1/3

23. Ne converge pas.

25. 1

27. a) Ne converge pas.
    b) N'est pas différentiable.

29. a) $\Gamma(1) = 1$
        $\Gamma(2) = 1$
    c) $\Gamma(n) = (n-1)!$

31. 9×10^9 J

33. Converge pour $p > -1$ vers pe^{p+1}
    $/(p+1)^2$.

Section 7.8

1. a) Diverge.
   b) $f(x)$: converge.
       $g(x)$: impossible à déterminer
       $h(x)$: diverge.
       $k(x)$: diverge.

3. Converge.

5. Converge.

7. Ne converge pas.

9. Converge.

11. Converge.

13. Converge.

15. Ne converge pas.

17. 0,139

19. $a = 0,399$

21. a) $\int_3^\infty e^{-x^2}\, dx \le \dfrac{e^{-9}}{3}$
    b) $\int_n^\infty e^{-x^2}\, dx \le \dfrac{1}{n} e^{-n^2}$

23. Converge pour $p < 1$.
    Diverge pour $p \ge 1$.

25. a) e^t est concave vers le haut pour
        tout t.

Chapitre 7 – Révision

1. $\int_0^b h\, dx = hb$

3. $2\int_{-r}^r \sqrt{r^2 - x^2}\, dx = \pi r^2$

5. a) i)   0
        ii) $\dfrac{2}{\pi}$
        iii) $\dfrac{1}{2}$
    b) Du plus petit au plus grand :
        valeur moyenne de $f(t)$
        valeur moyenne de $k(t)$
        valeur moyenne de $g(t)$

7. a) $\dfrac{1}{2} \arcsin 2x + C$
   b) ≈ 0,451 67
   c) SIMP[100] ≈ 0,451 67

9. Substituez $w = x + 2$, $w = x^2 + 1$.

11. Substituez $w = 1 - x^2$, $w = \ln x$.

13. Converge $\int_4^\infty t^{-3/2}\, dt = 1$.

15. Converge $\int_0^\infty we^{-w}\, dw = 1$.

17. Converge $\int_{-\pi/4}^{\pi/4} \tan\theta\, d\theta = 0$.

19. Converge $\int_{10}^\infty \dfrac{1}{z^2 - 4}\, dz$
    $= (\ln(3/2))/4$.

21. Ne converge pas.

23. Ne converge pas.

25. Ne converge pas.

27. 11/3

29. Aire $= 2\sqrt{2}$

31. Faux

33. Vrai

35. a) Trapèze : surestimation
        Point milieu : sous-estimation
    b) Trapèze : sous-estimation
        Point milieu : surestimation
    c) Les règles du trapèze et du
        point milieu donnent la valeur
        exacte.

37. ≈ 7,4175

39. 45 ans

Exercices d'intégration

1. $-\cos t + C$

3. $(1/5)e^{5z} + C$

5. $(-1/2)\cos 2\theta + C$

7. $2x^{5/2}/5 + 3x^{5/3}/3 + C$

9. $(r+1)^4/4 + C$

11. $x^2/2 + \ln|x| - x^{-1} + C$

13. $\dfrac{1}{2} e^{t^2} + C$

15. $-\dfrac{2}{9}(2 + 3\cos x)^{3/2} + C$

17. $\frac{2}{5}(1-x)^{5/2} - \frac{2}{3}(1-x)^{3/2} + C$

19. $-y\cos y + \sin y + C$

21. $2x\ln x - 2x + C$

23. $(1/3)\sin^3\theta + C$

25. $\frac{1}{2}u^2 + 3u + 3\ln|u| - \frac{1}{u} + C$

27. $\tan z + C$

29. $(1/2)t^{12} - (10/11)t^{11} + C$

31. $\approx 3,8875$

33. $-133,8724$

35. $-5/64$

37. $2e(e-1)$

39. $(1/3)(\ln x)^3 + C$

41. $(1/3)x^3 + x^2 + \ln|x| + C$

43. $(1/2)e^{t^2+1} + C$

45. $(1/10)\sin^2(5\theta) + C$ (d'autres formes de réponse sont possibles)

47. $\arctan z + C$

49. $-\frac{1}{8}\cos^4 2\theta + C$

51. $(-1/4)\cos^4 z + (1/6)\cos^6 z + C$

53. $(2/3)(1+\sin\theta)^{3/2} + C$

55. $t^3 e^t - 3t^2 e^t + 6te^t - 6e^t + C$

57. $(3z+5)^4/12 + C$

59. $\arctan(\sin w) + C$

61. $-\cos(\ln x) + C$

63. $-\sqrt{16-w^2} + C$

65. $2\sqrt{1-\cos w} + C$

67. $(1/3)\ln|3u+8| + C$

69. $\sqrt{1+t^2}\,(t^2-2)/3 + C$

71. $(w+5)^6/6 - (w+5)^5 + C$

73. $r^2[(\ln r)^2 - \ln r + (1/2)]/2 + C$

75. $(u^3\ln u)/3 - u^3/9 + C$

77. $-\cos(2x)/(4\sin^2(2x))$ $+\frac{1}{8}\ln\left|\frac{\cos(2x)-1}{\cos(2x)+1}\right| + C$

79. $-y^2\cos(cy)/c + 2y\sin(cy)/c^2$ $+ 2\cos(cy)/c^3 + C$

81. $(1/34)\left[e^{5x}(5\cos(3x)\right.$ $\left.+ 3\sin(3x))\right] + C$

83. $(\sqrt{3}/4)(2x\sqrt{1+4x^2}$ $+ \ln|2x + \sqrt{1+4x^2}|) + C$

85. $(\ln|x+1| - \ln|x+4|)/3 + C$

87. $x^2/2 - 3x - \ln|x+1| + 8\ln|x+2|$ $+ C$

89. $\frac{1}{b}\left(\ln|x| - \ln|x+b/a|\right) + C$

91. $\ln|z| - \ln|z+1| + C$

93. $(1/\ln 2)\ln|2^t+1| + C$

95. $(1/7)x^7 + 3x^5 + 25x^3 + 125x + C$

97. $\sin^3(2\theta)/6 - \sin^5(2\theta)/10 + C$

99. $\frac{1}{2}x\sqrt{4-x^2} + 2\arcsin(x/2) + C$

101. $-(1/2)\ln|1+\cos^2 w| + C$

103. $x\tan x + \ln|\cos x| + C$

105. $(2/3)(\sqrt{x+1})^3 - 2\sqrt{x+1} + C$

107. $(1/2)\ln|e^{2y}+1| + C$

109. $-1/(z-5) - 5/(2(z-5)^2) + C$

111. $e^{x^2-x} + C$

113. $2\sin(2x) + x^3\sin(2x)$ $+ 3x^2\cos(2x)/2 + C$

Section 8.1

3. $V = (\pi r^2 h)/3$

5. $V = (4/3)\pi a b^2$

7. $V = (8/15)\pi \approx 1,68$

9. $V = (\pi(e^2-1)/2) \approx 10,036$

11. $V \approx 65,54$

13. $V = (\pi(e^2-1)/16) \approx 1,25$

15. a) Volume ≈ 152 po^3
    b) Environ 15 pommes

17. 3509 po^3

19. π

21. a) $4\int_0^r \sqrt{1+(-\frac{x}{y})^2}\,dx$
    b) $2\pi r$

23. 2,35

Section 8.2

1. a) $\sum\limits_{i=1}^{N}(2+6x_i)\Delta x$
    b) 16 g

3. a) $\sum\limits_{k=0}^{n-1}\frac{5\Delta x}{1+x_k^4}$
    b) 5,5

5. a) $\int_0^5 2\pi r(0,115e^{-2r})\,dr$
    b) 181 m^3

7. Masse totale $= 12$; $\overline{x} = 2,06$

9. a) Droit
    b) $2/(1+6e-e^2) \approx 0,2$

13. a) $\pi r^2 l/2$
     b) $2klr^3/3$

15. a) $\sum\limits_{i=0}^{N-1}4\pi(r_e+h_i)^2$ $\times 1,28e^{-0,000\,124h_i}\Delta h$
     b) $6,48\times 10^{16}$

Section 8.3

1. a) Environ 1,9 s
    b) Environ 103,5 N · s
    c) Newton-seconde
    d) A
    e) B

3. 11 000 lb-pi

5. 1 058 591,1 lb-pi

7. 518 363 lb-pi

9. $1,489\times 10^{10}$ J

11. $v \approx 2360$ m/s

13. a) Fond : 187 200 lb
     b) Côté 15×10 : 70 200 lb
     c) Côté 15×20 : 140 400 lb

15. 60 J

17. Potentiel $= 2\pi\sigma(\sqrt{R^2+a^2} - R)$

19. $\frac{2GMmy}{a^2}\left(y^{-1} - \frac{1}{(a^2+y^2)^{1/2}}\right)$

21. $\frac{GM_1M_2}{l_1l_2}\ln\left[\frac{(a+l_1)(a+l_2)}{a(a+l_1+l_2)}\right]$

Section 8.4

3. a) Option 1
    b) Option 1 : 10 929 000 $
        Option 2 : 10 529 000 $

5. a) 5820 $/année
    b) 36 787,94 $

7. 46 800 $

9. a) 10,6 années
    b) 624 900 000 $

11. 85 750 000 $

15. a) Moins
     b) Impossible à déterminer
     c) Moins

Chapitre 8 – Révision

1. b) $\sum\limits_{i=1}^{N}\pi x_i\Delta x$
    c) Volume $= \pi/2$

3. a) $\sum\limits_{i=1}^{N}\pi\frac{9x_i}{4}\Delta x$
    b) 18π

5. a) 39 po^3
    b) 0,94 $

7. $\int_0^\pi \sqrt{1+\cos^2 x}\,dx$

9. 16,34 kg

11. 1000 lb-pi

13. 1 170 000 lb

15. a) $\sum\limits_{i=0}^{n-1}(2000-100t_i)\times e^{-0,1t_i}\Delta t$
     b) $\int_0^T e^{-0,10t}\times(2000-100t)\,dt$
     c) Après 20 ans
         11 353,35 $

17. a) $\sum\limits_{i=1}^{N}\pi\left(\frac{3,5\cdot 10^5}{\sqrt{h+600}}\right)^2\Delta h$
     b) $1,05\cdot 10^{12}$ pi^3

19. 0,43 m^3

21. a) $\pi h^2/(2a)$
     b) $\pi h/a$
     c) $dh/dt = -k$
     d) h_0/k

23. La mince coquille sphérique

Problèmes sur les fonctions de distribution

5. a) 0,9 m – 1,1 m

9. a) Cumulative croissante
    b) Vertical : 0,2 ; Horizontal : 2

11. a) 22,1 %
    b) 33,0 %
    c) 30,1 %
    d) $C(h) = 1 - e^{-0,4h}$

13. a) 21 %
    b) 2 %
    c) 13 %
    e) 20 à 25 min

15. b) Environ 3/4

17. a) $f(r) = 0,2 \ (0 < r < 5)$
       $f(r) = 0 \ (5 \le r)$
    b) $F(r) = 0,2r$
       $(0 \le r \le 5)$
       $F(r) = 1 \ (5 < r)$
    c) $G(v) = 0,124r^{1/3}$
       $(0 \le v \le 523,6)$
       $G(v) = 1 \ (523,6 < v)$
    d) $g(v) = 0,0413v^{-2/3}$
       $(0 < v < 523,6)$
       $g(v) = 1 \ (523,6 \le v)$

Problèmes sur la probabilité et les distributions

3. a) $c = 0,0176$
   b) 9 %

7. a) $a = 0,122$
   b) $P(x) = 1 - e^{-0,122x}$
   d) Médiane = 5,68 s
      Moyenne = 8,20 s

9. c) μ représente la moyenne de la distribution, tandis que σ est l'écart type.

11. a) $-e^{-2} + 1 \approx 0,865$
    b) $-(\ln 0,05)/2 \approx 1,5$ km

13. a) $6/25 = 24$ %
    b) 12 600 $
    c) ≈ 8000 $

15. a) $p(r) = 4r^2 e^{-2r}$
    b) Moyenne : 1,5 rayon Bohr
       Médiane : 1,33 rayon Bohr
       Le plus probable :
       1 rayon Bohr

Section 9.1

1. $P_4(x) = 1 - x + x^2 - x^3 + x^4$
   $P_6(x) = 1 - x + x^2 - x^3 + x^4 - x^5 + x^6$
   $P_8(x) = 1 - x + x^2 - x^3 + x^4 - x^5 + x^6 - x^7 + x^8$

3. $P_2(x) = 1 + \frac{1}{2}x - \frac{1}{8}x^2$
   $P_3(x) = 1 + \frac{1}{2}x - \frac{1}{8}x^2 + \frac{1}{16}x^3$
   $P_4(x) = 1 + \frac{1}{2}x - \frac{1}{8}x^2 + \frac{1}{16}x^3 - \frac{5}{128}x^4$

5. $P_3(x) = P_4(x) = x - \frac{1}{3}x^3$

7. $P_2(x) = 1 - \frac{1}{3}x - \frac{1}{9}x^2$
   $P_3(x) = 1 - \frac{1}{3}x - \frac{1}{9}x^2 - \frac{5}{81}x^3$
   $P_4(x) = 1 - \frac{1}{3}x - \frac{1}{9}x^2 - \frac{5}{81}x^3 - \frac{10}{243}x^4$

9. $P_2(x) = 1 - \frac{1}{2}x + \frac{3}{8}x^2$
   $P_3(x) = 1 - \frac{1}{2}x + \frac{3}{8}x^2 - \frac{5}{16}x^3$
   $P_4(x) = 1 - \frac{1}{2}x + \frac{3}{8}x^2 - \frac{5}{16}x^3 + \frac{35}{128}x^4$

11. a) 0
    b) 3
    c) −24
    d) 0
    e) 3600

13. $P_4(x) = 1 - \frac{1}{2!}\left(x - \frac{\pi}{2}\right)^2 + \frac{1}{4!}\left(x - \frac{\pi}{2}\right)^4$

15. $P_4(x) = e\left[1 + (x-1) + \frac{1}{2}(x-1)^2 + \frac{1}{6}(x-1)^3 + \frac{1}{24}(x-1)^4\right]$

17. $c < 0, b > 0, a > 0$

19. $a < 0, b > 0, c > 0$

21. $\sin x = \frac{\sqrt{2}}{2} + \frac{\sqrt{2}}{2}\left(x - \frac{\pi}{4}\right) - \frac{\sqrt{2}}{4}\left(x - \frac{\pi}{4}\right)^2 - \frac{\sqrt{2}}{12}\left(x - \frac{\pi}{4}\right)^3 - \cdots$

23. $\sin \theta = -\frac{\sqrt{2}}{2} + \frac{\sqrt{2}}{2}\left(\theta + \frac{\pi}{4}\right) + \frac{\sqrt{2}}{4}\left(\theta + \frac{\pi}{4}\right)^2 - \frac{\sqrt{2}}{12}\left(\theta + \frac{\pi}{4}\right)^3 + \cdots$

25. $\frac{d}{dx}\left(x^2 e^{x^2}\right)\big|_{x=0} = 0$
    $\frac{d^6}{dx^6}\left(x^2 e^{x^2}\right)\big|_{x=0} = \frac{6!}{2} = 360$

27. $P_2(x) = 4x^2 - 7x + 2$
    $f(x) = P_2(x)$

29. a) Si $f(x)$ est un polynôme de degré n, alors $P_n(x)$, le polynôme de Taylor de n-ième degré pour $f(x)$ autour de $x = 0$, est $f(x)$ en elle-même.

35. a) $f(x) = x^2 - \frac{1}{3!}x^6 + \cdots$
    b) Substituez x^2 par x dans l'expansion de Taylor de $\sin x$.

Section 9.2

1. Oui

3. Non

5. $f(x) = 1 + x + x^2 + x^3 + \cdots$

7. $f(x) = 1 - \frac{x}{2} + \frac{3x^2}{8} - \frac{5x^3}{16} + \cdots$

9. $\frac{1}{x} = 1 - (x-1) + (x-1)^2 - (x-1)^3 + \cdots$

11. $\frac{1}{x} = -1 - (x+1) - (x+1)^2 - (x+1)^3 - \cdots$

13. $-1 < x < 1$

15. $-1 < x < 1$

17. 1

19. 1

23. 32

25. Ne converge pas.

27. e^2

29. 4/3

21. $\ln(3/2)$

Section 9.3

1. $\sqrt{1 - 2x} = 1 - x - \frac{x^2}{2} - \frac{x^3}{2} - \cdots$

3. $e^{-x} = 1 - x + \frac{x^2}{2!} - \frac{x^3}{3!} + \cdots$

5. $\ln(1 - 2y) = -2y - 2y^2 - \frac{8}{3}y^3 - 4y^4 - \cdots$

7. $\frac{1}{\sqrt{1 - z^2}} = 1 + \frac{1}{2}z^2 + \frac{3}{8}z^4 + \frac{5}{16}z^6 + \cdots$

9. $\frac{z}{e^{z^2}} = z - z^3 + \frac{z^5}{2!} - \frac{z^7}{3!} + \cdots$

11. $e^t \cos t = 1 + t - \frac{t^3}{3} - \frac{t^4}{6} + \cdots$

13. Le plus petit : $\cos \theta$
    Le plus grand : $1 + \sin \theta$

15. a) I
    b) IV
    c) III
    d) II

17. $\frac{1}{2 + x} = \frac{1}{2}\left(1 - \frac{x}{2} + \left(\frac{x}{2}\right)^2 - \left(\frac{x}{2}\right)^3 + \cdots\right)$

19. a) $f(x) = 1 + (a - b)x + (b^2 - ab)x^2 + \cdots$
    b) $a = \frac{1}{2}, b = -\frac{1}{2}$

21. $(x^2/a) + x^6/(8a^5) + \cdots$

23. b) $\phi \approx -3b$

25. a) Si $M \gg m$, alors $\mu \approx \frac{mM}{M} = m$
    b) $\mu = m\left[1 - \frac{m}{M} + \left(\frac{m}{M}\right)^2 - \left(\frac{m}{M}\right)^3 - \cdots\right]$
    c) −0,0545 %

27. b) $F = mg\left(1 - \frac{2h}{R} + \frac{3h^2}{R^2} - \frac{4h^3}{R^3} + \cdots\right)$
    c) 300 km

Section 9.4

1. Oui, $a = 1$, rapport $= -1/2$

3. Oui, $a = 5$, rapport $= -2$

5. Non

7. Oui, $a = 1$, rapport $= -x$

9. Non

11. $y^2/(1 - y), |y| < 1$

13. $1/(1 + y^2), |y| < 1$

15. a) $\frac{7(1,02^{104} - 1)}{(0,02(1,02)^{100})}$
    b) $7e^{0,01}$

17. $(3(2^{11} - 1))/(2^{10})$

19. 32/3

21. a) $P_n = 250(0,04) + 250(0,04)^2 + 250(0,04)^3 + \cdots + 250(0,04)^{n-1}$
    b) $P_n = 250 \cdot 0,04\frac{(1 - (0,04)^{n-1})}{(1 - 0,04)}$
    c) $\lim_{n \to \infty} P_n \approx 10,42$
       On s'attendrait à ce que la différence entre eux soit de 250 mg.

23. a) $h_n = 10(3/4)^n$
    b) $D_1 = 10$ pi
       $D_2 = h_0 + 2h_1 = 25$ pi

$D_3 = h_0 + 2h_1 + 2h_2 = 36,25 \text{ pi}$
$D_4 = h_0 + 2h_1 + 2h_2 + 2h_3$
$\approx 44,69 \text{ pi}$

c) $D_n = 10 + 60\left(1 - (3/4)^{n-1}\right)$

25. a) 1250 $
    b) 12,50

27. 900 millions de dollars

Section 9.5

1. N'est pas une série de Fourier.

3. Est une série de Fourier.

5. $F_1(x) = F_2(x) = \frac{4}{\pi}\sin x$
   $F_3(x) = \frac{4}{\pi}\sin x + \frac{4}{3\pi}\sin 3x$

7. 99,942 % de l'énergie totale

9. $H_n(x) = \frac{\pi}{4} + \sum_{i=1}^{n} \frac{(-1)^{i+1}\sin(ix)}{i}$
   $+ \sum_{i=1}^{[n/2]} \frac{-2}{(2i-1)^2\pi}\cos\left((2i-1)x\right)$,
   où $[n/2]$ est le plus grand entier plus petit que ou égal à $n/2$.

11. a) $F_3(x) = \frac{1}{2} + \frac{2}{\pi}\cos x$
       $- \frac{2}{3\pi}\cos 3x$.
    b) Il y a des cosinus plutôt que des sinus, mais le spectre d'énergie demeure le même.

13. $F_4(x) = 1 - \frac{4}{\pi}\sin(\pi x) - \frac{2}{\pi}\sin(2\pi x)$
    $- \frac{4}{3\pi}\sin(3\pi x) - \frac{1}{\pi}\sin(4\pi x)$

19. a) 15,9155 %, 0,451 808 %
    b) $(4\sin^2 \frac{k}{2})/(k^2\pi^2)$
    c) Le terme constant et les cinq premières harmoniques sont nécessaires.
    d) $F_5(x) = \frac{1}{2\pi} + \frac{2\sin(1/2)}{\pi}\cos x$
       $+ \frac{\sin 1}{\pi}\cos 2x$
       $+ \frac{2\sin(3/2)}{3\pi}\cos 3x$
       $+ \frac{\sin 2}{2\pi}\cos 4x$
       $+ \frac{2\sin(5/2)}{5\pi}\cos 5x$

21. a) 31,83 %, 76,91 %
    b) 90,07 %
    c) $F_3(x) = \frac{1}{\pi} + \frac{2\sin 1}{\pi}\cos x$
       $+ \frac{\sin 2}{\pi}\cos 2x + \frac{2\sin 3}{3\pi}\cos 3x$

Chapitre 9 – Révision

1. $e^x \approx 1 + e(x-1) + \frac{e}{2}(x-1)^2$

3. $\sin x \approx -\frac{1}{\sqrt{2}} + \frac{1}{\sqrt{2}}(x + \frac{\pi}{4})$
   $+ \frac{1}{2\sqrt{2}}(x + \frac{\pi}{4})^2$

5. $\theta^2\cos\theta^2 = \theta^2 - \frac{\theta^6}{2!} + \frac{\theta^{10}}{4!} - \frac{\theta^{14}}{6!} + \cdots$

7. $\frac{1}{\sqrt{4-x}} = \frac{1}{2} + \frac{1}{8}x + \frac{3}{64}x^2$
   $+ \frac{5}{256}x^3 + \cdots$

9. $\frac{a}{a+b} = 1 - \frac{b}{a} + \left(\frac{b}{a}\right)^2 - \left(\frac{b}{a}\right)^3 \cdots$

11. 3/4

13. $3e$

15. Du plus petit au plus grand:
    $1 - \cos x$, $x\sqrt{1-x}$, $\ln(1+x)$,
    $\arctan x$, $\sin x$, x, $e^x - 1$

17. 1/2

19. a) $f(t) = t + t^2 + \frac{t^3}{2!} + \frac{t^4}{3!} + \cdots$
    b) $\int_0^x f(t)\,dt = \frac{x^2}{2} + \frac{x^3}{3} + \frac{x^4}{4\cdot 2!}$
       $+ \frac{x^5}{5\cdot 3!} + \cdots$
    c) On substitue $x = 1$ et on intègre par parties.

21. a) On pose $\frac{dV}{dr} = 0$ et on résout pour r. On vérifie les maximums et les minimums.
    b) $V(r) = -V_0$
       $+ 72V_0 r_0^{-2}\cdot (r - r_0)^2\cdot\frac{1}{2}$
       $+ \cdots$
    d) $F = 0$ quand $r = r_0$

23. a) $0,232\,323\ldots$
       $= 0,23 + 0,23(0,01)$
       $+ 0,23(0,01)^2 + \cdots$
    b) $0,23/(1 - 0,01) = (23)/(99)$

27. a) $g(x) \approx P_n(x) =$
       $g(0) + \frac{g''(0)}{2!}x^2 + \frac{g'''(0)}{3!}x^3$
       $+ \cdots + \frac{(g)^{(n)}(0)}{n!}x^n$
    b) Si $g''(0) > 0 : 0$ est un minimum local.
       Si $g''(0) < 0 : 0$ est un maximum local.

31. b) Si l'amplitude de la k-ième harmonique de f est A_k, alors l'amplitude de la k-ième harmonique de f' est kA_k.
    c) L'énergie de la k-ième harmonique de f' est k^2 fois l'énergie de la k-ième harmonique de f.

Théorie: convergence

5. Non convergente

7. Non convergente

9. Convergente

Théorie: erreurs

1. a) Sous-estimation
   b) 1

3. a) Surestimation : $0 < \theta \le 1$
      Sous-estimation : $-1 \le \theta < 0$
   b) $|E_2| \le 0,17$

5. $|E_3| \le 16,5$

7. $|E_4| \le 0,016$

9. Pour $\sin x$ et $\cos x$, $|E_n| \le \frac{1}{(n+1)!}$

15. $|E_0| < 0,01$ pour $|x| \le 0,1$

Annexe A

1. a) $y \le 30$
   b) Deux zéros

3. $-1,05$

5. 2,5

7. $x = 1,05$

9. 0,45

11. 1,3

13. a) $x = -1,15$
    b) $x = 1$, $x = 1,41$ et $x = -1,41$

15. a) $x \approx 0,7$
    b) $x \approx 0,4$

17. a) Quatre zéros
    b) $[0,65, 0,66]$, $[0,72, 0,73]$, $[1,43, 1,44]$, $[1,7, 1,71]$

19. b) $x \approx 5,573$

21. Borné $-5 \le f(x) \le 4$

23. Non borné

Annexe B

3. a) i) $5,126\,978\ldots$ %
      ii) $5,127\,096\ldots$ %
      iii) $5,127\,108\ldots$ %
   b) 5,127 %
   c) $e^{0,05} = 1,051\,271\,09\ldots$

5. $\approx 6,183\,65$ %

7. a) 11,55 années
   b) $P = P_0(2)^{t/11,55}$

9. a) 2 613 035 zaïres
   b) i) 2 714 567 zaïres
      ii) 2 718 127 zaïres
      iii) 2 718 280 zaïres
   c) Se stabilise ; plus de 2 718 000 zaïres.

11. a) Gagne 11,83 $.
    b) Perd 9,19 $.

Annexe C

1. $(1, 0)$

3. $(-2, 0)$

5. $\left(\frac{5\sqrt{3}}{2}, -\frac{5}{2}\right)$

7. $(\cos 1, \sin 1)$

9. $(2, \pi/2)$

11. $(\sqrt{2}, 3\pi/4)$

13. $(0,28, 7\pi/4)$

15. $(3,16, 2,82)$

Annexe D

1. $2e^{i\pi/2}$

3. $\sqrt{2}\,e^{i\pi/4}$

5. $0e^{i\theta}$ pour tout θ.

7. $\sqrt{10}\,e^{i\,\arctan(-3)}$

9. $-3 - 4i$

11. $-5 + 12i$

13. $\frac{1}{4} - \frac{9i}{8}$

15. $-\frac{1}{2} + i\frac{\sqrt{3}}{2}$

17. $-125i$

19. $\frac{\sqrt{2}}{2} + i\frac{\sqrt{2}}{2}$

21. $\frac{\sqrt{3}}{2} + \frac{i}{2}$

23. -2^{50}

25. $8i\sqrt[3]{2}$

27. $\frac{1}{\sqrt{2}}\cos\left(\frac{-\pi}{12}\right) + i\frac{1}{\sqrt{2}}\sin\left(\frac{-\pi}{12}\right)$

29. $A_1 = 1 - i$, $A_2 = 1 + i$

31. a) $z_1 z_2 = 6 - i2\sqrt{3}$

   $\frac{z_1}{z_2} = i\sqrt{3}$

   b) Même que a)

33. Vrai

35. Faux

37. Vrai

Annexe E

1. a) $f'(x) = 3x^2 + 6x + 3$
   b) Un au plus
   c) $[0, 1]$
   d) $x \approx 0{,}913$

3. $\sqrt[4]{100} \approx 3{,}162$

5. $x \approx 0{,}511$

7. $x \approx 1{,}310$

9. $x \approx 1{,}763$

11. $x \approx 0{,}682\,328$

Annexe F

1. La particule se déplace en ligne droite du point $(0, 1)$ au point $(1, 0)$, puis au point $(0, -1)$, ensuite au point $(-1, 0)$, et retourne enfin au point $(0, 1)$.

3. La particule se déplace en ligne droite du point $(-1, 1)$ jusqu'au point $(1, 1)$, descend en diagonale jusqu'au point $(-1, -1)$, traverse au point $(1, -1)$ et remonte en diagonale au point $(-1, 1)$.

5. La particule se déplace dans le sens des aiguilles d'une montre.

7. La particule se déplace dans le sens des aiguilles d'une montre lorsque $t < 0$ et dans le sens inverse lorsque $t > 0$.

9. La particule se déplace dans le sens inverse des aiguilles d'une montre lorsque $t > 0$. Sinon, quand $t \leq 0$, la position n'est pas définie.

11. Dans les trois cas le mouvement se produit sur la parabole $y = x^2$. Dans le cas a), les équations décrivent le mouvement d'une particule vers la droite, sur la parabole, à une vitesse horizontale constante. Dans le cas b), la particule descend d'abord la moitié droite de la parabole, atteint l'origine $(0, 0)$ au temps $t = 0$, et change alors de direction pour remonter la moitié droite de la parabole. Dans le cas c), comme dans le cas a), la particule décrit le mouvement de la parabole $y = x^2$ de gauche à droite. Par contre, la vitesse horizontale n'est pas constante.

13. Réponse possible : $x = -2$, $y = t$.

15. Réponse possible : $x = -2\cos t$, $y = 2\sin t$, $0 \leq t \leq 2x$.

17. Réponse possible : $x = 5\cos t$, $y = 7\sin t$, $0 \leq t \leq 2x$.

19. a) La portion de la droite à la droite et au-dessus du point $(2, 4)$.
   b) La portion de la droite entre les points $(2, 4)$ et $(-1, -3)$.
   c) $t < -2/3$

21. a) $a = b = 0$, $k = 5$ ou -5.
   b) $a = 0$, $b = 5$, $k = 5$ ou -5.
   c) $a = 10$, $b = -10$, $k = \sqrt{200}$ ou $k = -\sqrt{200}$.

27. La particule se déplace d'abord de la gauche vers la droite, change ensuite de direction pour une courte période, puis reprend son mouvement de la gauche vers la droite.

29. La particule se déplace d'abord vers la gauche, change ensuite trois fois de direction, puis poursuit son mouvement vers la droite.

Annexe G

1. a) Tous les deux paramétrisent la droite $y = 3x - 2$.
   b) Pente $= 3$, intersection avec l'axe des y est -2

3. b) $v \approx 2{,}2$
   c) $v = 2{,}2363$

5. Vitesse $= 2|t|$, s'arrête en $t = 0$.

7. Vitesse $= ((2t - 2)^2 + (3t^2 - 3)^2)^{1/2}$, s'arrête en $t = 1$.

9. $\sqrt{42}$

11. $\approx 24{,}6$

13. a) π m/s
   b) $2{,}45$ m
   c) $3{,}01$ m

15. $-(2t + 4t^3)/(1 + t^2 + t^4)^2$

INDEX

Droites

Pente de la droite passant par (x_1, y_1) et (x_2, y_2) :

$$m = \frac{y_2 - y_1}{x_2 - x_1}$$

Équation d'une droite passant par le point (x_1, y_1) et de pente m :

$$y - y_1 = m(x - x_1)$$

Équation de la droite en fonction de la pente m et de l'ordonnée à l'origine b :

$$y = b + mx$$

Règles des exposants

$$a^x a^t = a^{x+t}$$

$$\frac{a^x}{a^t} = a^{x-t}$$

$$(a^x)^t = a^{xt}$$

Définition du logarithme naturel

$y = \ln x$ signifie que $e^y = x$,

par exemple, $\ln 1 = 0$ puisque $e^0 = 1$

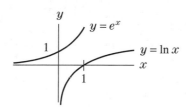

Identités

$$\ln e^x = x$$

$$e^{\ln x} = x$$

Règles des logarithmes naturels

$$\ln (AB) = \ln A + \ln B$$

$$\ln\left(\frac{A}{B}\right) = \ln A - \ln B$$

$$\ln A^p = p \ln A$$

Formules de distance et de point milieu

Distance D entre (x_1, y_1) et (x_2, y_2) :

$$D = \sqrt{(x_2 - x_1)^2 + (y_2 - y_1)^2}$$

Point milieu de (x_1, y_1) et (x_2, y_2) :

$$\left(\frac{x_1 + x_2}{2}, \frac{y_1 + y_2}{2}\right)$$

Formule quadratique

Si $ax^2 + bx + c = 0$, alors

$$x = \frac{-b \pm \sqrt{b^2 - 4ac}}{2a}$$

Factorisation des polynômes particuliers

$$x^2 - y^2 = (x + y)(x - y)$$
$$x^3 + y^3 = (x + y)(x^2 - xy + y^2)$$
$$x^3 - y^3 = (x - y)(x^2 + xy + y^2)$$

Cercles

Centre (h, k) et rayon r :

$$(x - h)^2 + (y - k)^2 = r^2$$

Ellipse

$$\frac{x^2}{a^2} + \frac{y^2}{b^2} = 1$$

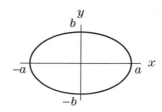

Hyperbole

$$\frac{x^2}{a^2} - \frac{y^2}{b^2} = 1$$

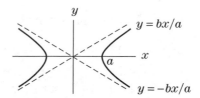

Formules géométriques

Conversion entre les radians et les degrés : π radians = 180°

| **Triangle** | **Cercle** | **Secteur circulaire** |

$A = \frac{1}{2}bh$

$\quad = \frac{1}{2}ab \sin \theta$

$A = \pi r^2$

$C = 2\pi r$

$A = \frac{1}{2}r^2\theta \quad (\theta \text{ en radians})$

$s = r\theta \quad (\theta \text{ en radians})$

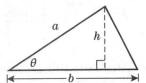

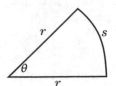

Sphère

$V = \frac{4}{3}\pi r^3 \quad A = 4\pi r^2$

Cylindre

$V = \pi r^2 h$

Cône

$V = \frac{1}{3}\pi r^2 h$

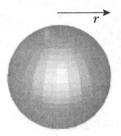
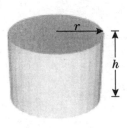
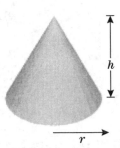

Fonctions trigonométriques

$\sin \theta = \frac{y}{r}$

$\tan \theta = \frac{\sin \theta}{\cos \theta}$

$\cos \theta = \frac{x}{r}$

$\cos^2 \theta + \sin^2 \theta = 1$

$\tan \theta = \frac{y}{x}$

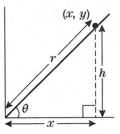

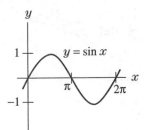
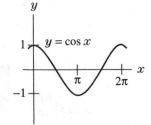
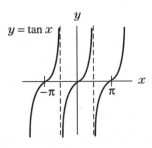

Théorème binomial

$$(x+y)^n = x^n + nx^{n-1}y + \frac{n(n-1)}{1 \cdot 2}x^{n-2}y^2 + \frac{n(n-1)(n-2)}{1 \cdot 2 \cdot 3}x^{n-3}y^3 + \cdots + nxy^{n-1} + y^n$$

$$(x-y)^n = x^n - nx^{n-1}y + \frac{n(n-1)}{1 \cdot 2}x^{n-2}y^2 - \frac{n(n-1)(n-2)}{1 \cdot 2 \cdot 3}x^{n-3}y^3 + \cdots \pm nxy^{n-1} \mp y^n$$

Formules de différentiation

1. $\left(f(x) \pm g(x)\right)' = f'(x) \pm g'(x)$

2. $\left(kf(x)\right)' = kf'(x)$

3. $\left(f(x)\,g(x)\right)' = f(x)\,g'(x) + g(x)\,f'(x)$

4. $\left(\dfrac{f(x)}{g(x)}\right)' = \dfrac{g(x)\,f'(x) - f(x)\,g'(x)}{\left(g(x)\right)^2}$

5. $\left(f(g(x))\right)' = f'(g(x)) \cdot g'(x)$

6. $\dfrac{d}{dx}(x^n) = nx^{n-1}$

7. $\dfrac{d}{dx}(e^x) = e^x$

8. $\dfrac{d}{dx}(a^x) = a^x \ln a \quad (a > 0)$

9. $\dfrac{d}{dx}(\ln x) = \dfrac{1}{x}$

10. $\dfrac{d}{dx}(\sin x) = \cos x$

11. $\dfrac{d}{dx}(\cos x) = -\sin x$

12. $\dfrac{d}{dx}(\tan x) = \dfrac{1}{\cos^2 x}$

Une brève table d'intégrales indéfinies

I. Fonctions de base

1. $\displaystyle\int x^n dx = \dfrac{1}{n+1} x^{n+1} + C, \quad n \neq -1$

2. $\displaystyle\int \dfrac{1}{x} dx = \ln|x| + C$

3. $\displaystyle\int a^x dx = \dfrac{1}{\ln a} a^x + C, \quad a > 0$

4. $\displaystyle\int \ln x\, dx = x \ln x - x + C$

5. $\displaystyle\int \sin x\, dx = -\cos x + C$

6. $\displaystyle\int \cos x\, dx = \sin x + C$

7. $\displaystyle\int \tan x\, dx = -\ln|\cos x| + C$

II. Produits de e^x, de $\cos x$ et de $\sin x$

8. $\displaystyle\int e^{ax} \sin(bx)\, dx = \dfrac{1}{a^2 + b^2} e^{ax}\left[a \sin(bx) - b \cos(bx)\right] + C$

9. $\displaystyle\int e^{ax} \cos(bx)\, dx = \dfrac{1}{a^2 + b^2} e^{ax}\left[a \cos(bx) + b \sin(bx)\right] + C$

10. $\displaystyle\int \sin(ax) \sin(bx)\, dx = \dfrac{1}{b^2 - a^2}\left[a \cos(ax) \sin(bx) - b \sin(ax) \cos(bx)\right] + C, \quad a \neq b$

11. $\displaystyle\int \cos(ax) \cos(bx)\, dx = \dfrac{1}{b^2 - a^2}\left[b \cos(ax) \sin(bx) - a \sin(ax) \cos(bx)\right] + C, \quad a \neq b$

12. $\displaystyle\int \sin(ax) \cos(bx)\, dx = \dfrac{1}{b^2 - a^2}\left[b \sin(ax) \sin(bx) + a \cos(ax) \cos(bx)\right] + C, \quad a \neq b$

III. Produit d'un polynôme $p(x)$ avec $\ln x, e^x, \cos x, \sin x$

13. $\displaystyle\int x^n \ln x\, dx = \dfrac{1}{n+1} x^{n+1} \ln x - \dfrac{1}{(n+1)^2} x^{n+1} + C, \quad n \neq -1$

14. $\displaystyle\int p(x)e^{ax}\, dx = \dfrac{1}{a} p(x)e^{ax} - \dfrac{1}{a} \int p'(x)e^{ax} dx$

$= \dfrac{1}{a} p(x)e^{ax} - \dfrac{1}{a^2} p'(x)e^{ax} + \dfrac{1}{a^3} p''(x)e^{ax} - \cdots$ [Remarque : les signes alternent.]

$(+ - + - \cdots)$

15. $\displaystyle\int p(x)\sin ax\,dx = -\frac{1}{a}p(x)\cos ax + \frac{1}{a}\int p'(x)\cos ax\,dx$

$$= -\frac{1}{a}p(x)\cos ax + \frac{1}{a^2}p'(x)\sin ax + \frac{1}{a^3}p''(x)\cos ax - \cdots$$
$$(-\,+\,+\,-\,-\,+\,+\,\cdots)$$

(Les signes alternent par paires après le premier terme.)

16. $\displaystyle\int p(x)\cos ax\,dx = \frac{1}{a}p(x)\sin ax - \frac{1}{a}\int p'(x)\sin ax\,dx$

$$= \frac{1}{a}p(x)\sin ax + \frac{1}{a^2}p'(x)\cos ax - \frac{1}{a^3}p''(x)\sin ax - \cdots$$
$$(+\,+\,-\,-\,+\,+\,-\,-\,\cdots)$$

(Les signes alternent par paires.)

IV. Puissances entières de $\sin x$ et de $\cos x$

17. $\displaystyle\int \sin^n x\,dx = -\frac{1}{n}\sin^{n-1}x\cos x + \frac{n-1}{n}\int \sin^{n-2}x\,dx,\quad n\text{ positif}$

18. $\displaystyle\int \cos^n x\,dx = \frac{1}{n}\cos^{n-1}x\sin x + \frac{n-1}{n}\int \cos^{n-2}x\,dx,\quad n\text{ positif}$

19. $\displaystyle\int \frac{1}{\sin^m x}\,dx = \frac{-1}{m-1}\frac{\cos x}{\sin^{m-1}x} + \frac{m-2}{m-1}\int \frac{1}{\sin^{m-2}x}\,dx,\quad m\neq 1,\, m\text{ positif}$

20. $\displaystyle\int \frac{1}{\sin x}\,dx = \frac{1}{2}\ln\left|\frac{(\cos x)-1}{(\cos x)+1}\right| + C$

21. $\displaystyle\int \frac{1}{\cos^m x}\,dx = \frac{1}{m-1}\frac{\sin x}{\cos^{m-1}x} + \frac{m-2}{m-1}\int \frac{1}{\cos^{m-2}x}\,dx,\quad m\neq 1,\, m\text{ positif}$

22. $\displaystyle\int \frac{1}{\cos x}\,dx = \frac{1}{2}\ln\left|\frac{(\sin x)+1}{(\sin x)-1}\right| + C$

23. $\displaystyle\int \sin^m x\cos^n x\,dx$: Si m est impair, poser $w=\cos x$. Si n est impair, poser $w=\sin x$. Si m et n sont pairs et non négatifs, on convertit tout en $\sin x$ ou tout en $\cos x$ (en utilisant $\sin^2 x + \cos^2 x = 1$) et on emploie la formule de la partie IV, n° 17 ou de la partie IV, n° 18. Si m et n sont pairs et que l'un d'eux est négatif, on convertit en la fonction qui se trouve dans le dénominateur et on utilise la formule de la partie IV, n° 19 ou de la partie IV, n° 21. Si m et n sont pairs et négatifs, la substitution $w=\cos x$ convertit l'intégrale en fonction rationnelle qu'on peut intégrer par la méthode des fractions partielles.

V. Quadratique dans le dénominateur

24. $\displaystyle\int \frac{1}{x^2+a^2}\,dx = \frac{1}{a}\arctan\frac{x}{a} + C,\quad a\neq 0$

25. $\displaystyle\int \frac{bx+c}{x^2+a^2}\,dx = \frac{b}{2}\ln|x^2+a^2| + \frac{c}{a}\arctan\frac{x}{a} + C,\quad a\neq 0$

26. $\displaystyle\int \frac{1}{(x-a)(x-b)}\,dx = \frac{1}{a-b}\left(\ln|x-a| - \ln|x-b|\right) + C,\quad a\neq b$

27. $\displaystyle\int \frac{cx+d}{(x-a)(x-b)}\,dx = \frac{1}{a-b}\left[(ac+d)\ln|x-a| - (bc+d)\ln|x-b|\right] + C,\quad a\neq b$

VI. Intégrandes comprenant $\sqrt{a^2+x^2}$, $\sqrt{a^2-x^2}$, $\sqrt{x^2-a^2}$, $a>0$

28. $\displaystyle\int \frac{1}{\sqrt{a^2-x^2}}\,dx = \arcsin\frac{x}{a} + C$

30. $\displaystyle\int \sqrt{a^2\pm x^2}\,dx = \frac{1}{2}\left(x\sqrt{a^2\pm x^2} + a^2\int \frac{1}{\sqrt{a^2\pm x^2}}\,dx\right) + C$

29. $\displaystyle\int \frac{1}{\sqrt{x^2\pm a^2}}\,dx = \ln\left|x+\sqrt{x^2\pm a^2}\right| + C$

31. $\displaystyle\int \sqrt{x^2-a^2}\,dx = \frac{1}{2}\left(x\sqrt{x^2-a^2} - a^2\int \frac{1}{\sqrt{x^2-a^2}}\,dx\right) + C$